注意欠如・多動症 ―ADHD―の 診断・治療ガイドライン

第5版

編集

ADHDの診断・治療指針に関する研究会
齊藤 万比古　飯田 順三

じほう

● 執筆者一覧 ●

編　集

齊藤万比古	母子愛育会愛育研究所 愛育相談所
飯田　順三	南風会万葉クリニック 子どものこころセンター絆

執　筆

朝倉　　新	新泉こころのクリニック
飯田　順三	南風会万葉クリニック 子どものこころセンター絆
石井　礼花	国立精神・神経医療研究センター精神保健研究所知的・発達障害研究部
稲垣　真澄	鳥取県立鳥取療育園
今村　　明	長崎大学病院地域連携児童思春期精神医学診療部
岩坂　英巳	信貴山病院ハートランドしぎさん 子どもと大人の発達センター
岩垂　喜貴	駒木野病院精神科
宇佐美政英	国立国際医療研究センター国府台病院子どものこころ総合診療センター・児童精神科
牛島　洋景	うしじまこころの診療所
内山登紀夫	福島学院大学福祉学部福祉心理学科
浦谷　光裕	奈良県立医科大学精神医学講座
太田　豊作	奈良県立医科大学医学部看護学科人間発達学
大西　貴子	なにわ生野病院心療内科
岡﨑　康輔	奈良県立医科大学精神医学講座
岡田　　智	北海道大学大学院教育学研究院
岡田　　俊	国立精神・神経医療研究センター精神保健研究所知的・発達障害研究部
小野　和哉	聖マリアンナ医科大学神経精神科学教室
金生由紀子	東京大学大学院医学系研究科こころの発達医学分野
岸本　直子	奈良県立医科大学精神医学講座
黒田　美保	帝京大学文学部心理学科
小枝　達也	国立成育医療研究センターこころの診療部
小坂　浩隆	福井大学医学系部門病態制御医学講座精神医学
小平　雅基	母子愛育会総合母子保健センター愛育クリニック小児精神保健科
齊藤万比古	母子愛育会愛育研究所 愛育相談所
齊藤　卓弥	北海道大学病院児童思春期精神医学研究部門
坂本　由唯	弘前大学大学院医学研究科神経精神医学講座
佐藤　至子	仁愛大学
高橋　長秀	名古屋大学医学部附属病院精神科・親と子どもの心療科
田中　康雄	倭会こころとそだちのクリニックむすびめ
辻井　農亜	富山大学附属病院こどものこころと発達診療学講座
富田　　拓	網走刑務所／北海道家庭学校樹下庵診療所
中田洋二郎	立正大学心理学部
中西　葉子	堺市健康福祉局健康部こころの健康センター
中村　和彦	弘前大学大学院医学研究科神経精神医学講座
根來　秀樹	信貴山病院ハートランドしぎさん
野邑　健二	名古屋大学心の発達支援研究実践センター

林　北見　　東京女子医科大学八千代医療センター神経小児科
林　　隆　　西川医院発達診療部／発達障害研究センター
原田　謙　　長野県立こころの医療センター駒ヶ根
廣田　智也　　University of California San Francisco, Department of Psychiatry and Behavioral Sciences
藤田　純一　　横浜市立大学附属病院児童精神科
船曳　康子　　京都大学大学院人間・環境学研究科
細金　奈奈　　母子愛育会総合母子保健センター愛育クリニック小児精神保健科
堀内　史枝　　愛媛大学医学部附属病院 子どものこころセンター・精神科
桝屋　二郎　　東京医科大学精神医学分野／東京医科大学病院こどものこころ診療部門
松田　文雄　　翠星会松田病院
松本　英夫　　丹沢病院
宮島　祐　　東京家政大学子ども学部子ども支援学科
森本　芳郎　　長崎大学大学院医歯薬総合研究科精神神経科学
山下　洋　　九州大学病院子どものこころの診療部
山下裕史朗　　久留米大学医学部小児科学講座
山室　和彦　　奈良県立医科大学精神医学講座
吉川　徹　　愛知県医療療育総合センター中央病院子どものこころ科
渡部　京太　　群馬会群馬病院

五十音順

イラスト（心理教育用パンフレット）

青島　真由　山口県立こころの医療センター

はじめに

本書「注意欠如・多動症―ADHD―の診断・治療ガイドライン 第5版」は，厚生労働省精神・神経疾患研究委託費によるADHDの診断・治療ガイドライン作成をめざした研究班（主任研究者：上林靖子）の研究成果をまとめ，上林靖子，齊藤万比古，北道子編集で2003年にじほうから上梓した「注意欠陥／多動性障害―AD/HD―の診断・治療ガイドライン」の第5版という位置づけになる。この第5版に至る経過を各版の発行年でたどると，2003年の初版から3年を経た2006年に齊藤万比古，渡部京太編集による「改訂版 注意欠陥／多動性障害―AD/HD―の診断・治療ガイドライン」が，さらに2年後の2008年には同じく齊藤と渡部の編集による「第3版 注意欠如・多動性障害―ADHD―の診断・治療ガイドライン」が，そして8年を経た2016年に齊藤による単独編集で「注意欠如・多動症―ADHD―の診断・治療ガイドライン 第4版」が上梓されており，それからさらに6年を経て第5版の上梓に至るという流れになる。

初版および改訂版の上梓は薬物療法的には適応外使用としての短時間作用型メチルフェニデート製剤（商品名：リタリン）の時代であった。本書としては有効性を示しつつ積極的にそれを推奨することはせず，依存や乱用の危険があることを強く警告するという姿勢を明瞭に示した内容となっている。

同じく第3版への改訂の事情を薬物療法の展開という観点から見ると，改訂版から第3版への改訂は2007年のリタリンのナルコレプシー以外への投与が禁止され，ADHD診療に使用できなくなった一方で，同じ年の年末にメチルフェニデート塩酸塩徐放錠（OROS-MPH）（商品名：コンサータ）がADHD治療薬として正式に薬価収載され，2008年初めより臨床での使用が始まったこと，さらにはアトモキセチン塩酸塩カプセル（ATX）（商品名：ストラテラ）が治験の終盤に入り，1年以内にADHD治療薬として薬価収載されることが確実になっていたという状況に応えてそれらの使用指針をアルゴリズム的に明確に示すことが求められたことが第3版への改訂の大きな推進力となっていた。本書第3版はそうした初めて正式にADHD治療薬が承認されるというわが国のADHD診療の大きな変わり目においてガイドラインとしての役割を果たすべく企画されたものであった。

第4版への改訂は，第3版がわが国での臨床仕様の経験が皆無のATXを薬物療法の指針に組み込むというやや無理のある内容であったのに対して，ADHD治療薬の2剤時代（一方は中枢神経刺激薬，他方は非中枢神経刺激薬）の臨床経験がある程度蓄積された時点で，この臨床経験を十分に吟味したうえで両剤の特徴を含めた治療指針としようとしたことに特徴がある。そのため上梓に約8年間が必要であったと言ってもよいだろう。さらに，わが国の臨床において当初は不活発であったADHDへの心理社会的治療の重要性を初版以来一貫して強調してきたにもかかわらず，本書におけるそれまでの心理社会的治療の記述はペアレント・トレーニングやサマー・トリートメント・プログラムなどが中心であり，推奨はされても実践している場がかなり限られ，多くの読者にとっては現実性の乏しい内容と映ったのではないだろうか。薬物療法が先を行き，心理社会的治療が周回遅れでそれを追うという状況が続くなかで，しかし全国では子どものADHDケースに対する心理社会的治療の実践や海外からの新たな治療法の導入などが徐々に進んでいたことは確かである。第4版は，エキスパート・コンセンサスを得るためのアンケート調査を通じて，特に心理社会的治療の理念と現実との乖離を明らかにするガイドラインでもあった。

ところで，改訂版以来各版のガイドラインの冒頭に子どもを対象とした診断・治療ガイドラインが2色刷りで掲載されていることは本書の以前からの読者にはすでに自明といってよいだろう。この子どものADHDガイドラインはいわば本書各版のエッセンスとなる指針集としての役割を果たしていることになるが，執筆陣の大半が児童精神科医あるいは小児科医であることもあって，その指針が対象としているのはあくまで「子どものADHD」なのである。改訂版以来各版のこの指針集に登場する各指針が何を根拠として成立したのかについては，版が改まるごとに編集者が工夫をこらしてきたところである。

第3版までの子どものADHDガイドラインはそれまでに関わった研究の成果に基づくADHD診療の理念的な推奨を中心に編まれていた。こうした子どものADHDガイドラインが指針となった理念と実際に実践されている治療との間の乖離が大きいことは以前から編集者は感じてきており，第4版作成のためにその乖離の現実を明らかにすることで，その乖離を埋めることに寄与したいと考えた。国際医療研究委託費21指127「注意欠如・多動性障害—ADHD—の客観的指標に基づく診断・治療指針の作成に関する研究」の一環として編集者が日本ADHD学会の医師会員を対象に実施した二次にわたるアンケート調査から得られた結果は，エキスパート・コンセンサスとして子どものADHDガイドラインの内容に取り入れるとともに，実際に行っている治療法と推奨する治療法との間の乖離を明確に示すことになった。

ところで本書第4版が上梓された2016年は，非中枢神経刺激薬であるグアンファシン塩酸塩徐放錠（GXR）の治験がほぼ終了し承認申請間近な時期であり（GXRは2017年5月薬価収載），さらにわが国における2番目の中枢神経刺激薬であるリスデキサンフェタミンメシル酸塩カプセル（LDX）の治験が進行していた時期であった（LDXは2019年5月薬価収載）。さらに，2016年は日本ペアレント・トレーニング研究会の発会の年でもあり，第4版上梓の1カ月後にあたる10月に第1回研究会が開催されている。この研究会発足によりペアレント・トレーニングの全国への普及が一挙に進み始めたことは本書の心理社会的治療の記述の内容を深め充実させる好機であるとともに，第4版で明らかにした診断と治療に関する理念と実臨床との乖離を埋めるため，新たな子どものADHDガイドラインと，それを抽出する基盤となる各章の諸項目，特に多様化した診断・評価法と心理社会的治療に関する各論的な項目の記述を充実させ，項目数も大幅に増やす改訂を行う必要があった。

しかし，本書第5版の上梓には結局6年の時間が必要であった。その大きな理由として，OROS-MPHとLDXという中枢神経刺激薬2剤時代の始まりにあたって，2薬剤の流通管理に厳しい規制が加えられ，処方医および調剤薬剤師がそのための資格をもつことはもとより，患者登録の義務化を含め厳密に処方と調剤の透明化を進めることで中枢刺激薬の依存・乱用を防ぐ体制が整えられたというある意味で激動の時期にあたったことを挙げてもよいだろう。このことは，中枢神経刺激薬の処方に対する厳密化にとどまらず，ADHD治療薬による薬物療法そのものの指針をより明確なものにすることを求められていると編集者として感じずにはいられなかった。こうした視点でADHDの薬物療法を見直し，中枢神経刺激薬の規制強化が臨床家に問いかけている社会的なADHDの薬物療法への懸念を払拭することに貢献できる薬物療法指針を作成し，フロー図（第4版まではアルゴリズムと表現していた）として時間軸に沿った手順を明確にすることに本書第5版の子どものADHDガイドラインは挑んだのである。その作成のためにもGXRとLDXという新たな薬剤が加わったADHD治療薬4剤時代の臨床経験が蓄積されるのを慎重に待つための6年間であったと述べても過言ではないだろう。

今回，第4版までの旧版から本書第5版へ改訂するにあたり基本的変更点が2点ある。

第一の変更は，診断・評価や心理社会的治療，そして薬物療法のわが国におけるコンセンサスをどこに置くかという点に関してのものである。すなわち，第4版では日本ADHD学会の医師会員を対象としたアンケート調査（同じ回答者に計2回の調査を実施した）の結果から得たエキスパート・コンセンサスであったが，第5版では執筆者を対象に，第4版の「子どもの注意欠如・多動症（ADHD）の診断・治療ガイドライン」から第5版のそれへの修正案を示し，各修正案に対する意見を問うアンケート調査を実施し，その結果をエキスパート・コンセンサスに準ずるものとして子どものADHDガイドラインの作成に活用しているのである（本書第5版の第5章参照）。

第二の変更点は，第4版までは2000年代の幕開け期に2期にわたって展開した精神・神経疾患研究委託費によるガイドライン作り研究を担った研究班の班員中心に「ADHDの診断・治療指針に関する研究会」を組んで担ってきたのに対して，本書第5版では研究会会員，すなわち執筆陣の大幅な入れ替えと追加を実施したことである。本書は刊行を切望されながら6年間の間隔を置くことになったが，その間に現在のADHD臨床と研究の現状に即した現実的な内容にアップデートすることをめざし，診断・評価領域の現実を反映した実践的な検査法および評価尺度の開発・導入に関与した臨床家あるいは研究者，あるいは心理社会的治療や薬物療法の各治療法について実際に深く関与してきた一線の臨床家あるいは研究者を見いだし，執筆者として参加していただくことに努めた。まさにこの6年間は，本書第5版の，さらには子どものADHDガイドラインの熟成のための時間であったのである。こうした本書第5版の内容や執筆陣のアップデートが可能になったことについては，編集にこれまでの齊藤に加え飯田順三氏に参加してもらい，新たな観点から本書の編集および執筆陣の選定に関与していただいたことが何よりも大きいと確信している。

本書の制作に関わったすべての人を代表して，私は本書が現在のADHD診療の指針として，あるいはコンセンサスとして，日々の診療をはじめとする臨床場面で多くの臨床家に活用してもらえることを願っている。同時に，学校や児童福祉機関をはじめとする諸機関の専門家がADHD診療の現在のスタンダードを知ることに，あるいはADHDの子どもをもつ親やその他の家族がADHD診療の理解を深めることに役立ったと感じてもらえることができたら幸いである。

最後に，本書第5版の上梓にあたっては，じほうの輿水浩樹氏が多数の執筆者との連絡を遅滞なく的確にこなされ，執筆者対象のアンケート調査では計画から実施，そして取りまとめまで一貫して関与してくださり，私を含めた執筆陣の執筆の遅れにも辛抱強く励まし続けてくれたことを含め，言葉では言い表せない献身的な仕事ぶりにはただただ頭の下がる思いである。心から感謝の意を表したい。

2022年9月

ADHDの診断・治療指針に関する研究会

齊藤 万比古

目　次

第 3 章　ADHDの治療・支援

第 4 章　子どものADHDの中長期経過および成人期のADHD

第５章　第４版から第５版へのガイドラインの改訂をめぐる検討

付録：　資料

資料の一部はダウンロードが可能です

「子どものADHD臨床面接フォーム」をはじめとする診断に役立つ資料や「心理教育用パンフレット」などはインターネット上でPDFをダウンロードすることができます（ご購入者限定）。

■ URL：**https://ser.jiho.co.jp/adhdgl2022/**

■ パスワード：**adhdgl5**
（すべて半角・小文字で「エー・ディー・エイチ・ディー・ジー・エル・5」）

※ご利用はご購入者に限ります。
※必ず専用ウェブサイトの注意書きをよく読み，ご理解のうえでご利用ください。

子どもの
注意欠如・多動症(ADHD)の
診断・治療ガイドライン

子どもの
注意欠如・多動症（ADHD）の
診断・治療ガイドライン

ADHDの診断・治療指針に関する研究会

第5版ガイドライン作成の経緯

「注意欠如・多動症―ADHD―の診断・治療ガイドライン第5版」は2003年の初版出版以来，2006年に改訂版，2008年の第3版，2016年には第4版と時代の要請に応じて改訂を重ねてきたものの6年を隔てた新たな改訂版である。本ガイドラインの第5版に至るまでの経緯は以下のとおりである。

「注意欠如・多動症―ADHD―の診断・治療ガイドライン」の初版は，1999年に始まった厚生労働省精神・神経疾患研究委託費によるADHDの診断・治療ガイドライン作成を目指した研究班（主任研究者：上林靖子）の研究成果であり，内容の調整と文章の推敲を経て，2003年に上林靖子，齊藤万比古，北道子の編集による『注意欠陥／多動性障害―AD/HD―の診断・治療ガイドライン』（以下，初版ガイドライン）として，じほうから出版された。この初版ガイドラインは，わが国最初の系統だった子どものADHDの診断・治療指針として非常に注目されたが，ADHD診療が徐々に普及していくにつれてよりいっそう臨床的かつ実用的な診断・治療のための実践ガイドラインを求める声が高まった。そうした要望に応える形で，上林班の研究を引き継いで2002年に発足したADHDの診断・治療ガイドラインの臨床応用に関する総合的評価と実証研究のための研究班（主任研究者：齊藤万比古）が初版ガイドラインをさらに実用性の高いガイドラインとして改訂することに取り組み，2006年にはじほうより『改訂版 注意欠陥／多動性障害―AD/HD―の診断・治療ガイドライン』（以下，改訂版ガイドライン）が出版された。ここまでの2冊のガイドラインは正式な適応薬をもたない時代のわが国のADHD診療の指針として作成されたものである。なお改訂版ガイドラインから巻頭に全執筆者の記述から抽出した要点と編集者の考えとを総合してまとめた診療指針集ともいうべき「子どもの注意欠如・多動症（ADHD）の診断・治療ガイドライン」を二色刷りで掲載することになった（なお，ADHDの正式な日本語名はDSMの改訂とともに変更されたため，ここではDSM-5に準拠した本書第4版からの名称）。

2007年後半にわが国のADHD診療に重大な影響を与える出来事が生じた。すなわち，メチルフェニデート塩酸塩錠・散剤であるリタリンの乱用および違法取引の社会問題化により，2007年末でナルコレプシー以外の疾患に対するリタリンの処方が明確に禁止されることになったこと，そして同じく2007年12月にはメチルフェニデート塩酸塩徐放錠（以下，OROS-MPH）が6歳から18歳までの子どもにおけるADHDを適応疾患として薬価収載されたことの2つの出来事である。正式な適応薬が登場したことにより，当然ながら「注意欠如・多動症―ADHD―の診断・治療ガイドライン」は再改訂を求められることになり，2008年11月にはコンサータを中心とした薬物療法のアルゴリズム（案）などを含む『第3版　注意欠陥／多動性障害―ADHD―の診断・治療ガイドライン（以下「第3版ガイドライン」と呼ぶ）』が出版されている。

第3版ガイドラインの出版後，2009年6月には選択的ノルアドレナリン再取り込み阻害薬（SNRI）に属する抗ADHD薬であるアトモキセチン塩酸塩カプセル（以下，ATX）が薬価収載された。前述のアルゴリズム（案）は正式な適応薬がOROS-MPHのみという条件下で，まもなく適応薬としてATXが登場することが確実視された時点でのものであり，とりあえずATXが登場した際の薬物療法事情を想定したものとなっているが，両薬剤の使い分けについて明らかにできる時期ではなかった（そのために「案」にとどめたのである）。ADHD診療を取り巻く変化はこれだけではない。OROS-MPHとATXを18歳未満で服用開始し，それらの効果が明らかなケースは18歳以降も継続処方可能という中間段階を経て，2012年5月にはATXが，2014年4月にはOROS-MPHが18歳以降の青年期および成人期にADHDと診断されたケースへも処方可能となるという適応拡大を受けている。また，初版ガイドラインが作成された段階でわが国におけるADHDの子どもに対する心理社会的治療・支援は未だ萌芽期にとどまっていたが，それから10年ほどの間にペアレント・トレーニングをはじめとするいくつかの心理社会的治療・支援技法が臨床水準で取り組まれ，徐々にではあるが確実に実践的取り組みが全国に拡がってきた。

2013年5月には米国精神医学会（APA）による疾患分類と診断基準集の第5版であるDSM-5が公開され，2014年の日本語版出版を経て，わが国おいてもその概念がADHD診療の基準として用いられるようになっている。そこでは注意欠如・多動症（attention-deficit/hyperactivity disorder；ADHD）は自閉スペクトラム症（autism spectrum disorder；ASD）などとともに「神経発達症群（neurodevelopmental disorders）」という上位疾患群概念に含まれており，初めて国際的な精神医学体系のなかで生来的な脳機能障害を背景としたいわゆる「発達障害」の仲間入りをしたのである。さらに，DSM-5におけるADHDの診断基準は成人ケースの診断感度を上げるために修正が加えられており，これも「ADHDは成人においても一般的な疾患である」とするADHD概念を反映していることはいうまでもない。DSM-5の日本語版の登場により大きく変化したものに，DSM-5による精神疾患名の日本語表記があり，ADHDも「注意欠陥・多動性障害（DSM-Ⅳ）」から「注意欠如・多動症」へと修正された。これは日本語版の出版に先立ち日本精神神経学会によってDSM-5に記載された疾患名の和名が提案されたことによるもので，混乱を防ぐために英語名がDSM-Ⅳのそれと同じ場合にはそれで呼ぶことも可能とした折衷案が示されており，ADHDは正式には「注意欠如・多動症／注意欠如・多動性障害」と記載され，どちらの表現も使用可能としている。

このような第3版ガイドライン出版後に起きたADHDを取り巻く条件の変化を受け，それらを織り込んで作成されたのが2016年に出版された「注意欠如・多動症―ADHD―の診断・治療ガイドライン第4版（以下，第4版ガイドライン，あるいは本書第4版と呼ぶ）である。初版ガイドライン以来，「注意欠如・多動症―ADHD―の診断・治療ガイドライン」は一貫して18歳前後までの児童期（乳幼児期から10歳頃まで）および青年期前半段階（10歳過ぎから18歳未満の年代でこれまで「思春期」と呼んできた年代に他ならない）のADHD診療に関する診断・評価と治療・支援のための指針とその根拠を示したものであった。成人におけるADHD診療が急速に拡大しつつある現在，漠然と成人をも含めた診療ガイドラインとすることで，従来の子どものADHDの診療指針としての明確さが曖昧となることを危惧し，さらにわが国では成人ADHDの枠組みや診断の精度などをめぐっていまだ解決すべき重要な課題が多いと判断したことから，第4版ガイドラインはあくまで18歳未満の子どものADHD診療の指針とするという姿勢を崩さず維持することにした。

2016年の第4版ガイドライン出版後に生じたADHDを取り巻く環境の変化として注目すべき点

が3点ある。第1点はグアンファシン塩酸塩徐放錠（以下，GXR）が2017年5月に，リスデキサンフェタミンメシル酸塩カプセル（以下，LDX）が2019年5月に薬価収載され，前者は薬価収載と同月に後者は薬価収載の半年後12月に販売開始されたことである。LDXに薬価収載月と販売開始月の間に半年の空白期間があることは，LDXが覚醒剤原料に分類される中枢神経刺激薬であることから，何らかの規制を課す必要があると当局が判断し検討に入っていたからであろう。第2点はまさにこの検討の結果，LDXとOROS-MPHは患者登録，処方医および調剤薬剤師と，各々が所属する医療機関および薬局がそれぞれ処方・調剤の資格をもち登録されている必要があること，そして毎回の処方の登録が必須であることといった厳しい規制がかけられていることである。しかも，LDXには添付文書で効能・効果に関連する注意として「本剤の使用実態下における乱用・依存性に関する評価が行われるまでの間は，他のADHD治療薬が効果不十分な場合にのみ使用すること。」という文言が記載されているという二重の縛りを課せられている。これは世界的なLDXの使用環境とは異なる厳しいもので，さしあたってLDXはセカンド・ラインの薬剤と規定されているのである。第3点はペアレント・トレーニングを中心に心理社会的治療の技法がADHD診療に普及してきていることであるだろう。以上のようなADHD診療の環境の変化が進むなかで特に薬物療法の新たな指針を求め「注意欠如・多動症—ADHD—の診断・治療ガイドライン第5版（以下，第5版ガイドライン，あるいは本書第5版）」を熱望する声が多く寄せられるようになった結果，今回の出版に至ったのである。

なお，2022年にAPAは新たにDSM-5-TRを出版した。これによる第5版ガイドラインへの影響であるが，DSM-5-TRはADHDの解説部分の改訂を行ったものであり診断基準の修正ではないことから，現在のところそれに基づく大きな修正は不要と判断した。なおDSM-5-TRにおける疾患の日本語呼称についてはICD-11のそれとすり合わせを進めている日本精神神経学会の取り組みがその途上にあり，第5版ガイドラインの制作中には発表されていないため，ここでは従来のDSM-5の日本語呼称をそのまま用いている。

第5版ガイドラインは3部構成となっており，第1部にあたるのがこのADHDの診断・評価と治療・支援に関する臨床指針をまとめた「子どもの注意欠如・多動症（ADHD）の診断・治療ガイドライン（以下「子どものADHDガイドライン」）」である。子どものADHDガイドラインは第4版までのそれと同様に第2部の各執筆者の執筆内容から臨床家が臨床実践の指針とすべきエッセンスを汲み上げるとともに，第4版から第5版への子どものADHDガイドラインの変更に関して本書第5版執筆者を対象に編集者が作成したアンケートによる調査を行い，その集計結果【➡第5章1】を組み込んだ素案を編集者が作成し，執筆者の同意を得て完成させたものである。第2部は第5版ガイドラインの大部分を占め，本ガイドラインに関連した諸項目を各執筆者が詳細に解説した，第5版ガイドラインの本体ともいえる部分である。第3部は付録として臨床利用できる臨床家支援用資材を掲載するもので，いくつかの自記式評価シートとDSM-5に準じた半構造化臨床面接用フォーム，さらには心理教育用のパンフレット集を含んでいる。なお，第5版ガイドライン所収の子どものADHDガイドラインでは第4版まで用いてきた「アルゴリズム」という用語を用いず，原則としてすべて「フロー図」へ変更していることに読者は留意願いたい。

本ガイドラインの目的

本ガイドラインは，18歳未満のADHDケースの診療にあたる一線の医師やコメディカル・スタッフなど医療分野の専門家，さらには教育機関や児童福祉機関など医療以外の分野の専門家を対象に，治療・支援者の誰もがADHDケースに出会った際に適切に診断・評価を行うことができ，その結果に基づいて推奨される治療・支援法を選択し実施できるような臨床指針を示すために作成されたものである。内容はあくまで医療的観点に焦点を当てているが，医療以外の支援者にも評価と支援の指針を提供するとともに，医療が行えること，そして行い難いことを知ることで医療機関との連携の具体的手がかりを得られる資材となることも期待している。また，心理社会的治療の諸章は一線の医療機関が必ずしも備えているわけではない治療技法を含んでおり，医療以外の専門機関がそれらの機能や技法の専門性を確立する際の指針となることも期待している。

このようなガイドラインの主目的に加えて，本ガイドラインおよびそれに続く本文各章の項目は，わが子がADHDではないかと心配し医学的診断および治療を検討中である親や，すでに子どもが診断を受け治療中である親への情報提供という目的も併せもっている。

診断・評価ガイドライン ❶：精神疾患としての位置づけ

ADHDの疾患概念は不注意，多動性，衝動性の三種の主症状によって定義され，基本的には生来的・体質的な脳機能障害を背景とした精神疾患を意味している。わが国では以前から発達障害者支援法の対象疾患の一つとしており，本ガイドラインにおいてもADHDを発達障害（DSM-5でいう神経発達症群）の1疾患と位置づけている。

ADHDはこれまで世界保健機構（WHO）の作成したICD-10やAPA作成のDSM-Ⅳまでは国際的には発達障害と扱われてこなかったことはよく知られた事実である。しかし，わが国の発達障害者支援法（2005年4月施行）は第二条で，この法が対象とする発達障害とは「自閉症，アスペルガー症候群その他の広汎性発達障害，学習障害，注意欠陥多動性障害その他これに類する脳機能の障害」であると定義している。しかし，国際的医学概念とわが国の発達障害者支援法の間で生じていたADHDをめぐる乖離状況は，2013年に公表されたDSM-5が神経発達症群という疾患群概念に自閉スペクトラム症（ASD）や限局性学習症などとともにADHDを含めたことによって解決に向かった。WHOによる新たな疾患分類であるICD-11もDSM-5の神経発達症群という用語を採用し，ADHDをそこに含めている。ただADHDの表記についてはDSM-5の「注意欠如・多動症（Attention-Deficit/Hyperactivity Disorder）」に対してICD-11は「注意欠如多動症（Attention Deficit Hyperactivity Disorder）」と微妙に違いを示し，内容的にも両者には微妙な違いがあることは留意すべきである。なお，DSM-5による神経発達症群の定義では，神経発達症群に含まれる各疾患は他の神経発達症をしばしば併存しているとされており，その併存により治療・支援も異なってくることから，常にASDをはじめ神経発達症群に属する他疾患の有無に注目する必要がある。参考のため以下に神経発達症群に含まれる諸疾患のうち主なものを挙げておきたい（**表1**）。なお疾患名は2個挙げられているものが多いため，その場合には左側の疾患名を選択している（例：「自閉スペクトラム症／自閉スペクトラム障害」は「自閉スペクトラム症」）。**【➡第1章1～5】**

表1 神経発達症群（DSM-5）の主な疾患

コード	疾患
知的能力障害群	
317	知的能力障害 軽度
318.0	同 中等度
318.1	同 重度
318.2	同 最重度
コミュニケーション症群	
315.32	言語症
315.39	語音症
315.35	小児発症流暢症（吃音）
315.39	社会的（語用論的）コミュニケーション症
自閉スペクトラム症	
299.00	自閉スペクトラム症
注意欠如・多動症	
314.01	混合して存在
314.00	不注意優勢に存在
314.01	多動・衝動性優勢に存在
限局性学習症	
315.00	読字の障害を伴う
315.2	書字表出の障害を伴う
315.1	算数の障害を伴う
運動症群	
315.4	発達性協調運動症
307.3	常同運動症
チック症群	
307.23	トゥレット症
307.22	持続性（慢性）運動または音声チック症
307.21	暫定的チック症

（DSM-5 精神疾患の診断・統計マニュアル．医学書院，2014を参考に作成）

診断・評価ガイドライン❷：ADHDのDSM-5診断

ADHDの診断・評価は，DSM-5に準拠した診断フロー図（図1）を遵守することで到達でき，その手段として本書所収の「子どものADHD臨床面接フォーム」を用いた半構造化面接を診断・評価段階で実施することを推奨する。これを治療・支援に反映させるためには，この操作的診断に加え，丁寧に聞き取った成育歴，家族歴，現病歴と，医学的・神経学的諸検査および心理学的諸検査の結果から抽出した「ADHDケース一人ひとりの臨床的全体像」の要諦をとらえることができる診断・評価結果でなければならない。

この診断・評価ガイドライン②は，ADHDの診断・評価を単なる診断という水準にとどめず，個々の児童期あるいは青年期前半段階のADHDケースの神経心理学的特徴，その他の体質的特性（例えば脳波異常をもつなど），パーソナリティ傾向（気質，優勢な自己感および自己像，優勢な対人交流様式など），養育環境および家族メンバーの特性，学校や友人関係など現在の環境，経験してきた逆境的なライフイベント（虐待体験を含む）などを評価し，さらに各領域の特性について強みの側面と弱みの側面に整理し，ADHDケース一人ひとりの現在の横断的特徴と時間軸に沿った縦断的特徴を総合した全体像としてとらえることであると定義している。図1の「DSM-5に準拠したADHDの診断フロー図」は診断・評価のDSM-5に記載されているADHDの診断基準を図式化したものである。このフロー図に沿った評価を確実に行うために本書は「子どものADHD臨床面接フォーム」を作成し，巻末に資料として収載した【➡資料Ⅰ-4】。このなかの「ADHD診断のための半構造化面接」が主としてADHD診断のための診断用フォームとなっており，この質問に沿って聞いていく半構造化面接によって図1のフロー図を確実に評価していくことができる。また，「基本情報聴取用フォーム」は現病歴のみならず，成育歴，家族歴，教育歴などを聞き取るためのフォームであり，「併存症診断・評価用フォーム」はASDなどの併存症の診断・評価のために用いるフォームであり，両者を併せて評価することで個々のADHDケースの臨床的全体像をとらえやすくする。【➡第2章1-③，資料Ⅰ-4】

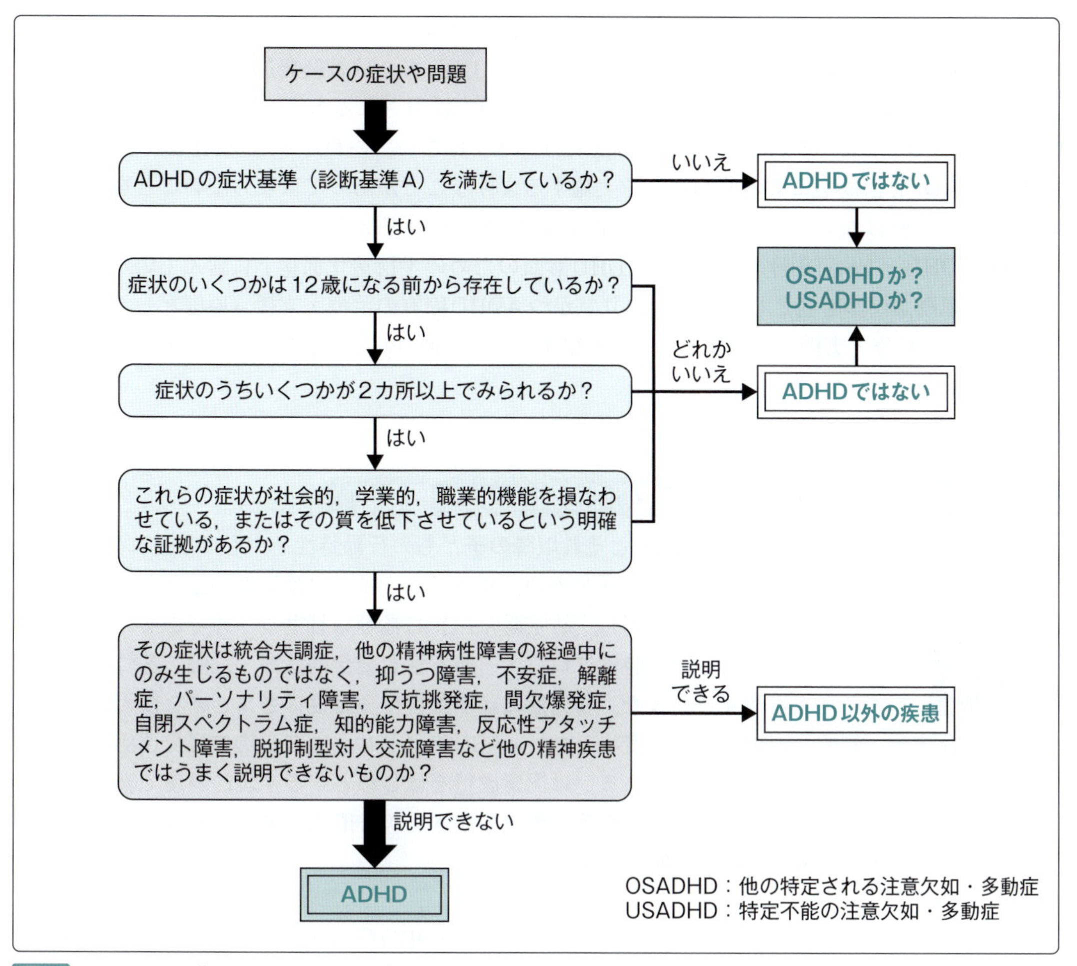

図1 DSM-5に準拠したADHDの診断フロー図

なお，この診断フロー図の最後の評価点である鑑別診断の項で挙げた鑑別対象の疾患名は，DSM-5の診断基準に記載されている疾患名に加え，DSM-5のテキスト部分の鑑別診断の項に記載されている疾患名の主なものを含めている。さらに，脱抑制型対人交流障害のように，ADHDの鑑別対象疾患としての記載はDSM-5に登場しないものの，脱抑制型対人交流障害のテキスト部分には鑑別診断の唯一の対象としてADHDが明確に記載されているので，これも鑑別対象疾患に含めている。なお，DSM-5-TRにおいてもこの点についての記載に変更は見られない。

上記フロー図で診断基準Aに掲げられた症状一覧のうち該当する症状の個数が足りない，12歳になる前までに症状のいくつかが見られたという証拠がはっきりしない，症状が複数の場で見られるかはっきりしないなどの理由で「ADHDと診断できない」という結果になった場合に，次に「他の特定される注意欠如・多動症（other specified ADHD：以下，OSADHD）」であるか，あるいは「特定不能の注意欠如・多動症（unspecified ADHD：以下，USADHD）」であるかの評価を経ることが求められている。OSADHDはADHDまたは神経発達症の何らかの障害の基準を満たさないという特定の理由を伝える選択をする場合に採用される診断概念である（例えば「OSADHD（不十分な不注意症状）」という記載を診断名とするなど）。一方，USADHDは基準を満たさないとする理由を特定しないことを選択した場合の診断概念である。いうまでもなくその二つの疾患概念は

「臨床的に意味のある苦痛，または社会的，職業的，または他の重要な領域における機能の障害を引き起こすADHDに特徴的な症状が優勢であるが，ADHDまたは神経発達症の何らかの障害の基準を完全には満たさない」という条件を満たして初めて採用されるもので，ADHD診断フロー図を満たさないケースに安易にこれらの診断を行うべきではない。いわんや，OSADHDやUSADHDの診断でADHD治療薬による薬物療法を実施するようなことがあってはならないことを臨床家は心得ていなければならない。そのため，本書第5版所収の「子どものADHD臨床面接フォーム」ではOSADHDとUSADHDの診断を「ADHD診断のための半構造化面接」に含んでいない。この二つの疾患概念が診断名として適切であり，かつADHD固有の治療・支援（原則として心理社会的治療による治療・支援）を提供することが望ましいと判断される場合に限って診断するという禁欲性を臨床家に求めたいからである。

診断・評価ガイドライン❸：幼児期の診断における留意点

DSM-5の診断基準の記述は学童期とそれ以降の子どもの行動特性を中心になされており，幼児期のADHD診断には限界が多い。そのため，本ガイドラインは幼児期の診断面接には年代特有な配慮が必要であることを強調し，幼児期のADHD診断は補助ツールである『行動特徴のチェックリスト』から得られた特性プロフィールを含む総合的診断・評価に基づいて極めて慎重に行うことを推奨する。また，幼児期には衝動性や多動性はさまざまな要因を背景に顕在化する一般的な現象あるいは症状であり，ASDをはじめとする他の神経発達症群の疾患特性に由来する多動性や衝動性，あるいは児童虐待をはじめとする逆境的環境で乳幼児期をすごした結果として亢進した衝動性や落ち着きのなさをADHDと誤診しないよう，ADHDの診断には慎重なうえにも慎重を期さねばならない。

ADHDの幼児期における診断は本書所収の「子どものADHD臨床面接フォーム」【➡資料Ⅰ-4】のなかの「ADHD診断のための半構造化面接用フォーム」を用いた半構造化面接を行っても，学童期以降のADHDケースの状態像に焦点をあてた各症状規定，とりわけ不注意症状は幼児期の様態を必ずしも的確に表現してはいないため判断に迷うことが多く，さらに幼児期におけるADHD診断の安定性や信頼性は偽陽性や偽陰性が多いという意味で比較的低いとされている。このため，本書では幼児期特有な診断面接のあり方【➡第2章1-①】を示すとともに，半構造化面接用フォームとは別に，幼児期に出現した不注意，多動，衝動性が発達や年齢に不相応な水準のものといえるか否かを判断する指標の一つとなることを期して「行動特徴のチェックリスト」【➡資料Ⅰ-6】を掲載し，その使用法と臨床応用についての解説を掲載した【➡第2章2-⑤，4-①】。いうまでもなく，「行動特徴のチェックリスト」は幼児期のADHDのスクリーニング用ツールではない。このことを十分心得たうえで，このチェックリストのプロフィールからADHDの可能性が示唆された幼児においても，障害をもっていない擬陽性の可能性，ASDの特性である可能性，被虐待児である可能性，脳器質性疾患である可能性などを常に念頭において，関与しつつ観察を続ける慎重さを求められる【➡第2章4-②】。とりわけ幼児期のADHD診療においては，症状を表面的になぞった安易な診断とそこから直ちにADHD治療薬による薬物療法に結びつくという短絡的診療を厳に戒めねばならない。

診断・評価ガイドライン❹：重症度評価

ADHDの重症度の判定は治療・支援の必要性を判断し，テーラーメードな治療・支援システムを組み立てるうえで重要な意義があるため，DSM-5に基づく重症度（軽度，中等度，重度）の評価を慎重に行う必要がある。DSM-5の重症度判定基準は該当する症状（診断基準Aの不注意症状と多動性および衝動性症状）の個数とその症状が存在することによる社会的，職業的障害の深刻度で決定することになっているが，症状の数はともかくとして障害の深刻度という基準は曖昧であり，判断は恣意的とならざるを得ない。そこで本診断・評価ガイドラインは重症度の判定に際してDSM-5の重症度判定基準とともに，DSM-Ⅳ-TRで採用されていた「機能の全体的評定（GAF）尺度」を今後も重症度評価の補助的な尺度とすることを推奨する。

さらに，治療・支援システムを個々のケースの特性に合わせたテーラーメードな内容で構築するためには，重症度の評価とは別に各ケースの神経発達症としての特性プロファイルを得る必要がある。そのためにAchenbach System of Empirically Based Assessment（ASEBA）に含まれる親記入式のChild Behavior Checklist（CBCL）などの評価尺度，さらにはStrengths and Difficulties Questionnaire（SDQ），Multi-dimensional Scale for PDD and ADHD（MSPA），Vineland-Ⅱといった評価尺度から1つ，あるいは複数選択して実施すべきである。

DSM-Ⅳ-TRに掲載されているGAF尺度は子どもで評定しようとすると抽象的な表現が多く，その判定に苦労することが懸念されるため，ここにはSchafferらが子どもの評価に特化して作成したChildren's Global Assessment Scale（CGAS）を採用すべきという考えもある。しかし，CGASは必ずしも定訳が確立しておらず，未だ子どもの心の診療の分野で広く普及しているともいいがたいという限界もあるため，ここではDSM-Ⅳ-TRに掲載されているGAF尺度を採用し，0から100までのGAF尺度のうち臨床上重要な部分についてはCGASも加味した子どものイメージを記載しておきたい（表2）。GAFの評価は，評価時点までの一定期間（例えば数カ月間）で最も低い機能水準であったときを下記の基準によって評価するもので，障害の種類や予後を評価するものではなく，あくまで現状の心理社会的な機能水準を示すものである。

本書所収の「子どものADHD臨床面接フォーム」【➡資料Ⅰ-4】に含まれるDSM-5に準拠した「ADHD診断のための半構造化面接用フォーム」では，重症度判定はDSM-5の規定に準じて不注意症状と多動性－衝動性症状の各々9個ずつの症状一覧のうち，そのどちらか，あるいは両方で診断基準である6項目（17歳未満の場合）または5項目（17歳以上の場合）をどのくらい超えているのかという観点と，ADHD症状による社会的または職業的機能の障害の水準という観点の両者を総合的に評価して判定することを求めている【➡第2章1-③】。しかし，ADHD症状による機能的障害度は具体的な基準がDSM-5に記載されていないため，評価者は判断が困難と感じるかもしれない。そこで，ここでは機能障害度については上記のGAF値を重症度判定の判断材料とした基準を表3のようにする。

以上に示した重症度の判定が治療・支援開始の緊急度を知るために必要な評価であるとすれば，その治療・支援の対象たる個々のケースがどのような障害特性のプロファイルを示し，どこに治療・支援の焦点を当てるべきかを教えてくれる評価尺度や，治療・支援を提供された際にそれに応じることのできるどのような強み（strength）をもっているのかを知るための評価尺度を少なくとも1種類は実施する必要がある。こうした資料を提供してくれるのがいくつかの評価尺度である。

表2 GAF尺度による子どもの機能水準（CGASを加味している）

91－100：問題なく適度に活動的な生活を送ることができているレベルである。
81－90 ：ときに心配し過ぎたり，かんしゃくを起こしたり，激しい兄弟げんかをすることもあるが，おおむね問題のない活動的な生活を送ることができている水準。
71－80 ：症状があっても強いストレスに対する了解可能な反応で，機能の軽度の障害があっても，あくまで一過性のものであるといった水準。
61－70 ：ちょっとした盗みなどの散発的でマイルドな反社会的行為，多少の学業不振，回避的とならない程度の不安・恐怖など限られた領域での若干の問題はあるものの，対人関係などに大きな問題は生じていないため，周囲のほとんどの人は問題を感じないが，親などのごく身近な人間は問題に気づいて心配しているといった水準。
51－60 ：変動しやすい中等度の症状が存在し，そのためすべてではないが一部の社会的機能に問題がはっきりと出現するときがあり（友達からひどく孤立するなど），そのタイミングで子どもに出会った人はその問題に気づくが，別の場面で出会った人にはまったく問題は感じられないような水準。
41－50 ：希死念慮に耽る，強度の強迫症状，不登校，頻繁するかんしゃくや恐慌状態，頻発する攻撃行動，その他の反社会的行動などの重大な症状が現れている，あるいは友達が一人もいないなど，社会活動のいくつかの領域で適応上深刻な問題が生じているような水準。しかし，保護的な場や構造の明瞭な場などでは有意義な社会的活動は十分に可能である。
31－40 ：家庭，学校，仲間との関係など社会生活全般にわたって重大な障害が生じており，論理的な会話が成立しないほど混乱していたり，きっかけなしにしつこく攻撃したり，精神症状に基づいて孤立しひきこもった生活を送っていたり，死を明確に意識した自殺企図などの症状があるような水準。
21－30 ：例えば妄想や幻覚に相当程度の影響を受けていたり，強迫症状に家族を巻き込んで一日中それに没頭したり，あるいはコミュニケーションや合理的な判断がほとんど不可能になっているなどの重大な症状があるためにほとんどすべての領域で社会的に機能できない水準。一日中家に引きこもっている，周囲の人では行動の統制をできないなどのために入院治療などの保護と管理が必要となるような状態を意味している。
11－20 ：例えば，頻繁に深刻な自殺行動を行う，あるいは暴力行為をふるうといった自傷・他害の恐れがあることへの予防のために，あるいは身の回りの清潔を保つために，あるいは滅裂や無言などの著明なコミュニケーション障害があるために，より強力な保護と管理が必要な水準。
0－10 ：自傷・他害の恐れが強度に続いていたり，最低限の身辺の清潔維持さえできなかったりといった状態が続いているため，24時間にわたる持続的かつ強力な保護と管理が必要な水準。

表3 重症度判定基準表

重症度	症状一覧の該当する項目数	GAF値
軽度	診断に必要な項目数を少し超える	61以上
中等度	軽度と重度の中間	51～60
重度	多くの症状があり，またはいくつかの症状は特に重度である	50以下

その代表的なものはASEBAに含まれる6歳以上18歳までの子どもを対象とした親記入式のCBCL，10歳過ぎから18歳までの青年期前半段階の子どもを対象とした自記式のYouth Self-Report（YSR），あるいは教師が記入するTeacher's Report Form（TRF）であり，4歳以上18歳までを対象とした親記入式あるいは教師記入式のSDQ（併せて子ども本人による自記式として実施することを高校生年代中心に推奨されている）であり，子どもから成人までを対象として親から聴取した評価者記入式のMSPAであり，同じく評価者記入式のVineland-Ⅱである。これらの評価尺度はADHDに限定したものではなく，ASEBA【➡第2章2-②】は子ども全体が対象の，子どもの困難さのプロファイルを描き出す評価尺度であり，SDQ【➡第2章2-②】はASEBAと同じく子ども全体を対象としているだけでなく，困難さと強みの両者を描き出す評価尺度であり，MSPA【➡第2章2-③】とVineland-Ⅱ【➡第2章2-④】は神経発達症群の子どもや成人を広く対象として障害の特性プロファイルを描き出すことをそれぞれ目指している。もちろん本診断・評価ガイドラ

インはこれらすべてを実施することを推奨しているわけではなく，最低限どれか1つ，可能であればASEBAに含まれるCBCL，YSR，あるいはSDQから1つと，MSPAあるいはVineland-Ⅱから1つの計2種類の評価尺度を実施することは治療・支援システムを構築するうえで望ましいだろう。

診断・評価ガイドライン❺：診断・評価に利用可能な評価尺度

ADHD診断の信頼性を高めたり，ADHD症状の重症度や適応上の障害度の変化を追跡したりするために，ここに挙げるいくつかの評価尺度を利用することは有益である。そうした評価尺度として第一に挙げるのは，ADHDの重症度を数値化して表現する「ADHD-RS」や「Conners 3日本語版」である。第二に挙げるのは，すでに触れた幼児期のADHD評価を目的とした「行動特徴のチェックリスト」である。第三に挙げるのは，学童期のADHDケースを中心に，その生活時間を朝の登校前，学校，夜など6つの時間帯に分け，そこでの生活の質を評価する親記入用の「QCD（questionnaire - children with difficulties）」で，個々のADHDケースがどの時間帯に主に適応上の問題を生じているのかを知ることができる。第四に挙げるのは，ADHDに併存する可能性の高い反抗挑発症の存在とその重症度の評価尺度である「ODBI（oppositional defiant behavior inventory）」で，反抗性の重症度評価や時間軸に沿った変化の追跡のために用いることができる。これらの評価尺度を診断や経過観察のための補助ツールとして用いることはADHDの臨床において有益であるが，これらの数値を疾患の診断根拠として直ちに診断に結びつけるような誤った利用法に陥らないように留意すべきである。

以上の評価尺度の解説はそれに触れた各章を参照し，各評価尺度の入手法については評価尺度を出版した各出版社などの規定にしたがって入手し使用すべきである。なお，「行動特徴のチェックリスト」，QCD，ODBIの3評価尺度は本ガイドラインの付録資料として掲載されており，本ガイドラインを購入すれば自由に臨床使用することが可能である。

- ■ADHD-RSとConners3日本語版【➡第2章2-①】
- ■行動特徴のチェックリスト【➡第2章2-⑤，4-①，資料Ⅰ-6】
- ■QCD【➡第2章2-⑥，資料Ⅰ-7】
- ■ODBI【➡第2章2-⑦，資料Ⅰ-5】

診断・評価ガイドライン❻：医学的・神経学的検査

ADHDの診断・評価における医学的・神経学的検査は，反射や感覚などの神経学的検査，脳波検査，MRIあるいはCTなどによる脳画像検査，および血液学的検査，生化学的検査，ホルモン検査を主とする免疫学的検査などからなる血液検査が脳器質性疾患（脳腫瘍，変性疾患，脱髄性疾患，代謝性疾患など），てんかん，あるいはその他の身体疾患（貧血症，内分泌系疾患など）との鑑別診断，あるいは併存疾患の診断のために必要となる検査であり，他機関への検査依頼を含め適切に選択し実施すべきである。また，心電図検査および血液検査（肝機能検査など）はADHD治療薬の特性に鑑み，薬物療法の開始時，およびその継続中には一定の間隔を置いて反復的に実施し，肝機能障害等の異常所見や心電図異常の有無をモニターし続ける必要がある。以上のように，医学的・神経学的検査はADHDの診断・評価過程および治療期間を通じて随時必要な検査を実施すべきである。

医学的・神経学的検査は実際には臨床的意義が大きいものから，臨床利用の水準にはいまだ達していないもののADHDの病態を研究するうえで意義深いものまで多様である。脳波検査【➡第2章3-②】で脳波異常がある場合には，てんかんの子どもが偶発的にADHDを併存しているととらえるべきなのか，あるいは欠神発作やてんかん発作後の朦朧状態をADHDの不注意症状や衝動性と見誤っているのではないかを慎重に評価し鑑別することが求められる【➡第2章5-⑥】。神経学的検査，脳波検査，脳画像診断【➡第2章3-①，3-②，3-③】の結果として脳腫瘍やその他の脳器質性疾患がADHD様症状を呈していたことがわかることもある。血液検査【➡第2章3-④】から甲状腺機能亢進症や低下症をはじめとする内分泌疾患などの身体疾患によるADHD様状態を鑑別することができる。近赤外スペクトロスコピー（NIRS）を含む機能画像【➡第2章3-①】や事象関連電位【➡第2章3-②】，さらには神経心理学的検査【➡第2章3-⑥】の結果などを通じてADHDの病態解明を目指す研究は近年目覚ましい進歩を見せており，決して一様の病態ではないと考えられているADHDをもつ個々のケースごとに異なる特性を明らかにし，テーラーメードな治療の組み立てを提供できる未来は決して遠くはない。しかし，ADHD診断の固有な指標となる医学的・神経学的検査が十分に特定されているとはいいがたい現状にあることを臨床家は承知していたい。

診断・評価ガイドライン ❼：心理検査，神経心理学的検査，限局性学習症関連検査

ADHDの診断・評価のために心理検査，神経心理学的検査，あるいは限局性学習症評価のための諸検査を実施することは個々のケースの特性に応じたテーラーメードな治療・支援システムを構築するうえで意義がある。これらの諸検査は以下の3分野に整理し，そこから目的に応じて選択して実施すべきである。

第一の分野は知的能力の水準とそれを構成する諸機能のプロファイルを得るための検査であり，ADHDの診断・評価のためには必須である。代表的な検査は幼稚園年代以降の子どもではWISC-V（あるいはWISC-Ⅳ）であり，5歳未満の乳幼児では新版K式発達検査である。この分野の検査から知的発達症をはじめとする知的能力障害群，限局性学習症，コミュニケーション症群等の神経発達症の可能性が示唆されることがある。

第二の分野にはADHDケースに少なからず併存するとされる限局性学習症の評価のための諸検査と，注意機能をはじめとするADHDの認知機能のより詳細なプロファイルを得るための神経心理学的検査が含まれる。それぞれに複数の検査があり，実施の必要性を認めたなら適切な検査法を選択し実施することが推奨されるが，専門性の高い検査も含まれるため他機関に依頼することを含め検討すべきである。

第三の分野は個々のADHDケースの心理的特徴を評価するパーソナリティ・アセスメントで，投影法を中心とする諸々の心理検査がここに含まれる。これらの検査からいくつか選択して実施することで，知能検査のプロファイルと併せて個々のケースの自我機能や感情の状態，さらにはパーソナリティ傾向などを評価することができ，ADHDケースの自己形成やパーソナリティ形成を支援するうえでの資料を得ることが可能となる。

以上の3分野に含まれる諸検査のうち，ADHDの診療に際して必須といえるのは第一分野から選んだ検査であり，第二分野および第三分野の検査は個々のケースの診断・評価上の必要性に応じて実施を検討する検査と理解すべきである。また，得られた結果はある時点での各ケースの横断面を示すものであり，時間軸に沿った経過，すなわち縦断面を評価するために，第一分野のWISC-V等を中心に必要に応じて他の分野の検査を組み合わせた検査バッテリーで，繰り返し実施することが推奨される。ただしその間隔は得られた結果の信頼性から最低限1年以上の間隔を置いて実施すべきであり，短期間で頻繁に繰り返す必要はない（例えば幼児期に1回，小学校で低学年と高学年で1回ずつ，中学生年代で1回といった頻度）。

本診断・評価ガイドラインが3分野に分類して示した諸検査について代表的なものを列記しておきたい。第一分野の代表的な検査はウェクスラー式知能検査であり，対象年齢により2歳6カ月から5歳未満の幼児を対象とするWIPPSI-Ⅲ，5歳から16歳の子どもを対象とするWISC-V（あるいはWISC-Ⅳ），16歳以上の青年や成人を対象とするWAIS-Ⅳがある。なお本書第5版の本ガイドラインではWISC-V日本語版が2022年2月に発売となり今後わが国で急速に普及していくことが予測されるため，ウェクスラー式知能検査の5歳から16歳までの検査はWISC-Vを標準的知能検査として示し，しばらくは共存すると思われるWISC-Ⅳを括弧内に記している。WISC-Ⅳは知能指数（IQ）を全検査IQと言語理解，知覚推理，ワーキングメモリ，処理速度の4指標の得点で示したのに対し，WISC-Vは全検査IQと言語理解，空間視覚，流動性推理，ワーキングメモリ，処理速度の5主要指標の得点で表現するという違いがある。5歳未満の乳幼児で知能水準あるいは発達水準を実施する必要がある場合には，新版K式発達検査かWIPPSI-Ⅲを選択することになるが，わが国では前者が選択されることが多い。なお知能検査で算出されるのが「知能指数（IQ）」であるのに対し，新版K式発達検査のような発達検査で算出されるのは「発達指数（DQ）」であることに留意する必要がある。【➡第2章3-⑤】

第二分野の代表的な検査のうち限局性学習症の評価のための検査としては，「特異的発達障害診断・治療のための実践ガイドライン」が掲載する診断用諸検査と，「改訂版標準読み書きスクリーニング検査（STRAW-R）」，そして「CARD 包括的領域別読み能力検査」がある。次に，注意機能や遂行機能の評価を中心とした神経心理学的検査としては，Trail Making Test（TMT），Wisconsin Card Sorting Test（WCST），frontal assessment battery（FAB），Das-Naglieri Cognitive Assessment System（DN-CAS），「標準注意検査法 持続性注意検査2（CAT-CPT2）」など多彩な検査が存在する。なおCAT-CPT2の検査バッテリーでは特にContinuous Performance Test 2（CPT2）が注意機能測定法としてはよく知られており，注意機能の精査が必要なケースでは検査バッテリーに含められることが多い。【➡第2章3-⑥】

第三分野の検査としては，樹木画検査（バウム・テスト）やHouse-Tree-Person Test（HTP）などの描画テスト，SCT文章完成法（Sentence Completion Test），P-Fスタディ（Picture Frustration Study），ロールシャッハ・テスト，主題統覚検査（Thematic Apperception Test；TAT）などの投影法検査をまず挙げるべきだろう。これら投影法検査の他に小児ANエゴグラム，Y-G性格検査（矢田部ギルフォード性格検査），CMAS児童用不安尺度（Children Manifest Anxiety Scale）などの質問紙法検査，さらにはFDT親子関係診断検査（Family Diagnostic Test）をはじめとする親子関係評価用の検査もこの分野に含めておきたい。【➡第2章3-⑦】

なおここで挙げた諸検査・諸評価尺度の主なものは本書の執筆者を対象とするアンケート調査の

結果を参考に選定したものであり，それをまとめる具体的な過程と検討内容は本書第5章に掲載されている。【➡第5章1】

診断・評価ガイドライン❽：鑑別診断と併存症診断

ADHDの主症状である不注意，多動性，衝動性は，いずれもADHD固有とはいえない一般的な症状であり，多くの精神疾患や背景要因からADHD様症状があらわれることはよく知られている。したがってADHDの診断に際しては，本書所収の「ADHD診断のための半構造化面接用フォーム」に挙げられているような多くの精神疾患との鑑別診断にとりわけ注意を払う必要がある。逆に，重篤気分調節症や間欠爆発症をはじめさまざまな精神疾患に隠れている併存症としてのADHDを見逃さないよう留意する必要もある。

ADHDはさまざまな精神障害との鑑別が必要であり，そのために「子どものADHD臨床面接フォーム」に含まれる「ADHD診断のための半構造化面接用フォーム」はDSM-5の診断基準とテキストの両者に登場する疾患を中心に鑑別すべき精神疾患の名称を挙げている。以下にはそれらのうちの主な精神疾患について述べた本書の各章の名称を挙げおく。

- ■自閉スペクトラム症（ASD）【➡第2章5-①】
- ■知的能力障害【➡第2章5-②】
- ■脱抑制型対人交流障害【➡第2章5-③】
- ■その他の精神疾患【➡第2章5-④】

これらの他に，気管支拡張剤の副作用や抗精神病薬によるアカシジアなど医薬品誘発性のADHD様症状も鑑別の対象となる【➡第2章5-⑤】。

診断・評価ガイドライン❾：ASDとの鑑別診断と併存症としてのASD

ADHDとASDの併存診断をDSM-5が承認した2013年以降，臨床家はADHDと診断されたケースにASDの診断基準に挙げられている症状を見出し，他の診断基準も踏まえてASDの診断も可能とされた際に，それが両者の併存を意味するのか，あるいはそのケースが示しているADHD症状とASD症状をASDあるいはADHDのどちらか一方の特性から説明できるか否かの判断をしなければならない。不注意，多動性，衝動性というADHD概念を規定する3主症状はASDの特性がそれと見えてしまうことも珍しくなく，一方でADHDの衝動性や不注意から派生する対人関係障害がASDの社会性の障害と誤解されやすいことから，両者の併存かあるいは一方の疾患で説明できる症状かの判断は特に慎重かつ厳密でなくてはならない。したがって，両者の鑑別診断ならびに併存診断は，本書所収の「子どものADHD臨床面接フォーム」に準拠した半構造化面接と両疾患に関する評価尺度，心理検査や神経心理学的検査，あるいは医学的・神経学的検査などの結果を総合的に十分吟味し決定することが望ましい。

DSM-5となって，DSM-Ⅳまでの ADHDと広汎性発達障害（pervasive developmental disorders；PDD）の両方が診断可能な場合にはPDDを診断名とすべきであり両者の併存は認めないという診断上の枠組みが取り払われ，併存診断が可能となった。その結果，ADHDあるいはASDと診断された子どもの多くはもう一方の疾患を併存しているというとらえ方が一般的となっていった。しかし，もし大半のADHDケースが同時にASDと診断できるなら，そして大半のASDケースがADHDでもあるなら，両者は同一の疾患スペクトラムに統合されるべきと考えるが，現在のところそのようなコンセンサスは公式なものとなっていない。個々のケースの診断・評価にあたる臨床家はADHDとASDの併存という結論を出す前に，そのADHD症状がASDで説明できるものか否か，あるいはそのASD症状がADHDで説明できるものか否かを慎重に評価する過程を必ずもたねばならない。すなわち，この診断・評価ガイドライン⑨は両者の併存の有無をめぐる根拠について慎重に検討する過程を経ない安易な併存診断を厳に慎むべきとする姿勢を示したものである。しかし，その一方で両者を併存するケースは確かに多く存在しており，両者を併存することによって神経発達症としての特性が多様に変化することから，個々のケースの特性に沿ったテーラーメードな治療・支援を組み立てるために，両者を併存することがもたらす結果について常に吟味し検討し続ける姿勢が臨床家には求められている。そうした検討の資料として本文での以下の記載を参照されたい。

■ASDとの鑑別のための評価尺度【➡第２章2-⑧】
■ASDとの鑑別【➡第２章5-①】
■ASDとの併存【➡第２章6-⑤】
■ASDの併存例をどう見出し評価するか【➡第２章6-⑥】

診断・評価ガイドライン ⑩：ASD以外の精神疾患との鑑別診断

ADHDと鑑別すべき対象疾患は多彩であるが，とりわけ注意を払うべきは，「脱抑制型対人交流障害（disinhibited social engagement disorder；DSED）」や「反応性アタッチメント障害（reactive attachment disorder；RAD）」をはじめとする児童虐待，あるいはそれに準ずる逆境的養育環境で育ったことから生じた心的外傷関連の諸疾患である。DSEDやRAD（その発症はこうした環境のなかで育った子どもでも極めて稀とされる）の症状としての，あるいは疾患水準ではなく，より一般的に見出すことのできるアタッチメント不全（Dタイプのアタッチメント様式とほぼ同じ）をもつ子どもの特徴としての衝動性の高さや落ち着きのなさといったADHD様症状については，それがADHDの症状か，アタッチメント不全に関連した状態像かの鑑別を慎重に行う必要がある。この鑑別にあたってはADHDをもつこと自体が親の虐待的養育姿勢を誘導するリスク因子であり，ADHDと虐待関連のアタッチメント不全との併存も少なくないことを心得ておかねばならない。

不適切な養育や児童虐待（身体的虐待，性的虐待，ネグレクト，DVの目撃を含む心理的虐待）などの逆境的養育環境で乳幼児期をすごした子どもに生じる衝動性や落ち着きのなさと，生来的な脳機能障害を主な発症基盤とするADHDとの鑑別は，両者の症状に共通点が多いこともあって，必ずしも容易ではない。そこで，軽度の知的発達の遅延，親子関係におけるアタッチメントの過度な抑制や回避，あるいは高い両価性などで表現されるアタッチメント障害（DSEDやRAD）やそれらより軽症のアタッチメント不全（これを漠然と「愛着障害」「アタッチメント障害」と呼ぶ専門家も多いが，本来DSEDやRADを指すこれらの用語との混乱を避けるためここでは「アタッチメント不全」と呼んでおく）ではないかと疑いをもった際，あるいはフラッシュバック的な再体験現象や過覚醒状態を示す易刺激性の亢進といった心的外傷後ストレス障害の症状，さらには攻撃的な素行の問題などを示すケースと出会った際には，それがADHDによるものではなく児童虐待に関連した疾患の徴候ではないかという点についてより詳細な聞き取りと観察を通じて鑑別する必要がある。児童虐待と関連の深い精神疾患のなかで最も特異性の高いDSEDとRADは重度の被虐待児の間においてさえ稀にしか発症しないことが知られており，むしろ精神疾患としてはより軽度な水準のアタッチメント不全を示唆する対人交流様式，感情調整，あるいは行動などの問題あるいは機能障害にこそ注目すべきである。その意味でICD-11が採用した「複雑性心的外傷後ストレス障害（Complex Post-Traumatic Stress Disorder；CPTSD）」という新たな疾患概念に注目することを臨床家は求められることになるだろう。CPTSDはフラッシュバックや回避などのPTSD症状と，かんしゃくをしばしば起こすといった感情制御困難，無価値観や罪悪感が生じやすい否定的自己概念，そして他者と親密になれないなどの対人関係障害の3症状からなる「自己組織化の障害（Disturbance in Self-Organization；DSO）」との2領域の症状群からなる疾患とされ，2種のアタッチメント障害と同様にそれをすべて満たすケースはそれほど多くはないだろう。しかしその不全型は子どもの心の臨床場面で稀ならず出会い，仮にCPTSDの診断に至らないとしても十分に本人を苦しめ混乱させており，さらに周囲を巻き込んで追い詰めてしまうことも珍しくない。こうした特徴をもつケースはADHDの体質的基盤をもつ子どもにももたない子どもにもあらわれうるものであり，純粋にADHD特性のみのケースと自己組織化の障害のみのケース，そして両者が混じりあった併存ケースの鑑別には最大限の注意を払い慎重に実施すべきである。

なお，ADHDのみならず知的能力障害，コミュニケーション症，ASD，限局性学習症といった神経発達症群の疾患をもつケースは幼児期から児童虐待の被害者となる可能性がそれをもたない子どもより高いとされており，とりわけADHDではそのリスクが高いと考えられていることを臨床家は心得ておきたい。

■脱抑制型対人交流障害との鑑別【➡第2章5-③】
■反応性アタッチメント障害，脱抑制型対人交流障害の併存【➡第2章6-⑨】
■児童虐待をはじめとする逆境体験とADHDの関連【➡第2章7-②】

診断・評価ガイドライン ⑪：身体疾患との鑑別診断

ADHDはてんかん，脳腫瘍，くも膜嚢胞，もやもや病，亜急性硬化性全脳炎，副腎白質変性症，結節性硬化症などの多彩な中枢神経疾患や，甲状腺機能亢進症，アトピー性皮膚炎，軽度ないし中等度の聴覚障害などの身体疾患との鑑別が必要であり，それらの疑いをもったら鑑別診断のために適切な医学的・神経学的検査を実施するとともに，積極的に専門領域（小児科，小児神経科，脳神経内科，脳神経外科，耳鼻科など）との連携を求める必要がある。

ADHDの主症状はいずれも非常に目立ちやすいことからADHD様症状をもつ子どもを目の当たりにすると，ついつい最初にADHDの診断を下してしまいがちで他の可能性を省みないという誤りを犯しやすい。特に，中枢神経疾患をはじめとする身体疾患によるADHD様症状であることに気づかないでいると，ADHDという最初の診断に縛られ，当該身体疾患の治療のタイミングを逃すといった重大な結果を招く可能性がある。このような誤りは医師をはじめとする臨床家は誰でも犯す可能性をもっていることを心得て常に注意を怠ってはならない。

また，てんかんをもつケースに不注意症状と紛らわしい症状が出現することはよく知られており，例えば欠神発作の頻発しているケースをボンヤリしていて集中力のない生徒ととらえ，ADHDではないかと学校から親に伝えられることもありうることから，注意深く鑑別する必要がある。さらに，前頭葉てんかんでは，1回の発作が2，3秒と短く，手足をバタバタさせて時に声が出るタイプがある。この短い発作を繰り返すため，落ち着きがない子とされてADHDの疑いで紹介されてくる例もあることは臨床家として承知しておきたい。こうしたケースでは，受診後まもなく実施した脳波検査では異常所見を見出すことができないことも珍しくはなく，てんかんを否定されることもある。その場合でも治療経過のあるタイミングで脳波異常を検出でき，てんかんと確定することは決して稀なことではないと臨床家は心得ておきたい。さらにてんかんと診断され，すでに抗けいれん薬を服用しているケースで，薬剤による影響によってADHDの不注意症状に類似した状態像を示すことがあることにも注目する必要がある。そのうえで，てんかんだけでは説明できないADHD様症状が複数存在し診断可能であり，それが適応上の問題を引き起こしているようなケースでは両者の併存と判断し，両者の治療システムを併せた独自の治療・支援を組み立てるべきである。

■身体疾患（てんかんを除く）との鑑別【➡第２章5-⑤】

■てんかんとの鑑別および併存症としてのてんかん【➡第２章5-⑥】

診断・評価ガイドライン⑫：併存症診断

ADHDは多彩な併存症をもつことで知られており，本ガイドラインは併存症を行動障害群，情緒障害群，神経性習癖群，神経発達症群，反応性アタッチメント障害（RAD）と脱抑制型対人交流障害（DSED），睡眠ー覚醒障害群，パーソナリティ障害群そしてゲーム・インターネット嗜癖の8疾患群に分けてとらえている。これらの併存症を可能なかぎり漏れなく見出し診断へと導くために，本書所収の「子どものADHD臨床面接フォーム」に含まれる「併存症診断・評価用フォーム」，あるいは「K-SADS-PL DSM-5（Kaufmanら）」のようなチェックリストないしスクリーニング・フォームを用いて半構造化面接に準じた評価を行うことを推奨する。その結果，重要な併存症を見出した場合，プライマリ・ケア医は必要に応じて専門医への紹介も考慮する必要がある。

ADHDでは高い確率で何らかの併存症をもっている。その多彩な併存症を少しでもとらえやすくすることを目的に，本ガイドラインは以下のような8疾患群に分類してとらえることを提案している。

■行動障害群：反抗挑発症，間欠爆発症，素行症，さらには少年犯罪などである。【➡第２章6-①，7-①】

■情緒障害群：不安症群，強迫症および関連症群，重篤気分調節症を含む抑うつ障害群，双極性障害および関連障害群など多彩な疾患がここに含まれる【➡第２章6-②，6-③】

■神経性習癖群：排泄症群がその代表的疾患である。なお，本書第3版までここに含めたチック症群はDSM-5の修正に従い神経発達症群に分類した。【➡第２章6-④】

■神経発達症群：ASD，知的能力障害，コミュニケーション症群，限局性学習症，発達性協調運動症，常同運動症，チック症群（トゥレット症など）など【➡第２章6-⑤，6-⑥，6-⑦，6-⑧】

■RADとDSED：これには疾患とはいえない水準のアタッチメント不全も含んで考えることに意義があり，児童虐待との関連が深い。もしアタッチメント不全を疑わせる現象あるいは問題を見出したら，その旨明確に記載すべきである【➡第２章6-⑨】

■睡眠－覚醒障害群：睡眠時無呼吸症候群，むずむず足症候群，ナルコレプシー，二次的なものとして抗ADHD薬による睡眠の問題など【➡第２章6-⑩】

■パーソナリティ障害群：DSM-5に準拠したカテゴリー診断としては境界性パーソナリティ障害，演技性パーソナリティ障害，自己愛性パーソナリティ障害，回避性パーソナリティ障害，依存性パーソナリティ障害，強迫性パーソナリティ障害，反社会性パーソナリティ障害などがADHDに併存することがある。これらは併存症としてADHDと両立している場合もある一方で，パーソナリティ障害による高い衝動性がADHDのそれと誤診される場合もあるので，鑑別には慎重を期すべきである。【➡第２章6-⑪】

■ゲーム・インターネット嗜癖：ICD-11で採用されたゲーム症（gaming disorder）はわが国ではゲーム・インターネット嗜癖あるいはゲーム・インターネット依存として社会的注目を集めるとともに，急速に治療ニードが高まっている疾患である。DSM-5には同様の疾患概念は採用されておらず，DSM-5-TRでも言及されていない。ADHDとりわけASDとの併存ケースはゲーム症に親和性が高いとされており，臨床家はADHDケースの治療・支援にあたりその可能性に留意する必要がある。【➡第２章6-⑫】

以上の8疾患群の併存症は，さらに一次性併存症と二次性併存症の2つの概念に分類するととらえやすい。一次性併存症とはADHDがそうであるように一人の子どもの生来性の体質に基づく精神疾患のことで，ADHDとは独立した体質による精神疾患，あるいは共通の体質を背景に発現した精神疾患を意味する。一方，二次性併存症とは体質要因と養育環境や学校環境などの環境要因との相互作用の結果として発現する精神疾患のことで，「二次障害」という用語で語られることも多い。注意しなければならないことは，二次性併存症は環境要因だけで発現すると勘違いしないということである。二次性併存症の大半は環境要因に対する反応という側面とともに，その疾患への体質的・生来的な親和性や脆弱性を想定する必要のあるケースであり，両者の相互作用の結果としてその併存症を理解することが求められる。【➡第１章3】

■一次性併存症：神経性習癖群，神経発達症群，睡眠－覚醒障害群の多く

■二次性併存症：これ自体が以下のような3種の下位概念に分かれる

　▶外在化障害群：行動障害群，反社会性パーソナリティ障害

　▶内在化障害群：情緒障害群，DSEDとRADなど心的外傷関連疾患，上記以外のパーソナリティ障害

　▶その他：睡眠－覚醒障害のうち薬剤誘発性のもの，ICD-11のゲーム症（内在化障害と外在化障害のどちらにも分類しがたい）

診断・評価ガイドライン ⑬：臨床的全体像の見立て

ADHDの診断・評価は単に「ADHDを診断する」ということにとどまってはならない。主訴，成育歴，家族歴，現病歴などに関する詳細な聴取内容，ADHD診断のための半構造化面接の結果，適切な評価尺度の数値とプロファイル，必要な医学的・神経学的検査の結果，適切に選択された心理検査や神経心理学的検査の結果，鑑別診断の結果，そして併存症の診断結果などから得られたケースの諸要因あるいは諸側面を統合することでADHDケースの臨床的全体像をとらえることこそが診断・評価の結果としての「見立て」である。この見立てこそが個々のケースに添ったテーラーメードな治療・支援システムを組み立てる際の臨床判断の根拠となるのである。

個々のADHDケースにおいて，ADHDの診断は適切に行われ，厳密な鑑別診断がなされているか，顕在性の症状や併存症に隠された別の症状や併存症はないか，どのような検査がさらに行われなければならないか，そして各ケースの何を支え，何を修正するための治療・支援が必要なのか，家族環境や学校環境は治療・支援に協力できるのか，あるいは妨害的なのか，そしてこのケースの今後の人生やパーソナリティ発達の見通しはどうなのかなど，治療・支援に必須の多くの臨床的問いに答えることが診断・評価の結果，すなわち臨床家による見立てなのである。そのために第一に主訴，成育歴，家族歴，現病歴の詳細な聴取を本書所収の「子どものADHD臨床面接フォーム」の「基本情報聴取用フォーム」にしたがって実施し，子どもを取り巻く環境の質や成育歴に基づく育ちの歴史を把握する。そして第二に「ADHD診断のための半構造化面接用フォーム」に準拠した半構造化面接を実施し，ADHDと診断可能であるか否かを判断する。第三に鑑別診断の根拠を探索し，同時にその子どもに固有な特性を知り，治療・支援に活かすために必要な医学的・神経学的検査や神経心理学的検査を含む心理検査のいくつかを目的に合わせて選択し実施する。これらの結果が臨床家にADHDの鑑別診断の補強材料を与えるばかりでなく，その子どもがもつ特性の諸相を認識させてくれる。そして第四に「併存症診断・評価用フォーム」あるいはK-SADS-PL DSM-5に準拠した併存症の評価を行う。併存症はそれ自体が治療・支援の対象であるだけでなく，その出現要因を探ることでそのケースの育ってきた経過と環境を教えてくれる貴重な手がかりにもなる。こうして得られたすべての情報や評価結果を総合した「見立て」としてADHDの診断が確定し，ケースの臨床的な全体像が描き出される。このような診断・評価の過程は完全にこの順序で行われるべきものというわけではなく，ケースの特徴や事態の深刻度，さらには家族の余裕や相談を受けている機関の余裕などにより実施の順番とボリュームは適宜調整するのが現実的である。
【➡第2章1-①，1-②，1-③】

診断・評価ガイドライン ⑭：総合的理解のための横断的評価と縦断的評価

個々のADHDケースの人としての全体像を総合的に理解するためには，まずその子どもが現在示している症状，他者との優勢な対人交流様式，社会的行動の特徴，優勢な感情と感情調整の質，そこに見て取れる優勢な防衛，そして形成されつつあるパーソナリティ傾向といった現在の横断面の評価に取り組む必要がある。さらにそこで評価を終わりにせず，時間軸に沿ったADHD症状の変遷，併存症の経年変化，対人関係や社会的行動の質的展開，そしてパーソナリティ発達の過程とその向かいつつある方向などについての縦断的な評価をくりかえし実施しなければならない。このように横断面の疾病構造とその時間軸に沿った縦断面の変遷過程との両者を総合的にとらえることによって，今後の展開を予測し，それに対応できる治療・支援システムの修正を検討するといった姿勢がADHD臨床には必須である。

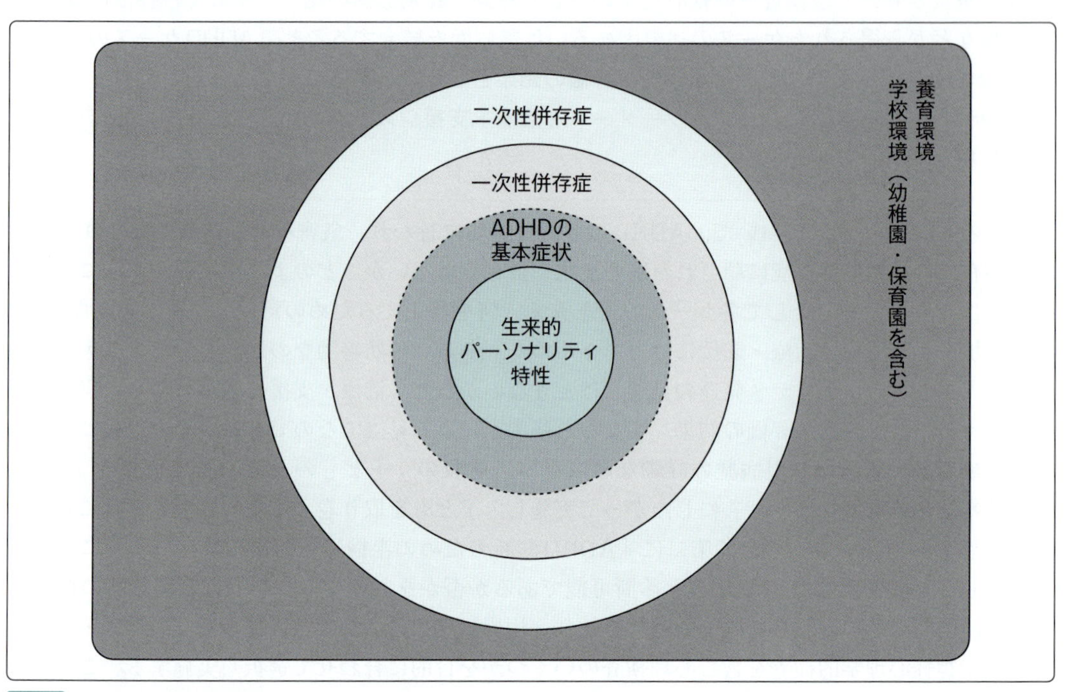

図2 ADHDの疾病構造

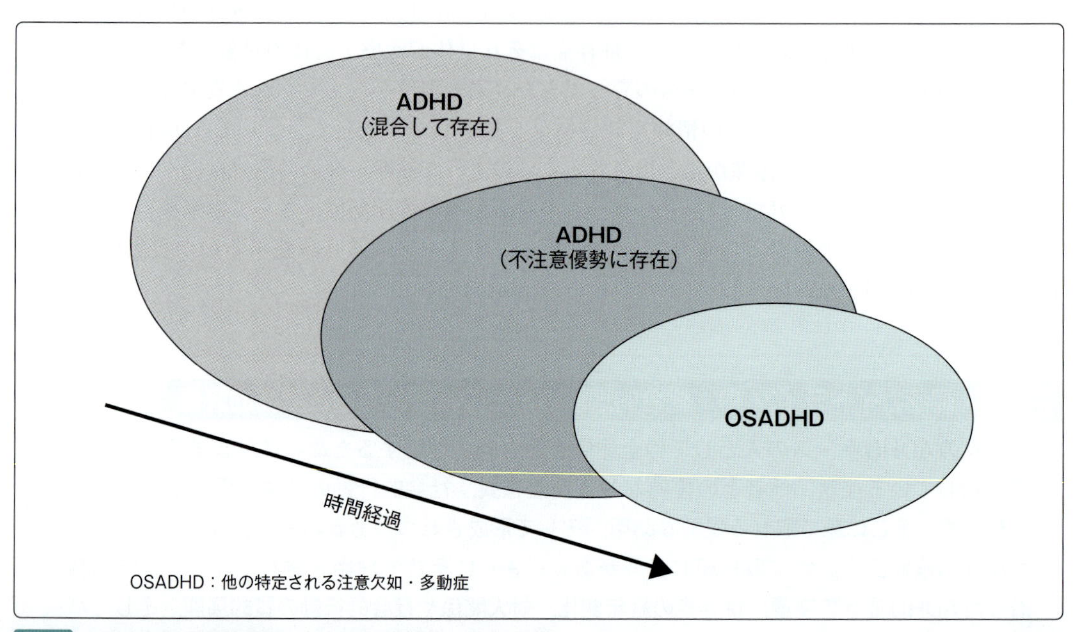

図3 ADHDの時間的経過（1）症状改善・社会性増大

ADHDの横断面の評価，すなわちADHDケースの現在の機能と状態に関する評価は，図2のような疾病構造を念頭に置いて，各要因すなわち気質（temperament）に始まる生来的パーソナリティ特性，ADHDの基本症状，一次性併存症，二次性併存症，養育環境など環境要因の特性などについて個々のケースで検討することから得られる。【➡第1章3】基本的には，一次性併存症は体質的で生来性の素質に関連した精神疾患であり，二次性併存症は環境との相互作用の結果発現した精神疾患としているが，実際の二次性併存症は環境要因の影響が大きいことはいうまでもないものの，生来性の脆弱性ないし親和性の関与を想定しないと理解できないものが多いことを心得ておかねばならない。

次に，図3から図5までの3種類の図はADHDの時間経過，すなわちADHDの縦断面に見出される変遷過程をあらわした3種類の模式図である。最初の図3は「症状改善・社会性増大」と名づけた経過を示したもので，ADHD（混合して存在）と診断されたケースを例に挙げADHDの主症状の一部が発達に伴い改善してADHD（不注意優勢に存在）へと診断変更となり，二次性併存症は出現せず，徐々にADHDの診断基準を満たさなくなっていくという経過をあらわしている。多くのADHDケースは適切な治療・支援を受けることでこの経過をたどっていくはずである。【➡第1章2】

図4はADHDケースの一部がたどるとされる，発達に伴って徐々に反社会性が亢進あるいは拡大していく経過をあらわしたものである。もちろん，図中の各疾患を意味する楕円の大きさが反社会性の拡大に伴って小さくなっているのは，この経過がスタートしても，多くはその途中の段階で適切な支援を受けることで，この経過から脱していくからである。すなわち，反社会性パーソナリティ障害までたどりついてしまうADHDケースは，多くの場合不運にも適切な治療・支援の機会を与えられることなく放置されていたことを意味しており，ネグレクトやその他の児童虐待をはじめ高度に逆境的な養育環境で育った可能性がある。【➡第2章6-①，7-①，7-②】

図5に示したように，ADHDケースは「不安症群」，「抑うつ障害群」，「強迫症および関連症群」，

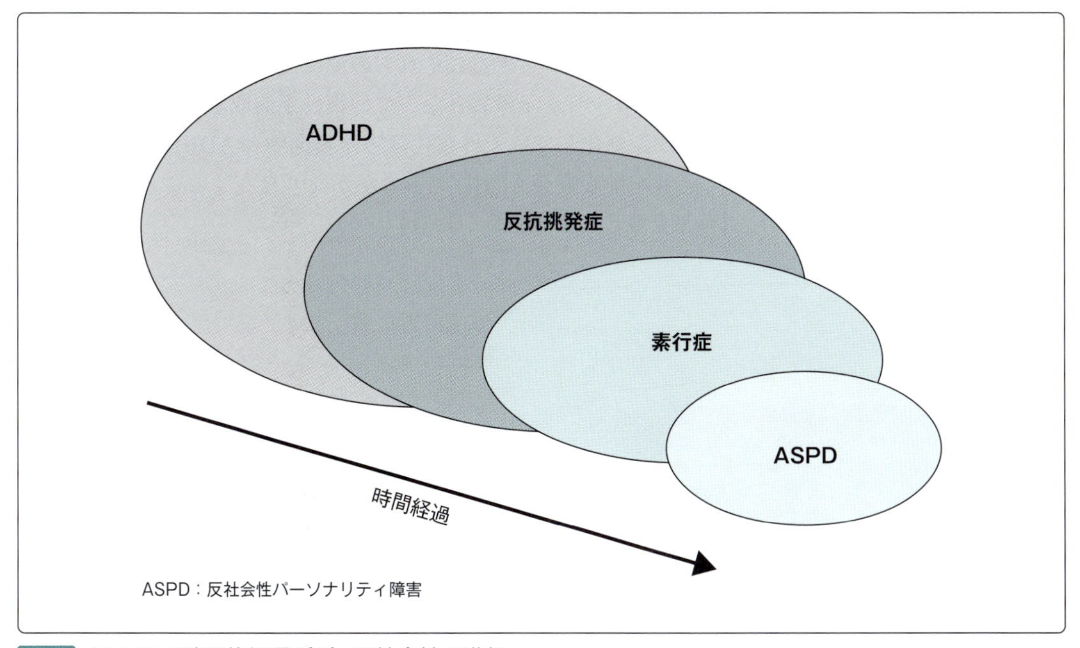

図4 ADHDの時間的経過（2）反社会性の進行

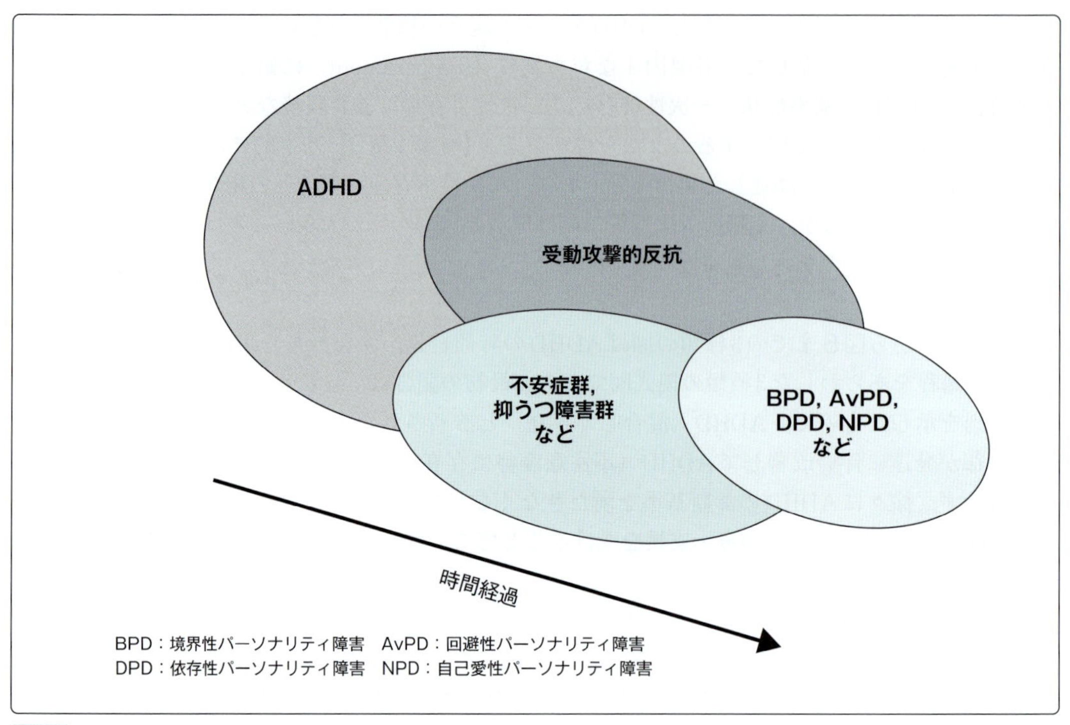

図5 ADHDの時間的経過（3）内在化障害の進行

あるいは「心的外傷およびストレス因関連障害群」など，いわゆる内在化障害と総称される諸疾患の併存率も高いとされている。ここでは，他罰的な反抗挑発症とは別に，頑固で，かつ消極的な不服従とひきこもりの傾向をもつ「受動攻撃的反抗」も，攻撃性を自己に向けるという意味で内在化障害に含めた。これらの障害の多くは適切な治療・支援を受けることで回復していくが，一部は依存性，回避性，自己愛性，両価性などが目立つ対人関係様式や受動攻撃的なそれが社会的不適応を生じさせるほどの重症度で遷延し，パーソナリティ構造にそれらの偏ったパーソナリティ傾向が組み込まれていくと，病理的な水準のパーソナリティ障害となって回復に手間取ることになる。こうした内在化障害の展開は，反社会性が深刻化していく外在化障害が展開中のADHDケースにも高率に生じることが知られており，両者を併せもつADHDケースがかなり存在することを臨床家は承知していなければならない。【➡第2章6-②，6-③，6-⑪】

治療・支援ガイドライン ❶：治療開始の前にまず確定診断

ADHDの治療・支援はあくまでADHDの確定診断を前提に行われるべきもので，とりわけ薬物療法ではこの基準に厳密であることが求められる。診断確定後にはさらに成育歴，家族歴，そして症状の発現後から現在までの現病歴を詳細に検討し，個々のケースの特有な育ちの経過，母子を中心とする親子関係の質と量，幼児保育・教育の段階から現在までの家庭外の環境の質と量，そしてそこでの適応状況，両親のパーソナリティ傾向などの評価結果を治療・支援に活かすという姿勢が求められる。治療・支援対象であるADHDケースの臨床的全体像を見るという観点を治療・支援の場で治療・支援者は忘れてはならない。

ADHDの治療・支援は，14項目の診断・評価ガイドラインで推奨した標準的な診断・評価手順にしたがって得たADHDの確定診断を必須条件としたうえで，ADHDケース本人の特性のみならず，家族の特徴，養育環境の状況，ライフイベント，保育園，幼稚園，小学校，中学校，高校といったそのケースが所属する家庭外の場での適応状況や問題点などを総合的にとらえ，個々の臨床像と環境の特徴に応じて計画されたものでなければならないということをここでは強調している。

治療・支援ガイドライン ❷：治療・支援の基本的な流れ

ADHDの治療・支援は環境調整に始まる多様な心理社会的治療から開始すべきであり，本ガイドラインは「まず薬物療法ありき」の治療姿勢を推奨しない。あくまで薬物療法は心理社会的治療の効果不十分であることを確認したうえで，併せて実施すべき選択肢である。これはプライマリ・ケアの現場においても例外ではなく，いきなり薬物療法開始という姿勢は当事者や親をはじめとする家族の不信を招きやすいことを心得ておかねばならない。

図6に示したようにADHDとの診断が本ガイドラインの診断・評価ガイドラインに準拠した方法により確定したら，ADHDに固有な治療・支援に入っていくことになる。ADHD固有の治療・支援の第1段階は環境調整【➡第3章1-②】とその他の心理社会的治療【➡第3章1の各項目】に取り組むときであり，必ず必要十分な期間が確保されなければならない。そのうえで，効果判定を行い，効果が不十分と見なされたら薬物療法【➡第3章2】を心理社会的治療に重ねて併施する第2段階へと入っていく。薬物療法が必要になるケースでも，薬物療法だけでADHD治療の目標が達成できると考えるのは早計であり，並行して実施している心理社会的治療との相互作用，あるいは相乗効果によって治療目標に接近していくことが可能になると理解すべきである。第2段階の治療・支援が一定期間続いたところで効果判定を行い，もし効果が不十分であれば実施中の心理社会的治療の内容と薬物療法の効果の双方を真摯に評価し，必要であればそれぞれの修正を行って新たな治療・支援システムを確立するのが第3段階である。第3段階の治療・支援を一定期間続け，効果が不十分であればさらに第3段階で行ったような心理社会的治療と薬物療法の修正を検討することになる。これが第4段階であるといった具合に，効果が得られる治療・支援システムを確立するまで段階を重ねていくことになる。

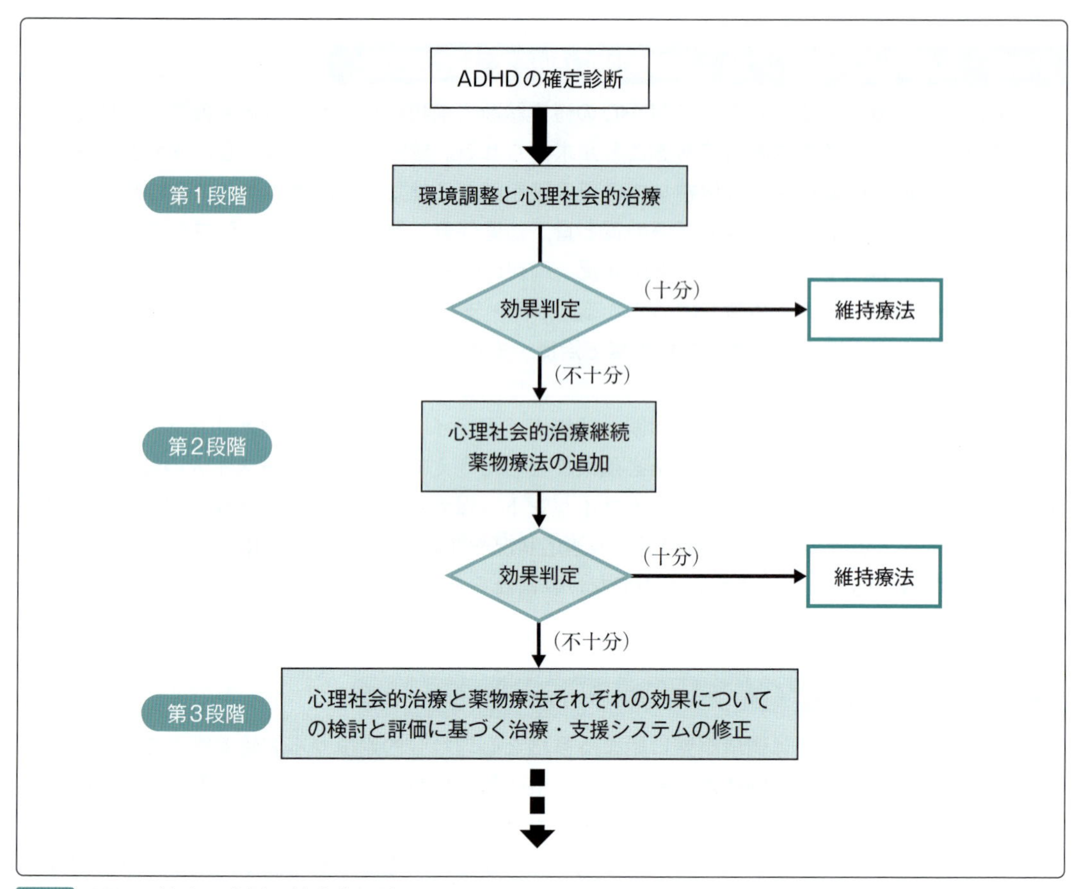

図6 ADHD治療・支援の基本的な流れ

治療・支援ガイドライン ❸：重症度に応じた治療選択

診断・評価ガイドライン④で示した重症度および神経発達症としての特性プロファイルの評価からADHDの臨床的重症度およびその属性が明確になったら，それらに応じて治療・支援の体系が調整されなければならない。すなわち臨床的重症度が「軽度」の場合には，特性プロファイルに対応する環境調整および心理社会的治療を中心に治療体系を組むべきであり，薬物療法は極めて例外的にしか適応とならない。「中等度」の場合には，環境調整と心理社会的治療に一定の期間（少なくとも3カ月以上）挑戦し，それでも改善が得られないと判断したケースで薬物療法を開始する。「重度」の場合には生じている問題の深刻度に応じて環境調整および心理社会的治療だけで経過を見ている期間の短縮も是とするが，その場合でも心理社会的治療にまず挑戦するという姿勢を失わず，薬物療法開始後も親ガイダンスやペアレント・トレーニングをはじめとする心理社会的治療を薬物療法と併せて実施すべきである。

これは図6で示した治療過程の流れ図を重症度に応じてある程度柔軟にとらえる必要があると指摘したガイドラインである。すなわち，「軽度」の場合の治療・支援はもっぱら第1段階の水準で経緯するのが基準であり，第2段階以降に進む軽症ケースは稀である。「中等度」と「重度」の場合はいずれも第2段階へ進むケースが中心になる。「中等度」と「重度」の場合の違いは，心理社会的治療のみの段階でどのくらい経過を見るかというところにある。すなわち「中等度」では少なくとも3カ月，可能なかぎりそれ以上の期間にわたって，複数の心理社会的治療を組み合わせた治療・支援を実施し，その後それへの反応性を評価することを推奨している。その結果，効果不十分と判定した場合に第2段階の薬物療法を開始すべきである。一方，「重度」ではその大半が問題の深刻さから，心理社会的治療開始後の早い段階で薬物療法の開始を主治医が決断しなければならない場合が多い。なお，ここで「中等度」の場合の心理社会的治療の効果判定までの期間を「少なくとも3カ月以上」としたのは，薬物療法に関するわが国のエキスパート・コンセンサスから得た推奨による（牧野和紀，齊藤万比古，青島真由，他：子どものADHDの診断・治療に関するエキスパート・コンセンサス―薬物療法編―．児童青年精神医学とその近接領域，56（5）：822-855，2015）。

治療・支援ガイドライン ❹：心理社会的治療システムの組み立て

ADHDの心理社会的治療は，環境調整，親への心理社会的治療，ケース本人への心理社会的治療，学校など関連専門機関との連携という4領域の治療・支援をバランスよく組み合わせて実施すべきである。その一部しか実施できない場合にも，この4領域の組み合わせの必要性をよく理解し，必要時には他機関に依頼してでも実施するという姿勢をもっていなければならない。

心理社会的治療は上記のように4領域の治療・支援をバランスよく組み合わせた治療・支援システムとすることを目指すべきであり，図7はそれを模式図として示したものである。

治療・支援ガイドライン ❺：環境調整

ADHDの心理社会的治療は，ADHDケースが暮らす場の環境調整から始めるべきである。環境調整は適応上の問題が生じている場（主に家庭と学校）の環境としての諸側面を調査し，その特徴をよく知ることから始め，個々のケースの特性プロファイルに応じた適応を手助けできる環境へと修正することである。その修正の対象となるのは場としての家庭や教室の環境設定であり，そこで展開する人間関係（親，教師，友人など）の様態である。

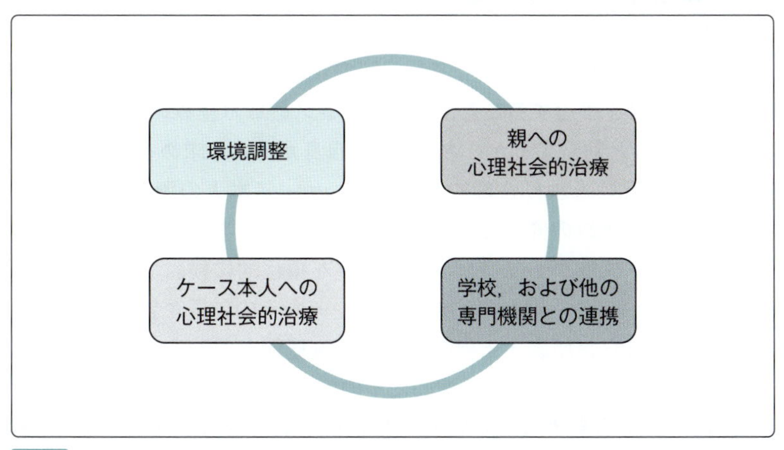

図7 ADHDの心理社会的治療の組み立て

環境調整は心理社会的治療の最も基本的な必ず取り組むべき領域である。生活する空間としての場の環境設定とは，例えば家庭や教室に置かれた家具や壁に貼られた掲示物などが注意を散漫にさせるほど多量で乱雑な置かれ方をしているなら，それらの数を減らし，整然と置かれるようにすることであり，教室での座席の位置を集中しやすい位置にするなどである。親や教師のADHDケースへの指示の出し方は可能なかぎり具体的で簡潔な言葉にするとか，作業の工程表を作成して視覚的に作業の順序立てができるようにするなどの工夫がなされるべきである。対人関係の展開する他者との交流についての環境要因は，主として関わる大人（親，教師，学童保育の指導員など）のADHDケースへの関わり方のことであり，その調整はそのような大人が一般的なADHDの特性と個々のケースの特性プロファイルについて具体的に理解しようとする動機をもつことから始まるという点を臨床家はよく心得ていなければならない。

■環境調整の考え方【➡第３章１-②】
■行動療法的観点からの環境調整【➡第３章１-⑦】

治療・支援ガイドライン❻：親支援としての心理社会的治療

環境調整と同時に取り組みを始めなければならない心理社会的治療は親あるいはそれに代わる保護者への治療・支援である。ADHDのわが子を受けとめきれず困惑し傷ついている親機能の回復にはまず親を支えエンパワメントすることが必須であり，この親機能回復が実現すればADHDケースの治療・支援にとって持続的かつ強力な資源を得ることができることを臨床家は承知していなければならない。親支援の基盤をなすのは主治医をはじめ臨床家による「親ガイダンス」である。臨床家が毎回の診察時や面接時にわが子の対応に日々悩んでいる親の思いの傾聴を通じて，親をねぎらい支えるとともに，わが子の困った行動についての対処法を話し合うことがその主な内容である。親ガイダンスはADHD治療終結の日まで一貫して親を支えるとともに，ケースを育むための親と臨床家による協働的対話の場であり続けなければならない。

この親ガイダンスを有効なものとするためには，親がわが子のADHD特性，その弱みと強みをできるだけ具体的に理解し，行動の問題への対処法を修得する必要があり，その点に焦点づけた心理社会的治療としてまず実施すべきは「親への心理教育」である。心理教育は，1回から数回で構成される「小集団での心理教育プログラム」を治療初期に実施することは有効であるが，集団での実施ができなくても個別の親ガイダンスのなかで必要な課題に焦点を絞った簡易版心理教育を反復することが親ガイダンスの取り組みの重要な要素となる。

さらに，臨床家が必要と判断するか，あるいは親自身がそれを求める場合には，ADHDケースが示す対応の難しい行動をより合理的に管理し，ケース本人の傷ついた自尊心を改善し，前向きな姿勢を引き出すための介入技術を親が実践を通じて学ぶ行動療法的かつ集団療法的な「ペアレント・トレーニング」プログラムの実施を積極的に検討すべきである。ペアレント・トレーニングはADHDの心理社会的治療のなかでもその効果が実証されている数少ない治療法の一つであり，自らが所属する機関にその実施機能が備わっているか，地域にそれを提供できる専門機関が存在するなら，積極的にその実施を検討すべきである。

同じく近年注目を集める新たな親への行動療法的プログラムとして「親子相互交流療法（parent-child interaction therapy；PCIT）」があり，ペアレント・トレーニングと同じようにその有効性が実証されている。さらに，PCITやそれ以外の行動療法的考え方に基づいて子どもの行動修正に取り組む親対象のプログラムが「CARE（Child-Adult Relationship Enhancement）」である。必要性を認めるケースでは地域のPCITやCAREを実施できる専門機関への依頼を含め検討すべきである。

親ガイダンスについては本文中の当該項目に簡潔に解説されている【➡第3章1-②】。子どもの臨床現場では親ガイダンスは毎回の診察時に必ず実施するべきものであり，本書はその際に用いる心理教育資材として付録資料の親用パンフレット「ADHDとはなんでしょう」【➡資料Ⅱ-1】と「ADHDの子どもを支え育むために」【➡資料Ⅱ-3】を掲載している。薬物療法導入の際には「ADHDの薬物療法について」【➡資料Ⅱ-4】を利用して丁寧に説明し，親と当事者であるケース本人の同意を得なければならない。

小集団での心理教育プログラムとして，親への心理教育プログラムは親同志のピア・カウンセリング的機能を期待できるという意味でも，10人以内の小集団で行うことが最も有効と考えられる。さらに上記ガイドラインにもあるように心理教育は親ガイダンスの重要な構成要因の一つでもあり，親の相談に含まれるADHD特性やその対処法についての対話で必要性を感じた際には，臨床家はその課題に応じ焦点化した課題に絞った簡易版の心理教育を行うことが必須である。どちらの形の心理教育においても上記の心理教育用資材を用いることを本治療・支援ガイドラインでは推奨している。

親支援プログラムのなかで最も有効とされる治療・支援法がペアレント・トレーニングであることはすでに知られており，国の後押しもあって全国に普及しつつある【➡第3章1-⑤】。しかし，同時に普及するにつれ，簡易型プログラムが目立つようになり，ペアレント・トレーニング本来の機能が減衰していくことも懸念される現在，わが国のペアレント・トレーニング事情はまさに分岐点にあると言っても過言ではない。ADHDへの効果という点に絞って考えれば，可能なかぎりADHDを対象とする原法に準拠したプログラムを実施できる体制を地域の医療機関を含む専門機関がもつことを推奨するとともに，さらに全国にその普及を図らねばならない。

親への心理社会的治療の新たな技法としてADHDケースを対象とする「親子相互交流療法（parent-child interaction therapy；PCIT）」がわが国でも実践されており，その有効性が認められている。これはペアレント・トレーニングとも通じる行動療法プログラムである【➡第3章1-⑨】。その特徴は親子の相互交流をリアルタイムに観察し，かつ母親のみに届く方法で望ましい対応を指示し，親がそれに取り組むことを反復することで，親のわが子への対処法の修正と子どもの望ましい行動変化との両者を得ることができるという点にある。PCITやそれ以外の行動療法的親支援の考え方をまとめた親だけを対象として集団あるいは個人に実施するプログラムがCARE（Child-Adult Relationship Enhancement）である【➡第3章1-⑨】。必要なケースと判断したなら，地域に存在するPCITやCAREを実施できる専門機関へ，地域連携の一環として実施を依頼することを推奨する。

本治療・支援ガイドラインには記載していないが，親を支え啓発することを目的とした支援法として「親の会によるピア・カウンセリング」があることを臨床家は十分に理解していなければならない【➡第3章1-④】。親の会活動はその活動内容に臨床家が口出しすべきものではなく，親の自主的活動であることから，治療者側がガイドラインに挙げて積極的に参加を勧める支援法にはあたらない。しかし，親の会参加によるピア・カウンセリング的効果は親にとって力強い支えとなることも多く，ADHDケースへの対応の心得や一般的な意味での子育てについての学びの場ともなるという点では注目する必要がある。さらに，親の会がADHDケースの治療・支援にあたる医療・相談機関と学校を含む専門機関との連携に参加することで，地域にダイナミックで強力なADHDケースを支えるシステムを構築することは地域連携の目指すべきモデルでもある。

ADHDの親支援にあたり，親自身が体質的にADHD傾向をもっていることも多いとされていることに留意する必要がある。父親あるいは母親にADHDの特性をある程度見てとれる場合には，臨床家はそれを織り込んで親の心理教育や親ガイダンスにおいて用いる言語表現（例えば文章は短く具体的な表現になるよう心がけるなど）を工夫すべきである。さらに，いずれは親が自らの特性に気づき，これを受容する過程でADHDのわが子への共感と理解が深まるよう支えることも，このような場合の親支援では重要な目標になる。

なお心理社会的治療の効果に関するエビデンスについては下記の本書項目および前述の各技法に関する項目で解説されている。

■心理社会的治療など非薬物療法の効果に関するエビデンス【➡第3章1-①】

治療・支援ガイドライン⑦：ケース本人を対象とする心理社会的治療

ADHD診療は，親への心理社会的治療と並行してケース本人への心理社会的治療を実施する必要がある。通常の診療や相談の毎セッションで担当者（医療機関なら主治医）が行う「支持的精神療法」は必須であり，治療終結まで経過観察を兼ね一貫して継続すべきである。その過程で必要と感じとった機会に随時実施するケース本人に対する「診断名告知」は必須であり，臨床家はそのタイミングを常に計っていなければならない。

臨床家がより専門的な心理社会的治療を追加する必要があると判断したなら，行動分析に基づく随伴性マネージメントを基盤としたトークン・システムやアンガー・コントロールなどの「認知行動療法（cognitive behavioral therapy；CBT）」や「行動療法（behavioral therapy；BT）」の実施を検討する必要がある。加えて，CBTやBTの応用として社会的スキルに焦点づけ小集団あるいは個人の設定で実施されるソーシャルスキル・トレーニング（social skills training；SST）も推奨される治療法である。また，CBTおよびBTに基づく集団プログラムの1つである「サマー・トリートメント・プログラム（summer treatment program；STP）」を実施できる体制が地域にある場合には，積極的にこれを活用すべきであり，地域連携の観点からも意義深いことを承知しておきたい。

小学生までの年代で，不安症や反抗挑発症などの併存症への治療・支援も併せて心理社会的治療の対象とするなら，あるいはCBTやBTのプログラム実施後さらに治療・支援を継続する必要性の高いケースであるなら，「遊戯療法（プレイセラピー）」あるいはそれに準じる象徴的表出あるいは言語的表出を介した精神療法への導入を検討すべきである。

注）遊戯療法を実施する場合には，ADHD特性をよく理解し，治療構造や限界設定（リミット・セッティング）をめぐるADHD児との交流の意義を承知した治療者が実施することで初めて治療効果が期待できるのであり，漫然と選択する技法ではない。

医療機関における主治医の外来診察時間は通常かなり短いものとならざるをえないが，そこにおいても臨床家は支持的精神療法の発想と姿勢を常に意識し，ADHDケース本人の良いところや，本人の努力とそれによって好ましい行動変化（たとえ小さな変化であっても）が生じていることを認め，具体的に称賛したり肯定的にアドバイスをしたりする支持的対応を心掛けるべきである。そして，治療関係が一定の信頼感を共有する段階に至ったら，本人の失敗ややりすぎなどについても穏やかかつ具体的に話題とし，より良い対処法を検討するといった話し合いを目指すことは必須である。支持的精神療法において臨床家が心掛けるべきは，ケースに関わる姿勢が一貫しており，あたたかく，「良いところを認めてくれる人」でなければならないという点である。本書ではこの支持的精神療法について項目を立てて扱ってはいないが，ADHDの治療・支援に関わる臨床活動における臨床家の基本的な姿勢として常に意識している必要がある。本書の第3章1の心理社会的治療として触れたほぼすべての治療・支援法はこの支持的精神療法の基本姿勢を臨床家がもっていることを前提としていることに留意したい。同時に，本書で採り上げた心理社会的治療の各項目で触れられている治療法には支持的精神療法のなかで利用可能な考え方や対処法が多く含まれていることも承知しておきたい。

個々のケースが自分の特性を承知し，自分に責任をもてるような現実的な自尊心をもつ人に成長したいと意識する動機を与えてくれる契機になることを目指した介入が，支持的精神療法の過程で適宜実施される診断名告知である【➡第3章1-⑥】。診断名告知は支持的精神療法を心掛けた通常の診察場面や相談のなかで，臨床家がタイミングを計り，親の理解と同意を得たうえで必ず実施すべき重要な治療的介入である。診断名告知は単に病名の伝達に終わるべきではなく，ADHD特性の弱み（例えば不注意なケアレスミスや衝動的な行動による失敗が生じやすいなど）と強み（例えば人の気づく前に異変に気づくことができ，気づいたらすぐに動ける，人なつこく称賛されることが大好きなど）をケースの状態像に合わせてバランスよく解説するとともに，問題の解決法や明るい未来をどうしたら手に入れられるかなどについて話し合う心理教育の一環として行う必要がある。しかも，ケース本人への診断名告知を含んだ心理教育は1回行えばよいというものではなく，臨床家が必要性を感じとったタイミングで繰り返し実施すべきであり，その内容は実施時の本人の年齢やその時直面している課題および問題の種類に合わせて変化させる必要がある。心理教育を行う際には付録資料にある本人向けのパンフレット「ADHDのことをもっと知ろう」【➡資料Ⅱ-2】を活用することを併せて推奨する。

ADHDケース本人への心理社会的治療としては国際的にも行動療法および認知行動療法（CBT）がまず試みるべきものとして推奨されており，実際の介入法としては応用行動分析（applied behavior analysis；ABA）に基づく随伴性マネージメントの一環としてトークン・システムを家庭や学校と連携して実施したり，プログラム化されたアンガー・コントロールなどを実施したりすることがさまざまな機関で取り組まれている。本書ではADHDに対する行動変容法の一つとして，CBTやBTの考え方を基盤として小集団あるいは個人を対象に行われるSSTを採り上げている【➡第3章1-⑧】。さらに，CBTおよびBTの考え方に基づく集団プログラムの1つであるサマー・トリートメント・プログラム（STP）を採り上げ，地域に実施できる体制が確立している場合には，積極的にこれを活用することを推奨している【➡第3章1-⑩】。

遊戯療法（プレイセラピー）は，現在の欧米におけるガイドラインにおいては顧みられなくなった治療法であるが，ADHDの衝動性にどう治療的に対処するかを心得て，治療構造を守り，限界設定を適切に処方できる治療者によって実施されると，有意義な結果を得ることができる【➡第3章1-⑪】。

本書は主として18歳未満の青年期前半段階およびそれより若年のADHDケースを対象とする診療ガイドラインを目指しているが，青年期前半段階のケースが青年期後半段階からヤングアダルトまでの年代（18歳過ぎから20代の終わりまで）に至るとどのような心理社会的治療が適用となるのかについて，子どもの年代に関わった臨床家も十分に心得ている必要がある【➡第３章１-⑬】。

治療・支援ガイドライン ❽：学校との連携

学校との連携はADHDケースを取り巻く環境の整備という点からも必須である。学校とADHD児の親とが深刻な対立関係にあり，かつ児童虐待は生じていないという特殊なケースを除いて，可能なかぎり医療・相談機関と学校との間でケースの状態像や適応状況に関する情報の共有に努め，各々の支援を調整・摺合せし合える関係を目指すべきである。連携すべき学校側の専門家は担任教諭，特別支援教育担当教諭，養護教諭，管理職，スクールカウンセラーなど学校側が窓口として指定してきた職種であることが多い。

■学校との連携について【➡第３章１-③】

治療・支援ガイドライン ❾：学校以外の地域専門機関との連携

学校以外の連携対象となる子どもや家族に関わる地域の専門機関の機能と，各機関の連携に必要な条件をADHDの治療・支援者は承知していなければならない。児童虐待が疑われるケースでは親の承認を得ることができなくても児童相談所，あるいはそれに順ずる児童虐待対応機能をもつ専門機関への通報と，その後の連携を行わねばならない。発達支援センターと関わっている幼児のケースでは，その担当者との連携が小学生以降の教育機関とのそれと一致する。非行や家庭内暴力などが目立つケースでは児童相談所や青少年センターとの連携，そして必要と判断したなら警察との連携も考慮すべきである。

学校以外の子ども家庭支援，児童虐待対策，非行対策などに対応する各種の地域専門機関と連携する必要があるADHDケースも少なからず存在しており，臨床家は必要と感じたらこれらの機関との連携を躊躇すべきではない。本書に掲載した以下の項目はこの点で参考になるだろう。

■地域連携システム【➡第３章１-④】
■児童虐待をはじめとする逆境体験とADHD【➡第２章７-②】
■ADHDと非行および少年犯罪【➡第２章７-①】
■児童自立支援施設および少年院での処遇【➡第３章１-⑭】

治療・支援ガイドライン ❿：薬物療法導入のための臨床検査と情報整理

薬物療法への導入を検討する際，医師は診断・評価において得た成育史や既往歴等の情報と，診断・評価のために実施した血液検査，脳波検査，脳画像検査などの結果を検討したうえで，さらに以下のような質問と心電図検査などを追加し，薬物療法にあたってより慎重に経過を見守るべきケースか否かを判断しなければならない。行うべき質問は薬物アレルギーの有無，投与を検討している薬剤の服用した経験の有無，あるとすればその際の有害反応の有無，その他の薬剤の使用歴，物質乱用歴，けいれんの既往歴，チックの既往歴，脳の器質的異常の有無，QT延長や不整脈をはじめとする心機能異常の有無および心臓疾患に関する家族の既往歴，肝・腎機能異常の有無，患者の意思，家族の意思の12項目である。これらの結果を参考に薬物療法を導入すべきか否かを吟味すべきである。

薬物療法を開始する前に，医師は諸検査の結果に加え治療・支援ガイドライン⑩で挙げた12項目の質問に対する回答から得た情報を慎重に評価したうえで実際の臨床像から薬物療法導入の妥当性を吟味し，もし妥当と判断したなら，治療・支援ガイドラインの⑬⑭⑮の推奨に準拠してどの薬剤を選択すべきかを決定せねばならない。なお，本治療・支援ガイドラインではADHD治療薬を以下のような略語表記で示すこととする。

- メチルフェニデート塩酸塩徐放錠 ➡ OROS-MPH
- アトモキセチン塩酸塩カプセル ➡ ATX
- グアンファシン塩酸塩徐放錠 ➡ GXR
- リスデキサンフェタミンメシル酸塩カプセル ➡ LDX

添付文書によればADHD治療薬のうちGXRは低血圧（稀に高血圧も），起立性低血圧，徐脈，QT延長をもたらす可能性があり，ATXは高血圧，頻脈，QT延長の可能性があり，OROS-MPHとLDXは添付文書に頻脈（OROS-MPHは稀に徐脈も），高血圧などの循環器系の有害反応が挙げられている。このことから薬物療法を開始するにあたり，心電図検査は既往歴や家族歴の聴取と併せて心臓血管系の疾患を有していないかどうかを確認するために可能なかぎり実施すべきである。なおGXRは添付文書の「重要な基本的注意」として使用開始前に心電図を必ず実施するよう記載されており，そこで異常所見があれば薬物療法中も心電図検査を適宜反復して経過を慎重に負うべきことが指示されている。なお薬物療法開始前の前述の留意事項をより深く理解するために本書の以下の項目の記載および各ADHD治療薬の添付文書を参照することが望ましい。

- ■わが国で使用可能なADHD治療薬4剤の特性およびその効果に関するエビデンス【➡第3章2-①】
- ■海外のガイドラインをめぐる現状【➡第3章2-②】
- ■第5版ガイドラインへの改訂をめぐる検討【➡第5章1】

治療・支援ガイドライン⑪：薬物療法導入時のインフォームド・コンセント

薬物療法の導入時には医師はケース本人と親，あるいはそれに代わる保護者に，処方しようとしている薬剤の期待される効果とその根拠について説明するとともに，選択した薬剤による有害反応（アナフィラキシー様症状，不眠，眠気，頭痛，食欲不振，悪心，体重減少，成長遅延，頻脈や血圧変動，さらにはQT延長などの循環器系の異常，チックの増悪など）についても具体的に十分説明し，そのうえで本人と保護者の同意を得るインフォームド・コンセントが必須である。なお本人への説明は発達段階に応じた表現を工夫しなければならない。

薬物療法開始にあたってこのインフォームド・コンセントに関するガイドラインに従うことは医師として必須の臨床姿勢であり，その説明内容とケース本人や保護者の反応は診療録に記載しておかねばならない。なお，インフォームド・コンセントを得るための保護者に対する説明の際に本書所収の親用パンフレット「ADHDの薬物療法について」を用いることを推奨する【➡資料Ⅱ-4】。

治療・支援ガイドライン⑫：薬物療法開始は6歳以上が原則

本治療・支援ガイドラインが対象とする18歳未満のADHDケースの薬物療法は，その適応となる年齢の下限を原則として6歳とする。5歳以下の幼児ケースへの使用は適応外使用であり，極めて深刻な症状や問題が頻発し，家族や保育園・幼稚園が対処不能に陥り混乱しているようなケースに対する治療・支援に限って，心理社会的治療の効果が限定的であることの確認と保護者へのインフォームド・コンセントを得ることを条件に選択できる例外的な治療であることを臨床家は十分承知していなければならない。

臨床家は，6歳未満でのADHD治療薬の投与が適応外使用にあたることをよく認識し，この年代で導入するとしたら，それは極めて深刻な状態像に対して例外的に選択する治療であることを承知していなければならない。もしADHD治療薬を用いた薬物療法を選択するのであれば，以上のような点を説明し，その必要性を保護者によく理解してもらったうえでインフォームド・コンセントを得なければならない。なお幼児期のADHD治療薬投与とその留意事項については本書の以下の項目の記述が参考になる。

- ■幼児期におけるADHDスクリーニング用問診票の臨床応用【➡第2章4-①】
- ■幼児期におけるADHD診断の可能性と限界【➡第2章4-②】

治療・支援ガイドライン⑬：ADHD治療薬による薬物療法の進め方

薬物療法に影響を与える併存症を伴わないADHDに対するADHD治療薬による薬物療法は次のような段階を踏んで実施することを推奨する。

第1段階ではADHD治療薬のうちLDXを除く3薬剤（OROS-MPH，ATX，GXR）のいずれかを選択する単剤療法を実施する。この第1段階の薬物療法が十分な臨床的効果を得ることができれば，その処方内容のまま維持療法に入っていく。しかし，各薬剤で推奨される至適用量の範囲で認容できる最大量まで投与してもなお効果不十分であったり，選択した薬剤により深刻な有害反応が現れたりしたら，第2段階へ移行する。

第2段階では第1段階で選択しなかった2剤のいずれかを用いた単剤療法を実施する。その選択により十分な臨床的効果を得ることができるなら，第2段階の処方内容で維持療法に入る。しかし，第2段階でも効果不十分であったり，深刻な有害反応が現れたりするようであれば，第3段階へ移行することになる。なお第1段階か第2段階のどちらかではOROS-MPHの選択の可否を積極的に検討すべきである。

第3段階では，①LDXの単剤療法，②OROS-MPHとGXRの併用療法あるいはOROS-MPHとATXの併用療法，③第2段階までに選択しなかったLDX以外の最後の1剤による単剤療法，④第2段階まででADHD治療薬による薬物療法を中止し治療・支援システム全体の再検討を行う，以上の4選択肢からいずれかを選択する。なお，②の併用療法は有効性や有害反応に関する情報が少なく，あくまで消極的な推奨にとどまることを承知していなければならない。④のADHD治療薬による薬物療法の中止が第3段階に入っているのは，LDXを除いたADHD治療薬3剤のうち2種類の薬剤による単剤療法で十分な臨床的効果を得ることができなかった場合にそれ以上薬物療法を続けないという臨床的選択があってもよいということを明確にしたものである。①から③までの薬物療法継続を選択し，そこで十分な臨床的効果を得ることができれば，そのまま維持療法に入る。しかし第3段階の薬物療法から期待する効果が十分得られないか，あるいは深刻な有害反応が現れたりした場合には第4段階へ移行する。

第4段階では，①第3段階でLDXを選択しなかった場合のLDXの単剤療法，②第3段階まででADHD治療薬による薬物療法を中止し治療・支援システムの再検討を行う，以上の2選択肢からいずれかを選択する。第4段階で薬物療法の継続を選択し十分な効果を得ることができれば，その処方内容で維持療法に入る。しかし，第4段階の薬物療法で十分な効果が得られないか，あるいは深刻な有害反応が現れる場合には第5段階としてADHD治療薬による薬物療法の中止を含め治療・支援システムの再検討を行う。

なお第1段階から第4段階において，薬物療法に「十分に効果がある」と判断する基準はADHD症状が完全になくなることではなく，その症状によって日常生活を著しく妨げられることなく概ね社会的に適応できるようになり，そのことにケース本人が希望を感じている状態が維持されているかどうかにあることを臨床家は心得ていなければならない。

これは6歳以上18歳未満の年代の薬物療法に影響を与えるASDをはじめとする併存症をもたないADHDに対する薬物療法の進め方について示した治療・支援ガイドラインである。これをADHD治療薬による5段階にわたる「薬物療法の基本フロー図」として表したものが図8である。

図8のフロー図は本書第4版所収の治療・支援ガイドライン⑬に含まれる「図9 併存症を伴わないADHDの薬物療法」に比べるとより複雑になっているが，その最大の理由は第4版上梓時には承認されているADHD治療薬が2剤であったのに対して，第5版となる本書作成時にはOROS-MPH，ATX，GXR，LDXの4剤が承認されており，しかもOROS-MPHとLDXが流通管理の厳格化という規制を受け，しかもLDXの添付文書に「他のADHD治療薬が効果不十分な場合にのみ使用すること」という指示が明記されていることにある。いうまでもなくこのようなOROS-MPHとLDXからなる中枢神経刺激薬に対する処方上の規制はわが国特有な事情であり，他の国のガイドラインでは薬物療法の第一選択薬の位置にエビデンスに基づいて中枢神経刺激薬が置かれるのが標準となっていることとの乖離が生じている主な理由なのである。しかしそれがすべて否定的な現況ととらえるのもまた誤りである。こうしたわが国特有な薬物療法事情のもとで非中枢神経刺激薬であるATXやGXRの単剤療法の経験がかなり蓄積されてきたことも確かであり，非中枢神経刺激薬を最初に選択する医師も多く存在し，その選択がちょうどよい改善をもたらしているケースも決して少なくないことを経験的に知る機会を与えてくれている。本ガイドライン作成にあたり執筆者対象に実施したアンケート調査でも，まず中枢神経刺激薬という考え方への警戒を示す意見も多く寄せられており，その意見とわが国の規制の現況に鑑みて以上のような治療・支援ガイドライン⑬の内容とした。その一方で，薬効に関するエビデンスは中枢神経刺激薬が非中枢神経刺激薬に比して明らかに効果的であることを示しており，そのことを無視することもまた本治療・支援ガイドラ

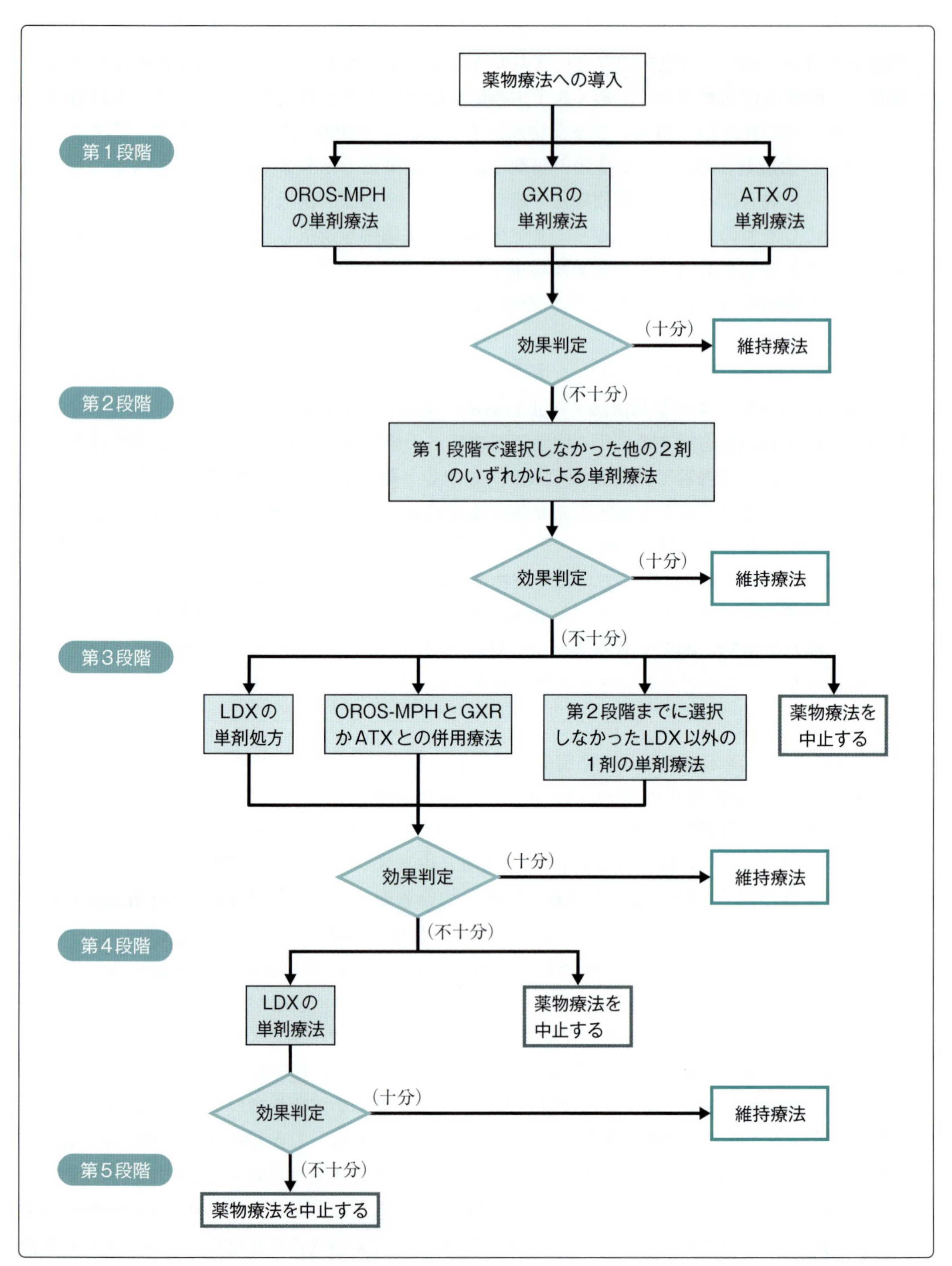

図8 ADHD治療薬による薬物療法の基本フロー図

インが意図するところではない。OROS-MPHをATXおよびGXRと横並びとし，そのいずれかによる単剤療法を第1段階としたことは中枢神経刺激薬の臨床上の重要性への配慮であり，同じ意味で第1段階あるいは第2段階のいずれかではOROS-MPHを採用することの可否を積極的に検討すべきであると明記したのである。

本治療・支援ガイドラインは原則として単剤療法を優先すべきという姿勢で作成されており，併用療法を選択する場合にはその効果に関する十分なエビデンスは示されていないこと，いずれの薬剤も併用療法を認める記載がないことを理解したうえで選択すべきであるとした消極的推奨にとどめている。これは本書執筆者対象のアンケート調査で併用療法を推奨する回答と単剤療法に止めるべきという回答がほぼ拮抗していたことを重視したものである。現在の実臨床では併用療法もそれなりに行われていることは理解しているが，その根拠が確実なものではないこと，併用による有害反応に配慮すべきであることを承知したうえで選択すべきである。その意味を込めて併用療法はLDXの単剤療法と同列とした第3段階にだけ置いており，第4段階の選択肢には入れていない。併用療法はLDXを除いた3剤のすべての組み合わせが可能であるが，本書執筆者に対するアンケート調査の結果からはOROS-MPHとGXRの併用がより多く採用されており，OROS-MPHとATXの併用がそれに続いている【➡第5章1】。GXRとATXの併用療法も行われていないわけではないが前二者ほど一般的ではない。なお，併用療法はその有効性についても，有害反応についても根拠が明確ではない点で，あくまで「消極的推奨」に止めていることを強調しておきたい。

第4段階までADHD治療薬による薬物療法に取り組んできて臨床的に十分な効果を得られていないと判断したか，深刻な有害反応で薬物療法を続けられないと判断したにもかかわらず，生じている症状や問題が著しく深刻な場合にはどのように対処すべきかという問題が残る。これに関してはこれまでの臨床的取り組みでは心理社会的治療の強化や入院治療への導入を検討する一方で，薬物療法として抗精神病薬や気分安定剤などの追加やそれらへの切り替えが行われていたが，本治療・支援ガイドラインではそのような薬物療法がいずれも適応外使用になること，効果についての実証的な根拠が少ないことに配慮し，推奨としての記載はしていない。そのような薬物療法に敢えて取り組む際には，目的と予想される有害反応について保護者とケース本人にきちんと説明したうえでのインフォームド・コンセントを得ることが必須であり，それを前提として開始したなら当該薬剤による治療効果と有害反応の出現に関して慎重にモニターし続ける必要がある。

治療・支援ガイドライン⑬の末尾に薬物療法において「十分に効果がある」と判断する基準についての推奨が記載されている。そこではADHD症状が完全になくなることが「十分な効果がある」と判断する基準ではなく，その症状によって日常生活を著しく妨げられることなく概ね社会的に適応できており，そのことにケース本人が希望を感じている状態が維持できるようになれば，それが「十分に効果がある」ことなのであるとしている。なおこのような状態像は薬物療法単独で得られるものではなく，ペアレント・トレーニングなどの心理社会的治療の効果と相まって生じてくるものであることを忘れてはならない。

なおこの治療・支援ガイドライン⑬をより詳しく理解するためには本書の以下の各項目および各ADHD治療薬の添付文書を参照することを推奨する。

- ■4種類のADHD治療薬の特性およびその効果に関するエビデンス【➡第3章2-①】
- ■海外のガイドラインをめぐる現状【➡第3章2-②】
- ■第5版ガイドラインへの改訂をめぐる執筆者アンケートを通じた検討【➡第5章1】

治療・支援ガイドライン⑭：ASD併存例に対する薬物療法の考え方

ASDを併存症として診断されているASD併存ADHDケース（以下では「ASD併存ケース」と略記）が高い比率で存在することはわが国のADHD診療において広く認められている。ASD併存ケースの薬物療法については併存症を伴わないADHDケースに対する治療指針〔前述の治療・支援ガイドライン⑬〕とは別に慎重にその処方内容を検討する必要がある。いうまでもなくADHD治療薬はDSM-5の診断基準に準拠してADHDと診断されたケースの薬物療法においてのみ処方されるべきであるが，ASD併存ケースに見いだされたADHD症状を純粋にADHDの特性としてとらえるべきか，ASD特性の表現形の一つととらえるべきかについては微妙な問題を含んでいる。そこで本ガイドラインでは個々のケースごとに両者が別々の比率で混じりあってADHD症状ないしADHD様症状となっているととらえることを推奨している（図9）。したがって，ASD特性に属する同一性保持あるいは固執性を妨げられる行動を強いられた際の多動・衝動性，あるいは行動上・情動上の易刺激性の表現としてのそれである可能性が高いと判断したなら，ASDの易刺激性を効能とする2種類の抗精神病薬（リスペリドンとアリピプラゾール）の一方による薬物療法を優先すべきである。逆に，純粋なADHD症状を併せもっている可能性が高いと評価したならADHD治療薬による薬物療法を優先すべきである。実際の臨床においてはASD併存ケースのADHD症状の多くは上記の両者の間に位置づけられる混合形であり，どちらの治療を優先すべきか判断に迷うケースは多い。ADHD症状を詳細に検討した結果としてASD固有の症状（DSM-5の診断基準として挙げられている症状だけではない）なのかADHD症状なのか，どちらの可能性が高いかを判断し，どちらの薬物療法を優先するか決定する。その際，安易に両者を併用した薬物療法から始めることは推奨しない。一方の薬物療法で始めたものの十分な効果が得られない場合は，もう一方のADHD（様）症状である可能性を想定し，それに基づく薬物療法について検討する必要がある。なお，ASD併存ケースの投与量においては，ASDケース特有な薬剤への敏感さに配慮し，ASDを併存しないADHDケースより少量投与から始めるべきである。さらに，ASD併存ケースでは口内感覚や味覚の感覚過敏から錠剤やカプセルを服用できないケースも存在することを心得ておきたい。

DSM-5ないしDSM-5-TRは，ADHDとASDとが併存する場合には両者の診断を並列させることを認めずASD診断を優先するというDSM-Ⅳないしタ DSM-Ⅳ-TRの診断基準を廃止し，一転して両者の併存診断を認めるという診断基準の変更を行ったため，近年わが国でも「ASDを併存するADHD」という診断がかなり一般的となってきている。そのため，ADHDかASDかを慎重に判定する鑑別診断を経ることなく，落ち着きがなく衝動性が高ければ即ADHDと診断したり，言葉や思考への強いこだわりから，あるいは内的な思考に没頭していて他者の話しかけに上の空となるASDを「不注意優勢に存在するADHD」と診断したりする傾向が見られるようになっている。治療・支援ガイドライン⑩ではこうした誤診や混同を回避して正確に診断するために両者の鑑別診断をきちんと行うことを求めている。その鑑別過程を経てなおADHDとASDを併存するケースと評価された場合に初めて「ASD併存ケース」としての薬物療法の検討に入っていくべきである。

ではASD併存ケースの多動・衝動性や不注意といったADHD診断の指標となる症状をどうとらえ，それらを標的とする治療・支援につなげていくべきかを検討するにあたり，どのようなとらえ方をすべきなのだろう。重要なことは多動も衝動性の高さも不注意さもいずれもADHDに特異的

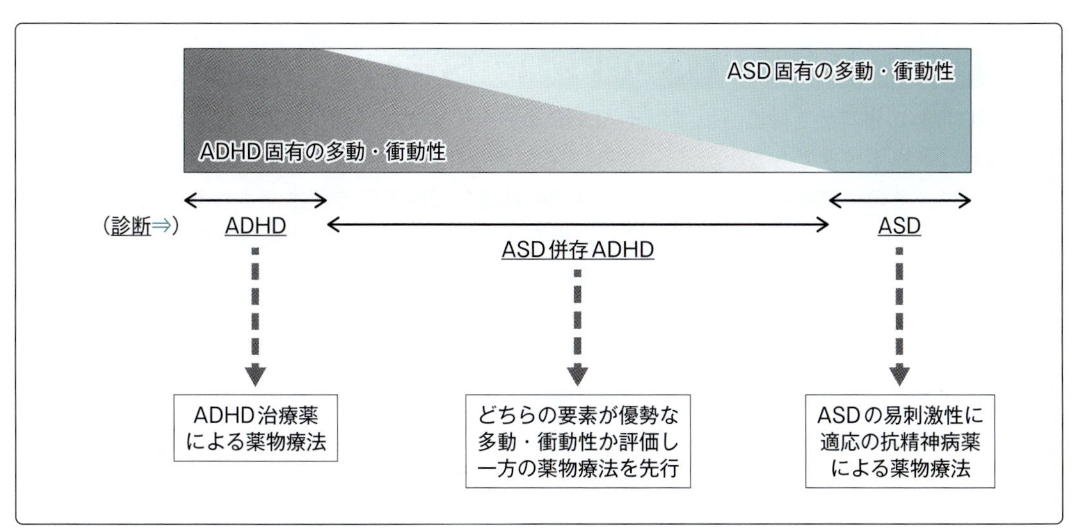

図9 ASD併存ADHDケースに対する薬物療法の考え方（多動・衝動性を例に）

な症状とはいえず，さまざまな原因によって生じうる一般的な症状ないし現象であるということである。したがって，ADHDケースが示す多動・衝動性や不注意性が純粋にADHDに由来する症状なのか，他の原因とりわけASD固有の症状ないし特性の一側面をあらわしているのかという判断のための評価が重要となる。図9はADHDケースの多動・衝動性をどのように評価し，薬物療法をどのような内容で進めるべきかを模式図として示したものである。ASD併存ケースの症状（ここでは多動・衝動性を例にしている）は図9の中央に広がるADHD固有の症状としての多動・衝動性とASD固有の症状から派生した多動・衝動性がさまざまな比率で混じりあっていることを示したもので，薬物療法の開始にあたりどちらの要素がより優勢かを評価する必要がある。その評価結果にしたがって，ADHD固有の症状の可能性が高いと判断したなら治療・支援ガイドライン⑬に準拠してADHD治療薬から始めるべきであり，もし逆にASD固有の症状が優勢と判断したなら，ASDの易刺激性への適応が承認されている抗精神病薬による薬物療法から始めるべきであるというのが治療・支援ガイドライン⑭の趣旨である。

この薬物療法について特に触れておかねばならない点は，図9の中央に広がるADHDおよびASDにそれぞれ固有なADHD症状ないしADHD様症状が混合した症状と判断した場合にいきなりADHD治療薬と抗精神病薬の両者による併用療法として開始することは推奨していないということである。どちらかの単剤療法から開始し，その結果が不十分である場合には，選択しなかったもう一方の薬剤による単剤療法に移行すべきであり，併用療法はその結果まできちんと見届けてから必要と判断した場合にだけ選択するという段階を踏むべきであることを強調しておきたい。

なおASD併存ケースの薬物療法に取り組む際には，以下の諸項目の記載を参照すべきである。

■ADHDとASDの鑑別診断について【➡第2章5-①】
■ASDとの鑑別に用いる評価尺度について【➡第2章2-⑧】
■ADHDとASDの併存について【➡第2章6-⑤，6-⑥】
■ASD併存ケースの薬物療法について【➡第3章2-③】

治療・支援ガイドライン ⑮：ASD以外の併存症に対する薬物療法の考え方

ASD以外の併存症を診断されているADHDケースの薬物療法について臨床家は以下のような指針に準拠すべきである。

第一に，その併存精神疾患はADHDとは別の体質的要因の関与が推測される一次性併存症ととらえるべきか，ADHD特性と環境との相互作用から派生した二次性併存症ととらえるべきかを判断する必要がある。なお，精神疾患とは一線を画すものの併存症として重要なてんかんも基本的には一次性併存症である。

第二に，一次性併存症の場合の薬物療法では，優先順位という点で一次性併存症としての精神疾患やてんかんに対する固有の治療を優先すべきである。この場合，ADHD治療薬はあくまで補完的な水準に置かれるべきで，一次性併存症はその固有の治療により改善してきたものの，なおADHD症状が顕著に残存しており，社会生活等を著しく妨げる要因となっている場合に限って併用療法を採用することができるが，その場合でも不安や抑うつ症状が顕著なケースでは中枢神経刺激薬から始めないことを心得ていなければならない。

第三に，二次性併存症である不安や抑うつ状態を併存するケースでは，不安や抑うつ状態が重篤なケースを除いて，ADHD治療薬による薬物療法から始めるべきである。ADHD治療薬による薬物療法の段階で，ADHD症状のみならず二次性併存症の十分な症状改善も見られるなら，当該併存症固有の薬物療法は不要と判断する。

第四に，チック症併存ケースの薬物療法を組み立てる場合には，わが国では中枢神経刺激薬（OROS-MPHとLDX）がチック症の症状を増悪させる可能性から禁忌とされていることを心得た薬物療法を計画すべきである。

第五に，一次性か二次性かを問わず併存症固有の薬物療法では，15歳未満の「小児」には適応外使用となる薬剤が多く，その使用にあたっては本人および保護者のインフォームド・コンセントを得ることが前提であると心得ていなければならない。

注）ここでいう「二次性併存症」とは漠然と環境因性あるいは心因性精神疾患を指す用語として扱ってはおらず，環境的ストレスとある精神疾患に対する体質的な親和性・脆弱性との相互作用の結果として発現する精神疾患を指していることに留意されたい。

治療・支援ガイドライン⑮は，ASD以外の併存症を診断されているADHDケースの薬物療法について，以上の5つの指針にしたがって薬物療法を計画し組み立てることを推奨している。

第一の指針として挙げているのは，診断・評価ガイドライン⑭の図2に示したように，ADHDと併存する精神疾患にはADHDとは別の体質的要因が関与しているものと推測される一次性併存症と，ADHD特性と環境との相互作用から派生した二次性併存症があり，ADHDケースの個々の併存症について一次性か二次性か判断する必要があるという点を指摘したものである。例えば統合失調症スペクトラム障害や双極性障害などは一次性併存症ととらえるべきであり，反抗挑発症や素行症，あるいは不安症群や抑うつ障害群に属する諸疾患の多くは二次性併存症ととらえるべきである。なお，ここでは二次性併存症という概念を完全な環境因性・心因性精神疾患を意味しておらず，環境ストレスと体質的および心理的親和性・脆弱性との相互作用の結果発現した精神疾患というとらえ方をしていることに読者は留意されたい【➡第1章3】。さらに精神疾患とは一線を画すものの，併存症として重要なてんかんも，それがADHDケースに発現した場合には一次性併存症と位置づけられる。付け加えるなら，神経発達症群の1疾患群であるチック症群もまた一次性併存症である。

第二の指針は，以上のような一次性併存症としての精神疾患やてんかんにおいては，併存症固有の治療を優先すべきであるという点を強調した推奨となっている。本治療・支援ガイドラインは，一次性併存症をもつADHDケースでのADHD治療薬使用をあくまで補完的な水準に位置づけるべきであるとしている。したがってADHD治療薬による薬物療法は，一次性併存症がその疾患固有の治療により改善してくると，当初目立っていた併存症症状の背景から顕著なADHD症状が前面に出てくるようなケースや，もともとADHD症状が重度で，そのために社会生活等が著しく妨げられていることが明白なケースでは，併存症固有の薬物療法との併用療法として検討すべきである。

第三の指針は，二次性併存症である不安や抑うつ状態を併存するケースでは，不安や抑うつ状態の両者が重篤なケースに対して併存症固有の薬物療法を優先することはありうるものの，併存症がそれほど重症ではない多くのケースではADHD治療薬による薬物療法から開始すべきとした推奨である。重度とはいえない何らかの不安や抑うつを示しているケースや，そもそも承認された薬剤による固有の薬物療法が確立していない反抗挑発症や素行症を併存するケースでは，最初に取り組むADHD治療薬による薬物療法によって状態像が十分に改善するなら，併存症固有の薬物療法は不要であることを承知していなければならない。なお，強度の不安（に対するOROS-MPHとLDXは禁忌）や抑うつ症状（に対するOROS-MPHは禁忌）をもつケースに対しては，中枢神経刺激薬は症状を悪化させる可能性があるため避け，非中枢神経刺激薬であるATXやGXRを選択すべきである。十分な評価と検討の過程を経ずして，併存症を標的とした薬剤とADHD治療薬との併用療法に最初から手をつけるような薬物療法を推奨しないという点をここでも強調しておきたい。

第四の指針は，チック症併存ケースの薬物療法を組み立てる場合には，わが国では中枢神経刺激薬がチック症の症状を増悪させる可能性から禁忌とされていることを心得た薬物療法を計画すべきであるという推奨である。とはいえ，チック症群の疾患をもつ子ども，特にトゥレット症の子どもでは，チック症状だけでなく，衝動性を中心とするADHD症状が顕著で，著しい社会的機能不全を生じている両者の併存ケースも少なからず存在しており，このようなケースではときに中枢神経刺激薬を用いた薬物療法とチック症固有の薬物療法とを併用させざるをえないことも珍しくない。この併用療法を開始するにあたっては，そのリスクを十分に検討したうえで家族と本人に説明し同意を得るインフォームド・コンセントと丁寧な経過観察が必須である。

第五の指針は，併存症固有の薬物療法は使用する薬剤の大半が子どもでは適応外使用とならざるをえないことを踏まえ，適応外薬を使用するにあたっては保護者と本人から十分なインフォームド・コンセントを得ていることが前提となることを強調したものである。例えば不安症群や抑うつ障害群に対する抗うつ薬や統合失調症スペクトラム障害に対する抗精神病薬などは対象疾患としては適応が承認されているものの，適応年齢という点で15歳未満の子どもの年代には適応外使用となってしまう。また，チック症群における複数の抗精神病薬のようにその効果が臨床的には認められているにもかかわらず，適応が承認されていない薬剤を選択せざるをえない併存精神疾患は他にも少なからず存在している。併存症の重症度のために適応外薬を用いた薬物療法を選択せざるをえない場合の心得として，保護者およびケース本人へのインフォームド・コンセントと薬物療法過程での慎重かつ丁寧な経過観察が必須であることを臨床家はよく心得ていなければならない。

その他，ASD以外の併存精神疾患に対する薬物療法の留意点などの具体的情報は本書の下記項目で解説されている。

■ASD以外の併存症をもつADHDの薬物療法 【➡第3章2-④】

治療・支援ガイドライン⑯：薬物療法終結あるいは中止への考え方と対応

薬物療法の結果としてADHD症状の一定の改善および状態像の安定化が生じ，そうした状態が1年以上にわたって維持されていることが確認できたなら，薬物療法終結の妥当性に関する検討を保護者やケース本人とともに開始すべきである。慎重に検討したうえでもし終結と判断した場合には，夏休みなどの長期休暇を利用して休薬を試みることを推奨する。一定期間の休薬にもかかわらずADHD症状の増悪や状態像の不安定化が生じないことを確認したなら，保護者と当事者の同意を得たうえで薬物療法を終結することができる。なお，終結を検討する時期が進学や就職など人生の重要な節目（あるいは変わり目）にあたる場合には，終結時期を延期するなどよりいっそう慎重にその可否を判断する必要がある。薬物療法終結が成功した場合，その時期に一致して治療全体を終結とするのではなく，外来での心理社会的治療を継続して一定期間経過観察すべきであり，それも終結となったなら必ずADHDケース本人が行き詰まり感を抱えた際にはどのようにして治療・支援の再開を求めるべきか具体的に教示しておくことを忘れてはならない。以上のような慎重な薬物療法終結の決定に至る経過をたどらず，急にケース本人や保護者から薬物療法を中止したい旨の希望が出てくることがある。その場合には，その希望の理由などをよく聞き取り，中止もやむをえないと判断したら，薬物療法中止に関するリスク，および問題再燃の際の対処法を十分説明したうえで，可能なかぎり慎重に薬物療法終結に向けた計画を立てる必要がある。

治療・支援ガイドライン⑯は，以上のような考え方で薬物療法の終結について慎重に検討し，妥当とみなしたなら終結に挑戦すべきであると推奨したものである。なお，ADHD症状や併存症の症状の一定の改善と状態像の安定化とを判断する基準は，薬物療法を継続しながら1年以上にわたってその良好な状況が続いていること，ADHDケース本人の自己肯定感が適切に改善し，社会的な対人交流を失敗なく営めるようになり，自らのADHD特性の強みと弱みを自覚し，それと折り合いをつけることのできた落ち着きが見られるようになることであるだろう。なお，もし薬物療法終結の検討時期が進学や就職などの節目や変わり目にかかってしまう場合には，ADHDケースが新たな環境で適応できるか否かを見極めるため，より慎重に終結について検討しなければならない。薬物療法の終結を検討する時期が青年期前半段階（中学生や高校生の年代）である場合には，その年代の発達課題が母親からの心理的分離の完成と自己同一性の確立にあることから，薬物療法がなくなることで自尊心，自己感，自己像などが著しく動揺する事態とならないか十分に吟味したうえで，終結に取り組むか，それとも時期を待つべきかを決定しなければならない。

薬物療法の終結が成功した場合に留意しておくべきは，その時点で治療全体を終結にするという選択は決して行わず，その後も一定期間（通常は半年から数年）は心理社会的治療により臨床経過を追跡する必要がある。その時期を経て真の治療終結となる際には，もしケース本人や保護者が再度治療を求める事態となった場合には治療をどう再開するか，あるいはどこへ治療を求めていくべきかについて，具体的な方法を明確に伝えておくことが重要である。

以上のような薬物療法終結に向けた治療者とケース本人と保護者の慎重な取り組みとは別に，急にケース本人や保護者から薬物療法を中止したい旨の希望が出てくることがある。そのような中止希望は，有害反応出現に関する懸念をはじめ薬物療法に対する不安と抵抗が膨らんできた場合から，そもそも治療機関を変更したいと密かに望んでの終結希望である場合まで多様な背景要因が関わっている可能性がある。さらに，青年期に入ったケース本人が薬物療法によって自己の主体性が剥奪されるのではないかという懸念が高まり，唐突に薬物療法を中断してしまう場合もありうる。これらの状況に至った場合には，ケース本人や保護者の薬物療法終結を希望する理由などを丁寧に聞き取り，そうした意思の表明には十分に敬意を払いつつ薬物療法中止に関するリスクを説明すべきである。いうまでもなく，このリスクに関しての説明は決して誇張したものであってはならない。以上の過程を経てなお中止希望が強いのであれば，主治医は薬物療法終結に向けADHD治療薬の処方量を漸減させていく慎重な計画を立てるべきである。その際，心理社会的治療は継続することが前提であるが，もしそれも終結を希望するのであれば，問題が再燃してきた際の対処法について，上記の主治医から提案する治療終結への取り組みの場合に準じて十分に説明しておく必要がある。

なお薬物療法終結の手順や考え方，ならびにこのような薬物療法終結の指針が結晶化するに至った本書執筆者対象のアンケート調査を通じた議論と，そこで結晶化したコンセンサスについては以下の本書各項目を参照されたい。

■薬物療法の終結の判断と終結法【➡第3章2-⑤】
■第5版ガイドラインへの改訂をめぐる執筆者アンケートを通じた検討【➡第5章1】

治療・支援ガイドライン ⑰：中枢神経刺激薬の依存と乱用

ADHDケースの薬物療法にあたって，中枢神経刺激薬（OROS-MPHとLDX）の依存ないし乱用の可能性について常に警戒を怠ってはならない。中学生や高校生にあたる青年期前半段階以降の年代に入ると乱用者はケース本人である可能性が出てくるが，子どもに処方された中枢神経刺激薬を，親やその他の周囲の大人が取り上げて乱用しているというケースも現れうることを心得ておかねばならない。こうした依存や乱用を防止するため，主治医はADHD適正流通管理委員会が求める処方に関する留意基準を遵守した薬物療法を心掛けるべきである。

必ずしも当事者だけが乱用をするわけではなく，周囲の大人が乱用者である場合もありうるという観点から，OROS-MPHあるいはLDXの処方医は薬剤の紛失を理由にした臨時処方の要求が度々あるケースや，ADHDケースの言動から周囲の大人が服用している可能性をうかがわせるケースでは，保護者にその点を確認し，乱用の可能性があると判断したら薬物療法中止を決定することをためらってはならない。

■中枢神経刺激薬の依存と乱用【➡第3章2-⑥】

治療・支援ガイドライン ⑱：入院治療

ADHDケースの児童精神科入院治療は，家庭や学校での対応が困難な重度のADHD症状をもつケース（しばしばASD併存ケース），併存症としての反社会性が亢進しているケース，深刻な抑うつ状態や双極性障害，あるいは統合失調症などが併存症であるケース，不登校の長期化したケース，児童虐待をはじめとする逆境的養育環境や家庭外でのいじめなどによって傷つくことでPTSD症状や自己組織化の障害が発展してきたケースなどで導入を検討することになる。多くの入院ケースは，その状態像が長期化している間に身近な人物との人間関係や日常生活が悪循環的で深刻な機能不全を示しており，結果としてパーソナリティ発達が重大な危機に直面している。入院治療は，安全で柔軟，かつ強靭な枠組みをもつ環境での，支えられ守られた癒しと育ちを保証するものでなければならない。

治療・支援ガイドライン⑱はADHDケースが入院治療を必要とする状態像を示すとともに，入院治療の必要な理由や，入院治療により何が提供されるべきかを簡潔に示した指針となっている。なお，ここでは児童精神科入院治療に限定して指針としているが，実際には児童精神科入院治療を誰もが受けられるわけではなく，病棟をもつ児童精神科が皆無の地域の子どもや，高校生年代の子どもは多くが一般精神科の病棟での入院治療を受けることになることを，臨床家は心得ていなければならない。入院治療に関する詳細は本書下記の項目で詳しく述べられている。

■児童精神科での入院治療【➡第3章1-⑫】

治療・支援ガイドライン⑲：ADHDの治療目標

本ガイドラインは，ADHDの治療目標を以下のようにとらえることを推奨する。治療目標は決してADHDの3主症状が完全に消失することに置くのではなく，それらの症状の改善に伴い学校や家庭における悪循環的な不適応状態が好転し，ADHD症状を自己のパーソナリティ特性（「自分らしさ」と呼んでもよい）として折り合えるようになることに置くべきである。さらにいえば，ADHD治療の最終的な目標は，第一に障害受容を通じた適度の自尊心の形成，第二にADHD特性を踏まえた適応性の高いパーソナリティの形成の2点ということになる。

ADHDの治療目標をどこに置くべきかという問いは案外に難しい課題である。これは目標を，症状治癒に置くべきか，それとも治療・支援ガイドライン⑲に示したようにADHDケースが適度の自尊心（あえて「高い自尊心」とはしない）とADHD特性との折り合いをつけ，自らの特性の強みを発揮できるような適応性の高い健康なパーソナリティ形成が進行しはじめることに置くべきかの問題であり，本ガイドラインは後者を目標とすることを強く推奨している。このような治療目標を目指して，治療・支援者は心理社会的治療と薬物療法を使いこなす腰の据わった関わりを一定の期間継続していかねばならない。

治療・支援ガイドライン⑳：子どものADHDと成人期ADHD

本ガイドラインは18歳未満の子どもの診断・評価と治療・支援のための指針を示したものであり，それ以降の年代にここに挙げたガイドラインのすべてがそのまま当てはまるものではないことに注意すべきである。しかし，現在では成人期にもADHDは積極的に診断され，治療がなされるようになっている。また，DSM-5は明らかに成人期ADHDを意識した診断基準への修正を行っている。したがって今後わが国においても，成人期ADHDに関する臨床経験をますます蓄積し，同時に子どものADHDケースがたどった長期経過の現実を集積することによって，児童期から成人期までの経過の連続性と不連続性について明らかにしていかねばならない。以上を踏まえて，成人期ADHDに対する診断・評価ならびに治療・支援に関するガイドラインの作成が早期に実現することを期待したい。

ADHDが基本的には生涯を通じた特性であることはすでに臨床家にとって常識となっているが，臨床的な基準で見れば子ども時代に存在した特性や症状が発達と治療・支援の好循環によって顕在的に見ることのできない水準まで軽快したり，逆に子ども時代には他の現象の陰に隠れ目立たなかった特性や症状が他の症状の改善によって前に押し出されるように顕在的になったりといったことはADHDの長期経過でよく見いだされることである。さらにいえば，子ども時代にはまったくADHDと認知されなかった子どもが長じるに及んでADHD特性を顕在化させるケースもあり，これは成人期発症のADHDではないのかという議論も続いている。こうした多様な中長期経過をたどるADHDをどう理解するべきかについては現在も結論は出ていない。こうした成人期のADHDはどうとらえられるべきか，そして治療・支援はどうあるべきかについては，子どものADHDに重心を置いた臨床ガイドラインを目指している本書では十分に深めることができていない。こうした点を踏まえ成人期のADHDについての臨床ガイドラインは，もっぱら成人ADHDの診療および研究にあたる執筆陣で取り組むべきではないだろうか。なお，本書が取り上げた子どもから成人期への移行という課題の議論については本書下記項目で解説されている。

■ADHDの中長期経過【➡第４章１】
■成人期のADHD【➡第４章２】
■成人期に初めて診断されるADHD【➡第４章３】

第1章

ADHDとはどのような疾患か

1　ADHD概念の形成史について

2　子どもの発達とADHD

3　ADHDの疾病構造

4　ADHD特性の脳科学的理解

5　ADHDとASDの併存をめぐる脳科学的理解

ADHD概念の形成史について

児童精神医学がまだまだ未成熟であるためか，児童精神科疾患のなかには疾患概念が時代とともにさまざまに変化していくものがみられる。代表的なものにはKannerの提唱した早期幼児自閉症がある。当初小児分裂病のカテゴリーのなかに組み入れられていたが，1980年に発表されたDSM-Ⅲで広汎性発達障害の中に入り，統合失調症とは明確に区別されるようになった。DSM-5では神経発達症群のなかで自閉スペクトラム症（以下，ASD）となり，知的レベルの高いASDは再び統合失調症との異同が議論されるようになった。

注意欠如・多動症（以下，ADHD）はもっとも概念が変化している代表的な疾患である。診断分類学的名称と診断基準がしばしば変更され，ときには「屑籠的カテゴリー」として安易に用いられ，児童精神科医の見識に対するさまざまな批判もなされた。近年は成人期のADHDが話題になり，それとともに従来注目されていた多動症状に代わって，最近は不注意症状に注目が向けられるようになり，男女比も以前より差がないことがわかった。さらにDSM-5ではASDとの併存が認められるようになり，ADHDの概念はまだまだ流動的である。ADHDの歴史を概観することで，今後のADHDの方向性を見極める一助となるかもしれない。

1 ADHD概念についての歴史

1）MBD以前

(1) 不注意，多動，衝動性に関する初めての記述

Barkleyの総説によると，1865年フランクフルト市立精神科病院長のHeinrich Hoffmanがわが子への誕生日プレゼントとして自ら描きあげた絵本のなかの童話「だらしのないピーター」のなかで，はじめて多動で衝動的な子どもについて記述したといわれている[1]。この童話は10の話からなっているが，その第8話に「じたばたフィリップのお話」がある。3枚の銅版画と短い詩は，ADHDの多動と衝動性という基本的な特徴を巧みに描写している。しかし，それ以前に多動症についてスコットランド人医師のAlexander Crichtonが1798年の著書「精神錯乱の本質と起源の探究」の結び付近で,「注意とその病気」と題した章を設けている[2]。彼は次のように述べている。持続性をもってなんらかの一つの対象に注意を向けられないことは，ほとんどはいつも神経の異常あるいは病的な敏感さに起因する。その敏感さのために，この注意機能はある印象から他の印象へ絶え間なく移る。それは生得的なものかもしれないし，偶発的な病気の影響かもしれない。生得的である場合，人生の最早期にそれが明らかとなり，非常に好ましくない影響をもたらす。教育のいかなる対象にも持続して注意を向けることができないからである。彼が多動よりもむしろ注意に焦点を当てたのは，注意欠如障害という用語が1980年代に導入され，不注意が初めて強調されたときの多動症の様式に特に似ている。さらに彼は注意に強い影響を及ぼす環境に焦点を当てた。まさに近年の

ADHDの不注意症状の考え方がすでにこの時代に記載されていたといえる。

(2) Still,G.F.の報告

1902年，英国のStillはこの障害について医学的な本格的記述を行い，Lancetの第1巻に掲載している[3)]。「しばしば攻撃的で反抗的であり，しつけには抵抗し，ひどく感情的または熱情的で，抑制しようとする意志はほとんど見せない」一群の子ども43例についての記載であった。その基本的特徴は「道徳的統制の欠如」であり，その機序として①環境を適切に認知して関わることができず，②そのうえに道徳意識の欠如があり，③さらに抑制しようとする意志の欠如が加わる――という3つの重なりからとらえられた。彼は，これらの行動パターンの成因としては脳の障害を重視していたが，遺伝や環境要因からも生じる可能性があると考えていた。彼は知的能力が保たれていながら存在する道徳性の欠如を強調した。当時知的能力と道徳感覚の両立は自明のことであったために，彼はこの疾患について知的能力が保持されているにもかかわらず，道徳感覚の欠如といった異常性をとりあげたのである。

(3) 脳傷害症候群：脳炎後遺症

1917年から1918年にかけて，北米に遷延したエコノモ脳炎の快復後の子どもの多くが，行動および情緒，あるいは認知能力に重大な問題をもつようになっていた。これは脳炎後行動障害として臨床家の関心を集めた。この種の脳炎後遺症は注意の集中，活動の調整，衝動のコントロールなどの困難を基本的特徴としていた。その後1920年から30年代にわたっても，相変わらずこのような行動の障害を示す子どもが記載され続けた。これらの子どもたちは脳炎疾患の既往が認められず，必ずしもほかの脳疾患や脳傷害を示す所見がえられなかった。しかし，このような異常は，脳の器質的な障害の結果起こっているに違いないという見方が広く浸透していた[4)]。

一方1937年Bradley, C.は入院中の多動子ども30人へ中枢神経刺激薬（amphetamine）を投与して行動面と学習面において有効な結果を得た[5)]。しかしこの試みはその後追試されることなく，長く顧みられることはなかった。なお，メチルフェニデートがADHDのある子どもへ使用されるようになるのは1960年代からである。

1940年代は子どもの行動異常，運動障害，認知障害などを広く脳傷害との関連性からみていこうとする研究が一層盛んになっていった。1947年Straus, A.A.は「誕生直後に脳損傷や感染を受けた子どもは，脳の器質的な障害のために，神経筋系の障害を示すことがある。また彼らは，知能，思考，行動などの障害を示すが，それらは特徴的なテストによって明らかにすることができる」とし，脳損傷児（brain injured child）という名称を提唱している[6)]。彼によればこの疾病は多動，不器用，行動の学習などがうまくできないことを主症状とし，その原因として脳になんらかの外因的侵襲があったらしいことが，既往歴，神経学的所見，脳波所見その他から推測されるという。

2）MBD概念の登場

1959年小児神経科医Pasamanick.B.らははじめて微細脳損傷（minimal brain damage or minimal cerebral damage）という用語を小児神経学に導入した[7)]。彼らは妊娠中あるいは出産前後に脳損傷を受けたと思われる子どもで，粗大な行動異常や神経学的徴候を認めない場合でも，注意深い検査をすれば，行動の発達が正常から遅れたり，偏ったりしていて，通常の神経学的検査では発見できない微細な神経学的徴候を認める場合があることに注目した。そして，これを微細脳損傷（minimal brain damage；MBD）症候群と称した。そして1960年以降は，知能が正常でありながら，行動異常や学習能力の特殊な障害を示す子になった。この概念は単に，環境，心因としての対応では対応しきれなかった結果，神経学的な欠陥があるという推測と，神経心理学と小児神経学の新しい知見をもとに生まれた。

しかし，一方では脳傷害の明確な根拠がないものに対してこの診断名を適用することについての可否が議論された。微細脳損傷という病名はその便利さから乱用されすぎたり，「脳損傷」という用語がいたずらに両親に恐怖感や絶望感を与えたり，患者に対する周囲の偏見を助長するという弊害が生じてきた。そこで，1962～63年にかけて英国，米国で行われたシンポジウムにおいて，「微細脳損傷」という用語は不適当であり，むしろ，「微細脳機能障害（minimal brain dysfunction；MBD）という言葉が適当であると勧告された。

3）MBD概念の放棄

1960年代，児童精神科領域からはMBD概念についての厳しい批判が続いた。その第一は脳傷害ではないにしても脳に関連する症状と類似している徴候があるというだけで脳機能障害の概念を当てはめることへの妥当性についての疑問であった。さらに，この障害に含まれる症状について検討した結果，99にも及ぶ症状が取り上げられたことが挙げられる。独立した障害とするにはあまりに多様なものを含んでいた。

1963年Kirk,SA.はMBD概念はあまりにあいまいで，過度に包括的であり，神経学的証拠がないために徐々に消滅していくであろうと述べた[8]。そしてMBDは認知，学習，行動の障害のように，より均質な状態に適応される特異的ラベルによって取って代わられるであろうし，新しいラベルは，脳における観察不能な病因的メカニズムに基盤を置くのではなく，観察し記述しうる行動障害に基づくものになるであろうと予測した。

4）LDと多動性障害

教育心理学者であったKirk,SA.はMBD概念を放棄し，このような子どもたちの学習面に注目し，神経心理学的な考え方を取り入れて心理・教育的な面から学習障害（learning disability；LD）の用語を用いることを提唱した。彼は「文化・教育上の要因等に由来せず，脳性機能異常および（あるいは）情緒ないし行動異常におそらく由来した言語や計算に関する学習の障害」として学習障害（LD）を定義した。1968年には米国の連邦教育局の障害児に関する諮問委員会がLDを定義し，1975年の全障害児教育法の障害カテゴリーに組み入れられ，個別教育プログラムの公的な対象と認可した。

このようにKirk,SA.はMBD概念を放棄し，子どもたちの学習面に注目し，神経心理学的な考えを取り入れて心理・教育的な面から学習障害の用語を用いることを提唱した。1964年Johnsonらは，表面上は行動上の問題が生じているが，症状の核心は神経学的な原因による学習能力の障害であるとし，学習障害（LD）の概念を確立した。

一方多動に注目したChess,Sは36人の自験例である多動児から①男女比は4:1で男児優位，②そのほとんどが6歳前に受診，③学習困難と反抗挑戦的な言動，④衝動的，攻撃的な言動，を見出した[9]。彼の優れたところは，①障害の定義として過剰な活動性を重視した，②親や教師からの主観的報告以上に客観的所見を重視した，③子どもの問題を親の責任としない，④多動症候群を脳外傷症候群から分離させた――という4点である。ここにおいて損傷の有無を問うことがなくなった。

このように，従来のMBDは教育的な面からのLDと医学的な面からの多動性障害に分かれていくことになった。そして，多動性障害は1968年にDSM-Ⅱにおいて児童期の多動性反応として採用された。このDSM-Ⅱでは「この障害は，特に若年の子どもでは，過活動，落ち着きのなさ，転導性，集中時間の短いことを特徴とし，通常その行動は思春期に減じる。もしこの行動が，器質的な脳の損傷によって引き起こされているときは，精神疾患ではなく適切な器質的症候群として診断されるべきである」と規定されている。つまりこの規定では，行動をもとにしており，脳損傷を除外している。この障害の主徴候は多動または過剰な活動であり，思春期には改善する良性のものとみなされていた。なお学習障害は医学的にはDSM-Ⅳでlearning disorders（LD）であり，教育的な面からのlearning disability（LD）とは定義が異なる。もちろんDSM-5における限局性学習症（specific learning disorder；SLD）はDSM-Ⅳと繋がっているものであり，learning disability（LD）とは異なっている。

5）多動性障害から注意障害へ

1972年，Douglas,VI.は注意の持続と衝動コントロールの障害が多動性よりも重要であると指摘した[10]。これは注意集中と持続を客観的に測定するContinuous Performance Test（CPT）を用いて検討され，広く受け入れられる結果となり，注意欠陥が中心的な障害であるという考えが強く支持されるようになった。その結果DSM-Ⅲは注意持続と衝動統制の欠陥が多動よりもこの障害の診断に重要な意義があるとする立場をとり，注意欠陥障害（attention-deficit disorder；ADD）の名称を採用した。そして多動を伴う注意欠陥障害（ADD with hyperactivity；ADDH）と多動を伴わない注意欠陥障害（ADD without hyperactivity；ADD）と注意欠陥障害，残遺型（ADD residual type）に分けられた。ADDHは注意散漫，衝動性，多動の3つの項目が成立する必要があるが，この基準の特筆すべき点は3つの中心的な症状のリストが掲載され，その数と程度を含めて基準を具体化したことである。ADDは3つの症状のうち，多動の条件を満たさないことを除くとADDHと同じものである。ADD残遺型は，多動は思春期までに軽減することが多いが，注意集中の困難と衝動性は思春期や成人期まで持続するとの見解を受け設けられたものである。近年，成人のADHDが問題となり，不注意と衝動性が注目されるようになっているが，すでにこの時期にこの考えはあったわけである。

6）DSM-ⅢからDSM-Ⅲ-Rへ（ADDからADHDへ）

1980年代に入って，ADDHとADDの差異についての検討がされ，その結果を受けてDSM-Ⅲが改訂された。DSM-Ⅲ-Rでは破壊的行動障害のなかに注意欠陥多動性障害（attention-deficit hyperactivity disorder；ADHD）として位置づけられ，DSM-Ⅲの注意散漫，衝動性，多動性の3つの分離した症状リストにかえて，注意散漫，衝動性，多動を区別しない14項目からなる単一の症状リストを用いている。さらに，発達年齢にふさわしくないほど症状が著しいという条件が加わり，単に症状があるだけでは該当しないことを明確にしている。また，除外項目から感情障害や知的障害を除き，広汎性発達障害のみが記されている。

DSM-Ⅲ-Rを巡る議論は，主として単一の症状カテゴリーが妥当であるかどうかに向けられた。DSM-Ⅲ-Rでは14のリストのうち8項目に該当することが症状についての規定であった。したがって，DSM-Ⅲで採用されていた不注意，多動，衝動性のどれを欠いても診断基準を満たす可能性が含まれていた。

7）注意欠陥/多動性障害（DSM-Ⅳ）と多動性障害（ICD-10）

Barkleyらの研究により不注意群と多動・衝動性群が質的に異なることが明らかになった[11]。

1994年に発表されたDSM-Ⅳの診断基準では注意欠陥/多動性障害（attention-deficit/hyperactivity disorder；ADHD）を①不注意優勢型，②多動－衝動性優勢型，③混合型の3つのサブタイプに分類した。不注意優勢型は不注意項目は満たすが，多動・衝動性の項目は満たさず，多動性－衝動性優勢型は多動・衝動性の項目は満たすが不注意項目は満たさないもので，不注意項目と多動・衝動性の項目の両方を満たすものを混合型とした。また，診断基準には7歳以前に発症し，2つ以上の場面において6カ月以上認められるものと規定されている。BarkleyはADHDの子どもには視覚・聴覚に関する問題はないが，感覚刺激の入力に対しての衝動的な運動性反応を抑制することができないと記載した。すなわちADHDの子どもは実行機能の障害のために状況への対応が悪く，周りで起こる事柄に反射的（衝動的）に対応してしまう。そのために行動に移す前に考えることができないと述べている。

一方，1992年に改訂されたICD-10では多動性障害の名称が採用された。その理由は「ADHDはまだ受け入れられていない心理学的過程の知識を含んでいること，そしてさまざまな問題によって不安になったり，没頭していたり，あるいは夢想的で無感情な小児を含むことを示唆するからである」としている。ICD-10とDSM-Ⅳの大きな違いは，ICD-10では不注意と多動の両方の項目が必須であるのに対して，DSM-Ⅳでは不注意優勢型，多動－衝動性優勢型があり，どちらかの項目を満たすだけでよい点である。もう一つはICD-10では広汎性発達障害，気分障害，不安障害，統合失調症が除外診断になっているが，DSM-Ⅳでは広汎性発達障害のみが除外診断であり，他の障害は併存してよいことになっている点である。

8）DSM-ⅣからDSM-5へ，さらにICD-11

2013年に発表されたDSM-5ではADHDでは診断カテゴリーとしては神経発達症群に位置づけられ，知的発達症や自閉スペクトラム症（ASD）などと同一のカテゴリーに分類された。またこれまで認められなかったASDとの併存が認められることとなった。またこの併存はこれまで臨床医が併存できないために実臨床で困っていたことを解決したが，一方でASDの不注意，多動・衝動性をADHDの症状としてしまい，安易に併存することも問題となっている。また成人期にもADHD症状は継続することが多いことと，小児期に比べると軽快していくという知見を踏まえ，DSM-5では17歳以上は9項目中5項目（17歳未満は6項目）を満たせばADHDと診断できることになった。また成人期に初めてわかるADHDを考慮して発症年齢もDSM-Ⅳでは7歳以前であったが，DSM-5では12歳以前となった。またDSM-5では下位分類を設けず，状態像として示すこととなった。ADHD症状は成長とともに多動性などの症状は軽快するが，不注意症状は持続しやすいなど発達過程で優勢な症状が変化していくという状態像の流動性が指摘されてきたことを踏まえて下位分類を設けないことになったと考えられる[12]。

ICD-11は基本的にDSM-5と類似している。ただ異なる点はICD-11では不注意症状に関して「不注意はその個人が強力な刺激と頻回の報酬の提供される活動に従事しているときには，明らかになりにくい」とのただし書きがされている。ネットゲームなどに集中できても不注意症状がないと判断してはならないとの戒めであろう。またICD-11はDSM-5と異なり，不注意症状が大きく3つに，多動・衝動性が4つに分けて説明され，症状の羅列であるDSM-5より頭に入りやすく記憶に残りやすい。また正常との境界という項目がある点でも異なっている[13]。

2 今後の課題

近年，成人期のADHDを話題にすることが増加するとともに，多動より不注意が注目されるようになり，不注意が注目されると，小児期でも女児に不注意の多いADHDが多いことがわかり，以前は4：1で男児が多いといわれていたが，現在は2：1となり，成人では1.6：1となってきて女性が多いことがわかってきた。かつていわれていたような性差に意味があるのかを問われる課題である。

また最近になり成人期ADHDと小児期ADHDはすべて連続的ではなく，成人期になって初めてADHD症状が出現するという不連続的な成人期ADHDも存在するのではないかと議論されるようになった。このような成人期ADHDを遅発性ADHDと呼称する研究者もいる。しかし本当に成人期発症のADHDが存在するのかはいまだ明らかではなく，慎重なさらなる研究が必要である。報告された3つの研究は前方向視的研究であり，信頼度が高いが，そもそも研究当初の時代より現在の方がADHDの診断は広がっていて，たまたま研究当初にADHDと診断されず，現在の概念では研究当初からADHDと診断したかもしれない。ASDはそのようなことは珍しくなく存在する。

成人期のADHDにおいて多動は減じているが，衝動性は意外と多く存在している可能性もある。転職，喧嘩，スピード違反，犯罪などは衝動性が関与していることも多い。そのため多動と衝動性を区別する必要があるかもしれない。

かつてはADHDをはじめとして神経発達症は本人の脳疾患と考えられていたが，そうではなく症状の顕在化には常に環境との兼ね合いがあることがわかってきている。今後もADHD児が生きやすい環境の研究がさらに望まれる。

最後に，ADHDは併存症が多く，どの疾患にも併存するともいえる。そうするとADHDとは一体何なのであろうか，その疾患概念はまだまだ明らかにはなっていない。

（飯田 順三）

参考文献

1) Barkley RA : Attention-Deficit Hyperactivity Disorder: A Handbook for Diagnosis and Treatment (2nd edition). Guilford Press, 1988
2) マシュー・スミス・著，石坂好樹，他・訳：ハイパーアクティブ：ADHDの歴史はどう動いたか．星和書店，2017
3) Still GF : Some abnormal physical conditions in children: the Goulstonian lectures. Lancet, 159 : 1008-1012, 1902
4) 飯田順三：ADHD概念の変遷．精神科，12（4）：255-261，2008
5) Bradley C : The behavior of children receiving Benzedrine. Am J Psychiatry, 94 : 577-585, 1937
6) Strauss AA, et al : Psychopathology and education of the brain-injured child. Grune & Stratton, 1947
7) KNOBLOCH H, et al : Syndrome of minimal cerebral damage in infancy. J Am Med Assoc, 170 (12) : 1384-1387, 1959
8) Kirk SA : Proceedings of the annual meeting: Conference on exploration into the problems of the perceptually handicapped child. 1 : 1-7, 1963
9) CHESS S : Diagnosis and treatment of the hyperactive child. N Y State J Med, 60 : 2379-2385, 1960
10) Douglas VI : Stop, look and listen: The problem of sustained attention and impulse control in hyperactive and normal children. Can J Behav Sci, 4 (4) : 259-282, 1972
11) Barkley RA, et al : Frontal lobe functions in attention deficit disorder with and without hyperactivity: a review and research report. J Abnormal Child Psychol, 20 (2) : 163-188, 1992
12) 太田豊作：注意欠如・多動症（ADHD）の概念の変遷．臨床精神医学，46（10）：1193-1197，2017
13) 森野百合子，他：ICD-11における神経発達症群の診断について－ICD-10との相違点から考える－．精神経誌，123（4）：214-220，2021

2 子どもの発達とADHD

ADHDはICD-10やDSM-IVでは自閉スペクトラム症（ASD）などの一般に発達障害とされる疾患とは一線を画し，必ずしも発達障害とされていなかったが，2013年に米国精神医学会が公表したDSM-5はADHDをASDと横並びの神経発達症群（ほぼ発達障害と重なる概念）に含まれる疾患と定義した。このことによりADHDは逆境的な養育環境のもとで生じた落ち着きのなさや衝動性の高さ，あるいは不注意さであるというとらえ方から離れ，乳幼児期から成人期まで一貫して，ある種の生来的な神経心理学的特性を保持する疾患であるととらえる方向への一定のパラダイム・シフトが行われたということである。しかし，実際には生来性の体質的特性ととらえることが妥当なADHDと児童虐待などの逆境的養育環境で育った子どもが示すADHD様の状態像の区別は難しく，両者が混合した領域がそれなりの幅で存在しているととらえることが妥当と筆者は考えている。

現在ではADHDが子ども時代に示していた特徴的な症状や問題の一部は成人になっても持続して存在しており，しかもその表現形は当然ながらライフサイクルに沿って各年代に特有な状態像を呈しつつ変化していくものである。そこで本項では，神経発達症群としてのADHDをもつ子どもが年代によってどのような状態像を示すのか，そしてそれを踏まえた年代相応の治療・支援とはどうあるべきかについて述べることにしたい。

1 年代に応じたADHDの特徴

ADHDの主症状あるいは基本症状は不注意，多動性，衝動性の3症状であると定義されているが，各基本症状の表現形は年代とともに大きく変わる傾向がある。以下では幼児期，小学生年代，中高生年代あるいは青年期前半段階（従来「思春期」と呼ばれることの多かった時期），そして18歳頃から始まり20代半ばまで続く青年期後半段階とそれ以降の成人期を併せた年代の4期に分け，各年代の基本症状の表現形を示すとともに，「その他の症状」として各年代に生じやすい二次障害的な精神疾患や問題を挙げる（**表1**）。

1）幼児期

乳児期にはよくぐずり泣く，睡眠が不安定，抱かれるのを嫌がる，なだめにくい，絶えず体を動かしているなどと表現されるような状態像を示すことがあり，そのような乳児は「難しい気質（difficult or challenging temperament）」の子どもと評価される可能性が高い。また，ADHDの子どもの出産より前に妊娠・出産を経験した母親のなかには，ADHDの子どもの胎生期後半にはADHDではない上の子のときに比べ胎動が非常に多い印象をもっていたと，後にADHDの診断を受けた際に述懐することも珍しくない。

1歳から6歳までの幼児期には「不注意」症状が注目されることはほとんどない。あえていえば，ボールを追いかけて行ったのに途中で目にした他の玩具を持ってくる，絵本を読んでくれている親の傍らで絵本に集中できずに他の遊びをしようとするなどといった形で現れている。しかしそれは，多くの大人の目には活発に関心が動く，好奇心の旺盛な幼児と映っているかもしれない。

「多動性」は幼児期にはすでにじっとしていることが苦手で，過剰に動き回る傾向をもっているという形で現れているはずであるが，この年代では周囲の多くの子どもも一般的に活動性が高いため，それほど注目されることはない。後に振り返って，その過活動ぶりが親に気づかれるということが普通である。しかし，後にADHDと診断された段階で，幼児期からとにかく動きが多く，擦過傷や打撲傷などの小さな外傷の絶えることがなかったと親に回想されるケースも多い。

「衝動性」は，いきなり母親の手を振り切って駆け出す，遊具やゲームの順番を待てない，いきなり遊具や他児の所有物に向かっていき，邪魔な他児を突き飛ばしたり叩いたりする，あるいはいきなり他児の所有物を取り上げるといった形で現れることが多いため，衝動性が高い場合には幼児期にすでに「乱暴さ」や「指示の通らなさ」として保育園や幼稚園で注目されていることがある。

表1 年代によるADHD症状の現れ方

	不注意	多動性	衝動性	その他
幼児期	この年代で不注意が注目されることはほとんどない。事物への関心という点ではむしろ好奇心の旺盛な活発な幼児という印象を大人に与えるかもしれない	じっとしていることが苦手で，動き回る傾向が強いが，この年代では周囲の子どもも活動性が高い傾向にあり，多動性が注目されることはまだあまり多くない	いきなり母親の手を振り切って駆け出す，遊具や遊びの順番を待てない，邪魔な他児を突き飛ばす，他児の所有物をいきなり取り上げるなどの行動が目立つと，問題として注目される可能性が高い	人なつこさが目立つ。衝動性や多動性は養育者の虐待的対応を誘発するかもしれない。すでに，かんしゃくや反抗を中心とする外在化障害や分離不安を中心とする内在化障害が現れるかもしれない
小学生年代	連絡帳やノートをとれない，忘れ物が多い，作業が雑，よそ見が多い，ケアレスミスが多い，宿題をしない，提出物を出さないなどの特徴が目立つことがある	授業中に立ち歩いたり，他児に大声で話しかけたりする。いつも多弁で騒々しい。いつも体をもじもじと，あるいはそわそわと動かしている。むやみに走り回り，興味のおもむくままに乱暴に物を取り扱う	軽はずみで唐突な行動が多い。ルールの逸脱が多い。順番を待てない。教師の質問へ指される前に答えてしまう。他児にちょっかいを出し，トラブルが多い。道路へ突然飛び出したりする	激しい反抗や他者への攻撃行動などの外在化障害，あるいは分離不安や抑うつなどの内在化障害が前景に出た学校不適応や，受動攻撃的な不従順さを伴う不登校が現れる
中高生年代	ケアレスミスが多い。忘れ物・失くし物が多い。約束を忘れる。整理整頓が苦手。授業中や会話の際にうわの空にみえる。作業に集中せず脱線が多い。時間管理が苦手で大切な課題も後回しにする	授業中の離席は減っても，体をもじもじと，あるいはそわそわと動かして落ち着きがない。じっとしていることを求められる場が苦手で避けようとする	軽はずみな行動やルールの逸脱が生じやすい。相手の話を最後まで聞けず，途中で発言してしまう。感情的になってキレやすい。順番を待たねばならない環境を避ける（例えば長い列に並ぶこと）	反抗的になりやすい。非行集団への接近が生じうる。自信がなく，気分の落ち込みが生じやすい。受動攻撃性が高まり不登校・ひきこもりが生じやすい。ネット依存・ゲーム依存のリスクが高い
青年期後半段階以降	基本的に中高生年代の現れ方と同じであるが，そうした自分の特性に違和感をもっていることが多い	体をもじもじと，あるいはそわそわと動かしていて落ち着きがない。会議のようなじっとしていることを求められる場を避けたり，必要以上に席を立ったりする。会議などで落ち着かない気持ちを強く感じる	軽はずみな行動やルールの逸脱が生じやすい。順番を待たねばならない環境を避ける（長い列に並ぶなど）。相手の話を最後まで聞けず，途中で発言してしまう。感情的になりやすくトラブルが多い	自信がなく，批判に弱く，抑うつ的になりやすい。ネット依存，ギャンブル依存のリスクが高く，ひきこもりに発展しやすい。反社会性が強まるケースもある。パーソナリティ障害の特性が強まるケースもある

また，幼児期のADHDの子どもは人なつこさが目立つことが多く，大人からかわいがられる可能性が高い一方で，衝動性の高さや多動性による扱いにくさのため，養育者の虐待的対応を誘発する可能性も高い。そのため幼児期の段階から養育環境を中心とする環境との相互作用として，かんしゃくや反抗を中心とした外在化障害や分離不安を中心とする内在化障害が形成され，二次障害的な精神疾患や問題行動として認識されていることも珍しくない。このことが幼児期における治療・支援に大きな影響を与える重要な要因となっていることに注目する必要がある。

幼児期のADHD特性については発達に伴って改善していくものも多い一方で，ASDのような別の神経発達症の一側面であったことが明らかになってくるものもあることから，幼児期でのADHD診断は性急に結論を出すのではなく，経過を観察しながら総合的に判断するといった慎重さが治療・支援者には求められる。

2）小学生年代

小学生年代になり学校生活が始まると，「不注意」症状は，先生の話を聞いて連絡帳やノートをとることができない，忘れ物が多い，授業中に注意が散漫ですぐに他のことに関心を移す，宿題をしない，そもそも宿題が出たことを覚えていない，連絡のプリントを親に見せることを忘れ提出物を出さない，学業や日常生活でケアレスミスが多い，約束を忘れ，結果としてすっぽかしてしまうといった現象で現れる。学校での活動を中心に，指示に従って作業に最後まで取り組むことができず，作業が雑で，課題を完成できないといった特徴も目立ってくる。このような状態像の重症度によっては学校で問題とされることもあるが，この年代ではまだ不注意性は見過ごされていることのほうが多い。

「多動性」は授業中に離席し，立ち歩いたり，許可なしに離れた級友のところへ行って話しかけたり，教室の後ろにかけてあるランドセルの中の物をいきなり離席して取りに行ったりという形で現れやすい。また，いつも大声で話し，多弁で騒々しい。いつも体をもじもじと，あるいはそわそわと動かしていて落ち着きがない。むやみに走り回り，興味を引くものを見つけると次々と手を出し，乱暴に取り扱うため，絶えず物音をたてている騒々しい印象を周囲に与えることも多い。こうした多動性は低学年の小学生で顕著であり，高学年で徐々に改善するケースも多いとされているが，授業中の立ち歩きなどは影を潜めても，騒々しさや多弁，そわそわとした落ち着きのなさはその後も長く続く傾向がある。

「衝動性」は，いきなり物を投げる，棒を振り回すといった軽はずみで唐突な行動が多いこと，明らかに反抗ではないルールの逸脱がたびたび生じること，教師の質問に対して指名される前に発言したり答えてしまうこと，興味をもつと順番を待たずに，いきなり他者を押しのけて手を出してしまうこと，他児に意味のないちょっかいを出し争いとなったり，周囲にあきれられ馬鹿にされるようになっていたりすることなどで現れる。衝動性の高さは道路に飛び出すなどの危険を顧みない唐突な行動を生じやすくさせており，周囲をハラハラさせる。この衝動性と不注意や多動性があいまって，ADHDの当事者は子どもも大人も外傷が多く，交通事故など不慮の事故に会う危険性が高い。

ADHDの小学生は，家庭生活および学校生活のどちらにおいても幼児期以上に注意されたり，叱責されたりする機会が増える。そうした環境との相互作用により，ADHDの小学生は激しい反抗や他者への攻撃行動などの外在化障害，あるいは分離不安や抑うつなどの内在化障害が前景に出る学校不適応や，受動攻撃的な不従順さを伴う不登校などが現れやすいようである。ADHDの小学生が，生来の人なつこさを失わずに学校生活に適応していけるか，それとも衝動性の高さが災いして家庭や学校での適応が難しくなり，さまざまな外在化あるいは内在化疾患が発展していくかの別れ道は，ADHDの重症度だけではなく，乳幼児期の養育環境の質，過去の幼児教育や小学校教育の質，現在の家庭状況，そして現在の学校の教育機能などとの相互作用の総合的な結果としてとらえる必要がある。

3）中高生年代（青年期前半段階）

中高生年代あるいは青年期前半段階の「不注意」症状は，信号を見忘れるといった不注意な失敗や，テストでのケアレスミスが多いこと，大切な物（IDカード，パスポート，保険証など）を忘れたり失くしたりすること，親や教師，あるいは友人との大切な約束を忘れてしまうこと，授業中や会議中，あるいは他者との対話において聞いていない，あるいは上の空にみえること，作業に集中できず脱線が多いこと，時間管理が下手で，試験準備や長期の休みの宿題などの大切な課題も後回しにすること，その結果としてやりきれなかった宿題が多量に発生することなどで現れる。

「多動性」は，中高生では授業中の離席は珍しくなっているものの，絶えず体をもじもじと，あるいはそわそわと動かしているため，周囲から落ち着きのない生徒と思われているなどで現れていることが多い。また，じっとしていることを求められる場を避けたり，必要以上に席を立ったりするため，ときには周囲から反抗的な生徒と誤解されていることがある。集団行動では動きの多い目の離せない子どもとして目立っていることが多い。

「衝動性」は，軽はずみな行動やルールの逸脱が生じやすいこと，相手の話を最後まで聞けず，途中で発言してしまうこと，あるいは相手の一言でいきなり感情的となり，いわゆる「キレた」状態となりやすいことなどで現れる。これらの特徴的な行動は，この年代では周囲からADHD特性として正しく理解されるよりも，反抗的な子ども，反社会的な子どもと誤解されてしまう危険性も高い。青年期に入ると，ADHDの子どもも自分の特性にある程度自覚的となり，例えば長い列に並ぶことのような順番を待たねばならない状況や課題に対しては，幼い頃のように割り込んだり，騒いだりするのではなく，その状況を回避しようとする傾向が目立ってくる。

青年期前半段階年代でADHDの二次障害として目立つ問題は，反抗的になりやすく，非行集団へ接近し，あるいは単独で反社会的行動を行うといった外在化障害と，自尊心が低く不安や気分の落ち込みが生じやすい，あるいは受動攻撃性が高まりやすい，それらの結果として不登校・ひきこもりを生じやすい，強迫症状が出現しやすいといった内在化障害の双方が目立つ時期である。外在化障害および内在化障害はどちらか一方が生じているケースも多いが，両者をあわせもっているケースがそれ以上に多い。また，この年代から目立ってくる二次障害として，ネット依存やゲーム依存のリスクが高いことを支援者は承知していなければならない。ADHDの子どもの場合，ネット依存と不登校・ひきこもりが共存しやすく，両者が共存すると不登校・ひきこもりからの回復がより一層遷延する可能性の高まることに留意すべきである。

4）青年期後半段階・成人期

19歳以降の青年期後半段階および成人期における「不注意」症状の表現そのものは中高生のそれとほぼ同じととらえることができるが，中高生年代以前の子どもに比べると，不注意でケアレスミスを犯しやすい自分に対する違和感を抱え，自尊心を低下させていくケースが急速に増加するという点で大きな違いがある。現実に，ケアレスミスが多いこと，忘れやすいこと，時間管理が下手であることなどの青年期前半段階から継続する不注意症状が，職業人としてときに決定的な欠点と見なされてしまうことも稀ならず生じる。

「多動性」症状は体をもじもじと，あるいはそわそわと動かしていて落ち着きがないこと，会議のようなじっとしていることを求められる場を避けたり，トイレなどを理由に必要以上に席を立ったりすること，会議などで落ち着かない気持ちを強く感じることなどで表現される。

「衝動性」症状は軽はずみな行動やルールの逸脱が生じやすいこと，順番を待たねばならない環境を避けること（長い列に並ぶなど），相手の話を最後まで聞けず，途中で発言してしまうこと，他者との共同作業や議論の場で感情的になりやすくトラブルが多いこと，浪費・乱費が生じやすいことなどで表現される。ADHD当事者の離婚率の高さも，衝動性との関連が深いものと思われる。

これら3領域のADHD症状は，青年期前半段階やそれ以前に比べると表面からみえにくくなる場合が多いものの，一方では自分がADHD特性をもち，そのために社会的な失敗が多いという点に自覚的となるため，内的な苦痛や違和感をもつ可能性はむしろ高まっている。その結果，自信を失い，失敗を恐れる不安が強まったり，気分が落ち込みやすくなったりといった傾向が高まり，不安症群や抑うつ障害群，あるいはアルコールをはじめとする薬物の乱用で現れる物質関連障害群などの二次障害が生じやすくなる。失職を契機に，あるいは青年期前半段階から引き続く受動攻撃性を背景とする「ひきこもり」が始まる可能性も決して低くはない。また，不注意とともに存在する過集中傾向が仇となって，ネット依存やギャンブル依存のリスクが高まるのも青年期以降のADHDに特有な二次障害である。

2 年代に応じた治療・支援の組み立て（表2）

1）幼児期

幼児期に最も重要な支援は家族すなわち親を対象とした治療・支援で，ADHDの特性を総合的に把握できることを目指した心理教育や，子どもの行動への親による対応・管理法の改善と新たな方法の獲得に取り組むペアレント・トレーニングなどが提供される。実臨床ではこれらを定型的な内容で提供することが難しい場合も多いと思われるが，少なくとも心理教育は必ず治療初期を手始めに，随時繰り返して実施するべきであることは心得ておきたい。また，ペアレント・トレーニングは原型に準じたプログラム全体を提供することがたとえ困難であっても，主治医はプログラムに散りばめられた技法の意義を十分に理解したうえで，通常の診療において適宜その考え方を親に伝え話し合うことは可能である。現在では地域でペアレント・トレーニングを提供できる機関がかなり増えてきているので，それらの情報をデーターベース化し，必要なケースを紹介するシステムを作っておくことも推奨しておきたい。

薬物療法は，幼児には適応となっておらず，原則として実施しない。重症例では例外的に実施することがあるが，その際には正確な診断に加え，リスク・ベネフィットの検討を慎重に行い，そのうえで適応外使用であることを親に説明し，同意を得るインフォームド・コンセントを必ず行わなければならない。

ADHDの幼児への直接的な介入としては，社会的相互性の発達を支える諸技能の開発を目指すソーシャルスキル・トレーニング（SST）を中心に置く集団療法や個人療法を提供する。この年代のSSTは遊びを媒体として，そこでの子ども同士やセラピストとの交流を介入対象として行われる。

医療機関と幼稚園などの関連機関との連携は原則として親の同意のもとに実施する。当然ながら，幼稚園や保育園のスタッフがADHDであることを理解し，その特性を受け入れて関わることは子どもにも親にも重要な心理的支えとなることから，親が拒否する場合以外は実施を検討すべきであ

表2 年代に応じたADHDの治療・支援

	本人への心理社会的治療・支援	薬物療法	家族を対象とした治療・支援	他機関との連携
幼児期	社会的相互性の技能を高めるソーシャルスキル・トレーニング（SST）など	適応外であり，原則として行わない（重症例で例外的に行うことがあるが，その際適応外使用であることをめぐるインフォームドコンセントが前提となる）	親対象に心理教育やペアレント・トレーニングなどで対応法の教示，改善，そして開発に取り組む	幼稚園，保育園，との意見交換 虐待例では地域の母子保健担当部門や児童相談所（児相），あるいは親の精神疾患をめぐる精神保健機関との連携
小学生年代	ADHD特性と二次障害に焦点づけたSST，認知行動療法（CBT），あるいはプレイセラピーなどその他の心理療法	心理社会的支援が無効あるいは不十分な場合に適応となる 必要に応じて二次障害としての精神疾患に対する薬物療法も行う	幼児期に準じた親への介入と支持	学校担当者との意見交換 虐待が疑われる場合の地域の母子保健担当部門や児相との連携
中高生年代	ADHD特性と二次障害に焦点づけたCBTやパーソナリティ発達のための種々の心理療法	小学生年代に準じた基準での実施 二次障害への薬物療法の追加 薬物療法終了を検討するケースもある	ADHD特性と思春期心性の受容に関する心理教育を含むペアレンティングの支持とコーチング	小学生年代に準じて学校適応や進路をめぐる学校の担当者との意見交換 虐待に関する児相との連携
青年期後半段階以降	中高生年代に準じたCBTやその他の心理療法 就労に関するケースワークと心理療法	小学生年代に準じた薬物療法 二次障害への薬物療法の追加 薬物療法の新規開始や再開がある	親や配偶者の困り感に応じたADHD特性に関する心理教育 当事者を支える家族機能の支持と修正	必要に応じて大学や職場の担当者と支援に関する意見交換 障害福祉担当者との意見交換

る。例外は児童虐待が疑われるケースで，この場合には親の同意なしでも児童相談所や地域の子育て支援部門と連絡を取り合うことが秘密漏示罪や守秘義務を越えた専門家の義務であると虐待防止法には明記されている（第6条）。

2）小学生年代

小学生年代になっても，親支援および医療機関と小学校との連携が治療・支援の大きな柱となっている点，および虐待が疑われるケースでの関係機関との連携の重要性に関しては幼児期と何ら変わるところはない。親への心理教育と医療機関－小学校間の連携を通じ家庭や学校の環境改善が実現するだけで，子どもの適応状況が改善するケースも多い。しかし，それでも受診の契機となった家庭や小学校での不適応状態が改善しないケースでは，本人へのADHD特性と二次障害を視野に入れたSSTや，認知行動療法（CBT），あるいは二次障害を対象としたプレイセラピーなどの心理療法に積極的に取り組むべきである。この年代はADHDが見出され診断を受けるピークにあたっており，小学校や家庭における不適応状態の重症度が高いケースではADHD治療薬による薬物療法をためらうべきではない。

3）中高生年代（青年期前半段階）

中学および高校の年代にあたる青年期前半段階は，親離れおよび自分づくりという発達課題との取り組みが進行する年代である。この年代での治療・支援は，本人によるADHD特性の理解と受容を目指し，不安定な青年期前半段階（11歳から18歳未満）の発達を支えるために，本人への心理社会的支援と薬物療法がとりわけ重要な年代といえよう。本人への心理社会的治療・支援としては，ADHD特性と二次障害に焦点づけたCBTや，疾患特性と折り合いをつけた健康度の高いパーソナリティ発達を目指す種々の心理療法が提供される。

薬物療法ケースのなかには，この年代で大きな問題が目立たなくなり，ADHD治療薬による薬物療法の終了が可能になることも少なくない。一方で，この年代で初めてADHD特性に基づく家庭や学校での不適応状態が臨床水準に達し，これらによる薬物療法を開始するケースもある。不安や抑うつ気分が深刻化する二次障害の発現が多いのもこの年代の特徴であり，それらの症状や疾患に特異的な薬物療法をADHD治療薬に追加することも珍しくない。

前の年代同様，親支援の意義が大きいことにも変わりはないものの，ペアレント・トレーニングが取り組む技法はこの年代の子どもの行動管理法としてすでに有効ではないものが増えてくるため，基本的にペアレント・トレーニングは実施対象とならない。したがって，ADHD特性と青年期前半段階特有な心性の混合した状態像を親が理解し受け入れ可能になることを目指した親機能（ペアレンティング）の心理教育を含んだ支持と子ども本人へのコーチングが主な適応技法となる。

この年代には学校適応に関してだけでなく，次の年代の学校への進学や就労について，あるいはその他の進路についてなど，学校と医療機関が情報交換すべき課題はたくさん存在し，親も含め三者の連携が必要になる機会も多い。この年代でも虐待が前景に出てくることもあるが，その一方でADHDの中高生が親や他の家族に暴力をふるうなどの家庭内暴力も珍しくない年代でもあり，それらを念頭に置いた親への支持的な関わりと，学校や児童相談所，あるいは警察などの関連機関との連携が必要となるケースも少なからず存在する。

4）青年期後半段階・成人期

18歳以降の青年期後半段階，あるいは成人期のADHD者に対する心理社会的治療・支援は，就労を中心とする社会人としての自己実現とパーソナリティの成熟を支えるためにCBTやその他の精神療法をはじめ一貫した心理療法を中高生年代から継続して提供すべきである。同時に，就労をめぐって利用可能な就労支援や職場復帰支援の制度について，そしてその支援の受け方などについての心理教育は必須であり，支持的精神療法と併せて実施すべきである。

もし心理社会的治療・支援だけでは効果が不十分であるなら，ADHD治療薬による薬物療法を併用し，両者を継続することが大切である。薬物療法に関して青年期後半段階および成人期の年代は，小学生年代から続けてきた薬物療法を継続しているケースも，青年期前半段階で終了したケースがこの年代で再開したり，新たに開始したりするケースも多い。この年代でも不安症や抑うつ障害群などの二次障害は多くのケースで顕在化しており，これを治療するための薬物療法が追加されることも珍しくない。

この年代では，親や配偶者，大学や専門学校などの学校関係者，会社の担当者，そしてときには障害福祉機関の職員などと連携して，長い目で本人を支える支援体制を家庭にも学校や職場環境にも構築する必要があるケースが多い。

（齊藤 万比古）

3 ADHDの疾病構造

児童精神科や小児科，あるいは精神科におけるADHD診療は，適切な治療および支援の体系をテーラーメードに組み立て，実施する必要があるが，そのためにはADHDの基本症状に焦点を当てるだけでは不十分であり，個々のADHD児の全体像を総合的にとらえる観点が必須である。本書ではそれを「疾病構造」という観点からとらえることを推奨し，**図1**で示すような4層からなる層構造として図式化した。ADHDの疾病構造の核にあたる最内層には生来的なパーソナリティ特性を置き，その周囲にADHDの基本症状，さらにADHDと同格の生来的な素因や体質に由来する諸疾患を置き，一次性併存症と呼ぶことにした。ここまでの3層が，顕在化する時期は後ではあっても出生時にはすでにもっている素因的な特性，症状，あるいは疾患である。なお以前から「気質」と呼ばれてきたものは狭義の定義にしたがえば図1の核に位置づけられた生来的パーソナリティ特性と同義とすべきであるが，実際にはそれとADHDの基本症状に基づく感情や行動とを明確に区別することは困難であり，さらにいえば一次性併存症の感情や行動への影響も生来性という点では無視しがたく，ADHD児の気質はこれら3要因の混合したパーソナリティ特性のことであるとする広義の定義を定めるしかあるまい。これら3層の外にある疾病構造の最外層は，出生前後から展開するADHD児と養育者や家族外環境との相互作用を通じて形成される新たな症状や疾患を指して

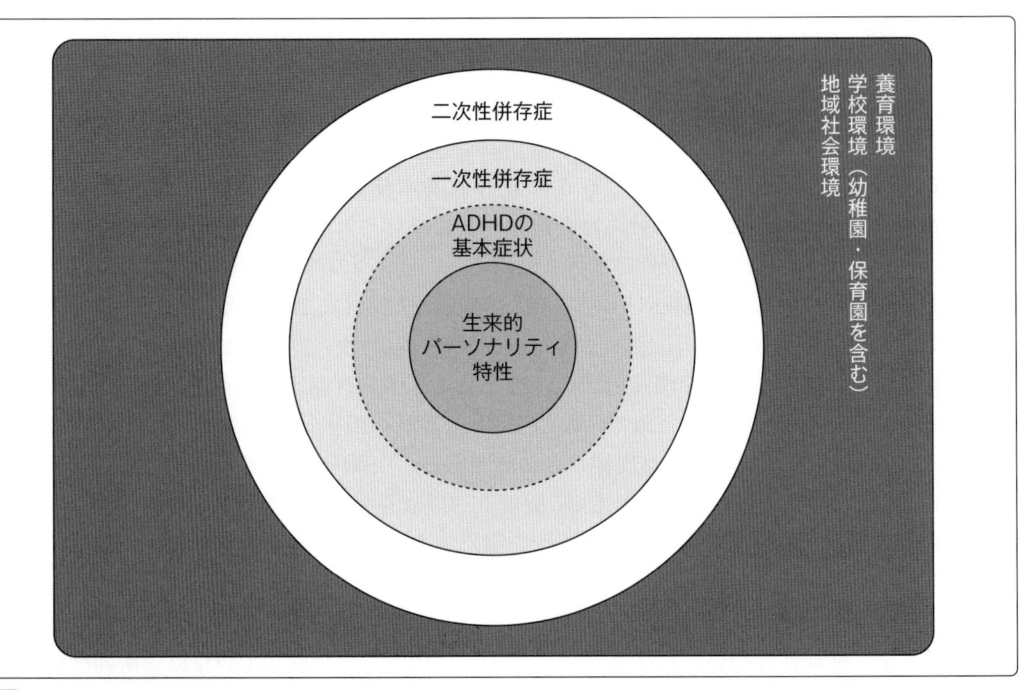

図1 ADHDの疾病構造

おり，これを二次性併存症と本書では呼んでいる。以下で各層の概略を示したい。

1 ADHD児の生来的パーソナリティ特性

ADHDの疾病構造を層構造からなる球体としてみるなら，その核にあたる中心部にはADHD特性とはある程度独立した生来的なパーソナリティ特性が存在しているはずである。ここでいうパーソナリティとは反復性・再現性の高い感情および行動の様式，あるいは対人関係の交流様式のことであり，さらにいえばそこから派生する恒常性の高い自己規定のことであると考えられ，青年期を中心とする人生のいずれかの時期に一定の恒常性をもった特性として完成に至るものである。ADHD特性は不注意，多動性，衝動性の3種類のADHD基本症状として顕在化するが，その背景要因は脳における実行機能をはじめとする諸々の認知機能や行動制御機能の偏りないし障害であり，ADHD児の生来的パーソナリティ特性（狭義の気質）もこれらの脳機能障害から，たとえ部分的であるにしろ影響を受けていると考えるべきだろう。このようにADHD児のパーソナリティ傾向はADHD特性との関連を色濃くもちながらも，ADHDと無関係な領域のパーソナリティ特性を数多く含んだ個性的な行動および対人関係の優勢な様式として始まり，その後の環境との相互作用による変化を重ねて完成に近づいていくものである。

ADHD児の人格傾向としてしばしば指摘される「人なつこく，承認欲求が強い」という特性は，確かに多くのADHDの子どもに認めることができることから，ADHD児に親和性の高い気質であり，それがそのまま育っていけばパーソナリティ傾向の優勢な特性として結晶化するはずである。しかし，ADHD児によく見るこの気質がそのままパーソナリティ傾向の中心にとどまれないケースも多い。これは，逆境的な養育環境など環境要因との相互作用の結果としての経験を重ねる過程で，早期から反抗性，回避性，あるいは受動攻撃性といった特性がパーソナリティ傾向として優勢に結晶化していき，生来のパーソナリティ特性を覆い隠してしまう事態がしばしば生じていることを示している。

2 ADHDの基本症状

疾病構造の核を取り巻く第2層であるADHDの基本症状とは，DSM-5[1]やICD-10[2]によるADHDの疾患概念の中心に位置づけられた症状一覧に挙げられているそれのことであり，それらの背景には不注意，多動性，衝動性の並外れた高さという3つの神経心理学的特性が関与していることはよく知られている。DSM-5はDSM-Ⅳ[3]の定義を継承し，診断基準に用いる症状一覧の作成にあたって3特性のうち「不注意（inattention）」を一定の独立性をもつ領域として位置づける一方，多動性と衝動性の両者を関連の深い特性として「多動性および衝動性（hyperactivity and impulsivity）」と名づけ1つにまとめている。さらに，診断の根拠となる症状一覧としてこの2領域に各9個ずつの症状を挙げたことは周知のとおりである。DSM-5に準拠したADHD診断では，この2領域の症状一覧の一方あるいは両方で6個以上（17歳以上なら5個以上）の症状が存在すればADHDの可能性があると認め，さらなる条件を満たすか否かという診断条件の評価に進んでいくことになっている。なお，ADHDと適合するICD-10の「多動性障害（Hyperkinetic Disorders）」はDSM-5とは概念の枠組みが異なり，多動性と注意の障害の両者をもつもの以外は多動性障害と認めておらず，衝動性については多動性障害の主要症状として記載していない。衝動性についてICD-10では，衝動性と関連の深い反社会的な行為の問題を伴う多動性障害を「多動性行為障害」

という独立した疾患概念にまとめることとなっている。なお，本書の執筆時点では発刊準備が進んでいるもののいまだ世に出てはいないICD-11は，日本精神神経学会を中心に用語の日本語訳の設定が進んでおり，厚生労働省とのすり合わせ段階に至っているようである。疾患名としては多動性障害という疾患名を排し，英文ではDSM-5に準じた疾患名を採用したことは明らかとなっている。ICD-11の症状記述はDSM-5のような症状の箇条書きと該当する症状数で規定する方法を排し，不注意症状については3つ，多動・衝動性については4つに分けた叙述的な解説を通して定義しているという[4)]。

ADHDの子どもの全体像をとらえるという目的でその基本症状を論じる場合，DSM-5の診断基準で注目する不注意と，多動性および衝動性の2領域の症状の分布状況ではなく，不注意が目立っているか否か，多動か否か，衝動的か否か，そしてそれぞれの重症度はどのくらいかという基本症状である3特性の各々に過不足なく注目した評価を通じて，個々のADHD児の症状プロフィールを完成させる必要がある。こうして得られる個々のADHDの症状プロフィールを類型化してとらえるために，DSM-5はADHD診断における特定すべき点として，過去6カ月間の症状プロフィールにしたがって「混合して存在」，「不注意優勢に存在」，「多動・衝動優勢に存在」に分類することを推奨している。これはDSM-Ⅳでは例えば「不注意優勢型」のような下位分類として扱われていたものを，DSM-5ではADHDの基本症状が年齢や環境との相互作用によって変化しうる高い流動性をもつことに注目し，評価時点における状態像の特徴を表現する形式に修正したものである。しかし，ここでもDSM-5は多動性と衝動性について「多動・衝動」と1領域にまとめて扱っている。しかし，臨床で実際にであう子どもには多動であっても衝動性はそれほど目立たない子どもや，衝動性が目立ち周囲とのトラブルが絶えないものの多動で落ち着かないわけではない子どもも珍しくなく，診断の後に個々のADHD児の全体像をとらえたテーラーメードな治療・支援体系を構築するという目的のためには，3症状それぞれに平等に注目する必要があるだろう。いずれにしても個々のADHD児に見出される基本症状のプロフィールを特定する作業がADHD児をとらえる評価過程の中心に位置づけられねばならない。基本症状の組み合わされ方，症状の実際の現れ方およびその重症度はADHD児によってさまざまであり，厳密にいえば一人としてまったく同じ症状プロフィールの子どもはいないのである。

3 一次性併存症

疾病構造の第3層である一次性併存症は2種類の要素から構成されている。その第1の要素は，DSM-5に記載されている知的能力障害群，コミュニケーション症群（言語症，語音症，小児期発症流暢症，社会的コミュニケーション症），自閉スペクトラム症（ASD），限局性学習症，運動症群（発達性協調運動症，常同運動症，チック症群）などの神経発達症群に含まれる諸疾患である。DSM-5は神経発達症群に分類される諸疾患の共通する特徴として，しばしば他の神経発達症群の疾患を併存すると記載しており，ADHDも他の神経発達症群の疾患，特にASD，限局性学習症，運動症群（発達性協調運動症とチック症群はDSM-5で初めて発達障害に含まれることとなった）などとの併存は珍しくない。DSM-Ⅳの時代にはASD（DSM-Ⅳでは広汎性発達障害とよばれた）と診断されるとADHDの診断は不可能とするルールであったため両者の併存はありえなかったが，DSM-5はこのルールを廃しADHDとASDの併存を認めたため，現在では両者の併存診断はかなり一般的なものになっている。

第2の要素は，統合失調症や双極性障害などの精神病性疾患，てんかん発作の合併，器質因性の優勢な強迫性障害の一部，交代勤務型を除いた一次性の概日リズム睡眠－覚醒障害群，あるいは遺尿症や遺糞症を中心とする一次性の排泄症群など，ADHDとは一定の独立性をもった体質的特性を背景に生じてくる疾患やそれに準じる症状である。

ADHDの疾病構造の核ともいえる第1層の生来的パーソナリティ特性，第2層のADHDの基本症状，そしてこの第3層の一次性併存症からなる3つの層はADHD児が生来的・体質的にもって生まれた特性の諸側面であるととらえてよいだろう。

4 二次性併存症

以上の3層で表現した生来的な諸特性をもって生まれたADHD児は，誕生の前後から始まる母親を中心とする養育者との相互作用を通じて絶え間なく自己とそこから派生するパーソナリティ傾向を形成し続けているのである。ADHDをもつ子どもでは，幼児期からその基本症状たる不注意，多動性・衝動性が大人を苛立たせやすいことから，結果的に叱責を受ける機会が著しく多くなるとされ，中には児童虐待の水準に到っているケースも少なからず存在する。こうした相互作用のなかで子どもは「いつも叱られる自分，褒めてもらえない自分，人を苛立たせる自分」といった否定的な自己感・自己像を定型発達の子どもよりもちやすい。さらに，ADHD児が偶然に家族の病気や死，両親の別居や離婚，転居，転校，あるいは学校におけるいじめといった苦痛の強い体験をすると，こうした出来事への罪悪感などの否定的感情が育ちやすいだけではなく，同時に強い怒り・憤りの感情を伴いやすいことを忘れてはならない。

こうしたADHDの特性に基づく逆境的な体験や偶発的なライフイベントによって負った心理的外傷体験はADHD児の心理状態に重大な影響を与える。この影響を受けて形作られていく激しい癇癪，反抗，不安，抑うつ，解離，（身体疾患なしの）身体症状などの諸症状を，ここでは後天的に獲得した症状という意味で二次性症状と呼び，その症状の組み合わせがある精神疾患の診断基準（DSM-5などによる）に合致するならそれを二次性併存症と呼ぶ。

この二次性併存症は反抗挑発症や素行症などの外在化障害群と，強迫症，分離不安症，社交不安症，全般不安症，うつ病，強迫症，脱抑制型対人交流症，心的外傷後ストレス障害などの内在化障害群の2群に分類すると理解しやすい。外在化障害と内在化障害はそれぞれ単独でも生じるが，外在化障害群の疾患をもつADHD児は高い確率で内在化障害群の疾患も併存しているとされることに注目すべきである[5)]。

ある併存疾患が二次性併存症か，あるいは一次性併存症かという判断をするための評価は，本章では一次性併存症に挙げた統合失調症や双極性障害を含め，きわめて慎重に行う必要がある。また，二次性併存症とされたからといって，その疾患の背景要因がすべて心因性ないし環境因性で片づけられるわけではない。例えば強迫症はADHDの併存症として珍しくないが，それは器質因性の高い体質的な強迫症から，衝動性亢進に対する心理的防衛機制の側面が顕著な心因性のそれまでのスペクトラムとしてとらえるべきである。また素行症にも，生来的な衝動性の高さにもっぱら病因を求めることのできる素行症もあれば，ネグレクトのような環境要因によって賦活され結晶化するそれもあるのである。例に挙げた強迫症も素行症も，実際には器質因も心因・環境因もともに関与しているものを二次性併存症とよんでいると理解しておくほうが現実的である。

5 ADHDの全体像

こうした疾病構造が個々のADHDで明らかになれば，それはテーラーメードな治療・支援の組み立てに大いに役立つはずである。ADHDの疾病構造は生来のパーソナリティ特性から二次性併存症までの4層から構成されているとここでは見なしてきた。しかし，現実にであう個々のケースは最外層にある二次性併存症が見えているだけであったり，二次性併存症や一次性併存症の層を透かして内側にあるADHDの基本症状がぼんやりと見えているだけであったりと，層構造の全体像をとらえることはきわめて困難である。けっして球体を真っ二つに割った図1のような断面が最初からくっきりと見えているなどということはないのである。結局，ADHDの診断・評価とは，顕在化している症状や現象を丁寧に吟味し，疾病構造という観点から各層の特性を整理していくことで，個々のADHD児の全体像を明らかにしていく過程で析出してきた結晶体にほかならない。

（齊藤 万比古）

参考文献

1）American Psychiatric Association：Diagnostic and statistical manual of mental disorders，Fifth edition．APA，2013（日本精神神経学会・日本語版用語監修，高橋三郎，大野裕・監訳：DSM-5 精神疾患の診断・統計マニュアル．医学書院，2014

2）World Health Organization：The ICD-10 Classification of Mental and Behavioral Disorders，clinical descriptions and diagnostic guidelines．WHO，1992（融道男，中根允文，小宮山実，他・監訳：ICD-10 精神および行動の障害―臨床記述と診断ガイドライン―．医学書院，2005）

3）American Psychiatric Association：Diagnostic and statistical manual of mental disorders，fourth edition．APA，1994（高橋三郎，大野裕，染谷俊幸・訳：DSM-Ⅳ 精神疾患の診断・統計マニュアル．医学書院，1996）

4）森野百合子，海老島健：ICD-11における神経発達症群の診断について―ICD-10との相違点から考える―．精神神経学雑誌，123（4）：214-220，2021

5）Loeber R, et al：Oppositional Defiant and Conduct disorder: A Review of the Past 10 Years, Part I. Journal of the American Academy of Child and Adolescent Psychiatry, 39（12）：1468-1484, 2000

4 ADHD特性の脳科学的理解

1 神経発達症としてのADHDの概念

ADHDは不注意，多動性・衝動性を主症状とする神経発達症の一つである。その当初の概念は，1902年にGeorge Stillが「道徳的統制の障害」と記述したように素行症や反抗挑発症の併存例も多く含まれているものと思われた。1917～1918年のエコノモ脳炎の大流行の後に不注意，多動性・衝動性を示す子どもたちが認められ，ADHDが脳炎後行動障害ではないかと検討されるようになった。その後，「minimal brain damage；MBD」の概念が広がり1947年にStraussとLehtinenは「brain-injured child」としてこれを報告したが，脳損傷が証明できないとして「minimal brain dysfunction；MBD」という名称も提唱された。しかし，これらの概念はあまりにも包括的かつ曖昧なものであり，神経学的な根拠にも乏しかったため，批判も続いた。このように，ADHDの疾患概念は，時代とともに何度も変遷を繰り返し，子どもの行動上の問題を生物学的な脳機能障害としてとらえようとしてきた経緯がある。2013年に出版されたDSM-5では，ADHDはneurodevelopmental disorders（神経発達症群／神経発達障害群）に含まれる概念として位置づけられた。神経発達症群は「中枢神経系の生物学的成熟に関連した機能発達の障害や遅延のため，幼少期から認知機能，コミュニケーション能力，社会性，学習などの能力に偏りや問題を生じる状態」と定義される疾患カテゴリーであり，ADHDのほかにも自閉スペクトラム症や限局性学習症など複数の疾患が含まれる。これらの神経発達症群に含まれる疾患には多くの共通点（遺伝的要因の重要性，さまざまな種類の認知機能の問題を含むことなど）があることが知られており，実臨床の現場においても神経発達症群の間での併存例が相当数あることが知られている。そのような背景から，神経発達症に含まれる疾患を「定性的／カテゴリー的」に区別するのではなく，共通する生物学的基本障害を基盤とし，「定量的／ディメンション的」に異なる臨床表現形態として理解する考え方も提唱されている[1]。

2 ADHDの病因

1）環境要因

脳の発達は，環境要因と遺伝的要因の相互作用によって制御される一連のプロセスである。脳の発達過程，特に胎児期は環境要因に対して敏感であり，出生前後の環境は神経伝達物質，神経形態，神経栄養因子，細胞接着分子などに影響を与え，将来のストレスに対してより感受性の高い状態を形成すると考えられている。

(1) 出生前および周産期の要因

出生前の要因としては，母親の妊娠中の喫煙，飲酒，マリファナなどの摂取，若年での出産，妊娠中のストレスなどがあり，特に喫煙に関しては多数の報告がある。周産期の要因として，早産や低出生体重児においてADHDの発症率が増加することが報告されている[2]。

(2) 出生後の要因

出生後の要因としては，環境化学物質や体内微量金属，大気汚染，能動・受動喫煙，栄養・食生活の要因などが示唆されているが，十分なエビデンスが得られているとはいえない[3]。また，幼児期の養育環境の問題，特に性的虐待やネグレクトなどの虐待を受けた子どもはリスクが高まることが報告されている[2]。また，複数の社会的不利な条件が重なった場合（例えば，親の相対的貧困＋教育歴＋失業など）にはリスクが累積することが報告されている[4]。

2）ゲノム要因

家族研究や双生児研究からADHDに関する遺伝的要因の重要性が報告されている。家族研究からは，患児の第一度近親者はADHDのリスクが高まることが報告されており，双生児研究からは推定遺伝率は70～90%と考えられている[2]。

(1) 候補遺伝子関連研究

ADHDの薬理学的研究や動物モデルの所見をもとに，ドパミンを中心としたモノアミンの伝達や代謝に関する遺伝子など多数の候補遺伝子が報告されている[5]。しかし，個々の候補遺伝子の関連研究に関しては明確な再現性を示すものには乏しく，これら候補遺伝子の生物学的・臨床的エビデンスに関してはさらなる検討が必要である。

(2) Genome-wide association studies（GWAS）

GWASは一塩基多型の遺伝子型をもとに疾患と形質との関連を網羅的に解析する方法論であり，近年，多くの多因子疾患の新規疾患感受性遺伝子同定に貢献している。ADHDを対象としたGWASのメタアナリシス研究では，ADHD関連遺伝子は特定の機能グループ（神経細胞の投射，シナプス構造，神経系構造，ニューロンの形態形成，細胞間の相互作用，グルタミン酸シグナル）に集積することが示唆されている[5, 6]。さらに，GWASのデータを元として，ADHDと自閉スペクトラム症，双極性障害，大うつ病性障害，統合失調症などには共通する遺伝的要因があることが報告されている[7, 8]。

(3) Copy number variants（CNVs）

ゲノムには，Kb～Mb単位に渡るゲノムDNAが通常2コピーのところが1コピー以下（欠失）や3コピー以上（重複）となる領域があることが知られており，これらの変異をcopy number variants（CNVs）と呼ぶ。ADHDに関連するCNVsに関するメタアナリシスでは，26個のADHD関連候補遺伝子を報告している[9]。また，自閉スペクトラム症や統合失調症との関連が報告されているCNVsがADHD患者においても同定されることが報告されている[10]。

(4) Rare variant解析

近年のゲノム解析技術の発展に伴い，頻度が極めて低い稀少変異（rare variant）に注目した研究が行われている。ADHDの患者と両親を対象としたrare variant解析では「グルタミン酸シナプス」,「細胞骨格の構成」,「Ca2+経路」などの生物学的経路とADHDとの関連が報告されている[11]。ADHDに関連するrare variantに関してはいまだ確定したものはないものの，多数のrare variantがADHDリスク形成に関与していると考えられている[12]。

3）エピゲノム要因

エピジェネティック制御は，DNAやヒストンへの後天的な化学修飾を通して遺伝子発現が制御されるシステムであり，さまざまな環境要因や遺伝的要因がエピジェネティック制御を通して影響を与えることが知られている。ADHDを対象としたメチロームワイド解析では，神経発達や知的能力に関する遺伝子のDNAメチル化とADHDとの関連が報告されている[13, 14]。

3 ADHDの神経生物学

1）神経化学的研究

PET研究などからADHDの病態生理にはドパミンやノルアドレナリンを中心とするモノアミン系の神経伝達系の調節障害が重要な役割を果たしていることが示唆されている[15~17]。前頭前皮質では錐体細胞の樹状突起にα_{2A}アドレナリン受容体とドパミンD_1受容体が存在しており[18, 19]，樹状突起はグルタミン酸シナプスを介してほかの錐体ニューロンとの神経ネットワークを形成する。

これらの前頭前皮質におけるノルアドレナリンやドパミンによる錐体細胞シグナル調整の不均衡がADHDの症状の根底にあると考えられている[20]。

2）脳画像研究：磁気共鳴画像（MRI）

(1) 皮質・灰白質

ADHDを対象としたMRI研究では，対照群と比較して皮質の厚さが増加もしくは減少することが報告されている[2]。ADHDを対象とした縦断的画像研究からは，前頭葉皮質の体積，表面積，皮質の折りたたみの発達段階における持続的な減少が報告されている[21]。また，小児期ADHDにおいて，皮質の厚さと表面積の成長が同期して遅延することが報告されている[22]。

またADHD患者では脳全体の灰白質体積が小さいことが報告されており[23]，ボクセルベース・モルフォメトリー解析のメタアナリシスでは，右レンズ状核から尾状核に及ぶ体積減少が報告されている[24]。

(2) 白質

ADHDを対象とした拡散テンソル画像に基づいたメタアナリシスでは，右前放線冠，右小鉗子，両側内包，左小脳における微細構造組織の異常が報告されている[25]。しかし，最近のメタアナリシスでは，これらの結果にはアーティファクトが影響を与えている可能性が示唆されているため，結果の解釈にはさらなる検討が必要である[26]。

4 ADHDの脳機能の問題

1）実行機能障害

実行機能とは，高次の認知的制御および行動制御に関わり，目標志向的な活動を行うために必要な認知機能である。実行機能障害の神経認知的な機能欠如としてプランニング，衝動制御，注意のセットシフト，ワーキングメモリなどの障害が想定されており，発達早期の抑制機能不全が影響しているものと考えられている。神経解剖学的には前頭前皮質－背側線条体の活動と関連していると考えられている（**図1**）[27]。タスクベースのfunctional MRI（fMRI）のメタアナリシスでは，前頭頭頂部の実行制御ネットワーク，被殻，腹側の注意ネットワークの活性化低下が報告されている[28]。注意課題と抑制課題に関するメタアナリシスでは，抑制を司る下前頭皮質，補足運動野，前帯状皮質と，注意を司る背外側前頭皮質，頭頂葉，小脳領域の機能異常が報告されている[29]。

また，自閉スペクトラム症などのほかの神経発達症においても実行機能障害を認めることが示唆されているが，ADHDの実行機能障害として注意の転導性があるのに対して，自閉スペクトラム症の実行機能障害では注意シフトの困難さがあることが報告されている[30, 31]。この前頭前皮質－背側線条体回路障害を基盤として実行機能障害が生じ，注意の持続や計画的な行動ができない，衝動的な行動が起こりやすいなどのADHDの行動特性を理解できるようになる（図1）。

2）報酬系機能障害

実行機能系（前頭前皮質－背側線条体）に加え，報酬系（眼窩前頭－腹側線条体）を並列し，この2つの経路の機能障害からADHDの症状を理解するDual Pathwayモデルが提唱されている（図1）[27]。報酬タスクに基づいたfMRI研究のメタアナリシスでは，ADHD患者では対照者に比べて腹側線条体の活性化が低下していることが報告されている[32]。別の報酬タスクベースのfMRI別の報酬課題を用いたfMRI研究では，報酬の予測および受け取りに対する前帯状皮質，前頭前野，小脳，眼窩前野，後頭前野，腹側線条体の神経反応の亢進が報告されている[33]。ADHDの病態モデルに報酬系回路を含めることで，報酬を魅力的と感じる効果が持続しない，短期的に報酬を得る選択肢がないときにほかの事象に注意が逸れる，遅れて得られる報酬を待つことできず衝動的に代替行動を起こす（遅延嫌悪）といったADHDの行動を理解できるようになる。子どもの衝動的な行為に親が過剰に否定的となることが，遅延嫌悪を助長させることも想定されている（図1）。

また，ADHDはアルコールなどの精神作用物質に関する依存症や，インターネット・ゲームやギャンブルなどへの行動嗜癖のリスクを高めることが知られている[34~37]。これらの依存症や行動嗜癖においても報酬系機能障害が症状の基盤となることが報告されているが[38~44]，依存症や行動嗜癖における報酬系機能障害がADHDそのものの病態にどのような影響を与えるのか，また，ADHDと依存症／行動嗜癖の神経メカニズムの同一性および異質性といった事柄に関しては依然データに乏しく，今後のさらなる研究が必要である[45]。

3）時間処理機能障害

ADHDの病態は実行機能と報酬系の機能不全により説明されることが多いが，時間知覚の障害を含む時間処理機能障害をこれに加える場合もある[46]。時間知覚は感覚器官や身体からの情報に基づいた時間的な長さ，順序，同時性，同期性などを知覚する機能である。ADHD患者では，一定

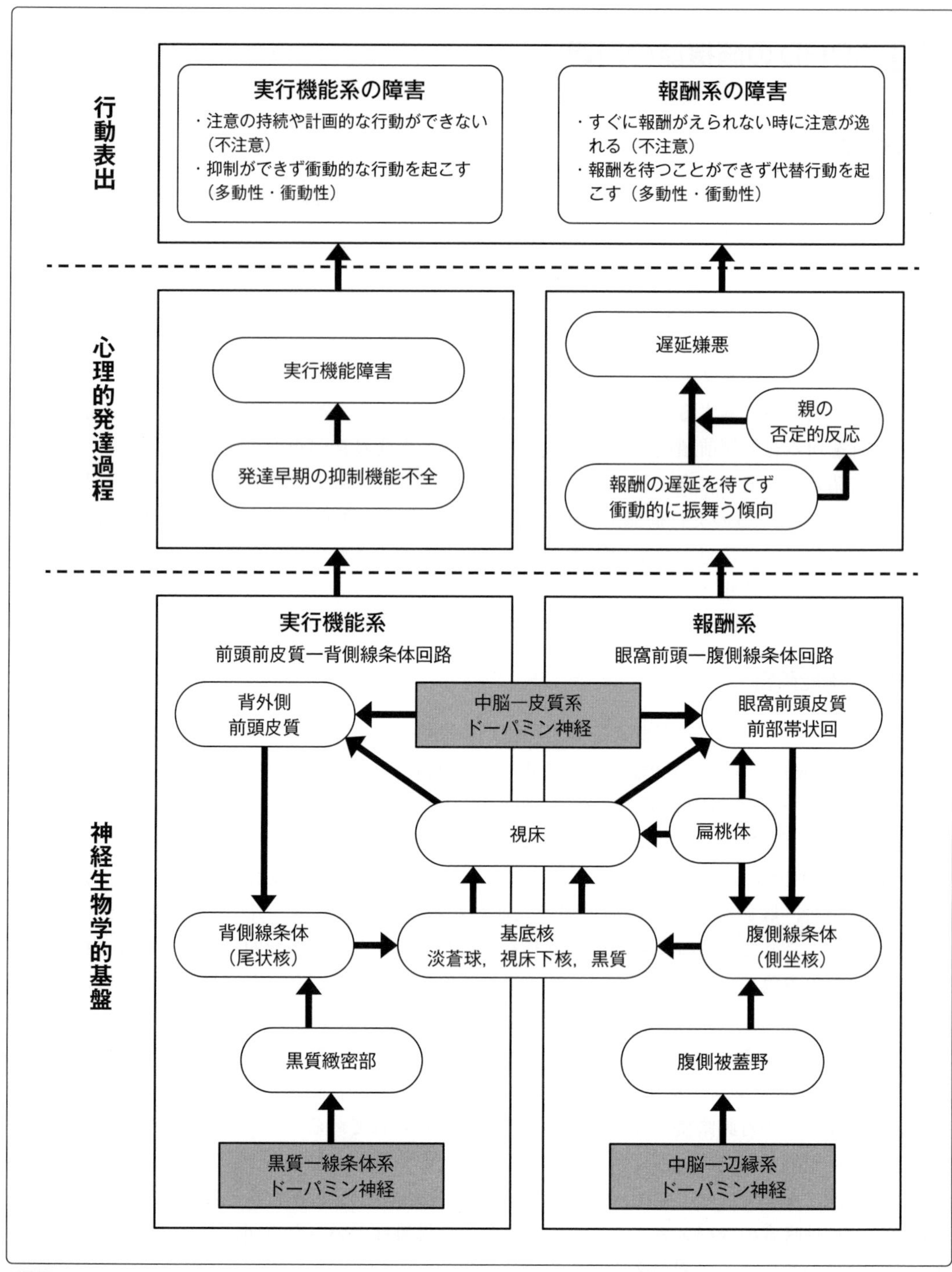

図1 Dual Pathwayモデル

〔Sonuga-Barke EJ : The dual pathway model of AD/HD: an elaboration of neuro-developmental characteristics. Neurosci Biobehav Rev, 27（7）: 593-604, 2003より一部改変〕

の時間長を時計などの手掛かりなしに再生・予想する時間弁別課題において，1秒未満の識別能力が低いことが報告されている[47, 48]。ADHDにおける時間処理機能障害においては，下前頭－線条体－小脳および前頭頭頂制御ネットワークの機能障害が想定されている[49]。

また時間知覚課題成績には純粋な時間知覚機能のみならず，実行機能系が関わることが示唆されている[50, 51]。これは実行機能系（特にワーキングメモリ）が時間知覚課題の先行刺激を記憶するという過程に関わるためである。

4）安静時の非機能的結合性

安静時のfMRI（resting state fMRI；rsfMRI）では，視床－線条体における安静時の非典型的機能的結合が報告されている[52]。また，デフォルトモードネットワークにおける安静時機能結合性の変化がADHDの行動様式と相関することが報告されている[53]。また，扁桃体－皮質における安静時機能結合性の変化が情動調節障害と関連することが示されている[54]。

5 ADHDの総合的理解に向けて

近年，さまざまな研究分野において新規の解析手法が導入され，これまで疾患との関連が報告されていない新規のADHDリスク因子の報告が相次いでいる。遺伝子レベルにおいては神経細胞の投射，シナプス構造，ニューロンの形態形成などに関連する遺伝子と疾患との関連が示唆され，母体の妊娠中の喫煙の影響や幼少時の逆境体験などの環境要因がエピゲノム要因に影響を与え，細胞レベルでは前頭前皮質におけるノルアドレナリンやドパミンによる錐体細胞の微調整の不均衡が，脳機能レベルでは実行機能障害，報酬系障害などがその生物学的メカニズムとして報告されている。

前述したように，ADHDは神経発達症のカテゴリーに含まれる疾患であるが，実際の臨床現場においては相当数のほかの精神疾患の併存例が認められる。興味深いことにゲノム解析分野をはじめとしたさまざまな研究領域において，そのほかの神経発達症を含む精神疾患（自閉スペクトラム症や双極性障害，統合失調症など）とADHDとの共通したリスク因子の存在が示唆されている。このような背景において，ADHDとほかの精神疾患とのオーバーラップをどの様な概念でとらえるのが適当であろうか。その1例として，筆者らは**図2**のような病因モデルを考えている[55]。ADHDなどの精神疾患は何らかの神経生物学的基盤をもつ特異的認知障害の結果として起こると考えられるが，その神経生物学的基盤は遺伝子より始まり，エピゲノムレベル，細胞レベル，脳機能レベル，行動レベル，臨床症状レベルなどの多数の生物学的階層から構成されている。特定の生物学的階層における表現系が異なる生物学的階層に与える影響は必ずしも1：1の関係ではなく，複雑な多因子間の相互作用が考えられる。この生物学的階層モデルの観点からは，階層の頂点に位置する中核的臨床概念においては各々の疾患カテゴリー間で共通せず，一方で，最も基盤となる遺伝子においては複数の精神疾患で共通する遺伝子があること，また，遺伝子－疾患という表現型の「中間」に存在する神経生物学的な障害を想定した中間表現系の概念においても複数の疾患カテゴリー間で共通する中間表現系が存在するということが矛盾なく説明できる。また，このモデルは，DSM-Ⅲにより無理論的にカテゴリー化されたそれぞれの精神疾患概念の境界は，病因論的背景においてさほど明瞭なものではないことを示しており，DSM-ⅣからDSM-5の改訂の際に検討されたディメンション的アプローチの，少なくとも病因論的背景からの妥当性を肯定する側面もあると考えている。

今後，さらなる解析が行われていくなかで，新規のADHD関連リスク因子の同定や生物学的メ

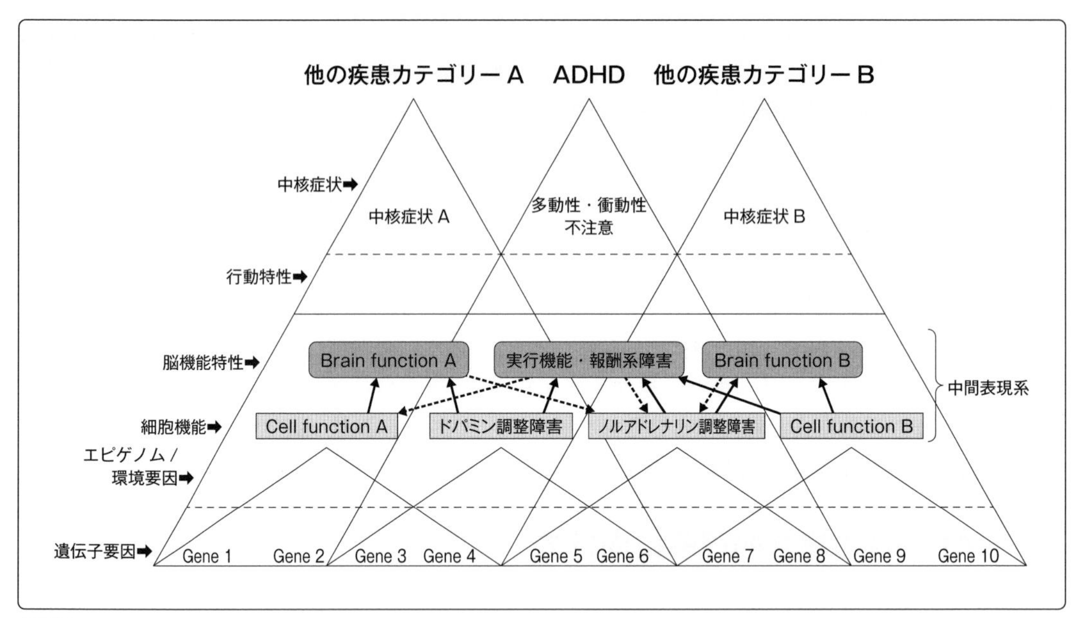

図2 病因モデル

〔Franke B, et al : Genome-wide association studies in ADHD. Hum Genet, 126 (1) : 13-50, 2009より一部改変〕

カニズムの解明，また，ADHDのみならず複数の疾患カテゴリー間で重複する中間表現系の同定も進んでいくと考えられ，将来的に広く応用可能な新規治療法・評価法の開発に繋がることが期待される。

(森本 芳郎，今村 明)

参考文献

1) Thapar A, et al : Neurodevelopmental disorders. Lancet Psychiatry, 4 (4) : 339-346, 2017
2) Yadav SK, et al : Genetic variations influence brain changes in patients with attention-deficit hyperactivity disorder. Transl Psychiatry, 11 (1) : 349, 2021
3) Xi T, iet al : A Review on the Mechanism Between Different Factors and the Occurrence of Autism and ADHD. Psychol Res Behav Manag, 14 : 393-403, 2021
4) Faraone SV, et al : The World Federation of ADHD International Consensus Statement: 208 Evidence-based conclusions about the disorder. Neurosci Biobehav Rev, 128 : 789-818, 2021
5) Hawi Z, et al : The molecular genetic architecture of attention deficit hyperactivity disorder. Mol Psychiatry, 20 (3) : 289-297, 2015
6) Yang L, et al : Polygenic transmission and complex neuro developmental network for attention deficit hyperactivity disorder: genome-wide association study of both common and rare variants. Am J Med Genet B Neuropsychiatr Genet, 162B (5) : 419-430, 2013
7) Cross-Disorder Group of the Psychiatric Genomics Consortium, et al : Genetic relationship between five psychiatric disorders estimated from genome-wide SNPs. Nat Genet, 45 (9) : 984-994, 2013
8) Zhao H, et al : Gene-based analyses reveal novel genetic overlap and allelic heterogeneity across five major psychiatric disorders. Hum Genet, 136 (2) : 263-274, 2017
9) Harich B, et al : From Rare Copy Number Variants to Biological Processes in ADHD. Am J Psychiatry, 177 (9) : 855-866, 2020
10) Gudmundsson OO, et al : Attention-deficit hyperactivity disorder shares copy number variant risk with schizophrenia and autism spectrum disorder. Transl Psychiatry, 9 (1) : 258, 2019
11) Al-Mubarak BR, et al : Whole exome sequencing in ADHD trios from single and multi-incident families implicates new candidate genes and highlights polygenic transmission. Eur J Hum Genet, 28 (8) : 1098-1110, 2020

12) Corominas J, et al : Identification of ADHD risk genes in extended pedigrees by combining linkage analysis and whole-exome sequencing. Mol Psychiatry, 25 (9) : 2047-2057, 2020
13) Walton E, et al : Epigenetic profiling of ADHD symptoms trajectories: a prospective, methylome-wide study. Mol Psychiatry, 22 (2) : 250-256, 2017
14) Wilmot B, et al : Methylomic analysis of salivary DNA in childhood ADHD identifies altered DNA methylation in VIPR2. J Child Psychol Psychiatry, 57 (2) : 152-160, 2016
15) Cortese S : The neurobiology and genetics of Attention-Deficit/Hyperactivity Disorder (ADHD) : what every clinician should know. Eur J Paediatr Neurol, 16 (5) : 422-433, 2012
16) Ludolph AG, et al : Dopaminergic dysfunction in attention deficit hyperactivity disorder (ADHD), differences between pharmacologically treated and never treated young adults: a 3,4-dihdroxy-6- [18F] fluorophenyl-l-alanine PET study. Neuroimage, 41 (3) : 718-727, 2008
17) Volkow ND, et al : Depressed dopamine activity in caudate and preliminary evidence of limbic involvement in adults with attention-deficit/hyperactivity disorder. Arch Gen Psychiatry, 64 (8) : 932-940, 2007
18) Wang M, et al : Alpha2A-adrenoceptors strengthen working memory networks by inhibiting cAMP-HCN channel signaling in prefrontal cortex. Cell, 129 (2) : 397-410, 2007
19) Smiley JF, et al : D1 dopamine receptor immunoreactivity in human and monkey cerebral cortex: predominant and extrasynaptic localization in dendritic spines. Proc Natl Acad Sci USA, 91 (12) : 5720-5724, 1994
20) Huss M, et al : Guanfacine Extended Release: A New Pharmacological Treatment Option in Europe. Clin Drug Investig, 36 (1) : 1-25, 2016
21) Ambrosino S, et al : What can Cortical Development in Attention-Deficit/Hyperactivity Disorder Teach us About the Early Developmental Mechanisms Involved? Cereb Cortex, 27 (9) : 4624-4634, 2017
22) Shaw P, et al : Development of cortical surface area and gyrification in attention-deficit/hyperactivity disorder. Biol Psychiatry, 72 (3) : 191-197, 2012
23) Greven CU, et al : Developmentally stable whole-brain volume reductions and developmentally sensitive caudate and putamen volume alterations in those with attention-deficit/hyperactivity disorder and their unaffected siblings. JAMA Psychiatry, 72 (5) : 490-499, 2015
24) Nakao T, et al : Gray matter volume abnormalities in ADHD: voxel-based meta-analysis exploring the effects of age and stimulant medication. Am J Psychiatry, 168 (11) : 1154-1163, 2011
25) van Ewijk H, et al : Diffusion tensor imaging in attention deficit/hyperactivity disorder: a systematic review and meta-analysis. Neurosci Biobehav Rev, 36 (4) : 1093-1106, 2012
26) Aoki Y, et al : Research Review: Diffusion tensor imaging studies of attention-deficit/hyperactivity disorder: meta-analyses and reflections on head motion. J Child Psychol Psychiatry, 59 (3) : 193-202, 2018
27) Sonuga-Barke EJ : The dual pathway model of AD/HD: an elaboration of neuro-developmental characteristics. Neurosci Biobehav Rev, 27 (7) : 593-604, 2003
28) Cortese S, et al : Toward systems neuroscience of ADHD: a meta-analysis of 55 fMRI studies. Am J Psychiatry, 169 (10) : 1038-1055, 2012
29) Hart H, et al : Meta-analysis of functional magnetic resonance imaging studies of inhibition and attention in attention-deficit/hyperactivity disorder: exploring task-specific, stimulant medication, and age effects. JAMA Psychiatry, 70 (2) : 185-198, 2013
30) Bednarz HM, et al : Executive Function Brain Network Activation Predicts Driving Hazard Detection in ADHD. Brain Topogr, 35 (2) : 251-267, 2022
31) Lopez BR, et al : Examining the relationship between executive functions and restricted, repetitive symptoms of Autistic Disorder. J Autism Dev Disord, 35 (4) : 445-460, 2005
32) Plichta MM, et al : Ventral-striatal responsiveness during reward anticipation in ADHD and its relation to trait impulsivity in the healthy population: a meta-analytic review of the fMRI literature. Neurosci Biobehav Rev, 38 : 125-134, 2014
33) von Rhein D, et al : Increased neural responses to reward in adolescents and young adults with attention-deficit/hyperactivity disorder and their unaffected siblings. J Am Acad Child Adolesc Psychiatry, 54 (5) : 394-402, 2015
34) Daigre C, et al : Adult ADHD screening in alcohol-dependent patients using the Wender-Utah Rating Scale and the adult ADHD Self-Report Scale. J Atten Disord, 19 (4) : 328-334, 2015
35) Luderer M, et al : Prevalence Estimates of ADHD in a Sample of Inpatients With Alcohol Dependence. J Atten Disord, 24 (14) : 2072-2083, 2020
36) Mathews CL, et al : Video game addiction, ADHD symptomatology, and video game reinforcement. Am J Drug Alcohol

Abuse, 45 (1) : 67-76, 2019
37) Theule J, et al : Exploring the Relationships Between Problem Gambling and ADHD: A Meta-Analysis. J Atten Disord, 23 (12) : 1427-1437, 2019
38) Barkley RA : Behavioral inhibition, sustained attention, and executive functions: constructing a unifying theory of ADHD. Psychol Bull, 121 (1) : 65-94, 1997
39) de Wit H : Impulsivity as a determinant and consequence of drug use: a review of underlying processes. Addict Biol, 14 (1) : 22-31, 2009
40) Herman AM, et al : Facets of impulsivity and alcohol use: What role do emotions play? Neurosci Biobehav Rev, 106 : 202-216, 2019
41) Pedersen SL, et al : The indirect effects of childhood attention deficit hyperactivity disorder on alcohol problems in adulthood through unique facets of impulsivity. Addiction, 111 (9) : 1582-1589, 2016
42) Rubio G, et al : The role of behavioral impulsivity in the development of alcohol dependence: a 4-year follow-up study. Alcohol Clin Exp Res, 32 (9) : 1681-1687, 2008
43) Oggiano M, et al : Striatal dynamics as determinants of reduced gambling vulnerability in the NHE rat model of ADHD. Prog Neuropsychopharmacol Biol Psychiatry, 100 : 109886, 2020
44) Weinstein A, et al : Neurobiological mechanisms underlying internet gaming disorder. Dialogues Clin Neurosci, 22 (2) : 113-126, 2020
45) Vollstädt-Klein S, et al : Interaction between behavioral inhibition and neural alcohol cue-reactivity in ADHD and alcohol use disorder. Psychopharmacology (Berl), 237 (6) : 1691-1707, 2020
46) Sonuga-Barke E, et al : Beyond the dual pathway model: evidence for the dissociation of timing, inhibitory, and delay-related impairments in attention-deficit/hyperactivity disorder. J Am Acad Child Adolesc Psychiatry, 49 (4) : 345-355, 2010
47) Huang J, et al : Temporal processing impairment in children with attention-deficit-hyperactivity disorder. Res Dev Disabil, 33 (2) : 538-548, 2012
48) Gooch D, et al : Time perception, phonological skills and executive function in children with dyslexia and/or ADHD symptoms. J Child Psychol Psychiatry, 52 (2) : 195-203, 2011
49) Noreika V, et al : Timing deficits in attention-deficit/hyperactivity disorder (ADHD) : evidence from neurocognitive and neuroimaging studies. Neuropsychologia, 51 (2) : 235-266, 2013
50) Toplak ME, Tannock R : Time perception: modality and duration effects in attention-deficit/hyperactivity disorder (ADHD). J Abnorm Child Psychol, 33 (5) : 639-654, 2005
51) Yang B, et al : Time perception deficit in children with ADHD. Brain Res, 1170 : 90-96, 2007
52) Mills KL, et al : Altered cortico-striatal-thalamic connectivity in relation to spatial working memory capacity in children with ADHD. Front Psychiatry, 3 : 2, 2012
53) Chabernaud C, et al : Dimensional brain-behavior relationships in children with attention-deficit/hyperactivity disorder. Biol Psychiatry, 71 (5) : 434-442, 2012
54) Hulvershorn LA, et al : Abnormal amygdala functional connectivity associated with emotional lability in children with attention-deficit/hyperactivity disorder. J Am Acad Child Adolesc Psychiatry, 53 (3) : 351-361, 2014
55) Franke B, et al : Genome-wide association studies in ADHD. Hum Genet, 126 (1) : 13-50, 2009

5 ADHDとASDの併存をめぐる脳科学的理解

ADHDは，不注意，多動性・衝動性が中心症状であり，自閉スペクトラム症（ASD）は，社会的コミュニケーションおよび社会的相互作用の障害と，行動や興味の限局的・反復的なパターンが中心症状とされ，いずれも神経発達症に分類されている。ASDにADHD症状がしばしばみられることは多くの臨床家が知るところであったが，それがASDによる環境への不適応に対する反応と考えられたり，常同行動や興味の限局に起因すると考えられたりすることも多く，そのADHD症状をもってADHDと診断するべきか，ASDの関連症状と考えるべきかという問題があり，2013年以前の国際的な診断基準では一貫してASDとADHDの併存診断は認められず，ASDの診断を満たす場合には，不注意，多動性・衝動性が認められてもADHDとは診断しないことになっていた。しかし，2013年に発表されたDSM-5においてASDとADHDの併存診断が認められるようになった。2020年に報告されたDSM-5を用いたわが国での調査では，5歳においてASDは1.73%みられ，そのうち50.6%にADHDの併存が認められた[1)]。

併存診断が認められるに至ったことには，両者の併存率の高さのほか[2,3)]，ASDにみられるADHD症状とADHDのみの診断であるADHD症状は類似しているとする調査報告や[4)]，ADHD症状の有無にかかわらずASD症状が類似していることなどが影響している。加えて，両者が併存すると日常生活スキルなどの適応行動能力が低いことが指摘されたり[5)]，それぞれの単独診断の場合よりも併存例では重症化するとの報告もある[6)]。ADHD治療の視点に立った対応も必要かつ有用といえるため，併存診断が認められずASDの診断のみとなればADHDとしての治療の可能性を制限することに繋がりかねないことも併存診断が認められることに影響したと考えられる。これらのことから，ADHDとASDの併存診断は，臨床上は有意義であり，治療上の有用性もあることがわかる。それでは，脳科学的にはどうであろうか。本項では，現在までのADHDとASDのぞれぞれの脳科学的理解に言及し，その異同を考察するとともに，現時点での併存例の脳科学的理解についても概説する。

 1 病因について

1）ASDの遺伝的要因

ASDの原因に関して，多くの家族研究，特に双生児研究が行われ，一卵性双生児では発病一致率が70～95%であり，二卵性で10～24%と報告され，また同胞での発症率が2.9～3.7%と高いなど，遺伝的要因の関与が極めて高いことが明らかとなっている。ASDの遺伝率は古典的自閉症の狭義の表現型では90%を超えると推定されているが，広義の表現型ではそれよりは低いと考えられている[7)]。一方で，単一遺伝子による疾患ではなく，複数の遺伝要因によって発症すると考えられており，関連遺伝子は単独での発症への影響は小さくても，複数の遺伝子多型が重なったり，多くの

突然変異がランダムに起こったりすることで，ASD発症に関与すると考えられている。

ASDの候補遺伝子研究において，シナプス関連遺伝子である*NLGN3*，*NLGN4*，*NRXN*，*CNTNAP2*，中枢神経細胞の遊走に関連する蛋白質をコードする*RELN*，シナプス後膜に存在する足場蛋白質をコードする*SHANK1*，*SHANK2*，*SHANK3*など多数の候補遺伝子がこれまでに報告されている。

2）ADHDおよびASDの候補遺伝子

ADHDについても家族内集積性があり，高い遺伝性があることが以前から指摘され，双生児を対象とした37研究におけるADHDの平均遺伝率は74%であったという報告もある[8)]。また，ADHDの候補遺伝子研究も数多く行われており，主なものはドパミン系などのシグナル伝達に関わる分子である。

ADHD，ASDはともにドパミンやセロトニンを介したシグナル伝達の異常が報告されており，ADHDおよびASDとの関連が検討された候補遺伝子を**表1**に列挙した。このように多くの候補遺伝子が検討されているものの依然として結論には至っておらず，今後もADHDおよびASDの遺伝的要因についての知見の集積が必要である。

3）環境要因

ASDの発症に関わる環境要因としては，早産，低出生体重，胎児ジストレス，母体出血，糖尿病合併妊娠，子宮内感染症，母体炎症などの周産期異常が指摘されている。

また，最近では母体からの腸内細菌の伝達も非常に大きな影響を及ぼすことが指摘されている。腸内細菌は免疫機能を成熟させ，アレルギー反応を抑制しており，そして腸と脳は双方向的にホルモンやサイトカインなどの液性因子や自律神経系のネットワークによって情報伝達を行っており，この関係性を脳腸相関という。ASD患者では，その腸内細菌叢の組成が健常者と異なり，クロストリジウム属が増加し，バクテロイデス／フィルミクテス比が低下しているという報告がある[9)]。また，母乳栄養児では母乳オリゴ糖の作用によりビフィズス菌の割合が高くなるように母乳栄養が腸内細菌叢に影響するが，この母乳栄養がASD発症に保護的に作用することも指摘されている[10)]。

これらのほかにASDの発症リスクとしては，妊娠早期の母親のバルプロ酸服用や，有機リン系農薬への曝露，アルコール摂取，喫煙，葉酸欠乏，抗うつ薬服用なども妊娠中の環境要因として指摘されている。また，経済状況や両親の教育水準との関連性については一貫した報告はないものの，移民や母国以外での出産といった要因でもASDの発症率が高くなるといわれることがあるため留意しておく必要がある。

次に，ADHDの発症に関わる環境要因であるが，母体出血，低出生体重，早産，胎児ジストレスなどの周産期異常が指摘されている。母親の妊娠中の生活様式がADHDと関係していることが

表1 ADHDおよびASDとの関連が検討された候補遺伝子

遺伝子	蛋白質機能
DAT1	ドパミンの再取り込みを行う
DRD3，*DRD4*	ドパミン受容体に関連する
SLC6A4（*SERT*，*5-HTT*）	セロトニントランスポーターに関連する
COMT	ドパミン，アドレナリンおよびノルアドレナリンの分解を行う
MAOA	セロトニン，ノルアドレナリンおよびドパミンの分解を行う

指摘されており，母親の喫煙とADHDには用量反応的な関係が存在するという報告や，母親の多量アルコール摂取（毎日1ドリンク＝純アルコールおよそ10g程度以上の飲酒）がADHD発症のリスクを上昇させるという報告がある[11]。ただし，母親の妊娠中の生活様式において，喫煙と飲酒のどちらもが存在していることも多く，また社会経済的地位の問題や不適切な養育環境，家族のアルコール依存症・薬物使用などのリスク要因が複数存在していることもあることから，交絡因子の統制が適切に十分に行われていない研究報告もあり，結果の解釈には十分に留意する必要がある。また，出生後の養育上の環境要因として，両親の教育水準，社会的地位，貧困，不適切な養育との関連が指摘されているが，ADHDの発症リスクを高めるというよりは，後の併存症である素行症やうつ病のリスクを高めるという視点のほうが重要といわれる。

ASDおよびADHDの環境要因に共通する点は，周産期異常を中心に認められる。しかし，ADHDとASDが併存する要因は明確ではない。ADHD，ASDそれぞれの病因としても，ADHDとASDの併存例の病因としても，複数の遺伝子が相互に影響し合い，そこに複数の環境要因の影響を受け，相互に関連し合いながら神経生物学的リスクが上昇すると考えておくことが現時点では妥当であると思われる。

2　脳画像研究

1）構造的脳画像研究

ASDの脳体積の相対的な変化は，生後1～2年の期間に定型発達児よりも脳体積が急激に増大し，その後徐々に定型発達児の水準に近づいていき，最終的に成人では定型発達者と差がほぼなくなることが知られている。そして，成人においては，局所的にはむしろ体積が減少しているという報告がある。また，複数の研究によって生後早期・幼児期の前頭葉の過成長の所見が得られている[12]。ADHDについては，構造的脳画像研究のメタ解析から，小児期における小脳領域，脳梁膨大部，大脳および右半球，右尾状核，前頭領域の体積減少が報告されており[13]，縦断的に大脳皮質厚を測定した研究から小児期ADHDでは大脳皮質の発達が遅延しているが，その差は成人にむけて小さくなることがわかっている[14]。

ASDおよびADHDには，それぞれに前述のような年齢による相対的な脳形態所見の増減がみられ，それぞれの視座に立つと両者の相違が考えられる。Doughertyらは小児期におけるADHDとASDの脳画像を比較し，脳体積がADHDでは減少し，ASDでは増加していること，また扁桃体がADHDでは正常であるがASDでは過成長していることを報告した[15]。また，Baribeauらは，定型発達児とADHD，ASDおよび強迫症の小児312人（平均年齢11歳）を対象とした脳画像研究から，ADHDとASDの脳構造と社会性欠如の関連性に類似パターンが認められることを報告している[16]。ADHDとASDの併存例についての脳画像研究では，前頭前野，小脳，大脳基底核の脳体積は併存群と定型発達群で差はなく，左中心後回の体積が併存群で小さかったが，児童期でみられた差は思春期では認められなくなったと報告されている[17]。

2）機能的脳画像研究

ASDの機能的脳画像研究は，顔表情認知や心の理論に関わる脳活動を中心に展開していった。そして，紡錘状回や内側前頭前野など，社会脳を構成する代表的な脳領域の活動異常が報告された[18]。そして，ASDの機能的脳画像研究のメタ解析から，社会認知の領域では，脳梁膝部前方の前部帯状回（内側前頭前野），右扁桃体，左紡錘状回（中部），右島皮質前部，後部帯状回の活動低下が報告された[19]。このようにASDにおける扁桃体，紡錘状回，内側前頭前野の活動低下が，社会的認知課題との関連で報告されている。ASDの機能的脳画像研究においては，遂行機能課題を用いたものも数多くみられ，メタ解析によって遂行機能課題施行中の脳活動として，背外側前頭前野，頭頂葉外側部，前補足運動野，帯状回背側部の活動低下が報告されている[19]。同様に，ADHDにおいても遂行機能課題を用いた16研究のメタ解析が行われており，ADHDでは前頭皮質—線条体，前頭皮質—頭頂葉の神経回路の活性が低いことがわかっている[20]。

機能的脳画像検査の一つである近赤外線スペクトロスコピィを用いた研究で，同一の遂行機能課題を用いて小児期におけるADHD，ASD，そしてADHDとASDの併存例について，それぞれを対象とした3研究がある。小児期ADHDでは定型発達群と比較して主に眼窩前頭皮質の領域における前頭前皮質の機能低下がみられ[21]，小児期ASDでは定型発達群と比較して主に背外側前頭前皮質の領域における前頭前皮質の機能低下がみられた[22]。そして，山室らは，定型発達群，ADHD群，ADHDとASDの併存群の3群で比較し，定型発達群と比較してADHD群および併存群は前頭前皮質の機能低下がみられるが，ADHD群と併存群の間には違いがあるとはいえないと結論づけた[23]。

3）安静時の脳領域間の機能的結合性

機能的MRI研究において，賦活課題を行っていない安静状態で賦活し，賦活課題遂行時に脳活動が低下する領域があることがわかり，この安静状態における脳の賦活状態を「デフォルトモード」とよぶようになった。そして，その領域は前頭葉内側部，帯状回後部・脳梁膨大部近傍，頭頂葉内側部（楔前部）などであり，領域間相互ネットワークを形成していることがわかった。ASDの安静時脳活動の異常は，Kennedyらがデフォルトモードネットワーク関連領域の脳活動が，安静状態と課題遂行時とで変化しないことを報告した[24]。その後，安静時の脳活動だけでなく，脳領域間の機能的結合性が注目されるようになっている。ASDのデフォルトモードネットワークについての検討では，ASD群では定型発達群に比べて機能的結合性が弱く，これはASD傾向が強いことと相関していた[25]。ADHDにおいてもデフォルトモードネットワークの機能的結合性が弱いことが報告されている[26]。Kernらのレビューからは，ADHDにおいてもASDにおいても，機能的結合性は距離に依存し，遠い領域間の機能的結合性は弱く，近い領域間の機能的結合性は強いことが示唆されている[27]。

3 精神生理学的研究

精神生理学的研究によく用いられる事象関連電位は認知機能を反映して変動する成分であり，認知機能の客観的指標となる可能性がある。事象関連電位の成分のなかで，P300やミスマッチ陰性電位は生理学的意義が比較的単純に解釈できるため，これまで多く研究応用されている。P300について，小児期ADHDではその潜時が延長し，振幅が低下していることがわかっており，さらに小児期におけるADHDとASDの併存群とADHD単独群を比較すると，P300の振幅がADHD単独群と比較して併存群では有意に低下していることが報告されている[28]。

また，ミスマッチ陰性電位について，小児期ADHDではその振幅が低下しており，ADHD症状の多動・衝動性が顕著であるほど振幅が低下（重症度と振幅に負の相関）していることや，多動・衝動性の重症度と潜時に正の相関があることが報告されている[29]。小児期ASDにおいても，

ADHD症状が存在していればADHD症状重症度とミスマッチ陰性電位の振幅に負の相関がみられ，潜時との間には正の相関がみられた[30]。

精神生理学的研究の知見からは，ADHDとASDの併存例が一つのサブタイプであるとはいえず，ADHDとASDは部分的に重なり，そして独立した側面も有していることが考えられる。

おわりに

病因として遺伝的要因および環境要因，そして脳画像研究，精神生理学的研究を取り上げて，現在までのADHDおよびASDのぞれぞれの脳科学的理解に言及し，その異同を提示するとともに，ADHDとASDの併存例についての検討が行われている場合にはその結果も示した。ADHDとASDの併存をめぐる脳科学的理解を深めていくためには，今後さらに多面的に検討していく必要がある。

（太田 豊作）

参考文献

1) Saito M, et al : Prevalence and cumulative incidence of autism spectrum disorders and the patterns of co-occurring neurodevelopmental disorders in a total population sample of 5-year-old children. Mol Autism, 11（1）: 35, 2020
2) Simonoff E, et al : Psychiatric disorders in children with autism spectrum disorders: prevalence, comorbidity, and associated factors in a population-derived sample. J Am Acad Child Adolesc Psychiatry, 47（8）: 921-929, 2008
3) Cooper M, et al : Autistic traits in children with ADHD index clinical and cognitive problems. Eur Child Adolesc Psychiatry, 23（1）: 23-34, 2014
4) Frazier JA, et al : Should the diagnosis of Attention-Deficit/Hyperactivity Disorder be considered in children with Pervasive Developmental Disorder? J Atten Disord, 4（4）: 203-211, 2001
5) Ashwood KL, et al : Adaptive Functioning in Children with ASD, ADHD and ASD + ADHD. J Autism Dev Disord, 45（7）: 2235-2242, 2015
6) Antshel KM, et al : An update on the comorbidity of ADHD and ASD: a focus on clinical management. Expert Rev Neurother, 16（3）: 279-293, 2016
7) Rommelse NN, et al : Shared heritability of attention-deficit/hyperactivity disorder and autism spectrum disorder. Eur Child Adolesc Psychiatry, 19（3）: 281-295, 2010
8) Faraone SV, Larsson H : Genetics of attention deficit hyperactivity disorder. Mol Psychiatry, 24（4）: 562-575, 2019
9) Finegold SM, et al : Detection of Clostridium perfringens toxin genes in the gut microbiota of autistic children. Anaerobe, 45 : 133-137, 2017
10) Schultz ST, et al : Breastfeeding, infant formula supplementation, and Autistic Disorder: the results of a parent survey. Int Breastfeed J, 1 : 16, 2006
11) Mick E, et al : Case-control study of attention-deficit hyperactivity disorder and maternal smoking, alcohol use, and drug use during pregnancy. J Am Acad Child Adolesc Psychiatry, 41（4）: 378-385, 2002
12) Zielinski BA, et al : Longitudinal changes in cortical thickness in autism and typical development. Brain, 137（Pt 6）: 1799-1812, 2014
13) Valera EM, et al : Meta-analysis of structural imaging findings in attention-deficit/hyperactivity disorder. Biol Psychiatry, 61（12）: 1361-1369, 2007
14) Shaw P, et al : Attention-deficit/hyperactivity disorder is characterized by a delay in cortical maturation. Proc Nati Acad Sci USA, 104（49）: 19649-19654, 2007
15) Dougherty CC, et al : A Comparison of Structural Brain Imaging Findings in Autism Spectrum Disorder and Attention-Deficit Hyperactivity Disorder. Neuropsychol Rev, 26（1）: 25-43, 2016
16) Baribeau DA, et al : Structural neuroimaging correlates of social deficits are similar in autism spectrum disorder and attention-deficit/hyperactivity disorder: analysis from the POND Network. Transl Psychiatry, 9（1）: 72, 2019
17) Mizuno Y, et al : Structural brain abnormalities in children and adolescents with comorbid autism spectrum disorder and attention-deficit/hyperactivity disorder. Transl Psychiatry, 9（1）: 332, 2019
18) Deeley Q, et al : An event related functional magnetic resonance imaging study of facial emotion processing in Asperger

syndrome. Biol Psychiatry, 62（3）: 207-217, 2007

19）Di Martino A, et al : Functional brain correlates of social and nonsocial processes in autism spectrum disorders: an activation likelihood estimation meta-analysis. Biol Psychiatry, 65（1）: 63-74, 2009

20）Dickstein SG, et al : The neural correlates of attention deficit hyperactivity disorder: an ALE meta-analysis. J Child Psychol Psychiatry, 47（10）: 1051-1062, 2006

21）Negoro H, et al : Prefrontal dysfunction in attention-deficit/hyperactivity disorder as measured by near-infrared spectroscopy. Child Psychiatry Hum Dev, 41（2）: 193-203, 2010

22）Uratani M, et al : Reduced prefrontal hemodynamic response in pediatric autism spectrum disorder measured with near-infrared spectroscopy. Child Adolesc Psychiatry Ment Health, 13 : 29, 2019

23）山室和彦，他：自閉スペクトラム症の併存による注意欠如・多動症の血液動態反応への影響．児童青年精神医学とその近接領域，59（2）：187-198，2018

24）Kennedy DP, et al : Failing to deactivate: resting functional abnormalities in autism. Proc Natl Acad Sci USA, 103（21）: 8275-8280, 2006

25）Jung M, et al : Default mode network in young male adults with autism spectrum disorder: relationship with autism spectrum traits. Mol Autism, 5 : 35, 2014

26）Castellanos FX, et al : Cingulate-precuneus interactions: a new locus of dysfunction in adult attention-deficit/hyperactivity disorder. Biol Psychiatry, 63（3）: 332-337, 2008

27）Kern JK, et al : Shared Brain Connectivity Issues, Symptoms, and Comorbidities in Autism Spectrum Disorder, Attention Deficit/Hyperactivity Disorder, and Tourette Syndrome. Brain Connect, 5（6）: 321-335, 2015

28）山室和彦，他：自閉スペクトラム症の併存による注意欠如・多動症の事象関連電位への影響．精神医学，59（10）：913-923，2017

29）Yamamuro K, et al : Associations between the mismatch-negativity component and symptom severity in children and adolescents with attention deficit/hyperactivity disorder. Neuropsychiatr Dis Treat, 12 : 3183-3190, 2016

30）Sawada M, et al : Pervasive developmental disorder with attention deficit hyperactivity disorder-like symptoms and mismatch negativity. Psychiatry Clin Neurosci, 62（4）: 479-481, 2008

第2章

ADHDの診断・評価

1　ADHDの診断・評価法

2　ADHDの評価に用いる各種評価尺度

3　医学的・心理学的検査

4　ADHDの早期発見

5　鑑別診断

6　併存症

7　ADHDをめぐる注目すべき課題

ADHDの診断・評価法

幼児期ADHDの診断のための診察

1）はじめに

子どもは歩き始めた当初の1，2歳頃は，大人の目から見れば「いつも動き回り」，「何をするかわからず」，「周囲の危険なものに気づかず」，「自分に見えたものに突き進む」のは当然であり，常に目を離さないで見守り，保護することが当然と捉えられている。そして子どもが3歳を過ぎ，4歳，5歳と成長してくるとともに，年齢に応じて行動をコントロールでき，「言えばわかる」と大人が思うのも当然である。しかし昨今，保育園や幼稚園の子どもたちのなかに年齢に不釣り合いな「座っていられない」，「集団行動が取れない」，「指示に従えない」など，周囲の大人が困惑する行動をとる子どもたちが増えており，実際に保育関係の研究発表や論文で「気になる子」についての研究発表が増加している事実がある。そして小児科外来に「多動の子どもによく効く薬があるそうだから」，「診断してもらってほしい」などと紹介されたり，保護者自身がインターネットなどの情報によって不安になり来院するといったことが増えている。大人から見て「不注意」であり「多動・衝動」的な行動をしてしまう子どもの場合，学童期，それも年長になればなるほど，その行動特性のために家庭内や集団におけるさまざまなあつれきや混乱が生じ，さらには行動特性を理解されないまま不適切な状況や対応が続くことにより，反抗的・攻撃的な態度を取るなど周囲との関わりがうまくいかず，叱られ，学習意欲が低下し，自己評価（セルフエスティーム）が低くなるなど二次的な問題が生じる危険性は極めて高い。そのような悪循環を避けるためにも，幼児期からの行動特性に気づき，適切な対応をすることは極めて重要となる。幼児期に関わる医療者には診断・治療を行う中心的存在として，この領域の知識を蓄え，実践する能力が要求される時代となっている。

2）幼児期における面接の進め方

保護者は，幼児期の子どもの「落ち着きがない」，「集団行動が取れない」などといった行動を心配して来院する。面接に取りかかる際に，医療者としてまず留意しなくてはならないのは，診察室に入る時点からの親子の関わり方である。診察室での面接中の子どもの行動観察は必須であり，加えて子どもの行動に対して保護者がいら立った声をあげたり，叩いたりする親の行動はないか，あるいは疲弊して覇気がない表情など観察しつつ面接を進めていく。その観察は診察室に入る前の待合室から始まっていることが望ましく，そのためにもスタッフの観察力，直観力の向上は重要となる。

(1) 発達障害の初期対応

①幼児期

発達「障害」を心配して来院する保護者は大きく2つに分かれる。(ⅰ) 子どもの「言葉の遅れ」「視線が合わない」,「手がかかる」など子育てに困惑して受診する場合,(ⅱ) 保育園・幼稚園から問題行動を指摘されて受診する場合,である。一般に前者の場合は保護者自身が自信をなくし,場合によっては過剰不安さえも含まれた来院であることが多く,後者は自分の子どもは障害ではないと否定(否認)の気持ちで来院することが少なくない。いずれも子どもの特徴に「気づき」,「温かく見守る」視線が初期対応する医療者に不可欠であり,その視線を保護者と共有することにより,同年齢の子どもと異なる「特徴」に保護者も「気づき」,子どもを「成長(伸ばす)」させたいという意欲を駆り立てるきっかけとなる。医療者も不安に駆られた保護者に対し「気のせいですよ」などと伝えることは必ずしも問題行動の解決には繋がらないことを理解し,悩みを傾聴し,保護者の目線に立ち,おのおのの家庭環境に応じて具体的に行動できるよう簡単な行動目標を一緒に考え(共有・共感),保護者が孤立しないよう支援・連携の体制づくりの契機となるよう初回診察を位置づける。具体的には笑顔で診察室を出られることを第一とする。それは次回来院したくなる,すなわち継続する医療に直結する雰囲気作りであり,子育てを楽しむ保護者と医療者の共感性の表れとして重要である。

(2) 年齢別のチェックポイント[1)]

①乳児期

成長してADHDと診断される児は,乳児期から寝つきが悪く夜ふかししたり,夜泣きが強く母親が疲弊していたなど「手のかかる赤ちゃん」であることが少なくない。しかし,この時点でADHDと診断することは重要ではなく,手のかかる赤ちゃんに日々対応する母親の視線(悩み)を理解した心のケアを加味した,共感を主体とした対応を図る。

②幼児期

幼児期の子どもは本来,興味いっぱいで活発に動き回り,楽しい日々を過ごす時期であることが当然である。しかし,保護者が常に追い掛け回さないといけなかったり,道路の飛び出しや高いところから飛び降りたり,抱いて抑制しようとすると激しく抵抗されたりする状況が6カ月以上持続する場合は「多動性」の問題を意識し,成長してADHDの診断基準を満たす子どもとなりうることを予測せざるを得ない。児の年齢や理解しやすい約束づくり,些細なことでも一緒につくった約束を守れたら褒めることは幼児期から心がけることがポイントである。このような時期では集団の中で自分の意識・理解のレベルに関係なく定められた幼稚園などでは問題となっても,自分の思い通りになりやすい自宅においては保護者にとって問題となることは少なく,結果として保育園や幼稚園から病院に無理やり行かされたと保護者が思うことは少なくない。逆に家庭では母親が疲弊するほど問題としている行動があるのに,幼稚園などでは問題ないとされ「母親の心配しすぎ」と否定され,母親が孤立してしまうことも少なからず認められる。

(3) 幼児期のADHD診断面接の進め方,留意点,診断のコツ(表1)

①問診

幼児を育てている若く経験の浅い母親は初対面の医師による面接に不安で緊張していることは当然である。その気持ちを緩和させるためにも,まず当事者である子どもとの対話から入り,子どもが笑顔を出せる関係性を構築する。子どもの笑顔が出ることでそれまで緊張していた保護者の表情も和らぐことが少なくない。そのうえで一般的な診療情報会話から入っていく。

表1 幼児期のADHD診断面接の進め方，留意点，診断のコツ[2)]

1. 診察室に入るときの子どもの行動と親の表情に注意
①子どもの視線は医師の表情・目を見ているかどうか
②子どもは自分の気に入った場所・物（蛇口など）に一目散に向かうか
③保護者の顔色は蒼白であったり，強張った表情（過緊張）ではないか

2. 保護者の話を聞きながら，子どもは横で看護師さんと一緒に遊ばせる
①子どもの様子が視野にさりげなく入るポジションで観察する
②対応するスタッフと視線が合うかどうか
③並べ遊び，気に入った遊びをいつまでも続ける
④あちこち手あたりしだい乱雑に遊び散らす

3. 子どもに話を聞くときにはまず共有と受容から
①楽しい話（その気にさせる）を聞くようにする
②子どもが沈んだ様子ならまずはつらい話を聞き，その後に楽しい話を聞く。そして頑張ったことを褒める

4. ADHD-RS，CBCL，異常行動歴，PARSなど保護者が評価尺度表を記入
本人にはバウムテスト，自分の全身像，家族の絵，あるいは興味のあるもの（車，趣味の世界など）をA4用紙に描いてもらう。年長児では文章完成テストやロールシャッハ・テストなど本人の問題点に配慮し，公認心理師との連携をもって対応する。
①各種評価尺度は治療前後の変化で改善の有無の把握に有用
②CBCLは子どものもつ問題が包括的に理解できる有用なツール
③WISC-Ⅳでは知能指数の数値より下位項目の変動（特徴）に注目
④本人がA4用紙に描く位置，色づかいなどからチェックリスト以上に本人の意識がうかがえることが少なくない

5. 神経発達症群の診療にはあいまいな部分があることを理解する
・診察室での様子，会話の様子・内容などのほか，特徴を理解する。

例	ADHD	ASD
約束を守った子どもにシールを貼ってあげると…（小学校の低学年までには有効）	気に入るシールがあるか夢中で探す（あれもこれも）	爪や皮膚に貼ってあげると嫌がることがある（感覚の過敏性？）
保護者にアンケートをつけてもらうと保護者の傾向がわかる	○や文字の大きさや並びの不揃いが著しい	○や文字の大きさが極端に「整然」「きれいに一列」「細かい字」

6. 虐待（ネグレクト）による問題行動を見逃さない
①両親からの情報のみに頼ると診断の方向を誤る場合もあるとわきまえる
②なるべく多くの関係者からの情報を集めるよう心掛ける

例1 妊娠中の出来事

「何かありましたか」よりも「ウテメリンをご存知ですか」と具体的に尋ねる。切迫流産の経験者は確実に覚えている。そのとき，「安静は自宅ですか？　入院ですか？」，「その時期は妊娠前期，中期，後期のどれでしたか？」など，母子健康手帳の書き込みを見ながら質問すると，それをこと細かに覚えている母親は几帳面・繊細あるいは不安を抱えている母親の可能性。一方，ほとんど覚えていない母親は，細かいことに気を使わない母親，また，望まない妊娠など不安定・不適切な妊娠の可能性も推察しつつ面接を進める。

例2 まずリラックス

子どもの目線を知るためにも，まず診察室の中で自由にさせてみる。動き回るのか，保護者にしがみつくのか，これだけでも人見知りなのか，我関せずなのか，日常生活のなかでの保護者の困り感に寄り添うためのきっかけ作りになり，行動観察の鉄則と心得る。

②視診

行動観察として児が動き回る，回転いすをくるくる回す，周囲をちらちら見ながらときに親に働きかける，あるいは全く無視して自分のしたいことに没頭する。一方，保護者は児が逸脱行為をすると即座に声を荒げて叱ったり，場合によってはすぐ手が出る場合は不適切な養育環境の可能性も推察できる。これは診察前の待合室の様子を受付係や看護師に観察を依頼する。親の服装と児の服装の違いにも留意する。

③聴診

児が慣れているかかりつけ医がいると，いつもと同じ診察手順は嫌がらないこともあるが，ASD児の場合は舌圧子や耳鏡など普段の診療で用いられる診療器具でも，児の視野に入らないような診察手技は拒絶することが少なくない。

④触診・打診

腹部触診をすると大仰に嫌がる場合は過敏な子であることが少なくなく，自宅では耳掃除はさせないなど，日常生活の，親にとって当たり前のことに対しても拒絶が多い傾向がある。また，一般診療では打腱器で腱反射を診察された経験はほとんどなく「これ何？」などと興味をもつADHD児，その手技を大仰に嫌がるASD児などの特徴がみられることが少なくない。

これらの行動は，風邪をひいたとき，予防注射のとき，耳鼻科や眼科での処置の際など，一般診療の現場でしばしば認められている事実に医療者は気づくことが重要である。それは，子どもの行動特性に気づき，不安を抱えて診療を受けている母親に「心配しすぎですよ」と安易に答えてはならないことに通じ，早期発見と適切な介入につなげるうえでも重要な視点となる。

（宮島 祐）

2 学童期および思春期ADHDの診断のための診察

ADHDは，不注意，多動性，衝動性といった行動上の特性によって特徴づけられる神経発達症である。さまざまな生物学的要因を基盤に，養育に関連した心理的要因や環境要因，さらに行動統制を要求される現在の生活環境などが複雑に絡み合って症状が惹起あるいは悪循環するといわれる。ADHDの診断は，面接から得られる情報と診察室での行動観察，家族から聞かれる詳しい発達歴，学校などの関係者からの評価（連絡帳，通知表，テストの結果など）や集団場面での行動特徴，そして心理検査や医学的検査（血液検査，脳画像検査，脳波など）の結果などを総合的に評価して行われる。このプロセスは，**図1**のようなフローチャートで表現できる。これは，本書第3版を基盤に，その後の国内外の報告や実際の臨床状況なども踏まえて2013年に示された子どものADHDの標準的診療指針（案）[3]の診断・評価フローチャートを一部改変したものである。これに沿って学童期および思春期ADHDの診断面接の進め方や診断プロセスについて概説する。

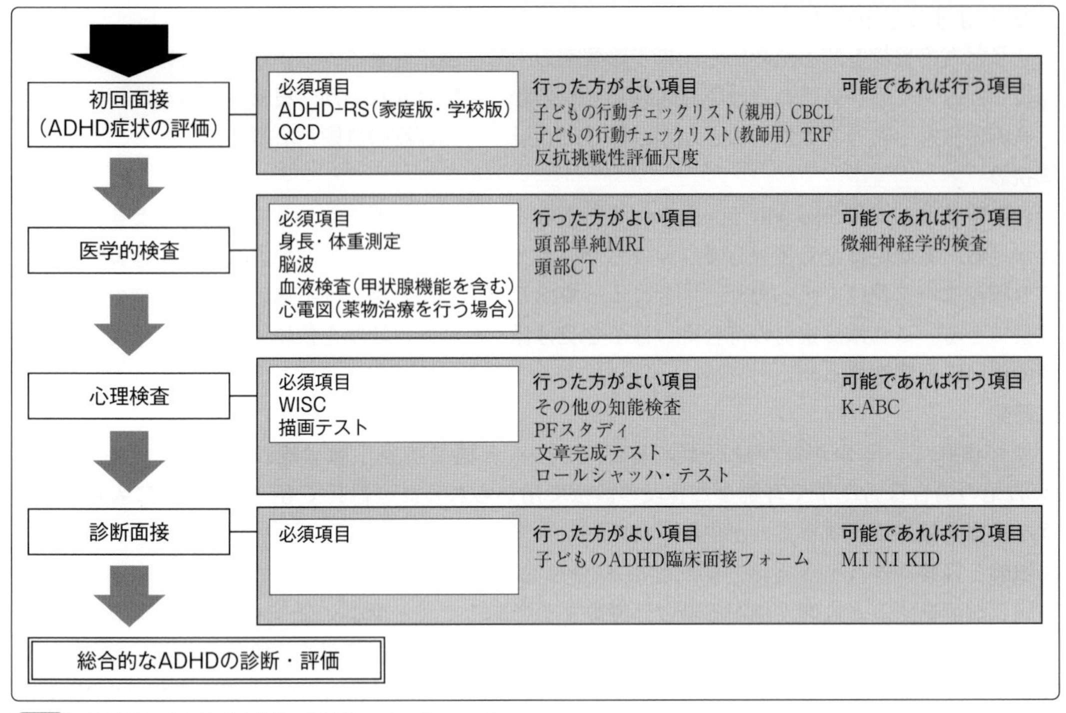

図1 ADHDの医学的診断・評価フローチャート

〔太田豊作，他：子どもの注意欠如・多動性障害の標準的診療指針を目指して．児童青年精神医学とその近接領域，54（2）：119－131，2013より改変〕

1）ADHD症状の評価

(1) 問診・行動観察

診断基準の1つであるDSM-5によると，ADHDは「注意を持続できない」や「必要なものをなくす」といった不注意，「じっと座っていられない」や「しゃべりすぎる」といった多動性，「順番を待つことが難しい」や「他人の会話に干渉する」といった衝動性を中心症状とし，これら中心症状が12歳以前に，2つ以上の状況においてみられる場合に診断される。家族や関係者によって表現されたADHDを疑わせる行動について，それが発達段階に不相応な程度であるのかを判断し，また具体的な状況や本人の思いを丁寧に聴取し，ADHDの症状・特性によるものであるかを判断する必要がある。診断においては，行動そのものではなく，その行動の成り立ちについて検討するという臨床姿勢が求められる。そして，発達歴の聴取の際にもADHD症状を確認するが，特に思春期の子どもの場合は，いくつかのADHD症状が12歳以前に認められたことを確認することが診断を行ううえで必要である。

問診を行うと医師からは，「忘れ物はどれぐらいしますか？」，「じっと座り続けることはできますか？」などの言葉が聞かれ，家族からは「忘れ物が多い」，「落ち着きがない」などの言葉が聞かれるため，子どもにとっては「自分は悪い子だ」，「ダメな人間なんだ」と感じるなどつらい体験となりうる。一方で，周囲が心配していること，周囲が真剣に問題を解決しようと考えていることなどを共有するという意味で，子どもにとって必要な体験ともいえる。子どもの年齢や主訴，状況などを考慮して，家族同席での診察とするか，本人と家族を分けて個々での診察とするかを判断する必要がある。また，本人の同席なしで，医師と家族のみが話をした場合であっても，その内容について要約して，医師から本人に説明する必要がある。

行動観察もADHD症状の評価には重要であり，待っている間の行動，診察室での行動を評価する。例えば，医師と家族が話している間イスにずっと座っているのか，座っている間の手や足は動き続けていないか，話に割って入るようなことはないかなどである。こういった行動の評価もADHD症状の評価の一環ではあるが，一方でADHDと診断される子どもでも診察室では普段とは異なり落ち着いている場合もあるため，診察室での行動観察は限定的な情報であることを念頭におく必要もある。

(2) 評価尺度

さまざまに存在する評価尺度のなかでも，ADHDの症状評価に「ADHD評価スケール（ADHD-RS）」が汎用される。ADHD-RSは，「学業において，綿密に注意することができない，または不注意な間違いをする」「教室や，その他，座っていることを要求される状況で席を離れる」などといった18項目からなり，各項目の程度を4段階で評価する。家庭版と学校版があり，家族と教師に評価してもらうことで，診断基準にも組み込まれている2つ以上の状況での子どもの行動を評価できる。また最近では，20項目からなり，子どもが日常生活においてどのような困難を有しているのかが定量的に把握できる「子どもの日常生活チェックリスト（QCD）」（78，463ページ参照）もよく使用されている。どちらも，項目数も多くないため，日常臨床において使用しやすい。

本書の別項においてこれら以外の評価尺度についても記されているように，これらの評価尺度は，診断・評価過程のみならず治療の過程でも有益な情報を与えてくれる。つまり，継時的な変化を捉え，治療の効果判定に役立つということである。特に，薬物治療を行っている場合においては，定期的に評価尺度を用いることで漫然と継続することを防ぐことができる。このことも含め，さまざまな評価尺度を用いた評価は積極的に実施すべきである。ただ，評価尺度の結果のみを診断の根拠とすることのないように注意喚起したい。例えば，ADHD-RSが高値であるというだけでADHDと診断しないということである。ADHD-RSの結果について，記入した家族または教師と該当する行動について話し合い，その評価の適切性について検討することが望ましい。また，そうすることで具体的な状況，行動の成り立ちなどが明確になり，治療・支援に役立つこととなる。

(3) 学校などの関係者からの情報

さまざまな状況における子どもの様子を評価することが必要であり，学童期および思春期においては特に学校からの情報は現在，過去を含めて重要である。それは，DSM-5に2つ以上の状況においてADHD症状がみられることが明記されているからという診断・評価を行ううえで重要というだけではなく，治療・支援を考えるうえでも重要である。

本人および家族の同意のもと，学校との連携を行う必要があるが，状況によっては困難な場合もある。そのような場合でも，過去の連絡帳，学習ノート，通知表，テストの結果など家庭に残されているものを参考に，学校においての子どもの様子を評価する。特に思春期においては，12歳以前からADHD症状が認められたかを確認する手段の1つとして有用である。本人および家族の同意のもとに学校から情報を得る場合，前述したADHD-RS学校版の記入とともに学習時間の様子，友人関係，生活態度などの情報を収集する。

2）医学的検査

ADHDの診断根拠となる生物学的指標が明らかとなっていない現状を勘案すると，ADHDの医学的検査とは主に鑑別診断を意識したものである。ADHDとの鑑別が必要となる身体疾患として，前頭葉てんかんなどのてんかん，進行の緩徐な脳腫瘍，部分的な脳奇形，副腎白質変性症，甲状腺機能亢進症などが挙げられ，脳波，脳画像検査，血液検査（内分泌）などの医学的検査を用いた鑑別診断が必要である。また，薬物治療を行ううえでは，血圧，脈拍，心電図などへの影響の有無を確認することは重要であるし，成長障害の有無や食欲低下の程度を検討するために身長，体重の確認も必要である。また，前述したようにてんかんは鑑別すべき疾患として重要であるとともに，併存することもあるため，てんかんとまで至らない脳波異常も含めて診断・治療上，留意すべきである。

前述したが，ADHDの診断根拠となる生物学的指標は明らかとなっていない。しかし，脳画像検査や脳波検査などの領域では，積極的にその探求が行われている（88ページ参照）。また興味深いことに，米国では脳波検査を用いてADHDの診断補助を行うことが既に正式に承認されている。これは，定量的脳波研究において，健常対照と比較してADHDではθ波帯が増加し，β波帯が減少していることが報告され[4]，これらを組み合わせたθ波／β波の比率がADHDにおいて高値であることに基づいている。この方法については賛否両論があるが，近い将来ADHDの診断根拠となる生物学的指標が明らかとなることに期待したい。

3）心理検査

ADHDを診断するうえで，心理検査も行う必要があるが，なかでも「ウェクスラー児童用知能検査（Wechsler Intelligence Scale for Children；WISC)」に代表される知能検査はできる限り行う。筆者らが2011年に日本児童青年精神医学会の医師会員を対象に実施したアンケート調査（**図2**）では，医師406人（回収率22.5％）のうち88.7％の医師がADHDの診断を行う際にWISCを使用すると回答した。知能検査は，知的能力障害の鑑別に用いられ，知的・認知的側面を評価しADHDの診断の補助とされる。鑑別または併存症である学習症やコミュニケーション症を示唆する情報が得られる場合もある。そして，必要に応じてさらに詳細な学習機能や認知機能を評価できるK-ABC心理・教育アセスメントバッテリーなどを追加することが望まれる。ADHDでは，WISC

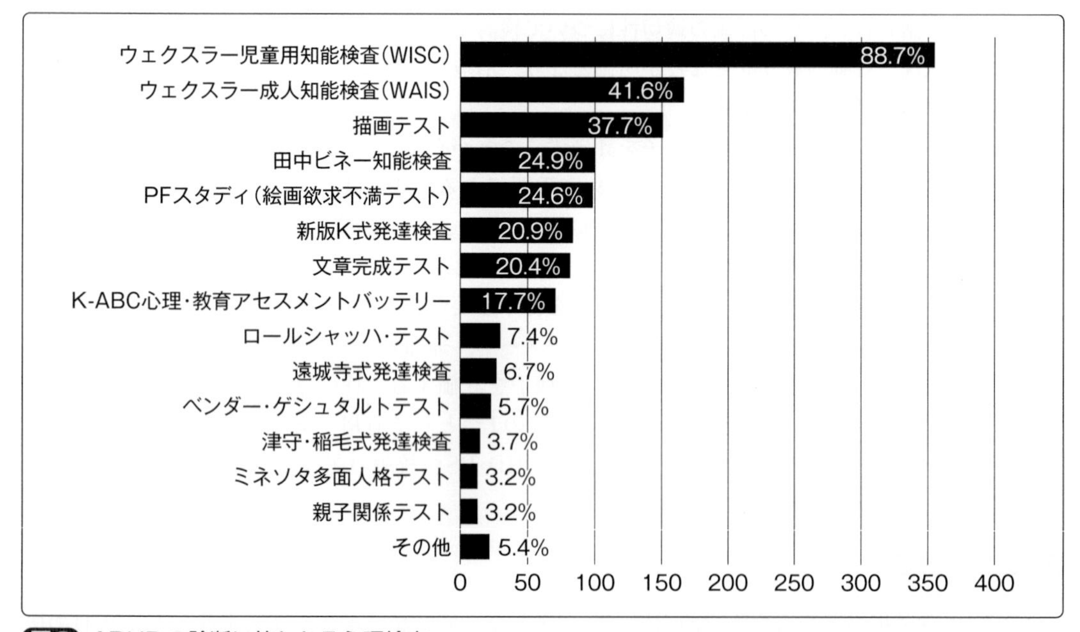

図2 ADHDの診断に使われる心理検査

〔太田豊作，他：子どもの注意欠如・多動性障害の標準的診療指針を目指して．児童青年精神医学とその近接領域，54（2）：119－131，2013より改変〕

の下位項目である記号探し，符号，算数，数唱，知識が低いなどの意見はあるものの，ADHDに特異的なプロフィールは認められない。WISCの結果から認知能力の長所と弱点を把握し，診断の補助としながら，治療・支援の方針を立てることが重要である。

また，描画テストなどの心理検査を用いて情緒的側面を評価しておくことも重要である。これは，ADHDという生来的な生物学的要因に，生活するなかで加わった心理的要因や環境要因によって修飾されたその子ども特有の状態像を理解しようとする姿勢である。心理状態や自己イメージなどを描画テストによって窺い知ることができるため，自尊感情の低下やそれに伴う二次障害などの把握に寄与する。図2のなかで情緒的側面が評価できるものとしては，描画テスト，P-Fスタディ，文章完成テスト，ロールシャッハ・テストなどが挙げられる。図2を現状ととらえるなら，臨床家はいままで以上に積極的にこれらの心理検査を実施すべきといえる。

4）診断面接

(1) 構造化面接

診断者の主観の関与を排除し，客観性を保つためには，構造化面接を行うことが望まれる。構造化面接を実施するには長時間を要するため，臨床現場での使用がためらわれるかもしれないが，ADHDがさまざまな精神疾患を併存することがあることも考えると，見逃しや過剰診断を防ぐという観点からも構造化面接をできるだけ実施するべきである。本書の付録となっている子どものADHD臨床面接フォームの使用が推奨される。

(2) 併存症と鑑別

ADHDはさまざまな精神疾患が併存することが知られており，同時にそれらを含めた精神疾患を鑑別する必要もある。ADHDと診断された子どもが併存症を有する割合は，米国では約3分の2，日本では約80%とされている。主な併存症の併存割合は，米国では反抗挑発症が50%，素行症が15〜20%，不安症が20〜25%，気分障害が15〜20%，学習症が10〜25%とされ，次いでチック症，排泄症，睡眠障害，吃音などが挙げられる。日本では反抗挑発症が54%，素行症が10%，学習症が26%，排泄症が20%，運動症が10%，チック症が9%，強迫症が8%，睡眠障害が6%，分離不安症が6%，全般不安症が4%，気分障害が2%と報告されている。ADHDの診断にあたり，これらの情報を念頭におき，併存・鑑別の評価を行う必要がある。併存症や鑑別診断についての詳細は本書の該当箇所（第2章5および6）を参照いただきたい。ここでは，自閉スペクトラム症との関係について少し触れておく。それというのも，2020年に報告されたDSM-5を用いたわが国での調査で，5歳において1.73%に認められた自閉スペクトラム症のうち50.6%にADHDの併存が認められており[5]，ADHDと自閉スペクトラム症の関係性は重要であり，特に注意喚起すべきことであるからである。

表2に示したとおり，これまでADHDと自閉スペクトラム症は併存が認められておらず，自閉スペクトラム症の診断が優先されていたが，DSM-5からは両者の併存は認められるようになった。原則的に併存が認められていなかったことでADHDと自閉スペクトラム症について入念に鑑別を行っていた臨床姿勢から，安易な併存診断とならぬように注意しなければならない。例えば，授業中にあるキャラクターの絵を描いていたことは，「集中が続かずに」起こったことなのか，「そのキャラクターへのこだわりによって没頭して」起こったことなのかであったり，話に割って入ったことは，衝動性によってなのか，雰囲気を読めない社会性の問題によってなのかなどについて，丁寧に状況を確認し，本人の感じ方や思いにも注意を払い，子どもの行動の成り立ちをきちんと見立てる臨床姿勢を忘れてはならない。

表2 DSM-Ⅳ-TRからDSM-5の主な変更点

	DSM-Ⅳ-TR	DSM-5
診断カテゴリー	注意欠如および破壊的行動障害	神経発達症／神経発達障害
診断に必要な症状項目数（基準A） 不注意 多動性－衝動性	 6項目 6項目	 17歳未満6項目，17歳以上5項目 17歳未満6項目，17歳以上5項目
発症年齢とそれに関する状態（基準B） 年齢 状態	 7歳以前 いくつか（some）の症状があり，障害を引き起こしていた	 12歳以前 いくつか（several）の症状が認められた
自閉スペクトラム症との併存（基準E）	併存は認められず，広汎性発達障害を優先	併存を容認
下位分類について	混合型，不注意優勢型， 多動性－衝動性優勢型	下位分類は設けず，状態像を特定
その他		重症度を特定

5）その他の留意点

DSM-5において，17歳以上は診断に必要な症状項目数は1つ少なくなるように（表2），ADHD症状は成長とともに減弱する傾向にある。しかし，思春期，成人期においてもADHD症状は存在し，疫学的にも小児期で約5%，成人期で約2.5%とされる。また，性差は2：1から9：1で男児優勢とされるが，成人での性差は限りなく均等になるともいわれる。これらのことも念頭におき，症状の評価を丁寧に行う必要がある。例えば，思春期の女子が不注意を主訴に受診した場合を考えてみる。もし，ADHDは小児期にみられるものだという誤解があれば，見逃しのないように丁寧に評価を行うことをしない可能性もある。または，ADHDは男児にみられるものだという誤解があっても同様である。思春期の子どもであっても，「気にし過ぎである」や「やる気の問題である」と軽視するのではなくADHD症状であるかどうかを丁寧に評価する必要がある。

表2にあるように，DSM-Ⅳ-TRにおいては下位分類が規定されていた。しかし，DSM-5からは，不注意，多動性，衝動性というADHDの中心症状の程度は変化することがあるために，下位分類を行うのではなく，その時点での状態像が「混合して存在」「不注意優勢に存在」「多動・衝動優勢に存在」のいずれであるかを評価するようになった。過去に診断を受けた子どもが受診した場合であっても，その時点での診断・評価を再度行い，その時点で必要な適切な治療・支援につなげる必要がある。

ADHDの診断は，問診や評価尺度などを用いたADHD症状の評価，医学的検査，心理検査，診断面接というプロセスを経て総合的に判断することが求められることを説明した。このプロセスを経ることで客観性をもった適切な診断・評価となる。良好な治療・支援は，適切な診断・評価を前提としており，診断に至るプロセスは非常に重要といえる。

（太田 豊作）

3 子どものADHD臨床面接フォームを用いた半構造化面接

ADHDの診断・評価にあたって，一定の枠組みをもった主訴，成育歴，家族歴，そして現病歴の聞き取りと，過去から現在までの症状の聴取は経験を積んだ専門家なら誰でも自分なりの聞き取りの手順や枠組みをもっているものである。しかし，「上手の手から水が漏る」のたとえのとおり，どのような経験者でも肝心な情報を聞き漏らしてしまうということは避けては通れない。いわんや，ADHDの子どもにまれにしか出会うことのない分野の臨床家や子どもの心の診療を研修中の若い臨床家にとっては，ADHDの診断に確実にたどり着き，併存症をはじめとする治療・支援に必要な派生的諸特性を過不足なく評価することは容易ではない。本書は，「不注意だからADHD」，「衝動的だからADHD」といった類の短絡的な診断の危険性を一貫して警告しており，診断・評価にあたる臨床家がそのような誤りを回避し，ADHDの診断と，それに付随する，あるいはそこから派生した諸特性の適切な評価に至ることを支援するため，「子どものADHD 臨床面接フォーム」（435ページ）を用いた診断・評価を推奨したい。以下で本フォームにしたがって半構造化された診断・評価面接における聴取法とその意図するところについて述べる。なお，疾患概念や診断基準はDSM-5[6, 7]に準拠しているが，その日本語表現は逐語的に日本語版DSM-5の表現とは一部変更している。その理由は，日本版DSM-5には一部とはいえ具体的なイメージを結びにくく，評価者によって判断が揺れそうな表現があり，それらを可能なかぎり同じ基準で評価できるように原文にあたりながら検討し修正したからである。

1）本フォームの構成

本フォームは本書第4版で作成した「子どものADHD臨床面接フォーム」を大きな変更なく継承しており，「基本情報聴取用フォーム」，「ADHD診断のための半構造化面接用フォーム」，「併存症診断・評価用フォーム」からなる3部構成となっている。これら3種類の聴取用フォームの評価結果を総合的に捉えることで，ADHDの存在を含め均衡のとれた臨床診断を容易にするだけでなく，それに支えられた治療・支援体系を組み立てやすくすることが期待できる。

各フォームに含まれる設問の語り口にはフォームごとに少しずつ違いがある。「基本情報聴取用フォーム」は，大きな項目では回答者に語りかける言い回しを採っているが，その大項目に含まれる個別の評価項目については箇条書きで挙げることで，その聴き方について聴取者の裁量に任せている。すなわち，大項目についてはフォームに記載した言い回しにしたがって質問することを推奨し，個別項目については質問にあたり，例えば具体例を挙げるなど回答者の特徴に応じて適宜工夫してよいということになる。一方，「ADHD診断のための半構造化面接用フォーム」は文字どおり半構造化面接の聴取法を求めており，質問はフォームに記載されたとおりに回答者に語りかけることが可能な表現を採用した。したがって，このフォームの聴取にあたって最初に語りかける質問の言い回しは原則としてフォームに記載されている質問のそれにしたがう必要がある。それとは異なり，半構造化面接をすべての併存の可能性がある疾患について行うことは臨床現場では不可能であるという限界を前提に，「併存症診断・評価用フォーム」は評価者が随時聴取法を工夫できるよう，回答者に語りかける言葉遣いは用いていない。どこまで質問するか，どの疾患群に焦点を定めるかといった聴取時の絞り込みは聴取者に任されているが，聴取時に少なくともこのフォームに挙げられている疾患一覧は視野に入れ意識しておく必要がある。

以下では本フォームの各編を用いた面接の進め方について解説するが，本フォームを用いた面接は診断・評価の本幹となるもので，その聴取には膨大な時間がかかることから，1回の外来面接ですべてを聴取することはあまり現実的ではない。必要な医学的検査や心理検査を実施しつつ，それらの結果を待つ期間にも聴取を進めていくという取り組みが現実的である。そのため初診後の数回の面接を診断・評価面接と規定する慎重な臨床姿勢を本書は原則として推奨したい。初診でいきなり診断を確定させ，直ちに薬物療法に入るという生じがちな臨床姿勢は，たとえ「患者がそれを求める」のだとしてもADHD診療の王道とはいえないことを強調しておきたい。

2)「基本情報聴取用フォーム」の聴取の仕方

本編は子どもの基本情報聴取を得る部分であり，就学状況，主訴，現病歴，成育歴，既往歴（主に身体疾患の），家族歴から構成されている。これらの基本情報は通常の外来診療における初診面接，あるいは相談機関における初回面接（インテーク面接）で聴取することが普通であると思われるので，その際に子どもを退席させた状況で親からの聴取用として，この「基本情報聴取用フォーム」を使用すると聞き漏らしが減ると期待できる。しかし，この基本情報は成育歴も家族歴も通常の診療におけるそれらの聴取より詳細すぎるかもしれない。その場合には初回面接ですべてを聞き終わろうとする必要はなく，次の回で残った部分を聴取するということでよいだろう。初回面接の最も重要な目的は，「主訴」に現れる当事者である子どもとその親の初回面接にたどり着いた思いの丈を受け止めることであり，本フォームに基づいて半構造化された面接の流れはその目的にそぐわない可能性がある。そのように判断した場合には2回目以降の面接で，この「基本情報聴取用フォーム」に取り組むのが適切だろう。

①就学状況

氏名，性別，年齢，住所などは診療録や相談の申込票などにすでに記載されていることが多いと思われるので，それらがあればそれを記入する。その後に年齢とは別に保育園，幼稚園，学校の種類と学年等の「就学状況」を尋ねる。小学校から高等学校までは学年を必ず記載し，幼稚園は3年保育の1年目を「年少組」，2年目を「年中組」，そして3年目を「年長組」と記載する。保育園も3歳から6歳の卒園時までは幼稚園の組の呼び方に準じるが，0歳から3歳までの3年間は「0歳組」，「1歳組」，「2歳組」と年齢による組分けを記入する。回答者は各園の特有な名称（例えば，「ひよこ組」など）を言うかもしれないが，それがどの年齢の組にあたるのかを確かめて記載する。なお，幼児期の障害児通園施設（呼び名は市町村によって異なる），あるいは学童期以降の特別支援学級や特別支援学校に籍を置いている場合には，該当する項目を選び，小学校，中学校，高校のいずれかを選択し学年を記入する。また，通常学級に籍を置きながら定期的に通う通級指導学級（これも呼び方は市町村によって異なる）の利用の有無を選択する。「10. その他」には，例えば通級指導学級の種別（例：情緒学級，言葉の教室，適応指導教室）を記載したり，高校が全日制でない場合の種別（例：定時制，単位制，通信制，サポート校，専門学校）を記載したりする。高校に所属していない場合もその旨記載する。

②主訴

主訴は，初回面接で「現在，最も心配していること，気にかかっていること，あるいは困っていることは何ですか」という質問で語られる子どもと親の言葉をできるだけその用いられた言葉で記載する。多くの場合，親はこの質問をされると堰を切ったように話し始め，とても本フォームのスペースでは書ききれなくなる。この欄にはその陳述のなかから主訴として評価者が絞り込んだ問題や苦痛を本人たちの言葉で簡潔に記載すべきである。そのうえで，該当する主訴のカテゴリーが主にどこで起きているか，あてはまる欄に○をつける。もし学校と家庭の両方で問題が起きているなら両者に○をつける。また，最も困っているものには◎をつける。

③現病歴

現病歴は，主訴に挙げた症状や問題が初めて生じた時点から始まる現病歴について子ども本人および親に「今おっしゃられた症状や問題（主訴のこと）はいつ頃から現れましたか」と発言を促し，その発言内容を以下のような質問を随時はさみながら，時系列に沿って整理した内容を評価者が所定のスペースに記載する。

現病歴の聴取に先立ち，「これから次のような点についてお話をうかがいます。例えば，今おっしゃられた症状や問題はいつ頃から現れましたか。その他の問題はありましたか。それはどのような問題で，いつ頃から現れましたか。これまで相談や受診をしたことはありますか。それはどこですか。そこではどのような診断と治療を受けましたか。現在までどのような経過をたどってきましたか――などについてです」と説明したうえで，上記のように「ではまずお尋ねします。最初に今おっしゃられた症状や問題はいつ頃から現れましたか」と話し始めるよう促す。

本人や親の現病歴に関する陳述の時系列があいまいになったり，何が生じているかなどがあいまいになった際には，「その他の問題はありましたか」と別の問題に目を向けさせたり，話題になっている出来事は「いつ頃からですか」あるいは「どのような問題ですか」などの質問を交えて時系列や因果関係を可能なかぎり明らかにしていく。相談歴や受診歴はあえて語られない可能性もあるので，出てこない場合には必ず「これまで相談や受診をしたことはありますか」と尋ねる。もし相談歴・受診歴が存在すればそこでの診断・評価や治療・支援の内容を質問する。

現病歴にはどうしても陳述した本人や親の感情による，事実とは微妙に異なる発言が混じる可能性や評価者の考えによる偏りが生じる可能性を完全には排除しがたい。評価者は常にその点を心得て，可能なかぎり中立的な聴取と記載に努める必要がある。

現病歴の内容と経過がある程度まで明確になったら，次に「経過中の不登校などの有無についてうかがいます」と話題を変え，不登校，身体症状，家庭内暴力，非行の4つの現象が生じていたか否かを確かめ，「なし」，「あり」の選択肢のいずれかを丸で囲む。さらに「あり」の場合はそれが現れていた時期を尋ね，その始まりの時期（「何年の何月くらい」でよい）を明らかにする。現在も存在しているなら，終結時期に「現在」と記入する。

④成育歴（発達経過）

成育歴は，小児科的または児童精神科的診療，あるいはその他の専門領域における診断・評価のためのみならず，治療・支援のために多くの示唆を与えてくれる重要な情報であり，評価者はそれをよく理解し，聴取にあたるべきである。親子同席であれば両者に，親面接であれば親に「これからお子さんの妊娠中から現在までの発達の経過を年代ごとにうかがいます」と話しかける。親子同席面接の場合，子ども本人に「これからご両親（母親だけなら「お母さん」）からお聞きすることの多くは，まだあなたが生まれる前か，幼かったときのことですから，そこで聞いていてください。大きくなるにつれて覚えていることが増えてくると思います。『それは違う』と思う点は遠慮せずに話の途中でも言ってくださいね」と付け加える配慮を忘れてはならない。

「1. 胎生期」から「3. 乳幼児期」までは，各項目の有無について尋ねる質問の回答は，「なし」，「あり」などの選択肢の該当する項目に丸をつけ，もしその回答に派生する質問（例えば胎生期の母親の身体疾患「あり」の場合の病名）がある場合には具体的な内容を記入する。また，各発達里程標についての質問の回答の記入は，それらの出現時期の月齢ないし年齢を記入する。いずれの質問でも回答者の記憶がはっきりしない場合はその旨メモを余白に残しておく。「3. 乳幼児期」の「10）人見知り」は7カ月から9カ月頃に出現するそれを知りたいための質問であるが，親はしばしば「いや」の年代とも呼ばれる2歳前後の時期の人見知り的反応を答える場合がある。その人見知りが目立っていたら，その年代を記載することは合理的であるが，さらに「7カ月，8カ月，9カ月のあたりで，例えばそれまで平気だったおじいちゃんが近寄ると泣くといったような人見知りはありましたか」と質問すべきである。

「4. 小学生年代」と「5. 中学生・高校生年代」はすべて評価者の質問に対する回答者の自由な発言をまとめて評価者が回答欄に記入する。例えば，小学生年代の第1項目は評価者が「小学生年代にお子さんが好きだった遊びや趣味は何でしたか」と質問し，回答者の話をまとめて記載する。同じように小学生年代の第3項目のような質問では，評価者が「その頃の友人との関係はいかがでしたか」と質問し，回答者の発言を促す。

成育歴の最後は，乳幼児期から中学生・高校生年代までを通じて「被虐待歴」の有無を記載する。これは「Ⅰ. 主訴」から「Ⅲ. 成育歴」の終わりまでの聴取過程で児童虐待を疑う何らかの兆候やエピソードがあれば「被虐待歴」は「あり」となり，児童虐待の種類を記入する。この記載に際して「お話のこの点はいわゆる『虐待』とされている行動です。もう少しこの点についてお話しください」と話しかける。ここまでの陳述から児童虐待が浮かび上がってこない場合でも，この項目に至ったタイミングで身体的虐待や心理的虐待，ネグレクト，性的虐待，両親間での家庭内暴力（DV）はなかったかをサラリと中立的な口調で質問し，発言を含めた回答者の反応を記録し評価することが求められている。

⑤既往歴

7項目からなる主な身体疾患や外傷などの既往を順に問い，「あり」であればより詳しい病名を尋ね記載する。その後，「その他に何か病気になったり，けがをしたりした経験はありませんでしたか」と尋ね，もしあれば「8. その他」の「あり」を丸で囲み，その具体的な病名や外傷の種類，および外傷の原因（例えば交通事故）を記載する。

⑥家族歴

「次に，ご家族についてうかがいます」と話しかけることで家族歴の聴取を始める。まず「同居家族」を聞き，子どもを中心とする続柄で記載する。例えば母親が「私の母が同居しています」と回答した場合，それは「母方祖母」と表現する。その他の続柄は**図3**を参照し，これに準じて記載する。

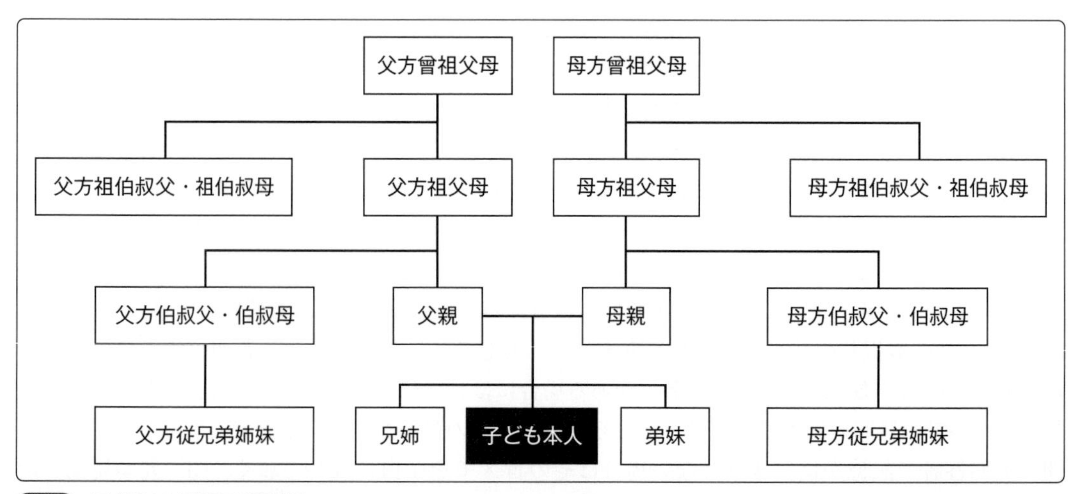

図3 子どもの続柄の記載法

家族歴は子どもの心の診療における成育歴と並んで重要な領域である。そのため，家族歴は同居家族の聴取だけで通り過ぎるわけにはいかない。しかし，初診あるいは初回面接で詳しく家族歴を聴取し，その内容をジェノグラムに表すのは困難な場合が多いので，別に評価面接として設定した時間で行うほうが現実的である。

ジェノグラムの記載法は以下のようなルールに従う。ジェノグラムで最低限記載すべきは子どもの父方，母方の祖父母世代までで，男性は□，女性は○で表記し，年齢を中へ書き込む（例えば46）。すでに死亡している場合は□あるいは○の中に×を記入する（☒）。患者本人は二重線で描く。各人物の性格や職業などの情報はその人物を表す□あるいは○の右横ないし下部へ記載する。その他必要な事項（例えば病気の場合の病名，虐待やDVの事実など）はその人の記号の周囲に随時記載してよい。婚姻関係にある男女は実線で結び，離婚している場合は実線の間に二重斜線を入れた断線で表現する。同棲関係は点線で結ぶ。なお，以上のようなジェノグラムの図の記載法は**図4**に示しているが，これはあくまで例示であり，記載内容は記載者に任されている。また，その後の面接過程で家族歴に関する詳細が徐々に明らかになっていくことが多く，ジェノグラムは必要に応じて追加記入されていくことで，治療・支援を支える情報として役立つものになる。

ジェノグラムに記入する内容のオプションとして，各家族メンバー間の関係性を表現するとすれば**図5**がその一例である。図5は図4の例に関係性を書き込んだもので，色は見やすいように仮に赤と青で表現している。良好な感情が優勢な結びつきは青の直線で表現し，線の本数はその結びつきの強さを示し，本数が増えるほど強いということになる。逆に，葛藤の強い結びつき（図5の母親と母方祖母との関係）は赤の直線とそれに重ねた鋸歯状のジグザグ線で表し，直線の本数が多いほど，両者の結びつきと葛藤がより強く両価性の高い結びつきを表すこととする。また，反感などの悪感情が優勢で関係を断絶している結びつき（図5の母親と母方祖父の関係）は2本の斜線で強調された赤い断線で表現する。

ジェノグラムの記入をある段階でいったん中止した後（完成は次の面接に譲る），家族歴の聴取はさらに親族におけるADHDと関連の深い諸問題や精神疾患の有無を尋ねる質問に移っていく。「お子さんの家族や近い親戚（両親，兄弟姉妹，祖父母，おじ・おば，いとこなど）に次のような問題や病気を経験したことのある方，あるいは現にいまその状態にある方はいらっしゃいますか」と回答者に語りかけ，1）から15）までの15項目について順に質問していく。回答は「なし」と「あり」のどちらかであり，「あり」の場合それが家族メンバーの誰にあたるかを図3に従って子どもとの続柄を記載する。

3）「ADHD診断のための半構造化面接用フォーム」の聴取の仕方

ここからDSM-5[6, 7]に準拠したADHDの診断に関する半構造化面接に入っていく。なお，診断基準の日本語表現は日本語版の表現を最大限尊重するが，半構造化面接での評価者による回答者への質問の際にイメージを結びにくい表現も日本語版には散見されるため，一部簡略な表現や具体的表現に修正している。

まず，「これからお子さんの行動や特徴についていくつかの質問をします。それぞれの質問でお聞きする行動や特徴について，お子さんの年齢にふさわしくないほどそれらが目立っている，あるいは著しいという場合には『はい』とお答えください。それ程ではない，あるいはまったくない場合には『いいえ』とお答えください。可能なかぎり『はい（あるいは「ある」）』か『いいえ（あるいは「ない」）』とお答えいただきたいのですが，どうしても判断できない場合には『わからない』とお答えください」とここからの質問の対象とそれへの回答法について説明する。回答のフォーム

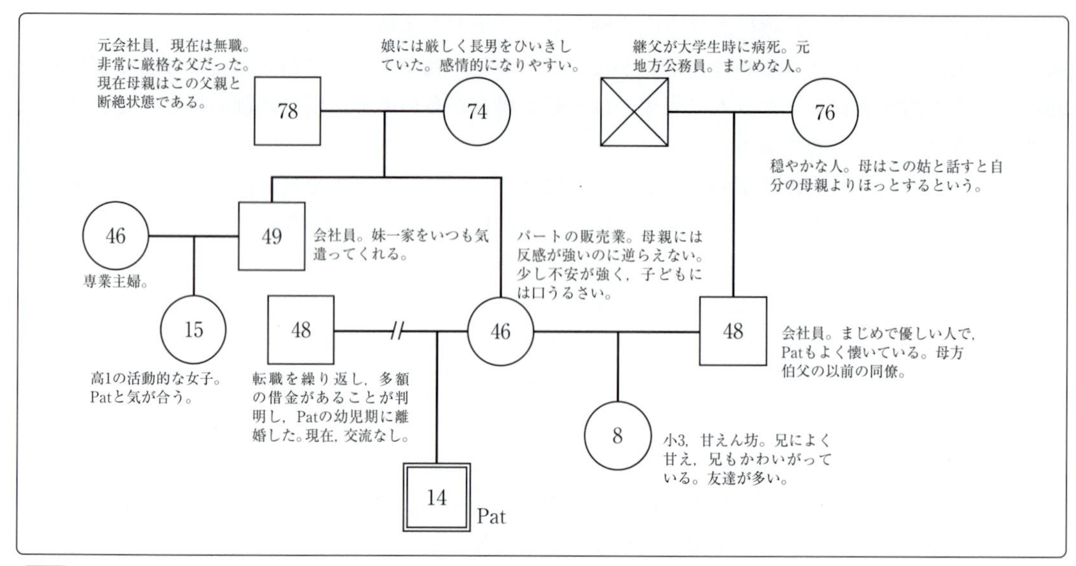

図4 ジェノグラムの一例

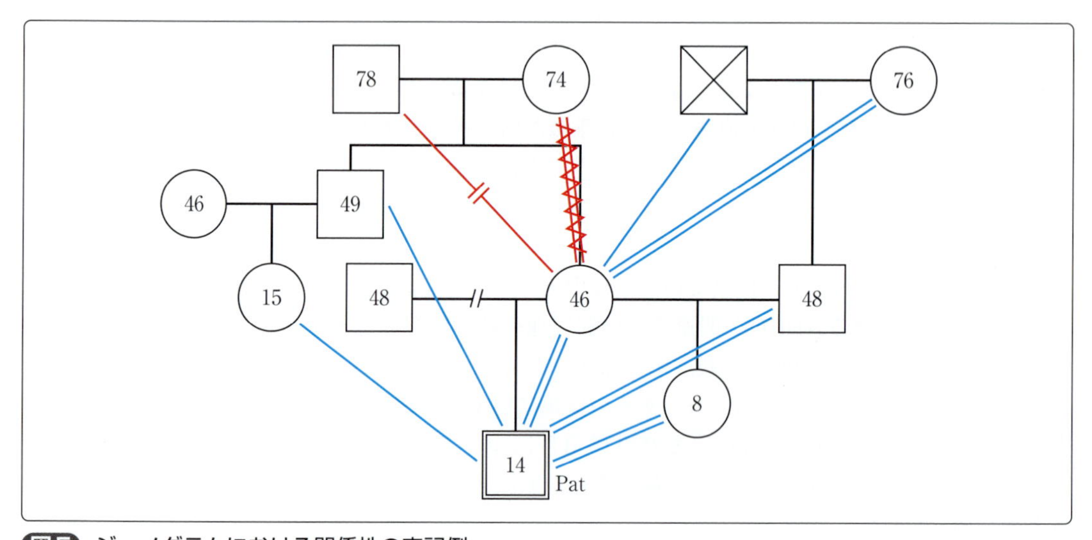

図5 ジェノグラムにおける関係性の表記例

への記載は，回答者が「はい」あるいは「ある」と答えた場合には，質問の前の□にチェックを入れる（☑）。「わからない」と答えた場合は□の前に「？」と記載する（？□）。

ADHD診断に至る評価を行うにあたり，医師の判断に委ねられるEの「鑑別診断」を除いたAからDまでの半構造化面接では，構造化面接と異なり，回答者の質問内容の理解を援助する追加の質問や説明を追加すること，あるいは質問に「はい」あるいは「ある」と答えた場合にその具体的な内容を確認するための質問を追加することなど，評価の客観性・正確性を高めるための工夫は評価者の裁量に委ねられており，各条件を満たすか否かは得られた情報を総合的に判断して評価者が決定すべきである。

診断基準はAからEの5段階の評価をすべて満たした場合にADHDと診断できるとされており，

1つでも満たさなければADHDと診断してはならない。それでも存在しているいくつかのADHD症状のために適応上の機能の著しい低下や障害，あるいは苦痛が存在しており，同時に鑑別すべき他の疾患では説明できない症状である場合には，「他の特定される注意欠如・多動症（Other Specified ADHD）」あるいは「特定不能の注意欠如・多動症（Unspecified ADHD）」と診断すべきである。前者はADHDあるいは他の特定の神経発達症群と診断できない理由を記載したい場合に採用するもので，例えば「ADHD（不十分な不注意症状）」といった記載をする。一方，後者はADHDと診断するには「これこれの条件を満たさない」といった理由を記載しない場合に採用する診断概念である。いうまでもなく臨床的には，Unspecified ADHDを適用する意義は小さく，理由を明確にしたOther Specified ADHDを採用すべきである。

①診断基準A

診断基準Aでは「(1) 不注意」と「(2) 多動性 - 衝動性」の2領域の各9個ずつの計18症状についてその有無を聞いていくことになる。各領域について聞き始める前に，「以下の項目は少なくとも6カ月持続したことがあり，その程度は発達の水準に不相応で，社会的および学業的／職業的活動に直接，悪影響を及ぼすほどである場合に『はい』あるいは『ある』とお答えください。なお，それらの症状は単なる反抗的行動，挑戦，敵意の表れではありませんし，課題や指示を理解できないことでもありません。この点に注意してお答えください」と説明したうえで始める。不注意症状から多動性－衝動性症状へ移行する際に，もう一度この説明を行うことを評価者は忘れないように留意しておきたい。17歳未満で各領域9項目のうちどちらかが6個以上存在していること，17歳以上では同じく5個以上存在していることを確認し，数値基準を満たしている領域の症状が「*基準を満たす*」なら，その前の□にチェックを入れる。不注意症状と多動性－衝動性症状の一方，あるいは両方にチェックが入れば「*基準A-1と基準A-2のどちらか，または両方の基準を満たす*」の前の□にチェックを入れ基準Aを満たしたことを明確にする。

②診断基準B

診断基準Bは12歳になる直前までの生後12年間で，不注意症状一覧9項目と多動性－衝動性症状一覧9項目のうちのいくつかはすでに目立っていたことの確認である。ここまでの聴取でチェックの入った症状項目のうちいくつかがすでに存在していたという事実を両親やそれに代わる養育者から直接確かめることを目指す。もし存在していることがわかれば「*12歳前に症状のいくつかが存在していた*」の前の□にチェックを入れる。

③診断基準C

診断基準Cは2カ所以上の場でADHD症状が出現していることの確認のための質問であり，具体的な場所を示すことで回答しやすくすることを目指している。「家庭ではありますか」から順に聞いていき，「はい」あるいは「ある」との回答を得たら項目の先頭の□にチェックを入れる。この聴取の結果，2つ以上の場で「ある」にチェックが入ることを確認出来たら，「*2つ以上の場で症状が存在する*」の前の□にチェックを入れる。

④診断基準D

診断基準Dでは症状があるというだけではなく，その存在によって明らかに適応を損ねたり，能力を発揮できなかったり，苦痛を感じたりしている水準かどうかを評価する。存在する症状や問題が適応上の深刻な障害となっていない場合は，それらの存在だけでADHDとは診断できないことに注意すべきである。5個の項目のうち1つでも臨床的に意味のある適応上の機能低下や，それによる困難が生じていれば「*1つ以上で機能低下や困難が生じている*」の前の□にチェックを入れる。

⑤診断基準E

診断基準Eは鑑別診断の基準であり，「これらの症状は統合失調症や他の精神病性障害の経過中にのみ起こるものではなく，他の精神疾患（例えば気分障害，不安症，解離症，パーソナリティ障害，物質中毒または離脱）ではうまく説明されない」と鑑別診断すべき疾患が挙げられている。本フォームにおける診断基準Eは診断基準のAからDまでと異なり，直接回答者から聞き取るのではなく，評価者は鑑別すべき疾患を意識した補足的な質問や臨床的な観察を行って判断する必要がある。これらの除外基準に当てはまらずADHDと診断できた場合でも，中枢神経疾患や全身性の代謝障害などの身体疾患を鑑別しているわけではないことを承知したうえで経過観察を続け，身体疾患の可能性が疑われた時点で速やかに鑑別診断のために当該領域の専門医と連携すべきである。

なお，DSM-5の診断基準ではなく，それについての解説を記載したテキスト[6]のほうに鑑別診断すべき疾患として挙げられている疾患は上記の疾患にとどまっておらず，反抗挑発症，間欠爆発症，常同運動症，限局性学習症，知的能力障害（知的発達症），自閉スペクトラム症，反応性アタッチメント障害（脱抑制が前景に立つ場合であり，脱抑制型対人交流障害も鑑別診断として意識しておきたい），不安症群，抑うつ障害群，双極性障害，重篤気分調節症，物質使用障害，パーソナリティ障害群，精神病性障害，医薬品誘発性ADHD症状（気管支拡張薬，イソニアジド，神経遮断薬（アカシジアを引き起こす），甲状腺補充薬など），神経認知障害群といった幅広い疾患が挙げられている。ADHDを示唆する諸症状がこれらの疾患の症状として説明がつくなら，それはADHDと診断すべきではないとされており，除外基準の判断にあたって，これらの疾患ごとに慎重に評価することが求められている。

注意すべきは，鑑別診断の必要な疾患の大半は併存症にもなりうるものであることから，安易に併存症としない慎重な吟味によりADHDの過剰診断を避けるべきであり，この診断基準Eはテキスト[6]に挙げられている疾患についても鑑別すべきである。

鑑別診断の結果，存在する症状を上記のような諸疾患では説明できないと判断できれば，「*鑑別すべき疾患では説明できない*」の前の□にチェックを入れる。

⑥ADHD診断の確定

診断基準AからEまでのすべての診断基準を満たして初めてADHDの診断が確立する。この条件を満たせば，「*ADHDと診断できる*」の前の□にチェックを入れ，⑦以降の評価に進んでいく。

⑦評価点F

ここではADHDとして現在優勢な表現型を特定する。評価者は，3種類の表れ方（表現型）の定義をフォームに記載された表現にしたがって伝える。これは診断基準のAで行った評価から自動的に結論が出てきそうに一見思えるが，「この6カ月間にはどうであったか」を明確に確認して評価することが必要である。評価結果はこの質問への親の回答と評価者の臨床判断を総合して導き，当てはまる表れ方の前の□にチェックを入れる。

⑧評価点G

ここでは「部分寛解」であるか否かを評価者がここまで聴取した結果に基づき特定する。ここでいう「部分寛解」とは，以前には診断基準AからEまでのすべての基準を満たしていたが，この6カ月間でみると，条件を満たしている基準数が減少しており，しかも現在ある症状（診断基準Aで該当する症状）によって社会的，学業的，または職業的機能が障害を受けている状態のことである。例えば，診断基準Aが以前はA-1とA-2の両方の基準を満たしていたのに，現在はA-1しか満たさなくなっていたり，A-1とA-2の両方を満たさなくなっていたり，あるいは以前は2カ所以上で観察できた症状がこの6カ月間一つの場でしかみられなくなっているといった場合に「部分寛解」が該当する。ここまでの診断基準AからEまでを評価する半構造化面接から，現在の状態像ではADHDの診断基準AあるいはCの基準を満たさないため「ADHDと診断できる」に該当しないとされているケースで，それ以前にはすべての基準を満たしていた可能性が高いと判断した場合(回答者が「その症状は小学生までは目立ちましたが，今は見られません」と答えるなどから)，以前は診断基準をすべて満たしていたことを回答者に確認できたら，あらためて「ADHDと診断できる」とこの「部分寛解」の両者にチェックを入れることになる。

⑨評価点H

ここでは重症度の評価を行う。DSM-ⅣまでDSMが採用していた「機能の全体的評価（GAF)」がDSM-5では放棄されたため，重症度は治療選択のための重要な基準である。ここでいう「軽度」とは，DSM-5に従えば診断を下すのに必要な項目数の症状があったとしても少なく，すなわち17歳未満は6個以上，17歳以上は5個以上という基準を大きく超えず，症状がもたらす社会的または職業的技能への障害もわずかであるものを指している。「中等度」は症状または機能障害が「軽度」と「重度」の間にあるものを指す。「重度」は診断を下すのに必要な項目数以上に多くの症状がある，またはいくつかの症状が特に重度である場合，あるいは症状が社会的または職業的機能に著しい障害をもたらしているものを指す。評価者は「診断・評価ガイドライン④」の解説に掲載された重症度判定基準表〔*(10)* ページ〕の3つの重症度のなかから該当するものを選びチェックを入れる。

4)「併存症診断・評価用フォーム」の聴取の仕方

ADHDの診断が確定したら，次の段階として併存症診断・評価編に入っていく。併存症診断・評価編は，併存症を可能なかぎり漏れのない診断に導くためのチェックリストであり，厳密な意味での半構造化面接フォームではないことを心得て使用することが求められている。併存症となりうる精神疾患は多彩で，そのすべてをチェックリストに挙げることには無理があるため，チェックリストの全体を2部構成とし，第1部はADHDの併存症として特に厳密な評価と判断が求められる自閉スペクトラム症，反抗挑発症，素行症，間欠爆発症，重篤気分調節症の5疾患を選び，半構造化面接に準じたフォームとしている。第2部はその他の比較的併存症となりやすい諸疾患を挙げ，「あり」，「なし」，「疑いを否定できず」の3種類の回答欄の当てはまるものを選択し，もし「あり」なら，その疾患の発症年齢を記載するという形式を採用している。なおADHDの半構造化面接と同様に，併存症診断・評価編に登場する疾患概念や診断基準はDSM-5日本語版に準拠し，一部イメージを明確にするために簡略な表現や具体的表現に修正している。

①自閉スペクトラム症（ASD)

このASD診断・評価用のリストは半構造化面接に準じており，評価者がこの順に沿って，自らの言葉で適切かつ柔軟に質問することが求められている。そのため本フォームは，回答者への語りかけという表現を採ったADHD診断のための半構造化面接編とは異なり，質問の文末形式は「です・ます」調ではなく「だ・である」調となっている。

診断基準AとBは症状に関する基準で，「診断基準Aは指標として挙げられている3症状（DSM-5はこの3症状自体が一例に過ぎないとしている点に留意が必要）の全てが存在し，診断基準Bは指標となる4症状のうち2個以上存在すること」が各基準を満たす条件であることに注目する必要がある。また，AとBの基準が満たされた場合，症状Aと症状Bそれぞれの重症度を「DSM-5精神疾患の診断・統計マニュアル」[6]の51ページ，あるいは「DSM-5精神疾患の分類と手引き」[7]の29ページに掲載されている表2に示されているレベル1からレベル3までの3段階で評価しなければならない。忘れてならないことは，ASDを診断するためには症状に関する診断基準であるAとBの条件をどちらも満たしていることが必須の条件であるという点である。もし症状Aを満たしてはいてもBが条件を満たさないとすれば，それは「社会的（語用論的）コミュニケーション症」の可能性があり，その診断が可能かを検討することになる。

診断基準Cは，発達の早い段階から症状のいくつかが存在していたことを確かめるための基準である。いうまでもなく，これまで定型的な「自閉症」と診断されてきたような重症度の高いASDでは，幼児期の早い段階で症状に気づかれている場合が大半であり，容易にこの基準を満たす。しかし，より軽度なASDでは，幼児期や早期学童期の社会的要求が対象児の能力の限界を超えていないため，まだその特徴的症状は他者に認められていないかもしれない。また青年期以降にはそれまでの経験から学び獲得した対処法によって症状が覆い隠されているかもしれない。診断基準Cの評価では，このことを心得て「*症状は発達早期に存在していた*」か否かを判断すべきである。

診断基準Dは，ASDの症状があるというだけではなく，その存在によって明らかに適応を損ねたり，能力を発揮できなかったり，苦痛を感じたりしていないとASDの診断はできないという点を条件として明確にしたものである。フォームに記された各場面でそうした適応上の障害や心理的苦痛を示しているかを具体的に話してくれるよう評価者は回答者に説明しながら聴取する。

診断基準Eは鑑別診断であり，DSM-5は鑑別すべき疾患として診断基準では知的能力障害または全般性発達遅延で症状を説明できるか否かを評価すべきであるという点を強調している。しかしDSM-5のテキスト[6]では，この鑑別すべき疾患として（ASDを伴わない）知的能力障害のほかに，レット症候群（この疾患は中枢神経疾患としてASDから外されており，ASDを併存していないレット症候群をASDと診断しないことが求められている），選択性緘黙，言語症群，社会的（語用論的）コミュニケーション症，常同運動症（反復運動がASDで説明できるなら常同運動症と診断しない，しかし反復的な自傷行動であれば，それが治療対象となるという意味で併存症として記載可能であるとDSM-5は記載している），ADHD（過集中や注意散漫といった注意の問題は多動とともにASDにも一般的な症状であり，その症状がみられるというだけでADHDの併存とはせず，ASDであること，およびその発達年齢からみて，不注意や多動性－衝動性が通常みられる水準を超えて顕著に見出される場合にだけ併存と診断すべきである），統合失調症を挙げているので，鑑別診断に際し，DSM-5のテキスト[6]に登場するこれらの疾患も評価すべきである。この他に反応性アタッチメント障害はASDと誤診されることがあるため，ネグレクトや頻繁な養育者の変更などの逆境的な養育環境をもっているか否か，そして症状の出現経過を慎重に評価する必要がある。

以上に記した診断基準AからEまでのすべての条件を満たして初めて「*ASDと診断できる*」のである。

②反抗挑発症（ODD）

このODD診断・評価用のリストは半構造化面接に準じたフォームとなっており，基本的にこの診断基準のすべての評価を通じて診断を行う。

診断基準Aは症状に関する基準である。診断のための指標として挙げられている8個の症状はそれぞれ正常範囲でも生じうる情緒あるいは行動であるため，これを症状とみなす基準（すなわち「しばしば」と判断する基準）としてDSM-5は，5歳未満ではほとんど毎日，少なくとも6カ月間にわたって生じている場合に「あり」とし，5歳以上の子どもでは1週間に1回，少なくとも6か月間にわたって生じている場合に「あり」とするとしているので，ここではその基準で判断する。これは症状の現れる頻度の基準であるが，DSM-5はさらに発達水準，性別，文化の基準に照らして頻度と強度が逸脱した水準にあるか否かを判断するよう指示している。

診断基準Bは，診断基準で存在するとされた症状により実際に適応上の障害が生じていたり，本人および他者に苦痛を与えていたりしないかを判断する基準で，「*実際に問題を引き起こしている*」と認められる場合には，その具体的な内容も記載する。

診断基準Cは鑑別診断である。DSM-5の診断基準としては「その行動上の障害は精神病性障害，物質使用障害，抑うつ障害，または双極性障害の経過中にだけ生じるものではなく，また重篤気分障害の基準を満たさない」と4精神疾患（群）を挙げているが，DSM-5のテキスト[6]では鑑別診断すべき疾患として上記以外に，素行症，ADHD，重篤気分調節症，間欠爆発症，知的能力障害，言語症（例えば聴力障害などによる言語理解の障害の結果指示に従えない場合を鑑別しなければならない），社交不安症（社交不安症に関連した否定的評価への恐れから挑発的な態度をとる場合がある）を挙げており，見出された症状がそれらの疾患で説明できるならそれはODDではない。

診断基準のAからCまでがすべて満たされている場合に初めて「*ODDと診断できる*」ことになる。これに該当すると付加的な評価として重症度を評価する。ODDの重症度は主に症状の個数で定義されている。

③間欠爆発症（IED）

このIED診断・評価用のリストは半構造化面接に準じたフォームとなっており，基本的にこの診断基準のすべての評価を通じて診断を行う。

診断基準Aは症状に関する基準であり，2つの指標となる症状が示されている。これらのうち一方，あるいは両方が当てはまればこの基準を満たすことになり，「*反復性の行動爆発が存在する*」ことになる。

診断基準Bと診断基準Cはこれらの症状の特性を定義した基準で，両方とも満たさないとIEDとはいえないことになる。基準診断Bが求めている満たすべき条件は，診断基準Aで存在するとされた攻撃性の表現の強さが，受けた心理社会的ストレスに比べて不釣り合いに強いといえるか否かの評価である。この評価の結果，誘因となった心理社会的ストレスの内容およびその衝撃の程度に比べあまりに強い攻撃性の表現であるとなれば，「*契機となった心理社会的ストレスとはひどく釣り合わない*」との条件を満たすことになる。次に診断基準Cは，その攻撃性の爆発が衝動性あるいは怒りの発露であり，計画的なあるいは意図的なものではないと言えるか否かを問うもので，意図的なものではないと評価されたら，「*計画的でも現実目的の獲得を目指したものでもない*」に該当することになる。

診断基準Dは，IEDの症状である攻撃性の爆発によって本人が悩み苦しんだり，学校や職場での不適応の原因となったりしているか，あるいは経済的破綻や司法的訴追を受ける結果を招くことにもなっているか否かを問う基準で，もしそれらのいずれかが認められるなら「*それにより苦痛を感じるか，社会的生活や対人関係の障害を招いている*」に該当することになる。

診断基準Eは発症年齢の下限を明確にした条件であり，6歳以上の年齢で始まったもの，あるいは知能指数などによる発達水準が6歳以上で始まったものでなければIEDと診断できないと定義している。6歳未満，あるいはそれに相当する発達水準で発症したものではないという条件を満たしていれば「*少なくとも6歳あるいはそれに相当する発達水準である*」に該当する。

診断基準Fは鑑別診断である。診断基準では，反復する攻撃性の爆発がうつ病，双極性障害，重篤気分調節症，精神病性障害，反社会性パーソナリティ障害，境界性パーソナリティ障害など他の精神疾患ではうまく説明できず，あるいは頭部外傷やせん妄やアルツハイマー病などの他の医学的疾患によるものではなく，乱用薬物や医薬品といった物質の生理学的作用（離脱症状を含む）によるものでもないことが明らかでなければならないとされている。また，6～18歳の子どもでは適応障害で説明できる衝動的攻撃性の爆発であれば，それをIEDと診断すべきではないとされており，鑑別診断にあたり留意する必要がある。さらにDSM-5のテキスト[6]では，鑑別診断すべき疾患として上記以外に，ADHD，素行症，重篤気分調節症，反抗挑発症，ASDを挙げ，これらの疾患は衝動的で攻撃性の爆発を示すことがありうるので，それらの疾患で説明できるならIEDではないとしている。以上のような諸疾患で説明することができない攻撃性の爆発であれば「*鑑別すべき疾患では説明できない*」に該当する。

以上に挙げた診断基準Ａから診断基準Ｆまでのすべての基準を満たしていれば「IEDと診断できる」に該当することになる。

④素行症（CD）

このCD診断・評価用のリストは半構造化面接に準じたフォームとなっており，基本的にこの診断基準のすべての評価を通じて診断を行う。

診断基準Ａは，「他者の基本的人権または年齢相応の主要な社会的規範または規則を侵害する」行為が反復的で持続的に生じているものをCDと定義しており，そのような行為が存在しているか否かを評価するための症状に関する基準である。15個の指標となる症状のうち少なくとも3つが過去12カ月の間に存在しており，さらに15症状のうち少なくとも1つは過去6カ月の間に存在したことを明らかにしなければならない。そのために，過去12カ月以内にみられた症状にチェックを入れるとともに，そのうち直近の6カ月以内にみられた症状にはチェックの入った□（すなわち☑）の前に○をつける。その結果が診断基準Ｂの条件を満たしていれば「*基準Ａを満たす症状が存在する*」に該当するということになる。

診断基準Ｂはその症状によって適応上の障害が生じているかを判定する基準であり，社会的，学業的，職業的あるいは他の領域で適応上の問題が現に生じていると判断したら「*実際に機能の障害を引き起こしている*」に該当する。もし該当したら，具体的などのような問題が生じているかについても記載する。

診断基準Ｃは子どもが18歳以上であれば，反社会性パーソナリティ障害ではないということを明確にしないかぎりCDとは診断できないことから必要となる条件である。18歳以上の評価対象者に反社会性パーソナリティ障害の診断がつかないことを確かめることができれば，評価者は「*反社会性パーソナリティ障害の基準を満たさない*」と評価することができる。なお，18歳未満の子どもでは反社会性パーソナリティ障害と診断できないというDSM-5のルールがあるため診断基準Ｃは評価する必要がない。

DSM-5が採用している診断基準はＡ，Ｂ，Ｃの3基準までであるが，DSM-5[6]のテキストには鑑別診断に関する記載があるため，本フォームではその評価を診断基準Ｄとして採用することとした。この鑑別診断に関する診断基準Ｄは，DSM-5のＡからＣまでの基準にしたがうとCDと診断できそうな行動がODD，ADHD，抑うつ障害群および双極性障害群，IED，適応障害の症状で説明できるならばCDではないとする基準であり，この基準にあてはまらないことが明らかであれば「*鑑別すべき疾患では説明できない*」に該当することになる。なお，ADHDはCDの鑑別対象であるとともに，併存症として背景に存在している可能性があることを心得ておかねばならない。

以上の診断基準Ａから診断基準Ｄまでのうち，18歳未満ではＣを除いた他の全ての基準を満たしていれば，また18歳以上ではＡからＤまでの全ての基準を満たしていれば「*CDと診断できる*」に該当する。

CDと診断できた場合には，さらに3種類の特性を特定する評価に進んで行く。第一に特定すべきは発症年齢（10歳以前か以後か）に基づくタイプ分けであり，第二に特定すべきは冷淡さのような「*向社会的な情動が限られている*」といえるか否かという点であり，最後に特定すべきは現在の重症度である。いずれもフォームの順に評価結果をチェックしていく。

⑤重篤気分調節症（DMDD）

このDMDD診断・評価用のリストは半構造化面接に準じたフォームとなっており，基本的にこの診断基準のすべての評価を通じて診断を行う。

DSM-5[6]によれば，DMDDの中心的特徴は6歳以上18歳未満で初めて診断される慢性の激しい易怒性であり，頻回のかんしゃく発作とかんしゃく発作の間欠期にみられる持続的な易怒的な気分の2つの特徴をもつ疾患であると定義されている。その症状の特徴を評価するために診断基準のAからDが用いられている。

診断基準Aは，激しい暴言など言語的に表現される，あるいは人物や器物に対する物理的攻撃のように行動的に表出される「激しいかんしゃく発作」が繰り返し生じているか，診断基準Bはかんしゃく発作が発達水準にそぐわないものか，診断基準Cではかんしゃく発作が平均して週3回以上生じているかを評価することを求めている。診断基準Dは間欠期の気分が「ほとんど一日中，そしてほとんど毎日にわたる持続的な易怒性または怒り」であり，それが周囲の人にもわかるほどかを評価する。かんしゃく発作（診断基準A～C）と間欠期の易怒性や怒りの気分（診断基準D）の両者が存在する，すなわち診断基準A～Dすべての基準を満たすならDMDDの可能性がある。

診断基準EからHは2つの特徴をさらに発現年齢や初めて診断する年齢，さらには家庭，学校，友人関係の3種類の場面のうち2つ以上で基準AからDの特徴が存在しているなどの条件を評価する。

本フォームの診断基準I，J，K，Lはいずれも鑑別診断に関する基準である。なお，診断基準KはDSM-5の診断基準にはなく，本フォームで採用した鑑別診断のための基準である。これを追加した理由はDSM-5のDMDDに関する診断基準Jの注記に，DMDDはODD，IED，双極性障害の3精神疾患とは併存しないと明記されており，これら3疾患のいずれかの診断基準を満たす場合，DMDDとは診断できないとしている。また，躁病または軽躁病エピソードの既往があればDMDDと診断すべきではないと明記していることから，この除外規定を明確に評価するために診断基準Kとして独立させた。本フォームの診断基準L（DSM-5の診断基準K）は物質の影響，他の医学的疾患，あるいは神経系疾患によるものではないことが明らかでないとDMDDと診断できないという規定である。しかし，DSM-5の診断基準[6,7]にもテキスト[6]にも物質および神経学的疾患を含む医学的疾患の具体名は記載されていない。そのため診断にあたり，症状が現にある物質の作用下でのみ起きているか否か，他の医学的疾患あるいは神経学的疾患が存在していないかに注目すべきであり，DMDDの診断後もそれらの疾患の存在が明らかになったら，その時点でDMDDと判断された諸症状が新たに発見された物質の影響や医学的疾患の症状で説明できないか再度検討すべきである。

以上の診断基準AからLまでの12項目の基準のすべてを満たすとき「DMDDと診断できる」とすることができる。

⑥その他の精神疾患（併存症診断・評価用フォーム第2部）

ここからは精神疾患名が列記され，その疾患が「あり」ならその発現年齢を特定することが求められている。また，例えば「排泄症群」が「あり」の場合，下位分類の遺尿症か遺糞症かを特定することが求められる。これらは併存症診断・評価用フォーム第1部が基本的に半構造化面接に準じた評価システムを採っているのに対し，すべて評価者がその存在を疑うことで評価が始まるという一般的な評価システムとなっている。取り上げた疾患名は，知的能力障害をはじめとするADHDおよびASD以外の神経発達症群の諸疾患，排泄症群，睡眠－覚醒障害群などに始まり双極性障害までの計20疾患（群）である。

さらに，それ以外の疾患を見出した場合には「その他の精神疾患」として疾患名と発症年齢を記載することになっている。

5)「まとめ」の記載法

本フォームは，最後に「まとめ」として基本情報を除いたADHD診断から併存症の診断までの評価結果を簡潔に記入するシートを置いている。併存症の記載は併存症診断・評価用フォーム第1部で評価した5疾患については疾患名を挙げてその有無をチェックする形を，さらに同フォーム第2部の疾患はもし存在すればそれを記入する形となっている。さらに「3. 留意すべき現病歴，成育歴，既往歴，家族歴の特徴など」として，第I部で聴取した内容から，虐待や不登校などの存在や，家族歴の特記すべき点などを自由に記載し，治療における留意を求めるための欄である。

（齊藤 万比古）

参考文献

1）加我牧子，稲垣真澄・編：医師のための発達障害児・者診断治療ガイド―最新の知見と支援の実際．診断と治療社，2006
2）齊藤万比古・編：注意欠如・多動症―ADHD―の診断・治療ガイドライン第4版．じほう，2016
3）太田豊作，他：子どもの注意欠如・多動性障害の標準的診療指針を目指して．児童青年精神医学とその近接領域，54（2）：119-131，2013
4）Snyder SM, Hall JR : A meta-analysis of quantitative EEG power associated with attention-deficit hyperactivity disorder. J Clin Neurophysiol, 23（5）: 440-455, 2006
5）Saito M, et al : Prevalence and cumulative incidence of autism spectrum disorders and the patterns of co-occurring neurodevelopmental disorders in a total population sample of 5-year-old children. Mol Autism, 11（1）: 35, 2020
6）American Psychiatric Association : Diagnostic and Statistical Manual of Mental Disorders. Fifth Edition. American Psychiatric Publishing, 2013（髙橋三郎，大野裕・監訳：DSM-5 精神疾患の診断・統計マニュアル．医学書院，2014）
7）American Psychiatric Association : DESK REFERENCE TO THE DIAGNOSTIC CRITERIA FROM DSM-5. American Psychiatric Publishing, 2013（髙橋三郎，大野裕・監訳：DSM-5 精神疾患の分類と診断の手引．医学書院，2014）

2 ADHDの評価に用いる各種評価尺度

1 質問紙法によるADHD症状の評価

1）はじめに

受診された方が面接で示す，医師への心的距離感（緊張，不安の度合い）や話しかけへの反応，質問の返答の仕方や内容（意味の捉え方，話の展開，広がり方），その子の心情への近づき（やすさ，にくさ），非言語的に伝わってくる雰囲気などのインフォーマルな評価と，構造面接によるフォーマルな評価，さらに関係者からの客観的情報をもとに，われわれはADHDの診断が妥当かどうかを検討する。そのなかである程度一貫した指標で行動を判断する評価尺度は，ADHDの診断を補完する視点として，一定の価値があると思われる。

2）評価尺度のいろいろ

現在わが国でADHDに特化したもので使用できる評価尺度は，DSM-Ⅳ-TRに準拠した18項目のスケールからなるADHD Rating Scale-Ⅳ[1)]（ADHD-RS-Ⅳ日本語版）とConners 3[2)]，そして成人に用いられるConners Adult ADHD Rating Scale（CAARS）[3)]である。

(1) ADHD　Rating　Scale-Ⅳ（日本語版はADHD-RS）

DuPaul GJらにより開発されたADHD Rating Scale-Ⅳは，ADHDのスクリーニング，診断，治療成績の評価に使用可能なスケールである。

尺度を構成する18項目の内容は，DSM-ⅣのADHDの診断基準に準拠して，不注意の領域と多動性－衝動性の2つの領域の項目を交互に編成し，それぞれを〈ない，もしくはほとんどない〉〈ときどきある〉〈しばしばある〉〈非常にしばしばある〉の4件法で評価する。最近6カ月の家庭での様子を評価する家庭版と，同時期の学校での様子を評価する学校版の2種類があり，それぞれについて5歳から18歳までを，5〜7歳，8〜10歳，11〜13歳，14〜18歳に分けて，さらに男女別のカットオフ値を算出している。

DuPaul GJらは，全米各地の地理的，人種的背景を反映する大規模な標本（n=2,000）を収集し，探索的因子分析と検証的因子分析を実施し，症状の2面的モデルに即応していることを確認し，さらに再テスト法による信頼性，観察者間一致率，サブスケールの内部一貫性，基準関連妥当性，判別的妥当性などの調査を実施している。わが国では2008年に翻訳出版され，日本ADHD学会評価スケール作成委員会（旧・日本AD/HD研究会評価スケール作成委員会）の全面的協力を得て実施した調査をもとに，内部一貫性，信頼性を検証した[4)]うえで，日本版のスコアシートを作成した[1)]。

利点としては，診察場面でとらえられないことが明らかになる，薬物や関与の有効性の有無がわかる，また診察場面だけの行動評価に客観的視点が加わることで，本人へのプラス面の評価が高まり，褒められることが増えたりする。家庭と学校での評価が違う場合に，改めて診断名を検討することができることである。しかし，留意点としては，あくまでも評価者の主観であることと，薬物評価として用いる場合，いわゆるプラセボ効果が現れている可能性もある，という点に注意したい。

なお，DuPaul GJらによるDSM-5準拠版が2016年に発行され，現在（2022年7月）その翻訳が行われており，今後出版される予定である。

（2）Conners 3（Conners 3日本語版）

この評価尺度は，1960年代にジョンズ・ホプキンス病院のハリエット・レーン・クリニックで仕事をしていたC. Keith Conners博士が，精神科の外来に紹介されてきた青少年の根本的な問題を簡潔・簡便に把握することを目標に，学齢期の子どもの親や教師が行動上の問題について記入できる尺度を開発したことからはじまる。親用・教師用の両スケールは，開発当初から優れた研究特性を備えていることが立証され，特に薬物療法の効果を敏感に反映していた。その有用性から1989年には「コナーズの評価スケール（CRS）」と改変命名され，1997年には，自己報告の追加とDSM-Ⅳ（APA，1994）におけるADHDの診断基準への対応が強化された「コナーズの評価スケール改訂版（CSR-R）」へと進化した。

2008年に登場した「Conners 3」は，DSM-Ⅳ-TRの診断基準への対応が強化されたほか，反抗挑戦性障害や素行障害のDSM-Ⅳ-TRの症状スケール，実行機能のアセスメント，妥当性スケール，スクリーニング項目，問題行為の危険性項目など，新たな領域やスケールが追加された。

Conners 3には，保護者110項目，教師115項目，青少年本人99項目からなるConners 3標準版のほか，Conners 3短縮版など4つのフォームがあるが，現在われわれが使用できるConners 3日本語版は，Conners 3標準版を翻訳したもので，6歳から18歳までの子どもを対象にした親用（Conners 3-P），教師用（Conners 3-T）と，8歳から18歳までの子どもを対象とした自己評価（Self-Report）用（Conners 3-SR）の3種類が準備されている。ロングバージョンとしてConners 3-Pで110項目，Conners 3-Tで115項目が使用されるが，それぞれ41項目からなるショートバージョンもある。Conners 3-SRは，ロングは99項目でショートは同じく41項目である。これから翻訳される予定であるが，最も注目される点はConners 3-SRがあることと，ロングバージョンでは3種類ともに，DSM-Ⅳ-TRに準拠した形でADHDと反抗挑戦性障害，行為障害について検討できる項目が含まれている点にある。回答者は，保護者および教師が評価する場合，子どもを最も知る保護者，教師が複数で記入収集することが推奨され，過去1カ月間の行動を評価期間としている。機械的に採点・転記していくと，妥当性，コナーズ3の主要因，ADHD不注意，ADHD多動性-衝動性，ADHD混合型，素行障害，反抗挑戦性障害といったDSM-IV-TRの症状，機能障害，コナーズADHD，コナーズ3総合指標という指標，不安，抑うつといったスクリーニング項目，問題行為の危険性項目などのアセスメントができるように構成されている。

利点は，ADHD-RSより多面的な情報が得られるので多職種の連携，支援の役割が明確になることであるが，ADHD-RSが18項目であることに比べて，回答項目が圧倒的に多いことで，その結果の信憑性の検討と，採点が複雑で評価に慣れるまでに時間がかかることが予測される。また，現時点では日本語版における信頼性と妥当性の検証がなされていないため，研究目的に使用される場合には慎重を要する。なお，DSM-5への変更に伴い，ADHDの年齢による必要項目の変更や反抗挑発症の診断基準のカテゴリーなどが変更され，スコアシートも変更された。日本語版でも2017年にDSM-5対応として検査用紙およびマニュアル捕捉ガイドが発売されている。

（3）Conners' Adult ADHD Rating Scales；CAARS（CAARS日本語版）

コナーズの成人期のADHD評価尺度で，現在日本語版がある。18歳以上の成人を対象に，本人用と家族用の2種類があり，DSM-Ⅳの診断基準をもとに66項目の質問から構成されている。利点はやはり簡便さにある。

3）評価尺度の意義と限界

それぞれ，一定の評価が得られているものの翻訳であり，相応の有用性が示唆される。特に個々の評価票から作成される症状リストは，薬物を含めて心理社会的治療を行ったときに，どの症状が軽減したかの検討がしやすく，治療方法の有効性の評定に有用となる。しかし，こうした行動評価スケールは，あくまでも評価者等の主観であることに注意し，その結果数値だけで診断できるようなものではない。あくまでも補助的に活用すべきであることはいうまでもない。

4）おわりに

わが国で使用できる評価尺度が増えてきたことを素直に喜びたい。

しかし，自明なことであろうが，どのような評価尺度を用いても，その評価のみで診断が確定されることは不可能である。決してある病態を一面的な評価方法で判断することのないように，医療および教育関係者に注意を喚起しておきたい。

いみじくもADHD Rating Scale-Ⅳの翻訳書に日本版の序として寄せてくれたDuPaulは，「（ADHD Rating Scale-Ⅳは）適切に使用すれば，的確な診断や効果的な治療法の確定に役立つものと思われる」が，「しかしながら，臨床医にとって重要な点は，絶対にADHD Rating Scale-Ⅳのスコアのみで ADHDを診断しないことである」と強調した。われわれはこの意味を大切にしていきたい。

なお，日本版のADHD-RSとConners 3日本語版，CAARSの使用方法については，著作権や購入（実施）資格などがあるため，翻訳書や出版元にあたっていただきたい。

（田中 康雄）

2　行動評価：SDQ，ASEBA

1）はじめに

ADHDの診断の手続きにおいてはADHDの症状の評価とともに，子どもの情緒や行動の問題を広範囲に把握することが望ましい。なぜなら，ADHDは，DSM-5の秩序破壊的・衝動制御・素行症群，不安症群，抑うつ障害群，パーソナリティ障害群などに含まれる障害を併存することが多く，ADHD以外の症状の有無やその兆候を把握する必要があり，二次的な併存障害を予防するためにも大切である。さらにDSM-5でADHDと自閉スペクトラム症（ASD）の重複診断が可能となってからは，ASDとADHDの併存例が多く認められ，それぞれの障害の問題を明らかにするためにも情緒や行動の問題を広範囲かつ詳細に把握することが重要となったからである。すなわち子どもの情緒と行動の問題を広範囲に把握し評価することは，ADHDの診断や治療的介入の方針や二次的障害の予防を考えていく際に大変有用な情報を得る方法といえる。

子どもの情緒や行動を広範囲に評価するには，専門家が子どもを直接観察して評価することが理想的である。しかし，実際の医療や相談の場では限られた行動しか観察できない。その点，行動評価尺度は，行動全般について広範囲かつ組織的に症状や行動の問題の項目が集められ，家庭と学校など異なる場面で子どもに直接関わる大人が評価する点から，子どもの情緒や行動全般を把握するには有効な手段である。

2）行動評価尺度

(1) SDQ

SDQ（Strengths and Difficulties Questionnaire）は，幼児期から青年期の子どもの適応と精神的健康の状態を包括的に評価するために英国のGoodmanによって開発された行動評価尺度である[5)]。WEBサイト※から自由にダウンロードでき，わが国でも広く用いられるようになっている。SDQには2〜17歳の子どもを対象とした養育者が記入する保護者記入用と教師が記入する教師記入用，また11〜17歳および18歳以上の子ども自身が記入する自己記入用がある。

※SDQに関しては次のURLを参照：https://www.mhlw.go.jp/bunya/kodomo/boshi-hoken07/h7_04d.html，https://ddclinic.jp/SDQ/index.html（2022年10月5日閲覧）

「他人の気持ちをよく気づかう」，「おちつきがなく，長い間じっとしていられない」など子どもの「強さ」と「困難さ」を問う25の質問項目からなり，「あてはまらない（0点）」，「まああてはまる（1点）」，「あてはまる（2点）」の3件法で回答する。下位尺度としてそれぞれ5項目からなる「行為（conduct problem）」，「多動・不注意（hyperactivity/inattention）」，「情緒面（emotional symptoms）」，「仲間関係（peer problem）」，「向社会性（prosocial behavior）」の5つのカテゴリーに分かれる。5つのカテゴリーのうち「向社会性」は良好な適応状態を調べるのが目的であるが，それ以外の4つのカテゴリーおよびその総得点（total difficulties score；TDS）は，それぞれ標準化によるカットオフ値があり，支援の必要性を「おおいにある（high need）」，「ややある（some need）」，「ほとんどない（low need）」の3段階で評価することを目的としている。

(2) ASEBA

ASEBA（Achenbach System of Empirically Based Assessment）は米国のAchenbachらが作成した一連の行動評価尺度である[6)]。国際的に広く臨床および調査研究に用いられている。ASEBAには，養育者用の「子どもの行動チェックリスト：CBCL」，教師用の「子どもの行動チェックリスト：TRF」，思春期の子ともが自分自身で回答する「ユースセルフレポート：YSR」がある（**図1**）。

CBCL（Child Behavior Checklist）は主に親が子どもの行動を評価し，社会的能力尺度（Social Competence Scale）と，問題行動尺度（Problem Scales）からなっている。社会的能力尺度は，子どもが好きなスポーツや趣味，子どもがしている家事の手伝い，親しい友達や兄弟・家族との関係，学業成績など生活状況を調べるものである。問題行動尺度には，子どもの情緒や行動の問題に関する118項目の具体的な質問と親が自由に問題を記述する1項目の質問がある。質問項目の内容は，「行動が年齢より幼すぎる」，「よく泣く」，「よく言い争いをする」など，いずれも具体的で簡易な表現であり，その子どもと日常接している大人であれば，容易に評価できる。

この行動評価尺度は4〜18歳の子どもを対象に評価するように作成されており，子どもの現在および過去6カ月間の状態について，「まったくまたはよくあてはまる」，「ややまたはしばしばそうである」，「あてはまらない」の3件法で評価する。これらの項目から「ひきこもり」，「身体的訴え」，「不安・抑うつ」，「社会性の問題」，「思考の問題」，「注意の問題」，「非行的問題」，「攻撃的行動」の8つの症候群尺度（Syndrome Scales）と2つの上位尺度，すなわち内向尺度（Internalizing）と

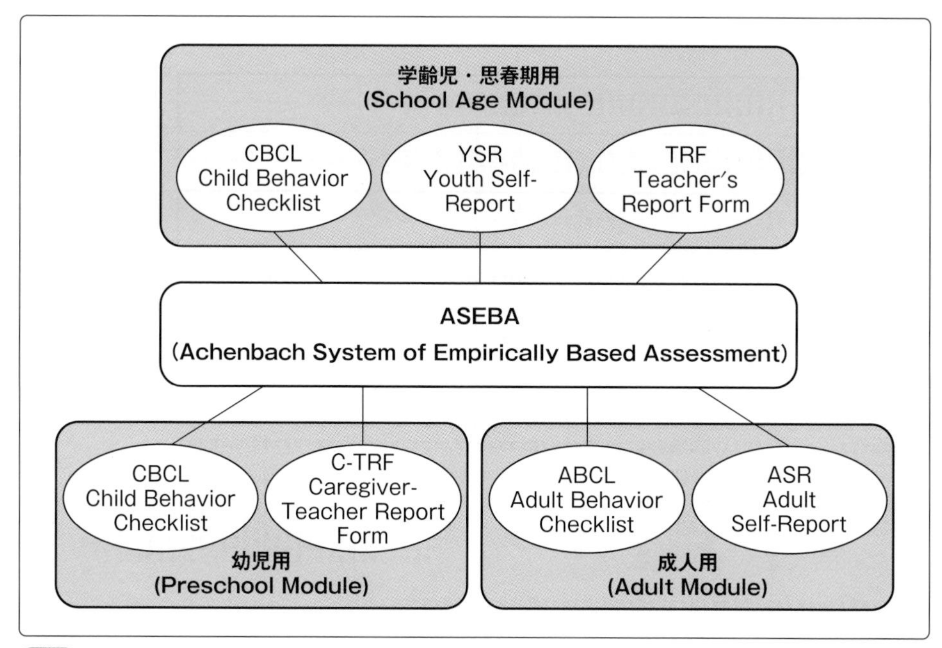

図1 ASEBAの全体像

外向尺度（Externalizing）から構成され，全項目の得点から総得点が算出される。

TRF（Teacher's Report Form）は主に教師が評価し，学業成績や学校での生活に関する自由記述項目と問題行動尺度（全113項目）からなっており，一部の質問項目を除いてCBCLとほぼ同じ内容である。YSR（Youth Self-Report）は11歳以上の子どもが自記式で回答する質問紙で，質問項目および評価方法はCBCL，TRFに準ずる。

・得点算出と評価方法

CBCLとTRFとYSRはともに妥当性と信頼性が高い評価尺度である。CBCLおよびTRF，YSRともに各症候群尺度得点のT得点を算出し，正常域・境界域・臨床域を区分するためのカットオフポイントを設定している。各症状群尺度得点では，T得点66点（累積度数分布の94%）以下を正常域，67点（累積度数分布の95%）から70点（累積度数分布の98%）までを境界域，70点を超えた場合を臨床域としている。

評価の結果は，症候群尺度のプロフィールと，またそれぞれの症候群尺度の得点が正常域・境界域・臨床域のどこにあるかによって，子どもの問題の特徴と深刻度が把握できる。また内向・外向の2つの上位尺度評価および総得点は，T得点59点（累積度数分布の84%）以下が正常域，60点（累積度数分布の85%）から63点（累積度数分布の90%）までが境界域，63点を超えた場合が臨床域である。内向・外向尺度は，子どもの問題の内向的傾向・外向的傾向とその深刻さを調べ，総得点は問題全体の深刻さを捉えることを目的としている。

3）行動評価尺度CBCLとTRFを使用した事例

図2に示すのは，授業中のおしゃべりと友人とのトラブルを訴えて，教育相談に来所した小学校4年（10歳男児）の母親が記入したCBCLの結果である（事例A）。8つの下位尺度得点のプロフィール，その上位尺度である内向・外向尺度の得点と総得点のプロフィール欄の中央に2つの横線がある。これらは正常域と境界域と臨床域を区分し，得点が下の点線より下部にあれば正常域，

CBCL(4－18歳用)プロフィール(男子)　氏名 A　年齢 10歳　記入日 0/0/0　番号 1

ひきこもり / 身体的訴え / 不安/抑うつ / 社会性の問題 / 思考の問題 / 注意の問題 / 非行的行動 / 攻撃的行動（各 4-11歳 / 12-15歳）

内向尺度 / 外向尺度 / 総得点（各 4-11歳 / 12-15歳）

パーセンタイル　100　98　96　93　84　69　≦50

T得点

総得点 52

T得点 69

内向尺度得点 11

内向T得点 65

外向尺度得点 25

外向T得点 75

I
ひきこもり尺度
42.ひとりを好む
65.しゃべろうとしない
69.秘密にする
75.内気、臆病
(1) 80.一点をみつめる
88.よくすねる
102.活動的でない
(1) 103.落ち込んでいる
111.引きこもる
計 (2)

II
身体的訴え尺度
(1) 51.めまい
54.疲れすぎ
56a.痛み
56b.頭痛
56c.吐き気
56d.眼の問題
56e.発疹
56f.腹痛
56g.吐く
計 (1)

III
不安／抑うつ尺度
12.ひとりぼっち
14.よく泣く
31.悪い事をするかも
32.完璧でなければ
33.大切に思われない
34.ねらわれている
(2) 35.自分には価値がない
45.神経質
(2) 50.こわがり
(2) 52.自分が悪いと思う
71.人目を気にする
(1) 89.疑り深い
(1) 103.落ち込んでいる
(1) 112.心配する
計 (9)

IV
社会性の問題尺度
(2) 1.行動が幼い
(1) 11.大人に頼る
(2) 25.仲良くできない
(1) 38.からかわれる
48.好かれていない
55.太りすぎている
62.不器用
64.年下を好む
計 (6)

V
思考の問題尺度
9.強迫観念
40.音や声が聞こえる
66.強迫行為
70.ないものが見える
(1) 80.一点をみつめる
84.変な行動
85.変な考え
計 (1)

VI
注意の問題尺度
(2) 1.行動が幼い
(2) 8.注意が続かない
(1) 10.落ち着きがない
(1) 13.混乱する
(2) 17.考えにふける
(2) 41.衝動的
45.神経質
46.体がひきつる
(2) 61.成績が悪い
62.不器用
(1) 80.一点をみつめる
計 (13)

VII
非行的行動尺度
(1) 26.悪いと思わない
39.悪い子とたむろする
43.嘘をつく
63.年上を好む
67.家出をする
72.放火をする
(1) 81.家の中で盗み
82.家の外で盗み
90.ののしる
96.セックスのことを考える
101.怠学
105.酒やクスリを飲む
106.器物破壊
計 (2)

VIII
攻撃的行動尺度
(2) 3.言い争い
(1) 7.自慢する
(2) 16.他人に残酷
19.注意を引きたがる
(2) 20.自分の物を壊す
(2) 21.他人の物を壊す
(2) 22.いうことをきかない
(2) 23.学校でいうことをきかない
27.嫉妬する
(2) 37.けんかをする
(2) 57.暴力をふるう
(2) 68.よくわめく
(1) 74.目立ちたがり屋
86.頑固、不機嫌
87.気分がかわる
93.しゃべりすぎ
(2) 94.人をからかう
(1) 95.かんしゃく持ち
97.人をおどす
104.騒々しい
計 (23)

その他の問題
5.異性のようにふるまう
6.トイレ以外で大便
15.動物を虐待
18.自分を傷つける
24.食べない
28.食べ物以外を口にする
29.怖がる
30.学校を怖がる
36.事故にあいやすい
44.爪かみ
47.怖い夢
49.便秘
53.食べ過ぎ
56h.その他の身体的問題
58.皮膚をほじくる
59.人前で性器いじり
60.自分の性器をいじる
73.性的な問題
76.睡眠時間が短い
77.睡眠時間が長い
78.大便をぬりたくる
79.しゃべり方の問題
83.不必要なものをためる
91.自殺のことを話す
92.寝ているときに歩く
98.指しゃぶり
99.きれい好きすぎる
100.睡眠の問題
107.日中おもらし
108.おねしょ
109.めそめそする
110.異性になりたがる
113.その他の問題
計 (0)

内向　外向　総得点

内向尺度＝スケールⅠ＋Ⅱ＋Ⅲ－項目103　外向尺度＝スケールⅦ＋Ⅷ

2. アレルギーと4. ぜんそくは総得点にいれない。

破線は正常域・境界域・臨床域を区分する線である。

訳：児童思春期精神保健研究会

図2 事例AのCBCL結果

点線に挟まれる部分にあれば境界域，上の点線より上部にあれば臨床域となる。

本児は小学校1年の夏に神経科クリニックでADHDの診断を受けており，当時の主訴は集中力の欠如と授業中の立ち歩きであったが，教育相談に来所した小学4年生時点でのCBCLの自由記述欄［お子さんについて最も心配していることは何ですか］の質問には，「学校での問題行動，授業に集中できず，嫌なことがあると暴れたり逃げ出したりする」と記載されている。CBCLのプロフィールを見ると下位尺度の不安／抑うつ尺度の得点が境界域，注意の問題尺度，攻撃的行動尺度の得点が臨床域にあり，上位尺度の内向尺度，外向尺度の得点はともに臨床域，総得点は臨床域にあった。相談来所後に担任教師にTRFの記入を依頼し，その評価結果は，注意の問題尺度と攻撃的行動尺度の得点は臨床域，上位尺度の外向尺度の得点は臨床域，総得点は境界域であったが，下位尺度の不安／抑うつ尺度の得点および内向尺度の得点は正常域であった。不安／抑うつ尺度と内向尺度の点では母親と教師の評価は異なっていた。これらの結果は，内向的な症状が学校現場また教師では気づきにくいためと思える。

CBCLとTRFの評価結果を比較すると，学校においては不注意の問題や逸脱行動や乱暴など行動が顕著であるが，保護者が記入したCBCLの評価からは外向的な問題とともに不安や抑うつといった内向的な問題も看過できない状態であることを示唆しており，本児が前思春期に近づくにしたがって内面的な問題への支援も必要であることがわかる。

4）行動評価尺度の有用性と限界

事例で示したように，これらの行動評価尺度を用いることで，診察室だけでは観察できない多くの情報を得ることができ，また異なる場所や異なる立場からの評価を比較することで症状の現れ方と環境や他者との関りの問題を知ることができる。また，ある程度の期間をおいて再実施することで治療的介入の効果を客観的に調べるのにも役立つ。このように行動評価尺度は包括的に子どもの状態像をとらえることができ，系統だった情緒と行動の評価は診断の補助となるとともに，その後の治療的介入の手がかりを提供し，治療や支援の効果を測定するために使用することも可能である。

しかし，行動評価尺度の結果には，記入者の質問の読み取りや記入の間違い，症状や問題に対する感受性や耐性の違いなどの誤差が混入することを留意する必要もある。日常の診療や相談で得られる子どもの状態像と行動評価尺度の結果に極端な違いや明らかな矛盾がある場合，記入者の防衛や意図的錯誤が評価を歪めている可能性が考えられる。例えば診断に対する親の抵抗や反発や，教師の学級経営能力の貧困さなど，記入者自身が自分の問題を隠蔽しようとすることによって評価を歪める可能性があり，記入の歪みの背景を慎重に吟味する必要がある。このような評価の信頼性を損ねる問題は行動評価の限界であるとともに，子どもの生活環境や周囲の人々の関係性において解決すべき問題があることを示唆しているといえる。

（中田 洋二郎）

3 ADHDの発達障害としての特性プロファイル評価尺度（1）MSPA

他の章でも述べられているとおり，ADHD児はその特徴である不注意・多動性・衝動性のみならず，ASDや発達性協調運動障害（DCD）や限局性学習症（SLD）などの他の神経発達症を併存したり，その他睡眠の問題も抱えたりする。このため，ADHD児の日常生活上の困りを理解し，支援や配慮をする際に，ADHD症状ばかりでなく包括的な発達特性（発達障害児が有しやすい特性）

の評価が有用となりうる。

1）MSPA（Multi-Dimensional Scale for PDD and ADHD）とは

発達特性プロファイルに相当するMSPAは2011年に開発された[7]。**図3**のとおり，MSPAは，ADHDの3特性（衝動性，多動性，不注意）に加え，ASDに関連する6つの特性（反復運動，感覚，こだわり，共感性，集団適応力，コミュニケーション），DCDの2特性（微細協調運動，粗大運動），SLD，睡眠，言語発達歴の14特性からなる。このプロファイルは，各特性について，生来的な特性に対する，平均的な環境における要支援度を9段階（1～5とそれぞれの中間）で評価することで作成される。環境の変化によらない一貫した支援を目的として，要支援度は現在評価ではなく特性に対する評価としている。もし，適応状態の改善により要支援度を下げ，支援がなくなれば，再度，もとの発達特性による困りが生じる可能性が高く，子どもや保護者を混乱させることになりかねないためである。

この生来特性に対する評価には一定の熟練を必要とするため，MSPA評価をするには講習会の受講が必要である。評価の基準としては，すべての特性に共通の全体基準と，それに基づいて各特性に置き換えた特性ごとの基準を定めており，**表1**では不注意を例に示す。DSM-5にも重症度評価の記載があるように，発達障害の特性はその程度評価も重要である。MSPA評価とDSM-5の重症度評価を比べると，MSPAでの評価3がDSM-5の軽度，MSPAでの評価4がDSM-5の中等度，MSPAでの評価5がDSM-5の重度に概ね相当する。

2）事前アンケート

MSPAには事前アンケートが付随しており，効率的に情報を収集できるようになっている。このアンケートの目的は，気になる症状以外も含む漏れのない情報収集，関係者それぞれの認識度調査，来談できない関係者からの情報収集，円滑な面接と面接時間の短縮などである。

事前アンケートでは，14特性それぞれに対して数個の質問項目が含まれており，**表2**に不注意の部分を示す。各質問項目は，各特性に含まれるチェックしやすい行動特徴を尋ねる内容となっており，できるだけ重ならないような工夫がなされている。例えば，「注意の持続が困難」といった重要と思われる内容でも複数項目に重ねず，「ミス」なのか「気が散る」なのかというような結果としてわかる行動を項目としている。また，事前アンケートは，「全くそう思わない」から「とてもそう思う」の4件法であるが，反転項目を設けないことで，右側にチェックがつくほど困りを抱

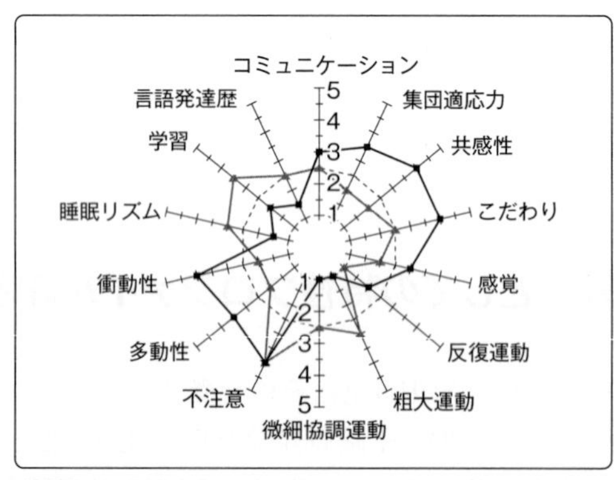

図3 MSPAレーダーチャートによるADHDの2例（創作例）

表1 MSPA評価基準（MSPA記録用紙より）

評価	要支援度	評価基準（全体）	評価基準（不注意）
1		気になる点はない	気になる点はない
2		多少気になる点はあるが通常の生活環境において困らない	負荷が大きい（すべきことが重なる，心配事があるなど）と不注意が目立ち始める
3	軽度	本人の工夫や，周囲の一定の配慮が必要（上司，担任など責任ある立場の人が把握し配慮する程度）	負荷が少なくても不注意が目立つが，本人の工夫や多少の環境調整により日常生活が送れる
4	中等度	大幅な個別の配慮が必要（上司，担任，同僚などの十分な理解や的確な配慮による支援がなければ困難）	不注意のために社会生活に支障があり，本人の努力や多少の環境調整では克服できない
5	重度	個人単位の支援が優先され，日常生活自体に特別な支援が必要となる	不注意のために，交通安全面や身支度面など日常生活自体にとても支障がある

表2 事前アンケート「不注意」と対応する行動特徴（MSPA事前アンケートより）

行動特徴	現在の状態に✓，幼少期の状態に○	まったくそう思わない	少しそう思う	わりとそう思う	とてもそう思う	備考
ミス	課題の出来が雑であったり，ケアレスミスが多い					
忘れる	約束や出来事，持ち物などを忘れやすい					
なくす	整理整頓が苦手で，物をなくしたり，さがし物がなかなか見つけられない					
気が散る	気が散りやすく，作業が中断される					
同時処理	複数の作業を同時に進めることが難しい					
段取り	課題や作業の段取りを立て，最後までやる遂げることが難しい					
ケガ	よくケガをしたり，事故にあいそうになったりする					

えていることが一目でわかるようになっている。つまり，合計点の妥当性に主眼がある質問紙ではなく，困りの部分と程度を把握して，そのまま支援や評価につなげる意図で作成されている。また，現在の状態に✓，幼少期の状態に○と記載することで，各行動特徴が幼少期からあったものか，現在目立たなくなっているのか，最近の困りとして出ているのかを判断できる。幼少期とは小学校低学年ごろまでが想定されているが，その年齢以下の場合は，現在の状態の回答のみでよい。

この事前アンケートに，保護者（できれば複数），概ね11歳以上は本人も，また教員や支援者など日常をよく知る人が話し合わずに記入することで，それぞれの視点での行動特徴が得られる。この認識度は記入者によって異なるが，その認識のばらつきに支援的意味があり，共通理解を促すきっかけになりうる。

3）面接

面接の際には，先立って，保護者や対象児にMSPAの概要や評定の意味などを十分に説明し，MSPA面接を受けたいという意思を確認しておく必要がある。意思確認ができれば，事前アンケートの依頼，また無理のない範囲で関係者への面接やアンケートの協力を依頼する。面接では，対象児との面会は必須であり，面会ができない場合には暫定評価となる。MSPA面接の時間としては，事前アンケートや面接などの情報収集および結果処理を含め，全体で1時間半程度であるが，十分な情報がそろっていて，熟練した評価者の場合は面接自体は30分程度で実施できる。

MSPA面接では，特性ごとの基準に沿ってアセスメントを同時に行うが，事前アンケートを活用することで，一定の時間内に包括的で安定した評価が得られやすい。例えば，「アンケートでは『よくケガをしたり，事故にあいそうになったりする』で『とてもそう思う』と回答されていますが，どのようなことがありますか？」など，アンケートの回答から面接の話題を広げていくと進めやすく評価しやすい。各特性において，右寄りに○や✓がある項目から順に聞いていくとよいだろう。注意すべき点は，アンケートの回答を鵜呑みにせず，どのような特徴をとらえたのかを聞きながら，その特性に合致するかは評価者が判断する。「まったくそう思わない」とされていた場合でも，実はその特性があることがあるので，簡単に口頭で確認をしていくとよい。ただし，口頭での回答もまた，その語る人の対象児に対する認識として把握しておかなければならない。例えば，「気になることはありませんでした」と答えたからといって，その特性がないことを意味するわけではなく，具体的なエピソードのなかから判断する必要がある。

4）MSPAの活用

MSPAは，本人および周囲が特性を等身大に理解することで，日常生活における支援や配慮を行うことを目的としているため，まずは，その共通理解ツールとして活用できる。図3の黒線のADHD児の場合，不注意，多動性，衝動性に加えてASDも併存しており，複数の特性において中等度の支援を必要としていることが一目で理解できる。灰色線のADHD児の場合は，不注意優勢で多動性や衝動性は目立たず，ASDも認めないが，協調運動，学習，睡眠の問題を抱え，多面的な支援を必要とする。一見，わかりにくいために，発達障害があることを理解されづらいかもしれないが，そのような場合には二次障害に繋がりやすいため，留意する必要がある。また，これらの例とは別に，一見，多動に見える行動でも，感覚過敏のためにその場から離れていた，気になる物を見つけて衝動的に動いていたなど，他の特性として捉えて配慮すべきこともある。このように気になる行動を特性別に整理しておくことは，日常生活の過ごしやすさにつながると考えられる。

MSPAをより有効に活用するためには，用紙だけが独り歩きするのではなく，面接の場にいた人やその内容をよく理解している人が支援ネットワークに関わるとよいだろう。評価者が個々の支援に関わることが困難な場合は，MSPA面接時に，MSPA評価について丁寧に説明しておくことが望まれる。もし，MSPA面接に，本人や保護者に加えて教員などの支援者も同席する同意が得られ，同時面接が可能となれば，安定した評価が可能となるばかりでなく，いっそうの共通理解が得られ，その後の支援も円滑となるであろう。同時面接が困難な場合は決して無理をせず，別々の面接とするか，それも難しければ可能な人のみの面接とする。面接の場に来られないが質問紙の協力ならできる方には，事前アンケートのみ送って頂いて評価の参考とするなど，無理のない範囲で柔軟な対応が求められる。

さらに，MSPAは，評価よりも面接に意味をもたせて活用することもできる。つまり，面接時にさまざまなエピソードを聞きながら特性として整理していく作業を共同で行う形にして，共通理解を得るというやり方である。その際に，これまで発達特性と気づかなかった行動特徴が，実は特性に由来するのだと理解を深めることで，日常生活での工夫や配慮のポイントが得られることもある。また，事前アンケートを面接で共有してよいかあらかじめ尋ねておいて，許可が得られていれば，事前アンケートでの認識の違いを話題にして面接を進めることもできる。アンケートをもとにした面接だけでも，話し合いによる共通理解が得られるため，評価はしないという選択肢もある。特に，情報が不十分な場合や評価が困難な場合には，無理に評価しないで，話し合いの場とするのもよいだろう。

5）薬物療法への応用

ADHDの診断は必ずしも薬物療法の開始を意味するわけではない。まずは，心理社会的治療，家族ガイダンスなどを試みたうえで，必要に応じて薬物療法が検討される。ただ，すでにかなりの支援や工夫をしたのちに，薬物療法目的で診療現場にたどり着くことも少なくない。そこで，薬物療法の目安としてもMSPAを活用できるだろう。MSPAでの評価が3の場合，本人の工夫や周囲からの一定の配慮があれば大きな困りはない程度であるから，薬物は必要ないかもしれない。評価が4の場合は，一定程度の配慮や工夫では困難であるから，薬物療法を考慮する場合が出てくる。特に，不注意，多動性，衝動性の特性のうち1つだけが4の場合よりも複数が4であるほうが薬物療法が必要となりうる。ただし，本人や保護者の意向を十分に尊重する必要がある。評価が5の場合は，例えば「不注意」では，「不注意のために，交通安全面や身支度面など日常生活自体にとても支障がある」程度であり（表1），より薬物療法を検討する必要があると考えられる。また，現在，複数のADHD治療薬があるが，MSPAは，不注意，多動性，衝動性のうち薬物療法の標的とする特性とその程度を図示できることから，薬物選択の参考ともなりうるであろう。

（船曳 康子）

4 ADHDの発達障害としての特性プロファイル評価尺度（2）Vineland-II

1）ADHDと適応行動

ADHDは，不注意，多動性，衝動性といった特徴のある発達障害である。ADHDの診断過程や支援方法を検討する際に，適応行動についてアセスメントすることはいままではあまり一般的ではなかったが，ADHDに関連する問題行動は数多くあり，適応行動上の障害に繋がると考えられる。また，ADHDでは，しばしばASD，学習障害，強迫性障害といった併存症がみられるため，何が適応行動を妨げているのかを同定することが難しい場合がある。しかし，適応行動という視点から支援を組み立てていくと，どの障害が影響するかを考慮する必要はあまりないだろう。

(1) 日本版Vineland-Ⅱ適応行動尺度

適応行動を調べる検査として，日本版Vineland-Ⅱ適応行動尺度がある。これは，米国で開発されたVineland Adaptive Behavior Scale Second Editionを[8]，日本用に項目を作成し直し，原版に合わせた年齢構成で約1,400人の日本人に実施して標準化したものである[9]。適応行動と同時に不適応行動も評価することができる。対象年齢は0～92歳と幅広く，保護者などの対象をよく知る人が回答者となり，対象が何をしないかよりも何をするかに焦点をあて，自由に語ってもらえるよう独特の半構造化面接の形式をとっている。対象者は同席せず，実施時間は30～60分程度である。尺度の構成は，「コミュニケーション」，「日常生活スキル」，「社会性」，「運動スキル」の4領域からなり，それぞれに下位領域がある。その下位領域に多くの日常的な質問項目が用意されており，適応行動を多面的に捉えることができる。受検者の年齢によって実施しない領域および下位領域があり，「運動スキル領域」は，受検者が7歳未満と50歳以上の場合に実施し，下位領域の「読み書き」は受検者が3歳以上から，「家事」領域は1歳以上からそれぞれ実施可能である。不適応行動を評価することもでき，「不適応行動領域」は3歳以上の受検者に関して，「内在化問題」，「外在化問題」，「その他の問題」，「重要事項」という領域について評価できる（**表3**）。

表3 Vineland-Ⅱの領域と下位領域

	領域	下位領域	項目数	対象年齢
適応行動	コミュニケーション	受容言語	20	0歳〜
		表出言語	54	0歳〜
		読み書き	25	3歳〜
	日常生活スキル	身辺自立	43	0歳〜
		家事	24	1歳〜
		地域生活	44	1歳〜
	社会性	対人関係	38	0歳〜
		遊びと余暇	31	0歳〜
		コーピング	30	1歳〜
	運動スキル	粗大運動	40	0〜6歳，50歳〜
		微細運動	36	0〜6歳，50歳〜
不適応行動		内在化	11	3歳〜
		外在化	10	3歳〜
		その他	15	3歳〜
		重要事項	14	3歳〜

評定方法は，各項目の行動について，対象者が習慣的に行っている場合は「2」，ときどき行う場合や少し助けがいる場合は「1」，行わない場合は「0」とする。不適応行動の評定は，「2　しばしばある」，「1　ときどきある」，「0　まったくない」という基準で行う。算出される結果であるが，Vineland-Ⅱの適応行動総合点や領域標準得点は，ウェクスラー系の検査と同じく平均を100，標準偏差15となっており，全検査IQなどと比較することができる。下位領域がありv評価点（下位領域では平均15，標準偏差3の評価点）が算出される。不適応行動については不適応行動指標というv評価点および，内在化問題，外在化問題のv評価点も求められる。不適応行動の重要項目はそれぞれの質問項目で評価され，各行動の頻度と強度で評定される。このように，適応行動と同時に不適応行動も調べることができ，適応行動とIQを容易に比較できることがVineland-Ⅱの大きな強みでもある。

(2) Vineland-ⅡのADHD児への実施例

事例を通して，ADHDの子どもへの支援において，適応行動の視点をもつことの重要性を考えてみたい。

事例

Aは8歳，小学2年生で通常学級に在籍している。整理整頓が苦手で，学校の机の中はぐちゃぐちゃ，古い答案用紙や学校からのお便りが入ったままになっている。家の子ども部屋も散らかしっぱなしなので，いつも母親が片づけている。当然ながら，学習に必要なものや宿題を忘れたりすることも多い。また，なくし物も多く，消しゴムなどは毎週買う必要がある。朝の支度も苦手で，用意をしているうちにほかのことを始めてしまい，朝早く起床しても結局，遅刻してしまう日もある。友人関係では，クラスメイトが大好きで仲良く遊ぶこともあるが，一方的にずっとしゃべり嫌がられたり，遊んでいるところにいきなり割り込んだりすることでトラブルになることも増えてきた。

Aには，包括的なアセスメントとして，WISC-Ⅳ知能検査，ADHDの特性を調べるADHD-

RSやConners-3，ASDの特性を調べるPARS-TRと，Vineland-Ⅱ適応行動尺度が実施された。全検査IQは103であり，知的水準は平均域であった。指標間にも有意な差は見られなかった。ADHD-RSやConners-3からはADHDのカットオフ値を超えていることが示され，PARS-TRの結果もASDのカットオフ値を超えていることが示された。Vineland-Ⅱ適応行動尺度の結果は**表4**のとおりだった。適応行動総合点は71で「やや低い」という適応水準となっている。領域・下位領域を見ると，全領域が「やや低い」という適応水準である。下位領域をみると，コミュニケーション領域では「受容言語」，「表出言語」が「低い」，「読み書き」が「平均的」と高くなっている。日常生活スキル領域は「身辺自立」，「家事」，「地域生活」のすべてが「やや低い」，社会性領域では「遊びと余暇」が「平均的」，「対人関係」，「コーピングスキル」が「やや低い」となっている。また，不適応行動指標も「やや高い」となっており，内在化問題はないが外在化問題が「やや高い」となっていた。

ADHD児は，日本版Vineland-Ⅱ適応行動尺度の標準化作業における臨床サンプルの1つとして含まれており，適応行動総合得点の平均値は統制群より低く，不適応行動指標と外在化のv評価点が高いという結果であり，今回のAの結果とほぼ同じで，典型的なADHDの特徴を示すプロフィールといえるだろう。Aの場合，評価点の低い下位領域の項目を拾い出すと，以下のようになる。

・受容言語：注意しながら聴く，指示に従う

・表出言語：会話を続ける，相手が理解できるように話す

・日常生活スキル：休憩時間や門限を守る，手伝いの遂行

・社会性：他者への気遣い，場に合わせて振る舞いを変える，秘密を守る

Vineland-Ⅱ適応行動尺度の優れているところは，領域の各項目が実際の生活での行動に直結しているため，すでに部分的にできている，あるいは，促しがあれば実行できている1と評価された項目を短期目標として支援方法を考えればよいことである。1にはなっていないが，交通ルールなど生活上必須な項目も，短期の支援目標とするとよいだろう。

Vineland-Ⅱのもう1つの長所として，WISCの言語理解指標が高いために日常の言語コミュニケーション能力も高いだろうと誤解されてきた子どもたちの実際のコミュニケーションの苦手さが，数値で表せることが挙げられる。WISCが言語の知識や推論を問うものが中心となっている一方で，Vineland-Ⅱのコミュニケーション領域は，日常生活のなかでの言語の運用力を測っており，実際に人の話を集中して聞いたり，指示を実行したり，会話を続けるといった力の弱さが「数値」として求められる。Aは，WISCの言語理解は標準的な値であるにもかかわらず，実際のコミュニケーション力は非常に低いことが示された。

ADHDの特徴を考慮しながら，Aが生活しやすくなり将来的にも適応的な生活をするためにはいま何をしていくのかが支援の焦点となるだろう。日常生活においても，知能検査を実施したような静かな環境，注意が集中しやすい環境が保障されるべきではあるが，実際の学校場面では難しく，教室であれば前方の机に座るのがよいし，会話のやりとりなどは，友人が話す間は待つなどのルールをSSTのようなロールプレイなどで身につけることもよいだろう。読み書きは年齢相応であり，重要な内容は視覚情報として渡すなどが有効だろう。

2）おわりに

架空事例を通して，適応行動の視点からADHDの支援を考えてみたが，現在，発達障害の診断には，日常生活において適応的に過ごせているかが含まれおり，発達障害の特性を把握したうえで

表4 事例AのVineland-Ⅱ適応行動尺度の結果

下位領域と領域の得点									強み（S）と弱み（W）	
下位領域／領域	粗点	v評価点	領域標準得点	90%信頼区間	パーセンタイル順位	適応水準	相当年齢	スタナイン	得点-中央値	S/W
受容言語	28	7		5－9 ±2		低い	2：6		0	
表出言語	85	7		5－9 ±2		低い	4：1		0	
読み書き	37	16		14－18 ±2		平均的	9：0		9	S
コミュニケーション	合計 30		71	62－80 ±9	3	やや低い		1	－5	
身辺自立	70	11		9－13 ±2		やや低い	5：8		－1	
家事	17	12		10－14 ±2		やや低い	5：10		0	
地域生活	46	12		10－14 ±2		やや低い	7：0		0	
日常生活スキル	合計 35		76	69－83 ±7	5	やや低い		2	0	
対人関係	57	10		7－13 ±3		やや低い	4：6		－1	
遊びと余暇	53	15		13－17 ±2		平均的	7：9		4	S
コーピングスキル	29	11		10－12 ±1		やや低い	5：9		0	
社会性	合計 36		78	69－87 ±9	7	やや低い		2	2	
粗大運動										
微細運動										
運動スキル	合計									

領域標準得点合計	225

	標準得点	90%信頼区間	パーセンタイル順位	適応水準		スタナイン
適応行動総合点	71	65－77 ±6	3	やや低い		1

	粗点	v評価点	90%信頼区間	不適応水準
不適応行動指標	9	18	16－20 ±2	やや高い
内在化問題	0	14	12－16 ±2	平均的
外在化問題	5	19	17－21 ±2	やや高い
その他	4			

適応行動を増やしていくことが支援の柱となると考えられる。また，ADHDでは年齢が上がるとともに知的水準と適応水準の乖離が大きくなることが示唆されている[10)]。こうした研究から，ADHD児の適応行動の視点にたった早期支援が望まれる。そして，その支援の目標や具体的な支援方法を考えるときにVineland-Ⅱは非常に役立つといえる。

（黒田 美保）

5 行動特徴のチェックリストによる幼児期ADHD症状の評価の意義と限界

1）発達障害のとらえ方

発達障害の定義はDSMに代表される操作的診断基準によってなされるが，原因病態とそこから発生する症状から定義される身体疾患とは異なり，その捉え方は明確ではない。発達障害は社会モデル（少数派の特性をもつため，多数派のために設計された既存の社会の枠の中で生きにくさを感じる状態）と，医学モデル（個人が正常とは異なる病理をもち，治療しなければ症状に悩まされる状態）の両者で捉える必要がある。

医学モデルばかりが協調されると今の状態が間違いということになり現状を否定することになりかねない。発達障害の治療支援には発達障害の理解が必要で，肯定的な理解には現状の否定はなじまない。保護者がADHDのあるわが子を肯定的に見ることができ，必要なことを支援として実践していく気になってもらうことが発達臨床の主たる役割だと著者は考える。その意味で，保護者がわが子のADHD症状を肯定的に受け止めることは支援の第一歩として極めて重要なステップだと考える。

2）行動特徴のチェックリストの目的

ADHD児への早期介入は二次障害予防の観点から極めて重要である。そのためには生活のなかで示される子どもの行動についての親の気づきを支援の必要な症状として納得してもらうことが必要である。DSM-ⅣあるいはDSM-5においても，ADHDの診断基準は学童期以降を対象としたもので，幼児期早期にADHDを診断判断する際にはそのままの形では利用することはできない。一方，DSM-ⅣやDSM-5でADHDを診断するには6歳以前（成人では12歳以前）から症状を認めることが必要である。ADHD児が幼児期に示す行動特徴で7歳以降のADHD症状につながる行動をチェックできるツールがあれば，幼児期にADHD特性について親に説明が可能であり，親支援としても有用と考える。このような観点から，ADHD児の早期発見，ADHD児または疑い例への適切な対応，保護者の気づきを保証するために，幼児期でも使用が可能な早期介入用の不注意，多動性・衝動性のチェックリストの作成を試みた。

3）幼児版のADHD診断基準について

幼児期にADHDの診断をするための診断基準やチェックリストは見当たらない。生理的に不注意，多動性・衝動性とされる行動特徴を示す乳幼児期の診断は困難と考えられる。Laheyらは4歳児を対象にDSM-Ⅳに基づいてADHDの診断を行い，6歳まで3年間のフォローアップを行い，少なくとも小学校低学年までは4歳児の診断が妥当であり問題は継続することを証明している[11, 12]。4歳を過ぎるとDSM-Ⅳの診断基準をそのまま適応すること可能だといえる。

4）行動特徴のチェックリストの作成

乳幼児でもADHDが想定されるような不注意，多動・衝動性などの行動をスクリーニングするための問診票の作成を試みた。すでにADHDの診断がついている学童期の子どもの保護者の協力を得て，乳幼児期に認めた問題行動を参考にチェックリストの項目を設定した。DSM-Ⅳにより確定診断されている学齢期以降のADHD児15人の保護者を対象としてアンケートを実施し，ADHD

児（実際には多くの子が最終的に自閉スペクトラム症を併存）が乳幼児期に示した行動特徴について調査した。その結果，①違和感を感じたエピソード（12項目），②多動性を感じたエピソード（10項目），③困難性を感じたエピソード（11項目），④精神的な苦痛・困難性を感じたエピソード（11項目），⑤他人に迷惑をかけたエピソード（11項目），⑥他者からの苦情があったエピソード（11項目）——の計66項目を行動特徴として選定できた。66項目のうち，重複・類似項目を整理し，幼児期早期には認めない内容を除外した。結果，①多動性7項目，②旺盛な好奇心6項目，③破壊的な関わり4項目，④不適切な関わり3項目，⑤強い癇癪4項目，⑥運動のアンバランス1項目の6カテゴリー25項目からなるチェックリスト（**表5**，462ページも参照）を作成した。それぞれの項目について，①ない，もしくはほとんどない，②ときどきある，③しばしばある，④非常にしばしばある——の四択で回答できるようにした。

表5 行動特徴のチェックリスト

	0：ない，もしくはほとんどない	1：ときどきある	2：しばしばある	3：非常にしばしばある
多動性				
1．じっとしていることができない	□	□	□	□
2．ちょろちょろ動いている	□	□	□	□
3．走り回っている	□	□	□	□
4．一定のところで遊べない	□	□	□	□
5．どこかにいっていなくなる	□	□	□	□
6．買い物につれていくとじっとできない	□	□	□	□
7．立ち止まることがない	□	□	□	□
旺盛な好奇心				
8．興味のあるものに突進する	□	□	□	□
9．何でも物を触る	□	□	□	□
10．ひとつの遊びに集中しない	□	□	□	□
11．誰にでも声をかける	□	□	□	□
12．誰にでもついていく	□	□	□	□
13．親がいなくても平気	□	□	□	□
破壊的な関わり				
14．人のいやがることをする	□	□	□	□
15．誰にでもちょっかいをだす	□	□	□	□
16．人をたたく	□	□	□	□
17．人をける	□	□	□	□
不適切な関わり				
18．名前を呼んでも戻ってこない	□	□	□	□
19．返事がない	□	□	□	□
20．視線が合わない	□	□	□	□
強いかんしゃく				
21．頭を床や壁に打ちつける	□	□	□	□
22．ちょっとしたことでかんしゃくをおこす	□	□	□	□
23．反り返る	□	□	□	□
24．爪かみ	□	□	□	□
運動のアンバランス				
25．転んでケガばかりする	□	□	□	□

5）行動特徴のチェックリストの標準化

津野らが，行動特徴のチェックリストの妥当性と信頼性の検討を目的に，宮城県内の幼稚園・保育園10施設の計22人の幼稚園教諭・保育士を対象に，行動特徴のチェックリストおよび外的基準としてC-TRF（Caregiver-Teacher Report Form）を用いて幼児（2〜5歳児）の日常生活態度の評価を実施した[13]。幼児138人（男児65人，女児73人）についての回答を分析した結果，行動特徴のチェックリストにおいて比較的良好な構造妥当性，基準関連妥当性，内的一貫性，評価者間信頼性が確認できた。行動特徴のチェックリストはADHDの特徴をとらえた尺度であり，特に総合得点での使用では，疫学研究にも応用が可能であると結論している。

6）各年齢における行動特徴の出現頻度

行動特徴のチェックリストに挙げられた行動特徴が1歳6カ月，3歳，5歳時点でどの程度の割合で認められるかを明らかにするために，1歳6カ月健診，3歳健診，5歳児発達相談の受診者を対象に，それぞれの年齢における行動特徴を示す頻度（浸透率）を調べた。調査には山口市保健セン

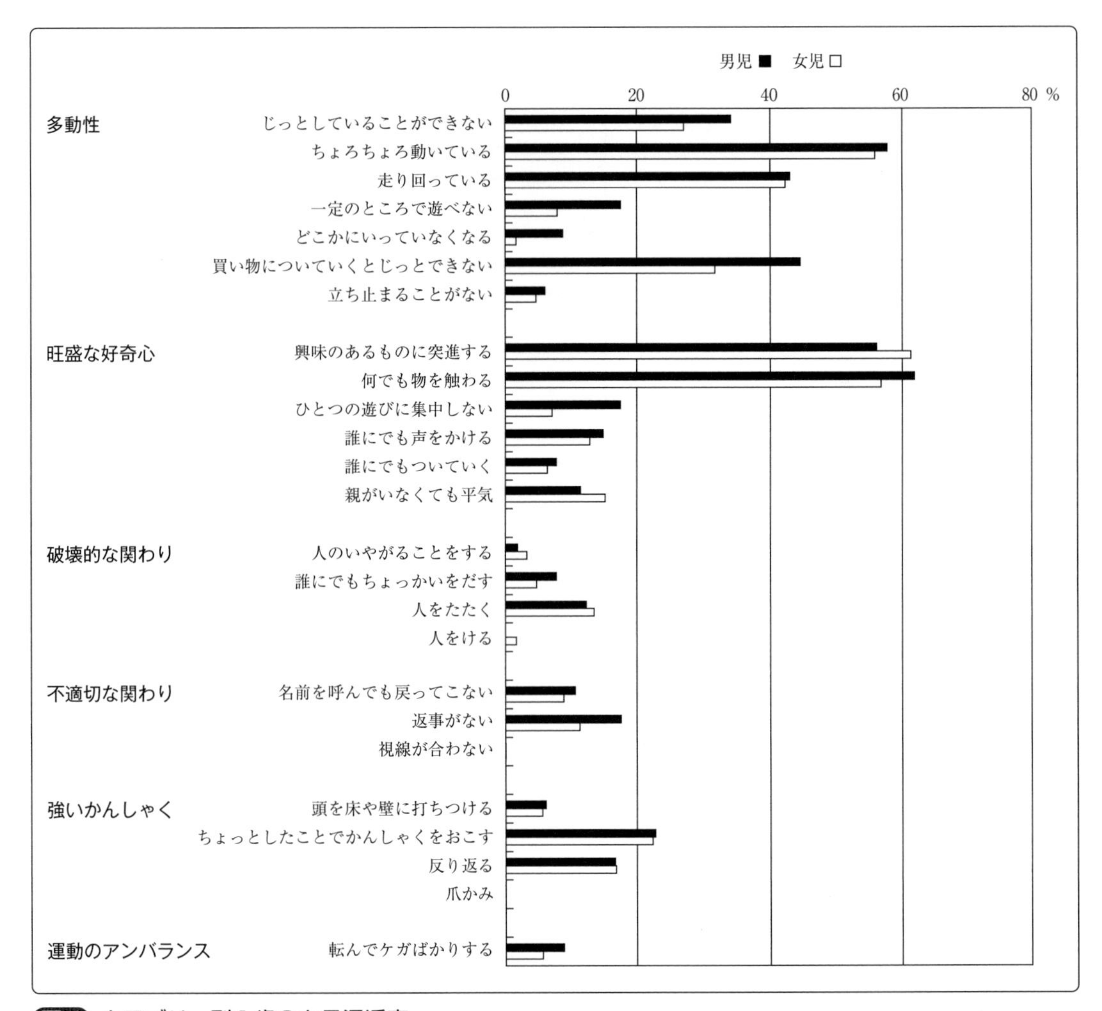

図4 カテゴリー別1歳6カ月浸透率

ター（1歳6カ月健診），下関市小児科医会（3歳健診），山口県教育庁の協力を得た。1歳6カ月健診受診者（以下，1歳6カ月）239人（男／女：114／125），3歳健診の受診者（以下，3歳）484人（男／女：248／236），5歳児発達相談の案内をした者（以下，5歳）216人（男／女：102／114）の協力を得た。男女別に「しばしばある」「非常にしばしばある」を陽性とし，各年齢における頻度を調べ，浸透率とした。結果は男女別に**図4〜6**に示す。

7）行動特徴のチェックリストの意義と使い方

ADHDの子どもが幼児期にとる行動特徴を示すことで，このような行動特徴を多く認める子どもの発達が全体のなかでは少数派であり，多数派が作った世のなかでは子ども自身が生きにくいと感じていることを親に説明するきっかけができる。

出現頻度からはこれらの行動の特徴が，1歳半児，3歳児，5歳児ではどの程度認めるかを知ることで，親がわが子の行動がどの程度少数派なのか確認することが可能になる。一般集団でも「しばしばある」，「非常にしばしばある」と感じる項目が含まれていることは，本チェックリストが明確な診断を目的に作成されたものでなく，子どもの発達の特徴についての親の気づきを促し，さら

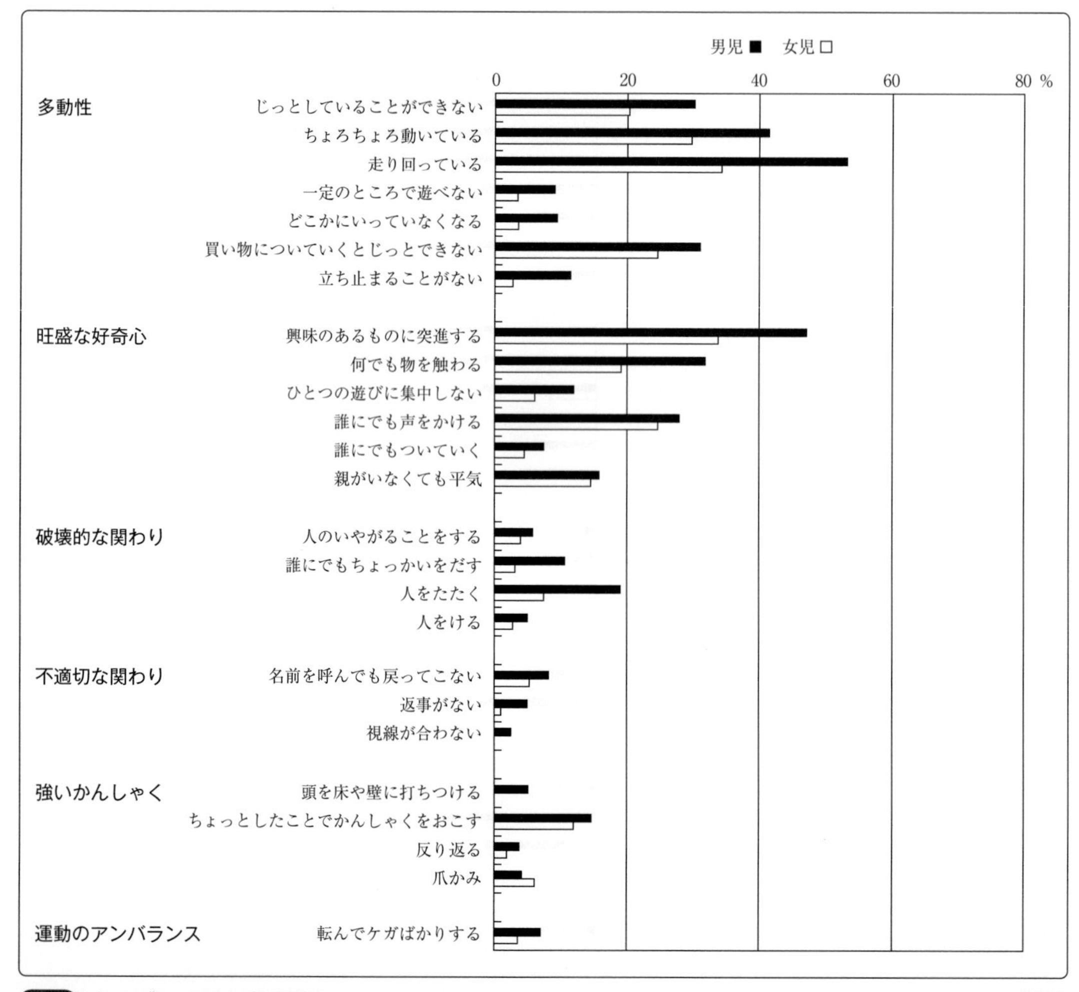

図5 カテゴリー別3歳浸透率

には気づいた特徴が障害の症状につながる可能性があるため，特性に配慮した支援的関わりをしながら経過をみる必要があるというメッセージを保護者に提供するために作成されたものである。したがって，何項目以上あればADHDであるというような使い方は適切ではないし，そのような基準は示しようもない。

8）評価の主観性とチェックリストの限界

外来診療の際には保護者（多くは母親）と保育者（幼稚園教諭，保育士など）の両方に行動のチェックリストをつけてもらうと，両者の評価にギャップを認めることが少なくない。また，所属する集団生活で提供される環境にも影響を受けるため，行動評価が時間的にも空間的にも一定の傾向を示すわけでもない。

子どもの行動はさまざまであるが，少子化で幼児期に他の子どもと比較することの少ない環境で子育てをしていると，少々の問題行動も幼いとか元気が良い，ですませてしまうことも少なくない。真に子どもの行動を肯定的に評価しているのなら，子どもにとって悪いことではない。しかし，実際には子どもの行動に問題は感じないと言いながらも，日常的に叱責を繰り返す育児が行われている。

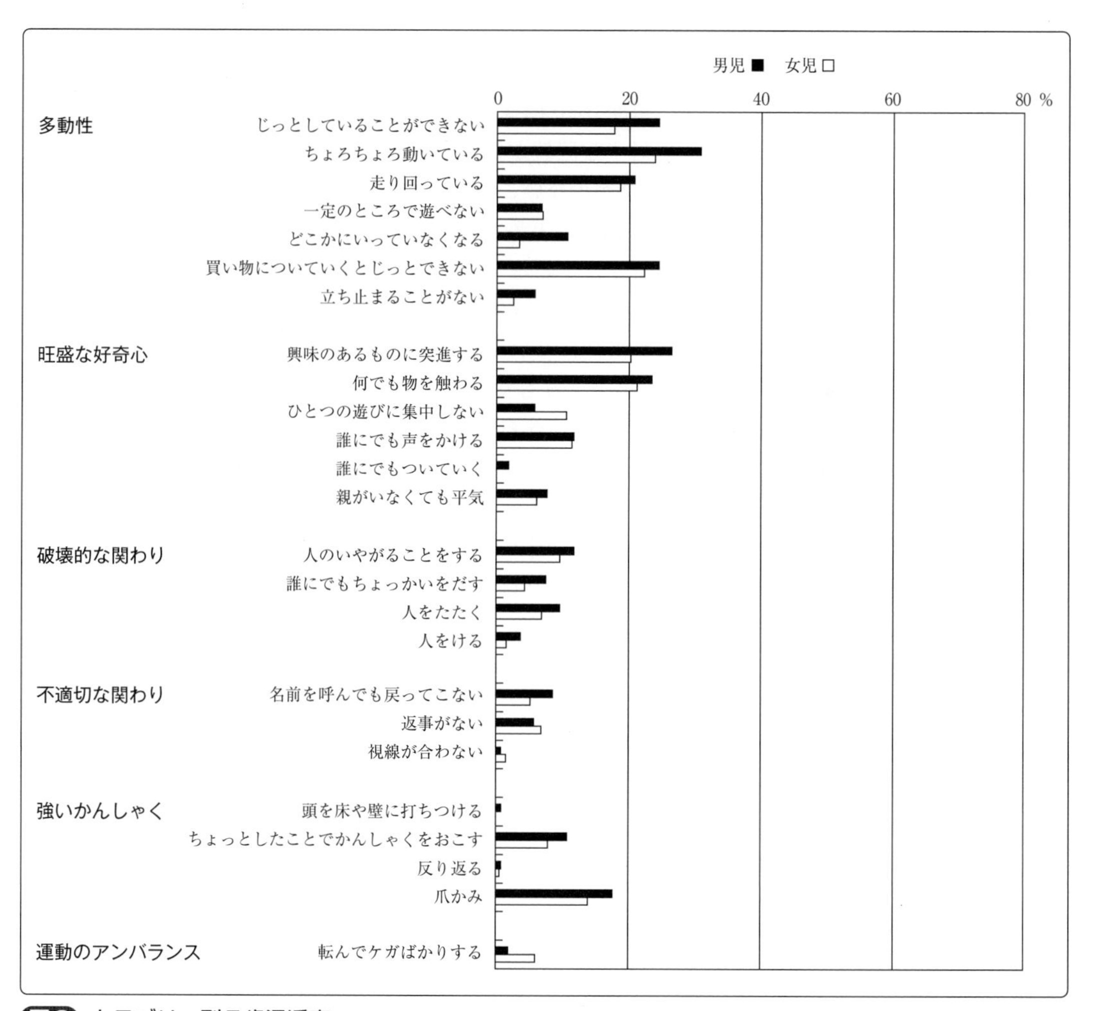

図6 カテゴリー別5歳浸透率

幼児期でも，滅多にみない行動や，年令的には認めうるが，頻度と程度が尋常でない行動を示すことができれば，子どもの行動の質を確認し，親の気づきを支援につないでいく切り口になると考えられる。

（林 隆）

6 子どもの日常生活チェックリスト（QCD）のADHD診療における意義

1）子どもの日常生活チェックリスト（QCD）とは

子どもの日常生活チェックリスト（QCD：463ページに掲載）は，保護者からみた子どもの生活機能を時間帯別（早朝／登校前，学校，放課後，夕方，夜，全体の行動）に分けて評価する質問紙である[14]。QCDには全20項目の質問があり，質問に容易に回答できるように具体的な例が質問に添付されている。例えば，「身だしなみを整えることができるか」，「学校での生活において他の子どもたちと同じように行動できるかどうか」，「受け入れてくれる友達がいるかどうか」，「家庭では問題なく宿題ができるかどうか」などである。

採点方法は，各項目の回答に0～3点が配点され，総得点は最大で57点である。留意点として，夜の行動に関する質問15が12歳以上，質問16が12歳以下を対象としており，年代別に質問内容が異なる。そのため総計19項目の質問に対する回答が採点対象となる。総得点および各時間帯の点数が高くなるほど，生活機能が高く，困難が少ないことを示している。

QCDは日本の一般児童を対象として，信頼性と妥当性が確認されている[15]。また，日本の小学生および中学生の男女別の標準値も公開されている[16]。公立小学校および中学校に所属する1,514名の児童の保護者にQCD，ADHDスクリーニング検査（ADHD-RS），反抗挑戦性評価尺度（ODBI）を配布し，内部一貫性と収束妥当性について確認されている。なお，コミュニティ・サンプルのQCDスコアは，「夜」を除いて男子よりも女子のほうの得点が有意に高く，「早朝／登校前」を除いて年齢での差は認めない特徴がある（**表6**）。

2）子どもを対象とした評価スケール

QCDにかぎらず，小児を対象とした診断・評価スケールは，誰を対象とした評価スケールなのかを明確にしておくことを忘れてはならない。例えば，子どもの精神症状や生活機能の評価をしたい場合にも，①子ども自身が記載する評価スケール，②親や保護者が記載する評価スケール，③教師が記載する評価スケール，④主治医が記載する評価スケール——の4つの回答者を少なくとも想定しておく必要がある。親や保護者であっても父親なのか母親なのか，教師も担任教師なのか養護教諭なのかを明らかにしておかなくてはならない。すなわち，親と教師では，家庭生活と学校生活のように子どもと関わる時間帯が異なることから，必然的にその評価も異なることを理解しておくべきである[17]。QCDは親を対象とした質問紙であり，他の評価者もしくは子どもが自分自身について評価をすることは想定されておらず，その信頼性と妥当性が確認されていない。

3）ADHD診療におけるQCD利用の意義

QCDはADHD診療において有益な評価ツールであり，その利点はADHD児を含めた子どもの生活上の困難さを時間帯別に簡易に評価できることである。

表6 コミュニティ・サンプルにおけるQCDの総得点および下位項目の得点分布

		男児				女児			
	年齢	Mean	SD	SE	95 %Cl	Mean	SD	SE	95 %Cl
早朝／登校前	6－7	7.42	2.75	0.20	7.03 ～ 7.81	8.20	2.63	0.20	7.80 ～ 8.59
	8－9	7.76	2.78	0.20	7.37 ～ 8.16	7.77	2.80	0.19	7.39 ～ 8.15
	10－11	8.20	2.89	0.22	7.77 ～ 8.63	8.22	2.85	0.22	7.79 ～ 8.65
	12－13	7.97	2.70	0.23	7.52 ～ 8.42	8.77	2.65	0.23	8.33 ～ 9.22
	14－15	8.57	2.80	0.35	7.89 ～ 9.25	9.00	2.36	0.28	8.46 ～ 9.54
学校	6－7	7.31	1.65	0.12	7.08 ～ 7.55	8.02	1.39	0.11	7.81 ～ 8.22
	8－9	7.42	1.62	0.12	7.19 ～ 7.65	8.00	1.45	0.10	7.81 ～ 8.20
	10－11	7.83	1.58	0.12	7.59 ～ 8.07	8.10	1.33	0.10	7.90 ～ 8.30
	12－13	7.46	1.70	0.14	7.18 ～ 7.75	7.80	1.61	0.14	7.53 ～ 8.07
	14－15	7.31	1.86	0.23	6.85 ～ 7.76	7.96	1.35	0.16	7.65 ～ 8.27
放課後	6－7	6.99	1.89	0.14	6.73 ～ 7.26	7.71	1.50	0.11	7.48 ～ 7.93
	8－9	7.02	1.78	0.13	6.76 ～ 7.27	7.77	1.45	0.10	7.57 ～ 7.96
	10－11	7.34	1.81	0.14	7.06 ～ 7.61	7.82	1.49	0.11	7.60 ～ 8.05
	12－13	7.33	1.58	0.13	7.06 ～ 7.59	7.74	1.63	0.14	7.46 ～ 8.01
	14－15	7.03	2.10	0.26	6.52 ～ 7.54	7.69	1.33	0.16	7.39 ～ 8.00
夕方	6－7	9.06	2.41	0.17	8.72 ～ 9.41	10.10	2.09	0.16	9.79 ～ 10.41
	8－9	9.18	2.41	0.17	8.84 ～ 9.52	9.87	2.01	0.14	9.60 ～ 10.14
	10－11	9.75	2.17	0.17	9.42 ～ 10.07	9.95	2.19	0.17	9.62 ～ 10.28
	12－13	9.20	2.41	0.20	8.79 ～ 9.60	9.91	2.22	0.19	9.53 ～ 10.28
	14－15	8.95	2.86	0.35	8.26 ～ 9.65	10.13	2.05	0.24	9.65 ～ 10.60
夜	6－7	7.84	1.52	0.11	7.63 ～ 8.06	8.09	1.41	0.11	7.88 ～ 8.30
	8－9	7.88	1.40	0.10	7.68 ～ 8.08	7.94	1.46	0.10	7.74 ～ 8.14
	10－11	8.02	1.49	0.11	7.79 ～ 8.24	7.95	1.47	0.11	7.73 ～ 8.17
	12－13	7.93	1.58	0.13	7.67 ～ 8.20	7.93	1.66	0.14	7.66 ～ 8.21
	14－15	8.14	1.94	0.24	7.67 ～ 8.61	8.29	1.70	0.20	7.90 ～ 8.69
全体の行動	6－7	4.53	1.33	0.10	4.34 ～ 4.72	4.90	1.31	0.10	4.70 ～ 5.09
	8－9	4.41	1.44	0.10	4.21 ～ 4.62	4.88	1.17	0.08	4.72 ～ 5.04
	10－11	4.76	1.38	0.11	4.56 ～ 4.97	4.79	1.26	0.10	4.60 ～ 4.98
	12－13	4.58	1.37	0.12	4.35 ～ 4.81	4.94	1.29	0.11	4.73 ～ 5.16
	14－15	4.58	1.70	0.21	4.17 ～ 5.00	4.85	1.14	0.13	4.58 ～ 5.11
総得点	6－7	43.16	8.70	0.63	41.92 ～ 44.39	47.00	7.37	0.56	45.90 ～ 48.10
	8－9	43.67	8.54	0.62	42.45 ～ 44.89	46.23	7.40	0.51	45.23 ～ 47.23
	10－11	45.89	9.03	0.69	44.54 ～ 47.25	46.83	8.11	0.62	45.61 ～ 48.06
	12－13	44.47	8.69	0.74	43.02 ～ 45.92	47.09	8.51	0.73	45.67 ～ 48.52
	14－15	44.51	10.57	1.31	41.94 ～ 47.08	47.92	7.00	0.83	46.30 ～ 49.53

児童数：年齢 6-7歳（男児=190, 女児=173), 8-9歳（男児=189, 女児=211), 10-11歳（男児=170, 女児=169),
12-13歳（男児=138, 女児=137), 14-15歳（男児=65, 女児=72)

まず，第1の利点である時間帯別の評価である。ADHD児は1日を通じて障害を抱えていると指摘されている。欧州10カ国の6～18歳のADHD児童910人と同年齢のコントロール児童995人を対象とした調査で，ADHD児は1日を通じて問題を抱えていることが明らかになっている。同様に，わが国においてもQCDを用いて，ADHD児298人をコミュニティ・サンプル群と比較したところ，ADHD児は1日を通じて障害を抱えていることが明らかになっている[18,19]。

ただし，臨床家としては，保護者が子どもに対して困難さを感じる時間帯は，ADHD児とその家族の生活スタイル，家族構成，子どもの年代などによって異なることに留意すべきである。これらすべてを勘案したうえで，治療者は，著しい多動・衝動性，不注意をもつ子どもを育て，苦労を感じている保護者に共感的な態度で接するとともに，共通の治療目標の設定をしていくうえで，QCDを用いて保護者がどの時間帯で苦労を感じているのかを明らかにしておくことは極めて重要である。

さらにQCDにはさまざまな治療介入後の効果判定を時間別に行える利点もある。医療の現場において，対象疾患および治療技法を問わず，治療的な介入がなされたのならば，客観的な評価を行うべきであることはいうまでもない。

ADHD診療において，特に留意して行うべき治療として薬物療法がある。現在のわが国ではADHDに対してはメチルフェニデート，リスデキサンフェタミン，グアンファシン，アトモキセチンの4剤が保険適応となっている。しかしながら，DSM-5の登場により自閉スペクトラム症とADHDの併存も可能になり，いずれかの薬剤がより多く処方される可能性がある。自閉スペクトラム症においても，QCDを用いた調査では親が困難さを感じる要因は自閉症関連症状ではなく，多動・衝動性が主たる要因であることがわかった[20]。すなわち，自閉スペクトラム症と診断された児童においてもADHD併存例においては，先の4剤のいずれかが処方される可能性がある。だからこそ，QCDを用いて診断に関する十分な検討と，薬物療法前後の生活上の問題点を評価するべきであり，安易な処方を回避していかなくてはならない。他項でも述べられているが，メチルフェニデート，リスデキサンフェタミンとグアンファシン，アトモキセチンでは作用機序が異なり，その有効な時間帯も異なる。どの時間帯に保護者の苦労が高まるのかを見極め，標的症状とその時間帯を決めた薬物療法の導入の判断にQCDは有効である。

QCDは多忙な臨床の現場において，利便性と汎用性が高い評価スケールである。わが国の児童精神科臨床において，いくつかの評価スケールが日常的に使用されている。しかしながら，QCDは少ない質問項目で時間帯別の評価を行うことができる利点をもつことを強調しておきたい。また，QCDは特定の精神症状を標的とした質問紙ではなく，さまざまな精神疾患に罹患した子どもを評価することが可能である[21]。

4）おわりに

QCDは特定の精神疾患を標的とすることなく，子どもの行動を時間帯別に簡易に評価することができる質問紙である。特にADHD診療においてQCDを利用することは，治療者がADHD児の時間帯別の行動上の問題を保護者の立場で理解する手助けになると考える。また，ADHD児への心理社会的治療や薬物療法などの治療的介入後は，定期的なQCDを用いた評価を推奨する。

（宇佐美 政英）

7 反抗挑戦性評価尺度（ODBI）のADHD診療における意義と限界

1）評価尺度の作成

素行症（conduct disorder；CD）の併存はADHD児の社会的予後を左右する重篤な併存症である。けれども，CDの治療は一般に有効性が低く，思春期における重症のCDに対して単独で有効性が確認されている治療法はないといわれている[22]。これは，子どもが成長するにつれて人格が固定化し，問題行動に変化が生じにくくなるからであるといわれている[23]。一方，反抗挑発症（oppositional defiant disorder；ODD）はCDの発達的，階層的前段階とされている。CD治療の有効性の低さを考えるとODDレベルでの治療が望ましい[24]。

このODD治療のためには，的確な診断が必要である。しかし，DSMにおけるODDの診断基準項目は具体性に欠け，基準を満たすか満たさないかの判断が下しにくい印象があった。このため，筆者は1999～2001年のADHD上林研究班において，診断の補助となる評価尺度である，反抗挑戦性評価尺度（Oppositional Defiant Behavior Inventory；ODBI）を作成した（460ページ参照）。この尺度には，以下の3つの特徴がある。

①項目の表現が具体的であり，非専門家でも判断しやすい

②頻度の選択欄に具体的頻度が附記してあり*1，その判定がしやすい

③年齢にかかわらず実施できる

本尺度は，統計学的に併存妥当性，分類妥当性，内部一貫性，再現性が良好であることが示され，反抗挑戦性を計る尺度として適当であることが確認されている*2（**図7**）。

2）ODBIの使用法

本尺度の回答者は親ないし親代理者を想定している。回答者は，ほとんどない＝0点，あまりない＝1点，しばしばある＝2点，いつもある＝3点と配点し，合計点を算出する。測定対象は6～15歳の男児である。

ODDと判断する本尺度のカットオフ値は20点であり，これを超えた場合，ODDが疑われる（図7）。本尺度の得点は年齢群による統計学的な差違を認めなかった。なお，今回女児についても検討したが，全年齢でカットオフ値は20点と考えてよいと思われた（**図8**）。

3）臨床的有用性と限界

ODBIはODD診断が疑われた症例に対し，診断の補助となるスクリーニング尺度として，開発されたものである。本尺度を臨床診断に併用することによって，ODD診断がより的確なものになることが期待される。

評価尺度の敏感度は，作成時のデータで88.2％であり[26]，また15年以上使用した経験からみても，親が「反抗的」という子どもの尺度の得点は，おしなべて高いものであった。しかし，そこには親

*1 Angoldらの研究[25]をもとに“ほとんどない”“ときどきある”“しばしばある”“いつもある”という4段階の選択欄に，「月1回以下」，「週1回程度」，「週2～3回」，「週4回以上」と付記してある。

*2 詳細については参考文献26），27）を参照されたい。

*3 ちなみに，作成時，教師が回答者である場合のカットオフ値を検討したが，家で反抗的であっても学校ではおとなしい症例があることや，教師の感受性のばらつきもあり，統計的な検討にはそぐわなかった。

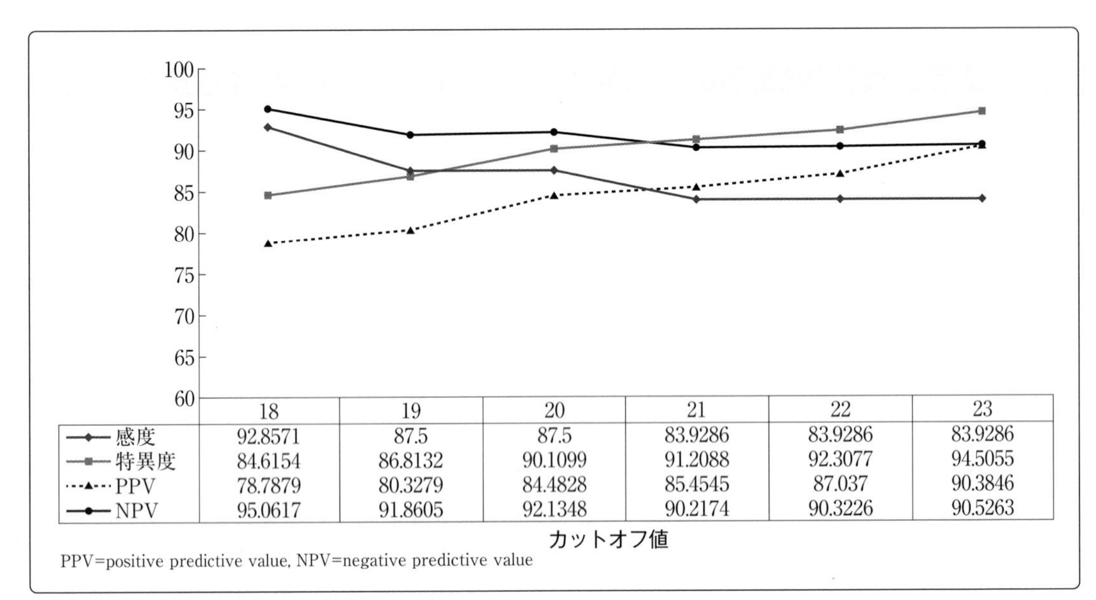

	18	19	20	21	22	23
感度	92.8571	87.5	87.5	83.9286	83.9286	83.9286
特異度	84.6154	86.8132	90.1099	91.2088	92.3077	94.5055
PPV	78.7879	80.3279	84.4828	85.4545	87.037	90.3846
NPV	95.0617	91.8605	92.1348	90.2174	90.3226	90.5263

PPV=positive predictive value, NPV=negative predictive value

図7 反抗挑戦性評価尺度のカットオフ値（男児）

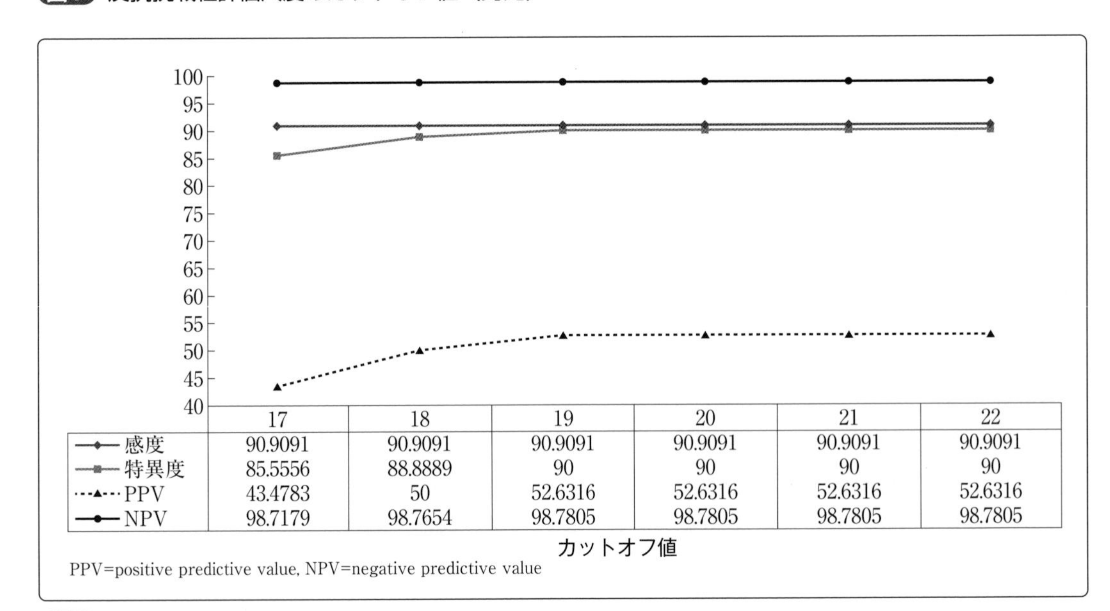

	17	18	19	20	21	22
感度	90.9091	90.9091	90.9091	90.9091	90.9091	90.9091
特異度	85.5556	88.8889	90	90	90	90
PPV	43.4783	50	52.6316	52.6316	52.6316	52.6316
NPV	98.7179	98.7654	98.7805	98.7805	98.7805	98.7805

PPV=positive predictive value, NPV=negative predictive value

図8 反抗挑戦性評価尺度のカットオフ値（女児）

子の関係性が影響している。すなわち，子どもを反抗的だと思っている親がつける尺度の得点は，その主観を反映して高くなるのは，ある意味当然であり，厳密に客観性が担保されているとはいいがたい。むしろ，そうした訴えが前面に出ていない親の得点が意外に高いときがあり，「お子さんが反抗的でお困りではないですか？」と尋ねることで，親の隠れた悩みが浮かび上がることもある（ちなみに作成時の陽性的中率は75.0%）。

筆者は，客観性を担保する参考として，学校担任にも尺度をつけてもらっている。値が親のカットオフ値を超える場合は学校でも反抗的であり，親の主観を裏づけるものと推測している。しかし，そこでも担任と子どもの関係性が影響するので，厳密に客観性が担保されているとはいいがたい。

その点を考慮して判断しなければならない*3。

どの尺度も同じだが，評価尺度というものは記入者の主観が反映されるものであり，「尺度が○点だからODDと診断できる」といった考え方は，厳に慎むべきである。

（原田 謙）

8 ASDとの鑑別のための評価尺度

1）ASDとの鑑別

不注意，多動・衝動性といったADHDの主たる特徴は，周囲の人が見て気づきやすく，行動観察で判断しやすい症状である。「多動」というのは実際に目に見える形で何かが「多く動いている」わけであるし，「衝動性」も多くの場合に行動に現れる。不注意は，やるべきことを忘れてしまう，ほかのことに気が移ってしまうなど，多くの場合には行動が適切に行われなかったという結果が目に見える形で現れる。したがって，「ADHDかもしれない」と疑いをもつことは比較的容易である。しかし，一方でADHDであると診断することは簡単ではない。不注意，多動・衝動性は，非特異的な特徴であり，ADHD以外の多くの疾患や状況でその表現型を呈しうる。慎重な鑑別診断が求められる。

自閉スペクトラム症（ASD）との鑑別もその一つである。以前より，両者の鑑別・併存の判断の難しさは述べられてきた。DSM-Ⅳが採用されていた時期には，ADHDと広汎性発達障害（PDD）との併存は認められず，両者の診断基準を満たす場合には広汎性発達障害の診断が優先されていた。それを裏づけるように，学齢期の高機能広汎性発達障害患者の約4～7割がADHDのDSM-IV-TR診断基準を満たすという報告がなされていた[28～30)]。両者を区別するためには，PDDの症状があるかどうかを調べる必要がある。木野内は，ADHDからPDDに診断が変わった5例を検討した結果，対人関係の困難さは学童期後半にかけて顕著になるが，幼児期には多動が目立ちやすくADHD診断の可能性が高くなると述べている[31)]。川谷は，ADHDからPDDに診断が変更された66例と，診断が変更されなかった135例を比較した。その結果，年齢が上がるにつれてPDDの特徴が明らかになったが，なかにはPDDが併存していると判断された例もあったと述べている[32)]。

臨床的にも，ADHDとPDDの併存と考えたほうが適切であると考えられる症例を経験することはまれではなく，そうした状況のなかで，DSM-5では両者の併存が認められるようになった。こうして，ASDなのかADHDなのかという鑑別のほかに両者の併存という視点も必要になってきたのである。もっとも臨床的には，決して二者択一的にクリアカットに考えることはなく，子ども自身の様子をもとにそれぞれの可能性を考えることが必要であるのは，以前から変わることはない。しかし，ASDとADHDの鑑別を考えるときの基本的な方針としては，ASDの特徴がみられるかどうかにより重点を置くということは考慮すべきである。なぜなら，前述したように，ADHDの症状はわかりやすいが特異的ではない。ADHDの診断基準を満たすことはASDとの鑑別には有用ではない。一方で，ASDの特徴は多様性があってぱっと見でわかるというものばかりではないが，各々が比較的特異性が高い。典型的なこだわり行動，言語コミュニケーションの噛み合わなさ，他者の心理の読み取りの苦手さなどはそれだけで診断を決めるものではないが，ASDの存在を示唆するものとして重要である。次節以降で，ASDの特徴を把握するのに有用な尺度について具体的に記載する。

2) ASDとの鑑別のための尺度

鑑別のための方法として質問紙法，観察法，面接法がある。これらは発見から診断に向けた段階のなかで，スクリーニング，特性把握，診断および診断補助，支援法検討といったさまざまな目的で使い分けられている。

黒田は，ASDのスクリーニングと診断の流れを「一次スクリーニング」→「二次スクリーニング」→「診断」の三層構造として整理した[33]。一次スクリーニングは一般集団からASDの可能性がある対象を抽出することを目的としており，偽陽性が一定の割合で存在することが前提である。一方で，二次スクリーニングは一次スクリーニングや臨床観察などによりASDのリスクが高い対象群に対して診断の補助資料として用いる。二次スクリーニングの尺度は比較的簡便であるが，それだけで診断をつけることはできない。診断は，第3段階として，専門医の診断面接，あるいはより構造化された面接法や観察法を用いることになる。

この三層構造のなかでASDとADHDとの鑑別に用いられるのは二次スクリーニングのカテゴリーに入っているAQ，SCQなどの質問紙法やPARSなどの面接法である。一次スクリーニングはリスクが把握されていない一般群を対象としたツールである。今回のテーマにおける「ADHD症状があることを前提として，鑑別としてASDの評価を考える」という設定ではその対象はすでにハイリスク群であるので，一次スクリーニングは対象とはならない。そして，二次スクリーニングでASDの疑いが見られる場合に，専門医による診断を受けるか，ADI-R，PDDAS，DISCOなどの構造化面接，CARS，ADOSなどの観察法を用いて確定診断を評価するとされている。ここで挙げられている確定診断の評価ツールは，研究目的の際に広く実施されているが，実施するにはライセンスが必要であるツールが多いことや実施に多くの時間がかかることから，一般臨床のなかでは実用的とは言い難い。二次スクリーニングでASDの疑いが見られる場合には，専門医の診断によって確定させるのが一般的であろう。

以下に，各尺度の概要と利用法を述べる

3) ASDの評価尺度の実際——質問紙法

(1) AQ

AQ（Autism-Spectrum Quotient）は，知的障害を伴わない自閉スペクトラム症児・者を対象とした質問紙である[34]。Baron-Cohenらによって開発されたものを若林が日本語版を開発，標準化を行っている[35, 36]。16歳以上を対象とした成人用と6～15歳を対象とした児童用とがある。10分程度で記入可能であるとされており，簡便で利用しやすい。成人用は自己記入式であり，児童用は対象児をよく知っている他者（保護者等）が回答する。項目は，ASDに特徴的に障害されている症状をもとに，「社会的スキル」,「注意の切り替え」,「細部への関心」,「コミュニケーション」,「想像力」の5つの領域にそれぞれ10問からなる下位尺度があって，全体で50項目となっている。回答は，「あてはまる」,「どちらかといえばあてはまる」,「どちらかといえばあてはまらない」,「あてはまらない（そうではない）」の4つのなかから選ぶことが求められるが，採点上は「どちらかといえば・・・」という回答も「あてはまる」または「あてはまらない」と同じ得点が与えられる。自閉スペクトラム傾向の回答に1点，そうでない回答に0点が与えられて，50点満点となる。カットオフは，成人用が33点以上，児童用が25点以上とされている。

(2) SCQ

SCQ（Social Communication Questionnaire）はASDに関連する症状の有無を明らかにするため

のスクリーニング検査である。Michael Rutterらによって開発されたものをもとに黒田らが日本語版を開発，標準化を行っている[37]。暦年齢4歳0カ月以上，精神年齢2歳0カ月以上が対象であり，保護者などの本人をよく知る人物が記入する方法で10分程度で可能である。対象者の誕生から現在までの行動に関して使用する「誕生から今まで」と，現在（過去3か月間）の行動に関して使用する「現在」がある。ASD診断のためのスクリーニング検査として用いる際には「誕生から今まで」を使用する。すでにASDの診断が認められているケースに対して経時的な変化を把握するためには「現在」を用いる。いずれも39項目から構成され，「はい」「いいえ」のいずれかを選択する。「誕生から今まで」のASDのカットオフ値は15点とされている。

4）ASDの評価尺度の実際――面接法

面接法は，個別の一対一での面接を用いて，決められた項目の回答を得ていく方法である。

わが国では，ASDのスクリーニングのためには，PARS-TR（Parent-interview ASD Rating Scale-Text Revision）がよく使われている。

PARS-TRは，ASDの臨床研究を専門とする児童精神科医師および臨床心理士らによって開発された比較的簡便な面接法である[38]。実施者は，職種は問わないがASDに関する専門家であることが必要で，本人のことを十分に理解している主養育者に対して対面で面接をして評定する。適応年齢は3歳以上とされているが，幼児期（就学前），児童期（小学生），思春期・成人期（中学生以上）の3つに分けられており，それぞれについて統計的に検討がなされている[39～41]。実施に際しては，現在評定（現在／最近の症状の評定）と幼児期ピーク評定（幼児期の症状がもっとも顕著なときの評定）の両方の得点を算出して評価する。幼児期ピーク評定は34項目からなり，全年齢に共通で実施する。現在評定は，幼児期は幼児期ピーク評定と同じ34項目であり，児童期は33項目，思春期・成人期は33項目となっている。

PARS-TRはASDの診断される可能性が高いことを示し，特性をふまえた支援を受けることの必要性を示すものであるが，診断を示すことではなく，専門医による診断が必要であるとされている。

5）鑑別に尺度をどう利用するのか

質問紙法は，統計的な検討がなされており一定の信頼性が担保されている。ASDの可能性を考えるうえで，参考にすることができる。しかし，その回答には回答者（本人または家族・支援者）の見方が大きく影響する。また，ASDの症状は多彩である。年齢や知的障害の有無や重症度によってよく見られる症状は異なるし，こだわり症状や対人関係の噛み合わなさといったような特徴も個人差が非常に大きい。まさに広汎な特徴が存在しうるASDの方の特徴を一定の質問でカバーするには限界がある。また，専門医による診断面接では，保護者（または教員などの支援者）が捉えている特徴だけでなく，多くの経験をもつ専門医が直接本人と接することで見つけることのできる特徴（コミュニケーションの偏り，行動上の問題など）も決め手の一つとなる。そういった臨床上のポイントは尺度では含めることが難しい。繰り返し述べるが，あくまでも診断補助にとどめるべきで，診断は専門医の臨床面接によって行うべきである。

もう一つ，尺度の利用法として留意しておきたいことがある。質問紙法にしろ，PARSなどの面接法にしろ，何項目満たすかを得点化して，リスクの高さをアセスメントできる仕組みになっている。それは診断を考えるうえで参考になるのであるが，リスクの有無だけを見るのはなく，ASDの症状に当てはまるとされる項目について，どういうことなのか詳細を実際に聞いてみるとよい。

例えば，「他者と関わることが少ない」という項目に「はい」と回答してあっても，緊張が強くて関われないのか，知的理解に差があってやりとりが難しいのか，行動がマイペースなために一人で過ごすことを好むのかなど，さまざまな可能性があり得る。尺度の項目は対象者の特徴を知るための大きな手掛かりとなる情報であり，丁寧な聞き取りをすることで対象者のことをより深く知ることができる。

（野邑 健二）

参考文献

1）DuPaul GJ, et al : ADHD Rating Scale-Ⅳ: Checklists, Norms, and Clinical Interpretation. The Guliford press, 1998（田中康雄，市川宏伸・監，坂本律・訳：診断・対応のためのADHD評価スケールADHD-RS-Ⅳチェックリスト：標準値とその臨床的解釈．明石書店，2008）
2）Conners CK : Conners 3rd edition manual. Multi-Health Systems, 2008（田中康雄・監訳，坂本律・訳：Conners 3 日本語版マニュアル．金子書房，2011）
3）Conners CK, et al : Conners' Adult ADHD Rating Scales, CAARS, Multi-Health Systems, 2012（中村和彦・監修，染木史緒，大西将史・監訳：CAARS 日本語版．金子書房，2012）
4）田中康雄，他：ADHD-RS 評価スケールの日本版標準化に向けて．精神医学，58（4）：317-326，2016
5）Goodman R : The Strength and Difficulties Questionnaire: a research note. J Child Psychol Psychiatry, 38（5）: 581-586, 1997
6）Achenbach TM, et al : Manual foe the ASEBA School-Age Forms & Profiles. University of Vermont, Research Center for Children, Youth & Families, 2001
7）Funabiki Y, et al : Development of a multi-dimensional scale for PDD and ADHD. Res Dev Disabil, 32（3）: 995-1003, 2011
8）Sara S Sparrow, et al : Vineland Adaptive Behavior Scales Second Edition（Vineland-Ⅱ）. Pearson, 2005
9）辻井正次，他：日本版Vineland-Ⅱ適応行動尺度．日本文化科学社，2014
10）Roizen NJ, et al : Adaptive functioning in children with attention-deficit hyperactivity disorder. Arch Pediatr Adolesc Med, 148（11）: 1137-1142, 1994
11）Lahey BB, et al : Three-year predictive validity of DSM-IV attention deficit hyperactivity disorder in children diagnosed at 4-6 years of age. Am J Psychiatry, 161（11）: 2014-2020, 2004
12）Lahey BB, et al : Validity of DSM-Ⅳ attention-deficit/hyperactivity disorder for younger children. J Am Acad Child Adolesc Psychiatry, 37（7）: 695-702, 1998
13）津野香奈美，他：幼児向けADH行動評価尺度「行動特徴のチェックリスト（BCL）」の妥当性と信頼性の検討．日本衛生学雑誌，73（2）：225-234，2018
14）後藤太郎，他：小児の生活機能評価のためのツール「子どもの日常生活チェックリストQCD」の臨床応用の可能性．小児科臨床，64（1）：99-106，2011
15）Usami M, et al：The reliability and validity of the Questionnaire-Children with Difficulties（QCD）. Child Adolesc Psychiatry Ment Health, 7：11, 2013
16）宇佐美政英，岩垂喜貴：児童精神科に必要な診断・評価スケールの現状と課題．臨床精神薬理，16（12）：1741-1750，2013
17）Reyes ADL, Kazdin AE：Informant Discrepancies in Assessing Child Dysfunction Relate to Dysfunction Within Mother-Child Interactions. J Child Fam Stud, 15（5）：643-661, 2006
18）Coghill D, et al：Impact of attention-deficit/hyperactivity disorder on the patient and family；results from a European survey. Child Adolesc Psychiatry Ment Health, 2（1）：31, 2008
19）Usami M, et al：What Time Periods of the Day Are Concerning for Parents of Children with Attention Deficit Hyperactivity Disorder? PLoS ONE 8, e79806, 2013
20）Sasaki Y, et al：Concerns expressed by parents of children with pervasive developmental disorders for different time periods of the day；a case-control study. PLoS ONE 10, e0124692, 2015
21）Usami M, et al：A case-control study of the Difficulties in daily functioning experienced by children with depressive disorder. J Affect Disord, 179：167-174, 2015
22）Steiner H : Practice parameters for the assessment and treatment of children and adolescents with conduct disorder. American Academy of Child and Adolescent Psychiatry. J Am Acad Child Adolesc Psychiatry, 36（10 Suppl.）: 122S-139S, 1997
23）Loeber R, et al : Diagnostic conundrum of oppositional defiant disorder and conduct disorder. J Abnorm Psychol, 100（3）

: 379-390, 1991
24）齊藤万比古，原田謙：反抗挑戦性障害．精神科治療学，14（2）：153-159，星和書店，1999
25）Angold A, Costello EJ : Toward establishing an empirical basis for the diagnosis of oppositional defiant disorder. J Am Acad Child Adolesc Psychiatry, 35（9）: 1205-1212, 1996
26）Harada Y, et al : The reliability and validity of the Oppositional Defiant Behavior Inventory. Eur Child Adolesc Psychiatry, 13（3）: 185-190, 2004
27）Harada Y, et al : Establishing the cut-off point for the Oppositional Defiant Behavior Inventory. Psychiatry Clin Neurosci, 62（1）: 120-122, 2008
28）Goldstein S, Schwebach AJ : The comorbidity of Pervasive Developmental Disorder and Attention Deficit Hyperactivity Disorder: results of a retrospective chart review. J Autism Dev Disord, 34（3）: 329-339, 2004
29）Ogino T, et al : Symptoms related to ADHD observed in patients with pervasive developmental disorder. Brain Dev, 27（5）: 345-348, 2005
30）Yoshida Y, Uchiyama T : The clinical necessity for assessing Attention Deficit/Hyperactivity Disorder（AD/HD）symptoms in children with high-functioning Pervasive Developmental Disorder（PDD）. Eur Child Adolesc Psychiatry, 13（5）: 307-314, 2004
31）木野内由美子，他：AD/HDから広汎性発達障害へ診断変更に至った症例に関する一考察；—児童相談所での医学診断の課題と展望—．児童青年精神医学とその近接領域，48（3）：344-352，2007
32）川谷正男，他：注意欠陥/多動性障害から広汎性発達障害に診断変更された症例の後方視的検討．脳と発達，41（1）：11-16，2009
33）黒田美保：ASDのアセスメント【総括】．発達障害児者支援とアセスメントのガイドライン（辻井正次・監），金子書房，pp214-219，2014
34）若林明雄：AQ日本語版自閉症スペクトラム指数．三京房，2016
35）Wakabayashi A, et al : The autism-spectrum quotient（AQ）children's version in Japan: a cross-cultural comparison. 37（3）: 491-500, 2007
36）Wakabayashi A, et al : The Autism-Spectrum Quotient（AQ）in Japan: A cross-cultural comparison. 36（2）: 263-270, 2006
37）Rutter M, et al : The Social Communication Questionnaire. Western Psychological Services, 2003（黒田美保，他・監訳：SCQ日本語版対人コミュニケーション質問紙．金子書房，2013）
38）発達障害支援のための評価研究会・編著：PARS-TR親面接式自閉スペクトラム症評定尺度テキスト改訂版．金子書房，2018
39）辻井正次，他：日本自閉症協会広汎性発達障害評価尺度（PARS）幼児期尺度の信頼性・妥当性の検討．臨床精神医学，35（8）：1119-1126，2006
40）安達潤，他：日本自閉症協会広汎性発達障害評価尺度（PARS）・児童期尺度の信頼性と妥当性の検討．臨床精神医学，35（11）：1591-1599，2006
41）神尾陽子，他：思春期から成人期における広汎性発達障害の行動チェックリスト—日本自閉症協会版広汎性発達障害評定尺度（PARS）の信頼性・妥当性についての検討．精神医学，48（5）：495-505，2006

3 医学的・心理学的検査

1 ADHDの脳画像研究の臨床的意義と限界

ADHDに生物学的背景が存在するというのは，児童精神科・小児神経科臨床に関わっている者の大多数の共通認識であり，神経発達症領域のなかでは比較的，生物学的研究が進んでいる疾患である。ADHDは生来的な脳機能の障害であるとされるが，もしそれが正しければ生物学的な研究のなかでも脳画像研究はADHDの本質にせまる重要な研究の一つであるといえるだろう。

ADHDは神経発達症なので，より中核にある病態を捉えようとすると，併存症や二次障害が少ない小児を対象とすることが理にかなっているだろうが，それには形態画像なら，成長・発達途上の小児の脳の体積を単純に比較してよいのかという問題や，小児の脳は身長・体重・性差などの影響を強く受けるという問題などがあるため，結果の検討については，慎重な判断が必要である。さらに機能画像では，小児対象の場合，課題の施行能力の問題や機器が発する音の問題もある。よって最近では課題の施行が比較的スムーズで，かつ脳の細部まで検討できることもあり，成人対象の報告も多くなっている。以上のような点を鑑み，本項では成人のものも含め，重要な研究を扱いたいと考える。

1）形態画像研究

MRI（magnetic resonance imaging）を用いた多くの形態画像の研究が報告されている。特定領域の容積の差異を述べる論文もある一方で，広範囲な灰白質，大脳皮質の容積の差異を述べている研究もある。さらに脳梁が細いという報告もある[1)]。

代表的な研究を挙げると，皮質下領域，前頭皮質の脳容積の低下について，Castellanosら[2)]は平均年齢11.7歳，Filipekら[3)]は平均年齢12.4歳のADHD児群を対象にして報告している。さらにCastellanosらのグループはそれらの所見に加え，小脳，尾状核，大脳の基底核，淡蒼球の容積の低下を報告し，容積の異常は年齢が経過しても持続する，形態計測的な差はADHD尺度の重症度と有意に相関すると報告している[4, 5)]。

Valeraらは小児・思春期ADHD患者の脳容積に関する21研究のメタ解析（ADHD患者565例，対照者583例）で，全脳，右脳や脳梁膨大部，小脳，小脳虫部，および小脳後下虫部・小葉の各脳部位における脳容積をADHD患者群と健常者群の間で比較検討した結果，ADHD患者群ではこれらの脳部位が有意に小さいことが認められ，特に小脳後下虫部・小葉に関しては，ADHD患者群と健常者群の間でより大きな差があることが認められた。また同様に左右前頭深部白質，前頭葉，前頭前野の各脳容積に関してもメタ解析を行い，ADHD患者群ではこれらの部位での脳容積も有意に小さいことが認められたと報告している[6)]。全脳に関しては，Castellanosら[7)]も5～18歳のADHD患者での容積の減少を報告している。

皮質に関してはSowellらが小児・思春期のADHD患者で皮質の厚さが薄いとの所見を報告している[8]。さらに縦断的な研究ではShawらが脳全域にわたって皮質の厚さが薄いことを報告し[9]，特に内側前頭前野，上方部前頭前野，中心溝付近の前頭葉で減少が著明であったという。さらに，同じグループの対象者を増やした研究[10]では，定型発達児とADHD児では皮質の発達する順序は同じであったが，ADHD児は定型発達児に比べ，皮質の厚さのピークが頭頂葉を除く全領域で遅く，特に前頭前皮質においては，最も遅延していると報告している。これらの結果からは，前頭前皮質の発達の遅れと注意機能や実行機能の弱さとの関連が示唆されるとしている。

さらに脳の領域間の繊維連絡を測定する技術である拡散テンソル画像（deffusion tensor imaging；DTI）ではADHD児における白質の連結の減少が示されている[11~14]。van Ewijkらは小児と成人対象の15のDTIの研究をメタ解析し，最も白質の異常が著明だったのは，右放射冠前部，右小鉗子，両側の内包，左小脳であったと述べている[15]。小児のときからADHD症状を有する成人患者と定型発達の成人を比較したDTIの研究では，前部帯状回皮質と前頭前野を結ぶ白質の神経線維と，後頭葉と前頭前野を結ぶ白質の神経線維がADHD患者で弱く，それが実行機能障害と不注意症状に関係があるとしている[16]。

成人のみ対象の研究は，現時点では小児と同様の結果を示す報告が多い。それに加え，前部帯状回の容積の低下，眼窩前頭皮質の容積の低下など小児で報告されている領域における，より詳細な結果が認められている[17, 18]。

2）機能画像研究

小児における機能画像の研究では，定型発達児に比較し，ADHD児はFunctional MRIにおける前頭葉－線条体反応に異常があるとの2つの報告がある（Rubiaらの研究[19]：ADHD児群平均年齢15.71歳，Silbersteinらの研究[20]：ADHD児群平均年齢10.75歳）。

前頭葉－線条体回路は実行機能において重要な役割を担っている領域で，ほかにも成人でcounting Stroop課題を使ったfMRIの研究において，成人期ADHD患者の前部帯状回でみられる機能欠損の報告[21]など多くの研究がある。

メタ解析ではDicksteinらが16の論文を解析し，ADHD患者では実行機能課題において，前頭皮質－線条体，および前頭皮質－頭頂葉の神経回路の活性が低いと報告している[22]。

しかし，実行機能のみでADHDのすべての病態を説明できないことから，ほかの機能に注目し課題を工夫した研究も多く出されている。以下に課題別に結果を示す。機能画像の研究は課題施行能力の問題もあり，成人の報告が多い。研究はfMRIを使用したものが多いが，PET（Positron Emission Tomography）を用いたものもある。

Motor response inhibition（Go/No-go課題，Stop課題など）では，下部前頭前皮質の機能不全の報告[23~25]，Interference inhibition（Stroop課題，Simon課題など）や注意課題〔Oddball課題，CPT（Continuous Performance Test）など〕では，それらのほかに，眼窩前頭皮質，前部帯状回，線条体の機能不全の報告[26~28]，報酬課題ではほかに側坐核の機能不全の報告[29]，Working Memory課題では小脳の機能不全が報告[30, 31]されている。

画像研究ではないが，Sonuga-BarkeらはADHD児と定型発達児に対し，9つの神経心理学課題を用い，ADHDに実行機能障害，遅延を感受する機能の障害（報酬系が関与するとされる），時間処理の障害が存在することを示唆しているが[32]，既述した研究の大まかなまとめはSonuga-Barkeのいう3つの系の機能不全に一致すると考えられる。それぞれは脳のネットワークとしては，実行機能が皮質－背側線条体，遅延感受が皮質－腹側線条体，時間処理が皮質－小脳の関与が示唆されている。さらに，神経心理学課題と安静時fMRIとの関連を調べた研究では，視覚のネットワークが不注意症状・反応時間のばらつきに，多動性－衝動性がワーキングメモリと報酬の感受性に，小脳ネットワークが反応抑制と反応時間のばらつきに関連していることがわかった[33]。これら研究はADHDに複数の機能ネットワークが関連しており，同じADHDであってもさまざまなタイプが存在する可能性を示唆している。

3）神経科学的研究

Forssbergらは PETを用いて，思春期のADHD患者群と定型発達の対照群を比較し，ADHD患者においてほぼ脳のすべての領域でドパミン神経の活性が低下していることを報告し，またその低下の程度はADHDの不注意症状と相関関係があったと述べている[34]。またSpencerらはドパミントランスポーター（DAT）の選択的なリガンドである［11C］altropaneを用いて健常成人群と成人ADHD患者群の脳内DAT結合量をPETにより測定し比較したところ，ADHD患者の右尾状核で有意なDAT結合量の増加が確認されたと報告した[35]。この結果からDAT発現の増加がシナプス間隙のドパミン量を低下させ，ドパミン神経機能不全をもたらすものと思われる。しかしながら，現在のところ，DATに関する研究は結果が一致していない。またドパミン受容体D4，D5（DRD4，DRD5）の機能低下に関する報告も散見する。

Meffordらは，ADHDではノルアドレナリン神経系の出発点ともいえる青斑核からのノルアドレナリン作動性のシグナルが減少していると述べている[36]。

以上より，ADHDにおいてはドパミン作動性神経系とノルアドレナリン作動性神経系に何らかの機能不全があることが示唆される。

4）その他の研究と新しい知見

筆者らは近赤外スペクトロスコピー（near-infrared spectroscopy；NIRS）を指標として，ADHD患者の脳の機能不全を研究してきたが，これら機能不全がADHD治療薬により改善することに注目している。このことからADHDにおける治療薬の効果判定にNIRSが使用可能ではないかと考えている。

(1) NIRS

NIRSは，非侵襲的な近赤外線の散乱光を用い，ヘモグロビン濃度を測定することで，主に大脳皮質における脳血流量の変化を知ることができる技術である。光ファイバーを装着した軽いキャップをかぶるだけでよいので，拘束性が少なく，自然な日常環境下で測定することができる。

筆者らはNIRSを用い，それぞれ20人のADHD児群と定型発達児群において，Stroop課題を用い，NIRSを使用することにより，ADHDの前頭前皮質の機能不全を報告した[37]（**図1，2**）。刺激課題中，ADHD児群のoxy-Hbの変化量は，対照群の変化量より有意に少なかった（**図3**）。その差は特に前頭前野の下部で大きかった。NIRSで測定したoxy-Hb変化量は，ADHDの症状を評価するために客観的な指標になるかもしれないと考えている。

Weberらは ADHD児のNIRSにおいてメチルフェニデート服用前の前頭前野の血流低下が服用後増加したことを報告している[38]。またMondenらもgo/no-go taskを使用したADHD児のfNIRSでの研究で，メチルフェニデート服用後に右の背側前頭前皮質の血流増加がみられたとしている[39]。筆者らはADHD児のNIRSにおいてアトモキセチンの治療前後で前頭前皮質の血流増加がみられたと報告した[40]。さらに同じグループは，アトモキセチン服用群とメチルフェニデート徐放性製剤服用群の治療前後のNIRSを比較し，どちらの群もADHD症状は改善していたものの，前頭前皮質で

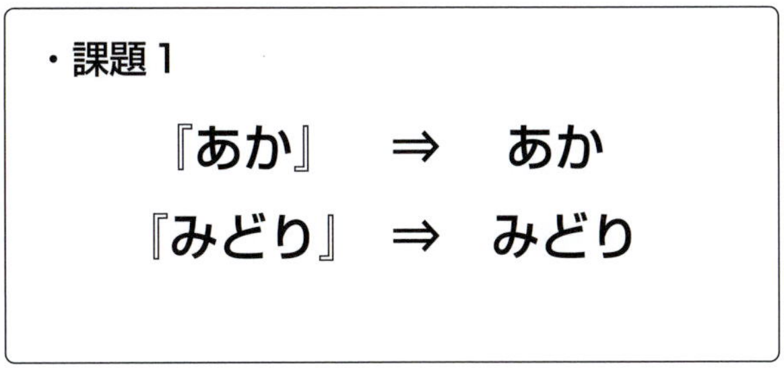

・課題 1

『あか』 ⇒ あか

『みどり』 ⇒ みどり

図1 Stroop課題 1

黒色のインクで「あか」や「みどり」や「あお」がランダムで100個（5列×20単語）書かれていて，それをなるべく早く読んでもらうように指示する。

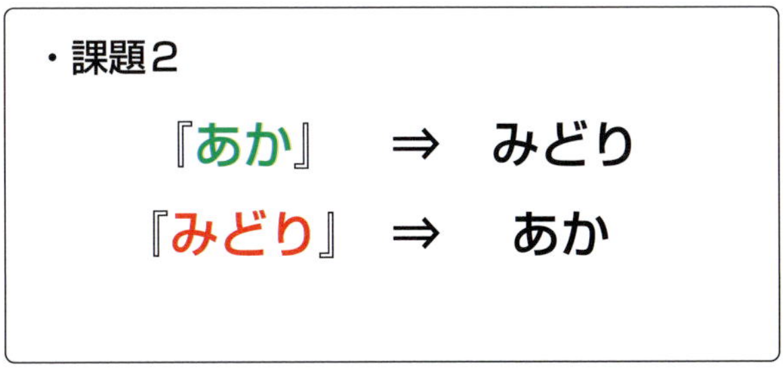

・課題2

『あか』 ⇒ みどり

『みどり』 ⇒ あか

図2 Stroop課題2

「あか」や「みどり」や「あお」の文字が赤色，緑色，青色のインクの色で100個（5列×20単語）書かれていて，それらインクの色は文字の記載とは一致していない（例：緑色のインクで「あか」と書かれている）。このような条件のもと，文字を読むのではなく，インクの色をなるべく早く答えてもらう。（Negoro H, et al : Prefrontal dysfunction in attention-deficit/hyperactivity disorder as measured by near-infrared spectroscopy. Child Psychiatry Hum Dev, 41（2）: 193-203, 2010より改変）

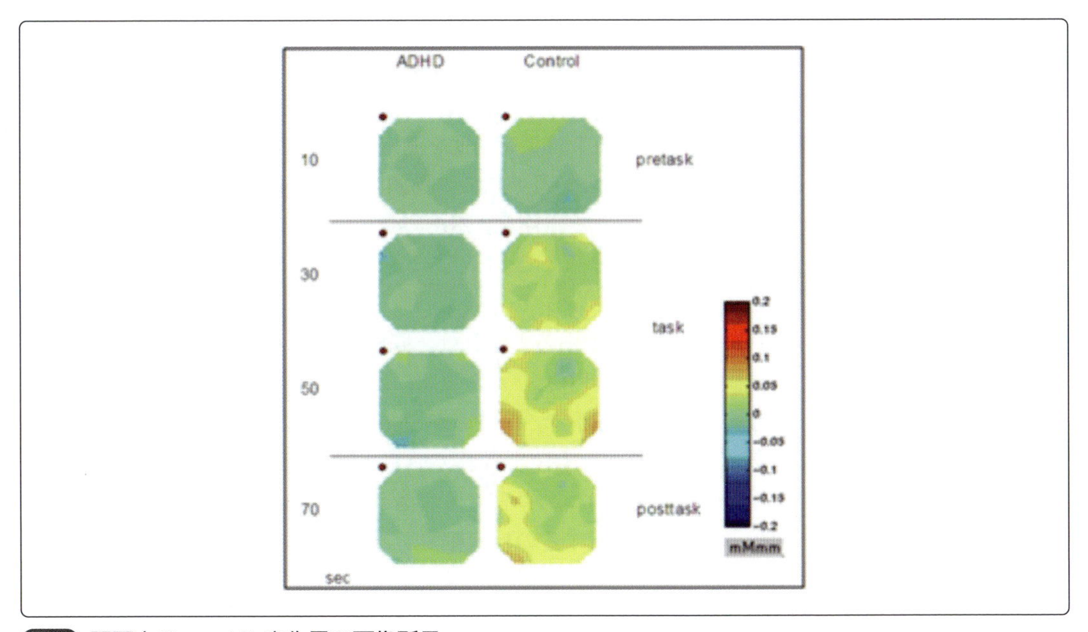

図3 課題中のoxy-Hb変化量の画像所見

課題1と課題2を交互に施行，横線と横線の間に課題2を施行している。ADHDの子どもたち（図の左側）は，定型発達の子どもたち（図の右側）に比べ，課題2施行中に血流の増加があまりないことがわかる。

の血流改善はアトモキセチン服用群のみしか認めず，メチルフェニデート徐放性製剤服用群では認められなかったと報告している[41]。これら結果から治療薬の作用機序の違いが示唆される。

(2) default mode network（DMN；デフォルトモード・ネットワーク）

通常，機能画像（fMRI等）の研究ではある特定の認知課題などを被験者に施行させ，その間に賦活する脳の部位とその課題との関連性を議論する。しかし，逆に特定の認知処理が行われるときに活動性が低く，安静時に高くなる領域間相互のネットワークが観察され，それを「default mode network」とよび，アイドリング時の脳活動を支えているとされる。

注意課題に関してはfronto-parietal networkが外的環境に注意を向け刺激に反応するのに対し，default mode networkは内部環境へ注意を向ける自己のモニタリング，内省，未来の予測に関与するとされる。default mode networkは前頭前野内側皮質と後部帯状回と楔前部などとの間のネットワークとされる。注意行動を行う場合，この2つのnetworkの切り替えがスムーズに行えるかどうかが問題とされる。CastellanosらはADHD患者では，これらの連携による切り替えがうまくいっていないと報告している[42]。

5）ADHDにおける画像研究のまとめ

形態画像では，前頭前野を中心として，全脳，前頭葉，小脳，線条体に関する容積の減少の報告が多い。また皮質の厚さが薄いという報告もあり，この所見も前頭前野に著明である。脳の白質間の連絡の減少の報告もある。また，成人の報告では小児の所見に加え，さらに前部帯状回の容積の低下，眼窩前頭皮質の容積の低下の報告もある。これらは実行機能や衝動性の抑制に関与される領域である。

機能画像でも実行機能の異常，報酬系の異常を指摘する報告が多い。またタイミングをとるときに重要な役割を果たすとされている小脳の異常を指摘する報告もある。さらにfronto-parietal networkとdefault mode networkのネットワーク間の切り替えがスムーズに行われないといった報告もある。

神経科学的研究ではADHDにおいて，ドパミン作動性神経系とノルアドレナリン作動性神経系に何らかの機能不全があることが示唆されている。

非侵襲的な近赤外線の散乱光を用い，ヘモグロビン濃度を測定することで，主に大脳皮質における脳血流量の変化を知ることができるNIRSという技術で，前頭葉賦活課題中のADHD児の前頭前皮質の機能不全が示唆された。自然な環境下で施行できるため今後の研究の蓄積が待たれる。

6）脳画像研究の臨床的意義と限界

冒頭でも述べたがADHDが脳機能の障害であるとすれば，脳画像研究はADHDの本質にせまる重要な研究である。しかし機能画像を例にあげれば，ある課題に反応するADHD患者も存在すれば，反応しないADHD患者もいる。さらに画像研究ではないがSonuga-Barkeらの神経心理課題による研究[31]では，3つの系の障害のうち，3つとも障害されているADHDはむしろ少数で，1つの系の障害しかもたないADHDも多い。さらに3つの系とも障害されていないADHDも多く存在することなどからも，ADHDを単一の病態で把握するのは困難であるともいえ，そのように考えると1つの脳画像検査で，ADHDを診断していくことは困難である。さらに多くの研究で得られた脳画像所見はクリニックや病院で通常行われる脳画像検査では明らかにされないことも併せて考えると，現時点では診断のための有用な検査であるとはいいがたい。

しかし，診断として有用になる前に，機能画像（NIRSも含めて）の薬物治療前後の研究などからは効果判定の客観的な指標になる可能性は比較的高く，ほかのトレーニングなどの介入前後の研究なども今後は期待される。

現時点では脳画像検査はADHDを診断するというよりはむしろ脳腫瘍や脳の構造異常などの除外診断に重要な検査である。

（根來 秀樹）

 脳波および事象関連電位の臨床的意義

1）一般的な脳波検査の診断的意義

(1) ADHDの脳波検査所見

脳波は発生源が大脳皮質にあり，主として錐体細胞の後シナプスが作る神経細胞周辺の電場が同期的に加算されたものである。ADHDの脳波はθ波やδ波などの徐波の混入が多く，基礎律動の徐波化がみられることが多い。しかし，これは脳の未熟性を示すものであり，ADHDに特異的な所見ではなく，自閉症や学習障害などにおいても同様の異常所見はみられる。ただし，脳波の定量解析（Quantitative Electro Encephalo Graphic；QEEG）による詳細な解析では，ADHDに対する薬物療法後にθ波が有意に減少していたと報告されている[43]。またメタ解析で，ADHDではθ波が増加し，β波が減少していることが報告されたことなどから[44]，米国食品医薬品局（Food and Drug Administration；FDA）は診断の正確性の改善が見込まれるとして，ADHDの診断補助に脳波検査を使用することを2013年に承認した。承認されたのはNeuropsychiatric EEG-Based Assessment Aid for ADHD（NEBA）Systemという検査システムで，ADHDではβ波に対するθ波の比率が高くなることを用いて診断への示唆を与えるが，その感度や特異度にはばらつきがあり，脳波のADHD診断の有用性については現在賛否がある[45, 46]。また，小児ADHDはθ／β比の増加があるが成人ADHDや自閉症スペクトラム障害合併ADHDでは異なる結果を示すという報告もある[47, 48]。いずれにしても臨床所見とあわせた補助検査としては有用である。

(2) 鑑別診断

てんかん発作後のもうろう状態が不注意や多動にみえることがあり，短時間の意識消失発作を見落とすとADHDと見誤られる可能性がある。このため，てんかん発作を除外するために脳波検査が必要である。また，ADHDにてんかん発作や発作性脳波を併存する症例に徐放性メチルフェニデートを投与すると，発作の閾値を低下させる可能性があり注意を要するため，その点においても脳波検査を施行し確認しておく必要がある。さらに，頻繁で極端な衝動性や行動上の問題がある児童で，けいれん発作などの既往はみられないが，脳波検査を施行するとてんかん性発作波が出現しているという例がある。この場合，抗てんかん薬が症状の改善に有効な場合がある。

2）事象関連電位

事象関連電位は誘発電位の一種であり，種々の感覚様式の刺激が眼，耳や皮膚などの感覚受容器に入力されてから大脳皮質に達するまでに，脊髄，脳幹部や大脳などの中枢神経のさまざまな部位で記録される一過性の電位変動である[49]。広義の誘発電位とは末梢の感覚受容器または直接神経を刺激することによって，それに対応する末梢神経系または中枢神経系に誘発される電位変化であり，生理学的特徴によって外因性電位と内因性電位に分類される。外因性電位は刺激関連電位

(stimulus-related potential) ともいい，感覚刺激に反応してほぼ恒常的に出現する電位で，潜時，振幅や頭皮上分布が一定している。また，内因性電位は事象関連電位ともいい，感覚刺激などに関連した注意，認知，課題解決や随意運動など心理的な活動によって変動する成分であり，ヒトの感覚，認識，課題作業や運動に対応して記録できる電位である。例えば，子どもが音を聞くように指示されると，子どもは音に注意を向けなければならず，脳で音に対して注意を向ける能力を反映する事象関連電位が記録される。事象関連電位や脳波は，fMRIのように空間分解能が高くないため，脳の活動部位の同定や脳梁部の活動を捉えることは得意でないが，一方で時間的分解能の高さから，連続的に課題を遂行していく際に観察される微弱な脳波を捉えることを得意としている。そして，ADHDでは刺激の物理特性のみのならず，刺激に対する内的な認知や情報処理過程において何らかの障害が存在するため，ADHDには事象関連電位が適した指標と考えられている。事象関連電位の成分のなかでもP300，negative difference (Nd)，mismatch negativity (MMN) やN2成分などがADHDとの関連について検討されている。そして，その事象関連電位が鑑別診断の際の補助的役割を担い，症状の重症度や薬物療法の有効性の客観的指標になる可能性が模索されている。

(1) P300

P300は情報処理における認知過程の最終段階に関連していると考えられ，潜時約300msecの陽性電位として出現する。聴覚性刺激によるoddball課題を用いて測定する場合，識別可能な2種類の音刺激をランダムに呈示し，一方の音刺激の呈示頻度を他方よりも少なくし，呈示頻度の少ないまれな音刺激が呈示されたときにボタンを押すように指示する。その際に誘導される電位を20〜50回加算してP300を同定し，その潜時と振幅を測定する。

P300はADHDの重要な認知領域である作業記憶，注意資源の配分や再定位を反映しているとされる[50]。特にP300の振幅が選択的注意などを反映しており，P300の潜時が刺激の分類に関わるタイミングなどを反映しているとされる[51]。

ADHD群は健常対照群に比べて有意に潜時が延長し，振幅が低下していたと報告されている[52〜54] (**図4**)。さらに，P300の構成成分であるP3bについてもADHD群は健常群と比較して振幅が有意に低下していたと報告されている[51]。また，虐待や両親の離婚などの環境要因によって現れるADHD様の症状をもつ児童との比較においてもADHD群は有意に振幅が低下していたと報告されており，このような臨床所見だけでは鑑別が困難な場合にも，生物学的な差異が存在することが報

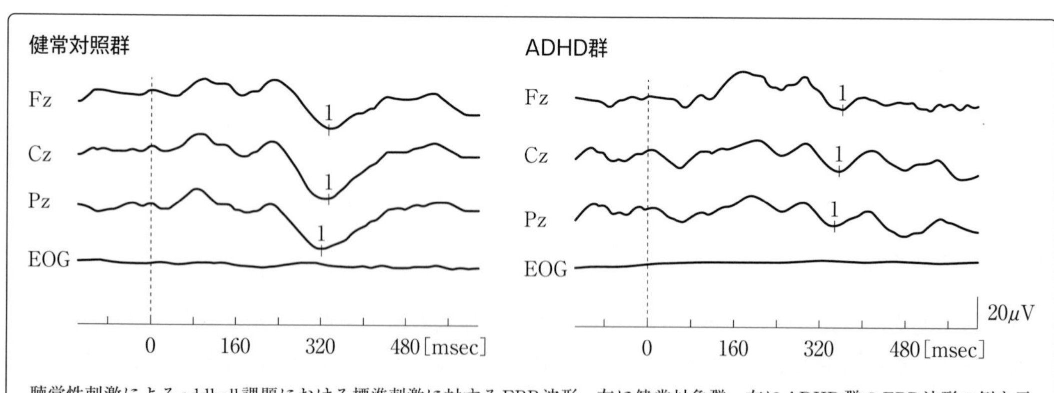

聴覚性刺激によるoddball課題における標準刺激に対するERP波形。左に健常対象群，右にADHD群のERP波形の例を示した。1がP300である。

図4 健常対象群とADHD群 (P300)

告されている[55)]。

これらのことからADHDは情報処理における認知の過程で障害があることが示唆されているが，一方でP300はADHDだけでなく，統合失調症，躁うつ病や認知症などで潜時の延長や振幅の低下が報告されている[56~58)]。また，ADHD群への徐放性メチルフェニデートの服薬前と服薬後で比較すると，ADHDの症状の重症度であるADHD評価スケール（ADHD-RS）の改善に従って，P300の振幅が有意に改善したと報告されている[59)]。また，年齢や症状に差がないADHD群をP300の振幅の値により2群に分類し，アトモキセチンの治療反応性を比較したところ，振幅が大きい群で治療反応性が高いことが報告されている[60)]。つまり，疾患に特異的な所見とはいえないが，P300の振幅が薬剤の有効性や治療反応性を客観的に評価する指標となる可能性が示唆されている。

(2) Nd

Ndは意識的または能動的な注意機能を反映する成分であり，刺激開始後50～100msecで立ち上がり，600msec前後まで持続する緩やかな陰性電位である。両耳分離聴課題（dichotic listening）では4種類の音刺激を2種類ずつ左右の耳にランダムに呈示し，一側の耳（注意側）に入力する2種類の音刺激のうち一方を標的音（偏倚（へんい）刺激）とし，その音刺激（注意側の偏倚刺激）が出現したときのみボタンを押すように指示する。そして，注意側刺激に対する事象関連電位の波形から非注意側刺激に対する事象関連電位の波形を減算した引算波形において検討される（**図5**）。Ndは二峰性で刺激呈示後，約50msecから立ち上がり約200msecまで持続する成分を早期Nd（Nde）と，その後約1,000msec続く成分を後期Nd（Ndl）に分類される。

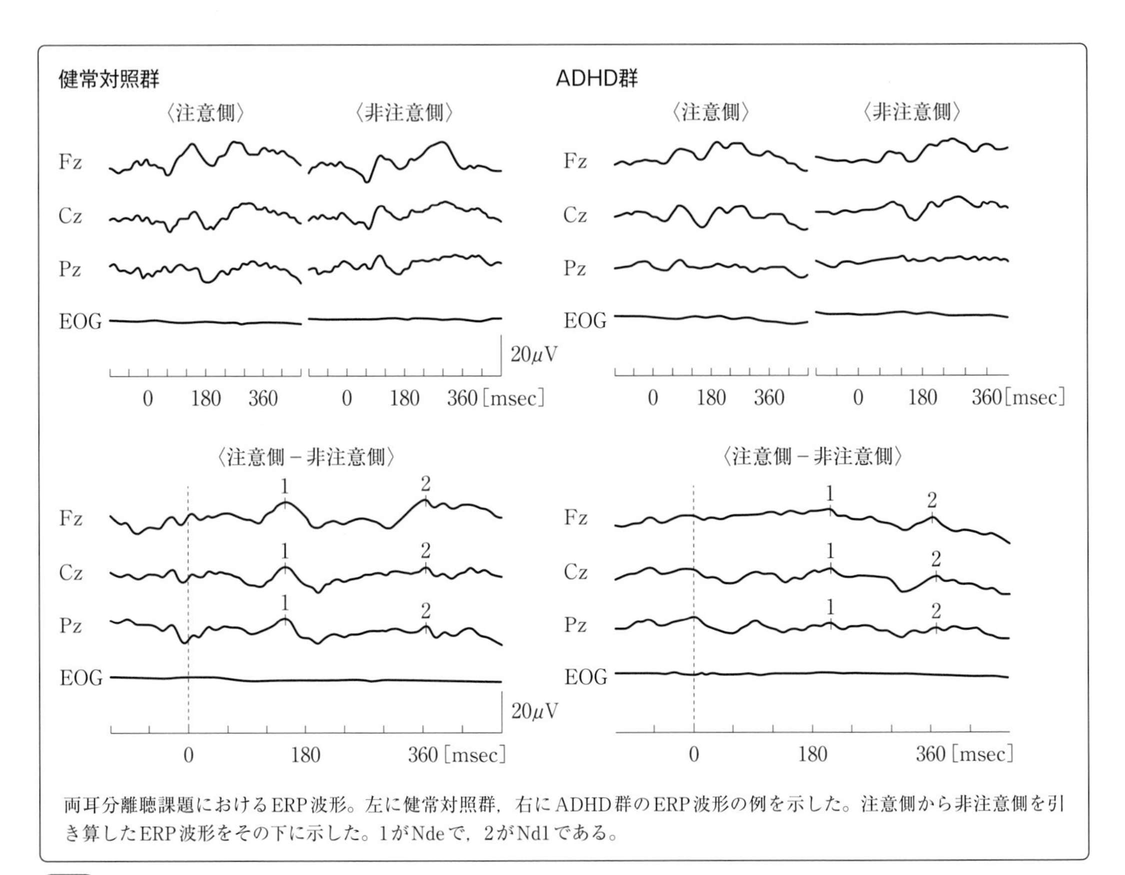

両耳分離聴課題におけるERP波形。左に健常対照群，右にADHD群のERP波形の例を示した。注意側から非注意側を引き算したERP波形をその下に示した。1がNdeで，2がNdlである。

図5 健常対象群とADHD群（Nd）

ADHD群は健常対照群と比較してNdと同様の成分である処理陰性電位（processing negativity；PN）の振幅が有意に低下しており（図5），徐放性メチルフェニデートの服薬前と服薬後で比べると，PNの振幅が有意に増加したと報告されている[61]。また，虐待や両親の離婚などの環境要因によって現れるADHD様の症状をもつ児童との比較においてもADHD群は有意にNdの振幅が低下していたと報告されている[55]。これらのことからADHDは意識的または能動的な選択的注意機能に障害があり，P300と同様に，臨床所見だけでは鑑別が困難な場合にも，生物学的な差異が存在する可能性が示唆されている。

(3) ミスマッチ陰性電位（MMN）

MMNは先行刺激における感覚記憶を利用して行う刺激弁別過程で，特に意識野以外の変化を素早く検出する機構である。つまり無意識的な自動処理を反映すると考えられており，低頻度刺激に対して刺激開始後60～100msecから出現する陰性電位である。聴覚刺激を用いた課題において標準刺激と，まれに出現する偏倚刺激の2種類の音刺激を提示し，その2種類の音刺激を無視して読書に集中させるなどの無視条件件を設定して行う。そして低頻度偏倚刺激に対するERPの波形から高頻度標準刺激に対するERPの波形を減算した引算波形において検討される（**図6**）。

ADHD群は健常対照群に比べてMMNの振幅が有意に低下していたと報告されている[54]（図6）が，異なった報告をしている研究者もいるため，結果は一致していない。また，ADHD群への徐放性メチルフェニデートの服薬前と服薬後で比べると，ADHD-RSが改善するとともに，MMNの振幅

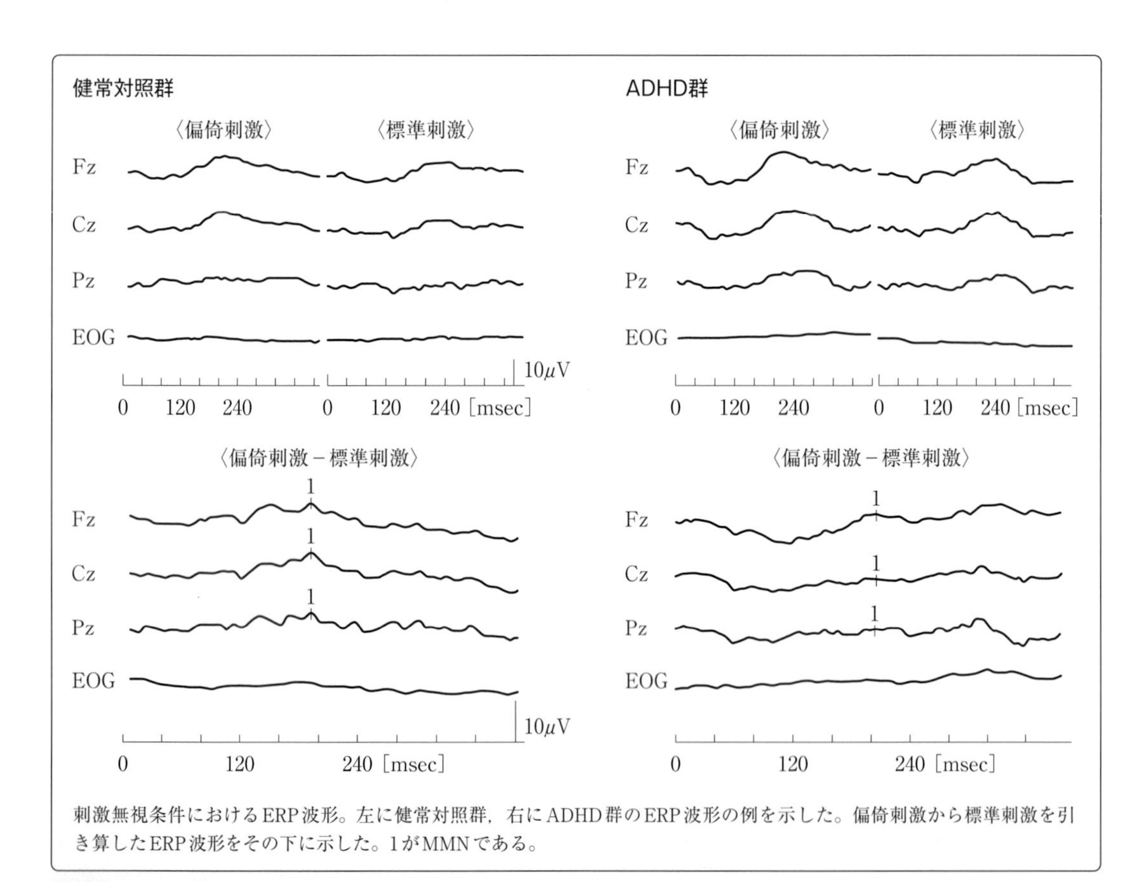

刺激無視条件におけるERP波形。左に健常対照群，右にADHD群のERP波形の例を示した。偏倚刺激から標準刺激を引き算したERP波形をその下に示した。1がMMNである。

図6 健常対象群とADHD群（MMN）

が有意に改善したと報告されている[59]。つまり，MMNの振幅が徐放性メチルフェニデートの有効性を客観的に評価する指標となる可能性が示唆されている。また，MMNは症状重症度との関連性が指摘され，ADHD-RSの多動性・衝動性サブスケールのスコアとMMNの潜時は正の相関を示し，MMNの振幅は負の相関を示したと報告されている[62]。さらに，ADHD症状を併存した広汎性発達障害におけるMMNの振幅と潜時は，いずれもADHD症状の重症度と相関していたと報告されている[63]。つまり，ADHD単独症例だけでなく，広汎性発達障害を併存したADHD症例においても，MMNの潜時が延長し，振幅が低いほど，ADHD-RS得点が高く症状が重症であることが示唆されている。これらのことからADHDは先行刺激を手掛かりとする自動的かつ前認知的な情報処理過程において何らかの障害があり，MMNは症状重症度を示す客観的指標になり得る可能性がある。

(4) N2（NOGO電位）

ADHDでは反応抑制の困難がみられ，反応抑制機能評価にGO/Nogo課題やCPTが用いられる。それらの課題でNogo刺激呈示後，約200msecに惹起する陰性電位がN2で前頭部優位に分布しNOGO電位ともよばれている。

ADHD群は健常対照群に比べてNOGO電位の出現率が有意に低下し，振幅が低下していたと報告されている[64]。つまりADHDで反応抑制機能に異常があることをNOGO電位により客観的に呈示できることが示唆されている。

3）事象関連電位の臨床的意義と今後の課題

ADHDではP300が障害されていることから，情報処理過程の最終段階で何らかの障害が存在することが示されている。そして，さらにMMNやNdが障害されていることから，その手前の刺激の弁別過程における障害によることが示唆されている。つまり，ADHDにおいては能動的な刺激選択過程と選択的注意の維持過程だけでなく，自動的かつ前認知的な処理機能においても何らかの障害があることが示唆されている。しかし，いまだに研究データが少なく，さらなるデータの蓄積が必要である。

（山室 和彦）

3 神経学的診察の臨床的意義

ADHDの診察において，一般的な神経学的診察は，主に積極的に鑑別診断や除外診断を行う必要がある場合に重要な意義をもつ。一見するとADHDのように見えるが，実は別の疾患の初期であるということがある。てんかんや脳腫瘍などの神経疾患，あるいは代謝疾患や変性疾患など除外すべき疾患の種類は多い。これらの疾患の頻度はまれであるが，見逃したときの影響はきわめて大きい。したがって，ひととおりの神経学的診察をしておくことが必要となる。小児の神経学的診察法は日本小児神経学会のホームページに示してある〔小児神経学的検査チャート（https://www.childneuro.jp/uploads/files/about/childneuro_chart19_2.pdf）〕。これは成人の神経学的診察に，運動発達や言語・認知発達，原始反射と姿勢反射など小児特有の項目が加味されたものとなっている。

1）鑑別診断すべき中枢神経疾患の所見と意義

鑑別すべき神経疾患でもっとも頻度が高いのはてんかんであるが，別項に詳述されているので，ここではまず脳腫瘍について述べる。脳腫瘍では星状腫，上衣腫，髄芽腫などの頻度が高い。頭蓋内圧亢進症状として，頭痛や嘔吐のほかに眼球運動障害や複視などが出現する。したがって，眼位，眼球運動制限，視力，視野欠損の有無などに留意するとよい。また，深部腱反射の亢進や左右差などは，皮質脊髄路への浸潤を疑わせる所見である。小脳髄芽腫では，運動失調などの小脳症状で気づかれることは少なく，頭蓋内圧亢進症状であることが多い。脳腫瘍は，思春期ではうつ病様の硬い表情や気分のむら，あるいは興奮といった精神症状で気づかれることがある。

意外と盲点なのが聴覚障害である。中等度（損失聴力50〜70dB）〜軽度（30〜50dB）の聴覚障害のある小児では，就学後に教室内で教師の声が聞き取れず，二次的な集中不良が生じてADHDと誤認されることがある。これは軽度〜中等度の聴覚障害では，家庭や少人数の環境では聞き取れても，大勢のざわめきのなかでは特定の人の声を聞き分けることが困難になるためである。声は聞こえても，話している言葉が聞き取れないという状態となり，二次的に授業に集中できなくなる。

このほか副腎白質ジストロフィーは，男児が発症するX連鎖性遺伝性疾患で，後頭葉の白質障害から始まることが多く，特異な視力障害（本人は見えないと訴えるが，物にはぶつからない）が早期から認められるが，それに先立って多動や集中不良があり，ADHDと誤診されることがある。前頭葉の白質障害から始まるタイプもあり，やはり多動や集中不良で始まるためADHDと誤診されることがある[65]。そのほかにも多くの疾患があり，鑑別診断の項にまとめてあるので参照されたい。

2）Soft neurological signの所見と意義

ADHDを診断するには，行動の評価が不可欠である。できれば衝動性や注意の持続性を客観的に測定するのがよい。前述の神経学的診察では，ADHDの積極的な診断はできないが，神経学的微徴候（soft neurological sign）は，ADHDの診断を支持する所見とみなすことができる。多動や衝動性のある小児では，協調運動の拙劣さ，連合運動の出現，姿勢や動作の不安定さ，行動抑制の未熟さなどが出現しやすいからである。

Soft neurological signは，脳成熟のわずかなズレや遅れを表すものであると考えられている[66]。したがって，必ず年齢を加味して考慮する必要があり，検査項目も年齢にあわせたものを選定する必要がある。それが神経学的診察との大きな違いである。例えば，示指と母指のタッピング時に反対側の指に現れる鏡像運動は5歳児では普通に見られるが，10歳で出現すると脳の成熟が遅れている可能性を示唆する所見となる。ただし，soft neurological signが認められると，直ちに何らかの疾患が疑われるというほどの意味はなく，単に脳成熟が遅れていることや脳成熟が均等に発達していないことを示すといった程度の意味合いで捉えるとよい。それでも環境による二次障害として現れている多動や衝動性，不注意との鑑別に用いることができるという意義は大きい。

3）Soft neurological signの検査法

Soft neurological signの検査法に関して，最近では新しい知見の報告は少ない。ここでは，TouwenとPrechtlによって体系化された姿勢や運動の安定性，協調運動などに関する検査法[66, 67]とGarfieldによってまとめられた行動抑制に関する検査法[68]のなかから抜粋して記す。これらは鈴木が提案した「微細脳損傷検査バッテリー」[69]のなかにも取り入れられているし，5歳児健診の診察法[70]にも採用されている。

(1) 立位姿勢

リラックスして起立させる。頭部や体幹の傾き，上肢の位置の左右差などをみる。上肢を前方90度に挙上するという負荷をかけて，上肢の高さや回内の程度の左右差をみることもある。3歳か

表1 片足立ち時間と通過年齢

片足立ちの時間（秒）	50%通過年齢（歳）	90%通過年齢（歳）
1	2.5	3.2
2	2.9	3.7
3	3.3	4.3
4	3.7	4.7
5	3.9	5.0
6	4.1	5.2

ら10歳の小児に行う。明らかな左右差があれば所見とする。

⑵ 片足立ち

片足で20秒以上立たせる検査で，TouwenとPrechtlの原法では0から6までの7段階で評価する。

0は片足立ちができない
1は少しできるがすぐに両足がつく
2は3〜6秒可能
3は7〜12秒可能
4は13〜16秒可能
5は17〜20秒可能
6は21秒以上可能

となっていて，5歳では3から4が，6歳では4が，8歳では6が標準であると記されている。

デンバー発達判定法[71]では，もっと幼少時をターゲットに，細かい基準を設定しているので参照されたい（**表1**）。

左右差も重要な所見で，3，4歳では利き側の影響が大きいが，5歳以上になると左右差は目立たなくなる。ADHDでは片足立ちの安定性が乏しいことがある。

⑶ 片足とび

片足とびを20回以上させるもので，やはり原法では0から6までの7段階で評価する。

0は片足とびができないもの
1は2〜4回できるもの
2は5〜8回できるもの
3は9〜12回できるもの
4は13〜16回できるもの
5は17〜20回できるもの
6は21回以上できるもの

となっている。4歳では2が，5歳では3が，6歳では4が標準であり，おおよそ20%の6歳児では20回以上の片足とびが可能で，7〜8歳ではほとんどが6に相当するとなっている。

デンバー発達判定法[71]では，2回の“けんけん”ができれば通過と判定することになっており，その50%通過年齢は3.3歳，90%通過年齢は4.2歳となっている。

5，6歳未満では利き側の影響があり，左右差が認められることがあるが，おおよそ6歳以上で左右差はあまり目立たなくなる。自閉スペクトラム症では，片足とびの左右差が利き側の差以上に顕著に現われることがある。

(4) 前腕の回内回外

立位姿勢で一方の上肢の脇を締め，前腕を90度前方に屈曲させたあとで，前腕の回内回外運動をさせる。

TouwenとPrechtlの原法によれば0～3の4段階の評価で，

0はまったく回内回外になっていないもの

1は回内回外になっているが，肘が身体から15cm以上離れるもの

2は回内回外になっていて，肘が身体から5～15cm離れるもの

3は回内回外ができていて，肘の離れ具合が5cm以下のもの

と記されている。同時に随伴する運動として反対側の鏡像運動や肘の屈曲の有無をチェックする。前川はこの検査は幼児には難度が高く，7歳でも反対側に軽い鏡像運動や肘の屈曲がみられるとし，8～9歳でスムーズにできればよいとしている[72]。

(5) 指の対立（タッピング）

母指と示指の対立動作（タッピング）を繰り返し行うもので，最も早く動かそうと努力した際に，示指以外の指も同時に動く，あるいは反対の手指に鏡像運動が現れる場合にそれを所見と判定する。定型発達の小児では，5歳以降ではほとんどこうした所見は見られなくなる。

6歳以上では，母指とそれ以外の指を順番に対立させて指の移動ができるかを見る[67]（母指－示指，母指－中指，母指－薬指，母指－小指の順）。

7歳以上では母指－示指，母指－中指，母指－薬指，母指－小指に続いて，その逆をさせてみる。いずれも指の対立動作のスムーズさ，指を変えるときのスムーズさや順序の正しさを見る。指の運動が成熟していない小児では，同じ指に2回以上触ってしまうことが多い。同時に鏡像運動の出現をチェックする。8歳ではほとんどの小児がスムーズな対立動作が可能となる。

(6) 手の交互開閉

立位で上肢を前に出させて，グーとパーを交互に変換させる。検査者が「先生と同じにしてね」と声をかけて，変換する掛け声を4回ほどかけたあと，掛け声を中止ししてみる。衝動性の強い小児では，検査者に合わせることなく，勝手に自分のリズムで交互開閉をしてしまうことがある。脳成熟が未熟な小児の場合には，両手が同時にグーあるいはパーになってしまう現象がみられる。

(7) 安静閉眼

これはGarfiledが提案している検査[68]で，行動抑制力をみるものである。座位で目を閉じるように指示を与え，20秒間その状態が維持できるかをチェックする。20秒間閉眼の状態が保持できなかった場合を所見とする。また，20秒間閉眼していても，顔を苦悶様にゆがめたり，口を動かす，手や足を動かすなどの随伴する動きがみられた場合に所見ありとする。ADHDの小児では，20秒間の閉眼ができないことがあるし，20秒間閉眼していても随伴する動きが認められることが多い。情緒的に不安の強い小児でも，20秒間の閉眼ができないことがある。5～10歳が適応年齢である。

(8) 側方視の維持

対座にて正面から約45度になる位置に示指を置き，その指を側方視させて，その状態を保持するよう指示する。20秒間に眼球が正面に戻る回数をチェックする。2回以上であれば行動の抑制が不十分であると考えられる。6～12歳くらいが適応年齢である。

4）随意運動発達検査

2歳から就学前の小児を対象とした運動発達を調べる検査として標準化されたものに随意運動発達検査[73]がある。A．手指の随意運動，B．顔面・口腔の随意運動，C．軀幹・上下肢の随意運動

——の3カテゴリーから構成されていて，定型発達の小児の90%が通過する年齢を基準としている。ADHDとの関連については不明であるが，標準化されている微細な運動の簡便な検査法として記しておく。

（小枝 達也）

4 血液検査（血液学的，生化学的，免疫学的諸検査）の臨床的意義

1）はじめに

系統だったアセスメントを客観的視点から検討することは医学的に必須のことである。行動および情緒的問題を有するADHD臨床の場においてもそれは例外ではない。そして血液学的検査もこのような客観的視点の一助になるものである。現時点ではADHDに対して直接診断価値をもたらすような血液検査（血液学的，生化学的，免疫学的諸検査）は存在しない。またADHD診療を含めた児童思春期精神科臨床の領域において，身体疾患の既往歴がなく身体所見にも乏しい場合には血液検査を行っても大きな意味をなさない。しかしながら何らかの器質的疾患を疑わせる身体所見や病歴そして家族歴を有する場合には臨床検査は必須のものとなるであろう。したがって血液検査をするにあたってその前段階のアセスメントが極めて重要であり，アセスメントおよび目的が不明確な検査はありえない。

このようなことをふまえてADHDの診断・評価といった視点においての血液検査の臨床的意義と限界について考えてみたい。一般的に行動および精神症状を主訴に外来を受診する児童に対して血液検査を行う目的は第一にADHD症状を引き起こす身体疾患の特定のため，第二にはADHDに伴う合併症の把握のため，そして最後に薬剤投与前と投与中の身体機能の評価のためである。以下それぞれについて概説していく。

2）ADHD症状を引き起こす身体疾患の特定のため

臨床において血液検査を行う目的の第一はADHDとしての症状すなわち不注意/多動/衝動性を有する身体的疾患[74, 75]を除外することである。ADHD様の症状を呈する身体疾患には**表2**のようなものが挙げられる。このような疾患を除外するためには前述したとおり発育歴，既往歴，家族歴の聴取はいうまでもなく，系統だった身体診察を行うことが重要になる。すなわち各疾患の病態および臨床症状について把握すべきである。表2に挙げたそれぞれの疾患のうち血液検査がその診断

表2 ADHDと似たような症状を引き起こす身体疾患

・先天性脳異常	・低血糖
・頭部外傷	・貧血
・Enterobius vermicularis（ヒト蟯虫）	・鉛中毒
・てんかん	・脆弱X症候群
・聴力障害	・胎児性アルコール症候群
・視覚障害	・フェニルケトン尿症
・甲状腺機能障害	・神経線維腫
・睡眠障害（睡眠時無呼吸症候群，ナルコレプシー，むずむず脚症候群など）	・精神発達遅滞
	・脳腫瘍

のうえで重要な各疾患について述べる。

(1) 甲状腺機能障害[74)]

ADHD臨床において血液生化学検査によりルーチンに甲状腺機能を検査することの強い根拠はないといわれている。しかしながら後述するようなそれぞれの疾患を疑わせるような現病歴／家族歴および身体所見がある場合には検査は必須となる[76)]。

①甲状腺機能亢進症

甲状腺機能亢進症の原因疾患で最も多いのはバセドウ病（Graves病）であり，それは小児においても同様である。好発年齢は20～30代である。15歳未満の発症は5％程度であり，幼児例もある。男女比は1：7で女児に多い。頻脈，体重減少，手指のふるえ（振戦），発汗増加などの甲状腺ホルモン過剰に伴う症状やびまん性甲状腺腫，眼球突出などの特有の症状を認める。成人における精神症状は　緊張，過活動，感情不安定が三徴とされている。不安症状および焦燥感で発症することも多い。小児では学力低下，身長促進，落ち着きのなさなどが認められる。血液生化学検査において（ⅰ）遊離T4，遊離T3のいずれか一方または両方高値，（ⅱ）TSH低値（0.1 μ U/mL以下），（ⅲ）抗TSH受容体抗体（TRAb，TBⅡ）陽性，または刺激抗体（TSAb）といった所見を認める。コレステロール値が低値になることもある。

②甲状腺機能低下症

甲状腺機能低下は全人口の1％程度とされている。甲状腺機能低下症での精神症状発現は約半数から70％前後であるとされている[77)]。原因疾患として視床下部性と下垂体性，TSH結合阻害後退によるTSH不応症，原発性甲状腺機能低下症である先天異常（形成異常，クレチン病）と橋本病が進展した萎縮性甲状腺炎となる。精神活動の不活発さによる症状が中心となる。すなわち意欲・活動性の低下，注意集中困難，周囲への無関心などである。

（ア）橋本病（慢性甲状腺炎）：自己免疫性甲状腺炎ともいわれる。中年以降に多い疾患である。6歳以上の小児の甲状腺腫および後天性甲状腺機能低下症の最も多い原因とされ，思春期年齢から増加する。橋本病の多くは無症状で，甲状腺機能低下を示すのは10％程度に過ぎないといわれている[77)]。びまん性甲状腺腫がおもな臨床所見であり，小児では80～90％に認められる。全身倦怠感，体重増加，寒がり，便秘，月経不順，頭痛なども認める。甲状腺疾患の家族歴や高コレステロール血症が診断のきっかけとなる場合もある。血液検査上，小児では 90～95％に抗サイログロブリン抗体，抗甲状腺マイクロゾーム抗体が陽性となる。

（イ）先天性甲状腺機能低下症：わが国では新生児マススクリーニング検査が行われているため発達障害臨床の場で鑑別を要する場面はほとんどない。しかしマススクリーニング検査で発見できないケースなどもあるため一応の注意を要する。

(2) 鉛中毒[78)]

事故（鉛含有物であるアクセサリーの誤飲や工場での曝露）以外に鉛中毒はまれである。慢性中毒の臨床検査上の基準値は10μg/dL以上である。鉛中毒の精神症状としては被刺激性亢進や集中力低下，認知機能障害が代表的な所見である。しかしながら近年になって環境汚染や鉛含有水道管などの使用による低濃度・長期間の鉛の曝露が問題となっている。胎生期および幼少期の低濃度長期間曝露により知的機能や認知機能の低下が生じるとされている。そのような場合にはADHDとの鑑別および合併が必要になる可能性はある。

(3) 貧血

鉄欠乏性貧血とADHDを含めた発達障害および精神障害との親和性は高いといわれている[79)]。鉄欠乏性貧血自体で集中力障害や情緒障害を引き起こすことが推定されている。異食症（pica）や異臭症は鉄欠乏性貧血特有の症状であり，血液検査所見上において小球性低色素性貧血，血清フェリチン値および血清鉄の低下を示す。鉄欠乏が線条体のD_1およびD_2レセプターやドパミントランスポーターの濃度を減少と関連していることが動物実験上で明らかとなっている[80, 81]。そのためADHDの病態生理自体に鉄が関与しているのではないかと考えられている[82]。したがって鉄欠乏性貧血は鑑別診断としてだけでなくADHDの合併症としての存在にも留意すべきであろう。Konofalらは ADHD児において，血清フェリチン値の異常低値（<30ng/ml）は84％に達し，ADHDの重症度と血清フェリチン値は相関するとしている[83]。またSecverらはADHD児に経口鉄剤を投与したところ，両親からみたADHD症状が改善をしたと報告している[84]。

(4) 低血糖

低血糖が急速に低下した場合の初期症状は副交感神経優位の身体症状（発汗，徐脈，眠気，活力の低下）が生じ，その後に交感神経優位の症状（頻脈，動悸，冷感，振戦，顔面蒼白）となり，抑うつ・不安・精神運動興奮，せん妄などの症状が生ずる。低血糖が緩徐かつ慢性的に持続する場合には感情症状と軽度の認知障害（注意障害，思路の散乱など）を認める。低血糖の主な原因としては糖尿病患者におけるインスリンの過剰使用および身体疾患（インスリノーマなど）などが考えられる。

(5) 副腎白質ジストロフィー[85]

副腎白質ジストロフィーはABCD1遺伝子異常によるX連鎖遺伝性疾患である（発端者の3～10％は *de novo* の変異と考えられており，母親が必ず保因者とは限らない）。多様な臨床型を示すことが特徴である。そのなかでADHDと鑑別を要するものは小児大脳型（CCALD）と思春期大脳型（AdolCALD）である。初発症状は視力／聴力障害，行動異常，性格変化，歩行障害，副腎機能低下など多彩である。大脳型は唯一の治療法が発症早期の造血細胞移植であるとされており，その時期を逃さないようにすることが重要である。好発年齢は7歳を頂点として3～15歳くらいまでに発症するといわれている。途中から発症するADHD症状，成績低下，書字障害などの臨床症状を発端とすることが多い。頭部MRI検査にて異常を発見されることが多く，血液所見上は血中極長鎖脂肪酸の蓄積が認められることが特徴である。

(6) 脆弱X症候群

脆弱X症候群はX連鎖性の遺伝性精神遅滞である。遺伝性の知的障害疾患として最も頻度が高い。知的な遅れ，学習障害，ADHD症状，自閉症様の症状，てんかんを認めることもある。男女ともに認められるが女児は軽症であることが多い。知能指数は20～70の範囲が多く，70以上のIQは全体の15％程といわれている。Premutationキャリアーのほとんどは正常IQであるといわれており，ADHDもしくは自閉症スペクトラムの特徴を有することが多い。身体所見としては特徴的な顔貌（長い顔，広い前額，頭囲増大，大きな耳，下顎突出），筋緊張低下，手掌骨指骨関節の過動扁平足，思春期以降の男児での大きな睾丸などが特徴的である。診断は染色体検査もしくは遺伝子検査を行う。遺伝子検査が確実である。

(7) むずむず脚症候群

むずむず脚症候群とは下肢を中心に夜間睡眠時に不快な耐え難い感覚が起こり，このためじっとしていられず不穏な運動を生じる。病態生理については知覚・運動神経系の異常が病態の根底にあり，脳内鉄の異常によるドーパミン神経機能異常が根底の病態であると推測されている。そのためADHDと共通の病態生理があるのではないかと推測されている。血清フェリチン値の低下を示すことが多い。ADHD児の44％がRLS様の症状を呈し，RLSに罹患している児童のうち26％がADHD様の症状を呈していたとする報告もある[86]。

(8) PANDAS（Pediatric autoimmune neuopsychiatric disorders associated with streptococcal infections：連鎖球菌感染性小児自己免疫神経精神障害）

Swedoらによって提唱された疾患概念である[87]。小児期にチック，強迫性障害などを併発し溶連菌感染が証明される。病因としてA群β型溶血性連鎖球菌感染後に産生される連鎖球菌に対する抗体が大脳基底核に対して交差反応を起こす結果生じると考えられている。①強迫性障害またはチック障害の存在，②発症が3歳から思春期の始めまで，③突然の発症と症状の挿話的経過，④連鎖球菌感染と精神症状悪化（発症）との時間的関連，⑤書字障害・舞踏病運動・チックなどの神経学的異常——を5つの臨床上の特徴とする。PANDASの経過のなかでOCDとチック以外の神経精神学的症状が認められることがある。比較的よく認められるものとしては学習障害，注意欠陥多動性障害，気分変調，睡眠障害，微細および粗大運動障害などがある。急性期であれば咽頭培養によるA群β型溶連菌の証明を，感染から数カ月ほど経って発症したと考えられる場合に血清免疫学的診断が有用である。

3）ADHD児に伴う合併症（主に精神疾患および虐待に伴うもの）の状態把握のため

ADHDにはさまざまな精神および行動上の併存障害を認める。虐待との親和性も低くない。主なものをあげると性虐待の既往がある場合や性的逸脱などの行動を伴う場合には梅毒やヒト免疫不全ウイルス（Human Immunodeficiency Virus；HIV）などの性感染症についてのスクリーニング検査を行うことが必要であろう。摂食障害を合併している場合には血清電解質，アミラーゼ値などの測定が必要となる。

4）薬剤投与前と投与中の身体機能の評価のため

向精神薬は比較的長期に薬剤を服用することが多いため薬剤の種類にかかわらず，服用を開始する前に一般的な血液学的検査（血算，血液像，血清電解質，腎・肝機能検査など）をすることが望ましい。現在ADHDの中核症状に対してわが国で処方可能な薬剤は，①メチルフェニデート，②アトモキセチン，③グアンファシン，④リスデキサンフェタミン——の4剤である。薬剤添付文章において頻度1%以上の副作用としてCK上昇（メチルフェニデート）が，頻度1%未満の副作用として　肝機能異常や白血球減少など（メチルフェニデート），ALT上昇（グアンファシン）の副作用が記載されている。バルプロ酸やカルバマゼピン使用の際の肝機能障害は特に留意すべきである。これらの薬剤では治療開始後の最初の数週間は頻繁に，その後は半年から1年単位で血液学的検査をモニターすべきである。

（岩垂 喜貴）

5 知能検査の臨床的意義

1）診断における知能検査の役割

知能を測定する試みの端緒は1905年にフランスのBinet, A.とSimon.Tによるビネー式知能検査の開発から始まった。この測定法は海を渡り，スタンフォード大学のTerman，L.Mによって1916年に精神年齢と生活年齢の比を用いて算出する知能指数（IQ）が採用され，検査項目の改定とともに標準化も行われ，スタンフォード・ビネー検査が誕生することとなった。当時の知能検査の役割は個々の子どもにあった教育を行うために，被検者の知的水準を正常域と異常域に分類することにあり，IQがある一定の水準以下であることによって知的障害か否かが操作的に判断された。さらに，米国では第一次世界大戦で，読み書きや言語に制約のある入隊者の知能を測定するために非言語性の陸軍式知能検査の開発がなされ，その必要性に応じるものとして，Wechsler,Dは1936年に言語性IQと非言語性（動作性）IQを測定する最初のウェクスラー知能検査であるWechsler-Belleveu Scaleを開発した。この検査で初めて，得点分布特性を基に算出する偏差IQが用いられるようになった。1960年には，スタンフォード・ビネー検査でも精神年齢によるIQを廃止し，偏差IQを採用することとなった。現在は国内外でのほとんどの知能検査・認知検査は平均を100，標準偏差を15とする偏差IQ（標準得点）を用いるようになっている。ただし，わが国では乳幼児においては精神年齢（発達年齢）の有用性が指摘されており，新版K式発達検査や田中ビネー式知能検査に精神年齢（発達年齢DQ）が使われ続けている。

このような知能検査の誕生の経緯は，知能検査の結果（IQ70以下）によって知的障害が診断されるといった誤解を生んだが，現在では知的機能だけではなく，自立や社会生活上の困難さの程度など総合的な適応機能も評価することによって知的障害が診断され，知能検査の結果はその診断のための情報の一部として扱われる。同様に注意欠如・多動症（ADHD），自閉スペクトラム症（ASD），限局性学習症（SLD）においても，知能検査は障害の有無を判別するのではなく，あくまでも診断の補助的な役割を果たす道具として使用される。

知能とは，新しい場面に適応するにあたって，これまでの経験を効果的に再構成する能力である。すなわち知能とは，さまざまな領域の精神活動が協働して機能し，生活への適応を促進していく総合的な能力である。そのためIQが平均をはるかに超えていても，適応の基盤となっているさまざまな領域の能力の間に隔たりがある場合には，それが学習の偏りや状況認知の歪みの原因となり，社会生活上の深刻な問題を引き起こす。また，知的障害を伴わないADHD，ASD，SLDなどの発達障害の場合，総体的な能力を示す「IQ」だけでは被検者の適応力や予後を予測することは難しい。そこで，知能検査の結果を詳細に分析し，個人のなかの強みや弱みとなる認知的特性を把握すること，つまり個人内差を測定することが，診断や予後の予測において重要な情報となる。

2）わが国の知能検査法

わが国で主に用いられる個別知能検査は，ビネー式知能検査法とウェクスラー式知能検査法である。ウェクスラー式知能検査は，幼児用のWPPSI-Ⅲ（Wechsler Preschool and Preliminary Scale of Intelligence-3rd ed：2歳6カ月～7歳3カ月），児童用のWISC-Ⅴ（Wechsler Intelligence Scale for Children-5th ed：5歳0カ月～16歳11カ月），成人用のWAIS-Ⅳ（Wechsler Adult Intelligence Scale-4th ed）の3種類がわが国では最新版である。また，知能検査とは直接的に標榜はしてはいないが，KABC-ⅡやDN-CAS認知評価システムという検査もわが国ではよく用いられており，ウェクスラー式知能検査とともに全般的な知的機能と認知特性のプロフィールを測定できる。最近では，これらの知能検査はCattel-Horn-Carroll（CHC）理論やLuriaの神経心理学理論に準拠し作成されており，**表3，4**のような認知特性を測定することができる[88～92]。

3）神経発達症における知能検査の意義

ADHDにおいて知能検査を実施する意味は，その結果から被検者の認知能力の特徴を読み取り，被検者の認知能力と適応の問題の関連を検討し，そのことから具体的な支援を考えるためである。ADHD特性だけでなく，知的水準や認知能力のアンバランスはダイレクトに学習や授業参加に関係し，その結果，学校適応に多大な影響を及ぼす。特にADHDが知的発達症や限局性学習症（SLD）と重複しやすいことを考えると，知的水準に加えて，学習困難の背景にある認知能力のアンバランスも測定する必要がある。ときに，多動性や衝動性，不注意などの症状，行動の問題が目立つ症例であると，教師や養育者は子どもの逸脱行動や問題行動ばかりに目が行きやすく，知的理解力やその他の認知能力の弱さに気がつきにくく，知らず知らずのうちに学習困難が積み上がってしまう例も多い。そのため，行動面の困難が中心のADHDの症例であっても，知能検査の実施は必須といえる。

また，ADHD診断の一助とするためにも知能検査は頻繁に行われる。ADHDの原因論としては注意や集中や衝動抑制に関わる神経心理学的な発達の問題が想定されている。前述の表1，2においても，注意や集中，ワーキングメモリ，プランニングといったADHDの背景にある機能的問題が，知能検査の結果（検査得点だけでなく，検査内での行動観察情報も含む）に少なからず反映することがある。特に，処理速度指標はADHDおよびASDの臨床症状との関連が強く，ADHDの一部にみられるSluggish Cognitive Tempo，ASDにみられる認知的柔軟性（切りかえ）の問題，発達性協調運動症（DCD）にみられる協調運動や手指の技巧性や書字の問題は，その見立てに検査得点の高低だけでなく，下位検査実施中の行動観察情報も重要な情報源となる。

表3 WISC-Ⅴが測定する認知特性

指標名	測定する認知特性
言語理解指標（VCI）	習得語彙，習得知識，言語概念形成，言語的推論，言語表現
視空間指標*1（VSI）	視空間認知，視空間的推理，部分と全体の統合，視覚的注意，視覚運動の統合
流動性推理指標*1（FRI）	視覚刺激の概念関係を検出する力，ルールを見つけ出し適用する力，帰納的推論，量的推論，広範な視覚的知能，同時処理，抽象的思考
ワーキングメモリ指標*2（WMI）	ワーキングメモリ（視覚的，聴覚的），注意，集中，聴覚的弁別，視覚的弁別
処理速度指標（PSI）	視覚刺激を早く的確に処理する力，問題解決の速さ，決断速度の速さ，視覚的探索，視覚弁別，視覚的短期記憶，視覚-運動協応，集中

＊1：WISC-ⅣやWAIS-Ⅳ，WPPSI-Ⅲでは「VSI」，「FRI」は分かれておらず，「知覚推理指標（PRI）」となっており，「非言語的推論」，「空間認知」，「視覚-運動の統合」などを測定するとされる
＊2：WISC-ⅣとWAIS-Ⅳでは「聴覚的ワーキングメモリ」のみを測定していたが，WISC-Ⅴでは新たに下位検査が加わり，視覚・聴覚どちらも測定するものとなった

表4 KABC-ⅡもしくはDN-CASが測定する認知特性*3

指標名	測定する認知特性
継次処理	情報を一つずつ連続的・時間的な方法で分析的に処理する力
同時処理	一度に多くの情報を空間的に統合し，全体的に処理する力
計画／プランニング	問題解決の方法を決定し，選択し，適用し，評価する力
学習*1	長期緒記憶と検索，新しいことを学ぶ力
注意*2	提示された情報に対して，必要なものに注意を向ける力

＊1：KABC-Ⅱは「継次処理」，「同時処理」，「計画」，「学習」で認知尺度を構成する
＊2：DN-CASは「継次処理」，「同時処理」，「注意」，「プランニング」で全検査得点を算出する
＊3：KABC-Ⅱでは結果の解釈の際，この表のカウフマンモデル以外にも，CHC理論モデルも選択できる

4）WISC-Ⅴの概要

ウェクスラー式知能検査法は，知能全般の指標の他に言語性知能と動作性知能という概念で知能の特徴を把握する方式を長く踏襲してきた。しかし，WISC-Ⅳ（WPPSI-Ⅲ，WAIS-Ⅳ）では，言語性IQと動作性IQを廃止し，全検査の指数（Full Scale IQ；FSIQ）とともに，言語理解指標（Verbal Comprehension Index；VCI），知覚推理指標（Perceptual Reasoning Index；PRI），ワーキングメモリ指標（Working Memory Index；WMI），処理速度指標（Processing Speed Index；PSI）の4指標によって認知能力の特徴を把握する方法に改変されている。また，WISC-Ⅴからは CHC理論に準拠する形で，「知覚推理指標」が2つの指標に分かれて，「流動性推理指標」（Fluid Reasoning Index；FRI），「視空間指標」（Visual Spatial Index；VSI）」が算出できるようになった（表1）。また，臨床的ニーズに基づいたさまざまな臨床群の認知能力を測定する補助指標も算出が可能となった（**表5**）[88]。

ADHDのある子どもは一般的に不注意，転導性などがあるためワーキングメモリ指標，処理速度指標が低下しやすいといえるが，一方で，これらの得点が低下しないケースも多くいる。また，不注意症状だけでなく，出し抜けの発言，熟慮しない回答，検査用具や鉛筆にすぐ手が伸び勝手にいじるなどといった衝動的反応，体を動かしたり，離席したり，すぐに姿勢が崩れたりといった多動も検査実施時に頻繁にみられることが多い。ただ，これも，刺激が統制された検査場面では不注意，衝動性，多動性がみられないケースも多くいるので，検査中の行動観察情報にだけ頼るのは留意すべきである。検査場面は雑多な刺激であふれている日常場面とは異なることも念頭に置かなければならない。

FSIQや4つの指標得点は，下位検査の得点を加算して求められることから合成得点と呼ばれる。合成得点には，それぞれの値が同年齢のどれくらいの子どもに認められるかを示すパーセンタイル順位と90%と95%の信頼水準での誤差を示す信頼区間が提供されている。また，合成得点（FSIQ，VCI，VSI，FRI，WMI，PSI）は**表6**のように各得点域を言語的に表現する分類記述が定められており，信頼区間の範囲で記述する。例えば，児童がFSIQが73であった場合，パーセンタイル順位は4位（100人中後ろから4番目），90%信頼区間は69～80点となる。また，このケースのFSIQは「非常に低い」から「平均の下」の範囲であると記述する。

5）個人内差の測定と行動観察の重要性

ウェクスラー検査では，FSIQと5つ（4つ）の合成得点によって被検者の同年齢の平均と比較した認知の特徴が判断できる。合成得点は平均が100，標準偏差が15の標準得点に変換されており，先に挙げた分類記述でその高低を判断する。下位検査は平均が10，標準偏差が3の評価点に変換される。これらの得点自体，同年齢集団の平均からどの程度離れているかを表しているので，個人間差（人と人の違い）を測定していることになる。

一方，個人のなかの得意－不得意は，個人内差（個人のなかにある能力の差）といわれ，ウェクスラー検査では，指標得点間のディスクレパンシー分析や下位検査間のStrength － Weakness分析（SW分析）を行い，得点間の有意差とその得点差の標準出現率（標準化サンプルにおける実際の出現率）を求めることができる。これらをもとに，個人のなかでの認知的強みと困難を特定化していく。例えば，WMIの下位検査である「数唱」と「絵のスパン」を比較することで，聴覚ワーキングメモリと視覚ワーキングメモリの優位性（困難性）をみることができる。

さらに，下位検査内の詳細な得点算出や得点比較を行うこともできる（プロセス分析）。例えば

表5 WISC-Vにおける補助指標

指標名	測定する認知特性
量的推理指標（QRI）	数量的な推理，思考に関する能力を測定する。読みや算数，創造性，将来の学習成績，学習面などに関連する
聴覚ワーキングメモリ（AWMI）	最新版では視覚も聴覚も含めたワーキングメモリも測定できるようになったため，従来の聴覚WMは別に算出する。
非言語性能力指標（NVI）	表出言語や日本語に不自由な臨床グループに対応した指標。外国籍，日本語を学習中，言語表出障害がある自閉症など。
一般知的能力指標（GAI）	FSIQの算出に用いるVCI，VSI，FRIの下位検査に基づく指標。全般的能力と他の認知能力との比較を行う際に用いる。WMIとPSIを除外した知的能力となる。
認知熟達度指標（CPI）	WMIとPSIを合わせた指標。視覚・聴覚情報処理の問題，転導性，視覚運動の困難，メモリ容量の制限などの様々な要因が関連。

表6 合成得点の分類記述

合成得点	WISC-Vの分類記述	従来の分類記述	理論上の割合（%）
130以上	極めて高い	非常に高い	2.5
120～129	非常に高い	高い	7.2
110～119	平均の上	平均の上	16.6
90～109	平均	平均	49.5
80～89	平均の下	平均の下	15.6
70～79	非常に低い	低い（境界域）	6.5
69以下	極めて低い	非常に低い	2.1

※WISC-Ⅳ，WAIS-Ⅳなどで用いられてきた従来の分類記述と異なるので注意が必要である
〔David Wechsler : Wechsler Intelligence Scale for Children-Fifth Edition（WISC-V）. Pearson, 2014（日本版WISC-V刊行委員会：日本版WISC-V理論・解釈マニュアル，日本文化科学社，2021）より引用〕

「数唱」の順唱，逆唱，数整列の3つの評価点比較を行うことで，メモリ機能や注意機能のより詳細な分析ができる。また，誤答傾向や特徴的な反応をピックアップし吟味するプロセス観察も重要視される。特に，神経発達症の他の障害をADHDと併存する場合は，不注意，衝動性，多動性にかかわる反応だけでなく，こだわりやすさや保続，視覚運動の問題，情緒的反応，社会的コミュニケーションなど検査場面での反応も拾っていく必要がある。

これらの個人間差および個人内差を調べその要因を検証することは，被検者の臨床像を把握するための有効な資料となる。

6）ADHDにおける検査実施に際しての留意点

診断の補助として知能検査を実施するときには，保護者や担任，スクールカウンセラーなどから日ごろの被検者の様子を聴取しておく必要がある。またADHDに関連する治療薬の服用の有無を通常と当日について確認しておく。もし可能ならADHD-RSやCBCLなどの行動評価尺度の資料を得るのもよい。なぜならADHDが疑われる被検者に知能検査を実施する際，通常のときと異なる配慮が必要となるからである。

不注意や多動や衝動性のある被検者に知能検査を実施することは，経験の浅いテスターにとって莫大な気力と労力を必要とする。検査の施行と同時に，検査中の逸脱行動，注意の転導，集中の低下，意欲の低下，検査の拒否などへの対応が必要となるからである。ADHDであるか否かは別と

表7 検査実施における準備と予測

①検査を行う場所は，人の出入りがなく外部からの物音が入りにくい部屋。窓はブラインドを下ろし外が見えない状態にしておくのがよい。検査に必要な物以外で被検者が興味を引きそうな物は事前に目につかない場所に移す。 ②検査開始前のテスターと被検者のラポールの形成は必要であるが，親しくなりすぎず，検査実施の主旨とテスターとしての自己紹介，被検者の氏名や年齢の確認など簡素で事務的な程度でよい。 ③被検者が検査の準備時間や課題の移行時間に，集中が途絶え意欲が低下しやすいことを想定し検査に十分に熟達しておく。各検査の実施がスムーズに行えるように検査用具を即座に取り出せる場所に置いておく。ただし，被検者の目に触れにくく手の届かない場所に置く。 ④テスターと被検者の座席は，離席や離室などの逸脱行動が生じたときに即座に制止できる距離と位置にあること。通常向き合って座ることが多いが，場合によっては隣に位置することも必要である。 ⑤教示やクエリー（回答への質問）の際には，被検者の注意を促すうえで，視線が合っていること，あるいはテスターの呼びかけに反応していることを確認する ⑥検査や回答への促しや励ましは，『実施・採点マニュアル』に定められている範囲を逸脱しない程度に，検査への注意や意欲が低下しないために適宜に行う。 ⑦逸脱行動や注意・集中の極端な低下から，検査の中断や休憩が必要となることを予測しておく。中断の時間，休憩の時間に被検者が落ち着いて行動できるように，その間のさりげない話題（例えば検査の感想，日常的な様子を聞く），あるいは簡単な作業（例えば検査中に動いてしまった机や座席をもとに戻す）を考え必要に応じて与える。また検査が長時間になること想定して検査時間，特に終了時間を計画しておく。

して，事前の情報から不注意や多動や衝動性や反抗が予測される被検者に検査を実施する場合，**表7**のような準備と計画をしておくことが必要である。

以上のように検査の準備を万端に整えておいても，ADHDのある被検者の場合，注意・集中や衝動抑制のコントロールの悪さから離席や離室，姿勢保持の困難さ，許可されない行動の発生，不規則あるいは不適切な言動，意欲の極端な低下など行動上の問題が観察されることが多い。知能検査を実施する際，検査結果の数値そのものも重要であるが，検査という構造化された場面で被検者の注意や集中あるいは衝動抑制に関わる行動を観察することも重要である。発達障害のない被検者の検査中の平均的な態度とADHDのある被検者あるいはADHDが疑われる被検者の態度を比較することによって，ADHDの症状の有無や程度に関する客観的な情報が得られる。

7）ADHD事例における結果と解釈の仕方

WISCの結果の解釈をみていくために，筆者が経験した実際の事例を紹介する（下部注：すべての事例において，掲載にあたり保護者からの同意は得ているが，個人が特定化されないよう事例の本質が損なわれない程度に情報を加工している。また，WISC-Ⅴが刊行される前の事例であるが，日本版WISC-Ⅳに英語版WISC-Ⅴの絵のスパン，パズル，バランスをバッテリーさせ，下位検査評価点合計からVSI，FRI，WMIの得点を推定した）。すでに述べたように知能検査の結果から，ADHDの診断ができるわけではない。WISCマニュアルやADHDのWISCプロフィール研究などを概観すると，ADHD群は統制群に比較して，WMIやPSIの成績が低い傾向がある。しかし，ADHDのある子どもでもWMIやPSIが低下しないものも少なからずいる。**事例1**は典型的なADHDプロフィールを示したが，**事例2，3**はADHD症状があるにもかかわらず，他の障害の併存や認知的強みなどの影響もあり，多様なプロフィールを示した。それぞれの背景情報と検査結果解釈を**図7～9**に示した。

8）知能検査の結果のフィードバックにおける留意点

一般的に，心理アセスメントは支援プロセスのなかに位置づくものである（**図10**）[93]。知能検査

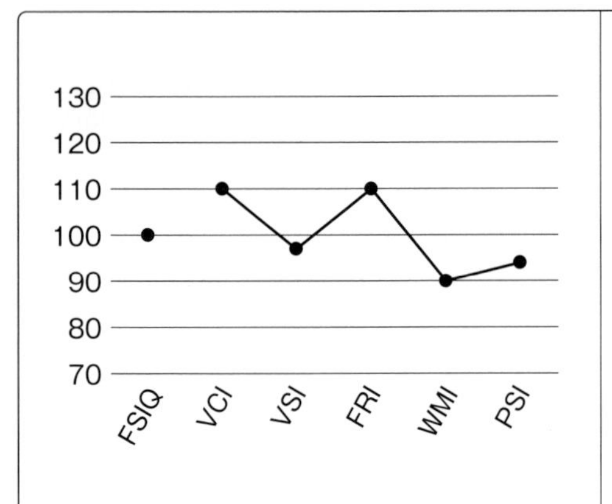

【背景情報】落ち着きがなく，先生や親からよく注意されている。楽観的な性格であまりくよくよしない。成績はよかったが勉強をしないので最近，学力や学習意欲が低下してきた。

【結果】
FSIQ：平均，VCI：平均～平均の上，
VSI：平均，FRI：平均～平均の上
WMI，PSI：平均の下～平均

ディスクレパンシー分析
VCI，FRI ＞ VSI，WMI，PSI

下位検査，プロセス分析
数唱：順唱＜逆唱，数整列
符号：鉛筆操作が不器用

事例1：FSIQは平均的であるが，能力間にアンバランスがあり，全般的知的能力水準の推定には幅をもってとらえる必要がある。言語的思考力，非言語的思考力ともに良好であるが，注意の持続や衝動性コントロールに苦手さがあり，勉強の習慣が身につかず学力が低下してきた。認知的操作を必要としないシンプルな記憶課題（順唱）で不注意のために得点が振るわず，認知的操作（逆の順で答える，並び替えて言う）が入る記憶課題で比較的得点を取っている。数唱の最大スパンは平均的な得点であったが，順唱と数整列で最大スパンよりも少ないスパンで誤答がいくつかあり，VCI下位検査では教示文を聞き漏らし再度提示を求めることが6回ほどあった。熟慮しない衝動的な解答も多く，VCIやVSIの得点を下げていると考えられる。また，衝動性や手指の不器用さもあり，書字に苦手さを抱えている。児の流動性推理（思考力・推理力）の良さを生かし，児の興味関心のあるもの（論理クイズ）を教材にしてみたり，反復練習ではなく，知的好奇心を刺激するような応用問題を中心にしたりする，在籍学級ではノートをとる負担を減らしてもらうなど，通級指導担当から指針が出された。

図7 事例1（10歳男児）教育相談室での検査と通級指導教室での支援

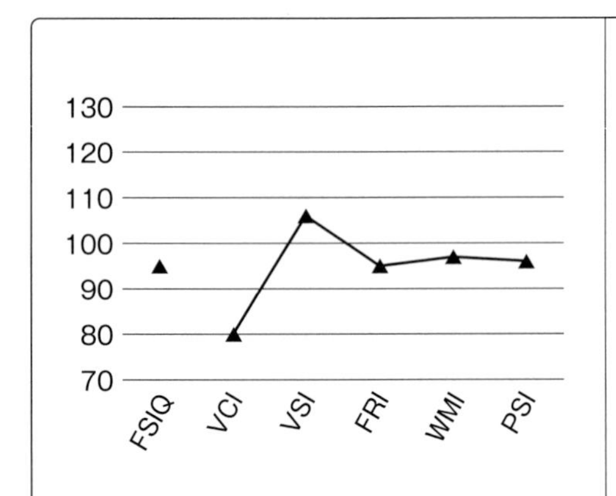

【背景情報】幼少期から言葉の遅れがあり，児童発達支援を利用してきた。幼稚園での集団遊びのルールが分からず，きょとんとしてしまう。言葉がうまく出ずすぐに泣いてしまう。

【結果】
FSIQ：平均の下～平均，VCI：非常に低い～平均の下，
VSI：平均～平均の上，FRI：平均
WMI：平均，PSI：平均

ディスクレパンシー分析
VCI＜VSI，FRI，WMI，PSI

下位検査，プロセス分析
WMI下位検査：数唱＜絵のスパン
VCI下位検査：「わからない」が言えない。

事例2：幼稚園では集団活動や自己表現に関する効力感が低い状態であった。対人応答尺度（SRS-2）では社会的コミュニケーションが軽度の困難の範囲，興味の限局と反復行動が正常範囲内となった。ADHD評価スケール親評定では不注意が95%ile，多動性衝動性が50%ileであった。保護者および園の先生は発達の遅れを心配していたが，知能検査ではFSIQが平均の下から平均の範囲となり，特に全般的な遅れは認められなかった。ただ，VCIからも言語発達に遅れがあり，バッテリーさせたWPPSI-Ⅲ語彙尺度では「ことばの理解（理解語いを測定）」＞「絵の名前（表出語いを測定）」であり，特に表出言語が弱かった。表出性言語症，社会的コミュニケーション症の併存が認められた。一方，視覚認知や非言語性流動性推理が個人内で優位であり，集団参加やコミュニケーション，就学後の学習においては，これらの強みを生かした支援方法が有効であると思われた。

図8 事例2（6歳女児）乳幼児健診にかかる発達相談で検査を受けた事例

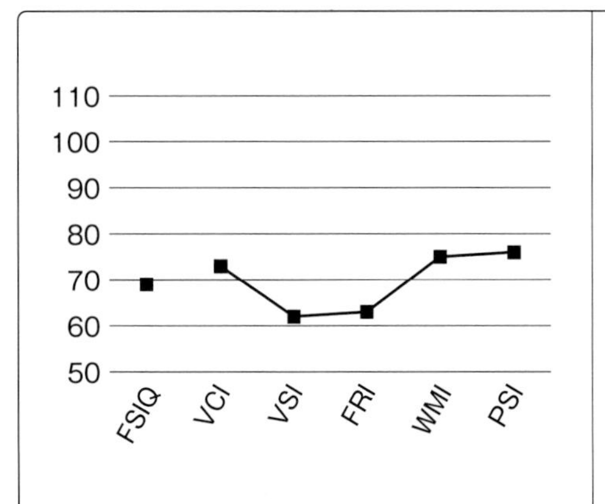

【背景情報】教室から出ていく。かっとなり手が出る。先生や母親に挑発的態度を示す。

【結果】

FSIQ：極めて低い～非常に低い，VCI：低い，
VSI，FRI：極めて低い
WMI，PSI：非常に低い～平均の下

ディスクレパンシー分析
VCI，WMI，PSI ＞ VSI，FRI

下位検査，プロセス分析
協力的に検査を受けるが，開始30分後に，できない問題が続くと，「やりたくない」と訴え始める。休憩をはさみ検査を実施。
数唱：順唱の最大スパン7，逆唱は理解できず粗点が0となった。

事例3：小学校4年生まで普通学級に在籍し，行動の問題と学習の遅れがあり，特別支援学級に転籍したケースである。学習面や集団面の過剰適応状態また不適応経験から，反抗挑発症も生じていた。特別支援学級でも自閉スペクトラム症や知的発達症のある子どもをいじめるなど問題は続いていた。VCIの検査ではあれこれとたくさん解答し，回答しているうちに正答にたどり着くことが多々あった。衝動性が高く，PSIの下位検査（符号，記号探し）では雑に素早く，たくさんこなしていたが，誤答が多く，その分評価点が下がっている。数唱では，逆唱の意味が理解できずに粗点が0となったが，順唱と数整列で得点が取れており，結果的に数唱の評価点が10となった。FSIQは非常に低いから低い範囲であったが，VCIでは熟慮しないでたくさん解答したことによる得点上昇，知的理解力をあまり要さないWMIとPSI（2つ合わせてCPI）で得点が取れていることなどを加味すると，全般的知的発達水準はFSIQの数値が示すよりも低い可能性がある。短期記憶や事務的作業能力の良さが強みとなる一方で，暗記ものや事務的処理はそつなくこなすので，知的理解力の弱さが見えなくなっていたことも推測された。小学校低学年のうちは漢字や計算など意味を理解しないでも反復的練習により，学習面には遅れは目立たなかったが，概念理解や抽象的思考，論理的思考が問われるようになる3，4年生のころから，学習不振が強まっていった。CBCLおよびSDQ（子どもの強さと困難さアンケート）では行動面，情緒面など日常生活上での適応機能が全般的に低く，支援ニーズは高く，広範にわたっていた。児の理解力に応じた教育支援を展開してく必要があるケースであった。

図9 事例3（12歳男児）軽度の知的発達症の併存のある事例

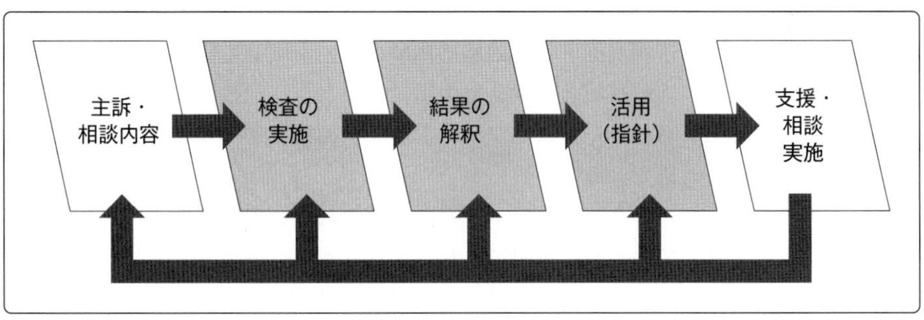

図10 心理検査は支援プロセスに位置づく

を実施しその結果を解釈できたとしても，その段階でアセスメントが終結したわけではない。子どもと保護者や子どもの保育や教育に関わる専門家に，検査結果や今後の見通しを伝えるのも重要なプロセスの一部である。

アセスメントにおいては，問題の状況があり，親や本人の主訴があり，問題の状況を整理したりその背景を把握したりするために心理検査を行うことが提案され，それを受検者と家族が同意をすることで，検査が実施される（インフォームド・コンセントやアセント）。検査が実施された後は，検査結果と検査解釈が伝えられ，今後に向けた指針が提案されることとなる（結果のフィードバック）。むしろ，このフィードバックが知能検査の最も重要な部分であるといえる。なぜなら，このフィードバックによって知能検査は単に診断のための行為ではなく治療的な行為となるからである。

この結果のフィードバックの際に問題になるのが，主訴とフィードバック内容のズレである。例えば，事例3では「勉強に集中できない」，「子どもにあった勉強方法を知りたい」といった主訴が家族から挙げられたとしよう。WISCの結果からは，注意集中や抑制能力の弱さとともに，知的発達の遅れも特定化できたので，医師と検査者はフィードバック面接で，知的発達障害があることを伝え，いまの普通学級では適応が難しいから，特別支援学級に転籍を勧めた。しかし，子どもは「僕は障害児じゃない」と動揺し，家族はショックを受け，別の医療機関や相談機関を訪れ，いわゆるドクターショッピングすることとなってしまった。このような事例は少なからず経験することがあるだろう。自己理解と障害受容ができていない子どもと家族の問題と片付けてしまうには，無責任である。本人や家族が検査を申し込んだ時，もしくは検査実施の同意をとる時に，まずは子ども本人と家族の主訴（願い）を丁寧に聞き取り，検査でわかること・わからないことを丁寧に説明することが必要である。フィードバックの際には，まずは主訴に対して回答していくことが優先事項となる。

また，能力間に個人内差が明確にみられる場合には，得意なことや強みについて報告し，日常での活動と関連させて話し合い，その後に，弱い能力や困難さについて説明するとよいだろう。困難や弱い能力についてのフィードバックを受けると，「だからそうなのか」と納得する家族もいれば，拒否的になったり，否認したり，強いショックを受ける家族もいる。情緒的な反応は当然起きるものとして考え，その気持ちを受け止めるとともに，家族（フィードバックの相手）と一緒に，日常生活での子どもの置かれている状況や子どもの感情体験に思いを馳せていくとよい。また，結果のフィードバックの際には，本人や家族との対話を大事にしながら，一緒に解決策を考えるといった姿勢が必要である。リヒテンバーガーらは，フィードバック面接ですべきこと，してはいけないことを**表8**のように簡潔にまとめている[94]。

知能検査の結果のフィードバックにおいて，子どもが置かれている環境や子どもと他の人との関係がどのように症状に影響しているかを念頭に入れ，子ども本人や保護者，子どもの関係者から得た情報に立ち返って，もう一度検査結果を精査し，結果をわかりやすく説明しなければならない。それは，子どもの日常の状態と検査結果を照合しながら，決して専門的な用語を使うのではなく，生活になじんだ言葉で理解しやすい説明でなければならない。すなわち検査結果のフィードバック面接（フィードバック・カンファレンス）は，一方的な説明ではなく，検査者と保護者や子どもの保育や教育に関わる専門家が，互いの意見を交換しながら進めるものである。フィードバックの段階で，検査結果とその解釈を検査者がどれほど自信をもって提示しても，それらが子どもの日常生活の実態に通じるものでなければ，その説明は彼らにとって何の意味もない。日常生活における困難と，検査結果からわかった認知的特徴（強み，弱み）を関連させ，具体的な手立てを本人，家族，

表8 フィードバック面接（カンファレンス）ですべきこと

すべきこと	してはいけないこと
・質問を予測して面接の準備をする ・子どもの優れた点，できることについて話し合う ・話しづらい情報についても正直に話す ・参加者に質問をするように促す ・結果について参加者からも意見を聞く ・視覚的補助手段を用いる（正規分布曲線の図など） ・フィードバックのための十分な時間を確保する ・できるだけ前向きな雰囲気を保つ	・大事な結果を隠す ・質問しにくい雰囲気をつくる ・相談者/受検者が怒るのを見て驚く ・根拠のない長期的な見通しを伝える ・フィードバックが滞りなく進行することを期待する（結果を受け入れるのに時間が必要な人もいる） ・自分の専門外のことを引き受けようとする（例えば，トラウマケアやバイオフィードバック療法についての情報を求めてきたが，自分はそれらの訓練を受けていない場合）

子どもを支える支援者たちと，協同で考えていくことが望まれる。

（岡田 智，中田 洋二郎）

6 神経心理学的検査の臨床的意義

1）ADHDにおける神経心理学的なメカニズムについて

ADHDは，臨床的に不注意，多動・衝動性といった発達特性を示す発達障害である。問題の早期発見や治療効果判定のための評価法が重要となるが，多くは保護者や教師による主観的な評価法であり，神経心理学的な客観的評価法の確立は，ADHDの診断や治療において重要である。

ADHDには従来から繰り返し指摘されてきた実行機能と報酬系の障害のほかに，時間処理に関する異常を加えた3つの要因からなる三重経路（triple pathway）理論がある[32]（**図11**）。実行機能系の機能障害がまず提唱されたが，報酬系の機能障害も中核的な症状であるとし，あわせて二重経路モデルとされた。その後，時間管理の機能障害も含めた三重経路モデルへと発展している。triple pathway modelはADHDの病態を，実行機能障害，遅延報酬障害，時間処理障害の3つの経路から説明しようという試みである。このうち実行機能障害は抑制制御の障害により，実行機能やワーキングメモリの働きが損なわれるもので，前頭前皮質の関与が想定されている[95]。つまり，ADHDの特性である行動を抑制したり遅延させたりすることの障害により，刺激に対する行動発現の選択や維持の困難さから，ワーキングメモリ，自己制御，内言語，再構成といった実行機能が二次的に障害される。

ADHDの症状発現に寄与する神経心理学的なメカニズムとして，①抑制に関連した実行機能障害（抑制制御の障害），②遅延報酬の障害，③時間処理の障害を提唱した。抑制制御の障害は実行機能やワーキングメモリの障害から集中して課題に取り組めないことが説明できる[96]。遅延報酬の障害は脳内報酬系の関与と関係が深く，衝動性のコントロール（我慢すること）ができないことが説明できる。時間処理の障害は，段取りの悪さ（多動性の要因の1つである「がさつさ」と不器用さ）を説明できる。

これらの神経心理学的なメカニズムを背景とし，反応抑制を主とした遂行機能障害がADHDの中心的な障害であるという考え方から[97]，遂行機能を扱った研究が多数報告されている。反応抑制障害を含む遂行機能障害がADHDに強く関連していることが確認されている[98]。遂行機能障害を客観的に評価することが重要であり，神経心理学的検査が役立つ。そこで，日常臨床のなかで実施しやすい検査について以下に概説する。

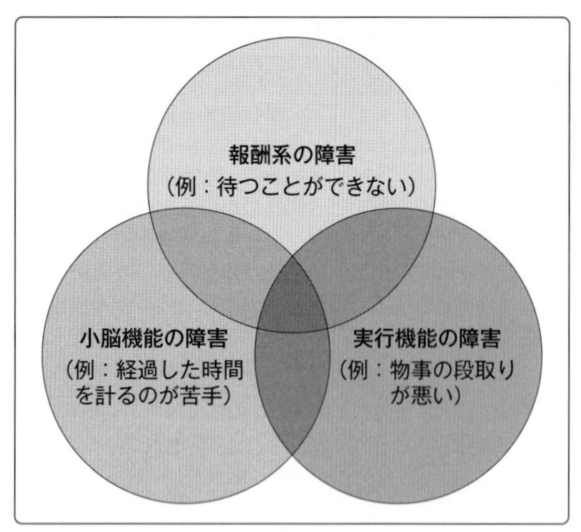

図11 triple pathway 理論

〔Sonuga-Barke E, et al : Beyond the dual pathway model: evidence for the dissociation of timing, inhibitory, and delay-related impairments in attention-deficit/hyperactivity disorder. J Am Acad Child Adolesc Psychiatry, 49（4）: 345-355, 2010より改変〕

2）神経心理学的検査

(1) Trail Making Test（TMT）

TMTは，注意の転換や維持，またはワーキングメモリの働きを評価する検査法である[99]。Part AとPart Bがあり，Part Bがワーキングメモリをより評価している。

・TMT Part A：①～㉕までの数字の羅列に対し，「はじめ」と書かれた①から「おわり」と書かれた㉕まで数字の順番に，できるだけ早く間違えないように線で数字を結ぶことを要求する（**図12**）。所要時間が計測される。

・TMT Part B：同一用紙の中に①～㉕までの数字の羅列と，あ～さの羅列が配置されており，「はじめ」と書かれた①から「おわり」と書かれた⑬まで，“①－あ－②－い－③－う”というように数字と仮名とを交互に，できるだけ早く間違えないように線で結ぶように指示する（**図13**）。もし途中で数字と仮名が交互でなかったり，順番を間違えたりしたときには，検査者がそれを指摘し，その場で訂正してから課題を再開させる。

Part A，Part Bともに評価の対象となるのはそれぞれの検査課題で計測された所要時間（秒）である。

TMT-Aでは基本的には視覚探索と知覚協応の処理速度を示している。TMT-Bは実行機能やセットの転換が含まれている。ADHDの場合，TMT-AおよびTMT-Bのいずれもが処理速度の緩慢さを認めることが重要である[100]。ADHDでは成人においても，健常群より明らかに成績が不良である[101]。

(2) Wisconsin Card Sorting Test（WCST）

①実施法と評価について

WCSTは実行機能と前頭前野機能を評価するために最も広く用いられている検査法の1つである[102]。

WCSTとは，赤，緑，黄，青の1～4個の三角形，星型，十字形，円といった図形の印刷されたカードを用いる検査（**図14**）で，被検者には，4枚の刺激カードの下に，色，形，数の3つの分類概念（カテゴリー）のいずれかに従って，1枚ずつ反応カードを置いていくことが求められる[103]。分類の方法はあらかじめ決められているが，被検者にはそれは知らされず，推定した分類が正しいか否かだけを伝えられる。1つの分類方法はしばらく続けられたのち，別の分類方法に移行する。被検者には，正しいと伝えられた分類方法を，正しいといわれている間持続させ，誤りであると伝えられたら別の分類に変換することが求められる。WCSTは，注意や概念の転換に最も鋭敏な指標とされ，前頭背外側損傷で低下しやすいことが知られている[104]。

WCSTの評価として，達成カテゴリー数（categories achieved；CA）とは，連続正答（連続6

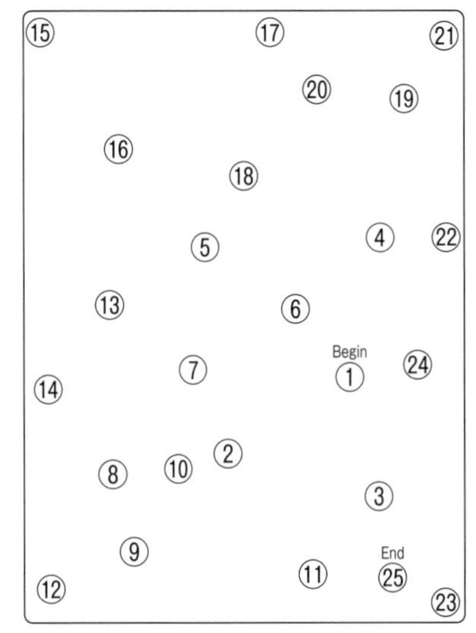

図12 Trai Making Test　Part-A

〔臨床精神医学編集委員会・編：精神科臨床評価検査法マニュアル。臨床精神医学，39（増刊号），アークメディア，2010より引用〕

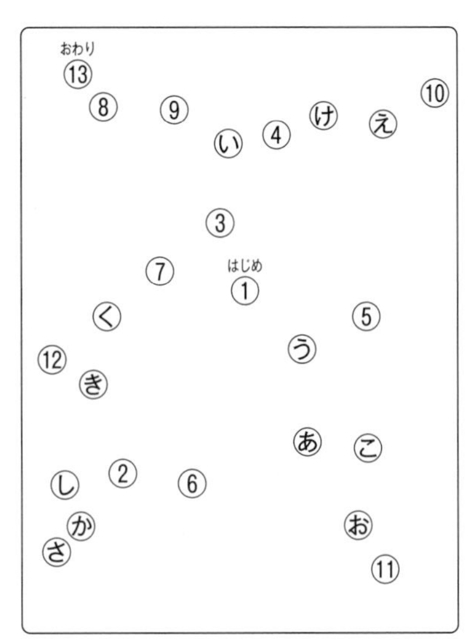

図13 Trail Making Test Part-B

〔臨床精神医学編集委員会・編：精神科臨床評価検査法マニュアル。臨床精神医学，39（増刊号），アークメディア，2010より引用〕

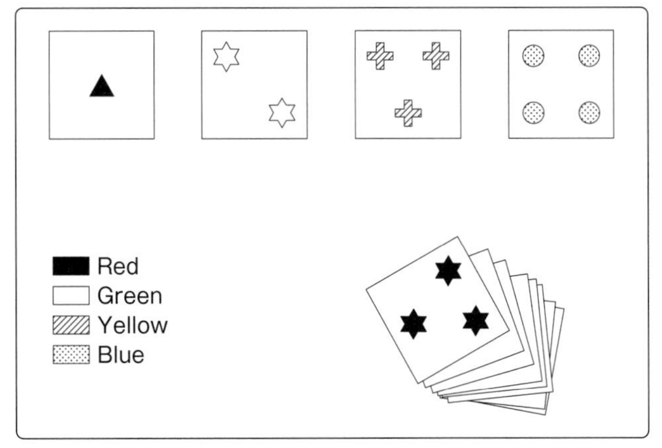

図14 Wisconsin Card Sorting Test

〔鹿島晴雄，他：前頭葉機能検査―障害の形式と評価法―。神経研究の進歩，37（1）：93-110，1993より引用〕

正答）が達成された分類カテゴリーの数であり，WCSTにおける概念の変換の程度の総体を表す指標である。また，保続性の誤りには，分類カテゴリーが変換されたにもかかわらず直前に達成された分類カテゴリーになおも分類された誤反応数（perseverative errors of Milner，Milner型保続；PEM）と分類カテゴリーによらず直前の誤反応と同じカテゴリーに分類された誤反応数（perseverative errors of Nelson，Nelson型保続；PEN）が区別される。PEMはいったん達成された分類カテゴリーの保続傾向を，PENは先行する誤反応の保続傾向ないし前反応の抑制障害を評価するものとされている。

②WCSTにおけるADHDの特徴

WCSTは概念的な問題解決能力，フィードバックの使用，認知の柔軟性，抑制，応答の維持など複数の実行プロセスを評価でき，実行機能内の主要な特徴的な構成要素であるセットの転換の測定に頻繁に使用されている[105, 106]。WCSTはADHD患者と健常群を区別できる可能性があり[106]，ADHDではWCSTによって測定されたセットの転換で有意な障害を示している[107]。

ADHDの場合，背外側前頭前野と前頭前野の眼窩前頭皮質の機能障害が明らかにされており[108]，これらの皮質は，WCSTによって測定された保続およびセットの転換を測る能力を含む実行機能に関連している[109]。ADHDでは達成数，保続数ともに7〜18歳の定型発達児より低成績であることが報告されており，ADHDにおける実行機能をはじめとする前頭葉機能障害の存在が示唆される[110]。また，達成カテゴリー数およびNelson型保続性誤反応に類似した保続的誤反応数，全誤反応数より保続的誤反応数を除いた非保続的誤反応数の3指標において，健常群より成績が低値であった[111]。さらに，ADHD混合型では，達成カテゴリー数，前の反応と同じカテゴリーへの分類を行う保続的誤反応も含めた保続反応数および全誤反応数が，ADHD不注意優勢型では全誤反応数が健常群に比して有意に成績が低値であり，ADHD混合型は最も誤反応が多く生じていた[112]。8〜11歳のADHD児，ASD児，LD児と健常発達児の比較では，ADHD群におけるWCSTの達成カテゴリー数が他の群に比べて少なく，それぞれの群での結果は1，2年後にも保たれていることが示されている[113]。

(3) Frontal Assessment Battery（FAB：前頭葉機能評価法）

FABは，①類似性（概念化），②語の流暢性，③運動系列（運動プログラミング），④葛藤指示，⑤Go/NoGo課題（行動抑制のコントロール），⑥把握行動（環境に対する被影響性）――から構成されている（**表9**）。健常児において，年齢依存性に総合点数は増加する[114]。10歳以降急激な上昇を認め，総合点数は12点以上となり，成人（20〜35歳）では14点以上となる（最高得点18点）。

ADHD児では，総合点数が健常児に比して有意に低いことが報告されている[114]。Go/NoGo課題では，選択的注意と抑制能力を反映している。ADHD群において誤反応回数がASD群および健常群よりも有意に高く，ADHD群の誤反応回数は，前半の施行よりも後半の施行でさらに高くなることが認められている[115]。

(4) Das-Naglieri Cognative（DN-CAS）

近年では，Luriaの脳機能研究に基づくPASS理論を理論的背景とした，DN-CAS認知評価システム（Das-Naglieri Cognitive Assessment System）が出版されている。DN-CAS認知評価システムは，5歳0カ月から17歳11カ月までを適用範囲としていることから，青年期のADHDにおける評価として用いることも可能である。この検査ではプランニング（planning），注意（attention），同時処理（simultaneous），継次処理（successive）といった4つのPASS尺度から，認知処理過程の特徴について評価することを意図している。（**図15**）

プランニングは行動の計画や実行，問題解決，自己モニタリングなどに関わる認知活動であり，

表9 FABの検査手順と評価法

1. 類似性（概念化）
 次の二つはどんなところが似ていますか？
 1. バナナとオレンジ
 2. ゴリラとライオン
 3. チューリップとバラとヒナギク
 （正解が言えたら各1点）
2. 語の流暢性
 「か」という言葉で始まる単語を出来るだけたくさん言ってください（60秒間）。
 ただし固有名詞は除く。
 （10個以上言えたら3点，6～9個で2点，3～5個で1点，2個以下0点）
3. 運動系列
 「私がすることをよく見ていてください。」検者は被検者の前に座り左手でLuriaの系列
 （拳－刀－掌）をやって見せる。そして「右手で同じことをやってください」と言う。まず一緒に3回やって，
 その後「さあ独りでやってみてください」と言う。
 （独りで正しく6回連続できたら3点，独りで正しく3回連続できたら2点，検者と一緒に3回連続できたら1点，
 検者と一緒でも3回ともできなければ0点）
4. 葛藤指示
 私が1回叩いたら2回叩いてください：1-1-1
 私が2回叩いたら，1回叩いてください：2-2-2
 本番：1-1-2-1-2-2-2-1-1-2
 （間違いなし3点，2回までの間違い2点，3回以上間違い1点，検者の真似をする0点）
5. Go/NoGo
 私が1回叩いたら1回叩いてください：1-1-1
 私が2回叩いたら，叩かないでください：2-2-2
 本番：1-1-2-1-2-2-2-1-1-2
 （間違いなし3点，2回までの間違い2点，3回以上間違い1点，検者の真似をする0点）
6. 把握行動
 両手掌を上にして「私の手を握らないでください。」と言う。
 （握らない3点，戸惑って質問する2点，握る1点，再度握らないで指示しても握る0点）

〔相原正男：小児の前頭葉機能評価法。認知神経科学，11（1）：44-47，2009より引用〕

注意は提示刺激と競合する妨害刺激への反応を抑制し，特定の刺激に対して選択的注意を向ける認知活動である。同時処理は複数の情報をまとまりとして統合し，部分間の関連性に基づいて情報を処理する認知活動であり，継次処理は，複数の情報を系列順序として統合し，情報を相互に関連づけて処理する認知活動である[116]。

ADHD児において，前頭前野と大脳基底核の機能不全に由来した注意やプランニングにおける標準得点の低下が報告されている[116, 117]。

(5) 標準注意検査法 持続性注意検査2（CAT-CPT2）

持続的注意検査（Continuous Performance Test；CPT）は持続的注意集中を客観的に評価するために開発された検査で，呈示された刺激のうち，ある一定の刺激に対してのみボタンを押すという検査である[118]。CPTは標準注意検査法（Clinical Assessment for Attention；CAT）の項目の1つであり，2022年3月より，標準注意検査法 持続性注意検査2（CAT-CPT2）として刊行されている。CATは注意機能を包括的に評価する目的で，高次脳機能障害学会によって開発，標準化された検査である。CATは（ⅰ）短期記憶，（ⅱ）選択性注意（視覚性，聴覚性），（ⅲ）注意の分配，変換，制御（ワーキングメモリ），持続性注意――を評価する7つの下位検査で構成されているが，2022年2月より，そのうちの5つの下位検査〔①Span，②Cancellation and Detection Test（抹

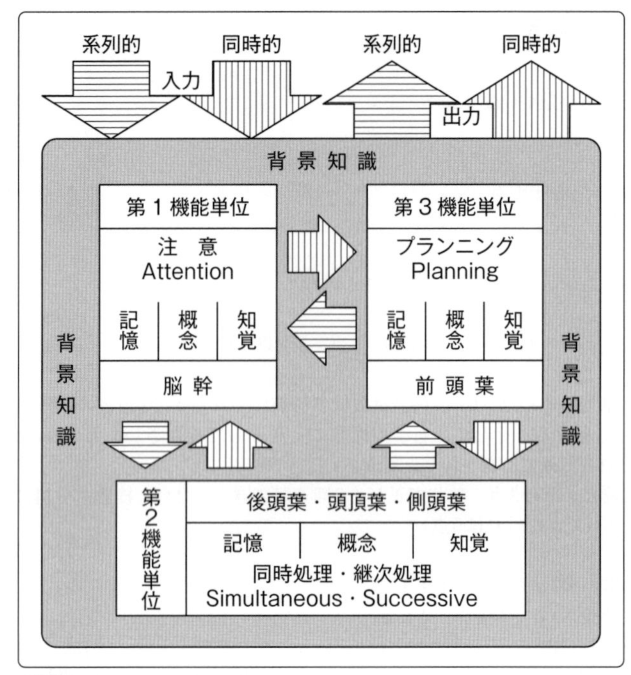

図15 知能のPASS理論

〔岡崎慎治：知能のPASS理論に基づく認知アセスメント。認知神経科学, 19（3＋4）：118-124, 2017より引用〕

消・検出課題），③Memory Updating Test（記憶更新検査），④Paced Auditory Serial Addition Test（PASAT），⑤Continuous Performance Test（CPT）〕の使用が推奨されている。成人を対象としているが，作業記憶や注意機能を包括的に調べることができる点でADHDの精査に用いることが可能である。そのなかでもCPTは注意機能や反応抑制機能の評価に役立つ。一連の標準刺激系列のなかに呈示される標的刺激に反応を行う課題で，標的刺激の検出には持続的な注意が，標準刺激には反応抑制が必要とされる。ADHDの不注意と反応抑制の評価を同時に行うことが可能である。検査は反応時間課題（Simple Reaction Time：SRT課題），X課題，AX課題の3つの検査に分類される（**表10**）。検査の結果は平均反応時間，変動係数（反応時間のばらつき），omission error（見逃し数），commission error（誤反応，お手つき）数で評価する。CPTは注意の持続機能を査定する検査であるが，commission errorは抑制制御機能（inhibition control）の評価に，変動係数は覚醒度（arousal）の評価に用いることができる。

CPTについて，標的刺激で反応しなかった場合の誤答（omission error）の生起率に定型発達児と混合型ADHD児に差を認めるという報告[119]や，標的刺激以外で反応した場合の誤答（false alarm；FA）について，ADHD児と定型発達児との間に差が生じるという報告[120]がある。

3）神経心理学的所見が示すADHDの特性について

生後数カ月から反応を遅らせる能力（遅延反応）が認められるようになる。これは瞬時の情動を抑制することを示している。ADHDの場合，反応を抑制できずに，短期的な報酬を求め，嫌なことから逃げ，間違った行動を繰り返し，さらに自分の思考を内・外からの干渉から抑制しにくい[121]。また，ADHDにおいて，「何回指導しても同じ失敗を繰り返す」ことがしばしばある。

表10 Continuous Performance Test（CPT）

反応時間課題（Simple Reaction Time：SRT課題）
・数字の「7」のみがランダムな間隔で80回呈示される。「7」が出現するたびに，できるだけ速くキーを押す（所要時間3分20秒）
X課題
・「1」から「9」までの数字が400回ランダムに呈示される。ターゲットは「7」であり，80回出現する
・「7」が出現した場合のみ，できるだけ速くキーを押す（所要時間16分40秒）
AX課題
・X課題と同様に「1」から「9」までの数字が400回ランダムに呈示される。ターゲットとなるのは「3」の直後に出現する「7」であり40回出現する。「3」の次に「7」が出現した場合にのみ，できるだけ速くキーを押す（所要時間16分40秒）

ADHDの症状には情動調節障害が知られており，情動性自律反応の障害が想定される。ADHD症状における学習効果の低さは，情動性自律反応の出現し難さのために文脈を形成しえなかったことによるものと推測される[122]。

実行機能の働きは健常の場合も，ADHDの場合にも，年齢が上がるにつれて向上していくが，一方で両者の差異は生じたままである。幼児期から10代以上の年代までの経過をみた場合にも神経心理学的な機能異常は存在する[123]。ADHDであっても加齢に伴っていくらかの機能の向上は期待できるものの，健常児と比較した場合には差異を認める。健常の未就学児と比較して，ADHDの未就学児は抑制機能や遅延において障害を示し，視覚性抹消課題，聴覚性検出課題，視覚性あるいは聴覚性の注意持続性課題によって測定できる。児童期のADHDの場合，実行機能に障害があるといわれているが，一部の課題では低下を示すものの，すべての課題で示されているわけではない。概して，視覚性の注意力，言語性学習能力，ワーキングメモリ，セットの転換やプランニング，概念化，問題解決などの実行機能，抑制反応で平均以下の反応を示し，特にstroop課題で最も障害が示されやすい。

4）診断および治療への応用の可能性について

ADHDの罹患について，実行機能課題（stop-signal task）では68.2%の正判別率（感度66.1%，特異度71.6%），報酬系課題（choice delay task）では71.6%の正判別率（感度76.9%，特異度64.3%）であるのに対し，両者を組み合わせると87.5%の正判別率（感度89.3%，特異度85.0%）が得られるという。複数の神経心理学的検査を組み合わせることで，ADHDの正判別率が高くなる。しかしながら，実際に診断を進めるうえでは，生育歴の聴取や現症評価に加えて，発達検査を行うことが中心となり，神経心理学的検査は補助的なものであるが，遂行機能の精査に有用である[124]。

実行機能に関連したテクニック（目標設定，優先順位のつけ方，スケジュールの管理，To Doリストの作成，進捗状況のモニタリング，および休憩や報酬の設定など）を習得することで，生活の質の向上が期待できる。具体的な支援を考える際に神経心理学的所見は，①抑制に関連した実行機能障害（抑制制御の障害），②遅延報酬の障害，③時間処理の障害――のどの領域に弱さがあるのかを知る手がかりとなる。

TMTやFABなど比較的簡便に短時間で実施できる種類もあるため，実行機能や注意機能のどの点に弱さがあるのかを明らかにし，個々の特性を把握し，具体的な支援策を講じることや治療経過の指標の1つとして神経心理学的検査が活用されることが期待される。

（岸本 直子）

 ADHDが疑われる子どものパーソナリティ・アセスメントの臨床的意義

1）ADHDとパーソナリティ・アセスメント

ADHDが疑われる子どものパーソナリティ・アセスメントを行う場合，その目的には臨床的に二つの側面がある。一つは他の疾患や障害との鑑別，もう一つは，子どもを一人の個性ある人物として総合的に捉え，その後の方針を立てることである。

発達障害の診断においては生育環境や性格の問題の関与を十分検討しなければ過剰診断や過小診断に繋がる恐れがあることは常々述べられてきた[125)]。診断確定までの過程においていわゆる人格検査のカテゴリーに属する検査は必須ではないが，なかにはADHDの特徴がストレートに表面化せず，養育環境や学校での友人関係，教育環境，大人であれば職場環境や家族関係等，多くの要因が作用しあって複雑化しているケースもある。そこで困りごとの本質がどこにあるのかを探っていくのがいわゆる鑑別の作業であり，同時にそれは一人の患者の全体像を捉えてその先の介入の手立てを見出す作業にも繋がっていく。検査者はパーソナリティ・アセスメントの一側面だけをねらいとするのではなく，ADHDの認知的特性と，その上に重ねられてきた生活経験によって形取られる性格や行動特徴を含めて，患者のパーソナリティの全体像を描いていくことになる。

2）パーソナリティ・アセスメントの流れ

(1) 知能検査

基本的にADHDは脳機能不全であるから，通常はまず認知機能の精査から始める。2022年7月現在，第一選択はWISC-Ⅳ（2021年にWISC-Ⅴが発行されている），WAIS-Ⅳなどのウェクスラー式知能検査である。知能検査に表れるADHDの知的，認知的発達特徴については，「⑤知能検査の臨床的意義」（104ページ）に詳述されているので省略して，ここでは性格，情緒的特徴の表れ方について述べる。

一定時間検査者と対面でさまざまな課題をこなすことを求められる，高度に構造化された知能検査の場面では，知的側面だけでなく，子どものパーソナリティを理解するうえで重要な情報を得ることができる。例えば，根気強く取り組まねばならない場面での欲求不満耐性や自己統制力，自己主張性や援助希求スキル，知的好奇心や達成意欲の程度，他にも初対面の検査者に対する態度や緊張場面への順応性などを直接観察することができるし，検査前後や実施中の雑談からも興味の方向性や日常の過ごし方を垣間見ることができる。

筆者の場合はWISC-Ⅳ（16〜17歳以上はWAIS-Ⅳ）を足がかりにして，同時に比較的短時間で実施できる描画テストを行い，視知覚認知や視覚－運動協応系の働き，対人感情や情緒のあり方について，WISC-Ⅳの結果にみられる特徴と照らし合わせ確認していくことが多い。ADHDの特徴とその上に成り立つ性格や行動特性をある程度把握でき，保護者や学校関係者の理解が得られて環境調整もスムーズに進むと思われる場合はここで心理アセスメントをいったん終了することもある。情緒面のさらなる精査が必要と判断した場合は，さらに人格検査を追加することになる。

(2) 人格検査

ADHDの症状がみられる一方で，情緒の状態や人格形成に気になる様子があり，生育環境や教育環境に何かしらの偏りがあると思われる場合は，それらの環境要因が子どもにどの程度影響を及ぼしているのかを押さえておく必要がある。

もちろん虐待が疑われるケースでは，反応性アタッチメント障害や脱抑制型対人交流障害といった愛着障害を念頭において慎重に探っていくことになるが，筆者の経験上，子どものADHD臨床においては，親が子を心配して連れてくるケースが圧倒的に多く，たいていの親子間には基本的なアタッチメントが築かれている。しかしながら親のほうにその意図はなくても，幼少期から続く子育ての難しさにストレスを募らせ，結果的に親子間に感情のもつれが生じて不適切な養育環境となっていることは少なくない。さらにADHD児の衝動的で激しい言動は周囲からのネガティブな反応を引き出しやすいため，家庭に限らず学校での対応や環境が不適切になっている可能性もある。

齊藤らによると，注意欠如・多動傾向の高さは，学校でのポジティブイベントの少なさやネガティブイベントの多さ，母親のあたたかな養育の少なさのすべての要因と関連しており，学年が上がるとともに自尊感情の低さを介して思春期の不安・抑うつの高さへと移行していくという流れがみられる[126]。したがって子どもの様子をみて，ADHD特性に加えて情緒不安定性や行動上の問題が顕著にみられるときは，本人が経験している外的ストレスや心理的な傷つきを精査し，家庭や学校における環境調整の提案や親カウンセリング，ペアレント・トレーニング，ティーチャー・トレーニングなどの心理教育プログラムの案内へと繋げていけるようにする。

また小学校高学年になると，過度に反抗的な態度や攻撃性，不登校，無気力，不安の増大といった二次障害が目立つようになっているケースや，たとえ問題が表面化していなくても，ADHDに起因する数々の挫折や失望の繰り返しにより傷ついた自尊心から，すでに自虐的な自己像をもちつつあるケースも散見される。思春期から青年期にかけての発達段階にはこれまでの経験をもとに自己像を再構築しアイデンティティを確立していくという発達課題があり，ここでは二次障害がより深刻化するリスクがある。そのためこの年代では，子ども自身がより客観的に自己を捉え，理解し，ポジティブな側面にも目を向けていけるように，予防的観点から支援の糸口としてパーソナリティのアセスメントを進めることがある。

(3) 成人期のADHDにおけるパーソナリティ・アセスメント

成人患者の場合，うつや強迫性障害などの精神症状を主訴として受診し，治療途中で不注意や衝動性等のADHD特性が見出されるケースが多かったが，近年書籍やテレビ，インターネットなどで発達障害関連の情報を目にする機会が増えるにしたがって，自ら不注意や落ち着きのなさを訴えて受診するケースも増えている。アメリカではADHDの症状を訴える患者のなかに，診断によって刺激剤，学業や仕事での過度な融通といった二次的利得を得ることを目的に受診する者が多く見られることが問題となっており，「自称ADHD」を見分けるために人格検査の活用が進められている[127〜129]。日本ではそういった流れはまだそれほどみられないと思われるが，いずれにせよ心理アセスメントの目的としては，認知機能の精査と他の疾患や障害との鑑別が重要なポイントになってくる。職場や家庭の状況などを考慮して，現在患者が経験している心理的ストレスによる一時的な機能低下も頭に入れながら，患者が自覚しているADHD様の症状が主に何に起因するのかを探っていく。関連する要因が多い分，子どものアセスメント手順とは若干異なり，現状の困り事に応じて，知能および認知的側面，精神状態と人格的側面のどちらから査定するのが適切かを判断しながら進めていくことになる。

患者が初診時にある程度の年齢になっていて，すでに長い間つらい思いをしているとなると，そのスタートは何だったのかを正確に知ることは難しい。しかし心理アセスメントはそれまでの経験をふり返り，自己像を再構築しながら絡み合った糸を解いていくきっかけとなりうる作業でもあり，検査者は，子どもから大人へとその人の歴史を繋げていくという発達的，連続的視点を常に意識しておくべきであろう。

3）パーソナリティ・アセスメントの実際

(1) テスト・バッテリーの設定

どのような検査を組み合わせ，どのような順番で実施するのかについては，それぞれの臨床現場の状況によって異なるが，基本的には先に述べたように，WISC-Ⅳを最初に実施して子どもの発達全般のあり方をつかみ，その後精査すべき項目に合わせて実施する検査を選んでテスト・バッテリーを組んでいく。認知機能のさらなる精査が必要と思われる場合は，前頭葉機能検査や神経心理学テスト，また日本版KABC-Ⅱや読字・書字能力の評価など，学力に関連する能力の検査を追加する。

子どものパーソナリティ検査としては，質問紙法では比較的簡易な性格テストである小児ANエゴグラムやY-G性格検査，人格特性としての不安を測定するCMAS（児童用不安尺度），親子関係や養育態度のあり方を評価する各種親子関係診断検査，投影法では描画テスト，SCT（文章完成法テスト），P-Fスタディ（絵画欲求不満テスト），ロールシャッハ・テストなどが主に用いられる。

(2) 心理検査実施時の留意点

ADHDが疑われる子どもの心理検査を実施する上で留意しておくべきことは，まさに彼らが「ADHDを疑われる」状態にあるということだ。日常生活において落ち着きがなく，集中が続かず，飽きっぽくて我慢が足りないとされる子どもは，日頃からこれらの「欠点」について注意や叱責を受け，さらにそれが原因でいま病院で検査を受けている。その心情を思いやると，決して彼らに挫折感や劣等感を感じさせる場にしないように，心理的負担は最小限で済ませたい。

個別心理検査の場面では被検者一人に検査者の注目が注がれ，するべきことは明確に提示される。また多少の逸脱があってもある程度待ってもらえる受容的構えがあるため，しばしば子どもたちは刺激の多い学校や家庭では発揮しづらい能力をうまく使い，意欲的に検査に向かう姿勢をみせる。検査者としては，そのがんばりを切らさずに完遂できるように，テンポよく進めていくのが望ましい。一般的に心理検査は被検者に何らかのストレスをかけるものであり，特に知能検査は不正解がいくつか続いたところで終了するので，下手をすれば「できなかった」という印象を残してしまうこともありうる。注意コントロールの弱さ，集中時間の短さ，話の脱線などをうまくコントロールして「失敗」が過度に目立たぬよう配慮しながら，検査中の言動や反応の仕方から子どもが示すADHDの認知・行動的特徴を含めたパーソナリティのあり方を細かく確実に拾い上げていく。そういった意味では検査者には高い水準の知識と技術が要求される。

(3) 心理検査分析時の留意点

心理検査の分析においても実施と同様，ADHDを念頭に置いて進めなければならない。それに加えて子どもが発達途上にあり，まだパーソナリティ特性が固まっておらず可塑性が高いということにも留意しておく必要がある。年少児ほど直近の環境に影響を受けやすく，昨日と今日で大きく反応が変わることもありうるし，思春期には心身の急激な発達に伴い自己のキャラクターや価値観にも迷いや試行錯誤がみられるようになる。したがってパーソナリティ特性が比較的安定する青年期までは，人格検査の類いには精神病理学的な鑑別指標としての精度を過度に望まず，発達段階に応じて慎重に評価しなければならない。

それぞれの心理検査が測定対象としているパーソナリティ要因のほかに，ADHDの特性がみられるポイントを具体的に挙げてみる。まず質問紙法検査全般では，読み飛ばしや早とちりといった不注意特性が出やすく，設問が増えると途中で飽きて適当に答えようとすることもある。描画テストでは，衝動的なラインと見通しの悪さ（用紙からのはみ出し），重要基本部位を描き漏らす一方で余計な付属物が多いといった没頭と全体的視点の乏しさなどがしばしばみられる。ロールシャッハ・テストは施行時間の長さや被検者に言語説明力を要する点から年少児ではあまり用いないが，知覚検査としての一面もあるため，刺激反応性，情報処理における秩序，視野全体への注意配分，各要素のまとまりなどを評価することができ，ADHDの子どものユニークでのびやかな発想力，多方面に向かう好奇心，スピード感のある思考展開の様子などポジティブな資質に関しても多くの手がかりを与えてくれる。

ADHDと関連の深いパーソナリティ傾向として，ロールシャッハ・テストを用いたADHD児と統制群との比較研究で，Meehanらは，ADHD症状が顕著であるほど感情統制力や対処力，ストレス耐性が低い傾向があること報告している[130)]。Cotugnoは，ADHD児に客観的な現実知覚の困難や対人関係の独特な捉え方があることを[131)]，またAndoらは，ADHDの多動性と衝動性が主に子どもの非現実的な対人認知や思い込みの強さと関連し，その主観的な判断によって内面の不安が増大していくという経過を示唆している[132)]。Haddadらは，ADHD児の現実認知における逸脱や感情統制の困難について，生来的な不注意やそれに伴う適切な教育の不足によって生じている可能性があり，これがさらに孤立感や不快感の高さ，意思決定の回避へと繋がっていくと考察しており，幼少期からの家族の理解と協力，言語セラピー，心理教育，適切な対人スキルの指導といった多面的なケアの重要性について述べている[133)]。つまり子どものADHD特性が生活を大きく障害していてそれに対する適切なケアが不足している場合に，不安，孤立，攻撃性といったネガティブなパーソナリティ特性を助長するリスクがあると考えることができ，ADHD児の姿を統合的に理解するには，現時点だけでなく，それまでの経過を縦断的に把握しようとする姿勢が重要であるといえる。目の前にいる子どものADHD特性と人格形成との関連について，検査中に集めた多くの材料をもとに仮説を立て，その子本来の気質や性格傾向におけるポジティブな一面に可能性を見出すというアセスメントの流れを意識して，ていねいな分析を心がけたい。

4）症例

症例A 小学校4年生　女児

現病歴

幼少期よりエネルギーが高く，何にでも興味をもって触り回ったり，周囲を見ず目標物に突進していったりするような衝動的行動が目立ちけがも多かった。知的発達に遅れはなく，読書や物語創作，おしゃべりが好きであった。就学後は忘れ物が目立ち，授業中はたびたび空想に耽っていたが成績は中上位であった。夢中になると周りが見えずテンションのコントロールが難しい，勝負にこだわって騒ぎ立てる，正義感が強く男子とでも取っ組み合いの喧嘩をするといった大きなトラブルが学期に数回あり，担任教諭からは日常的に叱責されがちであった。元来明るくサービス精神旺盛で，積極的に人に関わっていくが，何かと激しく勢いのある言動が同級生からは受け入れられず，邪険にされることも多かった。母親はいわゆる「女の子らしい」子ども像をAに求めており，学校からのトラブル報告を受けるたびに失望し，厳しく対処した。

4年生になって学校への行き渋りが出現し，活動意欲が低下，同時に家庭で激しい癇癪や手当たり次第に物を投げるなどの乱暴行為が頻繁に見られるようになったため母親が対応に苦慮し，児童精神科を受診した。発達歴等の情報からADHDを基盤としてもちながら成長してきた子どもが情緒・行動上の問題を呈している状態と考えられたが，今後の対応や環境調整についての手がかりや治療的介入の方向性を設定する一助として心理査定が依頼された。

心理検査

知的・認知的能力の特徴を把握し，A自身の認識している現状や自己像，外的ストレスなどを評価することを目的として，テスト・バッテリーに，①WISC-Ⅳ，②描画テスト（樹木画／人物画），③SCT，④ロールシャッハ・テスト――を設定した。

①WISC-Ⅳの各合成得点は，全検査117，言語理解115，知覚推理111，作業記憶96，処理速度119であり，すべて年齢平均域の中位～上位に収まっている。下位検査の数値，課題への取り組み方，エラーのタイプなどから考えられるAの特徴は次のとおりであった。

・言葉の本質的意味をよく理解し，他者の言葉から想像を膨らませて意図を読むことも得意であるが，自分の考えを端的な言葉で説明することは苦手で回り道が多い
・情報の取捨選択に手間取り，考えているうちに頭の中で事態が複雑化して本題を見失う
・直感的理解に優れている一方で，ひらめきを具体的な形にもっていくまでの段取りでつまずきやすく，結果的にあきらめたり先延ばしにしたりしがちである
・マイペースで頭を整理する時間があるときは情報を吟味して自分のなかに落とし込み，考えを組み立てて相手に伝える力を発揮できる
・日常場面では周囲の速い流れに巻き込まれて衝動的に余計なことを口走ったり早とちりから誤った反応を返してしまったりする可能性が高い
・瞬発力が高くコツを掴むのが速いため，すぐに取りかかって短時間で終わらせる仕事の仕方が向いている

②描画テストでは，人物画に童話のお姫様のようなふわふわした女の子と，樹木画には真っ黒に塗りつぶされた枝も根も樹幹もない小さな木が描かれた。社会的期待に応えられる自分でありたいというやや空想的な願いが感じられるとともに，回避手段を持たずダイレクトに周囲と関わり続けた結果，傷ついて萎縮し，不安や緊張，鬱積した感情を押さえ込もうとする情緒的な混乱がうかがえた。

③SCTでは，友だちからの理不尽な言動に対する悲しみや不快感が短い言葉で綴られたが，その理由は「わたしが悪いから」だと自身に帰属させた。「お母さんにもっと話を聞いてもらいたい」，「先生が怒らなかったらいいのに」，「友だちにありがとうと言ってもらえたことがとてもうれしかった」，といった健気な対人希求が随所に表れている。しかしその願いは自分のせいで叶わない。それを補償するかのように，「パティシエになってこっそりお菓子の家を作ってみんなを驚かせる」，「外国の森の家にクマと住んでいたらある日テレビがきて…（後略）」といった空想の物語が語られた。

④ロールシャッハ・テストでは，初発反応時間が早く，部分的な特徴に次々と反応しながら最後にすべてを含む物語として繋げていくという一定の傾向を見せ，衝動的な言動に自ら振り回されながらも最終的にはどうにかしてまとめ，つじつまを合わせようとする自己統制への意識の芽生えと高い知性がうかがえた。また一方では自己価値の低下，感情の抑圧性と爆発性の混在，対処力の弱さ，孤立感の強さといったネガティブな因子も目立っており，環境にうまく適応できない苛立ちを自身に向けて傷ついている様子や，処理しきれない情報は都合のいいように解釈して現実逃避を図る様子も表れていた。

これらの検査結果を総合し，集団のトラブルメーカーというAの表面的な姿の背景にある認知的特性や自己意識，情緒の動きを捉えられるよう家族や学校関係者にフィードバックして理

解を求めた。その後は投薬治療と並行して家族への心理教育と本人のカウンセリングを行い，学校とは対応の指針や教室での工夫を記入できるサポートシートを通して情報共有しながら環境調整を進めた。

ADHDの子どもたちは社会と関わっていくなかで，ときには自ら壁に激突していくような無鉄砲さに自分自身も傷つきながら，肝心なことは多く語らず，めげずに前へ前へと進んでいこうとする。周囲の大人はそのエネルギー溢れるたくましい姿に，つい過剰な非難や叱責をぶつけても大丈夫のように感じるかもしれない。しかし彼らは無頓着にみえても刺激の一つひとつを敏感に感じ取っており，それらが意味を伴って意識される年代に入ると情緒的な問題として浮かび上がってくることも多い。治療的介入においてパーソナリティ・アセスメントを有効に活用するためには，苦境にある子どものこれからのためにいまどのような情報が必要なのかを選択し，子どもが直接伝えられないメッセージをわかりやすく代弁するという視点に立つことが重要である。

（大西 貴子）

参考文献

1）Luders E, et al : Decreased callosal thickness in attention-deficit/hyperactivity disorder. Biol Psychiatry, 65（1）: 84-88, 2009
2）Castellanos FX, et al : Quantitative brain magnetic resonance imaging in attention-deficit hyperactivity disorder. Arch Gen Psychiatry 53（7）: 607-616, 1996
3）Filipek PA, et al : Volumetric MRI analysis comparing subjects having attention-deficit hyperactivity disorder with normal controls. Neurology 48（3）: 589-601, 1997
4）Castellanos FX, et al : Quantitative brain magnetic resonance imaging in girls with attention-deficit/hyperactivity disorder. Arch Gen Psychiatry 58（3）: 289-295, 2001
5）Castellanos FX, et al : Developmental trajectories of brain volume abnormalities in children and adolescents with attention-deficit/hyperactivity disorder. JAMA, 288（14）: 1740-1748, 2002
6）Valera EM, et al : Meta-analysis of structural imaging findings in attention-deficit/hyperactivity disorder. Biol Psychiatry 61（12）: 1361-1369, 2007
7）Castellanos FX, et al : Quantitative brain magnetic resonance imaging in attention-deficit hyperactivity disorder. Arch Gen Psychiatry. 53（7）: 607-616, 19969
8）Sowell ER, et al : Cortical abnormalities in children and adolescents with attention deficit hyperactivity disorder. Lancet. 362（9397）: 1699-1707, 2003
9）Shaw P, et al : Longitudinal mapping of cortical thickness and clinical outcome in children and adolescents with attentiondeficit/hyperactivity disorder. Arch Gen Psychiatry, 63（5）: 540-549, 2006
10）Shaw P, et al : Attention-deficit/hyperactivity disorder is characterized by a delay in cortical maturation. Proc Natl Acad Sci U S A, 104（49）: 19649-19654, 2007
11）Ashtari M, et al : Attention-deficit/hyperactivity disorder: a preliminary diffusion tensor imaging study. Biol Psychiatry, 57（5）: 448-455, 2005
12）Hamilton LS, et al : Reduced white matter integrity in attention-deficit hyperactivity disorder. NeuroReport, 19（17）: 1705-1708, 2008
13）Pavuluri MN, et al : Diffusion tensor imaging study of white matter fiber tracts in pediatric bipolar disorder and attentiondeficit/hyperactivity disorder. Biol Psychiatry, 65（7）: 586-93, 2009
14）Qiu MG, et al : Changes of brain structure and function in ADHD children. Brain Topogr, 24（3-4）: 243-52, 2011
15）van Ewijk H, et al : Diffusion tensor imaging in attention deficit/hyperactivity disorder: a systematic review and metaanalysis. Neurosci Biobehav Rev, 36（4）: 1093-1106, 2012
16）Makris N, et al : Attention and executive systems abnormalities in adults with childhood ADHD: A DT-MRI study of connections. Cereb Cortex, 18（5）: 1210-1220, 2008
17）Seidman LJ, et al : Dorsolateral prefrontal and anterior cingulate cortex volumetric abnormalities in adults with attentiondeficit/hyperactivity disorder identified by magnetic resonance imaging. Biol Psychiatry 60（10）: 1071-1080, 2006

18) Hesslinger B, et al : Frontoorbital volume reductions in adult patients with attention deficit hyperactivity disorder. Neurosci Lett, 328 (3) : 319-21, 2002
19) Rubia K, et al : Hypofrontality in attention deficit hyperactivity disorder during higher-order motor control: a study with functional MRI. Am J Psychiatry 156 (6) : 891-896, 1999
20) Silberstein RB, et al : Functional brain electrical activity mapping in boys with attention-deficit/hyperactivity disorder. Arch Gen Psychiatry 55 (12) : 1105-1112, 1998
21) Bush G, et al : Anterior cingulate cortex dysfunction in attention-deficit/hyperactivity disorder revealed by fMRI and the Counting Stroop. Biol Psychiatry 45 (12) : 1542-1552, 1999
22) Dickstein SG, et al : The neural correlates of attention deficit hyperactivity disorder : an ALE meta-analysis. J Child Psychol Psychiatry 47 (10) : 1051-1062, 2006
23) Cubillo A, et al : Reduced activation and inter-regional functional connectivity of fronto-striatal networks in adults with childhood Attention-Deficit Hyperactivity Disorder (ADHD) and persisting symptoms during tasks of motor inhibition and cognitive switching. J Psychiatr Res 44 (10) : 629-639, 2010
24) Dibbets P, et al : Differences in feedback-and inhibition-related neural activity in adult ADHD. Brain Cogn 70 (1) : 73-83, 2009
25) Epstein JN, et al : ADHD- and medication-related brain activation effects in concordantly affected parent-child dyads with ADHD. J Child Psychol Psychiatry 48 (9) : 899-913, 2007
26) Banich MT, et al : The neural basis of sustained and transient attentional control in young adults with ADHD. Neuropsychologia, 47 (14) : 3095-3104, 2009
27) Bush G, et al : Anterior cingulate cortex dysfunction in attention-deficit/hyperactivity disorder revealed by fMRI and the Counting Stroop. Biol Psychiatry 45 (12) : 1542-1552, 1999
28) Cubillo A, Rubia K : Structural and functional brain imaging in adult attention-deficit/hyperactivity disorder. Expert Rev Neurother 10 (4) : 603-620, 2010
29) Ströhle A, et al : Reward anticipation and outcomes in adult males with attention-deficit/hyperactivity disorder. Neuroimage 39 (3) : 966-972, 2008
30) Valera EM, et al : Functional neuroanatomy of working memory in adults with attention-deficit/hyperactivity disorder. Biol Psychiatry 57 (5) : 439-447, 2005
31) Wolf RC, et al : Regional brain activation changes and abnormal functional connectivity of the ventrolateral prefrontal cortex during working memory processing in adults with attention-deficit/hyperactivity disorder. Hum Brain Mapp, 30 (7) : 2252-2266, 2009
32) Sonuga-Barke E, et al : Beyond the dual pathway model : evidence for the dissociation of timing, inhibitory, and delayrelated impairments in attention-deficit/hyperactivity disorder. J Am Acad Child Adolesc Psychiatry, 49 (4) : 345-355, 2010
33) Pruim RHR, et al : An Integrated Analysis of Neural Network Correlates of Categorical and Dimensional Models of Attention-Deficit/Hyperactivity Disorder. Biol Psychiatry Cogn Neurosci Neuroimaging, 4 (5) : 472-483, 2019
34) Forssberg H, et al : Altered pattern of brain dopamine synthesis in male adolescents with attention deficit hyperactivity disorder. Behav Brain Funct, 4 ; 2 : 40, 2006
35) Spencer, TJ, et al : Further evidence of dopamine transporter dysregulation in ADHD: a controlled PET imaging study using altropane. Biol Psychiatry, 62 (9) : 1059-1061, 2007
36) Mefford IN, Potter WZ : A neuroanatomical and biochemical basis for attention deficit disorder with hyperactivity in children: a defect in tonic adrenaline mediated inhibition of locus coeruleus stimulation. Med Hypotheses, 29 (1) : 33-42, 1989
37) Negoro H, et al : Prefrontal dysfunction in attention-deficit/hyperactivity disorder as measured by near-infrared spectroscopy. Child Psychiatry Hum Dev, 41 (2) : 193-203, 2010
38) Weber P : Methylphenidate-induced changes in cerebral hemodynamics measured by functional near-infrared spectroscopy. J Child Neurol, 22 (7) : 812-817, 2007
39) Monden Y, et al : Clinically-oriented monitoring of acute effects of methylphenidate on cerebral hemodynamics in ADHD children using fNIRS. Clin Neurophysiol, 123 (6) : 1147-1157, 2012
40) Ota T, et al : Increased prefrontal hemodynamic change after atomoxetine administration in pediatric attention-deficit/hyperactivity disorder as measured by near-infrared spectroscopy. Psychiatry Clin Neurosci, 69 (3) : 161-170, 2015
41) Nakanishi Y, et al : Differential therapeutic effects of atomoxetine and methylphenidate in childhood attention deficit/hyperactivity disorder as measured by near-infrared spectroscopy. Child Adolesc Psychiatry Ment Health, doi: 10.1186/s13034-017-0163-6. eCollection, 2017

42) Castellanos FX, et al : Cingulate-precuneus interactions: a new locus of dysfunction in adult attention-deficit/hyperactivity disorder. Biol Psychiatry, 63（3）: 332-337, 2008
43) Chabot RJ, Serfontein G : Quantitative electroencephalographic profiles of children with attention deficit disorder. Biol psychiatry, 40（10）: 951-963, 1996
44) Snyder SM, Hall JR : A meta-analysis of quantitative EEG power associated with attention-deficit hyperactivity disorder. J clin neurophysiol, 23（5）: 440-455, 2006
45) Loo SK, et al : Clinical utility of EEG in attention-deficit/hyperactivity disorder: a research update. Neurotherapeutics, 9（3）: 569-587, 2012
46) Alba G, et al : Electroencephalography signatures of attention-deficit/hyperactivity disorder: clinical utility. Neuropsychiatr Dis Treat, 11 : 2755-2769, 2015
47) Markovska-Simoska S, et al : Quantitative EEG in Children and Adults With Attention Deficit Hyperactivity Disorder: Comparison of Absolute and Relative Power Spectra and Theta/Beta Ratio. Clin EEG Neurosci, 48（1）: 20-32, 2017
48) Bink M, et al : EEG theta and beta power spectra in adolescents with ADHD versus adolescents with ASD + ADHD. Eur Child Adolesc Psychiatry, 24（8）: 873-886, 2015
49) 大田裕一：誘発電位．臨床精神医学講座16巻（松下正明・総編集，浅井昌弘，牛島定信，他・編），中山書店，p236，1999
50) Polich J : Updating P300 : an integrative theory of P3a and P3b. Clin Neurophysiol, 118（10）: 2128-2148, 2007
51) Satterfield JH, et al : Ontogeny of selective attention effects on event-related potentials in attention-deficit hyperactivity disorder and normal boys. Biol Psychiatry, 28（10）: 879-903, 1990
52) Johnstone SJ, et al : Topographic distribution and developmental timecourse of auditory event-related potentials in two subtypes of attention-deficit hyperactivity disorder. Int J psychophysiol, 42（1）: 73-94, 2001
53) Barry RJ, et al : A review of electrophysiology in attention-deficit/hyperactivity disorder: II. Event-related potentials. Clin Neurophysiol, 114（2）: 184-198, 2003
54) Ito N, et al : Event-related potentials in Attention-deficit/Hyperactivity disorder. Jap J Child Adolesc Psychiatry, 44（Suppl）: 101-111, 2003
55) Negoro H, et al : Can Event-Related Potentials（ERPs）be useful for differential diagnosis of Attention Deficit/Hyperactivity Disorder（AD/HD）? Jap J Child Adolesc Psychiatry, 47（suppl）: 15-26, 2006
56) Polich J, Corey-Bloom J : Alzheimer’ s disease and P300 : Review and evaluation of task and modality. Curr Alzheimer Res, 2（5）: 515-525, 2005
57) Bramon E, et al : Meta-analysis of the P300 and P50 waveforms in schizophrenia. Schizophr Res, 70（2-3）: 315-329, 2004
58) Onitsuka T, et al : Neurophysiological findings in patients with bipolar disorder. Suppl Clin neurophysiol, 62 : 197-206, 2013
59) Sawada M, et al : Effects of osmotic-release methylphenidate in attention-deficit/hyperactivity disorder as measured by event-related potentials. Psychiatry Clin Neurosci, 64（5）: 491-498, 2010
60) Sangal RB, Sangal JM : Attention-deficit/hyperactivity disorder ; Cognitive evoked potential（P300）amplitude predicts treatment response to atomoxetine. Clin Neurophysiol, 116（3）: 640-647, 2005
61) Jonkman LM, et al : Effects of methylphenidate on event-related potentials and performance of attention-deficit hyperactivity disorder children in auditory and visual selective attention tasks. Biol Psychiatry, 41（6）: 690-702, 1997
62) 澤田将幸，他：注意欠陥/多動性障害（AD/HD）の衝動性とMismatch negativity（MMN）．精神科治療学，21（9）：987-991，2006
63) Sawada M, et al : Pervasive developmental disorder with attention deficit hyperactivity disorder-like symptoms and mismatch negativity. Psychiatry Clin Neurosci, 62（4）: 479-481, 2008
64) Dimoska A, et al : Inhibitory motor control in children with attention-deficit/hyperactivity disorder : Event-related potentials in the stop-signal paradigm. Biol psychiatry, 54（12）: 1345-1354, 2003
65) Ilango TS, et al : X-linked adrenoleukodystrophy presenting as attention deficit hyperactivity disorder. Indian J Psychiatry, 57（2）: 208-209, 2015
66) Touwen BCL, Prechtl HFR : The neurological examination of the child with minor nervous dysfunction. William Heinemann Medical Books, 1970
67) Touwen BCL : Examination of the Child with Minor Neurological Dysfunction. William Heinemann Medical Books, 1979
68) GARFIELD JC : MOTOR IMPERSISTENCE IN NORMAL AND BRAIN-DAMAGED CHILDREN. Neurology, 14 : 623-630, 1964
69) 鈴木昌樹：微細脳損傷の検査法．小児医学，6：108-162，1973
70) 小枝達也・編：5歳児健診—発達障害の診療・指導エッセンス．診断と治療社，2008
71) 日本小児保健協会・編：デンバー発達判定法．日本小児医事出版社，2009

72）前川喜平：小児の運動発達とsoft neurological sign．小児医学，9：133-160，1976
73）田中美郷・監：改訂版随意運動発達検査．発達科学研究教育センター，1989
74）Pearl PL, et al : Medical mimics. Medical and neurological conditions simulating ADHD. Ann N Y Acad Sci, 931 : 97-112, 2001
75）Canadian ADHD Resource Alliance（CADDRA）: Canadian ADHD Practice Guidelines, 4.1 Edition. 2020（http://www.caddra.ca/practice-guidelines/download）
76）Leo RJ, et al : Utility of thyroid function screening in adolescent psychiatric inpatients. J Am Acad Child Adolesc Psychiatry, 36（1）: 103-111, 1997
77）氏家寛：全身疾患に精神疾患が由来する病態；代謝・内分泌疾患 甲状腺機能低下症（Subclinical hypothyroidismを含む）．症状性（器質性）精神障害の治療ガイドライン（精神科治療学編集員会・編），精神治療学，21（Suppl.）2006
78）Kim S, et al : Lead, mercury, and cadmium exposure and attention deficit hyperactivity disorder in children. Environ. Res, 126 : 105-110, 2013
79）Chen MH, et al : Association between psychiatric disorders and iron deficiency anemia among children and adolescents: a nationwide population-based study. BMC Psychiatry, 13 : 161, 2013
80）Erikson KM, et al : Iron deficiency decreases dopamine D1 and D2 receptors in rat brain. Pharmacol Biochem Behav, 69（3-4）: 409-418, 2001
81）Erikson KM, et al : Iron deficiency alters dopamine transporter functioning in rat striatum. J Nutr, 130（11）: 2831-2837, 2000
82）Cortese S, et al : Attention-deficit/hyperactivity disorder, Tourette' s syndrome, and restless legs syndrome: the iron hypothesis. Med Hypotheses, 70（6）: 1128-1132, 2008
83）Konofal E, et al : Iron deficiency in children with attention-deficit/hyperactivity disorder. Arch Pediatr Adolesc Med, 158（12）: 1113-1115, 2004
84）Sever Y, et al : Iron treatment in children with attention deficit hyperactivity disorder. A preliminary report. Neuropsychobiology, 35（4）: 178-180, 1997
85）下澤伸行：副腎白質ジストロフィー．脳と発達，47（2）：117-121，2015
86）Picchietti DL, et al : Early manifestations of restless legs syndrome in childhood and adolescence. Sleep Med, 9（7）: 770-781, 2008
87）Swedo SE, et al : Pediatric autoimmune neuropsychiatric disorders associated with streptococcal infections: clinical description of the first 50 cases. Am J Psychiatry, 155（2）: 264-271, 1998
88）Wechsler D : WISC-V: Technical and Interpretation Manual. PsychCorp, 2013
89）中山健：PASS理論．発達障害辞典（日本LD学会・編），丸善出版，pp26-27，2016
90）中山健：継次処理と同時処理．（日本LD学会・編），丸善出版，pp28-29，2016
91）JA,ナグリエリ・著，前川久男，他・訳：エッセンシャルズDN-CASによる心理アセスメント．日本文化科学社，2010
92）AS,カウフマン, et al・著，藤田和弘，他・監：エッセンシャルズKABC-Ⅱによる心理アセスメントの要点．丸善書店，2014
93）岡田智：神経発達症の心理検査・評価尺度をどう活用するか．臨床精神医学，48（10），1187-1192，2019
94）EO,リヒテンバーガー，et al・著，上野一彦，他・監訳：エッセンシャルズ心理アセスメントレポートの書き方．日本文化科学社，2008
95）青柳閣郎，他：AD/HDの前頭葉機能：NIRS，自律反応を中心に．臨床神経生理学，49（1）：15-21，2021
96）林隆：Triple pathway modelとFunctional connectivity, Dynamic connectivityからみたADHDの病態と支援の視点に基づく薬物療法．児童青年精神医学とその近接領域，61（3）：278-288，2020
97）Barkley RA : Behavioral inhibition, sustained attention, and executive functions: constructing a unifying theory of ADHD. Psychol Bull, 121（1）: 65-94, 1997
98）Nigg JT : Is ADHD a disinhibitory disorder?. Psychol Bull, 127（5）: 571-598, 2001
99）臨床精神医学編集委員会・編：精神科臨床評価マニュアル2016年版．アークメディア，2015
100）Seidman LJ : Neuropsychological functioning in people with ADHD across the lifespan. Clin Psychol Rev, 26（4）: 466-485, 2006
101）Woods SP, et al : Comparative efficiency of a discrepancy analysis for the classification of Attention-Deficit/Hyperactivity Disorder in adults. Arch Clin Neuropsychol, 17（4）: 351-369, 2002
102）Nyhus E, et al : The Wisconsin Card Sorting Test and the cognitive assessment of prefrontal executive functions: a critical update. Brain Cogn, 71（3）: 437-451, 2009
103）鹿島晴雄，他：前頭葉機能検査—障害の形式と評価法—．神経研究の進歩，37（1）：93-110，1993
104）三村將：遂行機能．よくわかる失語症と高次脳機能障害（鹿島晴雄，他・編），永井書店，389-390，2003

105) Miyake A, et al : The unity and diversity of executive functions and their contributions to complex "Frontal Lobe" tasks: a latent variable analysis. Cogn Psychol, 41（1）: 49 − 100, 2000
106) Sergeant JA, et al : How specific is a deficit of executive functioning for attention-deficit/hyperactivity disorder?. Behav Brain Res, 130（1-2）: 3 − 28, 2002
107) Willcutt EG, et al : Validity of the executive function theory of attention-deficit/hyperactivity disorder: a meta-analytic review. Biol Psychiatry, 57（11）: 1336 − 1346, 2005
108) Seidman LJ, et al : Structural brain imaging of attention-deficit/hyperactivity disorder. Biol Psychiatry, 57（11）: 1263 − 1272, 2005
109) Alvarez JA, et al : Executive function and the frontal lobes: a meta-analytic review. Neuropsychol Rev, 16（1）: 17-42, 2006
110) Romine CB, et al : Wisconsin Card Sorting Test with children: a meta-analytic study of sensitivity and specificity. Arch Clin Neuropsychol. 19（8）: 1027-1041, 2004
111) Seidman LJ, et al : Toward defining a neuropsychology of attention deficit-hyperactivity disorder: performance of children and adolescents from a large clinically referred sample. J Consult Clin Psychol, 65（1）: 150-160, 1997
112) Houghton S, et al : Differential patterns of executive function in children with attention-deficit hyperactivity disorder according to gender and subtype. J Child Neurol, 14（12）: 801-805, 1999
113) Nydén A, et al : Neurocognitive stability in Asperger syndrome, ADHD, and reading and writing disorder: a pilot study. Dev Med Child Neurol, 43（3）: 165-171, 2001
114) 相原正男：小児の前頭葉機能評価法．認知神経科学，11（1），44-47，2009
115) Johnson KA, et al : Dissociation in performance of children with ADHD and high-functioning autism on a task of sustained attention. Neuropsychologia, 45（10）: 2234-2245, 2007
116) Jack A Naglieri, et al : Cognitive assessment system interpretive handbook. Riverside Publishing, 1997（前川久男，他・日本語版作成：理論と解釈のためのハンドブック〈日本版DN-CAS認知評価システム〉，日本文化科学社，2007）
117) Van Luit JE, et al : Utility of the PASS theory and cognitive assessment system for Dutch children with and without ADHD. J Learn Disabil, 38（5）: 434-439, 2005
118) Rosvold H, et al : A continuous performance test of brain damage. Journal of Consulting Psychology, 20, 343-350, 1956
119) Stevens MC, et al : An fMRI Auditory Oddball Study of Combined-Subtype Attention Deficit Hyperactivity Disorder. American Journal of Psychiatry, 164, 1737-1749, 2007
120) Orinstein AJ and Stevens MC : Brain activity in predominantly-inattentive subtype attention-deficit/hyperactivity disorder during an auditory oddball attention task. Psychiatry Research: Neuroimaging, 223, 121-128, 2014
121) 相原正男：発達障害への早期支援としての健診の役割．小児内科，45（3）：515-519，2013
122) 稲垣真澄，他：AD/HDの神経科学─抑制系と報酬系に焦点をあてて─．脳と発達，42（3）：224-226，2010
123) Fischer M, et al : The adolescent outcome of hyperactive children diagnosed by research criteria: Ⅱ. Academic, attentional, and neuropsychological status. J Consult Clin Psychol, 58（5）: 580-588, 1990
124) Solanto MV, et al : The ecological validity of delay aversion and response inhibition as measures of impulsivity in AD/HD: a supplement to the NIMH multimodal treatment study of AD/HD. J Abnorm Child Psychol, 29（3）: 215-228, 2001
125) 宮岡等，他：大人の発達障害と精神疾患の鑑別と合併．心身医学，59（5），416-421, 2019
126) 齊藤彩，他：思春期の注意欠如・多動傾向と不安・抑うつとの縦断関連．教育心理学研究，68（3），237-249，2020
127) Watson J, et al : Using the Personality Assessment Inventory to Identify ADHD-Like Symptoms. J Atten Disord, 22（1）: 1049-1055, 2015
128) Smith ST, et al : Intentional inattention: Detecting feigned attention- deficit/hyperactivity disorder on the Personality Assessment Inventory. Psychol Assess, 29（12）: 1447-1457, 2017
129) Aita SL, et al : Utility of the Personality Assessment Inventory in detecting feigned Attention-Deficit/Hyperactivity Disorder（ADHD）: The Feigned Adult ADHD index. Arch Clin Neuropsychol, 33（7）: 832-844, 2018
130) Meehan KB, et al : Self-regulation and internal resources in school-aged children with ADHD symptomatology: an investigation using the Rorschach inkblot method. Bull Menninger Clin, 72（4）: 259-282, 2008
131) Cotugno AJ : Personality attributes of attention deficit hyperactivity disorder（ADHD）using the Rorschach Inkblot Test. J Clin Psychol, 51（4）: 554-562, 1995
132) Ando A, et al : Assessing the Personality Profile with ADHD Characteristics Using the Rorschach Performance Assessment System（R-PAS）. Journal of Child and Family Studies, 28 : 1196-1206, 2019
133) Haddad AH, et al : Personality Impairment in Children and Adolescents with ADHD. Paidéia, 31 : e3105, 2021

ADHDの早期発見

乳幼児におけるADHDスクリーニング用問診票の臨床応用

1）行動特徴のチェックリストの外来診療への応用

「行動特徴のチェックリスト」はADHD-RSで評価しづらい就学前のADHD特性を評価するために作成した。①多動性，②旺盛な好奇心，③破壊的な関わり，④不適切な関わり，⑤強い癇癪，⑥運動のアンバランス――の6つの尺度で，子どもの行動特徴を評価する問診ツールである。多動傾向を認める子どもの行動特徴を簡便に評価するうえで有効なツールであるが，診断的意義，特に6つの尺度が発達予後においてどのような意味をもつかついては縦断的な発達の経過観察が必要である。

今回，6歳未満初診の幼児で後に（就学後）ADHD治療薬を使用した59例の自験例における初診時に記載された行動チェックリストの内容について，使用したADHD治療薬を手がかりに6つの尺度の意味を検討した。また，性別，初診時の年齢，ASD併存の有無と6つの尺度との関係についても検討した。チェックリストの「ない，もしくはほとんどない」を0点，「ときどきある」を1点，「しばしばある」を2点，「非常にしばしばある」を3点として下位尺度の平均点で検討した。

2）調査対象

対象は59人で，男児53人，女児6人。初診時年齢は2～5歳（平均4歳10カ月，最小2歳3カ月～5歳11カ月）だった。発達障害診断としてADHD単独例が11人，ASD併存例が48人だった。使用薬剤はメチルフェニデート（OROS-MPH），アトモキセチン（ATX），グアンファシン（GXR）の3種類で使用状況の詳細は**表１**に示す。リスデキサンフェタミン（LDX）使用例は2例のみだったので今回の検討からは除外した。

3）ADHD治療薬の選択方針

OROS-MPH，ATX，GXRはいずれもADHD治療薬であり，効果効能はADHDとしか示されておらず，使い分けについての明確な指針はない。筆者はADHD児の抱える困り感から**表２**に示すように3剤を使い分けている[1]。要約するとOROS-MPHは不注意，多動性・衝動性の目立つもの，ATXは段取りの悪さによって作業効率が悪く不注意が目立つもの，GXRは情動の不安定による衝動性や予期不安の強いものに使用した。

4）対象の属性による行動特徴の違い

全体像（**図１**）をみると，対象児の初診時の特徴は，①多動性，②旺盛な好奇心が目立ち，次い

表1 対象の属性

<table>
<tr><td colspan="2">性差</td><td>男：女</td><td>53：6</td></tr>
<tr><td colspan="2" rowspan="2">現在の年齢</td><td>平均</td><td>12歳4カ月</td></tr>
<tr><td>最小～最大</td><td>8歳6カ月～20歳1カ月</td></tr>
<tr><td colspan="2" rowspan="4">初診時年齢</td><td>2歳代（人）</td><td>3</td></tr>
<tr><td>3歳代（人）</td><td>7</td></tr>
<tr><td>4歳代（人）</td><td>14</td></tr>
<tr><td>5歳代（人）</td><td>35</td></tr>
<tr><td rowspan="7">使用薬剤</td><td rowspan="3">1剤</td><td>OROS-MPH（人）</td><td>14</td></tr>
<tr><td>ATX（人）</td><td>6</td></tr>
<tr><td>GXR（人）</td><td>18</td></tr>
<tr><td rowspan="3">2剤</td><td>OROS-MPH/ATX（人）</td><td>2</td></tr>
<tr><td>OROS-MPH/GXR（人）</td><td>12</td></tr>
<tr><td>ATX/GXR（人）</td><td>3</td></tr>
<tr><td>3剤</td><td>OROS-MPH/ATX/GXR（人）</td><td>4</td></tr>
</table>

表2 薬剤の使い分け

薬剤	薬理	作動部位	困り感からみた有効例	困り感への効果
OROS-MPH	ドパミントランスポーターの再取り込み阻害 ノルアドレナリントランスポーターの再取り込み阻害（前頭葉）	前頭前野 側坐核	ノイズに振り回されてシグナルを把握できないことから努力やいちかばちかの挑戦がなかなか報われない状況	強力にノイズを抑え込む効果
ATX	ノルアドレナリントランスポーターの再取り込み阻害	前頭前野 小脳	刹那に誠実にいまを一生懸命に生きているが段取りが悪く評価されず，良かれと思ってやったことが裏目に出るタイプ	時系列の整理と段取り力の強化
GXR	選択的α_{2A}アドレナリン受容体作動薬	前頭前野 拡張扁桃体	何をやっても駄目という自己評価から不安と抑うつという形で不全感が内在化するか，繰り返し否定的な評価をうけることから癇癪や他害行為など問題が外在化	情動の安定化

OROS-MPH：メチルフェニデート，ATX：アトモキセチン，GXR：グアンファシン

で③破壊的関わりとなる。それぞれADHDの中核症状である，多動，不注意，衝動性に相当すると考えることができる。この3項目に次いで④不適切な関わりが目立った。今回59例について解析したが，48例が自閉症スペクトラム障害を併存しており，不適切な関わりはASDの社会コミュニケーションの障害を示している可能性がある。**図2**で示されるようにASD併存例のほうがすべての尺度でスコアが高く，ASDが併存しているとADHDの特徴が保護者にとって強く感じられる傾向があるようだ。性別では圧倒的に男子が多かったが，行動特徴チェックリストでは女子の行動特徴が全てのカテゴリーで高得点だった（**図3**）。初診時の年齢別の特徴は**図4**に示す。低年齢ほどスコアが高い傾向にあった。4歳代は3歳代に比べスコアが高いが，④不適切な関わりは3歳代がもっとも高かった。3歳代がコミュニケーションの困難さを意識（指摘）されやすい時期なのかもしれない。

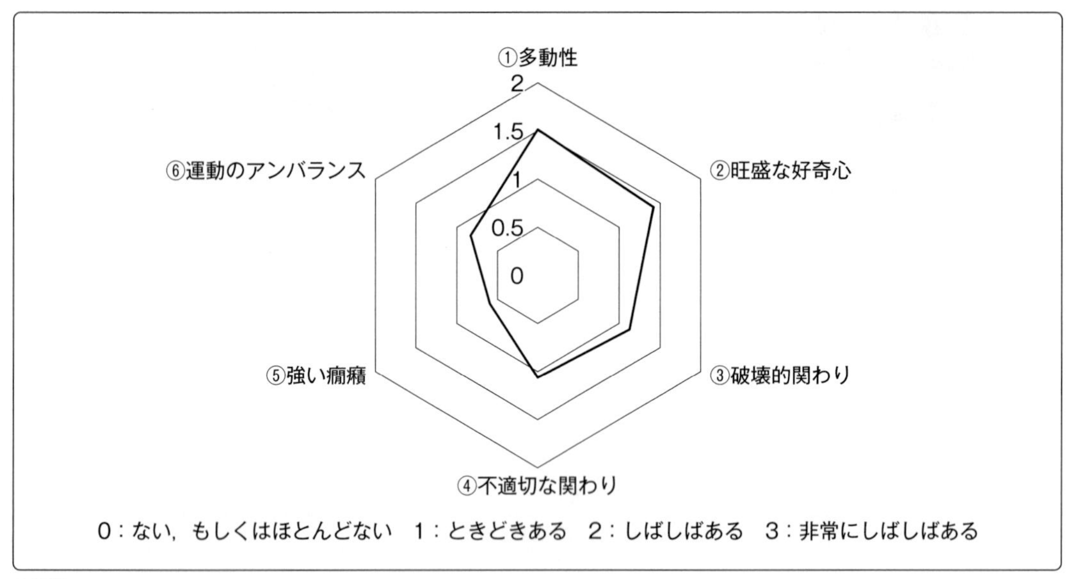

図1 全体（n=59）

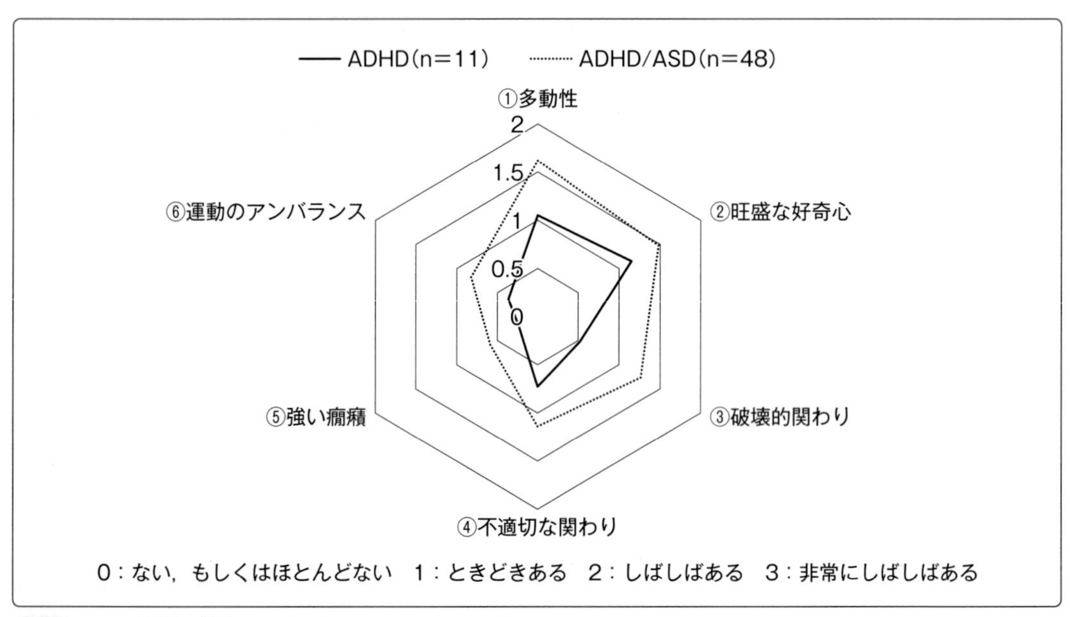

図2 ASD併存の有無による違い

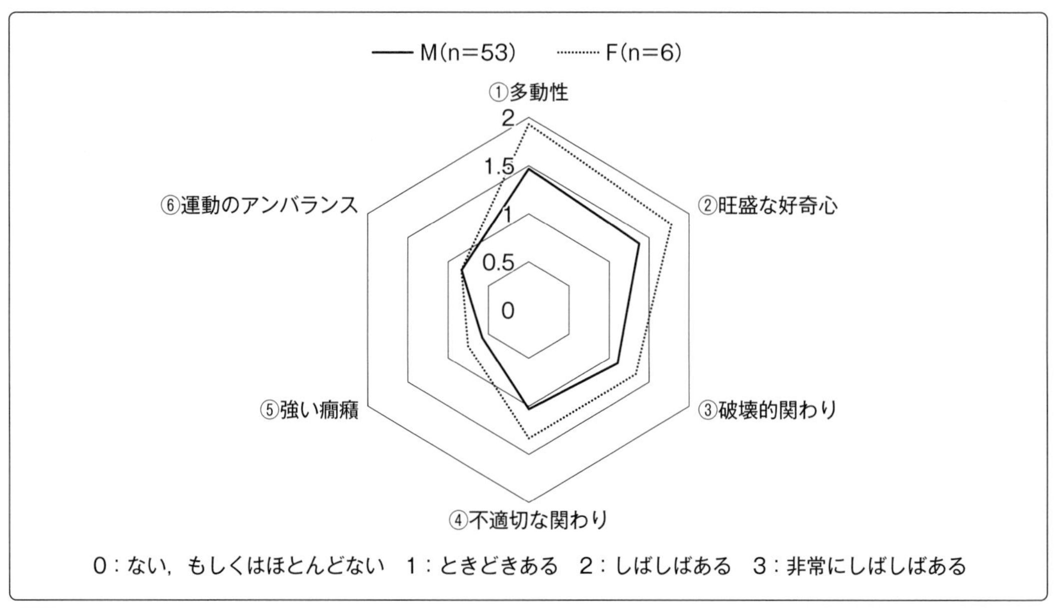

図3 性差

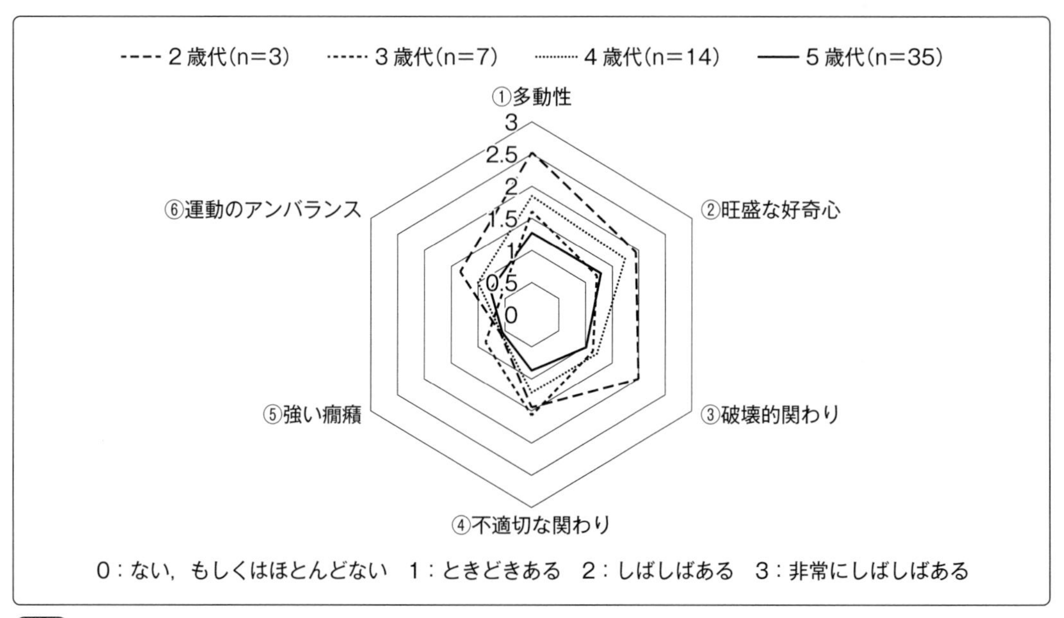

図4 初診時の年齢による違い

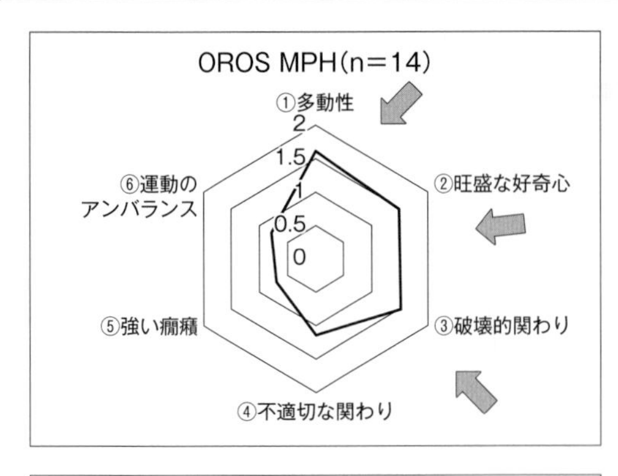

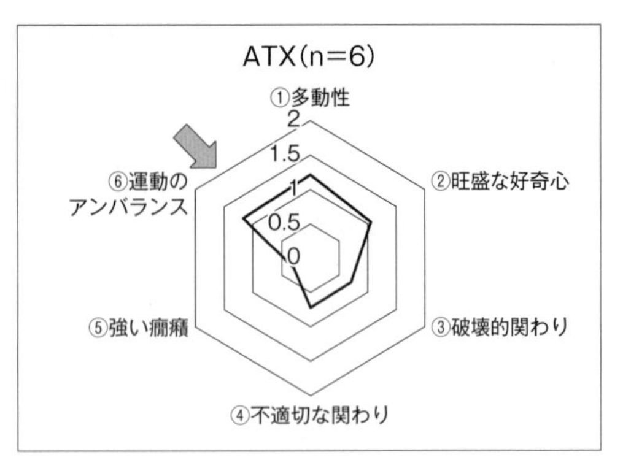

GXR(n=18)
①多動性
2
1.5
1
0.5
0
②旺盛な好奇心
③破壊的関わり
④不適切な関わり
⑤強い癇癪
⑥運動の
アンバランス

0：ない，もしくはほとんどない
1：ときどきある
2：しばしばある
3：非常にしばしばある

図5 ADHD治療薬単剤使用例

5）使用薬剤による行動特徴の違い

単剤使用例38例の薬剤毎にチェックリストの特徴をみてみると，**図5**のようになった。OROS MPH使用群は①多動性，②旺盛な好奇心，③破壊的関わりがすべて平均1.5を越えており，ADHDの中核症状をすべて兼ね備えた群だった。ATX使用群は①多動性，②旺盛な好奇心は1を超えるが，③破壊的関わりは1以下であった。また，この群のみ⑥運動のアンバランスが1を超え，運動の不器用さが特徴だった。この群で認める多動は不注意や衝動性によるものではなく要領の悪さによる不器用さが原因の可能性が示された。GXR使用群は①多動性，②旺盛な好奇心と④不適切な関わりが1を超えたが，③破壊的関わりは1以下だった。この群は③破壊的関わりよりも④不適切な関わりが強い群で，発達特性による課題が内在化してコミュニケーションが困難になった可能性があり，コミュニケーションの困難さの背景は不安が存在する可能性もある。以上の結果から，6歳未満でも行動特徴のチェックリストで示される①多動性はいわゆる多動性を，②旺盛な好奇心は，不注意（多注意）を，③破壊的関わりは衝動性を，④不適切な関わりはコミュニケーションの困難さまたは内在化による不安を，⑥運動のアンバランスは段取りの悪さを示している。ADHD治療薬はいずれも学童期以降使用されているにもかかわらず，幼児期のチェックリストで示される行動特徴がADHD治療薬を選択する際に基準（**表3**）とする症状困り感と相関していることになる。以上より，行動特徴のチェックリストは6歳未満でもADHDの中核症状と随伴症状を確認することができる可能性を示している。

表3 ADHD症状との相関

行動特徴のチェックリストの下位尺度	ADHDの中核・随伴症状
①多動性	多動性
②旺盛な好奇心	不注意（多注意）
③破壊的な関わり	衝動性
④不適切な関わり	コミュニケーション障害・不安
⑤強い癇癪	癇癪（ADHDとは無関係）
⑥運動のアンバランス	段取りの悪さ

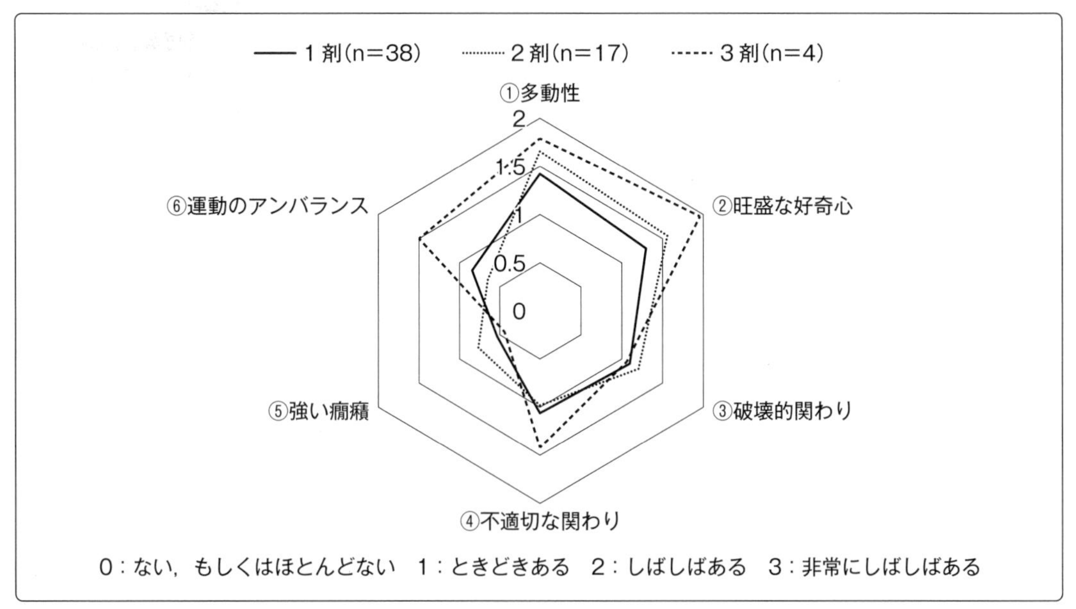

図6 ADHD薬使用数による違い

多剤使用例についてみてみると（**図6**），使用薬剤が増えていくほど多動や旺盛な好奇心のスコアは上昇しており，行動特徴のチェックリストのスコアはADHD特性の重症度を予測できる可能性も示された。

6）まとめ

就学前の行動特徴を薬剤使用状況から検討した結果，就学前の行動チェックリストで示される行動特徴とADHDの中核症状や随伴症状は表3で示されるような相関があることがわかった。今回の検討では強い癇癪は明確な特徴を示さなかった。就学前の子が癇癪を起すことは直接的に発達障害には繋がらないということは多くの保護者を安心させる情報であろう。ASDとの併存例の特徴から就学前に不注意，多動性・衝動性が強い場合はADHDだけでなくASDの併存も意識する必要があることを示唆している。6歳未満のADHD症例への薬物療法は，安全性が確認されていないので処方はきわめて慎重に考慮されなければならないことはいうまでもない。

（林 隆）

2 幼児におけるADHD診断の可能性と限界

幼児期のADHDの診断は鑑別診断を常に念頭に置き，①神経発達症群，②身体疾患・神経疾患，③反応性の状態，の3つの視点[2]から行う必要がある。

1）発達障害（神経発達症群）

幼児期のADHDを診断するうえで，鑑別すべき神経発達症群として最も重要なのは自閉スペクトラム症（autism spectrum disorders；ASD）である。ADHD児にみられる過活動，不注意，衝動性は，ASDにも高率に認められる症状であり，両者の鑑別はしばしば困難である。なかでも就学前に知的能力には問題ないと評価できたASD児は，言語の遅れも解消し，固執や感覚過敏などの自閉性症状も緩解してみえる時期であり，かえって落ち着きのなさや衝動性が目立つことになり，ADHDの症状が目立つことが少なくない。実際の臨床の場で関わるASD児の約60％にADHDの診断基準を満たす児が認められており，2013年に改定されたDSM-5[3]ではADHDとASDの併存が認められるようになった。

学習の問題は入学してから顕在化することが当然であるが，学習障害（限局性学習症，specific learning disorders；SLD）はADHDとの合併が多いことが知られている。読むことが不的確あるいは速度が遅く努力を要する（読字困難），読んでいることの意味を理解することの困難さ，綴字の困難さ，書字表出の困難さ，数字の概念を習得することの困難さ，数学的推論の困難さなどが合併している場合は学習するうえで負の体験に繋がりやすく，自尊感情の低下，さらには学校に行くことが苦痛となることも容易に推察される。子どもが学習するうえでの困難さを有していることに，周囲の大人が早期に気がつき適切な対応をすることは極めて重要である。

2）身体疾患・神経疾患

身体疾患や神経疾患のなかには，病初期に落ち着きがない，衝動的であるといった行動を示すものがある。小児神経科専門医951人を対象にした小枝らのアンケート調査[4]で，てんかん19例（31.7%），変性疾患・代謝疾患10例（16.7%），甲状腺機能亢進症7例（11.7%），脳腫瘍5例（8.3%），アレルギー疾患4例（6.7%），その他もやもや病，亜急性硬化性全脳炎などが挙げられた。それら疾患の主訴も①落ち着きがない（77.4%），②集中力がない（62.3%），③学業不振（47.2%）が主なものであったと報告し，鑑別診断の重要性を示している。

症例1 4歳女児

主訴 言葉の遅れ，落ち着きのなさ

現病歴

在胎・周産期異常なく乳児期の発達に遅れはなく，1歳で始語あり言葉の理解も年齢相応であったが，その後言葉の発達が遅く，3歳児検診で言葉の遅れと落ち着きのなさを指摘され，療育センターでの療育指導を受けていたが，じっと座っていられないなど落ち着きのなさが認められ，多動性障害を疑われ，当院小児科発達外来を紹介受診となった。初診時聴取した範囲での家族（両親や姉）には特記事項はなかった。診察室に入るとちらりと医師のほうを見るが，すぐベッドに駆け寄り，自分の好きなおもちゃに手を出して遊び出した。足元はややおぼつかなく，手に取る際も大雑把な掴み方をしてすぐ手を離す。ボーッとして動作を止め上肢をピクッ

とすることも認められた。頭部MRIでは異常なく，脳波で全般性棘徐波・多棘徐波群発を頻回に認めたため，行動の評価・診断よりてんかん治療を優先し，ミオクロニーてんかんの診断のもとバルプロ酸ナトリウムを投与したところ，症状は一時軽減し歩行も安定し，落ち着きが出てきた。しかし数カ月すると症状は増悪し，歩行が不安定になり，クロナゼパムを併用したが臨床症状・脳波所見ともに効果はなく，治療開始後約1年後には介助しないと外出も困難となった。家族歴を再聴取したところ，遠方に住む父方祖母が60歳代後半で最近寝たきりとなったとの情報を得た。頭部MRI再検査したところ，初回撮影時より小脳皺壁が目立ち，小脳萎縮の存在が明らかとなった。遺伝相談受診後に遺伝子検索したところDRPLA遺伝子内のCAGリピート数の伸長が認められ，DRPLAの進行性ミオクローヌスてんかん型（PME型）と診断に至った。

考察

本症例のように幼児期に発症する変性疾患の場合，多動・落ち着きのなさなど行動の異常のみに注目すると診断が誤った方向になることもあり得ること，また家族歴聴取も可能なかぎり両親の親の世代（祖父母）までの健康状態に留意した聴取を心がける。また退行現象が疑われた場合は，脳波のみならず頭部MRI検査も再度実施することは重要である。

3）反応性の状態

乳幼児期に児童虐待や愛情剥奪など劣悪な養育環境で育てられた子どもがADHDと同じような行動特徴を示すことがあることは知られている。特にシナプスの形成や髄鞘化など脳形成上において重要とされる2，3歳頃までに劣悪な養育環境にあると，その心理的要因はもとより，外傷，二次的な栄養障害，感染などが関与し，児の健やかな成長が妨げられ，さらには前頭前野皮質の脳障害も引き起こされ，行動上の問題を呈すると考えられる。しかし，このような環境下で成育しても決してすべてがADHDの症状を示すわけではないことも事実であり，環境要因のみでADHDが形成されるとは考えにくく，複合的な要因により生じると考えられている。一方，ADHDが社会的に問題になるのは，多動性や不注意など中核症状ではなく，認知面でのアンバランスや集団では行動できないなどの社会的行動の問題，対人関係の問題，精神・情緒面の問題などである。すなわち環境的要因によりADHD症状は増悪するといえる。

ADHDなど神経発達症群の子どもの保護者は育てにくさを感じ，厳しくしつけようとする結果，虐待となってしまうことも少なくない[5]。ADHDの症状と虐待環境のどちらが先なのか，あるいはどちらが主であるのかが不明確な症例も少なくない。いずれにせよ，大人との信頼関係が欠如していると落ち着きのなさや衝動性は高じてしまう。さらには，大人への反抗，秩序破壊的・衝動制御・素行症群（反抗挑発症，素行症など）へと進展する場合もある。また，反応性愛着障害は不適切な養育環境が継続した場合にみられ，脱抑制型対人交流障害では，見慣れない大人に対して交流することへのためらいの現象や欠如がみられ，過度になれなれしい言語的あるいは身体的行動をとったり，年齢的社会的規範を超えた脱抑制行動が認められるためにADHDとの鑑別が重要となるが，その鑑別は決して容易ではない[6]。医療者は幼児期の医療面接時に親子関係を含めた家庭状況を可能なかぎり把握するよう努力し，子どもの養育に適切な環境が構築されているかに留意することが不可欠である。

症例2 6歳男子，小学校1年生

主訴 学校で「落ち着きがない」「乱暴な行動」が問題となり，学校からの紹介で来院した。

現病歴

正期産，自然分娩，2,800gで出生。乳幼児期の精神運動発達は正常。家族は，幼児期に両親別居，小学校入学前に離婚。現在は母子家庭。母親自身は，小児期に父親に虐待され，かばってくれなかった母親のことを拒絶し音信不通。

受診時の神経学的所見に異常はないが左耳に皮下出血があり，尋ねたところ，受診前日に家庭内での児の行動に我慢ができなくなった母親が物を投げて当たったとのことであった。幼稚園のころから落ち着きがなく，友だちを突き飛ばしたり，叩くことがみられた。学校では機嫌の良いときは比較的座っていられるが，隣の子に話しかけたり，小突きあったりしているうちに叩いたり，物を投げたりすることが多く，離席し，担任が制止しても廊下に出て歩き回ることがしばしば認められていた。休み時間に遊んでいるうち，友だちを突き飛ばしてけがをさせることも何度かあり，そのたびに母親が学校へ呼び出され，謝ったりすることで母親自身も疲弊していた。外来でも回転いすにじっと座っていることは不可能で，絶えずぐるぐる回しては離席し，そのたびに母親がいら立って，声を張り上げ注意するため，スタッフが児を隣室に連れて行き，絵を描いたり，備えつけの玩具で遊んだところスタッフにまとわりついて遊んでいた。診察中実施した絵画テストでは，こちらの指示には従わず，自分の名前と学校の名前をひらがなで書いていたが，字は大小不揃いで行からはみ出していた。採血検査は嫌がらず受け，末梢血液，生化学など異常は認めず，後日実施した睡眠から覚醒にいたる脳波検査，頭部MRI検査でも異常を認めず，WISC-Ⅲでは FIQ 84, VIQ 101, PIQ 68であった。検査中は鉛筆を持って書く課題はかたくなに拒否し，ときどき離席して室内を歩き回ることがしばしばみられ，回答しては「あってる？」と正解にこだわる傾向が認められた。

初診時外来で，約1時間かけて母親に記入してもらった質問用紙（評価尺度）は以下のような結果であった。

- ADHD-RSJ
  不注意：8/9　　1点×1＋2点×4＋3点×4＝21点
  多動・衝動：7/9　1点×1＋2点×2＋3点×4＝17点
  ⇒合計38点

 母親の評価と学校の担任の評価はほぼ同様であることを後日確認した。

- 乳幼児異常行動歴評価表
  乳児期5/12，幼児期2/12，学童期33/65
  ⇒言語理解，場面適応障害などに問題顕在化
- CBCL⇒内向＜＜外向 「攻撃性」が際立って高い得点であった。

診断：ADHD混合型（＋SLD，マルトリートメント）

経過

本児は6歳時点でADHD混合型と診断したが，その背景に幼児期からの不適切な養育環境の関与は強く考えられた。母親の疲弊感も強いことから，同意を取ったうえで，児童相談所の介入を平行して行い，小学校では同時期から巡回指導の臨床心理士の介入が行われ，互いに連携をとる体制を整えた。環境調整のうえ，初診の約2カ月後から，OROS-MPHを開始した。午前中の落ち着きが目立って認められるようになり，低学年での学校生活は安定した。しかし

その後，身体的虐待はないが，母親自身の精神面での不安定さもあり母子関係は影響され，学校での態度も極めて動揺的でクラスでの問題が続いている。さまざまな職種が関わっていても家庭環境の安定なくしては，薬物療法の効果も乏しいことは明らかであり，そのためにも乳幼児期からリスクを抱えた家族への適切な介入が不可欠と考えられる。

症例3 12歳男児

現病歴

不注意が目立ち，学業不振のため，近医から紹介受診。家族構成は母と姉と本児。父親は児が5歳時に母親へのDVなどあり離婚。乳幼児期の精神運動発達は良好。中学校の成績は極めて不良で分数の計算など全くわからず，1学期の成績はほとんど1であった。母親が記載のADHD-RSJでは不注意優勢型に該当したが，診察室の児は礼儀正しく挨拶でき診察もすべて受容していた。絵を描くことは，「好きなもの」というテーマでも拒絶し，自分の名前をA4用紙一面に小さな字で多数書き連ねる，こだわりを見せていた。2回目の診察で脳波・頭部MRIに異常なく，WISC-Ⅲの結果はIQ 109，VIQ 110，PIQ 93，中学校の担任（数学担当）のADHD-RSJ評価も母親とほぼ合致しており，OROS-MPH投与を開始した。母親が主訴以外に身長が低いことも気にしていたので，母子健康手帳の持参と小学校以降の身長・体重の記録を持参するように指示した。身体計測曲線を作成すると，8歳から体重，身長ともに伸びず，12歳でともに－2SDの線上であった。家庭環境を改めて聴取すると8歳から当科受診の直前まで離婚していた元夫が家庭内に居座り続けていた事実を母親が告白した。不適切な家庭環境が児の学習意欲を損ない，食欲を含めた健康状態全般に強く影響した可能性を説明したうえで，OROS-MPHによる副作用に留意しながら経過観察したところ，OROS-MPH開始後は食欲低下もなく，体重・身長ともに折れ線グラフ様の改善を認め，学校での集中力は向上し効果は明らかであった。しかし学力の遅れは著しく，家庭経済も苦しいため塾に通うことは不可能であったが，自治体の支援によりボランティアの大学院生による補習が行われるようになり，成績は飛躍的に伸びた。2年後には都立高校に合格でき，入学後の成績も学年でトップクラスになったと笑顔で報告があった。現在専門学校で専門職を目指して勉学に励む間はOROS-MPH服用を本人も望み継続中である。

考察

本症例はADHDにSLDおよびASDの併存を認めていたが，本人にとって一番重要であったのは，不適切な家庭環境により学習意欲低下のみならず，被虐待児に認められる成長阻害が認められたことである。ADHDの中核症状の改善にOROS-MPHは有効であったが，学校生活を含め社会的状況に適応するうえでも，子どもにとって健やかな成長を保証できる適切な家庭環境構築は改めて重要と考えられる。

4）おわりに

子どもはみんな，個性豊かで誰一人として同じ人はいない存在としてこの世に生まれてきたことを認識する。運動が得意な子もいれば，音感が優れていたり，豊かな色彩感覚をもっていたり，まさに「十人十色」のさまざまな存在感と可能性を有している。

神経発達症群のうち，ADHDは「社会」が存在することで規定される概念で，そのこと自体が「害」や「疾病」ではなく，児の行動に対して「社会」の理解や配慮が及ばないためさまざまな問題が生じてしまうと捉えるべきと考える。特に幼児期のADHDに認められる「行動の問題」を適切な行動へと変化させるためには，子どもの行動特性を捉え，本人および保護者を中心としたうえで，医療関係者と保育士・幼稚園教諭などの信頼関係を構築し，連携体制を継続していくことが不可欠と考える。

（宮島 祐）

参考文献

1）林隆：Triple pathway modelとFunctional connectivity, Dynamic connectivityからみたADHDの病態と支援の視点に基づく薬物療法．児童青年精神医学とその近接領域，61（3）：278-288，2020
2）加我牧子，稲垣真澄・編：医師のための発達障害児・者診断治療ガイド―最新の知見と支援の実際．診断と治療社，2006
3）American Psychiatric Association: Diagnostic and Statistical Manual of Mental Disorders Fifth Edition. American Psychiatric Publishing, 2013（日本精神神経学会：DSM-5 精神疾患の診断・統計マニュアル（髙橋三郎，大野裕・監）．医学書院，2014）
4）宮島祐，他・編：小児科医のための注意欠陥/多動性障害―AD/HD―の診断・治療ガイドライン．中央法規出版，2007
5）岩坂英巳・編著：困っている子をほめて育てるペアレント・トレーニングガイドブック―活用のポイントと実践例．じほう，2012
6）齊藤万比古・編：注意欠如・多動症―ADHD―の診断・治療ガイドライン第4版．じほう，2016

5 鑑別診断

ASDとの鑑別

1）はじめに

DSM-Ⅳ-TR[1]では，ADHDと広汎性発達障害（Pervasive Developmental Disorder；PDD）の併存は許されなかった。併存とする場合はPDDが優先され，逆にADHDと診断するということはPDDが除外されたということを意味していた。よってわれわれ臨床家は少なくともDSMという国際的な診断マニュアルを用いるかぎりは，目の前の子どもが両者の特性をもつ場合，ADHDなのかPDDなのかどちらか一方を選択しなければならなかった。そのため両者の併存や鑑別の判断は比較的，慎重に行われていたように思われる。

しかし，DSM-Ⅳ-TRからDSM-5[2]へと改訂され，名称が自閉スペクトラム症（Autism Spectrum Disorder；ASD）となり，神経発達症群の大きな変更点の1つとして，ADHDとASDの併存が許されることとなった。これにより一人の子どもへも両者の視点がもてるようになり，対応や治療に有益な症例があると予測される。実際，DSM-Ⅳ-TRで自閉性障害と診断される子どもの約65%がADHDの診断基準を満たし，特定不能の広汎性発達障害と診断された子どもの約85%がADHDの診断基準を満たしており，この傾向は低年齢でより顕著であり，両方の診断をつけたほうが治療上有効な例があるとする報告もある[3]。

2）ASDとの鑑別の重要性について

DSM-5に改訂されてから両者の鑑別において十分な検討が行われずに，安易に併存とするケースが増えている。さらにADHD児において，衝動的だからという理由でADHD治療薬が処方されているケースも散見する。例えば，「集団になじめない，友だちがいない，対人トラブルが絶えない」などは，ASDの代表的な症状である「社会性およびコミュニケーション障害」からももちろん生じるが，ADHDの代表的な症状である「衝動性」からも生じる。表面にみえている子どもたちの困りごとが，ASDまたはADHDのどちらの症状で説明できるのかを困りごとの前後の状況なども含め，慎重に検討すべきである。この場合なるべく，どちらか単独の症状で説明できないか，という視点で検討することが重要で，それでも説明できない場合は併存を検討することになる。

例えば，前述した「集団になじめない，友だちがいない，対人トラブルが絶えない」がASDの症状から生じている場合は，学校園などで「社会性およびコミュニケーション障害」に対する何かしらの支援が必要である。また，相手の気持ちになりにくいなどの問題も個別に何度も説明するなどの対応が必要かもしれない。さらに，時期をみてソーシャルスキル・トレーニングなどを試みるのも有効であろう。逆にADHDの症状から生じている場合は，本質的な「社会性およびコミュニケーション障害」は少なく，時間をおいて説明すれば自分のほうに非があったことを認めるケースもあるだろう。ADHDの「衝動性」に基づいた先走り行動に対するアプローチや，場合によっては薬物療法も効果があるかもしれない。臨床的にはADHD治療薬の反応性はADHD単独例に比し，併存例やASD単独例は悪いというのが一般的な医療者側のコンセンサスだと考えられる。このように，表に現れてきている困りごとはよく似ていても，支援や治療が違ってくるので，鑑別は非常に重要である。安易に併存と捉えると，両方の疾患のそれぞれの固有性がみえにくくなり，治療や支援がずれたものになる。

3）ASDの診断基準（432ページ参照）

DSM-Ⅳ-TRからDSM-5への改訂で，名称が広汎性発達障害から自閉スペクトラム症／自閉症スペクトラム障害に変わった。それに伴い，アスペルガー障害や自閉症といった下位分類が廃止された。また3つあった主症状は2つに減らされ，しかし2つの症状は必須とされた。2つの症状は，「持続する相互的な社会的コミュニケーションや対人的相互反応における障害（基準A）」と，「限定された反復的な行動，興味，または活動の様式（基準B）」いわゆる，こだわりである。

基準Aに関して，「DSM-5精神疾患の診断・治療マニュアル」[2]には，「完全に会話が欠如しているものから，言葉の遅れ，会話の理解が乏しい，反響言語，または格式張った過度に字義どおりの言語などまで，多くのものに言語の欠如が求められる」とあり，非言語性コミュニケーションの障害についても，「視線を合わせること，身振り，顔の表情，身体の向き，または会話の抑揚などの欠如，減少，あるいは特殊な使用によって明らかになる」などとあり，これらの本質的な障害はASDに特徴的である。

基準Bに関しては，「常同的あるいは反復的な行動には，単純な常同運動，反復的な物の使用，および反復発語などがある。習慣への頑ななこだわりや行動の限定された様式は，変化への抵抗，あるいは言語的または非言語的行動の儀式的様式として現れることがある」とし，常同的な行動やこだわりを詳細に説明している。さらに「自閉スペクトラム症の極度に限定され固執した関心は，その強度または焦点において異常なものとなる傾向にある。強い興味や習慣のなかには，特定の音や触感への過度な反応，過度に物の臭いを嗅いだり触ったりすること，光または回転する物への強い興味，そしてときには痛み，熱さ，または冷たさへの明らかな無関心などを通して明らかになるような，感覚入力に対する明らかな過敏さまたは鈍感さと関連しているものもある」とこだわりの強さについて記載しているが，これらはADHD児でみられる過集中との区別が必要となってくるかもしれない。

ASDの社会性の障害は，例えば視線が合わないなど発達早期からみられる本質的なものであり，ADHDの衝動性から二次的に社会性の障害が生じるのとは質的に違うものである。またASD児において，こだわりを制止されれば衝動性が現れることもあり，これらを安易にADHDと判断しないことは重要である。

4）ASDとADHDとの鑑別の実際

診察室で出会う子どもたちがASDなのかADHDなのかの鑑別診断に悩む場合は，現在どちらの症状ももっている場合であろうが，現症だけでは非常に判断しにくい。さらに診察場面でわれわれにみえている症状だけで判断するのは困難である。よって鑑別のためには，詳細な発達歴，家族歴，現症，心理検査などから総合的に，かつ縦断的に判断しなければならない。脳画像検査や脳波検査等は身体疾患や神経疾患の除外診断には大切だが，それら検査ではASDとADHDとの鑑別は困難なので，ここでは記載しない。またASDとADHD，それぞれに多くの生物学的研究があるが，両者を比較検討した研究は少なく，存在しても少数例での検討であるので，現時点では鑑別においては臨床上有用であるとは考えにくく，それも取り上げない。

以下，いくつかの項目に分けて述べたいと思うが，該当する所見が1つ，2つ存在するからといって確定診断ができるというわけではなく，あくまで総合的に，かつ縦断的に判断することが重要である。

(1) 発達歴

ADHDについては，子どもは元来，落ち着きがないので，例えば3歳の子どもが多動であっても周囲の子どもたちと比べ明らかに不相応であるという判断は困難な場合が多い。

一方，一般的にはASD児のほうが，親は早期から定型発達の子どもとの違いに気づいている場合が多い。非言語性コミュニケーションの障害に関しては，例えば，視線が合わない，言語性コミュニケーションの障害に関しては，言葉の発達が遅い，限定された反復的な行動，興味，または活動の様式に関しては，おもちゃの車のタイヤをずっとクルクル回している，光に対して非常に興味をもつ――などが症状として現れてきて，それらは親としては心配なことが多い。これらASDの症状は1歳半児健診前後から2歳頃で気になっている親が多い。しかしこれらが必ずしも健診の際に，母子手帳に記載されるほど明らかにはされるわけではない。また親が保健師に訴えるものの，問題にされない場合も多いので注意が必要である。

ADHD児は，保育所・幼稚園・小学校等の集団場面への参加が増えたときに，教員や保育士から，多動や衝動性を初めて指摘される場合が多い。ASD児も同様に集団場面での，社会性の問題を指摘されるが，既述したように親も入園前から気づいている場合が多い。よって発達歴はある所見や問題について，いつ，誰に指摘されたのか，誰が気づいたのかを詳細に聴取していく。

なおADHDと診断された後に，より詳細に親に発達歴を聴取していくと，始歩以前から「抱きにくかった」，「睡眠のリズムがつきにくかった」と語られることも多く，それらも大切な所見の1つだがADHD児に特異的ではないので，それだけでは鑑別にはならない。

(2) 家族歴

ASDもADHDもそれぞれに家族集積性があるとされている。よってASDならASDの家族歴，ADHDならADHDの家族歴があることは1つの大切な所見であろう。ただ発達障害が一般的に認知されだしたのは，ここ10年くらいのことなので，親や年長の同胞が診断を受けていない可能性も高い。また例えば，親がADHDであれば，子どもがADHDである割合は一般を上まわるという報告が多いが，当然，それでもその子どもはADHDではない場合のほうが多い，これも一方では留意すべき点である。ASDも同様である。

(3) 現症

DSM-Ⅳ-TRのADHDの診断基準では，不注意の1つの症状の（　）内に記載されていただけであったが，DSM-5では不注意，多動性－衝動性のそれぞれの症状項目より前に「注」として記載されている重要な文章がある。それは「それらの症状は，単なる反抗的行動，挑戦，敵意の表れではなく，課題や指示を理解できないことでもない」という箇所である。つまり故意に指示に従わない，またその指示の理解が十分でないから従えないというのはそれぞれの症状には含めない。一見症状が存在するようにみえても，実際にはADHDの症状と判断すべきではない大切なポイントである。一方，ASDの子どもは，突然指示が出されたり変更されたりすると，十分にその指示が理解できず，落ち着きがないことが多いが，このような場合もADHD症状とは捉えないほうがよいことになる。

さらに，ASDの子どもは新奇場面で落ち着きがない場合が多く，またこだわりが制止されると落ち着きがなくなったり，衝動的に暴力をふるったりすることもある。また突然の場面変換を求められた場合，例えば学校で，「次は体育の時間だよ，さあ，早く体操服に着替えて」などと求められると，落ち着きがなくなったり，ASDの症状としてのパニックを起こすこともある。これらを安易にADHDの症状と捉えないことは大切な点である。子どもたちがみせる落ち着きのなさや衝動性が，ASDの症状をベースとしたさまざまな状況依存的な症状ではないか，またASDの症状であるこだわりを制止されたときに生じる症状ではないかを確認する。そのためには，どのような場面で不注意や多動性－衝動性が顕著になっているのか，他の場面でもそれらの症状がみられるのか，などの情報を集めるべきである。また当然ながら年齢に不相応なのかどうかも判断する。

一方，ADHDの確定診断がついている場合，その衝動性から対人関係がうまくいかないという問題を安易にASDの症状として捉えないという点も大切である。DSM-Ⅳ-TRまではこのような場合，ルール上は不可であっても臨床的にはADHDとPDD-NOS（Pervasive Developmental Disorder-Not Otherwise Specified：特定不能の広汎性発達障害）との併存とされていたケースが多かった印象がある。DSM-5ではASDに「持続する相互的な社会的コミュニケーションや対人的相互反応における障害」と「こだわり」の二症状が必須となるため，このようなケースは減るだろうと予測されるが，クラスメートと友人関係を作る困難さが，元来の社会性の障害から生じているのか，衝動的な行動が続いた結果として生じているのかはさまざまな場面での子どもの様子の聞き取りが必要であろう。

(4) 評価尺度

行動や症状の評価尺度もこれら鑑別に有用な場合がある。しかしこれら評価尺度に関する研究報告は，総得点に関しては，ASD群もADHD群もそれぞれ，定型発達群とは差がつくものの，ASD群とADHD群の間では差がつかない場合が多い。よって両者の鑑別にはより詳細な検討が必要である。

特にADHDの評価尺度はADHD児においては高くなるが，ASD児でも高くなることが多い。これは現症で述べたような，ASD児においても表面的な落ち着きのなさや衝動性が観察されることから生じていると考えられる。

栗田は自身の2つの研究をレビューし[4]，小児自閉症尺度（CARS-T4V）では，総得点ではPDD群とADHD群では差がなく，項目得点でPDD群がADHD群より有意に高かったのは，“人との関係”“情緒”“人間でない対象に対する関係”“変化への適応”“非言語的コミュニケーション”および“全般的な印象”であり[5]，東京自閉行動尺度（Tokyo Autistic Behavior Scale；TABS）でも，総得点ではPDD群とADHD群では差がなく，項目得点でPDD群がADHD群より有意に高かったのは，“対人関係・社会性の問題”の3項目，“言語・コミュニケーションの問題”1項目，“こだわりや常同行動”3項目，“その他”1項目，の合計8項目だったと述べている。このように評価尺度の総得点だけでは，両者の鑑別は困難で，下位項目等の詳細な検討が不可欠である。

(5) 心理検査

発達に偏りがあると思われる子どものアセスメントにおいて，現在特によく使用されるのは「学齢期用Wechsler式知能検査第4版」（WISC-Ⅳ）であり，これは全体的な知的発達水準だけでなく，子ども個人の認知特性を推察し，効果的な支援方法を見いだすために役に立つツールとなっている。

ADHDにおけるWISC-Ⅳの数値的特徴については他項に詳しいので省略し（本章3-⑤，104ページ），本項では，数値以外で着目すべきポイントについて述べることにする。

一般に知能検査では，結果として算出される数値のみならず，検査中の態度や取り組み方，エラーの出方などを個人レベルで詳細に分析し，その子どものもつ認知思考過程を総合的に把握すること，そしてそれによって生じやすいであろう行動傾向を推察することに，重要な意味があるといえる。鑑別診断においても，単なる数値の比較でADHDとASDを明確に鑑別することは不可能だ。

検査過程の観察からは，例えばADHDでは，実行機能に関わるさまざまな特徴をみることができる。まず，全検査を通して集中の維持ができるかどうか，1つの課題から次への切り替えがスムーズかどうか，作業記憶に関しては，問題や教示に対する聞き返しの有無や，各課題の主題が保たれているかどうかは大切な指標となる。問題を聞き終わる前に答えてしまう，誤解や早とちりが多いといった行動は衝動性の高さを示唆するし，言語課題では，文章の回りくどさや無駄の多さは選択的注意の弱さを，追加や修正の多さは衝動性の高さをそれぞれ示唆するものと考えられる。

ASDではその概念の広さに比例して個人による差が大きいため，より詳細なプロフィール分析が必要であるが，課題の取り組みには，あいまいで抽象的な場面への弱さ，想像力や総合的視野で考えることの難しさがみられることが多い。例えば，一問一答タイプの「知識」,「算数」でのスムーズな応答に対して,「理解」のようないくつかの正答が見込まれる課題では悩むことが多かったり,「もしも～だったら」という仮定の話が通じずに答えられないこともある。また「心の理論」の未熟さと関連して，単純な事実関係の推理はできるが，そこに「人の心の状態」が含まれると途端に理解ができなくなる傾向がある。そして，自分が実際に経験したことには詳しいが，そうでないことに関してはごく簡単なことも知らないといった知識の極端な偏りがみられることもあり，これは，物事の部分的な理解のスタイルや，興味の範囲の狭さ，自分を取り巻く社会に対する関心の薄さなどを示唆するものと思われる。

このように子どもの検査中の行動をよく観察していれば，たとえ同じように「算数」が低得点の子どもでも，問題の聞き逃しや早とちりによる減点が多いのか，文章理解や抽象思考の弱さによる減点が多いのかによって，ADHDあるいはASDどちらの特性がより影響しているのかがみえてくる。つまり知能検査では，指数の高低そのものよりも,「どうしてそれが低い（高い）のか」を把握していくことが重要なのである。

他に，よく用いられる心理検査に描画テストがある。特に人物画には両者の特徴がよく出ることがあり，その子の対人知覚や自己知覚，社会との関わり方などを推測するのに役立つ。

例えば，ADHDでは，表情や動きが豊かで服飾品にも工夫を凝らした「人間」がよくみられるが，ASDでは，年齢に比して「人の形」の認識が未熟であったり，模式図のような温度のない「ヒト」を描くことも多い。また人物設定においても，ADHDでは性格や家族構成なども自由に想定してみせるのに対して，ASDでは目に見えない事象の想像は苦手であるため，答えられないことが多い。樹木画テストを同時に行うと,「木」は比較的すらすら描けるが「人」には非常に苦労することがある。おそらく，感情や身体の動き，洋服など変化の要素が多い「人」というものは，ASDでは捉えにくいものと思われる。「木（の絵）」を描くように言われて「木」という文字を書いてみせるケースもASDではしばしばみられる。そしてADHDでは，洋服の模様に凝っておきながら耳や眉がないなど，注意のばらつきやフィードバックの弱さがみえやすい。このように，描画ひとつをとっても，細かく見ればそれぞれの認知特性は表れるものだ。

そして，いくつかの検査によって得られた認知特性が，日常の行動にはどのような形で表れるのかを推察していくことによって，その子どもの示す症状のメカニズムを仮定することができれば，心理検査も鑑別の際の1つの材料となり得るだろう。

症例 初診時8歳 女児（小学校3年生）

主訴 コミュニケーションが一方的である。集団になじめず，友だちがいない。対人トラブルが絶えない。

家族歴 なし

発達歴 身体的な発達や言語発達には明らかな問題はない。乳幼児健診では異常を指摘されなかったという。

現病歴

幼少期より集団行動が苦手で，こだわりが強く頑固であった。友だちの気持ちがわからず我を通し，一方的に話し続けた。小学校では自己中心的な言動が反感を買って孤立気味であった。学校での問題行動を相談に行った他機関では，意思疎通の難しさから自閉スペクトラム症の疑いを指摘され，筆者の勤務する病院へ紹介されてきた。

初診時には，初対面の主治医に馴れ馴れしく話しかけ，質問に対して的確な答えをせずに好きなことを話していたため，社会性やコミュニケーションの障害を示すASDが疑われたが，発達歴を聞くなかで，非常に多動の激しい幼児期であったこと，小学校では，人の行動にちょっかいを出し茶茶を入れる，前を見ずに走り出すなどの衝動的行動がみられていることから，ADHDの可能性も否定できず，鑑別の目的も兼ねて心理発達アセスメントを実施した。

治療と経過

心理士による面談および発達検査の詳細な分析から，本児の“一方的な会話”は，「こっちを見て自分の話を聞いてほしい」という強い衝動が抑えられずに空回りした結果であること，“こだわり”とされた「好きな活動への没頭」は一時的な過集中にすぎない可能性が高いこと，また“空気を読めない”“人の気持ちがわからない”とされる行動は，「衝動性」のコントロール不足によるハプニングであることが多いとわかってきた。つまり，社会性およびコミュニケーション障害とみられる症状は，衝動性から生じる先走り行動が原因であることが多く，さらに幼少期からの孤立によって対人希求が満たされず，常に最大限の状態にあることが，対人行動の激しさや距離の近さに繋がっているものと思われた。

そこで，一部ASDの特性はあるものの，診断はADHDとして，ひとまず前のめりの対人行動を落ち着かせて実際の社会的場面における適応を促すために，心理士による個別面接を導入した。それと並行して家族への心理教育を行い，本児の特性に関する理解を深めていった。学級担任とも連絡をとり，学校での対応法についてはその都度相談しながら工夫してもらった。環境調整が進んだのちに，本児に対して薬物療法を開始し，より適応的な時間を長く経験できるよう，多方面から援助していった。その結果，小学校の残りの期間では，初めて友だちができ，トラブルやケンカが減少し，特技の絵画で表彰されるなど，全体としては充実した生活を送ることができた。

考察

社会性やコミュニケーションの障害が顕著なためASDが疑われたが，いくつかの問題の背景に衝動性や多動，過集中などがあることがわかりADHDと診断したうえで治療を行った。表面的にみえている目立つASD症状だけではなく，その背景にあるADHD症状を適切に判断したために，適応行動が増えていった症例である。

（根來 秀樹，大西 貴子）

2 知的能力障害との鑑別

1）知的能力障害が併存しているのか，独立しているのかの視点

ADHDと知的能力障害（知的発達症／知的発達障害：intellectual disabilities；ID）の併存は，ADHDと自閉スペクトラム症（ASD）や学習障害（LD）との併存と同様によく知られている。また，IDは抑うつ，双極性障害，不安障害，ASD，常同運動障害，反抗挑発症を併存することもよく経験される。

一方，知的能力障害では環境への不適応の表現として，落ち着きのなさが現れることがある。これをADHDのサインと誤ってしまうことがある。つまり，本来はADHDではないのに，知能の低さが招くADHD類似の状態が知的能力障害に存在することにも注意が要る。その際，歴年齢ではなく精神年齢を考慮した行動評価が重要となる。ここではまず，知的能力障害の特徴を挙げて，次いでADHDと知的能力障害にみられる行動上の類似点や相違点を述べていく。

2）知的能力障害（ID）とは

知的能力障害は，DSM-5においては発達期（概ね18歳未満）に発症し，全般的知能の低下と日常の適応機能の欠陥という2つの面を特徴とする神経発達症／神経発達障害と定義される[1]（**表1**）。ここで，「全般的知能」は，論理的思考，問題解決，計画，抽象的思考，判断，学校や経験から学ぶ学習を含む機能であり，通常個別化，標準化された知能検査，例えばウェクスラー系知能検査によって確かめられる[6]。

一方，「適応機能」は，概念的，社会的および実用的の3つの領域における機能で，適応スキルとも称される[7]。その欠陥は，家庭や学校，職場および地域社会など多岐にわたる環境において，コミュニケーション，社会参加，自立生活上の活動の制限された状態を呈する。適応機能は家庭や学校などさまざまな場面で生活していく力とも言い換えられるので，保護者や担任教師などから情報を収集して判断する必要がある。

DSM-Ⅲ-RやDSM-Ⅳ-TRでは，「精神遅滞（mental retardation；MR）」という用語が用いられ，かつ知能指数（intelligent quotient；IQ）により，「軽度精神遅滞」「中等度精神遅滞」「重度精神遅滞」「最重度精神遅滞」や「境界知能」などの下位分類に分けられていた。IQは知能検査で個別に求められるため，IQ値に基づいてMRの診断が下される傾向がこれまであった。その点，DSM-5ではIQ値のみで知的能力障害を単純に判断することは避けるように記載され，その診断は臨床的評価，知的機能および適応機能の標準化検査に基づく総合的な判断によることとされている。

このようにDSM-5では知的能力障害の診断に認知的能力および適応的な評価が重要視されている。知能指数IQ単独で診断することは否定されて，あくまでも診断補助の立場となっている。そして知的能力障害の重症度は，上記の適応機能の3領域の状態で示すことが指示される。例えば，学習技能（読字，金銭管理など），抽象的思考，実行機能，短期記憶，対人相互反応，コミュニケーション，会話，言語機能，買い物，移動手段，家事，子育て，食事準備，娯楽技能といった日常生活・学校・職場など多方面における機能状態の困難さ，支援必要性を評価したうえで判断する。最近，わが国の適応行動評価の客観的尺度として，日本版Vineland-Ⅱ適応行動尺度が出版されているので参照されたい[8]。

表1 知的能力障害（知的発達症）の診断基準

知的能力障害（知的発達症）は発達期に発症し，概念的，社会的，および実用的な領域における知的機能と適応機能両面の欠陥を含む障害である。以下の3つの基準を満たさなければならない。 A 臨床的評価および個別化，標準化された知能検査によって確かめられる，論理的思考，問題解決，計画，抽象的思考，判断，学校での学習，および経験からの学習など，知的機能の欠陥。 B 個人の自立や社会的責任において発達的および社会文化的な水準を満たすことができなくなるという適応機能の欠陥。継続的な支援がなければ，適応上の欠陥は家庭，学校，職場および地域社会といった多岐にわたる環境において，コミュニケーション，社会参加，および自立した生活といった複数の日常生活活動における機能を限定する。 C 知的および適応の欠陥は，発達期の間に発症する。

（髙橋三郎，他・監訳：DSM-5精神疾患の診断・統計マニュアル．医学書院，p33，2014より引用）

3）知的能力障害（ID）にみられる年齢別徴候

知的能力障害児・者で観察されやすい重要な臨床徴候を年齢別に挙げる。乳児期には運動発達の遅れや外界からの反応の乏しさがみられやすい。幼児期には，言語発達の遅れが多く，発語や言語理解の遅れ，構音障害がみられる。日常生活習慣，対人関係の遅れ，粗大運動の遅れ，手先の不器用さが目立つ。この時期に過活動，不注意症状が目立つことがある。精神面では，気分障害，睡眠障害，過食や食欲低下など食事に関する問題が生じることがある。

学齢期以降には，学力が伸びない，学業不振という状態で気づかれることもある。学年が上がるほど他児の水準についていけなくなることなどがみられる。二次的な適応障害（不登校，心身症，情緒不安定）の発生に注意が要る。友達関係では従属的になりやすい。思春期から成人期に至ると社会生活に必要な機能の遅れが目立つため，上記の適応機能のさまざまな領域のサインが現れる。コミュニケーション能力や運動スキルは外来診療で把握しやすいが，日常生活のスキル（食事の準備，衣服の着脱，衛生に関する活動，家事の内容，時間の使い方，お金の使い方など）に関しても比較的詳細に問診する必要がある。

4）ADHD児と知的能力障害（ID）児のサインの類似点・相違点

DSM-5のADHD診断基準で示される各症状が知的能力障害児でどのようにみられるのかについて述べる。

(1) 不注意

学業，仕事，活動中に綿密に注意することができない，不注意な間違いをしてしまうという症候では，ADHD児にとって嫌な活動や精神的努力を要する活動（例えば宿題など期限の設定された活動）において目立ち，逆に本人にとって楽な活動には注意力を保ち続けられる。一方，知的能力障害児の場合には好き嫌いにかかわらずさまざまな活動場面において注意力低下の症候が目立つ。興味が移ろう点はADHDにも知的能力障害にも観察される。

話しかけられたときに，しばしば聞いていないようにみえる症候では，ADHD児では「わからない」という返答が目立つ場合があり，知的能力障害児，特に軽度知的障害では周囲からの言葉かけに対して曖昧な応答を示す。あるいは一見了解したように「頷いてしまう」ものの，実は理解していない場合がある，という行動特徴を示す。

ADHD児では指示に対する応答において，やり始めてもすぐに集中できなくなって，途中で投げ出してしまう行動が示される一方，知的能力障害児では理解できた行動はむしろ集中して，やり続けられるという行動特性がみられることがある。

(2) 多動性

手足をそわそわ動かす，トントン叩いたりする，椅子の上でもじもじするという多動児に特徴的な行動は程度の多寡はあれどもADHD児だけでなく知的能力障害児でも観察される。しかし学校の教室で席から離れてしまうことや広い範囲で走り回ったり，駆け上がったりの行動はADHDに特徴的であり，知的能力障害では行動範囲が比較的狭く，その場に立ち止まる，身体が固まってしまうという行動様式のほうが目立つこともある。もちろん，教室から飛び出してしまうような行動を取る知的能力障害児もいるので，多動を来す状況を十分聞き取る必要がある。

遊びや余暇活動において，静かに遊べない，じっとしていない行動はADHD児の場合，本人はじっとしていたいのにじっとできない，あるいは何かに動かされているように行動してしまうタイプである一方，知的能力障害児の場合は周囲の様子，環境が理解しにくいために落ち着かない行動を取っている場合がある。

(3) 衝動性

順番を待てない行動は，ADHD児にも知的能力障害児にもみられる。周囲からの質問に対して出し抜けに答える，途中で遮ってしまい，しゃべり出すといった特徴はADHDにみられやすい。知的能力障害児にも衝動性は見受けられるが，ADHD児と異なって常時みられるものではなく，本人をとりまく環境に対する理解の乏しさが背景に生じている様子がうかがえる。

症例 16歳　男児

主症状 かんしゃく，突発的行動

家族歴 母親が本児を出生後に父親と離別した。父親，継母，妹との4人暮らし。継母は本児が幼い頃から優しく接してきており，養育環境に問題はない。

成育歴 乳児期早期の発達は遅れ気味であった。

現病歴

乳児期後半に進行性の大頭症があった。頭部CT検査で外水頭症と診断され，生後11カ月時にシャント術施行。その後，1歳2カ月で始歩あり。3歳頃から保育所で落ち着きのなさ，集中力低下，興奮しやすさを指摘された。言語発達の遅れもあり幼児期に精神遅滞（知的能力障害）と診断された。小学校は特別支援級に入学。8歳時に初診し，簡単な言葉のやりとりが確認された。知能検査（WISC-Ⅲ）の結果FIQは51で，他の児童から言われた言葉に過剰に反応して反射的に暴力をふるう，順番を待てない，思いついたらすぐに行動するという行動特徴があった。頭部MRI検査により，両側前頭葉の破壊性病変があり，著明な脳奇形の合併が疑われた。

友だちとはふざけ合うような遊び方で，他人の言葉に対してすぐカッとなる様子であった。教科学習は国語，算数を少しずつ進めていた。食事は箸を使って摂れ，衣服着脱や排泄は問題なかった。気に入らない級友はいるものの学校には登校できていた。融通のきかない点や行動にこだわりはみられず，感覚過敏もなかった。

非定型抗精神病薬の少量処方を開始して，保護者，クラスメートや担任から本人への言葉かけを工夫した。本人へ刺激的な関わりを減らすようにしたところ，行動は改善傾向を示し，安定した。中学校は特別支援級で，現在特別支援学校高等部に在籍。投薬を継続しているが，興奮したときに自身がクールダウンする方法を会得しつつある。

本人にとって理解不能な状況があると，反射的・爆発的な行動，パニックを生じる傾向がみられた中等度知的能力障害児である。脳病変に基づく衝動性（前頭葉機能不全）は否定できないが，知的能力に応じた言葉かけ，環境調整を行うことが行動改善につながったと考えられた。

（稲垣 真澄）

3 脱抑制型対人交流障害との鑑別

1）はじめに

ADHDは多因子性疾患であり，遺伝要因が関与していると考えられている。背景に虐待や養育環境の問題など逆境的な環境がみられることがあるが，多くの場合ADHDの病因とは考えられていない。ADHDは，逆境的な環境と関連する脱抑制型対人交流障害（disinhibited social engagement disorder；DSED）と類似した症状をもつことがある。両者は治療法が異なるため，鑑別は重要である。本項ではまずDSEDとその鑑別点について述べ，続いてDSEDと混同されやすい「アタッチメント（attachment）の問題」について述べる。

2）脱抑制型対人交流障害（DSED）について

脱抑制型対人交流障害（DSED）とは，見慣れない初対面の大人との積極的な交流へのためらいの減少や欠如，年齢不相応のなれなれしい身体行動，養育者の後追い行動の欠如——などを特徴とした行動様式をもつ交流の障害のことである[1]。行動障害の原因として，安定したアタッチメント形成の機会の極端な制限やネグレクトが背景にあることが診断要件である。有病率は1%以下と推定されており[9]，発症の危険性の高い養護施設で育った子どもでも20%程度にしか生じず，まれにしか診断されない疾患である。

DSEDはDSM-Ⅳ-TRの「反応性愛着障害（reactive attachment disorder；RAD），脱抑制型」や，ICD-10における「小児期の脱抑制性愛着障害」とほぼ同義であるが，治療介入への反応性の相違などからDSM-5より診断基準が若干変更し，独立した診断カテゴリとして扱われるようになった[10, 11]（変更の経緯については参考文献[12]など参照のこと）。障害にはアタッチメントの問題を伴わない例もあり[13]，社会性の問題を抱えた神経発達障害である可能性を反映して名称が変更となったが，大部分が愛着の障害が原因となっていることや，他の書物でも愛着障害として扱われることが多いため[14]，ここではRAD脱抑制型と同義として記述する。アタッチメントの問題と精神病理との関連については古くから気づかれていたが[15, 16]，RADとDSEDの診断基準は比較的新しく，実証的なデータや知見が十分に得られていない。DSEDは特定のアタッチメント対象をもたず，無差別的に誰にでも接近するといった社会的行動の障害を定義しているため，アタッチメントの質の障害は重篤であり，先ほど述べたように該当する子どもは少ない。一方で，特定のアタッチメント対象をもつが，そのアタッチメントの質に問題が認められ社会性の影響を認める，いわゆる「アタッチメントの問題」をもつ子どもの診断基準はDSM-5やICD-10に存在しない。このため，この「アタッチメントの問題」と，DSEDやRADを意味する精神障害としての「愛着障害」は混同されやすい。この点については，ADHDとの鑑別上重要な点となるため，後に述べる。

表2 ADHDとDSEDの鑑別点

鑑別点	ADHD	DSED
他者との関わり方	人なつこさを認めることが多く，無差別的な親密さを示すことがある	無差別的な親密さを示す
特定の対象（養育者）に安らぎを求める行動	みられることが多い	みられない
ネグレクト，著しく不適切な養育環境の有無	認められる場合もある	診断に必須
上記鑑別点と障害の原因との関連	伴わない場合にも障害を認める	障害の原因
有病率	約5%	1%以下

3）DSEDとADHDの鑑別

ADHDをもつ子どもは，その衝動性ゆえ，他者に対してなれなれしく図々しく，社会的に脱抑制的に振るまうことがある。また，興味を惹かれるものがあれば，不慣れな状況であっても養育者を振り返らずに遠く離れてしまうことがある。これらの症状はDSEDの行動障害の一部とオーバーラップする。一方，早期の母性剥奪を経験した施設入所児には不注意症状や多動性症状が高く認められることが示されているが[17]，必ずしも伴うわけではない。DSEDは，頻回の養育者の交代，著しいネグレクト，養育者が極端に少ない施設での養育など，養育環境の著しい制限が診断要件であり，丁寧な生育歴の聴取によりこうした養育環境でなければDSEDは除外される。また，親密さの質の点からもDSEDとADHDに差があることが示唆されており[18]，ADHDの子どもは他者への無差別的な親密さを認めることが多いものの，不安や恐怖を感じる場面では見知らぬ他者よりも，養育者など特定の対象に安らぎを求める傾向を認める。鑑別点をまとめて**表2**に示す。

一方，幼少期にネグレクトや複数の養育者による養育経験のある子どもにおいては，両者が併存することもある〔本章6-⑨（217ページ）も参照のこと〕。

4）症例

症例　1歳6カ月　女児

主訴　落ち着きがない，面倒がみられない（母）

家族歴　母はうつ病で治療中。会社員の父，主婦の母，児の３人家族

現病歴および治療経過

母は長年うつ病として治療を受けており，数年の不妊治療の後に児を授かった。児は正常分娩にて出生し，特に合併症を認めなかった。出生３週後に哺乳不良を主訴に小児科に入院し，以後数カ月おきに入退院を繰り返した。入院時には，児の爪は伸びており，オムツかぶれを認めた。１歳半に入院した際は，筋力はしっかりしているにもかかわらずまだ歩けない状態であった。母の気力低下は強く，児を可愛いと思えず，家ではハイハイして動き回って大変だからと椅子に長い時間座らせたままにしている様子であった。父親は多忙で児とほとんど関わらなかった。ネグレクトが明らかとなったため，児童相談所への通告とともに，精神科への併診依頼となった。

児は看護師や病棟スタッフなど初対面の人にも差別なく抱きつき，ベッドに下ろすときはしがみつくことはなく，離れたあとは目で追うことをせずあたかもそのスタッフが存在しなかっ

たかのようにおもちゃなどで遊び始めた。母の面会時には母を求める様子がなかった。他児との交流時には他児への乱暴，噛みつきなど高い衝動性を認めた。母は「うつ病として治療を受けている」とのことであったが，症状の経過などから，統合失調症の欠陥状態であると判断された。

本児は著しいネグレクトの環境による脱抑制型対人交流障害であると判断された。今回の入院は発熱がきっかけであったが，児を自宅へは退院させず児童相談所の保護所への退院となった。

5）アタッチメントの成り立ちとD型アタッチメント

DSEDやRADなど狭義の「愛着障害」とは診断されないがアタッチメントの質に問題を認め，いわゆる「アタッチメントの問題」を抱えた子どもは，多動，衝動性，感情制御の問題を認めることがあり，ADHDとの鑑別/併存が問題となることがある。

Bowlbyは「アタッチメント」を，子どもが恐怖感，疲労感，など危機的な状況に際して，特定の対象との接近を求めこれを維持しようとする強い傾性，と定義した[19]。「愛着」と訳されることもあるが，一般的には「愛情」や「親しみ」と表現される言葉であり，実際には対象に「付着する」または「くっつく」ことを意味するため，ここでは「アタッチメント」として説明する。アタッチメントの安定した子どもは，特定の養育者を「安全基地（secure base）」として利用し，一貫して保護してもらえるという安心感を得ることができる。アタッチメント行動は，乳幼児期に最も現れやすいが，特定の対象との間に安定した絆を築き，危機的な状況で保護や援助をしてもらえるという確信や安心感は，生涯を通して認めるものである。安定したアタッチメントを築くためには，養育者が子どもの欲求にほどほどに敏感であり一貫性をもって対応できる「応答性（responsiveness）」をもっていることが重要となる。

乳児と養育者のアタッチメントの安定性は，例えばAinsworthらによるストレーンジ・シチュエーション法などの測定法を用いて評価することが可能である[20]。この検査法では，約20分の定められたプロトコールのなかで生後12〜18カ月の幼児と養育者の間の短い分離・再会の様子を観察し分類する。乳幼児期のアタッチメントは以下の4つの型に分類して説明されることが多い：A）回避型，B）安定型，C）アンビバレント/抵抗型，D）無秩序/無抵抗型[20, 21]。安定型の子どもは，適切な感情を表出することができ，ストレスの高い状況において適切な感情調整をしやすい。回避型の子どもは自分の感情を抑え込むことで，アンビバレント/抵抗型の子どもは強い情緒的反応を示すことでストレスに対処しようとする。これらのアタッチメントのタイプは，アタッチメント対象である養育者との接近による安心感を得やすいように形作られていると考えられている。これに対してD型（無秩序/無方向型）のアタッチメントは養育者の応答が一貫しないなど虐待的な関係の際にみられやすく，子どもに感情調整の困難が認められ，後の精神病理との相関がみられる。

DSEDの子どもは特定のアタッチメント対象をもてないため，不安な状況において養育者に頼って安心感を得ることがなく，見知らぬ大人でもためらいなく交流をもったり，ついて行ってしまうといった行動がみられる。成長していくと，初対面の人に侵入的またはなれなれしい態度で接したり，個人的な空間を侵害したり，ためらいなく身体的接触をもとうとするような行動がみられる[22]。繰り返しになるが，これは安定した養育環境が与えられず，複数の養育者の頻回の交代や，子どもの情緒的欲求の持続的無視によって特定の養育者とのアタッチメント関係が育まれなかったことが原因とされており，アタッチメントの質としては最も重篤な状態を指す。

一方，特定の養育者とのアタッチメント関係はあるが，不適切な養育（マルトリートメント）や虐待，親の精神疾患への罹患など，養育者の応答性が一定せず，「アタッチメントの質」に問題を抱えるD型アタッチメントを示す子どもは，感情統制と社会的認知スキルに困難をきたす可能性が高い。また，攻撃性，多動や易刺激性など情緒や問題行動との関連が示されている。アタッチメントが不安定な子どもは，扁桃体や前頭前野に神経学的な変化を起こすために後の心理障害を起こすとも示唆されている。

6）被虐待経験による症状とADHDの鑑別

DSEDと診断される子はまれであるが，マルトリートメントや虐待的な養育環境で育ち，D型アタッチメントをもつ子どものほうが多く，こうした子どもたちはADHD類似の行動様式を取ることがある。また，被虐待経験をもつ子どもはトラウマ症状を併発していると過覚醒状態を認め，それがADHD類似症状や，不注意症状に類似した解離症状を認める場合がある。子どもの生育歴を聴取し，主たる養育者との関係性，特に虐待の存在に注意しながら評価を重ね，子どもの攻撃性や衝動性が生得的な気質によるものか，関係性のなかで生じているものかを見極めなければならない。しかし，ADHD症状が強い子どもほど親とのアタッチメント関係が不安定であることを示す研究もあり，その関係は相互的でもあるため鑑別は容易ではない。

現在の操作的診断基準は病因を問わないため，診断基準に該当すればADHDと診断が可能である。しかし，病因が異なれば対応もおのずと変わってくるため虐待や関係性の問題の有無の評価は重要と考えられる。

（細金 奈奈）

4 その他の精神疾患との鑑別

1）はじめに

DSM-5のADHDのE項目では，「その症状は，統合失調症，または他の精神病性障害の経過中にのみ起こるものではなく，他の精神疾患（例：気分障害，不安症，解離症，パーソナリティ障害，物質中毒または離脱）ではうまく説明されない」と記載されている[2]。ADHDの鑑別疾患として挙げられていた「広汎性発達障害」が削除され，「物質中毒または離脱」では説明できない症状であることがつけ加えられた。そして鑑別診断として，①反抗挑発症，②間欠爆発症，③その他の神経発達症（常同運動症），④限局性学習症，⑤知的能力障害（知的発達症），⑥自閉スペクトラム症，⑦反応性アタッチメント障害，⑧不安症群，⑨抑うつ障害群，⑩双極性障害，⑪重篤気分調節症，⑫物質使用障害，⑬パーソナリティ障害，⑭精神病性障害，⑮医薬品誘発性注意欠如・多動症症状，⑯神経認知障害群――を挙げている。

Cherkasovaら[23]は，米国で行われた7つのADHD児の前方視的経過追跡研究のレビューを報告し，機能的転帰に関して最も明確な結果が得られた予測因子や理論的に重要性の高い予測因子について検討している。機能的転帰の最も信頼性の高い予測因子は，ADHD持続性と併存障害，特に破壊的行動障害の併存だった。ADHDの時間的経過としては，「外在化障害」と「内在化障害」が知られている。年齢とともにADHD症状や併存症が移り変わっていき，いずれもADHD児・者の生活への障害から導かれる二次障害ととらえてよい併存症である。加えて，「外在化障害」と「内在化障害」は独立して進行していくわけではなく，しばしば移行が生じる。ADHDはパーソナリティ障害にまで至る可能性を少なからず高める要因であり，ADHDに関わるさまざまな領域の治療・援助者は治療早期からこのことに意識的でなければならないことが強調されている[24)]。ADHDとの鑑別を要する精神疾患は，ADHDの行動上の特徴である注意の障害や多動，衝動性などが認められるものであり，上記に示したように児童期にみられる障害が多数存在する。診断面接や評価では，ADHDが併存しているのか，ADHDと異なる疾患であるのかを判断する必要があり，またその後の経過にも関わることでもあるのでとても重要なプロセスである。

本項では，ADHDと抑うつ障害群，双極性障害，統合失調症，反抗挑発症，間欠爆発症などとの鑑別について述べたい。

2）抑うつ障害群と双極性障害

抑うつ障害群には，重篤気分調節症，うつ病〔抑うつエピソード（DSM-5）を含む〕，持続性抑うつ障害（気分変調症），月経前不快気分障害，物質・医薬品誘発性抑うつ障害，他の医学的疾患による抑うつ障害，他の特定される抑うつ障害，そして特定不能の抑うつ障害が含まれる。

(1) 重篤気分調節症（disruptive mood dysregulation disorder；DMDD）

DMDDの中心的特徴は，慢性で激しい持続的な易怒性である。激しい易怒性2つの特徴的な臨床症状として現れる。1つは頻回のかんしゃく発作である。

発作は典型的には欲求不満に反応して起こり，言語または行動（器物，自己，または他人への攻撃）に形をとり，それらは頻繁に（週に3回以上），1年にわたり，学校や家庭など2つ以上の場面で起こり，発達面でふさわしくないものである。2つ目はかんしゃく発作の間欠期に認められる慢性的な易怒的，または怒りの気分である。この易怒性または怒りの気分はほとんど一日中，毎日存在し，その子どもの周囲にいる他者が気づくほどのものである。DSM-5では，発達上最初に出現する抑うつ性障害群のいちばん最初に位置づけられた。

DMDDの疫学的なデータは厳密なものは現時点では存在しないが，DSM-5では，2～5%の有病率を想定している。女児や青年期よりも男児および学童期において多いといわれている。

DMDDでは，衝動性や注意力の乱れは基本的な特徴ではない。DMDDをもつ子どもおよび青年のほとんどがADHDの基準を満たす症状をもっているが，ADHDをもつ子どもがDMDDの基準を満たす症状をもつ割合はより少ない。一方で，ADHD，抑うつ障害，不安症はDMDDとしばしば併存することがある疾患であり，DMDDが併存する精神疾患をもつことは一般的で，DMDDが単独で診断されることはむしろまれである。DMDDは，年齢とともに診断は減少し，他の疾患に移行することが多いと考えられている。双極性障害に移行することはまれで，抑うつ障害，不安症に移行する例が多いと推定されている。

症例 A　小学2年　男児

主症状

学校でひどく暴れる，不機嫌，ひどいかんしゃくを起こす。母親は，家庭ではかんしゃく，暴れることはまったくないと話す。

家族歴

母親は親との関係が悪く，10歳代後半からうつ病の診断で一時期精神科クリニックに通院していた。境界性パーソナリティ障害の診断基準を満たすパーソナリティ水準であると考えられる。Aを妊娠後に交際中の男性と別れ，Aを育てている。

現病歴

特に発達の遅れを指摘されたことはなかった。幼稚園の頃に，母親はAとふたりで暮らしていくのに疲れ，一時期本児の養育を拒否することがあり，心配したAの祖父母が預かったり，児童相談所に保護されそうになったこともあった。Aは常に母親の顔色や反応を気にする子どもで，母親の前ではおとなしかったが，幼稚園では落ち着きがなく，他の子どもとうまく遊べずに，叩いてしまうことがみられた。幼稚園で問題行動があると，母親は人前でもAをひどく叱責することがみられた。

小学校入学後から落ち着きのなさを注意されることが増え，教師に怒られたりクラスメートに非難されると，教室で下敷きを思いきり投げつけたり，傘で顔面を突いたりした。補助教員も配置されたが，次第に暴力をふるうようになった。職員室にて1対1で学習するようになったが，教師の給食に薬物を混ぜ，それを見ていた同級生の女児をひどく脅した。学校の勧めで，Aは母親とともに来院したが，Aはおしゃれな服装で，母親はAをかわいがっているようにみえた。母親はAの問題行動を，「母親の前ではみられないので，学校での問題行動が信じられない」と話した。初診時のAは椅子をくるくる回したりして落ち着きがなく，それを見た母親はAをひどく叱責したが，Aが母親に反抗する様子はみられなかった。その後もAの攻撃的な問題行動は続き，母親は診察場面でAをひどく叱責し，Aの服を引き裂くこともみられた。Aは行動観察，状態把握のために児童精神科病棟に入院した。

入院したAはひどくいらいらした様子だった。年上の小学生・中学生を挑発し，看護スタッフが注意をしてもまったく意に介さなかった。スタッフが注意を続けると，部屋のドアや壁を蹴り，「どうせ俺が悪いんだろう！」と著しく興奮し，スタッフ総出で身体拘束を行わないと落ち着かなかった。Aは「注意されると，お前はだめなやつだと言われているような気がして，相手をやっつけないと気がすまなくなる。自分は母親から嫌われたらおしまい。もしも母親が再婚して自分の面倒をみてくれなくなったら，相手を殺してしまうと思う。自分のなかで勝手に怒り出してしまう自分（Aはこの自分を“マフィア”とよんでいる）をどうにかしたい」と語った。

Aは，スタッフにはっきりと感じられるほどの易怒的なかんしゃくとその背景には母親から見捨てられないように自分を押し殺している不安，さらにかんしゃくを自分ではどうすることもできない抑うつが存在しているのは明らかであると考えられた。また一方でAはADHDの診断基準を満たしており，母親の不適切な養育も関連している。現時点では，ADHD（混合して存在），DMDDが併存した状態と考えるのが妥当であろう。

(2) 大うつ病性障害・持続性抑うつ障害（気分変調症）

DSM-5では，大うつ病性障害の症状を9つ提示している。そのうち「主症状：A」として，①抑うつ気分，②興味・喜びの喪失――の2つを挙げ，「副症状：B」として，③食欲不振，体重減少，④睡眠障害，⑤焦燥感または行動制止，⑥易疲労感，気力減退，⑦無価値観，罪責感，⑧思考力・集中力減退，決断困難，⑨自殺念慮，自殺企図――の7つを挙げている。9つの症状のうち5つ以上が存在し，それらの症状のうち1つは「主症状：A」であり，症状は同時に2週間持続し，病前の機能の障害を起こしている状態を大うつ病性障害と定義した。小児や青年に適応される場合，①の抑うつ気分はいらいらした気分であってもよく，③の体重減少は成長期に期待される体重増加がみられない場合でもよいとしている。

DSM-5では，持続性抑うつ障害（気分変調症）について，抑うつ気分がほとんど一日中存在し，抑うつ気分がない日よりもある日のほうが多く，児童・思春期では少なくとも1年以上（成人では

2年以上）持続する抑うつ障害であることは変更がないものの，持続性抑うつ障害はDSM-Ⅳ-TRにおける気分変調症および慢性（児童・思春期では1年以上持続する）の大うつ病の両方を含む概念としてより広くなった。

抑うつ障害群をもつ人は注意集中困難を呈することもあるかもしれないが，抑うつ障害群における注意集中困難は抑うつエピソードの間のみ顕著となることが鑑別点となる。

(3) 双極性障害

近年，児童・思春期の双極性障害の概念は拡大して捉える傾向がみられたが，DSM-5の改訂では躁エピソードについて，従来のA項目に加えて，「持続的で目的志向性のある行動あるいは活力」が追加され，「ほとんど一日中，ほとんど毎日」が追加されたことにより，狭義の診断基準がとられることになった。実際に子どもの双極性障害を狭義に捉えた場合，有病率は0.6～1.0％と推定される。

Multimodal Treatment Study of ADHD（MTA study）は，1992年より米国国立精神保健研究所を中心に多施設共同で実施された複数の治療法の効果を比較した研究である。16年後まで前方視的追跡研究が行われたが，6年後，8年後の追跡調査（MTA群：487人，対照群272人）では，精神科への入院に関して，MTA群が多かった[25]。MTA群では8人がpsychosis，躁病，軽躁病を認め，対照群では1人という結果だった。

Biedermanらは，6～18歳の男性ADHD患者140人と非ADHD患者120人を前方視的に10年間追跡調査を行い，10年後に（平均22歳）併存精神疾患の有無を評価した[26]。再評価時には112人が評価でき，82人が中枢神経刺激薬を過去10年間のいずれかの時点で受けていた。平均治療開始年齢は8.8歳，平均治療期間は6年だった。13人は非中枢刺激薬治療を受けており，三環系抗うつ薬，クロニジン，グアンファシンだった。中枢神経刺激薬による治療を受けた群と受けなかった群を比較すると，うつ病，素行症，不安症，反抗挑発症，留年の率が治療群の方が低かったが，双極性障害では有意差が認められなかった。これは，双極性障害はADHDとの関連性が異なり，うつ病や不安症，外在化障害が二次障害としての側面があり，小児期からの介入によって予防可能である可能性を示唆している。

ADHDと双極性障害にはその症状に類似点があり，また特に小児期の双極性障害の場合，気分変動よりも不機嫌さや易刺激性などの情動症状やそれに伴う破壊的行動が目立つことからその鑑別が難しい。双極性障害との鑑別については，双極性障害をもつ人は活動の増加，集中力不足，衝動性の増加を認めるかもしれないが，これらは挿話性であり，高揚気分，誇大性といった双極性障害に特異的な特徴を伴っている。ADHDの子どもは同じ日の気分に大きな変化がみられ，このような不安定性は子どもであっても双極性障害の臨床的指標であることが4日以上持続しなければならない躁病エピソードとは異なること，重度のいらだちと怒りが顕著である場合でも双極性障害は青年期よりも前ではまれであることを挙げている。

3）秩序破壊的・衝動制御・素行症群

(1) 反抗挑発症（oppositional defiant disorder；ODD）

DSM-5では，概念，診断基準項目に変更がない。ただし，「意地悪や執念深さ」について，「過去6カ月間で少なくとも2回」という頻度が明示され，他の反抗的な行動については，「5歳未満は過去6カ月間でほぼ毎日，5歳以上であれば週に1日以上」と例示された。DSM-5では新たに重篤気分調節症（DMDD）という障害が導入された。ODDは，DMDDと慢性的な易怒性とかんしゃく発作の症状を共有している。ところが，かんしゃく発作の重症度，頻度，慢性度は，DMDDをもつ人のほうがODDをもつ人よりも重症である。このため，ODDの基準を満たす症状をもつ子どもと青年の限られた一部がDMDDと診断され，気分の障害がDMDDの基準を満たすほど重篤である場合にはODDの基準を満たしていたとしても，その診断は下されないと記載されている。

DSM-5では，ADHDと反抗挑発症の併存について，「不注意と多動性－衝動性が混合して存在するADHDの約半数，不注意が優勢に存在するADHDの子どもの約1/4に併存している」と記載されている。ADHDとODDはしばしば併存するが，その人が他者の要求に従えないことが，単に努力や注意の持続を求められたり，じっと座っていることを求められるような状況だけに限らないことを確認することが重要であると記載されている。

(2) 間欠爆発症（intermittent explosive disorder；IED）

中核症状である衝動的（または怒りに基づく）攻撃的なかんしゃくは，急激に起こり，前駆期がなく，持続時間は典型的に30分未満と定義される。このような感情と行動の変化の急激な経過から，怒り発作のようにみえる点が必要である。かんしゃくの頻度および強度が社会生活に支障を来す目安として，「3カ月で平均して週2回」のエピソードがみられることと設定されている。かんしゃくの内容は，「激しい非難，言葉での口論や喧嘩」，あるいは所有物，動物，他者に対する身体的攻撃，所有物の損傷または破壊，暴行したりして動物や他者にけがを負わせるなど重大な結果につながるかんしゃくの場合は，それほど頻繁でなくても，1年間で3回以上，を診断のための基準としている。

DSM-5では併存の頻度に関して，ADHDをもつ成人の一部にIEDが生じるが，一般人口水準以上の割合であると記載されている。

IEDとの鑑別については，IEDは子どもにはまれであること，他者への深刻な攻撃性を示すことはADHDの特徴ではないこと，不注意の問題がみられないことを挙げている。

(3) 素行症（conduct disorder；CD）

DSM-5の診断基準では，下位分類の後に，「向社会的な情動が限られている」ものを特定せよとの項目が加わっており，これがCD診断の最大の変更点である。「向社会的な情動が限られている」の項目をみると，「後悔または罪悪感の欠如」，「冷淡－共感の欠如」，「自分の振るまいを気にしない」，「感情の浅薄さ，または欠如」のうち，2つ以上の特徴を，1年以上にわたって，複数の人間関係との状況において示すことが求められている。この特定用語を示すものは，しばしば冷淡で無感情的な傾向をもつと分類されており，CDのなかでは少数で重症の小児期発症であることが多いとされている。DSM-5では，ODDとCDの重複診断を認めているが，新たに追加された冷淡で無感情な特性との関連があるのだろう。

DSM-5では，ADHDとCDは，年齢や状況にもよるが，不注意と多動性－衝動性が混合して存在する子どもまたは青年の4分の1に併存していると記載されている。ADHDをもつ子どもは多動，衝動的行動を示し，それが秩序破壊的であるが，その行動自体は社会的規範に反したり，他者の権利を侵害するようなものではないため，通常はCDの診断を満たすことはない。ADHDとCDの基準を両方満たす場合には，両方の診断を下すべきであると記載されている。

4）不安症群

ADHDと不安障害ではそわそわや集中困難が共通してみられる。ADHDは外からの刺激に対して気が散り不注意になるのに対して，不安症では心配や考えすぎなどの問題で不注意になるといわれている。

虐待を受けた子どもは多動で衝動的である場合が多いといわれている。一方で，ADHDと診断された子どもの親が対象児に対して虐待または虐待に近い行為を行っている場合や，虐待とまで認識されなくても養育環境に問題があることも多い。被虐待体験が発症要因とされるDSM-5の脱抑制型対人交流障害や反応性アタッチメント障害と診断できる症例も存在する。虐待を受けた子どもは周囲の刺激に反応しやすく，非常に落ち着きのない状態になり，場合によってはADHDと診断されることがある。DSM-5では，脱抑制型対人交流障害の子どもは注意の困難または多動性を示さないことでADHDと鑑別しうると記載されている。

虐待を受けた子どもが生きのび，不安定な感情が強まり制御できなくなっていくと，心的外傷後ストレス障害（PTSD），解離症，抑うつ障害，パニック障害といった不安症群，さらには自傷や自殺関連の問題に発展したり，物質使用障害，境界性パーソナリティ障害などの病態にも進展していくことがある。また，ADHDの成人では事故，運転事故，スポーツ，薬物乱用に関連したリスクが高いことが知られている。このことはトラウマのリスクの増加を引き起こし，ADHDの成人がトラウマにさらされることが増え，PTSDの可能性が高まるかもしれない。このことは成人期のADHDでは報告されているが[27]，子どもでは報告されておらず，ADHD患者におけるPTSDのリスクの増加は時間をかけて発展していき併存症となっていくことを示唆しているかもしれない。

強迫性障害（OCD）のみとADHDを併存するOCD群を比較した研究によると，ADHDを併存しているOCD群のほうが双極性障害やチック症やODDの併存率が高く，トゥレット症を示す子どもも多く，その場合には攻撃性や怒り発作などが認められる[28]。

5）統合失調症

DSM-5では，①妄想，②幻覚，③まとまりのない発語，④ひどくまとまりのない，または緊張病性の行動，⑤陰性症状――のうち2つ（またはそれ以上），おのおのが1カ月間ほとんど存在し，これらのうち少なくとも1つは①～③のどれかであるとされている。症状はおおよそ前駆症状，急性期症状，後遺症に分けられるが，前駆症状はうつ病性障害，不安症群，ADHDの症状に類似しており，不安，落ちつきのなさ，いらだち，怒り，抑うつ，気分変動，注意集中困難といった症状がみられる。不注意や多動の症状が精神病性障害の経過中にのみ生じている場合，ADHDとは診断されないとDSM-5には記載されている。

前述したMTA studyでは，追跡調査の6年後，8年後，10年後，12年後，14年後，16年後に参加者の精神病症状のスクリーニングが行われた[29]。MTA群（509人）と対照群（276人）を比較した。MTA群の平均年齢は25.1歳，対照群は24.6歳だった。スクリーニング陽性とアルコールや物質使用との関連も考慮された。MTA群では26人（5%），対照群では11人（4%）が陽性となったが，精神病症状の多くは一過性だった。専門家が確認した精神病症状の出現率は，MTA群で1.1%，対照群で0.7%だった。精神病症状のスクリーニングで陽性と診断された後，精神病症状が確認された人では大麻の使用量が多かった。ADHDが精神病症状のリスクを高める証拠はなかったが，大麻の使用は精神病症状を経験する可能性を高めることに関連していた。

ADHDと精神病症状に関する重要な問題として，ADHD治療薬（中枢神経刺激薬）が，精神病症状を引き起こすこともあるということは忘れてはならない。DSM-5では，医薬品使用〔例：気管支拡張薬，イソニアジド，神経遮断薬（アカシジアを引き起こす），甲状腺補充薬〕に起因する不注意，多動，または衝動性の症状は，他の特定される物質関連障害，または特定不能の（または不明の）物質関連障害群と診断されると記載されている。

6）パーソナリティ障害や物質使用障害

ADHDの前方視的経過追跡研究において，ADHD群では，反社会的行動が多いこと，そして反社会性パーソナリティに発展していくリスクが高いことが報告されている[23]。また，Milwaukee Studyでは，その他のパーソナリティ障害に関して，演技性パーソナリティ障害（ADHD群14% vs 対照群0%），受動—攻撃的パーソナリティ障害（ADHD群18% vs 対照群8%），境界性パーソナリティ障害（ADHD群14% vs 対照群2%），自己愛パーソナリティ障害（ADHD群5% vs 対照群0%）という結果を報告している[30]。

DSM-5では，ADHDと境界性パーソナリティ障害，自己愛パーソナリティ障害などとの鑑別が困難であるかもしれないと記載されている。まとまりのなさ，社会的侵害，情動調節障害，認知調節障害が共通している傾向があるが，ADHDは見捨てられる恐怖，自傷，極端な両価性またはパーソナリティ障害の他の特徴によって特徴づけられていない。衝動的，社会侵害的，または不適切な行動を，自己愛的，攻撃的，または傲慢な行動から区別するには，発達歴を慎重に聴取し，一度診断しても，常に鑑別すべき疾患を念頭に置き，診療に臨むことが必要になる。

物質使用については，女性のADHDを対象としたBerkeley Girls with ADHD Longitudinal Study（BGALS）を除いて，ほとんどの研究で，ADHD群では物質使用が対照群と比べて多く，特に思春期やADHDが持続している者ではその傾向が強いことが示唆されていた[23]。DSM-5には，ADHDの初発症状が物質乱用または頻繁な使用の始まりに続いていた場合，物質使用障害からADHDを鑑別することが問題であること，そして情報提供者あるいは以前の記録によって物質使用前のADHDの確かな証拠が鑑別診断に必須となる場合もあることが記載されている。

（渡部 京太）

5 身体疾患（てんかんを除く）との鑑別

ADHDの診断においては，ADHDの医学的検査とは鑑別診断を意識した検査であるといっても過言ではない。

鑑別すべき疾患は大きく2つのカテゴリーに分けることができる。1つは精神科的疾患であり，もう1つは小児科的疾患である。ここでは後者について述べる。小児科的疾患はさらに小児神経疾患と小児内科的疾患に分けることができる。

以下は，病初期にADHDと誤診された症例を小児神経専門医951人にアンケート調査を実施し，回収された実例の検討結果より導かれた内容である。

1）小児内科的疾患

表3に病初期にADHDと誤診されていた小児内科的疾患を列挙した。甲状腺機能亢進症は甲状腺ホルモンの機能により，亢進症では落ち着きがなくなり，集中力に欠けるといった状態は妥当と考えられる。アトピー性皮膚炎も瘙痒感によって，もぞもぞとよく動く，集中力に欠けるといった状態も十分に勘案せねばならない。また，食物アレルギーも症状として瘙痒感，悪心，腹痛などが挙げられ，二次的に集中力が低下することは十分に考えられる。そのほか，気管支喘息薬の副作用という回答があり，テオフィリン製剤の副作用として心悸亢進や手のふるえ，イライラ感などがADHD児の症状と見誤られた可能性がある。したがって，頭頸部や皮膚の所見といった身体所見に留意することと，疑われた場合には当然ながら甲状腺ホルモンの測定やアレルゲン同定の検査が必要になってくるし，何よりも行動に関する情報以外の詳細な問診が決め手となる。

2）小児神経疾患

表4に病初期にADHDと誤診されていた小児神経疾患を列挙した。件数も疾患の数も小児内科的疾患よりも多いという結果であった。

なかでもてんかんは16件の誤診例が寄せられており，前頭葉てんかん，側頭葉てんかん，非けいれん重責状態などその種類も多彩であった。詳細は他項を参照されたい。

脳腫瘍や部分的な脳奇形の症例も多く寄せられた。脳腫瘍ではうつ症状が前面に出て，心身症との鑑別が重要となることはよく知られているが，逆に集中不良や落ち着きのなさが前面に出ることもあり，そうした症例では病初期にADHDが疑われているようである。

もやもや病の症例が3件，回答された。小児のもやもや病は脳虚血発作が特徴的である。通常では大泣きをした後に脳虚血発作を起こす。この場合には診断は比較的容易であろうが，脳虚血がゆっくりと進行することがあり，集中不良や落ち着きのなさといった行動の変化がある場合にはADHDを疑わせるのであろうと考えられる。

くも膜のう胞の症例も2件寄せられた。特に巨大なくも膜のう胞の症例であった。くも膜のう胞が巨大な症例でも，特に巣症状が目立つわけではないが，頭痛を訴えることが比較的多い。しかし，落ち着きのなさや集中力を欠くといった注意機能の全般的な問題は生じうると思われる。

聴覚障害や視力低下といった感覚器の機能障害例がADHDと間違われていたという回答もあった。軽度の聴覚障害は日常生活レベルでは気づかれにくいことが多い。軽度の聴覚障害児が滲出性中耳炎を合併して，中等度の聴力低下をきたして初めて気づかれることもある。小学校で学年が上がるにつれて教師の言葉が聞き取りにくく，学業不振とともに注意力散漫や落ち着きのなさが目立ってくることがある。同様に視力低下も近視や遠視のような調節障害は担任教師や保護者が気づかないうちに進行していることはよくみられることであろう。

表3 病初期にADHDと誤診された小児内科的疾患

- 甲状腺機能亢進症
- アトピー性皮膚炎
- 食物アレルギー
- 気管支喘息薬の副作用
- 偽性副甲状腺機能低下症

表4 病初期にADHDと誤診された小児神経疾患

・てんかん	・異染性白質変性症
・脳腫瘍	・くも膜のう胞
・もやもや病	・脳奇形
・亜急性硬化性全脳炎	・難聴
・副腎白質変性症	・視力低下
・結節性硬化症	・水頭症
・フェニルケトン尿症	・先天性サイトメガロウィルス感染症
・クラッベ病	・染色体異常（47XYY）

3）その他の疾患

その他，アンケート調査の回答にはなかったが，以下の疾患や状態についても鑑別を念頭に置くとよいと思われる（**表5**）。

Rage attack（怒り発作）と呼ばれる状態がある。Episodic dyscontrol syndrome（EDS）またはintermittent explosive disorder（IED）とも称されている[31]。何か些細なことをきっかけにして，怒りの感情が抑制できなくなり，顔面の紅潮あるいは蒼白，発汗など交感神経の興奮症状がみられる。興奮中の記憶が全面的にあるいは部分的に欠如することがあるので，てんかんの複雑部分発作との鑑別が重要になる。通常では発作時以外では行動に問題はなく，この点がADHDとの鑑別点にもなる。

気管支喘息のある児では，気管支拡張薬の内服によって落ち着きのないことがある。交感神経刺激による行動への副作用である。可能であれば，抗アレルギー薬や気管支拡張薬の吸入療法に切り替えるなどの工夫が求められよう。

睡眠中に閉塞性呼吸困難を来す程度のアデノイドがあると，睡眠が浅くなり昼間の集中力を欠くことがある。いわゆるアデノイド顔貌を呈し，ぼーっとしているためADHDの不注意優勢型と思われてしまいがちである。

聴覚障害も見逃せない。高度な聴覚障害は診断されやすいが，幼児の軽度聴覚障害では，音に対する振り向き行動があるために聴覚障害に気づかれないことがある。軽度であっても言語指示が正確に聞こえにくいため，指示に従わないなどの行動がみられる。ほとんどは両側性の滲出性中耳炎の場合である。

4）医学的検査

こうした実例から導かれる結論として，ADHDの診療で必要性の高いと思われる医学的検査としては**表6**に挙げた項目が考えられる。ただし，ルーチンに必要ということではなく，問診や診察所見とあわせて取捨選択するという位置づけになる。

頭部CTやMRI検査の必要性は特に高いと考えられる。脳腫瘍や脳皮質の部分的な奇形の診断には不可欠である。注意力散漫，不注意，落ち着きのなさなどがゆっくりであるが進行してきている，知的な遅れやてんかんを合併しているなどがあれば，神経画像検査を実施すべきであろう。神経画像検査によって，副腎白質変性症やクラッベ病，結節性硬化症などについても診断の手がかりを得

表5 その他，ADHDと鑑別が必要と考えられる身体疾患と神経疾患

疾患名	留意点
怒り発作（rage attack）	発作以外では行動に問題はない
アデノイド	夜間の睡眠障害に注意
軽度の聴覚障害	両側性滲出性中耳炎に注意

表6 ADHDの診療で必要性の高い医学的検査項目

- 頭部CTやMRIなどの神経画像検査
- 脳波検査
- 視力，聴力検査
- 内分泌検査（特に甲状腺ホルモン）

ることができる。特に副腎白質変性症の初期にADHDと誤診されていたという報告が最近でもみられる。

そのほか，アンケート調査に寄せられた実例からみると，染色体検査や尿中アミノ酸分析，神経伝導速度などが挙げられるが，必ずしも必要というわけではない。経過を慎重に見つつ，状態の変化に応じて組み入れる検査という位置づけでよいと考えられる。

（小枝 達也）

6 てんかんとの鑑別および併存症としてのてんかん

1）はじめに

海外の研究では，小児期および思春期のADHDの頻度は5.9〜7.1％であるが，幼児期では10.5％，学童期では11.4％とより頻度が高いとされている[32]。この時期はまた，てんかん発症が多いとされる時期でもある。なかでも，「中心側頭部に棘波を示す小児てんかん（CECTS）[注]〔中心・側頭部に棘波を示す良性てんかん（BECTS）〕」や「小児欠神てんかん（CAE）」など，「素因性（特発性）てんかん」に分類されるてんかん症候群はこの時期に発症することが多い[33, 34]。したがって，臨床ではADHDとてんかんとの偶発的な合併の可能性，てんかん発作に関連した症状がADHDと誤認される可能性も十分に考慮する必要がある。DSM-5では危険要因と予後要因の項で「てんかんが注意欠如・多動症症状に影響する可能性があるものとして考慮されるべきである」，と記述している[2]。一方，てんかんと注意機能を含む認知機能障害との強い関連が指摘されている[35]。近年，脳波や機能的脳画像検査などを用いた，てんかんとADHDなどの神経心理学的症候の背景となる神経ネットワークについての研究[36, 37]も多い。したがって，除外診断だけでなく，ADHDとてんかんの相互の関連性についても慎重に検討する必要がある。

2）鑑別診断としてのてんかん

てんかん発作は一般的にはけいれん（convulsion）発作として認知されているが，そのほかに多くの発作型が存在する。そのなかには，意識や行動の変容が主要な症状である発作型があり，発作自体がADHDの主要症状である不注意性などと誤認される可能性がある。また，てんかん発作は数分で収まっても，その後に倦怠感や頭痛，眠さなどを数時間，ときにはより長時間認めることがある。そのため，発作後であることを認識していなければ，不注意症状と誤認される可能性がある。さらに，抗てんかん発作薬は副作用として覚醒度，集中力や衝動性，記憶などの認知・行動に影響を及ぼすことも知られている。これらの問題はてんかんの治療調整によって改善される可能性があるため，ADHDと誤認して治療選択を誤らないよう，鑑別診断を進める必要がある。

注：てんかんおよびてんかん発作の分類は歴史的に変遷してきたが，2017年に国際抗てんかん連盟（International League Against Epilepsy/ILAE）が新しいてんかん分類体系を発表した。その中でも，「良性」の概念廃止は本稿のテーマにも関わるものである。引用文献では旧分類による表記が多いが，最近の文献では2017年分類による表記もある。本稿では2017年分類に従い，煩雑ではあるが，初出の用語には「2017分類（旧表記）」と表記した。なお，2017年分類ではBECTSは「中心側頭部に棘波を示す自然終息性てんかん（self-limited epilepsy with centro temporal spikes）」と記載されている。ILAEによる正式な略称はなく，本項ではRoss[38]に従いCECTSと表記した。

(1) 鑑別を要するてんかん発作

てんかんのなかで意識の変容を主症状とする発作は，「欠神発作」と「焦点意識減損発作（複雑部分発作）」である。

欠神発作はCAEで認められる「定型欠神発作」と，レノックス・ガストー症候群などで認められる「非定型欠神発作」とに分類される。

CAEは小学校就学前後に発症することが多く，知的発達は概ね正常である。発作症状は数秒から数十秒続く突然の動作停止と反応性低下であり，回復は速やかで後に意識の変化は残さない。何か別のことを考えているかのようで，周囲が声をかけたくなるタイミングで発作収束するため，声かけの刺激でわれに返ったようにみなされ，てんかんの診断を受けるまでに発症から数カ月ないし数年経過してしまうこともしばしば経験される。発作は1日に数十回認められることもあり，頻度は高いが発作間欠期には意識水準や反応性の異常は認めない。そのため，注意集中の障害と誤認されることがある。

非定型欠神発作はその開始と収束が不明瞭であること，発作時間も長めで数分続くこともあり，発作中にも何らかの動作や発語がみられる場合もあるため，てんかん発作の診断自体が難しく，ぼんやりしている，元気がない，などと受け止められることもある。発作が断続的に遷延し，数時間，ときには数日にわたって意識の変動が見られる重積状態となることもある。単独でみられることはまれであり，他の発作型を合併していることが多く，知的発達症を伴うことも多いので，ADHDと誤認されることは少ないと思われるが，この発作を学校生活などで不注意，眠さなどと誤認されることはあると思われる。

欠神発作と非てんかん性の凝視（staring）の鑑別点として，Rosenowは①触ることに反応を示す，②体をゆらす（rocking），③最初に教師や健康専門家などの専門家が気づく——ことを非てんかん性の，④尿失禁，⑤遊びの中断，⑥四肢のぴくつき，⑦眼球上転——を欠神発作の特徴としてとりあげている[39]。また，Williamsは①宿題を完成させない，②作業を続けない——ことはADHDを支持する状態としている[40]。いずれにしても，これらの症候のみで診断するのではなく，疑いがある場合には脳波検査を行うことが必要である。CAEでは定型的な3Hz棘徐波複合が認められ，過呼吸賦活によって臨床発作が誘発されることが多い。非定型欠神発作でも何らかのてんかん性脳波異常所見を認めることが多い。

内側側頭葉てんかんの発作は焦点意識減損発作であり，覚醒時に徐々に発語や反応性が低下し，顔色や表情の変化が現れる，口をもぐもぐさせるなどの単純な自動症，服をまさぐるなどやや複雑な自動症がみられ，発作あるいは発作後のもうろう状態のなかで歩き回ったりする。数分の発作収束後もしばらくは疲れたように，ぼーっとした状態が数時間にわたって続くこともある。短い発作では意識減損のみで回復することもある。発作頻度は欠神発作と比較して少ない。明らかなけいれん症状は伴わず，脳波検査で明らかなてんかん性脳波異常に乏しい場合もあり，てんかん診断に至るまでに時間を要することもある。

Williamsはてんかん発作（焦点意識減損発作，欠神発作，全般強直間代発作を有する小児）とADHDについて，「反応しない」，「流涎」，「硬直」などの13項目の行動変容について比較し，「もぐもぐ言う，不明瞭な言葉」を除く12項目で差を認めた[41]。そのなかから①どんより（glassy）した目，②呼吸変化，③ビクッ，ピクリとする動作，④そわそわする（fidgets），——を挙げ，①があり④がみられない場合は96%の確からしさでてんかん発作，①と②がなく，④がみられる場合は96%の確からしさでADHDであった。

(2) 抗てんかん発作薬の影響

日常診療で重要であるのは，治療薬の副作用としての眠さや集中困難，記憶力低下，イライラや不機嫌など情緒への影響である。抗てんかん発作薬にはそれぞれ固有の副作用があるので，本人や家族への説明，学校への周知も必要である。

ベンゾジアゼピン系薬（クロナゼパム，クロバザム）やフェノバルビタール（PB），カルバマゼピン（CBZ）では治療域濃度でも眠気のみられることがあることはよく知られているが，他の薬剤でも高用量では眠気がみられることがある。

Moaveroのreviewでは「認知/覚醒，注意，攻撃性，気分」について評価し，トピラマート（TPM），ゾニサミド（ZNS）はすべての項目についてnegativeな影響があること，レベチラセタム（LEV），ペランパネル（PER）は認知，注意にはpositiveな影響であるが，攻撃性と気分にはnegativeな影響を示すとしている[42]。ラモトリギン（LTG），ラコサミド（LCM）は認知・注意に課題のある小児に対する最適な選択肢，としている。Aldenkampのreviewでは「認知」に対して注意を要する薬剤としてPB，フェニトイン（PHT），TPM，ZNSを，positiveな影響のある薬剤としてLTG，LEVを，影響がない薬剤としてVPA，CBZ，ガバペンチン（GBP）を挙げ，「行動」に対して注意を要する薬剤としてPB，VPA，GBP，TPM，LEV，ZNSを，positiveな影響のある薬剤としてLTGを，影響のない薬剤としてCBZを挙げている[43]。また，バルプロ酸（VPA）をCAE治療に用いた場合，エトサクシミド，LTGと比較して不注意性が悪化することが指摘されている[44]。

3）併存症としてのてんかん

てんかん患者において，前述したてんかん発作との誤認，発作や薬物の副作用による二次的影響などを除外しても，なおADHDの診断基準を満たす症状を有していることが経験される。ADHDの症候とてんかん症状を併せもつ場合の診断をどのように下すか，「偶発的に」併存している，あるいはADHDに類似したてんかんの精神症状とするか，てんかんとADHDに共通した神経機構を推定するかなどの考え方がある。

臨床現場では二次的影響を十分に考慮したうえで，てんかんとADHDの併存として適切な対応が求められている。

(1) ADHDにおけるてんかん併存

①てんかん併存の頻度

ADHDにおけるてんかん併存の頻度は，病院調査か地域コホートか，知的発達症や神経学的基礎疾患の併存の有無など，対象と方法の違いによって異なるが，一般人口のそれと比較して高い，との研究が多い。しかし，そのてんかん類型，ADHDの下位分類，予後などは研究によって結果は異なる。

Hospital-based研究では，併存する頻度は2.3%（同世代のてんかん発症率0.5%），7.3%の報告と，37.5%と高率の報告がある[45~47]。高率となった報告については対象とする患者背景が他の研究と異なる可能性を示唆しているが，明確な根拠は示されていない。対象症例数が607例と最も多いSocanskiの研究では，てんかん類型は「病因不明（潜因性）」，素因性が多い，「焦点起始発作（部分発作）」が「全般起始発作（全般発作）」と比較して多い，併存しているてんかんの発作予後は良好である，ADHD下位分類で混合型が10例（71.4%）という結果であった[45]。てんかん併存に関連する要因としてADHD診断時年齢，性，IQ，ADHD下位分類を検討しているが，関連する要因は見いだせなかった。てんかん併存が15例のAnukirthigaの研究では焦点起始発作が4例と少なく，下位分類は混合型8例，不注意優勢型7例であり，Socanskiとは異なる結果であった[47]。

Population-based研究では1%（オッズ比2.4），2.2%（リスク比2.7），3.4%，3.24/1000人年，（ハザード比3.94）の併存が報告されている[48〜51]。Davisの研究では358例のADHD群と728例の対照群とでてんかんの併存と特徴を検討し，てんかん類型はADHD群，対照群とも素因性，病因不明が多かったが，ADHD群でより早期に発症し，発作回数が多く，治療抵抗性の傾向がみられた[49]。また，ADHD群でのてんかん併存例では非併存例と比較して経年的にIQの低下を認めた。他の研究ではてんかんの特徴についての情報はない。

ADHDにおけるてんかん併存率の高さは共通であるが，SocanskiとDavisの研究とでは，併存するてんかんの性状は異なる点も多い。抗てんかん発作薬や発作の影響なども想定されているが，ADHD診断方法が異なり，かつてんかんは14例と8例と，どちらも少数であり，一定の結論は得られていない。

②てんかん性脳波異常の頻度

ADHDではてんかん性脳波異常の頻度は一般人口と比較して高い，とする研究が多く，脳波異常とADHDの神経心理学的特徴との関連も指摘されている。しかし，その細部においては研究者，研究方法によって差異がある。

てんかん性脳波異常所見の検出頻度は脳波検査の方法によって異なる。短い安静覚醒記録では異常が認められない場合でも，間欠的光刺激や過呼吸賦活，睡眠記録によってその検出頻度が高くなる。比較対照としている一般集団での脳波検査は覚醒時のみで，賦活法を行っていない研究が多いが光刺激と過呼吸賦活法を実施した覚醒時脳波記録を行った研究では，6.1%，7.5%の頻度で一般健常児集団における結果と比較して高率であった[52, 53]。睡眠記録を行うことで16.1〜35.0%，53.1%とてんかん性脳波異常の検出率は高くなっているが，最も高率であったのは終夜脳波研究によるものである[37, 54〜59]。

てんかん性脳波異常は焦点性異常の比率が高い研究が多いが，全般性異常が多いとするものもある[53, 54]。焦点性異常ではローランド発射（RD）と前頭部焦点が注目されているが，後頭部焦点が多いとする研究もあり[57]，一定していない。RDは睡眠記録でのみ確認される時期もあり，また個人内でも時期によって焦点や拡がりは変化することがあるため，研究方法や検査時期によっても結果が異なることが考えられる。Socanskiの研究では不注意優勢型が多かったが（てんかん性脳波異常合併群で41%，非合併群で10.5%），脳波異常の局在には言及していない[53]。ADHDの下位分類の比率について言及している研究は少なく，一定していない。

てんかん性脳波異常を認めない群ではてんかん発症はないか，あってもまれであることは多くの研究で指摘されている。

③てんかん性脳波異常と神経心理学的機能異常

てんかん性脳波異常と神経心理学的機能異常の関連について，特にRDと前頭部焦点の異常が注目されているが，後頭部焦点も視覚認知との関連が指摘されている。

SilvestriはRDを示す群でWISC-RでTIQ，PIQおよび語彙においてnegativeな関連を，前頭部焦点群で言語，協調運動障害，側頭後頭部焦点群でチック症との関連を認めた[59]。Leeは全般性異常，焦点性異常，異常なしとの間でWISCの結果に差を認めていない[54]。

けいれん発作を有しないADHD小児を対象に，RD合併群，RD非合併群，および健康対照群を比較して神経心理学的検査（Child Behavior Checklist；CBCL，continuous performance test；CPTなど）を行った研究では，RD合併群でコミッション・エラーがより多く，反応時間が短い傾向が認められるなど，衝動性の増加を認めたが，オミッション・エラーには差を認めなかった[60]。

RDの合併が何らかの機序で発症と経過に影響していると推察している。

てんかん発作を併存していないADHD小児に対して抗てんかん発作薬治療を行い，発作性脳波異常の軽減と並行してADHD-rating scaleの改善が得られ，特に前頭葉に焦点性異常を示す例での改善が高率であったとする研究がある[58]。

このように，一定の結論は得られていないが，注意機能を含む認知機能障害に対して，間欠期のてんかん性脳波異常は何らかの機序で影響を及ぼしているとする研究が多い。HorvathはADHDを含む多様な神経疾患において，てんかん性脳波異常が認知機能などに及ぼす影響についてレビューを行い，その機序として興奮毒性による神経変性，神経回路のリモデリング，睡眠に関連した記憶統合過程への影響を挙げ，抗てんかん発作薬などによる治療の可能性について言及している[61]。

④てんかん併存例におけるADHD治療

てんかん発作を有するADHD小児に対してメチルフェニデートは発作誘発，増悪の危険性を指摘されており，一部の研究では対象の0〜18%でてんかん発作の頻度が増加することが指摘されているが[62]，その多くは軽度，一過性であり，治療中断に至る頻度は低い。一方，大規模な後方視的cohort-based研究では危険性は低く，明らかな有効性が認められており，メチルフェニデートなどによるADHD治療が勧められている[63〜65]。

(2) てんかんにおけるADHDの併存

2018年に国際抗てんかん連盟（ILAE）からてんかん小児におけるADHDのスクリーニング，診断と管理に関するシステマティックレビューが報告されている[62]。欧米からだけでなく，南米，東アジアや日本からの研究も取り上げられている。また，単独のてんかん症候群としてCAE，CECTSについて，併存の頻度だけでなく，注意障害など多様な認知機能障害についてのシステマティックレビューが報告されている[66, 67]。

①ADHD併存の頻度

論文によってその対象，診断方法など研究方法は異なるが，てんかん小児にADHDを併存する頻度はhospital-based研究では24.6〜64.7%，population-based研究では12.1%（オッズ比5.4），13.5%，15.6%（オッズ比3.1），27.2%の有病率，また，7.76/1000人年（ハザード比2.54），752/10万人年（罹患率比2.72）の罹患率が報告され，対照群と比較して高いことが指摘されている[48, 50, 51, 68〜76]。

てんかんの病因となる基礎疾患は多様であり，併存する神経心理学的症候も基礎疾患に起因することも想定されるが，明らかな発達遅滞，基礎疾患を有しない素因性てんかん（CAEとCECTSがその多くを占める）を対象とした研究でもADHD併存の頻度は13.3〜70%と同様に高率である[77〜80]。

単独のてんかん症候群として，CAEでは30.4%，40%（いずれも論文中の症例数から計算），CECTSでは18.3〜65.6%の併存が報告されている[38, 81〜88]。後頭部に焦点性異常を示す小児てんかんの一型であるパナイトポーラス症候群では，視覚性注意，視覚運動統合，言語記憶を含む広範な認知障害を認めるが[89]，ADHD診断に言及した研究はない。

「焦点てんかん（部分てんかん）」の一型である前頭葉てんかんは，小児では素因性，病因不明の割合が高いとされている。明らかな病因のない症例を対象とした研究で59.0%，66.7%と顕著な併存率の報告がある[90, 91]。

ADHDの下位分類では不注意優勢型が多いとする研究が多いが[68, 69, 72, 75, 77, 78, 80, 86]，混合型が多いとする研究もあり[71, 79, 90]，一定していない。

②ADHD併存の要因

ADHDが併存する要因が検討されている。てんかん自体に関わる因子として，てんかん類型，てんかん発作型，発症年齢，罹病期間，発作頻度，発作抑制の有無，治療薬，脳波所見などが検討されている。また，個人に関わる因子として，性別，基礎疾患，家族歴，IQなどが検討されている。

ILAEによるシステマティックレビューでは，ADHD併存の要因として明確な結論の得られている（推奨のLevel A）項目として，①男児では女児と比較してリスクは増加しない，②知的発達症，発達障害を併存する小児ではリスクが増加する，Level Bとして③発作抑制不良はリスクが増加する，また，Class 1の研究として④母胎妊娠中のVPA服用はCBZ，LTG，PHTと比較して3歳時点で子の不注意性，多動性が高い――としている[62]。一方，研究が不十分ないし相反する研究結果があることで，結論の保留されている（Level U）項目として⑤てんかん発症年齢，⑥特定のてんかん類型と発作型，⑦間欠期の脳波所見――とまとめている。相反する結果が得られている背景として，大規模で追跡期間のあるランダム化二重盲検比較試験がない，注意の特定の評価方法がない，抗てんかん発作薬の影響評価が十分でない，対象群が均一でないなど，研究方法や問題設定が一定でないことが挙げられている。

その他の要因として，遺伝素因と後天性要因（環境要因）がてんかんとADHDの併存に関与していると研究がある[50]。また，てんかんとADHDの発症時期について，新規てんかん発症の診断時にすでにADHD症状が認められた，とする研究があるが[75, 78]，てんかん発症がADHD診断に先行する，という研究もあり[45]，一定していない。これらは併存の背景を検討するうえでは重要な観点であろう。

③てんかんと高次機能障害

CAEにおける認知機能障害について，Fonseca Waldは知能，実行機能，注意，記憶，学習などの課題についてシステマティックレビューを行い，対照群と比較して，正常範囲ではあるが軽度のIQ低下，実行機能と注意の領域での低下が多く研究で認められた[66]。注意では持続的，分割的，選択的注意の障害についての言及している。Masurは無治療のCAE446例を対象に，治療前と抗てんかん発作薬による治療後を比較検討した[92]。ADHD診断の頻度に言及はないが，治療前のCPT検査などでは36％に注意障害を認め，特にオミッション・エラーが明らかであった。治療によって発作が抑制された後でもその注意障害は存続していた。また，家族はその注意障害を把握できていなかった，としている。

AricòはCECTSにおいて，ADHDに関連する神経ネットワークへのRDの影響などについてシステマティックレビューを行い，選択的視覚注意や衝動性などの多様な認知機能，行動への影響を検討している[67]。

LimaはCECTSをADHD併存群と非併存群に分け，ADHD単独群，対照群の4群で認知機能を評価し，抑制制御，衝動性，持続的注意においてADHD併存群での異常を指摘した[86]。

Braakmanは病因不明の前頭葉てんかんを対象としたレビューで，主な認知行動障害として実行機能障害，注意障害を挙げ，てんかんの早期発症と，他のてんかん類型と比較して治療抵抗性に発作が続くことが多い前頭葉てんかんの特性が関連する可能性を示唆している[93]。

明らかな知的発達症，神経学的異常のない焦点意識減損発作を有するてんかん患者を対象として注意機能を検討した研究では，正常対照群，てんかん単独群，ADHD単独群と比較して，てんかんにADHDを併存した群で最も低い結果であった[94]。ADHDを併存しないてんかん群でも正常対照群と比較して低値であり，てんかん自体で注意機能の障害を来す可能性が指摘されている。また，ADHD併存例はメチルフェニデート治療で結果が改善している。

「徐波睡眠期持続性棘徐波（CSWS）を示すてんかん性脳症」はまれで特異な病態である。特徴的な所見は睡眠時記録で広汎性棘徐波群発が連続的に，あるいは高頻度に認められることである。てんかんとして焦点運動起始発作，「全般運動発作（全般性けいれん）」，あるいは脱力発作や欠神発作を呈するが，まれには発作を認めないこともある。てんかん発作と直接に関連しない高次機能障害を呈し，記憶や言語能力，見当識の障害，ADHD様の病態として注意力低下，多動・衝動性などの行動変化が現れる。抗てんかん発作薬やACTHなどの治療で脳波異常が軽減し，神経心理学的機能異常が改善することも報告されている[95]。

(3) ADHDとてんかんとの関連性

てんかんとADHDはどちらから検討しても密接な関連が認められているが，この背景について明快な結論は得られていない。近年研究が進んでいる神経ネットワークの視点から2つの考え方が検討されている[66]。一つめは「てんかん性異常波が認知機能障害をもたらす」との仮説である。二つめの仮説は，てんかん性異常波と認知機能障害が「てんかん発症につながる脳機能成熟の異常を来す，共通の遺伝的背景を有している」，とするものである。また，この二つの要因はお互いに結びついていることも想定される。現状では明確な結論は得られていないようであるが，多くの構造的，機能的脳画像検査や脳波検査，神経心理学的検査，遺伝学的検討が行われており，今後の研究の進展によって，臨床的な診断，治療，支援に寄与する成果を期待したい。

（林 北見）

参考文献

1) American Psychiatric Association : Diagnostic and Statistical Manual of Mental Disorders, Fourth Edition, Text Revision (DSM-Ⅳ-TR). American Psychiatric Publishing, 2000（髙橋三郎，他・監訳：DSM-Ⅳ-TR 精神疾患の診断・統計マニュアル新訂版．医学書院，2004）
2) American Psychiatric Association : Diagnostic and Statistical Manual of Mental Disorders, Fifth Edition (DSM-5). American Psychiatric Publishing, 2013（髙橋三郎，大野裕・監訳：DSM-5 精神疾患の診断・統計マニュアル．医学書院，2014）
3) Yoshida Y, Uchiyama T : The clinical necessity for assessing Attention Deficit/Hyperactivity Disorder (AD/HD) symptoms in children with high-functioning Pervasive Developmental Disorder (PDD). Eur Child Adolesc Psychiatry, 13 (5) : 307-314, 2004
4) Kurita H, et al : Reliability and validity of the Childhood Autism Rating Scale-Tokyo version (CARS-TV). J Autism Dev Disord, 19 (3) : 389-396, 1989
5) Kurita H, Miyake Y : The reliability and validity of the Tokyo Autistic Behaviour Scale. Jpn J Psychiatry Neurol, 44 (1) : 25-32, 1990
6) 日本版WISC-Ⅳ刊行委員会：WISC-Ⅳ知能検査（上野一彦，他）．日本文化科学社，2010
7) 太田俊巳，他・訳：知的障害　定義，分類および支援体系 第11版．AAIDD 米国知的・発達障害協会（日本発達障害福祉連盟），2012
8) 辻井正次，村上隆・監：日本版Vineland-Ⅱ 適応行動尺度　面接フォーム　マニュアル．日本文化科学社，2014
9) Richters MM, Volkmar F : Reactive attachment disorder of infancy or early childhood. J Am Acad Child and Adolesc Psychiatry, 33 (3) : 328-332, 1994
10) American Psychiatric Association : Diagnostic and Statistical Manual of Mental Disorders, Fourth Edition, Text Revision, 2000（髙橋三郎，他・訳：精神疾患の分類と診断の手引 新訂版，医学書院，2003）
11) World Health Organization: The ICD-10 International statistical classification of diseases and related health problem. Mental and behavioural problems (10th revision ed). World Health Organisation, 1993（中根允文，他・訳：ICD-10 精神および行動の障害—DCR研究用診断基準 新訂版，医学書院，1994）
12) Zeanah CH, et al : Reactive attachment disorder in maltreated toddlers. Child Abuse Negl, 28 (8) : 877-888, 2004
13) Green J : Are attachment disorders best seen as social impairment disorders? Attach Hum Dev, 5 (3) : 259-264, 2003
14) 青木豊：子ども虐待と関連する精神医学的診断；愛着障害．子どもの心の診療シリーズ5子ども虐待と関連する精神障害（本間博彰，他・編），中山書店，pp97-115，2008

15）Bowlby J : Forty-four juvenile thieves: their characters and home-life. Int J Psychoanal, 25 : 19-52, 1944
16）Spitz RA : Psychiatric therapy in infancy. Am J Orthopsychiatry, 20（3）: 623-633, 1950
17）Rutter M, et al : Effects of profound early institutional deprivation: An overview of findings from a UK longitudinal study of Romanian adoptees. European Journal of Developmental Psychology, 4（3）: 332-350, 2007
18）Follan M, et al : Discrimination between attention deficit hyperactivity disorder and reactive attachment disorder in school aged children. Res Dev Disabil, 32（2）: 520-526, 2011
19）Bowlby J : Attachment and loss, Vol.1. Attachment. New York: Basic Books,1969
20）Ainsworth MDS, et al : Patterns of attachment: A psychological study of the strange situation. Psychology Press, 1979
21）Main M, et al : Procedures for identifying infants as disorganized/disoriented during the Ainsworth Strange Situation. The University of Chicago Press, 1990
22）Boris NW, et al : Practice parameter for the assessment and treatment of children and adolescents with reactive attachment disorder in infancy and early childhood. J Am Acad Child Adolesc Psychiatry, 44（11）: 1206-1219, 2005
23）Cherkasova MV, et al : Review: Adult Outcome as Seen Through Controlled Prospective Follow-up Studies of Children With Attention-Deficit/Hyperactivity Disorder Followed Into Adulthood. J Am Acad Child Adolesc Psychiatry, 61（3）: 378-391, 2022
24）齊藤万比古：注意欠陥／多動性障害（ADHD）とその併存障害；人格発達上のリスク・ファクターとしてのADHD．小児の精神と神経，40（4）：243-254，2000
25）Molina BSG, et al : The MTA at 8 years: prospective follow-up of children treated for combined-type ADHD in a multisite study. J Am Acad Child Adolesc Psychiatry, 48（5）: 484-500, 2009
26）Biederman J, et al : Do stimulants protect against psychiatric disorders in youth with ADHD? A 10-year follow-up study. Pediatrics, 124（1）: 71-78, 2009
27）Adler LA, et al : Attention-deficit/hyperactivity disorder in adult patients with posttraumatic stress disorder（PTSD）: is ADHD a vulnerability factor? J Atten Disord. 8（1）: 11-16, 2004
28）Masi G, et al : Comorbidity of obsessive-compulsive disorder and attention-deficit/hyperactivity disorder in referred children and adolescents. Compr Psychiatry, 47（1）: 42-47, 2006
29）Vitiello B, et al : Psychotic Symptoms in Attention-Deficit/ Hyperactivity Disorder: An Analysis of the MTA Database. J Am Acad Child Adolesc Psychiatry, 56（4）: 336-343, 2017
30）Barkley RA, et al : The adolescent outcome of hyperactive children diagnosed by research criteria: I. An 8-year prospective follow-up study. J Am Acad Child Adolesc Psychiatry, 29（4）: 546-557, 1990
31）McTague A, et al : Episodic dyscontrol syndrome. Arch Dis Child, 95（10）: 841-842, 2010
32）Willcutt EG : The prevalence of DSM-Ⅳ attention-deficit/hyperactivity disorder: a meta-analytic review. Neuropediatr, 9（3）: 490-499, 2012
33）Scheffer IE, et al : ILAE classification of the epilepsies：Position paper of the ILAE Commission for Classification and Terminology. Epilepsia, 58（4）: 512-521, 2017（日本てんかん学会分類・用語委員会・編，中川栄二，他・監：ILAE てんかん分類：ILAE 分類・用語委員会の公式声明，日本語版翻訳，2017）
34）Fisher RS, et al : Operational classification of seizure types by the International League Against Epilepsy: Position Paper of the ILAE Commission for Classification and Terminology. Epilepsia 58（4）: 522-530, 2017（日本てんかん学会分類・用語委員会・編，中川栄二，他・監：国際抗てんかん連盟によるてんかん発作型の操作的分類：ILAE分類・用語委員会の公式声明，日本語版翻訳，2018）
35）Kim EH, et al : Cognitive impairment in childhood onset epilepsy: up-to-date information about its causes. Korean J Pediatr 59（4）: 155-164, 2016
36）Bear JJ, et al : The epileptic network and cognition: What functional connectivity is teaching us about the childhood epilepsies. Epilepsia 60（8）: 1491-1507, 2019
37）Posner J, et al : Connecting the dots: a review of resting connectivity MRI studies in attention-deficit/hyperactivity disorder. Neuropsychol Rev 24（1）: 3-15, 2014
38）Ross EE, et al : The natural history of seizures and neuropsychiatric symptoms in childhood epilepsy with centrotemporal spikes（CECTS）. Epilepsy Behav, 103（Pt A）: 106437, 2020
39）Rosenow F, et al : Staring spells in children: descriptive features distinguishing epileptic and nonepileptic events. J Pediatr 133（5）: 660-663, 1998
40）Williams J, et al : Symptom differences in children with absence seizures versus inattention. Epilepsy Behav 3（3）: 245-248, 2002
41）Williams J, et al : Differentiating between seizures and attention deficit hyperactivity disorder（ADHD）in a pediatric population. Clin pediatr 41（8）: 565-568, 2002

42) Moavero R, et al : Cognitive and behavioral effects of new antiepileptic drugs in pediatric epilepsy. Brain Dev 39（6）: 464-469, 2017
43) Aldenkamp A, et al : Psychiatric and Behavioural Disorders in Children with Epilepsy（ILAE Task Force Report）: Adverse cognitive and behavioural effects of antiepileptic drugs in children. Epileptic Disord 18（Suppl.1）: S55-S67, 2016
44) Glauser TA, et al : Ethosuximide, valproic acid, and lamotrigine in childhood absence epilepsy. N Engl J Med 362（9）: 790-799, 2010
45) Socanski D, et al : Epilepsy in a large cohort of children diagnosed with attention deficit/ hyperactivity disorders（ADHD）. Seizure 22（8）: 651-655, 2013
46) Ishii T, et al : Comorbidity in attention deficit-hyperactivity disorder. Psychiatry Clin Neurosci 57（5）: 457-463, 2003
47) Anukirthiga B, et al : Prevalence of Epilepsy and Inter-Ictal Epileptiform Discharges in Children with Autism and Attention-Deficit Hyperactivity Disorder. Indian J Pediatr, 86（10）: 897-902, 2019
48) CohenR, et al : Prevalence of epilepsy and attention-deficit hyperactivity（ADHD）disorder: a population-based study. J Child Neurol, 28（1）: 120-123, 2013
49) Davis SM, et al : Epilepsy in children with attention-deficit/hyperactivity disorder. Pediatr Neurol 42（5）: 325-330, 2010
50) Brikell I, et al : Familial liability to Epilepsy and Attention-Deficit/Hyperactivity Disorder: A Nationwide Cohort Study. Biol Psychiatry 83（2）: 173-180, 2018
51) Chou IC, et al : Correlation between epilepsy and attention deficit hyperactivity disorder: a population-based cohort study. PLoS One 8（3）: e57926, 2013
52) Richer LP, et al : Epileptiform abnormalities in children with attention-deficit-hyperactivity disorder. Pediatr Neurol 26（2）: 125-129, 2002
53) Socanski D, et al : Epileptiform abnormalities in children diagnosed with attention deficit/hyperactivity disorder. Epilepsy Behav 19（3）: 483-486, 2010
54) Lee EH, et al : Clinical Impact of Epileptiform Discharge in Children With Attention-Deficit/Hyperactivity Disorder（ADHD）. J Child Neurol 31（5）: 584-588, 2016
55) Kanazawa O : Reappraisal of abnormal EEG findings in children with ADHD: on the relationship between ADHD and epileptiform discharges. Epilepsy Behav 41 : 251-256, 2014
56) Kartal A, et al : The effects of risk factors on EEG and seizure in children with ADHD. Acta Neurol Belg 117（1）: 169-173, 2017
57) Hughes JR, et al : The Electroencephalogram in Attention Deficit-Hyperactivity Disorder: Emphasis on Epileptic Discharges. Epilepsy Behav, 1（4）: 271-277, 2000
58) Kanemura H, et al : EEG improvements with antiepileptic drug treatment can show a high correlation with behavioral recovery in children with ADHD. Epilepsy Behav 27（3）: 443-448, 2013
59) Silvestri R, et al : Ictal and interictal EEG abnormalities in ADHD children recorded over night by video-polysomnography. Epilepsy Res 75（2-3）: 130-137, 2007
60) Holtmann M, et al : Rolandic spikes increase impulsivity in ADHD-a neuropsychological pilot study. Brain Dev, 28（10）: 633-640, 2006
61) Horvath AA, et al : Inhibiting Epileptiform Activity in Cognitive Disorders: Possibilities for a Novel Therapeutic Approach. Front Neurosci, 14 : 557416, 2020
62) Auvin S, et al : Systematic review of the screening, diagnosis, and management of ADHD in children with epilepsy. Consensus paper of the Task Force on Comorbidities of the ILAE Pediatric Commission. Epilpsia 59（10）: 1867-1880, 2018
63) Wiggs KK, et al : Attention-deficit/hyperactivity disorder medication and seizures. Neurology, 90（13）: e11104-e1110, 2018
64) Brikell I, et al : Medication treatment for attention-deficit/hyperactivity disorder and the risk of acute seizures in individuals with epilepsy. Epilepsia, 60（2）: 284-293, 2019
65) Yamamoto H, et al : Effect of anti-attention-deficit hyperactivity disorder（ADHD）medication on clinical seizures and sleep EEG: A retrospective study of Japanese children with ADHD. Neuropsychopharmacol Rep, 41（4）: 511-521, 2021
66) Fonseca Wald ELA, et al : Towards a Better Understanding of Cognitive Deficit in Absence Epilepsy: a Systematic Review and Meta-Analysis. Neuropsychol rev, 29（4）: 421-449, 2019
67) Aricò M, et al : ADHD and ADHD-related neural networks in benign epilepsy with centrotemporal spikes: a systematic review. Epilepsy Behav, 112 : 107448, 2020
68) Liu ST, et al : Attentional processes and ADHD-related symptoms in pediatric patients with epilepsy. Epilepsy Res, 93（1）: 53-65, 2011

69) Wang M, et al : Attention deficit hyperactivity disorder（ADHD）in children with epilepsy. Ir J Med Sci, 189（1）: 305-313, 2020
70) Alfstad KÅ, et al : Psychiatric comorbidity in children and youth with epilepsy: an association with executive dysfunction? Epilepsy Behav, 56 : 88-94, 2016
71) Tanabe T, et al : Outpatient screening of Japanese children with epilepsy for attention-deficit/hyperactivity disorder（AD/HD）. Brain Dev, 36（4）: 301-305, 2014
72) Dunn DW, et al : ADHD and epilepsy in childhood. Dev Med Child Neurol, 45（1）: 50-54, 2003
73) Kral MC, et al : Identification of ADHD in youth with epilepsy. J Pediatr Rehabil Med, 9（3）: 223-229, 2016
74) Aaberg KM, et al : Comorbidity and Childhood Epilepsy: A Nationwide Registry Study. Pediatrics, 138（3）: e20160921, 2016
75) Hesdorffer DC, et al : ADHD as a risk factor for incident unprovoked seizures and epilepsy in children. Arch Gen Psychiatry, 61（7）: 731-736, 2004
76) Bertelsen EN, et al : Childhood epilepsy, febrile seizures, and subsequent risk of ADHD. Pediatrics, 138（2）: e20154654, 2016
77) Duran MHC, et al : ADHD in idiopathic epilepsy. Arq Neuropsiquiatr, 72（1）: 12-16, 2014
78) Hermann B, et al : The frequency, complications and aetiology of ADHD in new onset paediatric epilepsy. Brain, 130（Pt12）: 3135-3148, 2007
79) Loutfi KS, et al. ADHD and epilepsy: contributions from the use of behavioral rating scales to investigate psychiatric comorbidities. Epilepsy Behav, 20（3）: 484-489, 2011
80) Bennett-Back O, et al : Attention-deficit hyperactivity disorder in children with benign epilepsy and their siblings. Pediatr Neurol, 44（3）: 187-192, 2011
81) Caplan R, et al : Childhood absence epilepsy: Behavioral, cognitive, and linguistic comorbidities. Epilepsia, 49（11）: 1838-1846, 2008
82) Lee HJ, et al : Attention profiles in childhood absence epilepsy compared with attention-deficit/hyperactivity disorder. Brain Dev, 40（2）: 94-99, 2018
83) Huang C, et al : Clinical and electroencephalographic features of benign childhood epilepsy with centrotemporal spikes comorbidity with attention-deficit hyperactivity disorder in Southwest China. Epilepsy Behav, 111 : 107240, 2020
84) Özgen Y, et al : Clinical and electrophysiological predictors of behavioral disorders in patients with benign childhood epilepsy with centrotemporal spikes. Epilepsy Behav, 121（PtA）: 108037, 2021
85) Karalok ZS, et al : Cortical thinning in benign epilepsy with centrotemporal spikes（BECTS）with or without attention-deficit/hyperactivity（ADHD）. J Clin Neurosci, 68 : 123-127, 2019
86) Lima EM, et al : The relevance of attention deficit hyperactivity disorder in self-limited childhood epilepsy with centrotemporal spikes. Epilepsy Behav, 82 : 164-169, 2018
87) Kim EH, et al : Attention-deficit/hyperactivity disorder and attention impairment in children with benign childhood epilepsy with centrotemporal spikes. Epilepsy Behav, 37 : 54-58, 2014
88) Danhofer P, et al : The influence of EEG-detected nocturnal centrotemporal discharges on the expression of core symptoms of ADHD in children with benign childhood epilepsy with centrotemporal spikes（BCECTS）: a prospective study in a tertiary referral center. Epilepsy Behav, 79 : 75-81, 2018
89) Fonseca Wald ELA, et al : Neurocognitive and behavioral profile in Panayiotopoulos syndrome. Dev Med Child Neurol, 62（8）: 985-992, 2020
90) Zhang DQ, et al : Clinical observations on attention-deficit hyperactivity disorder（ADHD）in children with frontal lobe epilepsy. J Child Neurol, 29（1）: 54-57, 2014
91) Prevost J, et al : Nonlesional frontal lobe epilepsy（FLE）of childhood: clinical presentation, response to treatment and comorbidity. Epilepsia, 47（12）: 2198-2201, 2006
92) Masur D, et al : Pretreatment cognitive deficits and treatment effects on attention in childhood absence epilepsy. Neurology, 81（18）: 1572-1580, 2013
93) Braakman HM, et al : Cognitive and behavioral complications of frontal lobe epilepsy in children: a review of the literature. Epilepsia, 52（5）: 849-856, 2011
94) Semrud-Clikeman M, et al : Components of attention in children with complex partial seizures with and without ADHD. Epilepsia, 40（2）: 211-215, 1999
95) Altunel A, et al : Response to adrenocorticotropic in attention deficit hyperactivity disorder-like symptoms in electrical status epilepticus in sleep syndrome is related to electroencephalographic improvement: a retrospective study. Epilepsy Behav, 74 : 161-166, 2017

6 併存症

1 行動障害群（反抗挑発症，素行症）

1）はじめに

病院を受診するADHDには併存症を伴うものが多い。渡部によれば，病院を受診したADHDの80％以上に何らかの併存症が認められ，それらは適応障害，強迫性障害，気分障害などからなる「情緒障害群」，反抗挑戦性障害（oppositional defiant disorder；ODD，DSM-5より反抗挑発症），素行障害（conduct disorder；CD，同じく素行症）などの「行動障害群」，学習障害，運動能力障害などの「発達障害群」，チック障害や吃音などからなる「神経性習癖群」に分けられたという[1]。**図1**は2010～2012年度に信州大学医学部附属病院を受診しADHDと診断された53例中，併存症をもつ35例の内訳である。筆者が児童自立支援施設の嘱託医をしている関係で素行症の割合が多いが，先行研究とほぼ同じ構成と考えられる。

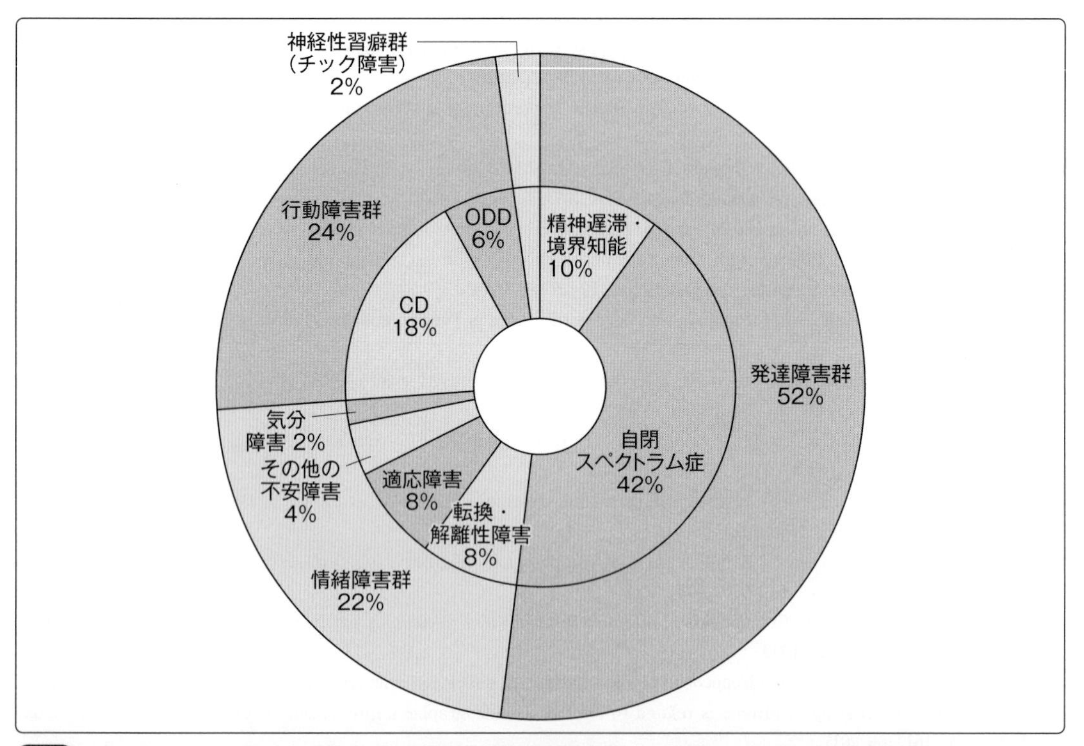

図1 2010～2012年度に信州大学医学部附属病院を受診したADHD53例の併存症の内訳

本項では，ADHDに併存する行動障害の成り立ちと支援・治療について解説したい。
はじめに症例[*1]を提示する。

症例A

義父，母，異父妹との4人家族。妊娠分娩に特記なし。運動発達に遅れなし。幼少時より活発で，興味があることに熱中し，ほかには目が向かない傾向があった。小さいときから言い出すと聞かない頑固な子であったため，両親は頭ごなしに怒ることが多かった。4歳から保育園に入園したが，興味がないことはやろうとせず，対人関係でもたびたびトラブルを起こした。小学校に上がっても授業を座って聞くことはできず，たびたび席を離れては先生に注意された。集中時間は短く，一つのことを続けられるのは10分ほどであった。連絡ノートを書かない，宿題はやらない，忘れ物が多い，自分の部屋は散らかしっぱなしで約束や決まりは守れない子だった。こうしたAを母は何度も叱りつけたが，反省を口にしてもすぐに同じことの繰り返しであった。

小学校2年のときに母が再婚，妹が生まれたころから，Aは大人に対して反抗的になっていった。特に3年生になり担任が替わってクラスが荒れると，Aは先頭に立って担任に反発した。家でも妹をいじめ，親との喧嘩が絶えず，明らかに自分に非があることでも謝らないため，最後は義父がAを殴って場を収めた。こうした傾向が続いたため，両親が近在の小児科医を受診させたところ，ADHDと診断され，メチルフェニデートが処方された。4年生からの担任にはAもなつき，落ち着きがみられるようになり，集中時間も長くなった。反抗的な言動も影を潜め小学校を卒業した。

しかし中学に入学すると，先輩に誘われて，いわゆる非行グループに入り，再び反抗的態度を示すようになった。授業を抜け出して保健室や体育館で過ごし，隠れてたばこを吸い，仲間と夜遅くまで街を徘徊した。些細なことからカッとなり，気にくわないとクラスメイトでも殴ったり蹴飛ばしたりした。教師が注意しても「やってない」と平然と嘘をついた。

2学期からは服薬や通院も拒否し，反抗的行動もさらにエスカレートした。盗んだバイクで校内を暴走し，制止した教師に暴力を振るった。深夜，無人の学校に侵入し金品を持ち出した。万引きも頻回となり，店員に捕まると暴言を吐いた。父母が注意しても，逆に興奮状態となって暴力を振るい，警察で何度説教されても反省する様子はなかった。

親と学校は危機感を募らせ，児童相談所に相談し，筆者の外来を受診した。

2）DBDマーチと医療的介入

A君は小学校3年の頃から非常に反抗的となった。こうした状態はODDと診断される。いったんは理解ある担任の登場や医療的介入によって落ち着いたものの，中学に入り非行グループに入ったことでCDへと発展していった。このように，ADHDを基底にもち，ODDを経てCDへ発展していく症例は決してまれではない。

複数の疫学研究によれば，ADHDの30〜45％がODDを，18〜23％がCDを合併するという[2〜4]。逆にODDと診断された子どもの14％[5]，CDと診断された子どもの35％[6]にADHDが併存するといわれている。さらにODDの25〜47％は数年後にCDと診断され，CDと診断される子どものおよそ

＊1 症例は複数のケースを合成した架空のものである。

80％は，診断に先立ってODDと診断されていたという[7, 8]。こうした事実から，Laheyらは，ODDとCDの発達的，階層的関係を指摘し[7]，Biedermanらは，ODDの一部はCDの前駆状態（Precursor）であると結論づけている[9]。

さらにStorm-Mathisenは，75例のCDを20年追跡し，その1/2は，社会的に適応しているものの，1/3は反社会性人格障害と診断され，1/4が薬物を乱用し，1/4が不安性障害を生じていたと報告[10]している。齊藤らは，加齢に伴って破壊的行動障害（DBD）が変遷する過程を“DBDマーチ”と概念化することが臨床上有用であるという知見を示した[11]（**図2**）。また，Loeberらは，CD治療の有効性の低さを指摘し，可逆性のあるODD段階での治療の重要性を主張している[12]。すなわち，ODDはDBDマーチを停止させる臨界点であると考えられ，ADHD児のなかでODDを適切に診断し治療することによって，CDを予防ないし軽症化する可能性が存在する。この点こそODDという臨床概念が必要とされる最大の理由であると筆者は考えている。

3）行動障害へ至る展開

(1) ADHDの行動障害に対する親和性

それではなぜこのような展開が生じるのであろうか？

ADHD児は，診断基準項目にもなっているように衝動性が高い。これは，単純に「キレやすい」ことを示しているわけではないが，些細なきっかけから激怒するADHD児もいる。また，彼らは多かれ少なかれ社会的な認知障害を併せもっている。「自分ばかり怒られる」と言うADHD児は多いが，例えばほかの子は，それまで騒いでいても先生が来れば静かにしたり，神妙な顔をするが，ADHD児は悪びれずに騒ぎ続けるので怒られてしまう。そうした「場の雰囲気の読めなさ」から自分ばかり怒られることに，児は気づかない。ある父親は，怒られてもすぐにケロッとしているADHD児の切り替えの速さに「大人をなめるな」と，さらに厳しく児に接していた。また，叱責されることの多いADHD児は，児を思っての叱責でも「自分は目の敵にされている」と被害的に解釈する可能性がある。

さらにADHDの基本障害として実行機能障害が想定されているが，ADHD児は，過去の行動を

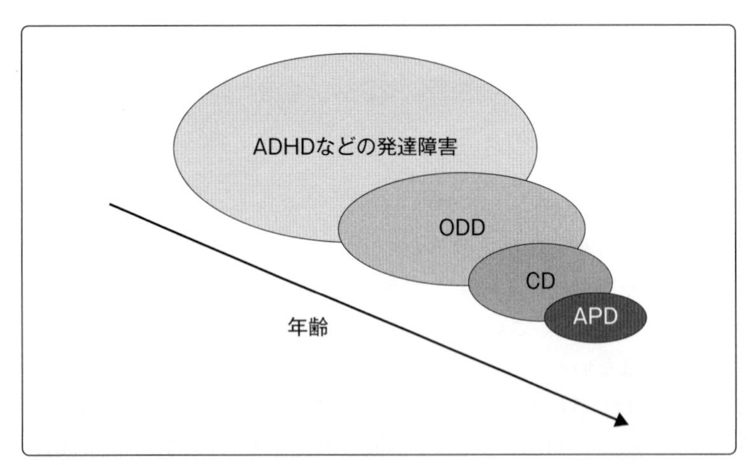

図2 DBD（破壊的行動障害）マーチ

ADHD：Attention deficit hyperactivity disorder：注意力欠如多動性障害，ODD：Oppositional defiant disorder：反抗挑戦性障害，CD：Conduct disorder：素行障害，APD：Antisocial personality disorder：反社会性パーソナリティ障害

振り返り今後の行動を修正することが難しいといわれている。このため新しい問題に対する解決能力が低く，いったん身に付いた反社会的行動もなかなか修正できないと考えられる。

(2) 発達特性と心理社会的要因

無論，発達症がCDをもたらす単一の原因であるわけではない。これは，ADHD全体からみれば，CDを呈さない子どものほうが大多数であることからも明らかである。そこで注目すべきは心理社会的要因である。心理社会的要因は，かつて破壊的行動障害を生じる主要な原因と考えられていたが，近年では，ADHDなどの生物学的要因と親の養育や家族葛藤などの心理社会的要因が相互に影響し合い，CDを呈すると考えられている。

図3は，筆者の経験から，発達症の子どもが二次障害に陥る過程を示したものである*2。

発達症の子どもは養育が難しい。何度注意しても行動が改まらない，周りの迷惑を考えない行動，人の気持ちを逆なでするような発言…。このため彼らは過度に厳しいしつけを受けたり，「こんな子はもういらない」と拒絶されることになりかねない。親自身に発達症特性があれば，なおさらこの傾向が強まる。親のこだわりや気分変動によって一貫性に乏しい養育を受けることにもなりかねない。

学齢期を迎え，学校に上がると，教師や友達からも違和感を抱かれ，つらい仕打ちを受けたり，いじめられたりする。こうした経験が積み重なると，彼らは「自分はダメだ」と自己評価が低下する。同時に自分を受け入れてくれない周囲の人間に対して，意識的無意識的に怒りを抱くだろう。

この際，子どものこころのあり方としては2つの方向性が考えられる。怒りをあからさまに表現したり，行動の形で表出する外在化の方向（行動障害）と，怒りや葛藤が抑圧・否認され，抑うつや不安といった症状として現れる内在化の方向（情緒障害）である。

怒りを抱いた子どもは，「悪い子」と認識され，親や教師からさらなる叱責や不適切な対応をとられがちである。これに対して子どもは，「やはり自分はいらない存在だ」という認識から，自己肯定感が低下し，反抗やさらに弱い者をいじめる悪循環が生じる。これがODDとよばれる状態で

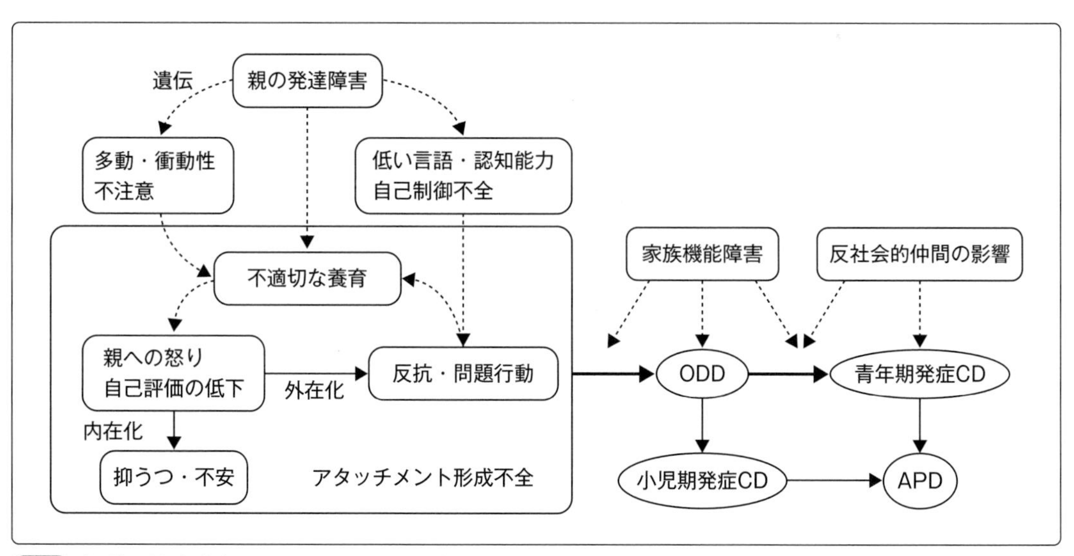

図3 行動・発達障害とアタッチメント形成阻害の経過

ODD：反抗挑発症，CD：素行症，APD：反社会性人格障害。実線は移行，点線は影響を示す

＊2 全例がこの経過をたどるわけではなく，一つの典型的経過と考えてほしい。

ある。

あからさまに反抗という表出ではなく，嘘をついたり，物を盗むといった隠れた反社会的行動に出る子どももいる。これは小児期発症のCDとよばれる状態であるが，それは少数派である。多くのODD児は，中学に上がって同じような境遇の仲間たちに出会い，初めて「自分の気持ちをわかってもらえる」と感じ，群れをなして反社会的行動を始める。これが思春期発症のCDである。

4）ADHDに併存したODD・CDの治療

(1) 発達症の診断・治療は併存症の支援・治療の土台である

図3で示したような反抗・問題行動が生じる展開を考えると，併存症の治療は，単に症状として現れているものにのみ目を向けていては根本的な解決にならないことが理解される。

親や教師は，弱いものをいじめたり，暴力を振るう子を“反抗的な子”“困った子”という視点でみる。ゆえに，厳しいしつけや指導をしなければいけないと考えている。この観点を変えるためには，“発達症”という視点を与えることが必要である。これによって，親や教師は，何度も同じような間違いを繰り返したり，人の気持ちを逆なでするのは“誰のせいでもない”ことだと考えられるようになる。こうしたパラダイムシフトがあって初めて，併存症の支援・治療が有効になる。

正しい診断が下されたら，発達症そのものに対する支援・治療を行う。適切な薬物を投与したり，今後の展開をあらかじめ説明する，予告する，自分で選択をさせる，行事ではシミュレーションを行う，パーソナルスペースを作るなど，発達症全般の支援・治療を徹底することは，子どもの怒りや不安を軽減し，ひいては二次障害そのものを減らすことにも繋がる。

(2) ODD・小児期発症のCDへの支援・治療

ODD・小児期発症のCDの支援・治療は，親への指導・支援，子どもへの支援・治療，学校・地域との連携を統合的に行うことが実践的である。

①親への指導・支援

反抗的な子どもに接するうえで一番苦労することは，その態度や暴言・暴力に対する対応である。**表1**に示した内容を，親に指導し実践してもらう。

子どもに改善を期待する行動やルールは，スモールステップで目標を定め，「約束」をする。そして，以前できなかったことができるようになったら，完璧でなくとも必ずそれを褒めるようにする。反抗的な子ども達は，褒められることが少ないので，その効果は高い。親にはその有効性を十分強調すべきである。小学生年代であれば，表を作って，約束した行動ができたらシールを貼り，それが一定数たまったらご褒美（例：おやつが1つ増える）を与えるトークンエコノミーも有効である。

良くない行動や反抗的態度については，短くはっきりと注意し，しばらく無視をする。行動の改善がなければ，これを繰り返す。期限を決めても改善がなかったり，破壊的な行動をとる場合には，子どもの特権を制約する。この制約は，すぐに実行できる短時間のものが望ましい（例：テレビを見る時間が10分減る）。実行できない場合に備えて，さらなる制約も決めておく必要がある。理屈を並べる子どもに対しては，議論をせず穏やかに指示を繰り返し，相手の土俵に乗らない態度が要求される。なお，体罰は結局子どもの反抗や暴力を促進するため，非暴力的態度は徹底する必要がある。

さらに，二次障害が生じるメカニズム（図3）について説明し，理解してもらう必要がある。このとき大事なことは，これまで養育の困難な子どもを育ててきた親の苦労を十分に労うことである。過去に親が受けた虐待的養育の話が出てくれば，そのつらさを十分受け止めたうえで，「明日から

表1 家庭・学校での反抗的な子どもへの基本的対応

1. 暴力への介入
・不適切な行動については低刺激で対応する
・暴力，破壊的な行動には体を寄せて静かに制止する
・暴力が生じそうであれば子ども同士の距離をとらせる
・暴力が振るわれた際には即時介入する
・警告を与えても反復されるようであれば，ほかの子から離す（例：ほかの部屋に行く）
・暴力に対する罰もあらかじめ決めておく（例：親が迎えに行く，翌日は出席停止など）

2. 暴言・反抗的態度への対応
・大人への暴言は冷静に言い直しをさせ，言い直したら応答する。ただし，あまりにも暴言が多い場合には，毎回注意すると逆に刺激になることもあるので，適度に無視する
・自分がどういう気持ちかを具体的に伝える
×相手はどういう気持ちになると思う？
○そういう言い方をされると私は嫌な気持ちだよ
・横柄／しつこい態度，「うるさい」，「うざい」など言い返してくる場合には，冷静に「もうこれ以上は話しません」といったん区切る。子どもが受け入れられる態度で話ができたら応答する
改まらない場合，タイムアウトを警告し，従わなければ，静かな部屋に移動させる。タイムアウト後，気持ちの振り返りを行う（⇒精神療法的アプローチ）

3. 精神療法的アプローチ
・子どもが示す反社会的な行動は適度に律する。その作業は淡々とこなしたうえで，その行動に至った理由やそのときの気持ちを聞く
・暴言や反抗は『行動に表れている気持ち』であることを忘れずに
・子ども自身も，暴言暴力を振るう自分が本当はいやだという思いがどこかにあることを念頭に置いておく
・落ち着いた段階で，しかしあまり時間を空けずに振り返りを行う
・振り返りは，行動を反省させるためでなく背景にある気持ちを汲み取るためにある。どのような理由があったか，気持ちがあったか，言葉を補いながら一緒に感じ取る
（例：不安や寂しさ，居場所がない，自己肯定感が低い，存在価値を感じられない，親から見放されている）
・発達症児は振り返りが深まらないことも多い。結果を焦らない。『そういうものだ』と認識しておく

4. 普段の接し方
・不適切な言動の後でも，指導して言動が改められたときに褒めれば，褒める機会を増やすことができる
・「やればできるじゃん」，「最初からそうやってればよかったんだよ」などはNG
・やらせて気づかせるよりも，具体的な行動を指示する
（例：「壊れやすいから卵を持つようにそうっとね」）
・なるべく暴力や暴言に至る前の前兆に気づく。声かけをしたり，静かな場所に移動させて早めにクールダウンさせる
・ルールを守れた（＝適切な行動がとれた）ときには褒める
・ルールを守れなかったときは，怒るのではなく適切な行動を明確に指示する
・毎回ルールを確認するか，1回約束したらしばらく様子をみるかはケースバイケース

はどうしていくか」について焦らず，諦めずに一緒に考えていく。

②子どもへの支援・治療

A. 認知行動療法

年少者に対する認知行動療法（CBT）としては，ソーシャルスキル・トレーニング（SST）が挙げられる。SSTは，遊び，勉強，スポーツなど構造化された状況において，好ましい行動は，声かけや報酬などによって強化し，好ましくない行動にはタイムアウトや罰則（楽しい行事に参加させない）などを設けて減らすものである。内容としては，発達障害的特性を考慮し感情の表現，困っ

たときの助けの求め方など集団での適応を高めるためのスキルと，怒りをコントロールするスキルを学ぶ。

ただし，SSTが終わった後も，学んだものを親子で共有し，日常生活でも実践してもらわないと効果は持続しない。

B. 精神療法的接近

いわゆるEBMの世界では，ODDやCDに対する精神療法は効果が乏しいとされている[13]。しかし，医者や心理士に限らず，教師や親も精神療法的接近が可能であり，そういった要素を含んでいる。

図3からもわかるように，彼らは特性と養育の相互作用から，いわば自然に反抗的になっていくのである。問題行動は適度に律するに留め，まず，彼らの喜び，楽しみを共有し，そして次第に悩み，怒りの声をじっくり聞くようにしたい。誠実に向き合い，信頼関係を築けば発達症の子は素直なので，意外と早く思いの丈を語ってくれるだろう。

C. 薬物療法

メチルフェニデートやアトモキセチンを用いて，ADHD症状をコントロールする。行動障害に対しては，リスペリドンなどの非定型抗精神病薬の有効性が報告されている[14]。経験上，少量（0.1～1mg）を1日1回夕食後投与で効果を示す例が多い。数は少ないが，炭酸リチウムについても有効性を示唆する報告がある[15]。ただし，これらはみな保険適応外であり，その点は明言し承諾を得る必要がある。気分の浮き沈みが激しい子どもには，経験上，バルプロ酸などの気分安定薬の投与が有効なことがある。

ただし，薬物療法は心理社会的治療にとって代わるものではない。もし，医師が薬物治療のみを担うのであれば，心理社会的アプローチを行う人と十分話し合い，連携するべきである。

③学校との連携

学級担任を中心に，養護教諭，発達障害コーディネーター，スクールカウンセラーらと連携をはかる。やはりここでも発達特性を中心に据えて子どもに関する共通認識をもってもらい対応を協議する。子どもに対する対応の基本は，家庭での対応（表1）と同様であるが，学校に特有の対応もある（**表2**）。特に，ルールを決め，それに従ってポイント表を活用し，ルールが守れたら褒めてあげることを強調する。素行の問題は嘘や盗みで始まることが多いが，これらに関しては明確な証拠がなければ深く追求することはせず，正直さや適応的な行動を強化してもらう。

係や委員会活動において子どもに役割を与え達成感を感じさせる，勉強以外の得意分野（運動，芸術など）で子どもの能力を引き出すなどの配慮もお願いする。

(3) 中学生年代のCD支援・治療

中学生年代のCD児が，治療に意欲的であることは，かなりまれである。したがって，いかにして子どもを動機づけるかが重要となる。親との関係はこじれていることが多いため，親とは違う大人（担任，スクールカウンセラー，主治医など）が子どもを支える必要がある。

①親への指導・支援

前述の親対応の原則は青年期であっても同様である。ただし，褒め方や罰則は，その子どもに応じて柔軟に変化させる必要がある。また，たとえ親が適切な対応を学び，実行したとしても，子どもは親の変化を容易には信用せず，試すような行動をとるかもしれない。このため，親は焦らず，諦めず，地道な努力を続けることが求められるし，治療者は，それを支え続ける必要がある。

彼らが示す反社会的行動は適度に律しなければならない。それによって迷惑を被る人がいるからである。しかし親は，その“問題”行動の基底にある「ありのままの自分を受け入れてほしい」と

表2 反抗的な子どもに対する学校に特有な対応

- 信頼関係がない段階では，反抗していないときに好きなこと，楽しいことを中心に時間を共有し，気持ちを共有することで関係性を深め，気持ちを表現できるような素地を作っておく。信頼できる大人がそばにいることが何より大切である
- 集団のなかに出すとき危険が予想される場合には，個別に対応する大人が関わる
- 担当者を中心に，さまざまな大人が関わることで，負担が集中することを避け，その子どもを抱えやすくする
- 信頼関係を築くには，その子の良い点や行いを見つけて，褒める／評価することがとても大事である。このときも具体的に気持ちを伝える
  ×いい子だね
  ○そんな風にやさしく言われると，先生うれしいよ
- 刺激に弱く，衝動性が強い子どもに対しては，集団活動時のメンバーや位置に配慮する
- 集会などの団体行動では，少し距離をとって見守る
- 集団のなかに出られるようになったらルールを決める
  （例：運動でやじらない）
- 集団に出られるようになっても，大人との個別の関わりの時間は継続する
- 集団に「暴言暴力は許されない」という雰囲気をつくる。大人が見本を示す
  （例：スローガンを掲示する。学級会で話し合う）
- 子ども同士の衝突に対しては，関係が構築されていない状態なら大人が介入する。関係がある程度できている場合は，子どもが自ら押し返すことを練習することも必要
- 子ども同士で「それは暴言だよ」などと注意しあえる雰囲気ができればベストだが，これは集団の状態や構成メンバーによる
- 中学生であれば，教室以外の居場所（担任の研究室，相談室，保健室など）を確保する
- 成績に対する要求水準を下げ，学力に見合った目標を設定する
- 部活動，特に運動部への参加を勧める。身体を動かすことが気分を改善するためと，反社会的でない仲間との交流を増やすためである
- 何事においても，結果よりも努力に対して賞賛を与える
- ある程度の個人差は仕方ないが，教師によって対応がバラバラにならないように，教師同士の情報交換を促す

いう子どもの気持ちを感じ取ることが肝要である。

②子どもへの支援・治療

A．認知行動療法

年長者に対するCBTとしては，問題解決訓練が挙げられる。問題解決訓練とは，問題が生じた状況を詳しく聞き，そのときの対応のデメリットを話し合い，ほかの解決策を考え，実行後にその結果を話し合い，解決策を修正するという方法である。治療者はその状況を聴くなかで，相手の言動に対する認知や，そのときの自動思考を尋ね，誤った認知に基づいて行動していると判断される場合には，別の角度からの視点を提示して認知の修正をはかる。ただし，反抗的な青年にCBTを行うには，十分な動機づけが必要である。

B．精神療法的接近

子どもとの信頼関係を築くことが精神療法の基本であるが，反抗的な青年は，その関係を築くことが難しい。大人は親の味方であり自分の敵であると，彼らは考えているからである。信頼を寄せてもらうには，彼らの倫理的には受け入れがたい行動には捉われずに，ゆっくり時間をかけて，彼らの言い分に耳を傾ける必要がある。

子どもが示している“問題”行動は，声なき声である。怒りの表現である。大人は，それ以外の，彼らが漏らすほんの些細な本音に敏感でありたい。「家に帰りたくないな」，「私なんか生まれてこないほうがよかったんだ」など，ふとした瞬間の真の言葉を聞いたら，その気持ちを受け止めたい。そのうえで，「どうしてそう思うの？」，「何があった？」と聞いてみる。「関係ねえよ」とはじめは

言われるかもしれないし，すぐに，その後の展開が開かれるとは限らない。けれども，その繰り返しによって，少しずつ，その子の本心に近づくことができるであろう。

C. 薬物療法

中学生年代の反抗的な子どもに対する薬物の投与は慎重でなければならない。投薬されるということは，彼らにとっては「精神的に異常」とみなされたことを意味しており，自己評価が低い子にとっては受け入れがたいことだからである。表面的に承諾していても，親からの圧力を感じて受け入れていることもある。治療者はそうした感情を十分汲んだうえで投薬の是非を検討すべきである。

③学校との連携

担任だけでなく，その子どもに関わるすべての職員が，発達症を正しく理解し，適切な対応を学んでおくことは前提条件である。それに加えて，学校側には表2のような配慮を依頼する。

工夫としては，関わる大人全員が立場に捉われずに精神療法的にアプローチし，誰が一番支えやすいのかを見いだすことが挙げられる。このとき，こうした面接をスムーズにするためには，彼らの行動を戒める人間と話を聞く人間を分けたほうがよいこともある。学校であれば，担任や養護教諭など身近にいる人間が話を聞き，生活指導主事や教頭などの「強面」が行動を戒める役に回るとうまくいくことが多い。

④地域との連携

反社会性が顕在化したCDの子どもを，親や教師だけで支援することはたやすいことではない。状況を打開するためにはケース会議を開く。ケース会議とは，親や教師のほかに，障害者支援センター，児童発達支援センター，児童相談所，市町村関係者など，その子に関わる人間が集まり，複数の視点から対応を協議するものである。最も大事な点は，その子の理解を共有し，誰が，どうやって，子どもと親を支えるかを検討することである。さらに，危機介入（例：家で暴れる子どもに対して，どうなったら警察を呼ぶかなど）についてもコンセンサスを作る。

親機能が貧弱であったり，崩壊家庭など家族機能に重大な欠陥があり，家庭での養育が困難である場合には，情緒障害児短期治療施設や児童自立支援施設の利用を考慮すべきである。

5）おわりに

二次障害には子どもからのSOSという意味合いがある。しかし，親や家族の機能が損なわれているなどの理由から，このSOSに適切な対処がなされないまま年齢が上がることが多い。怒りや抑うつが人格に深く入り込んで行くと治療は難しくなる。このため治療はできるだけ早期に開始するのが望ましい。

そもそも二次障害を生じさせないためには，遅くとも小学校低学年までに発達症を正しく診断し，周囲の人間が正しい理解と対応をとることが重要であると筆者は考えている。

（原田 謙）

2 情緒障害群-1（不安症群，強迫症および関連障害）

1）はじめに

ADHDは，不注意，多動・衝動性の行動障害を特徴とする神経発達症の一つであり，児童思春期の子どもにおいて，ADHDの有病率は5.3～7.1％と報告されている[16, 17]。ADHD児は，ADHDに伴う症状から学業成績や社会生活におけるさまざまな困難さを有するとされている[18, 19]。また，ADHDは併存症を有する割合が高く，ADHDの併存症として，不安症，強迫症，反抗挑発症，素行症，気分障害，物質使用障害，パーソナリティ障害，そのほかの神経発達症が挙げられる。不安症や強迫症といった併存症がADHDの診断や治療を難渋させること，また，学校への参加や保護者と児童の関わりに困難さが増えるなど社会生活においても多くの困難さが生じることが報告されている[20]。そのため，不安症や強迫症を含む併存症の鑑別および治療介入は重要である。本項では，不安症と強迫症を中心に概説した後に，症例を挙げ，不安症および強迫症を併存したADHDについて検討する。

2）ADHDと不安症

DSM-5において，不安症群は，分離不安症，選択性緘黙，限局性恐怖症，社交不安症，パニック症，広場恐怖症，全般不安症，物質・医薬品誘発性不安症などを含んでおり，不安症は，一般人口における子どもの約5%と報告されている。一方で，ADHD児の約25%が不安症を併存すると報告されており，ADHD児において，不安症の併存は高い水準にある。さらに，不安症を有する患児の6～24%がADHDを併存することが報告されていることから[21]，ADHDと不安症の相互的な関連が示唆される[22]。児童・思春期において，男児のADHDの有病率は女児の有病率と比較し高いことが報告されている[23]。一方で，不安症の有病率は男児と比較し女児で高く，ADHD児における不安などの内在化症状は，不安症の有病率と同様に男児よりも女児で多くみられることが報告されている[24]。

不安症の併存によるADHD患児のADHD症状，また，認知機能への影響について，これまでに検討が行われている。Pliszkaは，不安症を併存しているADHD群は，ADHD単独群と比較して，持続注意課題の成績が低下することを報告している[25]。また，ADHDでは，これまでにワーキングメモリーの障害が報告されているが[26]，不安症を併存することで，ワーキングメモリーがより障害されうることも報告されている[27]。一方で，不安症を併存するADHD群は，ADHD単独群と比較して多動や衝動性が少ないことや[28]，不安症を併存することでADHD症状の発現が遅れることも報告されている[29]。また，Manassisらは，不安症を併存していないADHD単独群のストップ課題中の反応抑制は，不安症を併存しているADHD群と比較して不良であったことを報告している[30]。このように，不安症状が併存することによるADHD症状や認知機能への影響は，依然として一貫した結論は出ておらず，議論の余地がある。

また，ADHDの子どもたちは，日常生活のさまざまな場面においてネガティブなフィードバックを受けることや，情動調節や認知抑制の障害といったADHD症状の影響によるストレスへの対処能力の低さが，不安症状を増悪させる可能性が報告されている[22, 31]。さらに，不安症を併存したADHD群は，社会性の低さ，対人関係の困難さ，学業成績の低下などを有することから自己肯定感が低下しやすいことが示唆されている[32～35]。このように，ADHD単独群よりも不安症を併存するADHD群は，ストレスの多いライフイベントを経験することも報告されていることから[36]，不安症を併存するADHD群では，患児の自己肯定感を育む環境の調整を意識した心理社会的な介入を要することが示唆される。

3）不安症を併存するADHDの治療

ADHD単独群と不安症を併存するADHD群を対象としたランダム化比較試験において，メチルフェニデートの効果は両群間で差はみられなかったことが報告されている[37, 38]。不安症を併存する

ADHD児を対象にした，プラセボ対照ランダム化比較試験では，アトモキセチンを投与された群ではADHD-RS-Ⅳの合計スコア，不注意サブスケールスコア，多動性－衝動性サブスケールスコア，CGI-Sが，プラセボ投与群と比較して，有意に改善していたことが報告されている[39, 40]。

ADHD児の不安症状に対して最も効果的な介入として認知行動療法が挙げられる[41]。Gouldらは，認知行動療法が不安症を併存するADHD児のADHD症状に対しても効果を示すことを報告している[42]。不安症を併存するADHD児は，不安症状やADHD症状に関連した社会性，対人面での問題，学業成績の低下から自己肯定感を十分に育めていないことも多い。そのため，薬物療法単独の介入ではなく，認知行動療法やADHD児の抱える問題に対しても介入を要することから，心理社会的介入や薬物療法を合わせた包括的な治療介入が必要とされる。

4）ADHDと強迫症および関連症群

DSM-5において，OCDは「強迫症および関連症群（obsessive-compulsive and related disorders；ORCD）」に分類されており，OCDを中心に，ADHDとの関連が指摘されている。OCDとADHDの病態に共通した神経基盤として，皮質－線条体－視床－皮質回路の機能異常が報告されており，児童・思春期OCD児の26～34％にADHDの併存が認められているとされる[43, 44]。ADHDを併存したOCD児のOCD症状は，OCD単独の子どもの症状と異なり，強迫行為の強さや身体症状，ため込み症状の発現率が高いことが報告されている[45, 46]。さらには，ADHDを併存したOCD児は，OCD単独の子どもと比較して，社会機能が乏しい傾向にあること，双極性障害，チック症や反抗挑発症の併存率が高い傾向にあること，OCD症状の発現がより早期にみられることが報告されている[29]。

5）OCDを併存するADHDの治療

小児期OCDの治療では，曝露反応妨害法を含む認知行動療法単独または選択的セロトニン再取り込み阻害薬（SSRI）の併用が標準的な治療とされている[47]。Storchらは，併存症が小児期OCDに対する認知行動療法の効果に与える影響について報告している[43]。そのなかで，OCDにADHDを併存する子どもは，ほかの併存症を有する子どもと比較して，認知行動療法によるOCD症状の治療反応率および寛解率が有意に低いこと，また，ADHDを併存している子どもでは，ADHD治療薬の服用の有無は認知行動療法の治療反応率に影響しないことを報告している。OCD症状に対する薬物療法に関しては，OCD単独群はADHDを併存したOCD群と比較してパロキセチンの効果が乏しいという報告がある一方で[48]，SSRIに対する反応率に有意差はないとする報告もみられており[29]，依然として一致した見解は得られていない。ADHD症状が顕著な場合には，認知行動療法の導入や継続が困難なことも多いため，ADHD症状に対する薬物療法を行ったうえで，OCDに対する治療介入を始めるケースも少なくない。

6）症例

ADHDに分離不安症を併存した症例と，ADHDにOCDを併存した症例の2例を示す。

症例A 7歳 男児

主訴 お母さんがいないと不安になる（本人），母親の同伴なしでは登校できない（母親）

周産期 38週，3,280g（普通分娩）で出生

家族歴

両親と兄と弟との5人暮らし。兄は3歳時健診にて落ち着きのなさを指摘されるも，その後

の発育では発達における指摘はない。養育環境に問題はない。

発達歴・現病歴

言語および運動発達の遅れはなかった。母親は，本人の兄と同様に3歳頃から多動を心配していたが，3歳時健診では「様子をみましょう」と言われ，発達の問題を指摘されることはなかった。幼稚園に入園し，友だちもたくさんでき，幼稚園の先生からは「クラスのムードメーカー」と言われ，幼稚園へ行き渋ることはなかった。一方で，落ち着きのなさや友だちに手が出るなど衝動性を指摘されることがあった。

年長になるも，本人は，しばしば幼稚園でお道具箱の中身をなくすことや買い物に出かけた際に落ち着きなく走り回り迷子になることがあった。また，年長の冬に弟ができた。母親は，就学前であることも重なり，Aの状態に焦ってしまい，「お兄ちゃんなんだから頑張りなさい。弟のほうがちゃんとお話を聞いてくれて良い子なんだから」と，厳しく叱責することを繰り返していた。ある日から，朝の行き渋りを認めるようになった。また，無理に登園のバスに乗せようとすると，泣きじゃくり母親から離れようとしなくなった。自宅では，母親が見えなくなると不安がり常に母親のそばに居たがるようになり，着替えも自分ではしなくなったため，母親が手を添えて手伝うようになった。

小学校に入学したが，登校初日から母親から離れることが困難であった。毎朝，登校の際には泣きじゃくり，教室まで母親が付き添い登校するも，母親が教室から出ると，すぐに母親を追いかけ授業に参加することができなかった。そのため，学校の担任教諭の勧めもあり，両親とともに児童精神科を受診した。

治療経過

初診時，椅子に座り診察は受けるものの，落ち着きはなく，不安げな様子で母親の顔を伺うことがみられた。現在みられている小学校への行き渋りは，母親からの分離の問題による影響が考えられたが，発達歴などからは，3歳頃から不注意，多動・衝動性といった症状がみられており，診断はADHD（混合して存在）に分離不安症が併存していると考えた。両親に対して，ADHDの疾患特性や分離不安症に関して心理教育を行った。また，母親との分離による不安が高じた経緯について，両親と振り返った。父親は，「母親は甘すぎる。泣いてでも学校に行かせたらいい」と話す一方で，母親は，本人との関わり方や登校を渋ることが続くことへの不安が高かったため，“本人の不安が高まり母親に寄ってきた際や登校を渋る際には，受容的，共感的に接すること”や“本人のできることは自立して行えるよう，見守ることも大切であること”を両親に説明し，診察ごとに実践できたこととできなかったことを話し合った。このような関わりを繰り返すことにより，母親は，「弟ができてから，私も余裕がなくなり，本人と関わる時間が減っていた。できないことばかりきつく指摘してしまい，逆に関われていないことの罪悪感からできることにも手を出し過ぎていたと思う」と話すようになり，父親も「頭ごなしに本人を叱ってばかりいた。今は妻と一緒に，本人のできているところをたくさん褒めている」と，本人との関わりを振り返るようになった。それに伴い，本人の分離不安も軽減し，1年生の夏休み前頃から，一人での登校が可能となった。学校でも，同級生と楽しく過ごすことができているようであったが，分離不安症の改善とともに，担任教諭から授業中の落ち着きのなさや友だちに話しかけ過ぎてしまうことを指摘されるようになった。

症例B 8歳 男児

主訴 ばい菌で手が汚れていると思う（本人），何度も手を洗う，汚れていないか確認する（母親）

周産期 40週，3,012g（普通分娩）で出生

家族歴 両親と本人の3人暮らし。家族歴なし

発達歴・現病歴

言語および運動発達の遅れはなかった。両親は共働きであったことから，1歳時に保育園に入園した。両親は，3歳頃から落ち着きのなさを心配するようになった。また，保育園では，自分の欲しい玩具を友だちから奪ってしまうことや，気に入らないことがあると友だちに手を出してしまうことがしばしば認められた。自宅では，着替えているときや食事中に，自分の気になるものが見えたり聞こえたりすると，着替えや食事の途中で立ち歩くことが毎日みられていたことから，両親から毎日注意されていた。保育園からは，「多動や不注意がみられており，ADHDの可能性がある」と言われ，医療機関への受診を勧められたが，両親は，「一人っ子で甘えているだけ」と考え，医療機関などへの相談はしなかった。

小学校に入学したが，授業中に立ち歩くことや授業を聞かずに手遊びをしている場面が多々認められていたことから，教師から注意されることが多かった。また，自宅では，脱いだ服を床にそのままにしておく，宿題をせずにゲームをすることやテレビを見てばかりであったことから毎日叱責されていた。小学2年生になり，授業中の立ち歩きはみられなくなったが，授業中に教師の話を聞いてないことや忘れ物の多さが目立つようになった。また，喧嘩の際に友だちに衝動的に手が出てしまうことは続いていた。小学2年生の冬，インフルエンザが流行していたことから，両親は本人に帰宅後に手洗いをするように言うようになった。しかし，本人は帰宅後に手洗いをせずにゲームをしてしまうことから，毎日手洗いについて叱られるようになった。徐々に，本人は帰宅後に手洗いをするようなったが，両親に対して，「僕の手，ばい菌ついてない？」と繰り返し確認するようになった。両親は本人に対して，汚れていないことを伝えると，いったんは安心した様子になったが，しばらくすると再度両親に手が汚れていないか確認するようになった。また，登校前や帰宅後，さらには学校でも，「ばい菌で手が汚れている」と訴え，何度も手洗いをするようになった。次第に，「洗ってもばい菌がついてる気がしてしまう」と，両親に泣きながら話すようになった。登校前にも手洗いに多くの時間を使うようになり，登校が困難となったため，心配した両親に連れられ，小学2年生の3月に児童精神科を受診した。

治療経過

初診時，着座をして話はできるものの，イスの脚をカタカタと鳴らしながら座り，また，話を聞いておらず質問を聞き返すことが多く認められた。発達歴などからは，3歳頃からみられる不注意，多動・衝動性といった症状が持続しており，ADHD（混合して存在）と考えた。さらに，「ばい菌で僕の手が汚れていると思う」と訴える一方で，「手を洗ったら綺麗なのはわかっているけど，どうしても洗ってしまう」と行為や考えの不合理さを理解していたため，OCDが併存していると考えた。強迫症状による社会生活の制限が著しいことから，強迫症状への治療介入から開始することが望ましいと判断し，本人および両親に対してOCDの心理教育を行った。さらに，曝露反応妨害法などの認知行動療法についても実施した。曝露反応妨害法を開始したことで，手洗いの回数や両親への確認行為は減少傾向となったものの，「まだ手にばい菌がついているような気がしてイライラする」と話し，登校を渋ることがみられた。そ

のため，本人および両親と相談し，効果や出現しうる副作用について説明を行ったうえで，フルボキサミンによる薬物療法を開始した。薬物療法の開始後，「ばい菌のことは少しずつ気にならなくなってきた」と話すようになり，登校を渋ることはみられなくなった。一方で，学校では授業に集中することが困難であることや友だちとの喧嘩は認められた。そのため，ADHD症状への介入を開始することとし，両親に対して，ADHDの疾患特性について心理教育を行った。また，両親に対してペアレント・トレーニングを導入した。さらに，本人の受診の際に，担任教師にも同席してもらい，学校での対応についても検討を行った。次第に，学校では友だちとの喧嘩は減り，授業にも積極的に参加するようになった。また，自宅では，依然として片づけなど苦手さはみられるものの，両親は「できないことを叱ってばかりいたけれど，いまは本人のペースでできていることを褒めるようにしています」と述べ，本人のADHD特性への理解は進んでいるようであった。その後，強迫症状の改善がみられたため，フルボキサミンを中止したが，症状の再燃はみられなかった。また，学校生活も安定して過ごせるようになった。

7）症例の考察

両症例ともに，幼少期から不注意，多動・衝動性を認めており，医療機関初診時にも，ADHD症状がみられていたことからADHDと診断された。一方で，両症例で，併存症による社会生活の制限がみられており，ADHDのみならず併存症への治療介入を要した。ADHDの診断，治療において，併存症の鑑別は重要であるが，不安症状や強迫症状が併存している際には，保護者との関わりが症状の形成に影響を及ぼすことがある。

ADHDに不安症状や強迫症状が併存する場合，ADHDへの治療介入と併存症への治療介入を同時に行う場合もあるが，症例Bのように生活への悪影響の程度に鑑みて，OCDなどの併存症を優先して治療する場合もある。一方で，ガイドラインでは，不安症を併存する場合の第一選択薬としてADHD治療薬が示されているように，ADHD症状が軽快することで不安症状も軽快することがある。そのため，ADHDと併存症の症状の程度やその症状が社会生活へどのように影響しているか，さらには保護者との関わりといった患児を取り巻く環境などを総合的に評価したうえで，バランスをとりながら治療を進めていくことが望まれる。

（岡﨑 康輔）

3 情緒障害群-2（双極性障害，うつ病および関連障害）

ADHDとの併存症のなかでも双極性障害，うつ病は高頻度にみられる。**表3**にその相対的な頻度を示す[49, 50]。ADHDとこれら併存症を適切に診断することはしばしば困難であるが，適切に併存症の診断を行うことは適切な治療にも繋がる。したがって，併存症への十分な配慮が必要である。

1）ADHDと双極性障害の併存について

併存症とは，広義には「特定の疾患の観察中に存在するかあるいは存在するようになる疾患」を指す。一般に内科などでは「特定の疾患」と「併存症」は，偶然で，疾患メカニズムを共有しないことが多く，異なった介入が必要となることも多い。しかし，精神科疾患では，症状で疾患が操作的に規定されるため「特定の疾患」と「併存症」の境界が明確でない場合もある。したがって精神科では，併存症の診断の正確性が低くなり，さらに極端に数が増えたり，類似の併存症が複数存在したりするような状況が生じる。児童思春期のいらいら，易怒性は，双極性障害，反抗挑発症，抑うつ障害，注意欠如・多動症など複数の疾患で出現し，かつ正常発達にもしばしばみられる状態である（**表4**）。「いらいら」，「かんしゃく」を発達上からどのように捉えるかは，診断にも影響する重要な問題であったが，従来研究の対象としてほとんど顧みられなかった。そのため個々の学派が異なった意味づけをすることで診断に信頼性，妥当性にも影響を与えるようになり，1990年代からの児童思春期の双極性障害の過剰診断の一因にもなった。

The National Ambulatory Medical Care Surveyによると，医師に双極性障害と診断された児童思春期患者は，1994～1995年には10万人あたり25人であったが，2003年までには10万人あたり1,003人に上昇した[51]。これは40倍の上昇で，同時期の成人の受診数の上昇は185%であった。児童思春期の双極性障害による入院は約6倍上昇している[52]。

このような米国での児童思春期の双極性障害への注目は1990年半ばのマサチューセッツ総合病院のWozniakらの論文から始まった[53]。精神科外来クリニックにてK-SADS（Kiddie Schedule for Affective Disorders and Schizophrenia）の診断基準を満たす43人の子どもを特定した。そのうち1人以外はADHDの診断も満たした。彼らと，164人の非双極性ADHD群および84人の対照群との比較が行われた。この研究では，206人のADHD群（42双極性群と164非双極性群）のうち20%が双極病相を有していた。そのなかで2人だけが「高揚感を伴った躁病相」をもたず，77%は「持続した躁病相」を有していた。したがって，ここでの双極性障害とは，明らかな病相をもたず，しかも長期的な気分の安定した期間をもたないのである。古典的な“躁うつ病”では，躁とうつの期

表3 ADHDとうつ病，双極性障害および関連障害の併存症

	学童期（6～12歳）	青年期（7～17歳）	成人期
うつ病	＋	＋＋	＋＋＋
双極性障害	＋（？）	＋	＋
重篤気分調節症	＋	＋＋	―

表4 易怒性を示す児童思春期の精神疾患の鑑別

DSM-5 躁エピソード	ADHD	うつ病	重篤気分調整症	反抗挑発症
気分の高揚	なし	なし	なし	なし
易怒性	しばしば認められる	あり	あり	あり
自尊心の肥大，または誇大	なし	なし	なし	なし
睡眠欲求の減少	みられることがある	あり	なし	なし
多弁であるか，しゃべり続けようとする切迫感	あり	なし	なし	なし
観念奔逸	なし	なし	なし	なし
目標指向性の活動の増加	あり	なし	なし	なし
困った結果になる可能性が高い活動に熱中する	しばしば認められる	なし	なし	なし
注意散漫	あり	あり	なし	なし

間は有意な気分の安定期によって区別された期間としてみられていた。マサチューセッツ総合病院のグループは，躁病相を呈するこれらの対象は，まれにしか気分が安定しないと報告している。後にこの「慢性の躁病（chronic mania）」の概念は，批判にさらされることになる[54]。この批判から，半構造化面接と児童思春期で実際にどの程度頻回に“周期”を経験するのかを明らかにする研究が行われた。また，子どもの躁病相の中核的な症状群を定義することも重要なこととされた[55]。7つの研究がレビューされDSM-Ⅳ（あるいはそれ以前の版）からの躁症状の項目数がメタ解析の対象となった[53, 56〜61]。気分高揚感そして／あるいは誇大性を中核症状（診断に不可欠な症状）としている。この2つの症状が診断には必要なら，85%以上の小児期躁病相は，多幸的か誇大的である[60]。一方で，この2つの症状が診断には必要でないとき（すなわち，いらいら感単独で躁の診断には十分であるとすれば），13〜33%の躁患者しか多幸的症状を呈しない[53, 56]。子どもの躁病相のその他の中核症状には，気力の増大（76〜96%），注意散漫（71〜92%），会話心迫（89〜90%），観念競合（51〜88%），睡眠欲求の減少（53〜66%），判断力の低下（38〜89%），観念奔逸（46〜66%），および性的活動の亢進（31〜45%）があった。躁病相の子どもたちの精神病症状の割合は，これらの研究を通して24〜62%であった。このことは，明らかに臨床家が躁病相を診断するときに重篤な症状を想定しなければいけないことを示唆している。つまり，極端な過活動や攻撃性だけでは躁病相の診断ができないことを示唆しているともいえる。ADHDと双極性障害の症状の重複と重複しづらい兆候を明確にすることが重要である（**図4**）。

DSM-5では，ADHDは，特に児童思春期において，速い会話，思考促迫，注意散漫，睡眠欲求の減少など多くの症状が躁病の諸症状と重畳し，しばしば双極性障害と誤診され，ADHDと双極性障害の両者に向けて症状を二重に集計することは臨床家がその症状をある限定されたエピソードを代表するものかどうかを明確にすれば回避できるとされている。子どもの気分が発達段階から逸脱しているかどうかの評価は，その子どもをよく知る者が「持続的に活動または活力が高まっている状態を伴う必要がある活動性の亢進」という基準に従って行う必要があり，子どもの一時的な状

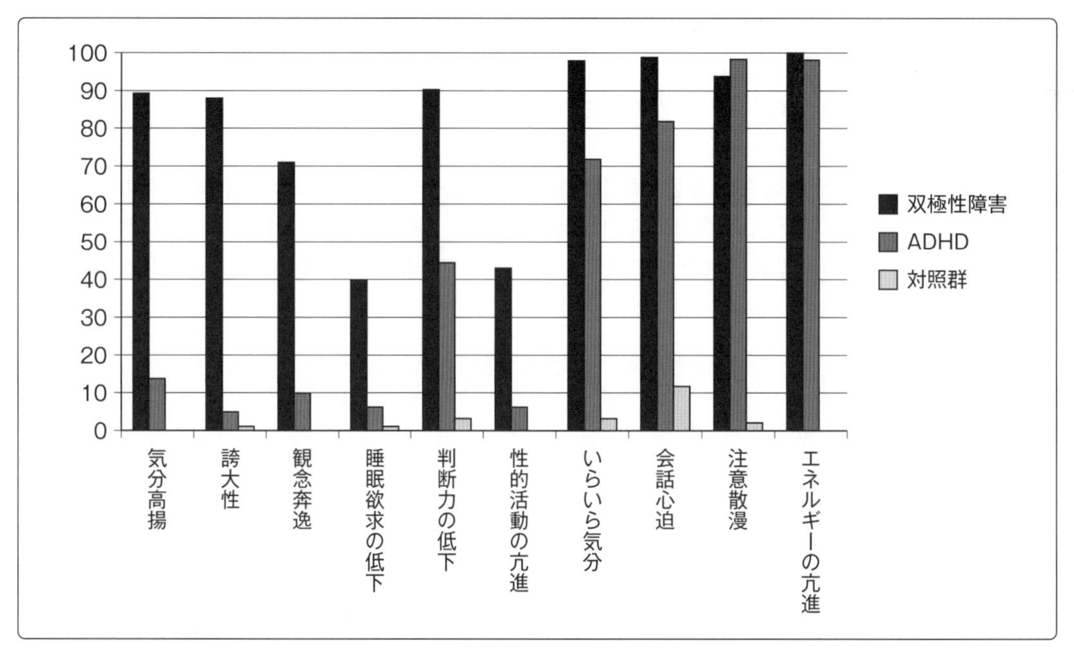

図4 双極性障害・ADHD・対照群の症状の違い

表5 ADHDと双極性障害の相違点

ADHDに特異的な特徴	双極性障害に特異的な特徴
・入眠時不眠，睡眠障害 ・慢性な落ち着きのなさ ・衝動的な性的行動 ・慢性的な経過 ・慢性的な衝動性，気の散りやすさ	・睡眠欲求の減少 ・相的な行動の促進，会話の増加 ・性欲の亢進 ・相的な経過 ・相的な衝動性，気の散りやすさ ・高揚気分 ・誇大性

況で確認するのはしばしば困難であることがある。大切なのは，普段のその子の行動からみて，変化が生じているかどうか見定めることである。つまり，1日のほとんどの時間でみられ，ほぼ毎日みられるのかどうか，そして，それが他の躁症状とともに一過性に関連して生じているかどうかで鑑別することができるとしている。

臨床家にとって大事なことは，鑑別の過程で早急に結果を出そうとしないことである。Carlsonが指摘しているように，しばしば重要な鑑別のポイントは，ADHDと双極性障害との間での鑑別ではない[62]（子どもは明らかにADHDをもっている場合が多い）。むしろ問題は，攻撃性や気分変動性が双極性障害の診断基準を満たすかどうかである。また，DSM-5の表面的な診断項目ではなく実際の行動に注目すべきである[50]（**表5**）。重篤なADHD，反抗挑発症を合併したADHD，そしてADHDと双極性障害の併存のすべてが，運動活動の亢進，注意散漫，過剰な会話によって特徴づけられて，併存症の有無あるいは何が併存するのか診断するのが困難なことがある。しばしばADHD（混合型）は気力に満ちているとみられるが，ADHDと双極性障害の併存では，著しい気力の亢進（「決して疲れを知らない」，「他の家族の全員が疲弊してしまっている」）がみられる。易怒性に関しては，ADHDと双極性障害の併存では，より慢性的で異常な気分の状態を示す。また，怒りの爆発は遷延化し（しばしば保護者によって拘束が必要とされる），少なくとも治療されるまでは，まれにしか気分の安定した基底状態を示さない。

治療においては，ADHDと双極性障害の併存の治療は，通常，まず双極性障害の症状の管理と安定化から始めるべきである。双極性障害を伴うADHDの管理は，通常，ADHD単独の管理よりも複雑であり，しばしば気分安定薬および／または非定型抗精神病薬の使用を必要とする。双極性障害の患者にADHD治療薬を処方した場合，安静またはうつ病相から躁病相に切り替わる危険性がわずかにある。このような場合は，ADHD治療を調整（減量）または中止し，双極性障害の治療を優先すべきである。患者の気分が安定したら，中枢神経刺激薬の投与を慎重に再開することができる（低用量から始めて，ゆっくりと行う）。

症例 11歳 女児

背景および受診時状況

通常級所属。年齢は思春期にさしかかっているが初潮はまだきていなかった。両親からの情報では家庭外で認められる躁病の明らかな既往はなかったが，多動・衝動性は認められていた。両親によると，幼児期から過活動であり，限度を知らず，脱抑制的な行動があった。幼いうちに小児科医よりADHDと診断され，8歳から中枢神経刺激薬を服用しはじめた。学業面で遅れはあったが，IQは正常域であった。ソーシャル・スキルが低く，容易にかんしゃくを起こした。学校では反抗的で怠惰であったが，授業の妨害はしなかった。

8歳時に施行した心理検査では，頻繁な衝動性，仕上げようとしている作業とは無関係な事柄について話す傾向，怒りや不安の間欠的な表出，身体活動の著明な上昇，じっと座っていることの困難さ，どんなものにも触れてしまうことが記載されていた。

一年前から，易怒的でいら立つようになり，破壊的で移り気となった。挑発的で，ペットや小さい子どもに対して残酷なふるまいをした。友人や家族に対して，性的にも不適切な言動があり，インターネット上のわいせつなコンテンツや性的内容の雑誌，友人を抱きしめたりキスしたりすることへの関心を述べていた。誇大的であり，家族に対して将来医学部へ行くと言ったり，音楽プロデューサーかプロレスラーか曲芸師になりたいと言ったりした。

この学期を通じて，家族内のストレスや騒ぎの結果として両親の間で夫婦間の問題が生じていたが，本児の同胞はそのことではほとんど影響を受けていなかった。

教師らは本児が宿題をやらず，無秩序で注意散漫であると報告していたが，それは前年度と同様のADHD症状であり，それ以外には何も報告していなかった。

家族歴

近親者にうつ病，軽躁病，ADHDの家族歴がある。

精神状態

両親が言うには，本児は甘やかされて過活動で脱抑制的な4歳児のようにふるまっていた。また，ソファの上に身を投げ出し，魅惑的に見せようとするなどしていた。情緒的で，挑発的かと思えば過度に親しげにしたり，適切にふるまったり，ばかげたことをしたり，いらだったり，不機嫌になったりした。また，極端に反抗的で論争好きであり，どんなことでも議論しようとした。本児は自分が望むことであれば集中したが，答えたくないことがあるときには無関係な質問に集中し，会話の流れを都合よく変えようとした。しかし自制できないような観念奔逸や思考障害は認められなかった。注意を払うこと，指示に従うこと，物事を覚えておくこと，じっと座っていること，途中でやめることが難しいことは自分から認めた。かんしゃくと反抗的行動，友人から受け入れられることや学業への不安や心配，悲哀や不幸せさを感じること，怒っているときにたびたび生じる自暴自棄さ，同時に現れる無反応さと活発さ，落ち着くことの難しさ，理由もなくかっとなること，理由もなく楽しくなったり悲しくなったりすることについても述べた。多幸感については否定した。

また，注意があることから他のことへ意識が飛んでしまうこと，あまりに早く話すので他の人は自分の話についてこれないことがあると訴えた。1時まで眠れないなどの不眠があり，そうした日は午後3時まで寝ているとのことだった。

自分に何をすべきか言ってくる声（最近亡くなった母方祖母の声など）がどのように聞こえるかについても述べた。声は女児が年上の友人と煙草を吸い，ビールを飲むことや，インターネットで性的な好奇心をもつように仕向けるとのことだった。女児は声が自分の良心だとは思っていなかった。将来については，進級できたら法科大学院に進みたいと考えていた。

解説

本症例は，ADHDの経過中に攻撃性，易怒性，慢性的な不機嫌が出現し，多動，睡眠欲求の低下など躁病相を思わせる症状が出現している。一方で，気分の高揚，観念奔逸，著しい誇大性などは認められない。したがって古典的な躁病相とは考えにくい。また，気分の問題が一年以上持続し「病相」ということは難しい。この症例は，典型的な“広義の躁病相”であり[63)]，DSM-5の診断基準では双極性障害を満たすものではない。本症例のように持続した経過と症状の背景を適切に評価することが併存症の鑑別診断上，重要である。

2）ADHDとうつ病の併存について

ADHDとうつ病の併存あるいは鑑別は，双極性障害ほどは注目されなかったが臨床上重要なものである。しばしば，発達過程にある児童思春期では「易怒性」と「悲哀」を明確に区別することが困難なことが多い[50]（**表6**）。ADHDとうつ病の鑑別では，子どもの易怒性が，反応性の怒りに基づいたものなのか，悲しみに基づいた持続する易怒性なのかを区別するためには，子どもにいらいらする事柄をいくつか挙げてもらうことが有用である。それらの例がいずれも欲求不満を感じさせるもの（例えば，兄弟げんか，我慢しなければならないこと，難しい宿題を出されることなど）であれば，子どもが実際には「悲しみ」ではなく「怒り」を表現しているのではないかと疑うべきである。また，子どもの表情と声のトーンに注意を向けることは重要である。非言語的に「悲しみ」を表現していないか，例えば表情が沈んで涙ぐんでいれば，悲しい気分にあると考えてよいだろう。また，年長児や10代の青年では「怒り」と「悲しみ」の区別をつけることは年少児ほど難しくない。持続する「怒りっぽさ」や自律神経症状がみられずに，反抗的な行動や怒りの爆発のみを両親が述べる場合，うつ病の診断はふさわしくないであろう。

さらに，ADHDとうつ病は，いくつかの症状が共通しているため，診断上の人為的な重なりが生じてしまう可能性がある。例えば，ADHDを有する子どもは怒りっぽさ（反抗挑発症の合併による），集中力のなさ，興奮が認められるかもしれない。もし，これらの症状を診断する際に人為的にうつ病としての症状から除いた場合，その子どもは，もはやうつ病の診断基準を満たさなくなる可能性がある。しかし，Biedermanらは，400例を超える継続的に診療されている子どもの対象について，こうした重なりを考えて統計的に統制すると，ADHDとうつ病の重なりが明らかに減ることはなかったと報告しており[64]，症状の評価の際には適切な臨床的な判断が求められる。ADHDの合併はうつ病からの回復率に影響しない[65]。青年の場合，うつ病（major depressive disorder；MDD）にADHDを合併していた場合，MDDのみの場合よりも自殺既遂の危険性が高まるかどうかには報告間に差がある。統計的に有意ではないが，ADHDの患者は，自殺念慮のある入院患者での割合が5%であるのに対し，自殺既遂者での割合は18%である[66]。BiedermanらはADHDの女児と対照群の5年間のフォローアップを行っている[67]。症例の平均年齢は基準時が12歳，フォローアップ時が18歳であった。同研究において，MDDの罹患率は対照群よりもADHD群で非常に高い割合を示していた（ADHD群：65%，対照群：21%）。ADHDとMDDのいずれも広範囲の機能障害を，それぞれ独立してもたらしていた。MDDのみの女児とMDDとADHDを合併している女児を比較すると，合併している群のほうがうつ病の発症が早く，うつ病エピソードが長く，精神科病院への入院期間が長く，自殺企図の回数が多かった。

表6 ADHDとうつ病の鑑別

ADHDと重複する特徴	うつに特異的な特徴
・意欲の低下，士気喪失 ・集中の困難 ・落ち着きのなさ，いらいら	・抑うつ気分や絶望感 ・易疲労感や抑制 ・食欲，睡眠などの変化などの自律神経症状 ・希死念慮 ・エピソーデック

表7 躁病相とのADHDの併存

文献	合併障害の頻度
躁病相をもつ子ども	ADHD（%）
Carlson, et al.	91
West, et al.	57
Wozniak, et al.	98
Biederman, et al.	41
Kovacs, et al.	69
ADHD をもつ子ども	双極性障害（%）
Biederman, et al.	23
Butler, et al.	22
Milberger, et al.	11
Wozniak, et al.	20

3）併存率の研究

(1) ADHDと双極性障害の併存

臨床・疫学研究ではADHDと双極性障害の併存についての研究は，ADHDとうつ病の併存に関しての研究よりもはるかに多い。躁病相にADHDが併存する比率は，41～91%と高く，一方でADHDに躁病相が併存するのは11～23%である（**表7**）。

(2) ADHDとうつ病の併存

臨床・疫学研究では，ADHDとうつ病との間にはかなりの重なりが認められるが，その程度は報告により非常に差がある。ADHDの患児の3分の1以上がうつ病の診断基準に合致する一方で，うつ病の患児の25～50%がADHDに罹患している[68, 69]。また，The Multimodal Treatment of Attention Deficit Hyperactivity Disorder Study（MTA）のサンプルの11%がMDDの診断基準を満たすという結果が出ている一方[70]，ADHDを有する女児の40%が明らかに抑うつ的であったという報告もある[71]。逆に，ADHDとうつ病に重なりはないとする研究もある[72]。

（齊藤 卓弥）

4 神経性習癖群（排泄障害）

1）排泄障害

排泄障害のなかで，夜尿症や昼間遺尿症および遺糞症とADHDとの関係について述べる。

ADHD小児では夜尿や昼間遺尿の合併が多いことが知られており，対照児に比べて夜尿は2.7倍，昼間遺尿では4.5倍多いと報告されている。また，夜尿症のなかでみた場合でも，ADHDを併存している小児は多く，ADHDの混合型が15%，不注意優性型では22.5%に及ぶ。一晩に複数回の排泄がある夜尿症や9歳から12歳という年長小児では特に衝動性の高さとの関連性も示唆されている。

ADHDと夜尿症や昼間遺尿症との関係は明らかにされているが，その機序についてはわかっていない。

夜尿症の一般的な内容については，日本夜尿症学会の「夜尿症診療のガイドライン」を参照されたい。

治療は生活指導と行動療法，薬物療法に分けられる。生活指導では食事内容，飲水量，排尿習慣のコントロール，就寝時排尿の履行に留意することとされている。行動療法では，夜尿アラーム療法が推奨されている。薬物療法では，夜尿には抗利尿ホルモン剤が，昼間遺尿には抗コリン薬が推奨されている。三環系抗うつ薬は肝障害，心筋梗塞などの報告があり，最近では使用されない傾向にある。

昼間遺尿症も幼児では生理的なものであるが，学童になっても認められる場合には，原因を探り対処する必要がある。恒常的な昼間遺尿では，潜在性二分脊椎症，女児では尿道開口部の位置異常などを念頭に置きながら検査を進める。

夜尿症と昼間遺尿症の薬物療法を**表8**にまとめた。前述のガイドラインによれば，メタアナリシスで，三環系抗うつ薬と抗利尿ホルモン剤の効果は確認されているようである。

夜間多尿のためによるものでは三環系抗うつ薬が使用されている。夜尿の回数が多く，しかも低浸透圧である場合にはデスモプレシンの点鼻療法が行われている。抗コリン薬は過敏性膀胱が疑われる症例では効果が期待できる。

遺糞症とADHDの併存率に関する報告は見あたらないが，遺糞症児の行動をCBCLにて評価した結果，多動を示す割合が多かったという報告がある。どのような機序で遺糞症の小児が多動になるのかは不明であるが，遺糞症自体は排便自立に関するしつけの失敗と解釈されることが多い。ADHD幼児では身辺自立に向けたしつけの困難さが関連しているのだろう。

一般的に遺糞症は排便が自立すべき4〜5歳を過ぎても下着に便を漏らしてしまうことをいう。便秘がちな小児に多く認められる。便が固いので排便時に疼痛を伴う。そのために排便を嫌い，さらに便秘が増悪するという経過をとる。これを繰り返していると，直腸の拡大を招き，それが便意の感受性を落とすという悪循環に陥る。便秘に対する薬物療法以外にはあまり効果的な薬物はない

表8 夜尿と昼間遺尿の薬物療法

療法	薬剤名	タイプ	用法
ホルモン剤	デスモプレッシン (スプレー)	尿比重低下に伴うもの	基準量10μg（1噴射） 効果が不十分なときに20μg 就寝直前に鼻腔へ1噴霧
	デスモプレッシン (OD錠)		基準量120μg 効果が不十分なときに240μg 就寝前に1錠内服
抗コリン剤	塩酸オキシブチニン	昼間遺尿 膀胱機能障害	基準量2〜3mg 昼間遺尿では朝食後に内服 夜尿では就寝前に内服
	プロピベリン		基準量10mg 効果が不十分な時に20mg
三環系抗うつ薬	クロミプラミン イミプラミン アミトリプチリン	夜間多尿のためのもの	初期量は10mg 効果が不十分なときに 体重25kg未満：20mg 体重25kg以上：25〜30mg 就寝前に内服

〔日本夜尿症学会：夜尿症診療のガイドライン（http://www.jsen.jp/guideline/）を参考に作成〕

ので，身辺自立に向けた生活指導が大切となる。便秘でもないのに遺糞を繰り返す小児ではADHDよりもむしろ自閉症であることの方が多い。

2）ADHDに夜尿を合併した症例

症例 6歳 男児

主訴 落ち着きがない，集団行動が取れない

周産期 40週，3,160gで仮死なく出生

発達歴

乳幼児期には発達の遅れはなく，1歳6カ月児健診，3歳児健診ともに何の指摘もなく通過したが，母親は少し言葉が遅く，落ち着きがない子であると感じていた。3歳9カ月で幼稚園へ入園した。幼稚園に入ってから言葉がよく伸びて，好奇心も旺盛になったと保護者は喜んでいた。しかし，一方で突発的に行動したり，うれしいときに興奮しすぎて悪ふざけがとまらなくなったりすることもあり，母親は家庭での子育てについて幼稚園の先生に相談していた。

年中組の運動会のときに，みんなと一緒に行動することが少なく，勝手な振るまいが目立っており，気になった母親がそのことを幼稚園の担任に相談したところ，市の保健センターで行われている5歳児発達相談を紹介され，5歳5カ月時に受診した。

5歳児発達相談にて，落ち着きがないこと，衝動的に行動してしまうこと，注意が散漫なために周囲に合わせて行動ができないことなどを指摘された。絵本の読み聞かせや指示の出し方などをアドバイスされ，6カ月間の経過観察の後に専門医療機関の発達外来を受診となった。

現症

身体所見に異常なく，知的発達は標準であった（WISC-ⅢにてFIQ94）が，落ち着きがなく，指示の最後まで聞かずに行動してしまう，思いつくとすぐに行動するなどの所見がみられ，ADHDの混合型と診断した。

治療と経過

家庭での生活指導，幼稚園での指示の出し方や集団への参加の仕方などをアドバイスするとともに，長時間作用型メチルフェニデート（18mg）を，朝1回の投与とした。錠剤の内服ができるだろうか，と懸念されたが，何度か試行を繰り返して内服ができるようになった。

内服後には，幼稚園で先生の指示が聞けるようになり，クラスの子どもたちと遊べるようになった。家庭でも保護者の話をちゃんと聞くようになったとのことであった。

小学校の就学を控え，保護者より「実は夜尿があり，いまはそれが一番の心配ごとである」という訴えが出てきた。夜尿は1晩に2回ほどあるということだった。食事の味つけを少し薄くして，水分摂取が少なくなるように工夫してもらい，特に夕食時の飲水制限を行った。その結果，夜尿は1晩に1回へと減少した。加えて入浴を就寝直前にしてもらうなど，体が冷えるのを予防してもらうことで夜尿は1週間に1，2回ほどに減少した。

（小枝 達也）

5 神経発達症群-1（ASD）

1）ADHDとASDの併存

ADHDとASD（自閉スペクトラム症）の二つの概念は歴史的にも病因論的にも全く異なった概念として登場し，1990年代頃まではわが国では併存は無論のこと，鑑別が話題になることもまれであった。DSM-Ⅳ，ICD-10の両者とも広汎性発達障害とADHDの併記は認められていなかった。当時の筆者は国内での臨床経験から，それは当然だと思っていた。しかし，1994年に筆者がノースカロライナ大学TEACCH部に留学したときには自閉症とADHDの重複診断を下すことが少なくなく，臨床的に必要な際にはDSMに盲従することはないと説明されていた。その後1997年にWing,Lのもとに留学したときには当然のようにADHDとASDの重複診断がなされていた。WingらはDSMの使用そのものに反対していた。2013年に発行されたDSM-5ではADHDとASDの合併が認められ，それ以降ADHDの併存症としてASDが注目されている。

(1) ADHDとASDの関係

前述のようにDSM-ⅣやICD-10などの過去の国際的診断基準では，ADHDとASDの診断を併記することは認められず両方の症状記述を満たす症例があった場合には自閉症のみの診断を下すことと規定されていた。しかし実際の臨床場面ではADHDとASDの両方の特性のある事例はめずらしくなかった。一般に孤立を好むとか他者と関わらないとか思われがちだが，友人を求め積極的に他者と関わろうとする人も少なからず存在する。現在のようにASDスペクトラム概念が浸透し，自閉症の外延が拡大された時代にあってはADHDとASDが併存しうるかどうかではなく，ADHDとASDが併存した場合の障害特性の表現や支援方法はどのような工夫が必要なのか（あるいは必要がないのか）ということが臨床的な問いになる。薬物療法を例にとればADHDとASDの合併例に対してADHDにはコンサータ，ASDにはアリピプラゾールといったように単純に足し算したとしか思えないような処方に接することもあるが，それが「正解」とも思えない。さらにADHDにしてもASDにしても，その特性はゼロか100ではなくスペクトラムであることを踏まえると，ADHD特性，ASD特性が合併する場合，その濃淡の組み合わせはさまざまであり，治療方略についても濃淡に合わせた工夫が必要になるだろう。

2）診断の方法

ADHDもASDも神経発達症群に含まれ，発達期から特性が存在する。ADHDでは遅くとも12歳までに，ASDでは通常幼児期に不注意または多動性—衝動性の症状のいくつかが存在することが必要になる。さらに後述するようにADHDもASDも合併精神障害の多い障害である。そのことを踏まえれば，表面に現れた症状は多様であり，ADHDにしてもASDにしても診断基準にある特性，つまりADHDについては不注意，多動性，衝動性の3つの中核症状，ASDは対人的相互交流，社会的コミュニケーションとイマジネーションの3つの中核症状のみが障害特性であることは少なく，限局性学習症や発達性強調運動症などの発達障害特性や，反抗挑発症などの問題行動，抑うつや不安などの精神症状を合併していることを想定して診断や治療方針を決定することが必要である。

(1) ADHDとASDの合併診断の重要性

ADHD，ASDの合併診断の意味と，ADHDに気分障害など精神科的疾患の合併のもつ意味はどう違うのだろうか。筆者は対象の年代にかかわらず，まずADHDとASDの合併を診断・評価する

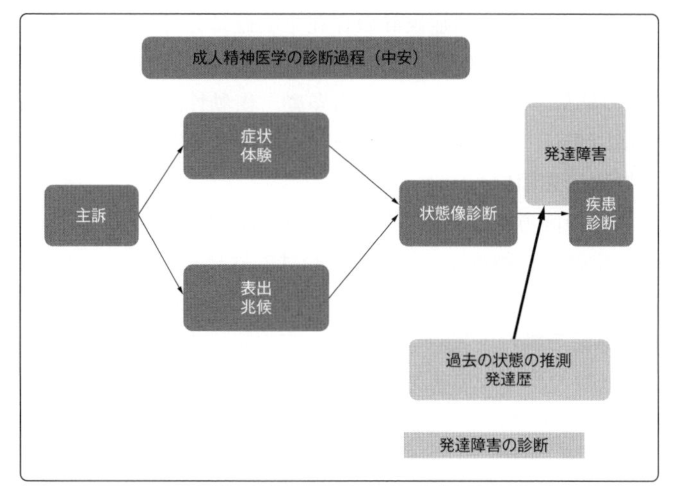

図5　発達障害を想定した場合の診断の方法

（中安信夫：精神科臨床を始める人のために―精神科臨床診断の方法―．星和書店，2007をもとに作成）

ことが重要と考えている。どちらも発達早期から特性があり，幼児期から成人期以降まで特性が持続し子どもの発達や学業，社会適応，保護者のメンタルヘルス，学校や職場適応などの多様な領域に強い影響を与える。したがって，対象の年齢に限らずASDと診断した場合はADHDの存在を，ADHDと診断した場合はASDの存在を想定してアセスメントを行うべきである。

(2) 診断の方法（図5）

発達障害の診断を適切に行うためには発達歴の聴取が欠かせない。現在の特性を把握することに加えて発達歴を聴取し，発達障害特性が発達期から存在することの確認が必要になる。成人の場合は通常主訴が存在し，患者の症状や体験を聞き出しつつ，患者の表出／兆候を臨床的に判断し，抑うつ状態や幻覚妄想状態などの状態像診断を行い，統合失調症や気分障害といった疾患診断に至るのが基本的な方法であろう[73]。しかし発達障害が想定される場合には状態診断から疾患診断に至る前に過去の状態を聞き出し，可能な限り，幼児期からADHD特性やASD特性がなかったかを聞き出す必要がある。ASDの早期兆候については多くの研究があり，わが国でも複数の半構造化面接や質問紙が使用可能である[74〜77]。一方，ADHDの早期兆候についての研究は少なく現症の評価が中心である。しかしADHD診断のためには現在のADHD症状の有無だけでなく，過去の全体的な発達を把握することの必要性はASDと同様であると考える[78]。

3）診断概念の整理

(1) ADHD概念とASD概念の歴史[79]

自閉症の診断概念の基本は極度の孤立と同一性保持への強迫的欲求の2点にある[80]，今日のスペクトラム概念が採用された契機になった研究はWingとGouldが提唱した対人交流，社会的コミュニケーション，イマジネーションの障害のトライアドが基本である。DSM-5では対人交流・社会的コミュニケーションと行動・興味・活動の限局の2つのカテゴリーになったが，診断の基本的方法はtriadが幼児期から継続して存在することの確認である[81]。

一方，ADHDの概念は衝動コントロールをすることが難しい子どもがいるということの認識が世界各地で19世紀初頭よりみられたことである[82, 83]。さらに，アンフェタミンが多動，衝動性，不注意に有効であることの発見がこの症候群の存在を明確にしていった。ASDと異なり薬物療法が有効であったことから，薬物療法の効果や標的症状を確認するための評価尺度や質問紙が作成され普及していった。その結果 ADHDについても多動，衝動性，不注意のtriadが同時に存在することが繰り返し確認されADHDの診断カテゴリーとしての妥当性が確立されていった[82, 83]。

(2) ASDとADHD診断の優先順位

ADHD特性とASD特性の両方が存在する場合，どちらが主診断でどちらかが合併診断なのだろうか。ADHDもASDも単独の行動特性で診断するわけではなく，それぞれのtriadのセットで診断する。そのセットの特性が目立つほうを主診断とする考えがある[84]。

筆者の場合はASDの診断を満たす場合にはそれを主診断にする。症状の始まりはASDのほうが明らかに早いこと[85]，ASDのほうが障害特性が長期にわたって安定して継続することと，より生活の多くの場面に影響を与えると思われるからである。さらにADHDのtriadが比較的外的な指標であり，状況によって変化しやすいのに対して，ASDのtriadは比較的内的な特性であり安定して持続すると考えるからでもある。

4）行動特性の評価

多動や不注意などの症状がみられる子どもや成人をみた場合，その多動や不注意などの表面的な症状がどのようなメカニズムで生じるかを検討することが重要である。ASDと診断された子どもや成人の症状がASDの診断のみで説明がつくなら，新たに診断をつけ加える必要性は乏しい。オッカムの剃刀を用いれば，ASDのみで説明がつくのなら，ASDの支援を考えるべきである。例えば，ASD特性から生じている可能性が高い多動に対してADHDの薬物療法は必要ない。もちろんASDで説明がつかないような多動や不注意，衝動性があればADHDの重複診断を検討する。

(1) 多動が意味するもの

多動を示す幼児は決して少なくない。しかし，親や教師が「多動」とみなす内容はさまざまである。例えば，ASD特性のある幼児や小学生が行事や授業でじっと座っていられないのは大人の言語指示がわからない（コミュニケーション障害）ためかもしれないし，集団活動に興味がない（社会性障害）ためかもしれない。誰でも退屈だったり不安だったりすれば落ち着かなくなる。不適切な養育を受けている子どもが場面によって落ち着きがないことも当然であり，そのような場合はADHDのコア特性とは考えにくい。

不注意についても同様であり，刺激が多い環境や見通しのつかない不意打ちの多い環境ではASDの子どもは不安が高じて集中力が乏しくなるだろう。衝動性についても，一見衝動的にみえる行動も，不適切な環境設定で，その場から逃避するために，衝動的に大声をあげたり，教室から飛び出したりといった行動はASD特性で説明がつくことが多い。

5）発達期と診断

多動性や衝動性を評価する場合，少なくとも幼児期，学校が始まる小学生から高校生までの学齢期，成人期以降の3つの時期に分けて考察する必要があるだろう。

(1) 幼児期

幼児期において多動は非特異的な特性であり，発達障害に限らず多様な状態で出現する。ADHDの診断基準をみれば，多くの項目が小学校以上の年齢層を想定している。実際にDSM-5にもADHDの診断がわかるのは小学年齢になってからがほとんどであるとの記載がある。6歳未満ではADHDと診断することには慎重であるべきである[83]。

ASDの幼児に多動や不注意がみられることは少なくない。HongらはASDと診断された979人の幼児を対象に，CBCLのTスコアが60以下をLowADHD症状，60～69を中度ADHD症状，70以上を高度ADHD症状として3分類して検討した。その結果，57%に中度・重度のADHD症状がみられた。つまり過半数のASDの幼児に多動や不注意がみられたことになる[86]。次の疑問はADHDの診断基準を満たさないが，明らかな多動症状がみられる場合はASDの症状の一部とみなすべきか，後年のADHDを予想したほうがよいのだろうかという疑問である。ASDの兄・姉をもつハイリスク群の幼児を対象にASDとADHDの特性について親への質問紙を用いた調査によると2歳までに出現する多動や抑制困難は7歳時のADHD特性と相関がみられたが，ASD特性とは相関がなかった[87]。幼児期のADHD特性は，ASDを合併していても必ずしもASDの二次的な特性とは考えられず，後年のADHDに直接関係しているのかもしれない。しかしながら，前述のように質問紙を用いた調査では，多動がみられてもASD特性によるものかADHD特性のよるものかは判断が難しく，さらなる検討が必要であろう。ASDの幼児期に多動が目立つことは多く，多動症状があると親のストレスや子どもの合併症は増加し，支援ニーズが高まることに注意したい[86]。

(2) 学童期

多動や不注意は学校や家庭で目立ちやすい症状である。一部のASDでみられるような微妙なコミュニケーションの問題や対人関係の問題は親や教師からは見逃されやすい。なぜなら対人交流の微妙な障害は同年齢集団の他者と対等な関係をもつ状況で明らかになるからであり，授業時間中のように構造化された場面の観察では社会性障害やコミュニケーション障害のようなASD特性よりも，衝動性や不注意のようなADHD特性のほうがより目につきやすい。診察室といった特殊な状況では，微妙なASD特性の把握はさらに難しいだろう。筆者がASDと診断する事例の一部は教師からは「なんの心配もない」といわれていることがある。さらに，カムフラージュの問題が診断を難しくする。カムフラージュとはアイコンタクトを無理にあわせたり，思春期の女性が自分の好みを押し殺して普通の女子高校生の真似をして普通の女子高校生らしい表情，話し方，ファッションや話題に同一化するような状態である。70%のASDの人がカムフラージュしているという指摘もある[88, 89]。一方，ADHDの3つの中核症状である多動・衝動性・不注意は行動上の問題として把握されやすい外的な障害特性である。授業中のようなじっと着席が求められるような状況や運動会のような集団活動が必要な時に目立ちやすい。よくいわれる「気になる子」の多くはこういったタイプの子どもである。ASDの障害特性である社会性障害やコミュニケーション障害はより内的な障害特性であり，微妙な場合には年齢相応の対人交流がもてているかについての情報が必要になる。しかし，実際の臨床ではそこまで把握することは難しいことも多く，ADHD特性を軽減するアドバイスをしつつ，ASDの可能性を考慮しながら経過をみていくこともある。

(3) 成人期

成人期になるとADHD症状だけで臨床の場面に現れる人はさらに少なくなるだろう。発達障害では，精神障害発症の生物学的脆弱性が基盤にあること，幼児期から長期にわたる負荷が加わり，気分障害や不安症などの精神障害を発症しやすい[90]。特にASDとADHDを合併する場合は精神科的症状も身体症状も合併率が急速に高くなる。また，ADHDなどの発達障害が現在のように認知度が上がっている状態だと，不安などの結果生じた不注意や落ち着きのなさ，あるいは，正常範囲の忘れ物などについて強迫的に問題にする当事者がADHDと自己診断して受診することも増えてくるだろう。

発達障害を適切に診断するためには，発達歴を知ることは重要であるが，子どもと比較した場合，大人のほうが発達歴，症状の経過を把握することの重要性が高い。児童期は，ADHDにしてもASDにしても比較的ピュアな特性を把握することができるが，成人期になると，長期にわたる負荷や遺伝要因などにより精神科的症状が前景にたつことが多いからである。発達障害を見逃さず，かつ過剰に診断しないためにはASD，ADHDの特性については幼児期から連続性に注意を払って問診すべきである。相互的な複数の対人場面（一般の社交の場と同様に）の状況について問診することや，特定のパートナーとの親密な関係が維持できるかなどの間接情報を聴取していく。そうしないと症状として抽出されないことに留意すべきである。

6）精神疾患の合併

ASDとADHDでの成人は精神疾患の合併率が高く，定型発達の成人に比べて2〜14倍に上り[91]，とりわけASD + ADHD群ではASDもしくはADHD単独の場合よりも合併する精神疾患が多く，重症化する傾向にある[91, 92]。

われわれは毎日新聞社生活報道部と発達障害当事者協会によって実施されたウェブアンケート調査の結果について分析した。調査の内容は年齢，性別，発達障害の診断名，診断を受けた年齢，精神および身体の併存疾患，就労や社会参加の状況等で構成され，いずれも選択式である。「精神疾患の診断を受けたことがあるか」（複数回答）の問に答えるもので，838人（男性405人，女性433人）の発達障害の成人から回答を得た。その結果，ASD成人群，ADHD成人群，ASD + ADHD群では共通して，うつ病，不安障害，睡眠障害に高い罹患率を有し，特にASD + ADHD群において顕著であった。

不眠障害の診断を受けたことがある者は，ASD成人群で17.4%，ADHD群で23.8%，ASD + ADHD成人群で30.2%であった[74, 93]。

ASDとADHDでは合併する障害に差がある。物質関連障害の有病率は，ADHD成人ではASD成人に比べ3倍になり，統合失調症ではASDのほうが3倍有病率が高い[91]。

7）治療への意味づけ

ADHDにASDが加わると生活の質や適応行動の質が低下することが知られている[94]。

ADHD + ASD群ではASD単独群，ADHD単独群と比較して知能指数と適応行動の乖離が大きい，つまり知能に見合わないほどの適応行動の問題が大きいことも注目される[95]。

精神疾患の合併に加えて，いわゆる問題行動も出現しやすいためASDとADHDが合併した場合は多剤併用療法がされる傾向がある。筆者の経験でもメチルフェニデート徐放錠などの中枢神経刺激薬に加えて複数の抗精神病薬が処方される事例に出会うことが少なくない。ASDに合併したADHD症状に対してもメチルフェニデート，アトモキセチン，グアンファシンは一定の有効性があるとされているが，ルーチンに使用することは推奨されていない。ただ，どの程度の有効性があるかについての一致した見解はない[96, 97]。もちろんメチルフェニデートによりASDの中核症状が改善するというエビデンスはない。また養育者のウェルビーイングの改善や施設入所の減少などの二次的なベネフィットについてもエビデンスはない[97]。このようにみていくと，ASD特性を伴ったADHDへのメチルフェニデートの使用は多動に対してはある程度の効果があるかもしれないが，抗精神病薬との併用などのポリファーマシーになりやすく慎重な対応が求められるだろう。

ADHDには薬物療法が可能なため，不注意や多動，衝動性があれば，薬物療法の誘惑にかられる医師や教師，保護者の存在は当然想定される。しかしながら，一見ADHDにみえる症状の背景にASD特性があるかどうかの可能性に注意し，障害特性に応じた環境調整を試みることが医療者の役割であろう。

（内山 登紀夫）

神経発達症群-2（ASDの併存例をどう見出し評価するか）

1）はじめに

ASDをもつ子どもの30～75%がADHDの診断基準を満たし，ADHDをもつ子どもの20～60%がASDの診断基準を満たすと報告されている[98～100]。DSM-5上は，ASDとADHDは一見独立した疾患概念だが，実際の臨床症状はオーバーラップしており，ASD特性なのか，ADHD特性なのか，あるいはASD＋ADHD併存による特性なのか判別が難しいケースがある。ADHD児は高率にASDを併存すると数多くの研究が報告してきた。しかし，これらの研究で用いられた評価尺度のなかには，広義の社会性の障害を評価するもので，ASDに特異的な特性を評価しているとは言い難いものもある。また，保護者による他者評価形式の尺度が用いられることが多く，本来はADHD症状であっても保護者が「ASD様症状」と解釈して報告している場合もある[101]。さらに，これらの評価尺度の多くはADHD児における感度・特異度は保証されておらず，ADHD特性の影響を受ける可能性が否定できない。保護者による評価尺度で報告される「ASD様症状」が真にASD併存によるものなのか否か注意深く検討する必要がある。本項では，ADHD児におけるASD特性の見出し方や評価尺度を用いる際の注意点について，ASDを専門としない臨床医の診療に役立つよう症例を挙げながら述べる。

2）ADHD児においてASD併存を疑う場合の注意点

症例 10歳男児

主訴 （本人）友達ができない。（母）喧嘩や暴力が多い。

既往歴 特記事項なし

現病歴

幼少期は初対面の相手に話しかけ自分の好きな虫や車について一方的にしゃべり続けた。母の体調が悪い日でも，「虫取りに出かけたい」と母にせがむことも多かった。虫を追いかけてしばしば迷子になった。保育園からは落ち着きがないと指摘された。小学1年時は授業中に離席して，他児に話しかけたりちょっかいを出したりした。相手の話を聞かずに自分の話ばかりしたり，カッとなると相手を叩いたり相手を傷つける発言をしたりしてトラブルが多かった。休み時間に友人と好きなゲームの話をすると止まらなくなり，授業開始の鐘に気づかずしゃべり続けてしまうこともあった。X年4月（小学4年），クラス替えをした。学年が上がるにつれ離席はしなくなったものの，授業中に足をぶらつかせて前のいすを蹴ってしまったり，飽きて周囲に話しかけたり，教諭の発言にかぶせて発言したりしたため，他児から授業妨害だと苦情が出るようになった。クラス替え直後は新しい友達ができ休み時間は友人と遊んでいたが，順番やルールを守らず，すぐにカッとなって怒るため，徐々に遊びに誘われなくなった。X年6月，体育の授業中，友人を叩いてけがをさせてしまった。その後，クラスメートがさらに本児を避けるようになり，クラス内で孤立するようになった。X年7月，学校からの勧めで近医を受診しADHDと診断されたが，母が専門医療機関での精査および診断を希望し，X年8月某日，母とともにA病院を受診した。

日常診療でこのような症例に遭遇した際のASD併存を疑うタイミング，問診のポイント，心理検査の選択とその解釈について，症例の親子と診察する研修医とのやりとりを例に挙げながら検討していく。

研修医は，主訴に関する情報を収集するため，学校での様子や友人関係についてさらに問診することにした。

研修医：「友達はいますか？」
児：「いない。仲間外れにされる」

「友人がいない＝社会性の困難」と解釈した研修医は，ASDを疑ってASD症状に関連した問診に切り替えた。

研修医：「博士といわれるほど大好きなものや詳しいものはありますか？」
母：「はい，小さい頃から虫と車が大好きで，それに加え，いまはゲームと自衛隊が大好きです」

研修医：「感覚の過敏さはありますか？」
母：「はい，音に敏感です。部屋の外で少しでも物音がすると『何の音？』と気にして集中力が切れてしまいます」

研修医：「切り替えは苦手ですか？」
母：「はい，苦手です。『休み時間にゲームの話に夢中になると，授業開始後も切り替えられず話し続ける』と学校から指摘されました。自宅でも夕食の準備ができたと声をかけても全然切り替えられず，私を無視してゲームをし続けるので困っています」

研修医は，追加の問診内容からASD併存を疑い，児童用自閉症スペクトラム指数Autism-spectrum quotient（AQ）を実施した。

児童用AQ：社会的スキル5点，注意の切り替え7点，細部への関心6点，コミュニケーション4点，想像力3点，合計得点　25点

研修医はAQの合計得点がカットオフ値以上だったことから，ADHDとASDの併存例だと確信し指導医に報告した。

Question

研修医が得た情報からは，①友達がいない，②切り替えが苦手，③限定された強い興味関心，④聴覚過敏――などASD併存を疑わせる所見はあるが，本当にASDを併存しているのだろうか？

表9 ASDとADHDの臨床症状のオーバーラップ

ADHD		オーバーラップ症状		ASD
外的刺激による注意転導性	←	不注意	→	注意を臨機応変に切り替えられない
我慢できない，衝動性が高い，注意を向けられない	←	相互的社会性の障害	→	共感性の欠如，社会的認知の障害
複数の興味に過集中	←	興味関心の偏り	→	特定の興味に限局し，興味の幅が狭い
聴覚刺激に過敏で気が散りやすい	←	感覚過敏	→	聴覚や触覚の過敏・探求，痛み刺激の処理異常など

〔Roy S, et al : Comprehensive analysis of ultrasonic vocalizations in a mouse model of fragile X syndrome reveals limited, call type specific deficits. PLoS One, 7 (9) : e44816, 2012より改変〕

(1) 社会性の評価：ポイント①「友達ができない」

①問診で確認すべき内容

日常診療では症例のように広義の社会性を評価するために友人関係を確認することが多く，児童思春期の診療全般において正しいアプローチである。しかし，「友達がいない」という広義の社会性の困難さから安易にASD併存と早合点してはいけない。ADHD児において友達がいないのはASD併存に起因するのか，それともADHDの不注意や多動衝動性に起因するのか，あるいはそれ以外の原因によるものか，具体的に問診する必要がある。

ASD児は社会的認知の障害や共感性の欠如によって適切な行動をとれず社会的相互性の問題が生じやすい。一方，ADHD児は社会のルールや相手の気持ちを理解できるものの，多動衝動性や実行機能障害などの不注意症状によって，ついつい我慢できなかったりうっかりしたりして不適切な行動をとり社会相互性の問題が生じやすい[102]（**表9**）。例えば，「順番を待てない」，「質問にかぶせて返答する」，「他者の邪魔をする」などADHDの多動衝動性に関する症状は，しばしば保護者から社会性の問題として報告される。症例では，自ら共通の楽しみを話題として提供する社会性があり友人関係を構築することはできるものの，衝動性の高さにより，ついつい自分の話をし過ぎたり，ルールから逸脱したり，乱暴な振る舞いをしたりして，それらが友人関係を維持する障害となった可能性が高い。年齢とともに同級生の社会性や衝動制御が成長し，それに伴い周囲とのギャップが広がって同級生が本児を避け始めたと考えられる。ただし，ADHDにおいても表情から感情を汲み取る苦手さ，共感性の乏しさ，心の理論の障害がみられるという報告もあり[103]，ASD併存の有無については慎重に評価する必要がある。

以上の事項を踏まえ，社会性の困難さに対してどのようにアプローチするか例を指導医の問診として提示する。現時点では問診手法について明確なガイドラインは存在しないが，筆者らの臨床経験に基づいて述べると，問診では広義の社会性の障害の事実確認だけにとどめず（つまり，「友達がいる・いない」，「友人関係に困難がある・ない」など），具体的な問診から困難さの文脈を理解することが重要である。

指導医：「クラス替え後から友達がいなくなったと仰っていましたが，クラス替え前は友達はいたのですか？」
母：「はい，保育園のときも小学校低学年のときも友達はいました。小学4年生のクラス替え後も新しい友達はできたんです」
指導医：「友達を作ることはできるけれども，学年が上がるにつれて友人関係の維持が難しくなったということですか？」

母：「そうだと思います」

指導医：「友達を作ることはできるけど，うまくいかなくなってしまうのかな？」
児：「うん，友達はできるけど喧嘩になっちゃう」
指導医：「友達はどうやって作るの？自分から先に話しかけるの？」
児：「うん，好きなゲームのキャラが一緒だってわかったから，『僕も好きだよ』って話しかけたりした」
指導医：「そうなんだね。お友達と喧嘩になってしまったって聞いたけど，何か嫌なことがあったの？」
児：「バスケットボールをしていたとき，A君がゴールを入れそうになって，負けたくなかったから叩いちゃった」
母：「A君とは保育園のときからずっと仲がよかったんです。それなのにけがをさせてしまったので，この子もかなり反省していました。この子は喧嘩は多いですが，喧嘩をしてしまった日はいつも『またひどいことをしてしまった』，『あんなひどいこと言わなきゃよかった』と後からとても後悔しているんです」

②社会性に関する質問例

・友達を作ることはできますか？その後，友人関係を維持できますか？
・対人トラブルの原因について理解したり反省したりできますか？
・社会的に不適切な行動について，「不適切だとわかっているけれども，我慢できずにやってしまった」ということが多いですか？それとも，不適切であること自体を理解できていない様子ですか？
・自分の興味関心について一方的に話し続けることがありますか？相手が興味をもっているか否か気づくことはできますか？
・3人以上で話をしているとき，どのように振舞いますか？他の人が話をしているとき，話を聞いて会話の流れに乗ることができますか？それとも，上の空で周囲から「全然話を聞いていないから一緒にいてもつまらない」などと不満を述べられることは多いですか？

③診断面接・心理尺度

保護者による他者評価形式の尺度でASDに特有の社会性の障害を評価するには限界がある。なぜなら，質問紙のみでは社会性の困難さが生じる文脈を把握できず，社会性の困難さの主因がASDによるか否か識別できないためである。そのため，ASDの社会性の評価には，子どもの行動を直接観察する自閉症診断観察検査（Autism Diagnostic Observation Schedule Second Edition；ADOS-2）や，養育者への半構造化面接である自閉症診断面接改訂版（Autism Diagnostic Interview-Revised；ADI-R）などの標準化された診察手法を用いることが望ましい。しかし，そもそもこれらの手法は診断のゴールドスタンダードではなく，あくまでASDであるか否かの臨床診断の補助として開発されたものであることを理解しておく必要がある。さらに，これらはADHD児における感度・特異度は保証されておらず，ADHD特性の影響を受ける可能性が否定できない。そのため，ADHD児がASDを併存するか否かを評価する目的でADOS-2やADI-Rを用いる場合，これらの診断精度の限界に留意する必要がある[104]。Grzadzinskiらは米国内の3施設の専門外来患者によって構成されるデータベースを用いて，ASDを併存しないADHD単独例におけるADOSやADI-Rの診断精度を解析した[101]。その結果，偽陽性（つまり，最終的にはASDと診断されなかったが，診断ツールでは各スコアが診断閾値を超えた）は，ADOSでは21％，ADI-Rでは30％，ADOSとADI-Rの併用時は11％であった。すなわち，これはASD単独診断の際にもいえることだが，診断ツールのスコアのみでASDか否か，またはASDの併存があるか否か診断することは科学的にも支持されておらず，評価尺度はあくまで診断の補助的に用いるべきである。

④ADOS/ADOS-2

ADOSにおけるASDのA症状に関する評価項目のなかで，「対人的働きかけの質」，「相互的な対人的意思伝達の量」，「普通でないアイコンタクト」，「他者に向けた顔の表情」の4項目の障害はASDで有意に多く，ASDとADHDの社会性の障害の鑑別に有用という報告がある[101]（**表10**）。言い換えれば，ADOSのA症状の評価項目のなかにはADHDでも高得点となる（正常でないと判断される）項目が複数あり，両疾患の社会性の障害は臨床症状レベルでは重複が多いことを裏づけている。このことから，ADHDにおける社会性の障害を保護者評価による尺度で評価し，ASD特性と区別するのは困難であるといえる。また，HayashiらがADHD成人例におけるADOS-2得点を調査した結果，ADHD成人例の半数以上で「情報の要求」の少なさがみられた[105]。これについてHayashiらは「自分の話ばかりして相手の考えや経験について聞かなかった可能性がある。この特性は，相手の話を遮ったり聞かなったり，忘れっぽかったり，自分の話をし過ぎたりするADHD特性に関連する可能性がある」と考察している。しかし，Hayashiらは上記の研究で，ADOS-2でASDと判定された群とされなかった群との間で，ADHD症状を評価するConners'Adult ADHD Rating Scales（CAARS）の得点に差が認められなかったことから，社会性の障害をADHD特性の

表10 ADOS評価項目におけるASD/ADHD鑑別の有用性

ASD症状	ADOS評価項目	
	ASDとADHDの鑑別可能	ASDとADHDの鑑別困難
A1. 相互的対人関係	・対人的働きかけの質*** ・対人的反応の質** ・会話*** ・情報提供** ・相互的な対人的意思伝達の量***	・やりとりにおける喜びの共有 ・情報の要求
A2. 非言語的コミュニケーション	・普通でないアイコンタクト*** ・他者に向けた顔の表情***	叙述的・慣習的・道具的・情報提供的な身振り
A3. 対人関係の構築維持	（ADOSで評価項目なし）	
B1. 常同的で反復的な運動動作や話し方，物体の使用	・単語や短文の常同的/独特な使用*** ・手指やその他の複雑な衒奇的運動**	即時性エコラリア
B2. 同一性へのこだわり，儀式的行動パターン，日常動作への執着		強迫行為と儀式的行動
B3. 集中度・焦点づけが強く限定的な固定された興味	普通でない反復的な興味あるいは常同行動***	
B4. 感覚入力に対する鈍感性あるいは過敏性	もの／人への普通でない感覚的な興味**	

ASD群とADHD群とで，ADOS評価項目で1点以上がついた割合についてカイ二乗検定を行った。
**$p < 0.01$, ***$p < 0.001$
〔Grzadzinski, R et al : Parent-reported and clinician-observed autism spectrum disorder (ASD) symptoms in children with attention deficit/hyperactivity disorder (ADHD) : Implications for practice under DSM-5. Mol Autism, 7 (1) : 7, 2016より改変〕

量的な観点のみで説明することはできないとも述べている。

ADOSにおけるASDのB症状に関する評価項目は，ASD群で有意に高得点となる。ADOSでASDと判定されるADHD児の多くは，意思伝達と相互的対人関係のスコアを合計した対人的感情スコアが高値であるものの，限定的・反復的行動スコアはASD児より有意に低いという報告が多い。ADOSの評価項目なかで最もADHD児からASD特性を区別するのに有用な項目は「単語や短文の常同的／独特な使用」と報告されている[101]。すなわち，ADHDとASDの鑑別には，ASDに特有の常同的反復的（RRB）症状が有用であるといえる。ただし，保護者評価の尺度ではADHD児においてもASDのようなRRBが高頻度に報告されるので注意を要する。

⑤ADI-R

Grzadzinskiらは，ASDの疑いでASDの専門クリニックにてADI-Rを含む包括的な発達検査を施行され，最終的にADHDのみの診断が下った子どもたちのデータ解析を行い，以下の有用な結果を報告した[101]。この研究では，ADHD単独の診断を受けた子どものうち30%が，ADI-Rの得点上はASDの診断を満たすと判定された（注意：ADI-Rの得点がASDの診断を示唆していても，これらの子どもたちは専門クリニックの検査者や臨床家の最終的な判断により非ASDと診断された）。最終的にADHD単独，ASD単独の診断を受けた群の比較では，ADI-Rの診断アルゴリズムの相互的対人関係の質的異常，意思伝達の質的異常，限定的・反復的・常同的行動様式の3つの領域で，ASD群がADHD群よりも有意に高得点（正常でないと判断される）だった。一方，社会コミュニケーション，反復的な感覚刺激運動，同一性の保持といった因子レベルでの得点はASD群とADHD群とで有意差がなかった[101, 106, 107]。項目レベルに着目すると，社会性に関する症状のなかでASD群に有意に多かったのは，過去の「会話」に関する項目のみだった。限局的な興味・反復行動のなかでASD群に有意に多かったのは「常同的な言動と遅延性エコラリア」の項目だけだった。これらの結果から，たとえ標準化されたツールを用いたとしても，保護者からの情報のみでは，ADHDとASDの判別，またADHDを有する児にASDが真に併存するかの判別は困難で比較的高い偽陽性が生じる。しかしながら，同研究では，ADOSとADI-Rの両者を用いた場合，実際にはADHDのみの診断であるにもかかわらずASDと判定されたのはADHD児の11%に留まったと報告しており，診断に難を要する症例についてこれらの診断ツールを併用することは特異度を高めることができ有用と思われる。

(2) 注意障害の評価：ポイント②「切り替えが苦手」

①問診のポイント

「切り替えが苦手」という訴えがあった場合，安易にASD併存とせず詳細に病歴を聴取し，ADHDによる不注意症状なのか，ASDを併存しているのか注意深く評価する必要がある。一般人口におけるADHD特性とASD特性の関連は，不注意と注意の切り替えの困難さの両者によって説明されることが研究で示されており[108]，注意制御の問題は両疾患に共通の重要な生物学的基盤となり得ると考えられる。ADHD児はしばしば注意散漫さや過集中によって場面が切り替わったことに気づかず，結果として「切り替えが悪い」と評される。一方，ASD児は注意を他のものへ移行する柔軟性の障害によって切り替えの苦手さが生じる。なお，授業に参加した際に注意散漫さや集中力の続きにくさが問題になりやすいのはASDよりもADHDである。課題の実行における効率性やスピードはADHDとASDの両者で問題となりやすい[102]（表9）。

切り替えの苦手さのみならず，注意散漫などの訴えがあった際もDSM-5上の不注意症状のチェックボックスを埋めるだけで満足してはならない。注意の困難さが生じる文脈について，場所，時間帯，周囲の状況，増減させる因子，結果として起こる事象などさらに踏み込んで具体的に尋ね，児に困難さが生じるストーリーをしっかりイメージできるような診察をすることは，診断のみならず適切な支援に繋がっていく。

②スクリーニング

自閉特性のスクリーニングとして児童用自閉症スペクトラム指数（autism-spectrum quotient；AQ）が頻用されるが，AQの「注意の切り替え」が高得点だからといって安易にASD併存と診断してはいけない。RoyらはAQ短縮版の注意スコアとCAARS不注意スコアは相関すると報告している。すなわち，ADHDの不注意症状がAQで反映される可能性があるため注意を要する[102]。社会性の障害同様，注意の障害もADHDの不注意に起因するのか，ASD特性に起因するのか，AQの点数だけでなく内容を確認して評価する必要がある。

③AQ日本語版　児童用

自閉特性の評価尺度の代表例であるが，質問項目を下位尺度ごとにみてみると，「注意の切り替え」の項目として，「4．一つのことに夢中になって，他のことがぜんぜん目に入らなくなることがよくある」，「10．人（友達）が何人かいる場面などで，複数の人（友だち）との会話についていくことが簡単にできる」，「32．2つ以上のことを並行して（同時に）するのは，かんたんである」，「37．じゃまが入っても，それまでやっていたことに，すぐに戻ることができる」など過集中，注意散漫さ，集中力の続きにくさなどADHDの不注意症状ともとれる項目が複数ある[109]。

同様に，「細部への関心」の項目として，「12．他の人が気がつかないような小さい物音に気がつくことがしばしばある」「29．電話番号をおぼえるのは苦手である」など外部刺激による気の散りやすさ，ワーキングメモリの低さともとれる項目が含まれる。大関らによると，AQの「細部への関心」の合計得点はAQの合計得点と相関しない[110]。ゆえに，AQの「細部への関心」が高得点であってもそれが自閉特性だとは断定できない。

以上より，ADHDではAQ下位項目である「注意への切り替え」や「細部への関心」が高得点となりやすいため，AQの得点だけで評価せず該当項目を確認する必要がある。

(3) 興味関心・こだわりの評価：ポイント③「限定された興味関心」

特定のものに対する強い興味関心は，ADHDにおいては複数の興味関心領域に対する過集中によって生じるが，ASDにおいては限局された興味関心によって生じる（表9）。ゆえに，「強い興味関心をもつものはありますか？」，「博士といわれるほど大好きなものはありますか？」という質問で終わらず，その関心領域の内容や数についても詳細に聴取すべきである。

(4) 感覚過敏の評価：ポイント④「聴覚過敏」

発達障害の臨床・研究において感覚機能の評価の重要性の認識が高まってきている。そのなかで，聴覚の過敏性は日常臨床で保護者または本人から頻繁に聴取される訴えの一つである。ADHD児では雑音への過敏性すなわち雑音によって容易に注意散漫となる様子がみられる（表9）。一方，ASD児では大きな音や特定の音を苦手とする聴覚過敏のほか，嗅覚や触覚など複数の感覚領域に関する過敏や鈍麻が高頻度に認められる。このようにADHDにおける聴覚の敏感さとASDにおける感覚過敏は本質的に大きく異なるが，尺度（例：感覚プロファイル）を用いて定量化した場合，ASDの感覚過敏のみならずADHD症状でも高得点となるため注意が必要である。

①感覚プロファイル（sensory profile；SP）

質問項目をみてみると，聴覚に関しては「AV機器の音が流れていると課題に集中できない」，「まわりがそうぞうしいと気が散ったりうまく活動できない」，「まわりで音がしていると作業できない」，「話しかけても聞いていないようだ」などADHDの不注意症状ととれる項目が複数含まれる[111]。視覚に関しては「ゴチャゴチャしている中から物を探すのが苦手」など，前庭覚に関して

「あらゆる動きをしたがり，それが日々の生活に影響している（例：じっと座れない，落ち着きがない）」，「いすや床に座っているときに体をゆらす」など聴覚の感覚領域においてもADHD症状と合致する特性が含まれている。したがって，SPが高得点でも自閉特性による感覚過敏と断定せず，該当項目の内容を確認する必要がある。

3）てんかん合併例

ADHDにASDを併存する症例で，ADHDの治療を継続しているにもかかわらず，ある時点で不注意症状が増加した場合，どのようなアセスメントが必要だろうか。もちろん，薬物の内服遵守を確認する必要がある。飲み忘れはADHDを罹患する児・大人によくみられるからである。また，中枢神経刺激薬を内服している場合，長期間の使用により現在の投与量に対して耐性を形成していないか疑う必要もあるだろう。さらに，睡眠時間の変化や他の精神科疾患・心理学的問題（例えば，強度の不安や抑うつ気分）による集中困難の可能性も疑うべきだろう。上記に加えて，ASD併存例のADHD診療では，てんかんの合併を除外する必要がある。ASD児のてんかん罹患率は非ASD児に比べて高いこと，またASD児におけるてんかんの発症年齢（つまり，初めててんかん症状を呈する年齢）は10歳以降の思春期に比較的多いことから[112]，学童期のASD併存例のADHD診療に際しては，重要な臨床的観点である。

てんかんの存在を常に頭の片隅においておくことは，ASD単独例の診療を行っている医療者にも重要である。ADHDの既往のない学童期のASD児の保護者が，「うちの子，最近よく授業中ぼーっとしていると先生から連絡があったんです」といった不注意症状の出現を訴えたとき，それをASDの症状に由来するもの（例えば，限局した興味やこだわりによる特定のものへの過度な集中から起こる注意の転換困難）と安易な臨床思考過程となったり，これはADHDの新規発生に起因するものだと決めつけてしまわないように注意が必要である（このような状況をdiagnostic overshadowingという）。不注意に関して具体的に質問し，必要があれば神経内科医（または少なくとも小児科医）に相談するのがよい。

（坂本 由唯，廣田 智也）

7 神経発達症群-3（知的能力障害，限局性学習症，発達性協調運動症）

1）知的能力障害（知的発達症／知的発達障害：Intellectual disabilities；ID）の併存

本章の「5 鑑別診断 ②知的能力障害との鑑別」（147ページ）においてADHDと知的能力障害（ID）の鑑別診断や併存について述べている。詳しくはそちらを参照されたい。

2）限局性学習症（specific learning disorder；SLD）の併存

(1) ADHD児の学習困難

ADHDの行動特性である不注意・多動・衝動性から，授業に落ち着いて参加できないなど学習上の問題を抱える子どもたちは少なくない。一方，ADHDで説明できないレベルの読み書き等の拙劣さを示す児も経験する。すなわち学習障害の併存を疑う例である。本項では，学習障害（DSM-5[113]における限局性学習症）の定義や内容，診断法を説明し，ADHDに併存する限局性学習症，特にディスレクシア（失読症）の特徴に焦点をあてる。

(2) 限局性学習症とは

学習障害（LD）の定義は，大きく分けて2つある。1つは，文部科学省が定義した教育用語（**表11**）としてのLD（learning disabilities）であり，もう1つは米国精神医学会の精神疾患の診断・統計マニュアル（DSM）に基づく医学用語としてのLD（learning disorder）である。前者（文部科学省）の定義では，「聞く，話す，読む，書く，計算する又は推論」する能力とされているように，教育の観点から児の示す広い学習能力に関心が寄せられる。一方，DSMでは「読む，書く，計算」するという3つの領域に焦点が絞られる。

国際疾病分類第10版（ICD-10）では，学習障害という用語はなく，学力の特異的発達障害F81（Specific developmental disorders of scholastic skills）として，特異的読字障害，特異的綴字［書字］障害や特異的算数能力障害等に分けて定義している[114]。最新のDSM-5の日本語訳では，学習障害が「限局性学習症」ないし「限局性学習障害」（specific learning disorder；SLD）という表記に変わった。

限局性学習症は，発達期に始まり「基本となる学業的技能」を学習することの困難さを示す発達障害で，そのために学業，仕事や日常生活に著しい支障がもたらされている状態である。ここでいう基本的学業技能とは，①単語を正確かつ流暢に読むこと，②読解力，③書字表出および綴字，④算数計算，⑤数学的推理——が含まれる。単純に学習機会が不足しているためや不適切な教育の結果でこれらの習得不全が生じているものではないことが重要である。そして，限局性学習症の最も一般的な兆候は読字の困難さといえる。なおDSM-5で限局性学習症は，読字障害を伴うもの，書字表出障害を伴うもの，算数障害を伴うものをそれぞれ特定できれば行うように示している（**表12**）。

ADHDに併存する限局性学習症のうち最も注目されているのは，ディスレクシアないし発達性読み書き障害（developmental dyslexia；DD）である。DDは，読み書きの発達が特異的に障害されており，単語認識における正確性かつ（または）流暢性に問題がある特異的発達障害と言い換えられる。

表11 学習障害（LD）の定義

学習障害とは，基本的には全般的な知的発達に遅れはないが，聞く，話す，読む，書く，計算する又は推論する能力のうち特定のものの習得と使用に著しい困難を示すさまざまな状態を指すものである。

学習障害は，その原因として，中枢神経系に何らかの機能障害があると推定されるが，視覚障害，聴覚障害，知的障害，情緒障害などの障害や，環境的な要因が直接の原因となるものではない。

〔文部科学省：学習障害児に対する指導について（報告），平成11年7月2日（http://www.mext.go.jp/a_menu/shotou/tokubetu/material/002.htm）より抜粋〕

表12 DSM-5における限局性学習症／限局性学習障害（Specific Learning Disorder）の記載より

▶ 該当すれば特定せよ

315.00	読字の障害を伴う（With impairment in reading）
315.2	書字表出の障害を伴う（With impairment in written expression）
315.1	算数の障害を伴う（With impairment in mathematics）

▶ 現在の重症度を特定せよ

軽度（Mild）
中等度（Moderate）
重度（Severe）

(3) 限局性学習症の診断

DSM-5の診断基準（**表13**）にあるように，以下に示す症状が1つでもみられるかどうかをまず確認する。すなわち，①単語を間違って，またはゆっくりと音読する。言葉を当てずっぽうに言う。言葉を発音することの困難さ。②正確に読んでいる場合があるが，読んでいるもののつながり，関係，意味を理解していない。③書字において，ひらがな，カタカナ，漢字の誤り，書き忘れ，書き換え。④文章を書く際の，文法の誤り，句読点の間違い，書かれた内容の不明確さ。⑤数字の概念の理解不良，大小がわからない，指折り計算，計算のミス。⑥数学的推論の困難――などである。ひらがなや漢字を学習し始めた小児の読み書き症状に関しては症状チェック表が有用である（**図6**）。

上記の6つの症状が小学校入学後に出現し，教育指導が適切に行われているにもかかわらず，少なくとも6カ月間持続している場合に限局性学習症の診断が考慮される。問診ではほかに，本人の発達歴，成育歴，既往歴，家庭環境，学校環境，友人関係なども確認する必要がある。幼小児期に文字や数字への関心があったのか，保護者に同様の症状がみられるのかどうか遺伝的負因を確認する。なお背景に神経疾患がないこと，視力や聴力の問題がないことも除外規定として重要である。

限局性学習症の診断において重要な第2の点は，学習困難が特異的にみられる，ということである。例えば知的能力障害に基づく学業不振を除外する必要がある。そのためウェクスラー系知能検査（WISC-Ⅳ）[115]やKABC-Ⅱ[116]により全般的知能が正常であること，つまりIQ値が70以上であることを確認する。限局性学習症は，本人の学習意欲は基本的に保たれており，環境要因も基本的

表13 限局性学習症／限局性学習障害（Specific Learning Disorder）の診断基準（DSM-5より）

A. 学習や学業的技能の使用に困難があり，その困難を対象とした介入が提供されているにもかかわらず，以下の症状の少なくとも1つが存在し，少なくとも6カ月間持続していることで明らかになる：
  (1) 不的確または速度が遅く，努力を要する読字（例：単語を間違ってまたはゆっくりとためらいがちに音読する，しばしば言葉を当てずっぽうに言う，言葉を発音することの困難さをもつ）
  (2) 読んでいるものの意味を理解することの困難さ（例：文章を正確に読む場合があるが，読んでいるもののつながり，関係，意味するもの，またはより深い意味を理解していないかもしれない）
  (3) 綴字の困難さ（例：母音や子音を付け加えたり，入れ忘れたり，置き換えたりするかもしれない）
  (4) 書字表出の困難さ（例：文章の中で複数の文法または句読点の間違いをする，段落のまとめ方が下手，思考の書字表出に明確さがない）
  (5) 数字の概念，数値，または計算を習得することの困難さ（例：数字，その大小，および関係の理解に乏しい，1桁の足し算を行うのに同級生がやるように数学的事実を思い浮かべるのではなく指を折って数える，算術計算の途中で迷ってしまい方法を変更するかもしれない）
  (6) 数学的推論の困難さ（例：定量的問題を解くために，数学的概念，数学的事実，または数学的方法を適用することが非常に困難である）

B. 欠陥のある学術的技能は，その人の暦年齢に期待されるよりも，著明にかつ定量的に低く，学業または職業遂行能力，または日常生活活動に意味のある障害を引き起こしており，個別施行の標準化された到達尺度および総合的な臨床評価で確認されている。17歳以上の人においては，確認された学習困難の経歴は標準化された評価の代わりにしてよいかもしれない。

C. 学習困難は学齢期に始まるが，欠陥のある学業的技能に対する要求が，その人の限られた能力を超えるまでは完全には明らかにはならないかもしれない（例：時間制限のある試験，厳しい締め切り期限内に長く複雑な報告書を読んだり書いたりすること，過度に重い学業的負荷）。

D. 学習困難は知的能力障害群，非矯正視力または聴力，他の精神または神経疾患，心理社会的逆境，学業的指導に用いる言語の習熟度不足，または不適切な教育的指導によってはうまく説明されない。

注：4つの診断基準はその人の経歴（発達歴，病歴，家族歴，教育歴），成績表，および心理教育的評価の臨床的総括に基づいて満たされるべきである。

（日本精神神経学会・日本語版用語監修，髙橋三郎，他・監訳：DSM-5 精神疾患の診断・統計マニュアル．医学書院，pp65-66，2014より引用）

読み書きの症状チェック表

確認日：＿＿＿＿＿ 年 ＿＿ 月 ＿＿ 日

記録者：医師・その他＿＿＿＿＿

情報提供者：保護者・教師・その他＿＿＿＿＿

病名：＿＿＿＿＿・ADHD・ASD

氏　名：＿＿＿＿＿＿＿＿＿＿　性別：男・女

生年月日：＿＿ 年 ＿＿ 月 ＿＿ 日（＿＿ 歳 ＿＿ ヶ月）　学年：＿＿ 年生

学力（国語）

- □ 著しく遅れている（2学年以上，あるいはまったく授業がわからない）
- □ 遅れている（約1学年～2学年，あるいは授業についていけない）
- □ やや遅れている（当該学年の平均以下）
- □ 遅れていない（当該学年の平均くらい）

読字

① 心理的負担
- □ 字を読むことを嫌がる
- □ 長い文章を読むと疲れる

② 読むスピード
- □ 文章の音読に時間がかかる
- □ 早く読めるが，理解していない

③ 読む様子
- □ 逐次読みをする（文字を一つ一つ拾って読むこと）あるいは，逐次読みが続いた
- □ 単語または分節の途中で区切ってしまうことが多い（chunking が苦手）
- □ 文末を正確に読めない
- □ 指で押さえながら読むと，少し読みやすくなる
- □ 見慣れた漢字は読めても，抽象的な単語の漢字を読めない

④ 仮名の誤り
- □ 促音（「がっこう」の「っ」），撥音（「しんぶん」の「ん」）や拗音など特殊音節の誤りが多い
- □ 「は」を「わ」と読めずに，「は」と読む
- □ 「め」と「ぬ」，「わ」と「ね」のように，形態的に似ている仮名文字の誤りが多い

⑤ 漢字の誤り
- □ 読み方が複数ある漢字を誤りやすい
- □ 意味的な錯読がある（「教師」を「せんせい（先生）」と読む）
- □ 形態的に類似した漢字の読み誤りが多い（「雷」を「雪」のように）

書字

① 心理的負担
- □ 字を書くことを嫌がる
- □ 文章を書くことを嫌がる

② 書くスピード
- □ 字を書くのに時間がかかる
- □ 早く書けるが，雑である

③ 書く様子
- □ 書き順をよく間違える，書き順を気にしない
- □ 漢字を使いたがらず，仮名で書くことが多い
- □ 句読点を書かない
- □ マス目や行に納められない
- □ 筆圧が強すぎる（弱すぎる）

④ 仮名の誤り
- □ 促音（「がっこう」の「っ」），撥音（「しんぶん」の「ん」）や拗音など特殊音節の誤りが多い
- □ 「わ」を「は」，「お」を「を」のように，耳で聞くと同じ音（オン）の表記に誤りが多い
- □ 「め」と「ぬ」，「わ」と「ね」のように，形態的に似ている仮名文字の誤りが多い

⑤ 漢字の誤り
- □ 画数の多い漢字の誤りが多い
- □ 意味的な錯書がある（「草」を「花」と書く）
- □ 形態的に類似した漢字の書き誤りが多い（「雷」を「雪」のように）

図6 読み書きの症状チェック表

学業技能の獲得を妨げるものではないことが必要条件となる。併存という点では，ADHDはもちろん他の神経発達症，例えばASD（自閉スペクトラム症）の診断も下され得るのかにも注意がいる。

3番目に重要な点は，上記の「基本的学業的技能」の客観的評価となる。しかし，日本語話者における体系的な限局性学習症診断法は確立していない。ここでは筆者らが使用している「特異的発達障害診断・治療のための実践ガイドライン」[117]などを中心に，説明していく。

ひらがな読字に関しては，上記ガイドラインのひらがな単音音読検査，単語・非単語速読検査，短文音読検査が利用できる。これは小学生500名程度の音読能力を発達的視点から調査したもので，各学年別の音読速度や誤読パターンなどが示されている[118]。ひらがなの書字は，「改訂版標準読み書きスクリーニング検査」[119]が利用できる。語彙力は絵画語彙検査（PVT-R）[120]により評価する。そして，ひらがなレベルで現れるディスレクシアないし発達性読み書き障害では，音韻認識の評価も欠かせない。音韻認識は，音韻操作能力例えば音韻削除や逆唱課題で評価できる力である。文章理解に関しては，上記のKABC-Ⅱの「文の理解」が評価に役立つ。25問中22問が文章を読んで動作を求める課題，残り3問（9課題）が文章読解（四択課題）となっている。

漢字の到達度に関しては，KABC-Ⅱの「ことばの読み」と「ことばの書き」に含まれる課題が有用である。特に漢字書字は，小学校1年生から中学生までに初出する漢字に関して各学年およそ8文字ずつ書字を求める課題となっており，読字書字習得年齢が求められる。本人が書いた文章，例えば日記や作文を見ることで，句読点の誤りや文法，内容の正確さなどが評価できる。

算数計算，数学的推論に関しては，学校で行っている学習プリントを確認する必要がある。計算のミスか，図形問題や文章問題が苦手なのか，その両者なのかを見極める。算数の成績表の内容，推移も参考にする。文字が読めていないために文章問題ができないのかどうかも重要である。上記ガイドライン[117]の「数字の読み」，数の分解や九九などの「計算」，「筆算手続き」が有用である。数学的推論に関しても，上記ガイドラインの算数思考課題が役立つ。これは「集合分類」，「集合包摂」，「可逆」の三要素を，計算力とは別に評価可能な課題となっている。

(4) ADHDと限局性学習症の併存について

わが国ではLDの有病率は小学生，中学生ともに6%，あるいは小学生で5%との報告がある一方，学級担任教師による評価（21小学校，児童数8,510人）では，読み能力について特異的なつまずきをもつ子どもたちは0.7～2.2%に存在すると推定されている[117,121,122]。2012年に発表された文部科学省調査報告では，通常学級に在籍する児童生徒の6.5%に発達障害の可能性があること，学習面に困難を抱える児童の約3割に行動上の問題が併存していることが示されている[123]。そして国際ディスレクシア協会によると，学習困難あるいは読字困難と診断された例の50%にADHDが診断されると示されている[124]。ADHDが併存する場合，読字では，単語に含まれる形態的に類似した文字に読み間違える，文章の勝手読みや読み飛ばしが多くなるとされる。書字では，筆順の誤りや文字が枠外にはみ出ることがみられる[125]。

一方ADHD児に合併するSLDの出現率に関しては，さまざまな報告がなされている。これには，SLDをどのように定義するかによって，また，どの国（言語圏）で調査をするかによって，その数値が大きく異なってくるためである。また，対象の違いすなわち，一般人口（小児）を検討するのか，病院レベル（受診患者）で調査するのかによっても異なっている。ADHD児におけるLDの併存は報告者によってさまざまな意見であるが，25～40%にみられるとされる[126,127]。岡らもADHDの39例中17例（43.6%）に読字困難がみられたと述べている[128]。

(5) 限局性学習症の支援の考え方

ADHDの具体的な治療・援助については別項を参照されたい。ADHDの治療，例えば薬物治療により，学習面のつまずきが顕在化することがある。一方，集中力，注意力の改善とともに読字書字の力が向上することもある[125]。支援の考え方で重要な点は，ADHDの併存がある場合でも，ない場合でも，SLDの子どもの認知特性を抽出して，一人ひとりの特徴に合わせた指導・介入を計画することにある。例えば，文字の読みの低下の克服に重点をおかずに，自信をつけさせると同時に本人の良好な認知機能を活用するアプローチがある。読みに著しい困難を来す子どもで聴覚記憶が低下している場合なら，漢字の読み学習の際に写真やイラストを用いて学習するなど漢字単語の視覚的イメージを高める（意味と結びつけるなどの）支援が有効となる。

(6) 症例提示

症例 10歳　男児

主症状 他のことが気になって，何を言われたかわからなくなる

家族歴 39週，出生時体重2,950gであり特に問題ない

現病歴

乳幼児期の運動発達は正常。生後4カ月から保育所に通う。幼い頃から呼名への応答が遅い，という行動特徴に気づかれた。言語発達は軽度な遅れがみられたが，2歳では会話も可能となる。幼稚園では多動が目立ち，ちょっと目を離すといなくなり，探されてばかりいた。お遊戯を皆と行うが，他のことを考えているようで，保母から何回も呼ばれたり，手を引かれたりしていた。帽子や通園服をたびたびなくしていた。小学校に入学後，離席はなかったが，授業に集中できず，絵を描くなど好きなことばかりしていた。宿題にも関心がなく，何をするにも時間がかかり，準備もできなかった。一斉指導で動けない，間に合わない，ボーッとしている，字を丁寧に書こうとすると時間がかかる――などを担任に指摘され，小学2年時に外来を受診。帰宅後はゲームばかりしていた。

診察上，身体所見に異常なし。会話も可能であるが，返事がとても遅い。好きなこと（昆虫）は内容豊富に話す。WISC-Ⅲの全検査IQは94であり，知的障害は否定された。処理速度PSは94であり，異常はみられなかった。頭部MRI検査での異常なし。ADHD-RSでは，不注意項目が高く（特に，周囲からの刺激で気が散りやすい），多動衝動性項目もやや高めであった。書字はゆっくりで，バランスが悪いことに自身が気になり「下手だから嫌だ」と書きたがらなかった。ひらがな音読検査は可能で異常はみられなかった。

混合型ADHD＋SLDを考えて，受診3カ月目にメチルフェニデート徐放錠をスタート。その後，行動の取りかかりが著しく改善し，担任からは別人のようだと指摘された。服薬後3カ月の改善点は，①学習の準備が早くなり，声かけが必要でなくなる，②自分で課題に取り組める，③書字への抵抗が減り，ノートに丁寧に書くようになった，④遅刻が全くなくなり，行動が皆と同じようにできるようになった――などであった。そのため褒められることも増えた。登下校の時間が早まり，帰宅後に宿題をやる時間が増えた。

服薬前の作文の文字は筆圧が高くバランスに欠けていた（**図7**）が，服薬後運筆が改善して枠内に納まるようになった（**図8**）。現在小学4年であるが，漢字の習得にはいまだ困難を抱えている。

考察

ADHDに書字困難を伴っていた小児。メチルフェニデート投薬により注意力や実行機能の改善がみられ，同時に運筆，字の形が軽快した。自信がつくことと関連して，書字を中心とした学習困難が軽快している。しかしながら今後の漢字習得について，経過観察は必要なケースと考えている。

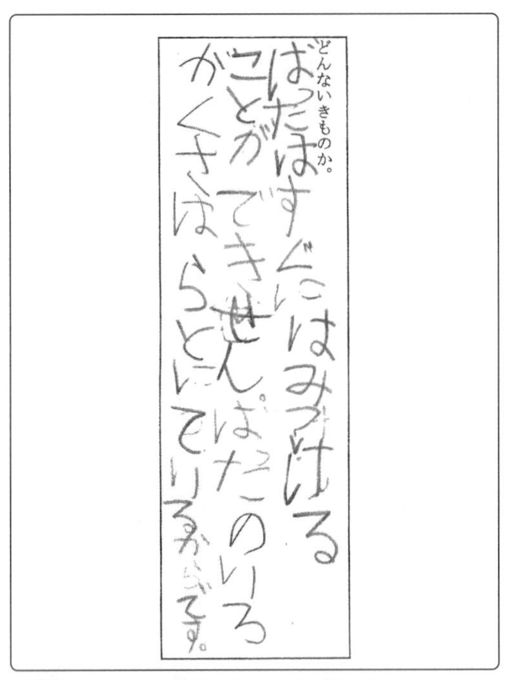

図7 小学校2年生の作文（服薬前）

本人の好きな昆虫について書いたところ，時間をかけて「ばった」の説明を書いた。筆圧が強い。漢字はいっさい使わず，書き直しが目立つ。書字の誤りは1箇所ある。

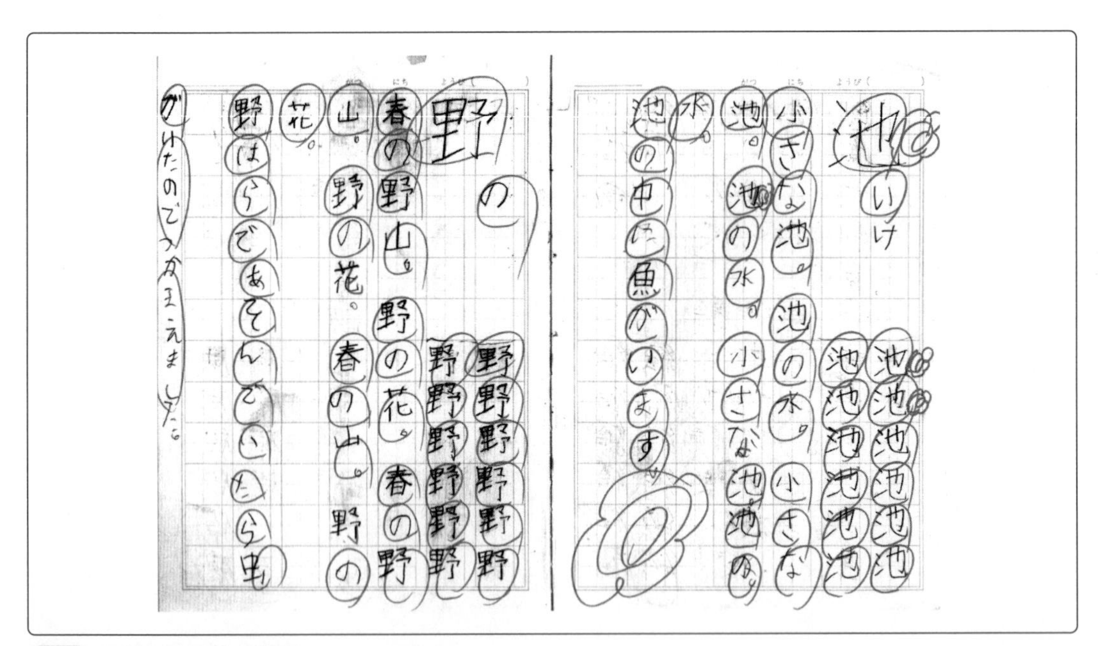

図8 服薬2カ月後の書写

いずれも枠に納めて書けるようになり，丁寧さが増している。

表14 発達性強調運動症／発達性強調運動障害（Developmental Coordination Disorder）の診断基準（DSM-5より）

A. 強調運動技能の獲得や遂行が，その人の生活年齢や技能の学習および使用の機会に応じて期待されるものよりも明らかに劣っている。その困難さは，不器用（例：物を落とす，または物にぶつかる），運動技能（例：物を掴む，はさみや刃物を使う，書字，自転車に乗る，スポーツに参加する）の遂行における遅さと不正確さによって明らかになる。
B. 診断基準Aにおける運動技能の欠如は，生活年齢にふさわしい日常生活活動（例：自己管理，自己保全）を著明および持続的に妨げており，学業または学校での生産性，就労前および就労後の活動，余暇，および遊びに影響を与えている。
C. この症状の始まりは発達段階早期である。
D. この運動技能の欠如は，知的能力障害（知的発達症）や視力障害によってはうまく説明されず，運動に影響を与える神経疾患（例：脳性麻痺，筋ジストロフィー，変性疾患）によるものではない。

（高橋三郎，他・監訳：DSM-5 精神疾患の診断・統計マニュアル．医学書院，p73，2014より引用）

3）発達性協調運動症（developmental coordination disorder；DCD）の併存

(1) 発達性協調運動症とは

協調運動技能の獲得，遂行が劣っているため，不器用，運動技能の遅さと不正確さを来す神経発達症の1つである（**表14**）[113]。小学生の有病率は5〜6%とされる。男児は女児の2〜7倍多い。DCDで注目するべき兆候は，会話における発声，構音，食事の咀嚼，嚥下，箸やフォークの操作，衣類着脱のボタンはめや外し，描画や書字，リコーダーなどの楽器操作，ハサミ・コンパスの使用，シール貼り，道具の使用などである[129]。

(2) DAMP症候群とは

ADHDにDCDを併存する場合を特にDAMP症候群（deficits in attention，motor control and perception）ということがある。これは，当初以下の条件を満たすものと定義された[130, 131]。①複数の場面での臨床的に問題となる程度の不注意の存在。多動／衝動性は伴っても伴わなくてもよい，②以下の領域の少なくとも1つ以上の異常の存在：粗大運動機能，微細運動機能，知覚，言語機能，③明らかな知的障害，脳性麻痺，神経学的異常がない。このうち重度のDAMP症候群は②のすべての領域の異常をもつものとされる。

つまり不注意の存在と上記に示した発達性協調運動障害のサインの重複である。Gillbergらは ADHDの半数にDAMP症候群の存在を指摘している。長期的な検討では，学習面，言語面，実行機能などさまざまな精神神経学的な問題を呈する可能性が示唆されるため，ADHDの心理・社会的予後を考えるうえで十分理解しておく必要がある。今後，DCDの精確な診断のために小児の運動機能の定量的な評価バッテリーであるMovement Assessment Battery for Children-Second Edition（MABC2）をわが国に導入し，客観的診断につながるアセスメントツールの標準化を目指す必要があると思われる。

（稲垣 真澄）

8 神経発達症群-4（チック症群）

1）チック症群

チックは，突発的，急速，反復性，非律動性の運動あるいは発声である。チックを主症状とする症候群がチック症である。18歳以前に発症したチック症は，チックの持続期間と種類によって，暫定的チック症，持続性（慢性）または音声チック症，トゥレット症に分類される。トゥレット症はしばしばトゥレット症候群ともよばれ，多彩な運動チックと1つ以上の音声チックを有してチックの持続が1年以上である。

チック症，特にトゥレット症は，さまざまな精神疾患を併発するのが特徴的である[132]。代表的な併発症として，強迫症と並んでADHDが挙げられる。

2）ADHDとチック症の併発

ADHDにおけるチックの併発はわが国の臨床例で10%に認められた。ドイツの包括的外来診療データでは，ADHDもチック症も7～12歳で最も高率であった（それぞれ5.0%，0.8%）が，両者の併発は13～18歳で最も高率で，ADHD患者の2.3%でチック症を認めたという[133]。米国のコホート調査によると，ADHDを有するとチック症を発症するハザード比が6.53と高かったという[134]。対象や調査方法によって数値は異なるものの，ADHDではチック症を併発しやすいといえる。

一方，チック症においてもADHDを併発しやすい[132]。トゥレット症の国際的なデータベースでは，ADHDの併発を55%に認めたという。デンマークの地域サンプルの調査によると，トゥレット症を含めてチックの持続が1年以上の慢性チック症を伴う小児ではそうでない小児と比べて多動が5倍多く認められたという。そして，これらの報告も含めて，チック症にADHDを併発すると，チック症のみの場合よりも衝動性・攻撃性をはじめとする情緒や行動の問題を生じやすく生活に支障を来す傾向があると示唆されている。

両者の併発の経過をみると，ADHD症状が明確になってからチック症状が出現する場合とその逆の場合がある。後者の場合に，チック症状が出現する前から何らかのADHD症状があったかを確認する必要があるが，必ずしも容易ではない。ADHD症状が軽ければ，チック症状が出現するまではそれに気づかれておらず，あたかもチック症状に伴って落ち着かなくなってきたと感じるかもしれない。**症例1**のように家族がADHD症状を許容している場合には新たに生じたチック症状だけを問題視するかもしれない。また，チック症状で不安になって落ち着かなくなったり，チック症状を抑えようとばかりして適切に注意を切り替えられなくなったりしたことなどがADHD症状とされる可能性もある。

3）ADHDとチック症の併発に対する治療・支援

(1) 全般的な留意点

家族ガイダンス，心理教育および環境調整を行って，ADHD症状およびチック症状をもちつつも患者が前向きに生活できるようにすることが基本である。その際に，包括的な評価に基づいて治療の優先順位を立てることが重要である。すなわち，併発を考慮しつつ患者の生活により支障を来す症状に重点を置いて治療する[135]。

(2) 薬物療法

最近の欧州のチック症に対する臨床ガイドラインでは，効果と副作用を勘案すると，α_2受容体作動薬が最も好まれるとされている[136]。わが国ではチックに対して保険対応のある薬物はないが，α_2受容体作動薬のなかでグアンファシンはADHDの治療薬として認められており，クロニジンは保険適応外ではあるものの使用可能である。慢性チック症の薬物療法のメタアナリシスから，α_2受容体作動薬はADHDを伴わないチックに効果が乏しく，ADHDに併発するチックに中～大の効果があったとされる[137]。最近の米国神経学会による実践ガイドラインでは，チックもADHD症状も軽減させる薬物として，α_2受容体作動薬に加えて，メチルフェニデート，メチルフェニデートとクロニジンの併用が挙げられている[138]。一方，わが国では中枢神経刺激薬はトゥレット症の既往歴や家族歴があるとチックの誘発や増悪の恐れがあるため禁忌とされている。しかし，同様に中枢神経刺激薬が禁忌とされている米国から，チックへの悪影響に否定的なメタアナリシスが報告されている[139]。α_2受容体作動薬以外の薬物では，アトモキセチンについてADHD症状の改善を通じてチックに良い影響を与えるかもしれないとされ，アリピプラゾールについてチックには有効だがADHD症状には中程度の影響しか与えないとされる[136]。

以上を踏まえて現在のわが国では，トゥレット症を含めた慢性チック症であってもチック症状が軽症でADHD症状が問題になっている場合には，保険適応も考慮して，まずグアンファシンを使用する。眠気を含めた副作用などで使用しにくい場合にクロニジンを試みることや，ADHD症状への効果が不十分な場合にアトモキセチンを使用することが考えられる。

暫定的チック症でありADHD症状が著しい場合には中枢神経刺激薬が選択肢に入ってくる。チックの増悪の可能性があることを説明して同意を得て使用する。

チック症状に対してクロニジンよりもアリピプラゾールの方が効果を判定しやすいので，ADHD症状と同等かそれ以上にチック症状が問題になっている場合には，まずアリピプラゾールを使用してみることが考えられる。**症例2**では本人および家族の希望を踏まえてα_2受容体作動薬から開始したが，チック症状の悪化に伴ってアリピプラゾールを追加している。

いずれにしても，一人ひとりに合わせて薬物を調整することが強く求められている。

4）症例提示

(1) 症例1

症例 初診時6歳　男児

主訴 チック

発達歴

帝王切開で出生。運動および言語の発達に遅れなし。2歳頃まで夜泣きが目立った。幼稚園でみんなが歌を歌うときに耳ふさぎをすることがあったが，他児との関わりに問題はなかった。

現病歴

4歳で瞬目のチックに気づかれた。5歳で幼稚園入園後に咳払いが出現した。年長になると，咳払いに加えて，「ムー」という声，息を吸う，顔をゆがめる――などが次々に出現して，当科初診となった。

初診時所見

診察場面で，顔面の運動チック，咳払いの音声チックが認められて，トゥレット症と診断された。なお，親は「ADHD症状は全くない」と述べていた。

治療と経過

親が薬物療法を嫌うので，チック症に関する家族ガイダンスおよび環境調整のみを行った。春休みの受診時には診察場面で首をひねって目を閉じるというような一連の運動チック，かなり大きな音で鼻を鳴らす音声チックが認められると同時に，椅子の上で身体をゆするなどの落ち着きのなさが認められた。また，幼稚園の卒園式の練習で，体のあちこちを触ったりしてきちんと立っていられなかったという親からの報告もあった。小学校宛にチック症状や落ち着きのなさに関する説明文書を作成した。小学校入学後にチック症状もADHD症状もさらに強まったが，親の意向で薬物療法を実施せずにいた。小学1年の終わりには兄弟からも音声チックがうるさいとの指摘が重なり，授業中にもじっと座っていられなくなり，アリピプラゾール1.5mgを開始した。3mgに増量して，チック症状が減少して，診察場面でもやや落ち着きが出てきた。この時点でも，親はADHD症状を問題にせず，その傾向は何年も続いた。小学5年になると，ADHD症状のほうが目立つようになったので親との間でそれを確認したうえで，親の意向も踏まえてアリピプラゾールを継続して対応について相談することを中心とした。中学に進学すると，チック症状のコントロールがいくらか可能となり診察場面でもやや落ち着いてきたので，ADHD症状について本人および親に改めて説明した。アリピプラゾールはチック症状の軽快も考慮して最大時の4.5mgから1.5mgにまで減量している。

(2) 症例2

症例 初診時8歳　男児

主訴 チック，落ち着きのなさ

発達歴

周生期障害および運動発達の遅れなし。初語は遅くなかったが，やや会話になりにくかった。幼稚園で行事での指示に応じないことがときに認められた。

現病歴

3歳で瞬目のチックが出現したが，まもなく軽快した。その後，腕を前に突き出す，足をピクンとさせるなど多様なチックが出現しては数カ月以内に消失することを繰り返した。小学校入学後は，瞬目が目立つ時期もあったが，特に問題にならなかった。自分のやり方にこだわる傾向が多少あり，小学3年でそれがやや強まるとともに，集中し難い，衝動的に手が出ると家族に気づかれるようになった。5月の連休後に急に「アッアッ」という叫び声が止まらなくなり，一時的に登校ができなくなった。他院を受診してリスペリドンを処方されたが症状があまり改善せず，本人も集中できないと訴えるようになり，当科初診となった。

初診時所見

診察場面で，椅子に座っているものの体のあちこちを動かして落ち着きがなく，「アッ」という音声チックが認められた。トゥレット症とADHDを併発していると考えられた。

治療経過

チックとADHD症状の両方が生活に影響していると思われたが，本人はチックをさほど問題にせず，家族は衝動性の高まりとそれに伴う他児や家族との衝突により困っていた。気持ちと行動のコントロール力を高めて生活しやすくすることを目指して，心理療法およびグアンファシン1mgを開始した。2mgに漸増しても著変はなく，親と激しくやり合った後に運動チックおよび音声チックが増加し，本人も苦痛を訴えるようになった。アリピプラゾール

1mgを追加したところ，数週間でチックが改善傾向を示して，イライラも少し軽減した。家族および学校との連携を進めながら，グアンファシンを3mgまで増量した。チックがさらに軽快するとともに，人の話に耳を傾けられるようになり，課題に前向きに取り組む姿勢が認められた。アリピプラゾールを中止してもチックが再び増加することはなく，グアンファシン単剤で心理社会的治療を継続している。

（金生 由紀子）

9 反応性アタッチメント障害，脱抑制型対人交流障害

1）はじめに

反応性アタッチメント障害（reactive attachment disorder；RAD）と脱抑制型対人交流障害（disinhibited social engagement disorder；DSED）はともに，養育環境が一定せず安定したアタッチメント形成が困難であったことが原因で起こる行動障害である。特にDSEDのほうがADHDと類似した症状を呈し，両方の診断を受けるものがある。本項ではDSEDとRADの概略とADHDとの併存について述べる。また，ADHDの子どもは虐待を受ける場合が少なくなく，「アタッチメントの問題」を認めることがある。愛着障害と混同されやすい「アタッチメントの問題」をもつADHDの子どもを診療する際のポイントについて述べる。

2）RADとDSEDについて

(1) RADとDSEDの概略

RADは，養育者に対する情緒的な関わりが著しく少ない，または欠如する行動様式をもつ障害のことを指す[113]。RADをもつ子どもは，苦痛を感じ，本来であれば養育者や安心できる大人に安らぎを求めるような場面でも，そのような行動がみられず，楽しみや喜びなどの陽性の情緒反応に乏しい。ネグレクト，養育者の頻回な交代，養育者の極端に少ない施設での養育など，アタッチメントを形成する機会が極端に制限された養育が行動障害の原因とみなされている。有病率は不明であるが，重度のネグレクトを受けた子どものなかでも10%以下でしか認められないまれな疾患とされている。

DSEDはRADと同様，アタッチメント形成がなされなかったことが原因とされる行動障害である。RADとは異なり，子どもは見知らぬ他者との交流に積極的であり，なれなれしい対人接触や養育者の後追い行動の欠如が特徴である。DSEDの有病率は1%以下と推定されており，発症の危険性の高い養育環境で育った子どもでも20%しかみられないまれな疾患とされている。

(2) ADHDとの併存

DSEDとRADは比較的新しい概念であるため，実証的なデータがまだ不十分である。鑑別の項と重複するが（本章5-③脱抑制型対人交流障害との鑑別，150ページ参照），特定のアタッチメント対象をもたないDSEDやRADと，アタッチメント対象をもつがアタッチメントが不安定であり社会性や情緒の障害をもたらす，いわゆる「アタッチメントの問題」と混同されやすい（**表15**）。DSEDとRADは障害そのものの有病率が低いため，日常のADHD診療における併存は多くない。一方，ADHDと「アタッチメントの問題」の併存率は比較的多いと考えられる。

表15 愛着障害とアタッチメントの問題

		愛着対象	アタッチメントの質	障害の原因
愛着障害	脱抑制型対人交流障害（DSED）	選択的アタッチメント対象はない	重篤	著しいネグレクト，劣悪な養育環境
	反応性アタッチメント障害（RAD）	選択的アタッチメント対象はない	重篤	著しいネグレクト，劣悪な養育環境
アタッチメントの問題	D型アタッチメント	選択的アタッチメント対象をもつ	D型アタッチメントを示す アタッチメントの質は中度～軽度の問題を示しうる	1）子ども側の要因： 育てにくさ，気質の問題 2）養育者側の要因： 養育能力，虐待，精神疾患，貧困，夫婦の問題，過去のトラウマ

1980年代のルーマニアの施設入所児を対象とした一連の調査研究[140]では，劣悪な養育環境で育った子どもたちの精神疾患の併存が高いことが示されている。この時期のルーマニアの施設では，子どもたちはほとんどベビーベッドに閉じ込められ，おもちゃや遊具がなく，ケア提供者からの話しかけもほとんどない状態であった。1989年に国の体制が変わり，多くの子どもたちが欧州や北米など他国の家庭に養子縁組され，母性剥奪の影響を調査する目的でこうした子どもたちの縦断研究が行われた。そのなかの1つの調査によると，施設入所経験のあった4～5歳前後の子どもの20.7%がADHDと診断され，その約5分の1が脱抑制型の反応性愛着障害との併存を認めた[141]。治療面に関しては，養子家庭でアタッチメント対象を獲得した結果，特に抑制型のRADの子どもは症状が改善した一方，脱抑制型のRADは改善率が低かったことが報告されている。

3）D型アタッチメントとADHDの併存

(1) 虐待とADHD

上記の施設ほど劣悪な養育環境ではなかったが，虐待などの養育環境により安定型アタッチメントが形成されず，問題行動や情緒制御の問題を認め，ADHD症状を呈するケースは，臨床でも多く遭遇する。マルトリートメントを受けた子どもにおけるADHDの有病率は一般人口よりも高く(11%)[142]，養育能力はADHDの重症度と予後に影響を与えることが示されている[143]。発達早期におけるアタッチメントの形成は，子どもの自己統制能力に大きく貢献する〔アタッチメント形成の過程については，本章5-③（150ページ）にも簡単な解説を記載〕。こうした機会が十分与えられず自己統制能力に問題を認めると，衝動統制，感情制御能力，忍耐力，抑制力の問題に結びつくなど，まさにADHDにおける症状とオーバーラップする。虐待環境であった場合，虐待や暴力を受けた経験は後の子どもの外向的症状との関連が示されており，心的外傷性ストレス障害（PTSD）を併存した場合は，解離症状，抑うつ症状など内向的な症状とも関連しやすい。虐待やアタッチメントの問題はADHDの原因ではないが，両者が併存した場合には，ADHD症状が強く表れやすいと考えられる。また，虐待の存在がなくても，親の精神疾患，家庭内の不和，離別，親のトラウマなどは，養育者が敏感に子どもの欲求に応答する力を狭めるため，子どものアタッチメントが不安定となるリスクが高まる。

ADHDをもつ子どもは，もたない子どもに比べて養育者とのアタッチメント形成に問題を認めるリスクが高く[144]，特に反抗や挑戦的行動を併存している場合にリスクは高まる[145]（**図9**）。ADHD児は乳幼児期から活動的，容易にいら立ちやすくなだめられにくい，変化への耐性が低いことなどを認め，包み込まれるような安心感の体験が得にくい。また，養育者は「育てにくさ」を

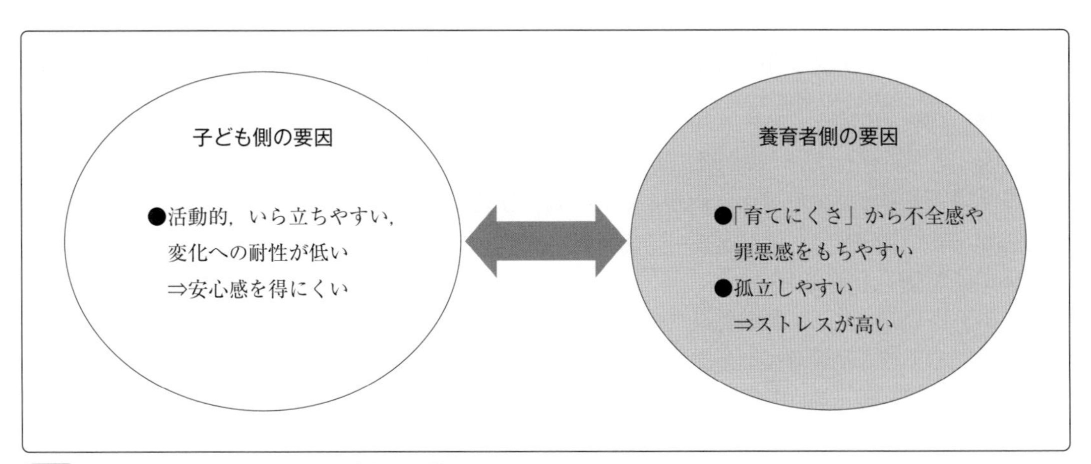

図9 ADHDとアタッチメント形成の困難

感じ，育児に対する不全感や罪悪感をもちやすくなる。養育者のストレスは一般に高く，うつ病の罹患率，結婚の問題などを認めやすい。また，問題行動をもつ子どもの場合，親は多くの場所への外出を回避することが多く孤立しやすいリスクを抱える。養育者側のストレスとADHD児の育てにくさはともに虐待のリスクとなりうる。薬物療法などで子どもの症状がコントロールされた場合には，ADHD児の母親は関わりに温かみが増し，批判的な言動が軽減されたことも報告されており，子どもの状態に応じて養育者のストレスや養育態度の変化がみられる。両者の要因は相互的であり，どちらも原因ともなり結果ともなりうることがうかがわれる。

(2) 評価および介入のポイント

虐待やトラウマが原因となり衝動性や不注意などの症状を認める場合，器質的な要因が病因とされるADHDと区別するために，「ADHD様症状」と記されることもあるが，両者が混在している場合，鑑別は困難である。また，DSMなどの操作的診断基準は病因をADHDの診断基準に設けていないため，横断面でこのような症状を呈していればADHDと診断しても診断基準上は差し支えない。ただし，成り立ちが異なれば対応もおのずと異なるため，丁寧な成育歴聴取により養育者との関係，特に虐待の有無の十分な評価は必要である。

厳密なアタッチメントの測定は，乳幼児ではストレンジ・シチュエーション法（SSP）[146]やアタッチメントQ法[147]，成人においてはアダルト・アタッチメント・インタビュー[148]などを用いて行われる。一般家庭における安定型アタッチメントの割合は約60%とされているが，不適切な養育がみられる家庭では子どもの80%が最も予後不良の無秩序／無抵抗型を示していた。幼少期に形成されたアタッチメント・パターンは一般に安定しているが，介入によって変化することも知られている。

親子関係がある程度安定している場合には，ペアレント・トレーニングなど親への心理教育や行動的介入が有効とされている。一方，アタッチメントの質の問題が大きい場合，関係性を改善させる治療介入や養育環境の改善などを標的とした心理社会的介入が必要となる。親子の関係性は思春期の子どもにおける素行の問題への影響を認めるため，こうしたアプローチは重要と思われる。

4）症例：「アタッチメントの問題」を抱えたADHD女児

症例 7歳　女児

主訴 落ち着きがない，暴れる（母）

家族歴 母が本児の妊娠中に両親が離婚。母，9歳の姉，本児の3人家族。母は児が3歳のときからうつ病に罹患し通院服薬中である。

成育歴および現病歴

正常分娩にて出生。腸管の先天性疾患のため生後6カ月で手術を行った。入院生活などのため，言語および運動発達にはやや遅れが認められた。3歳のときに母が身体疾患のため半年間入院。この間，児と姉は養護施設に入所して過ごした。その後も母は複数回入院し，そのたびに施設入所を繰り返した。母は抑うつ感，自殺念慮が強く，一緒に過ごす時期にも十分に子どもたちと関わるのが苦痛であったという。児は人なつこく，母は「自分がいなくても大丈夫な子」と思っていた。

4歳頃から多動傾向が目立ち始め，道路への飛び出し，転倒が多く認められた。遊びは長続きせず次々と移り変わり，保育園でも落ち着きのなさを指摘された。思いどおりにならないと，物を壊したり，母や姉を叩いたり噛みつくことが多かった。

普通級に就学したが，指示に従えず教室を飛び出してしまい，ほとんどの時間を保健室で過ごした。小学2年で母の都合で転居・転校したが，落ち着いて授業を受けることが困難であった。友達のものを無断で持ち帰る，お菓子を学校に持っていくなど反抗的な様子があり，指摘すると暴れることを繰り返した。学校の勧めで小学2年の7月に児童精神科初診となった。

治療経過

外来では，多動・衝動性の症状が強いADHDと診断し，メチルフェニデート徐放錠18mgの処方を行った。家での興奮状態は改善せず，副作用として不眠が出現したため夜間も動き回ることが増えて，母は睡眠がとれず憔悴しきった様子であった。母が体力的にも精神的にも児の状態に対応しきれなくなっており，7月末に児童精神科病棟に入院となった。

入院後，病棟スタッフや中学生の患者と積極的に関わり，かわいがられて病棟で過ごせていたが，看護師に病棟ルールに関して注意を受けると，「暴れてやる」と怒ったり，看護師を叩いたり蹴ったりする様子がみられた。関係性はその場かぎりで安定せず，特定のスタッフと親密になる様子はなかった。易刺激性や興奮にメチルフェニデートは無効であったため，リスペリドン中心の処方に変更した。

考察

本児は，幼少期より児自身の入院と，母の入院に伴う施設入所経験があり，加えて母がうつ病でときに児に自殺をほのめかすなど，児にとって安心できる養育対象とはいえず，不安定なアタッチメントを形成していったことが予想された。児は常に見捨てられる不安を抱えており，広義のマルトリートメントと捉えられる。本症例はADHDに合致した多動衝動性，不注意症状を示していたが，母を始めとした対人交流は表面的であり，母を「安全基地」として十分に利用できていなかった。母を特定のアタッチメント対象として認識できていたためDSEDとは診断されないが，明らかに「アタッチメントの問題」を抱えた児であり，感情制御の問題を認めていた。このような症例では薬物療法単独の治療での改善は困難であり，治療者や病棟全体が「安全基地」として機能し，忍耐強く母子を援助することが重要であると考えられた。

（細金 奈奈）

10 睡眠－覚醒障害群

小児のADHDでは50〜74%が何らかの睡眠の問題／睡眠障害を有しているとされる[149]。小児のみならず成人ADHDにおいても，80%に睡眠の問題を有しているとの報告もある[150]。ADHDは日中の行動上の問題が注目されやすいが，日中だけではなく夜間にも症状が出現する“a 24-hour disorder”として捉えることが重要視されている[151]。

睡眠を考えるうえでは，量（睡眠時間），質（睡眠の深さ），規則性（睡眠相）の3要素を意識する。睡眠量の問題として「眠れない」（不眠症）と「眠りすぎる」（過眠症）が，質の問題として「睡眠中に何か起きている」（睡眠中に出現する寝言，寝ぼけ行動，いびき，歯ぎしり，夜尿，悪夢，金縛りなどの睡眠時随伴症）が[152]，規則性の問題として「リズムが乱れる」（概日リズム睡眠－覚醒障害）がある。ADHDと睡眠の問題／睡眠障害は相互に関連があり，①ADHD生来性の睡眠の量・質・規則性の低下，②ADHDの薬物治療に伴う睡眠障害，③睡眠の問題がADHD様症状を引き起こす場合――などが挙げられる。また，概日リズム睡眠‐覚醒障害群は，ADHDの併存症としてのみならず，鑑別疾患としても重要である。

1）ADHD生来性の睡眠の量・質・規則性の低下

(1) 生来性の睡眠の量や質の低下

Corteseらによる小児ADHDと睡眠の問題／睡眠障害の関連性についてのメタ解析では，質問票を用いた主観的評価において，ADHD児はコントロール群と比較して，入床への抵抗，入眠困難，中途覚醒，起床困難，日中の眠気，睡眠呼吸障害が有意に多く，アクチグラフや睡眠ポリグラフ検査（polysomnography；PSG）を用いた客観的評価では，ADHD児は睡眠潜時の延長，睡眠段階のシフトの増加，睡眠時間の短縮，睡眠効率の低下，無呼吸／低呼吸指数の高値が有意に認められたと報告されている[153]。ADHDでは生来性の睡眠の量や質の低下が存在する可能性が示されている。

TaurinesらはADHDの併存症を，ADHD症状が顕在化する前に出現する「pre-comorbidity」，ADHD症状とほぼ同時に出現する「simultaneous comorbidity」，ADHD症状が顕在化した後に出現する「post-comorbidity」の3層で捉えており（**図10**），睡眠の問題は「pre-comorbidity」に含まれた（**図11**）[154]。Thunstromらは，6〜18カ月の時点で重度の睡眠の問題を有した児の4人に1人は，5歳の時点でADHD症状を有していたと報告している[155]。睡眠の問題がADHDの前駆症状として出現する可能性を念頭におく必要がある。

乳幼児期・幼児期ADHDの場合は，家族からの寝てくれないといった不眠の訴えが多いが，思春期ADHDになると，本人からの眠気の訴えや学校からの「授業中いつも寝ている」との情報が増える。思春期のみならず成人においても，日中の眠気を呈する成人例の18%はADHDの診断基準を満たし，逆に成人ADHDの37%は日中の眠気を有するとの関連が明らかとなった[156]。しかしながら，思春期では日中の眠気は一般的にみられるものもあるため，病的な眠気との鑑別が必要となる。1日に何回も居眠りしてしまう，テスト中や友人との会話中など緊張場面で眠ってしまうなどが病的な眠気の特徴であるが，臨床症状だけでは判断がつかないことも多く，眠気を客観的に評価する睡眠潜時反復検査（multiple sleep latency test；MSLT）などが必要となる。加えて，小学生以下の場合は，眠気を自覚することは困難であり，睡眠障害が多動・不注意症状などのADHD症状として表現される場合があることにも留意する。

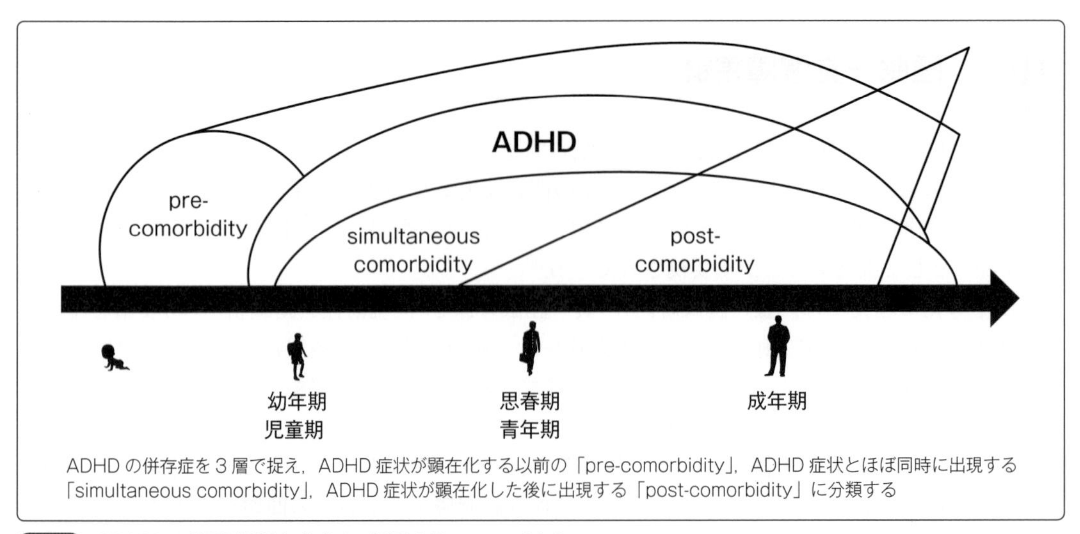

図10 ADHDの時間経過とともに出現するcomorbidity

〔Taurines R, et al : Developmental comorbidity in attention-deficit/hyperactivity disorder. ADHD Attention Deficit and Hyperactivity Disorders, 2 (4) : 267-289, 2010より引用〕

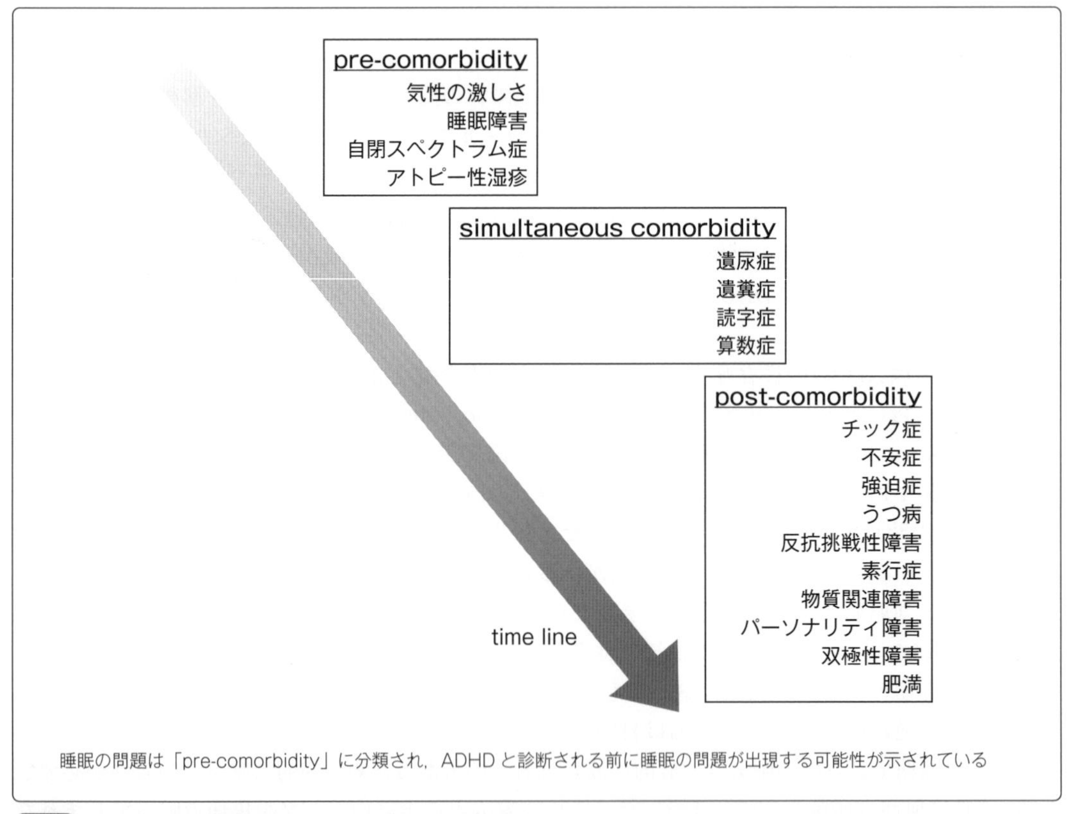

図11 ADHDの時間経過とともに出現する併存症

〔Taurines R, et al : Developmental comorbidity in attention-deficit/hyperactivity disorder. ADHD Attention Deficit and Hyperactivity Disorders, 2 (4) : 267-289, 2010より引用〕

日中の過度の眠気を呈する場合，まず鑑別すべき疾患はナルコレプシーである。ナルコレプシーの好発年齢は10代後半～20代前半であり[152]，日中の耐え難い眠気と，情動脱力発作や入眠時幻覚（寝入りばなの生々しい悪夢体験），睡眠麻痺（金縛り）などのレム関連症状を起こす。過眠のある成人ADHD例では，情動脱力発作はないが，入眠直後にレム睡眠が出現するナルコレプシータイプ2と診断される頻度が高い[157]。ADHDと過眠症は双方とも中枢神経刺激薬が有効であるなど，治療に対する薬理学的機序に共通点もあり，両者が併存しやすい可能性が指摘されている[158]。

(2) 生来性の規則性（睡眠覚醒リズム）の構築異常

ADHDでは，睡眠・覚醒のタイミングが社会的に許容される時間帯よりも遅くなる睡眠・覚醒相の後退や[159]，夜型のクロノタイプと関連するとの報告がある[160]。小児ADHDでは，内因性のメラトニン分泌開始時刻の後退[161]，メラトニン関連の遺伝子*ASMT*および*MTNR1A*の変異[162]など概日リズム保持に関わる機構が障害されているとの報告もあり，ADHDと概日リズム機構が共通の病態を有するかもしれない[163]。

概日リズム睡眠－覚醒障害の治療では，高照度光治療や薬物療法があるが，まず，睡眠衛生指導を含めた行動療法を行うべきである。睡眠記録を作成し，それに基づいて，本人と面接のなかで起床時刻を設定することから始める。その際，起床時に光を浴びること，スマートフォン・パソコンなどの覚醒度をあげるメディアは就床前1時間には使用しないなどの生活上の工夫について説明し，実際の本人の生活に密着した介入が必要となる。睡眠覚醒リズムの問題では不登校を併存している場合が少なくない。この場合，概日リズムが正常化すれば，登校できるようになると単純に考えるのではなく，睡眠覚醒リズムの問題と不登校状態の改善を区別し，対策をしなければならないことを養育者や学校関係者が理解しておくことが重要である。

2）ADHD薬物治療に伴う睡眠障害

わが国でADHD治療薬として使用できるのは，中枢神経刺激薬2剤と非中枢神経刺激薬2剤である。ADHDの薬物治療においては，睡眠への影響により本来のADHD症状が増悪する可能性に注意しなければならない。中枢神経刺激薬では，入眠困難，中途覚醒，睡眠時間の短縮，起床困難，睡眠相の後退などが報告されている[164]。Leeらはメチルフェニデート内服により総睡眠時間が短縮していたのは，6～8歳群のみ（6～8歳，9～10歳，11～12歳の3群のうち）であったことを示した[165]。Beckerらは，メチルフェニデートの睡眠への影響を体重25kg前後で比較したところ，25kg以下の児童のほうが睡眠の問題が出現しやすい傾向があったと報告している[166]。以上のように，低年齢ほど薬物による睡眠への悪影響を受けやすいことはわかる。一方，薬物治療によるADHD症状の軽快により入床への抵抗が改善し，入眠しやすくなる場合もある。例えば，メチルフェニデート内服群とプラセボ群とで睡眠の状況を内服前後で比較したところ，メチルフェニデート群はいったん睡眠潜時が延長したものの，投与開始から16週後には有意な睡眠潜時が短縮し，入眠時刻が早まったことで総睡眠時間が長くなったとの報告がある[167]。一方，非中枢神経刺激薬であるグアンファシンやアトモキセチンは，不眠よりも傾眠・鎮静・過眠を引き起こす可能性が高く，傾眠の出現頻度は，アトモキセチンは15～18%[168]，グアンファシンは24～44%であり[169]，開始後数週の間に出現し，その後消失する場合が多い。いずれの薬物療法を行う際も，ADHD薬物治療に伴う睡眠障害の評価は，ある程度時間をかけて行う必要があろう。

3）ADHD様症状を呈する睡眠障害

ADHDとの鑑別疾患として重要なのは，閉塞性睡眠時無呼吸とレストレスレッグス症候群である。

表16 閉塞性睡眠時無呼吸，小児の診断基準

基準AとBの両方に合致する

A. 以下の最低1つが存在する． 1. いびき 2. 努力性，奇異性あるいは閉塞性呼吸がその小児の睡眠中に認められる 3. 眠気，多動性，行動上の問題，あるいは学習の問題がある B. 睡眠ポリグラフ検査（PSG）で，以下のうち最低1つを認める 1. 睡眠1時間当たり，1回以上の閉塞性無呼吸，混合性無呼吸あるいは低呼吸 または 2. 総睡眠時間の少なくとも25％以上が高炭酸ガス血症（動脈血炭酸ガス分圧（PaCO2）＞50mmHg）であることで定義される閉塞性低換気パターンで，以下のうち最低1つを伴う a. いびき b. 吸気時鼻圧波形の平坦化 c. 胸腹部の奇異運動

〔American Academy of Sleep Medicine : International Classification of Sleep Disorders: Diagnostic and Coding Manual 3rd ed, American Academy of Sleep Medicine, 2015（日本睡眠学会診断分類委員会訳：睡眠障害国際分類第3版，ライフサイエンス，2015）より引用〕

(1) 閉塞性睡眠時無呼吸

小児の閉塞性睡眠時無呼吸（obstructive sleep apnea；OSA）は，アデノイドや口蓋扁桃肥大に伴い，上気道の部分的な閉塞が起こり，いびきや無呼吸，低呼吸が生じることで，睡眠の分断化や質の低下が起こり，肥満でなくても起こることに注意すべきである。小児OSAの有病率は，アデノイドの増殖と口蓋扁桃肥大が顕著となる未就学児に最も多く，小児の有病率は1～4％とされる[152]。診断確定にはPSG所見が重要であるが，詳細な問診や家庭での睡眠中の動画も有用である。診断基準には「眠気，多動性，行動上の問題あるいは学習上の問題」が含まれる（**表16**）[152]。また，診断基準には含まれていないが，夜尿が高学年になっても遷延している場合には，OSAによるものを考慮する必要がある。ADHD児にPSGを実施した研究では，コントロール群と比較して，無呼吸低呼吸指数が高く，ADHD児に睡眠呼吸障害が併存しやすい可能性も指摘されている[153]。以下，症例を提示する[170]。

症例 11歳 男児

主訴 小学校高学年になっても夜尿が続いている（本人・母親）

発達歴・現病歴

はいはいを始めた頃から多動傾向があった。就学後も落ち着きがない，忘れ物が多いなど，学校ではADHDの可能性を指摘されていた。10歳を過ぎても夜尿が毎晩続いた。小児科にてオキシブチニンやデスモプレシンを処方されたが改善しなかった。さらなる精査を求めて，当科初診となった。

治療と経過

初診時，口呼吸を認め，夜間のいびき，毎日の夜尿を認めた。身長：155.0cm，体重：48.4kg，BMI：20.0kg/m。口腔内診察を行ったところ，Mackenzie分類にてⅡ－Ⅲ度の扁桃腺肥大を認めた。保護者ADHD-RS-Ⅳにて合計得点31点（不注意スコア23点，多動スコア8点）と不注意症状が主体であった。閉塞型睡眠時無呼吸低呼吸の可能性が高いと判断し，睡眠専門医および耳鼻咽喉科に依頼し，両側扁桃腺摘出術を施行された。術後4カ月の時点で，夜尿は月2，3回程度まで減少し，集中力の改善を自覚するようになった。保護者ADHD-RS-Ⅳでは合計得点22点（不注意スコア18点，多動スコア4点）と改善を認めた。

考察

OSAによりADHD症状を呈していた事例である。OSA改善後も，ADHD症状は残存しているものの，自覚的な改善が顕著であった。夜尿が遷延している場合はOSAを視野に入れたい。口腔内診察および夜間の睡眠状況に関する詳細な問診は診断の一助となる。

(2) レストレスレッグス症候群（むずむず脚症候群）

レストレスレッグス症候群（restless legs syndrome；RLS）は，四大症状を示す睡眠の質に関連する睡眠障害である。2〜12歳の小児RLSの診断基準を**表17**に示す[171]。小児RLSでは，「患児の言葉で下肢の持続的な不快感を訴えること」が重要であり[172]，足が気持ち悪い，虫が這っている，熱い，足が痛い，誰か触っている，もにゃもにゃするなどさまざまな表現で訴える[173]。「脚を動かしたい衝動」を表現するのが難しい年齢の場合は，就寝時の行動を観察することが特に重要である。例えば，足を布団やベッド柵にこすりつける，足をさすってとせがむ，絶えず動いている，自分で絶えず足を触っている，足を掻く，足が痛いと泣き続ける，不機嫌が続く——などの行動が診断補助となる[173]。足の痛みを訴えた場合，成長痛との鑑別も重要であり，かかとや膝周囲が痛いなど共通点があるため，注意を要する。幼児や低年齢層のRLSは，遺伝によるものも多く，補助所見にも「1親等以内の家族歴」が含まれるため[172]，家族歴の聴取が必須である。小児・青年のRLS例の3分の2は日中にも下肢の異常感覚があり，小児例の半分は腕にも症状があるなど成人例とは異なる特徴があることを知っておく必要がある[152]。また，診断基準④の「症状は夕方から夜にかけてひどくなる」は，座位でいる時間を考慮して比較しなければならない[152]。例えば，夕方（放課後）よりも，日中の授業中に症状が多くみられる場合も少なくない。8〜18歳の小児RSLの有病率は1.9%であるのに対し[174]，Corteseらは，最大で44%のADHD児にRLS症状を併存し，26%のRLS児にADHDを併存すると報告した[175]。ADHDとRLSはドパミン系の低活動や鉄欠乏が共通の病態として想定されているが[176]，日中の脚を動かしたい症状は，多動，衝動性などADHD症状と類似しており，ADHDの鑑別疾患としても捉える必要がある。以下，症例を提示する。

表17 小児RLSの診断基準[171]

1. 大人の診断基準（四大特徴）
　①脚の奥から起こる不快感があり，動かしたい欲求が強く，じっとしていられない
　②安静にしているときに不快な症状が起こる
　③歩くなどの軽い運動によって脚の不快感が軽くなる
　④症状は夕方から夜間にかけてひどくなる

すべてを満たし，かつ，

2. 子ども自身の言葉で，脚の不快感を一貫して表現する

または

1. 上記，成人の必須診断基準をすべて満たし，なおかつ
2. 以下の3つの補助診断中，2項目が存在する
　①年齢にふさわしくない睡眠障害
　②実の親，または兄弟（同胞）がむずむず脚症候群確定例である
　③終夜睡眠ポリグラフ検査で，睡眠1時間あたり5回以上の周期性四肢運動が記録された

（井上雄一：脚がむずむずしたら読む本，メディカルトリビューン社，2011より引用）

症例 7歳 男児

主訴 就学前に精査をしてほしい（母親）

発達歴・現病歴

1歳2，3カ月の頃より睡眠時に脚をバタバタさせ，母親を蹴るようになった。1歳半健診にて，言語面・運動面の遅れを指摘され，3歳10カ月より療育を開始した。4歳半頃，「脚に虫さんが来る」とRLSの感覚要素を子ども自身の言葉で訴えるようになり，家族歴もあったことからRLSと診断され，プラミペキソール（0.125mg）1／2錠が開始された。服薬開始後，保育士から指示が入りやすくなった，日中の活動時の疲労感が減ったとの報告がある一方，日によって話をじっと聞けない，衝動的に友人に砂をかけるなど行動上の困難さが残存した。就学前に評価を希望し，当科初診となった。

治療と経過

ウェクスラー式知能検査を実施したところ，知的な遅れはないものの，多動症状およびRLSでは説明がつかない不注意症状が存在し，RLS＋ADHDと診断した。6歳からプラミペキソールに加えてメチルフェニデート18mg/日を追加したところ，症状の変動が軽減し，療育場面でも安定して活動できるようになり，巧緻運動が良くなったなどの改善を認めた。

小学校入学後，授業中にじっとできずいすから落ちて頭を打つことがあった。自宅でも食事中や勉強中に離席が多く，「体が動きたくなる」と本人が訴えたことから，ADHDというよりは，RLSによる症状であると判断し，プラミペキソールからロチゴチンに変更したところ，日中の離席は減少し，学校でのけがも認めなくなった。

考察

RLSとADHDの併存例である。RLSによる多動症状は，ADHDの多動症状のような注意転導性の変化というよりは，不随意運動のように身体の中から湧き出る動きである印象がある。本症例に関しては，ロチゴチンはRLSに伴う多動様症状に，メチルフェニデートはADHDに伴う不注意症状に効果的であった。

（堀内 史枝）

11 パーソナリティ障害群

1）はじめに

ADHDにパーソナリティ障害（PD）が併存している場合に，ADHDの二次障害と考えるべきか，ADHDとは無関係にPDが併存していると考えるべきかどうかという観点がある。PDの症状は，生物学的な背景と養育環境，社会生活での体験を含めた相互作用の結果と考えられる。いわゆる生物－心理－社会的な影響の相互作用である。したがってPDの症状が認められるようになったのは，ADHDの生物学的な背景（例えば環境に対する反応様式や脆弱性）と養育環境（養育者固有の養育態度）の組み合わせの結果という観点や，ADHDの生物学的特性に対して特異な養育的アプローチ（例えば不注意や多動に対して非常に厳しく叱責する）を行う必要があったという観点から考えるべきであろう。一方，鑑別診断という観点がある。現症からADHDと診断したがADHDではなくPDであったという場合や，PDと診断したがPDではなくADHDであったという場合に，その判別は単に鑑別点を列挙するだけでは困難である。個々のケースに関して成育歴を含めた詳細な情報収集を行い，治療経過のなかで丁寧に診立てながら考察し診断すべきであろう。

ADHDとパーソナリティ障害（PD）の関係について2つの観点が考えられる。

(1) ADHDとPDの鑑別診断について

DSM-5から引用すると，ADHDとパーソナリティ障害群の鑑別について下記のように記載されている。

「青年や成人では，注意欠如・多動症と境界性パーソナリティ障害，自己愛性パーソナリティ障害，および他のパーソナリティ障害群と鑑別することが困難であるかもしれない。これらの障害はすべて，まとまりのなさ，社会的侵害，情動調節障害，認知調節障害の特徴が共通している傾向がある。しかし，注意欠如・多動症は見捨てられる恐怖，自傷，極端な両価性，またはパーソナリティ障害の他の特徴によって特徴づけられてはいない。この鑑別診断を下すために，衝動的，社会侵害的，または不適切な行動を，自己愛的，攻撃的，または傲慢な行動から区別するには，長期間の臨床的観察，情報提供者への面接，または詳細な病歴が必要になるかもしれない」，「成人になってから反社会性パーソナリティ障害が発症する可能性は，素行症が小児期に（10歳未満で）起こっているか，または注意欠如・多動症（ADHD）を伴っている場合に高くなる。子どもの虐待やネグレクト，不安定なあるいは常軌を逸した養育，一貫性のない親たちのしつけは，やがて素行症が反社会性パーソナリティ障害へと発展していく可能性を増大させるかもしれない」。

また，DSM-5では，DSM-Ⅳ-TRと同様に反社会性パーソナリティ障害（ASPD）のみ18歳以上という年齢条件が明記され，他のPDに関してはその特徴が1年間以上持続していれば18歳未満であってもPDの診断が可能となっている。この点については“小児期に現れたPDの特性が大人になるまで変化しないで持続することはあまりない”といわれていることを考慮する必要がある。ASPDのみ診断基準Aで15歳以上という条件があり，素行症の既往が必須であり，“18歳以上”であることも特記すべきであろう[113]。

不注意や多動性・衝動性の有無といった現症だけでADHDとPDを鑑別診断することは困難な場合が多い。しかし鑑別点としてまず注目すべきは，現症として不注意あるいは多動性・衝動性などが認められる場合，幼少時期（12歳まで）に存在していたかどうかという点である。青年期や成人期の場合，正確な情報を得ることが困難な場合があるが，養育者以外にも本人や兄弟，友人など複数の身近な人々から幼少時期の情報を得ることが必要となる。しかし，鑑別診断が難しい場合の例として，乳幼児期に虐待を受け，その後に境界性パーソナリティ障害（BPD）と診断される場合がある。その場合には，12歳までにすでにADHDと同様の特性を示していることがある。一方，神経発達症（ADHDや自閉スペクトラム症など）の子どもは虐待を受けやすいという報告もある。また，身体的虐待を受けた子どもの脳に器質的な障害を認めることによるADHD様特性の表出という可能性も否定できない。

さまざまな可能性を鑑別し，鑑別診断の限界を明記することも診立てである。

(2) ADHDを背景とした二次障害としてのPDについて

上記の鑑別診断で，12歳以前から不注意や多動性・衝動性が存在しており，青年期にPDと診断され，青年期においてもADHDの特性が認められる場合がある。その場合には，ADHDの二次障害と考えてよいかどうかといった問題である。言い換えれば先述のようにADHDとPDが全く無関係に存在するかどうかであるが，無関係であることを証明することは非常に難しいと考えられる。このような場合，生物学的背景と養育環境や社会生活の場で経験した出来事がどのように関連しているのかを診立てる必要がある。

以上の見解をもとに，さまざまな関連文献を紹介する。

2）ADHDとBPDの鑑別

鑑別診断としてBPDとADHDの鑑別点を挙げるならば，

・BPDでは，自傷行為，自殺企図，解離症状，パラノイア，二分思考（白か黒かの思考）などの症状に有意差がある。

・BPDにおいては感情コントロールの問題もあるが，衝動コントロールの障害や全般的な脱抑制といったものと比べ，より重篤な衝動性がある。

・多動性に関して有意差は認められないが，注意の調整に関する有効な鑑別点については今後の研究が待たれる。

という報告がある[177]。しかし，有意差の有無から個別の鑑別診断をすることは可能性を示すにすぎないともいえる。臨床的には上記鑑別点だけでは鑑別困難といわざるを得ない。まずBPDと診断し，幼少時期からADHD症状が存在していたかどうかの情報を集めるべきである。そのうえで，“BPD”あるいは“ADHD”，“BPDとADHDの併存”といった鑑別診断を行うことになる。

3）ADHDの併存症としてのPD

臨床研究によると，BPDの38.1％にADHDの併存が認められ，BPDとADHDが併存している場合は薬物依存やASPD，強迫性パーソナリティ障害（OCPD）を伴う場合が多い。さらに，BPDとADHDを併存しているBPDの場合には衝動性が高く，ADHDを併存していないBPDの場合には，不安や抑うつが強いという報告がある[178]。さらにADHDを背景とした成人の併存症（DSMのAxis ⅠとAxis Ⅱ）は，ADHDを伴わない場合よりも高率に認められている。Axis Ⅰの場合は46.9％（ADHDを伴う場合）＞27.31％（ADHDを伴わない場合）であり，Axis Ⅱの場合は50.7％（ADHDを伴う場合）＞38.2％（ADHDを伴わない場合）である。特にAxis ⅡのPDとしては，OCPD，受動的－攻撃的PD，抑うつ的PD，自己愛性PD（NPD），BPDなどであるが，男性の場合はASPDと薬物依存が女性に比べ高率に認められる。なお，DSM-5では多軸評定を用いない記載方法に移行している。

一方，女性の場合はパニック障害や摂食障害が多く，男性よりもBPDが多いという報告がある[179]。小児期にADHDと診断された子どものPDに関するフォローアップ研究がある。小児期のADHDと青年期PDの関連については，最も多いのはBPD，回避性PD（APD），NPDの順である。またADHD症状が寛解せずに持続している場合には，ASPDや妄想性PD（PPD）が高率に認められるというものである。オッズ比（Odds Ratio；OR：事象の起こりやすさを2つの群で比較して示す統計学的な尺度）で比較すると，BPD（OR=13.16），ASPD（OR=3.03），APD（OR=9.77），NPD（OR=8.69）であった。

さらに，持続的にADHDが認められる場合には，寛解したADHDと比較しASPD（OR=5.26），PPD（OR=8.47）と報告している[180]。女性に関する報告では，ADHDの有無による11年間の経過観察がある。その結果，ADHDのグループでは反社会的障害，気分障害，薬物依存，食行動障害などが正常対照に比べ有意に多いという結果であった[181]。

（1）ADHDとASPD

DBD（Disruptive Behavioral Disorder）マーチといわれるように，ADHDを背景としたASPDに関してはよく知られているところである。遺伝子レベルの生物学的な背景と養育関係に関して，ADHDと診断された子どもとその兄弟に関する研究がある。母親の“あたたかく思いやりのある養育態度”と“批判的な養育態度”が，向社会的な行動（他人や社会全体に有益な行動）と反社会的な行動にどのように影響するのかを調査している。当然の結果として，母親のあたたかくて思いやりのある養育が向社会的行動に関係し，批判的な養育が反社会的な行動に影響するという結果が出ている。しかし，非常に強い母親の感情表出（あたたかさか批判的か）の場合は可塑性（環境要因によって歪みが生じてしまう）が明らかであるとしても，養育の環境要因の影響が遺伝子レベルの弾性（環境要因によっても歪みが生じない）と可塑性に影響しているかどうかについては現時点ではエビデンスがない[182)]。では，ADHDを背景としたASPDとADHDを背景としないASPDに関する報告では，写真を用いた表情認知に関する研究がある。“うんざりするような嫌悪感を示す表情”の認知に関してどちらのグループも障害されていた。そして，ADHDとASPDを併存している場合，正常対照に比べて有意に表情認知に要する時間がかかり，ADHDを併存しないASPDの場合には，“うんざりするような嫌悪感を示す表情”と“中立的表情”の認知に対し有意に時間がかかるという結果であった[183)]。

また，小児期の素行症は多動の有無にかかわらずその後の非行や犯罪行為に関連しているといわれるが，小児期のADHDが他の障害（感情障害）と比べてその後の非行と有意に関連はしていない[184)]。一方，ADHDとPDの関連に関して，入院中の青年期患者と拘留中の青年の比較研究がある。結果としては，ADHDの頻度についての有意差は認められなかった。しかし，ADHD症状は拘留中の女性というものであった。そして，PDや多重性PDに関しては，拘留中の場合有意に多く認められている。具体的なPDに関して，入院患者の場合には受身的－回避性（passive-avoidant）PDとOCPDが多く，拘留中の場合はASPDとNPDが多く認められ，拘留中の女性の場合BPDが多く認められている[185)]。ASPDとADHDの関係に関して，ASPDの65％にADHDが認められており，幼少時期のネグレクトや両親の離婚，自殺企図の頻度が有意に高いとされている。

また自傷行為との関連も示している[186)]。生物学的な研究としては子どものADHDにおけるセロトニン系の機能と後のASPDとの関連に関する研究がある。ADHDと診断された7歳から11歳の子ども58人を約9年間追跡調査したものであり，fenfluramineに対する反応を調べたものであるが，セロトニン系の反応に乏しい子どもがASPDのリスクが高いというものである[187)]。この点に関しては，セロトニンの代謝産物である髄液中の5-HIAAが低値の場合に，自殺の危険性が高いという報告や攻撃性が強いといった研究報告との関連もあわせて考えてみる必要がある。

また，前頭前野の機能と出生時低体重，COMT（catechol O-methyltransferase）遺伝子変異がADHDと早期の反社会的行動に関係しているという報告がある[188)]。成人のADHDに関して，通院患者と入院患者を対象にパーソナリティ傾向やDSM-ⅣにおけるAxis ⅠとAxis Ⅱとの関連についての大規模な調査がある。その結果，気分障害（57.3％），不安障害（27.2％），物質使用障害（45.0％），演技性PD（35.2％）などが高頻度に認められている。そして，ASPDと重複PDや広範囲の物質使用障害の場合には，心理社会的に低い状況と関連しているというものであった[189)]。

(2) ADHDとBPD

小児期のADHDと成人期のBPDが関連しているという報告がある。217人のPDと診断された通院患者の調査では，男性と比較し有意に女性の場合にはADHDとBPDの症状に関連が示されている。特に衝動性と感情の調整不全が関連しているとのことである[190)]。また，生物学的研究としてADHDとBPDにおける衝動性に関して，前頭前野の機能不全が指摘されているが，前頭前野の機能不全部位が異なるという報告もあり今後の研究が待たれている[191)]。

一方では，ADHDとBPDとの関係に関する15の論文から考察を行った論文がある。ADHDはBPDの前駆段階と考えられるかどうかという仮説に対し，ADHDがBPDとなるオッズ比が13.16

であったという報告が1件のみあったとし[180]，ADHDに対する治療がBPDとなる危険性を回避できるのかどうか今後の研究が待たれると述べている[192]。しかし，養育環境調整を含めたADHDへの早期介入が，その後PDに発展することを回避できる可能性は十分に考えられる。

4）ADHDにBPDが合併した症例

症例 18歳　女性

主　訴 何も困っていない（本人），自傷行為と非行を止めさせたい（母親）

周産期 39週，出生時体重2,950gであり特に問題ない

発達歴

発達の遅れはなく，活発であった。幼稚園ではリーダー的な存在であったが，落ち着きのなさと衝動性を指摘されることがあった。父親は小学校に入学後まもなく単身赴任となり不在がちであったが，月に何回か帰宅する度に夫婦喧嘩が激しく，父親の母親に対する暴力行為を見ることが多かった。小学校3年時，母親は近くのスーパーでアルバイトを始め，その頃より母親からの心理的虐待が始まった。小学校5年生の秋に両親離婚。学校での対人関係問題が契機となり，その後不登校となった。児童相談所を受診し，ADHD混合型（DSM-5では「混合して存在」に変更）と診断され，メチルフェニデート徐放剤が処方された。環境調整と本人の落ち着いた様子から，登校再開。地元の中学に進学した。

現病歴

中学2年生頃より，左前腕部に自傷行為が認められるようになり，再び不登校となった。その頃より服薬拒否するようになり，治療中断。中学卒業後は，通信制の高校に進学したが，万引きや無断外泊，自殺企図（市販の風邪薬を大量服薬）などが問題となり当院初診となった。

治療と経過

治療に対して拒否的であったが，母親に連れられて受診することは拒否的な態度をとりながらもむしろ喜んでいるようにも見えた。母子並行面接を行い，本人からは母親に対する両価的な気持ちと見捨てられ不安が語られた。母親からは，母子家庭であることの責任と重圧から敢えて厳しく育てたという内容が話された。そして，どのように接してよいのかわからず，治療者に具体的な助言を求めた。母親には受容的で成長を認めるような対応を助言し，本人に対しては幼少時期からの思いに対しひたすら傾聴した。非行や自殺企図に関連した問題行動の背景には，母親の関心を集めたい気持ちと激しい衝動性があることが述べられた。衝動性に対する薬物療法の提案をし，ADHDと薬物療法について本人と母親に説明し，本人の希望からアトモキセチンを40mgから開始した。120mgまで増量し自傷行為の衝動性は軽減し，問題行動も次第に認められなくなった。その後は，飲食店でのアルバイトをしながら通信制高校に通学している。

考察

ADHDと虐待を背景としたBPDと考えられる。養育環境の問題に対しては，母親との面接で母親の思いを受容しながら母親としての役割に対する具体的な助言を行い，母親の対応による本人の情緒安定を評価した。一方，本人に対しては問題行動の背景にある気持ちに傾聴，共感しながらADHDの特性や薬物療法に関する情報提供を行った。母親と本人に対する治療関係の構築と情報提供や治療的介入のタイミングが功を奏したと考えられる。

5）ADHDとPDの併存に対する理解と対応

ADHD症状としての“衝動性”が，BPDやASPDの示す“衝動性”をより強いものにしている可能性が考えられ，いわゆる激しい行動化である。また“不注意”の問題がPDの治療における精神療法を困難にしている場合がある。そのような場合には，薬物療法（メチルフェニデート徐放剤，アトモキセチン，グアンファシン，リスデキサンフェタミンなど）について説明し，環境調整，家族に対する対応方法や本人の言動理解について具体的な説明や助言などが必要であろう。生物－心理－社会的な観点からADHDとPDに対する治療的なアプローチを考えるべきである。そのためには，本人の治療のみならず，家族，学校，職場，司法との連携も重要な要素となる。

（松田 文雄）

12 ゲーム・インターネット嗜癖

1）ADHDの特性と情報通信技術

現代の多くの子どもたちや大人にとって，オンライン，オフラインのデジタルゲーム（以下，ゲーム）は，日常に組み込まれた存在となっている。余暇活動や退屈しのぎとしてだけではなく，身近な友人，知人やそれを越えた範囲の対人交流のツールともなっている。またインターネット（以下，ネット）は，学習と労働，生活のなかでさらに広く使われるようになっており，暮らしのなかで欠かせないものになりつつある。

ADHDのある人と情報通信技術（information communication technology；ICT）について考える際には，その障害特性との関係をみておく必要がある。ADHDの症候の一つが不注意であるが，この領域ではむしろ興味・関心のある対象と関わる際の過集中傾向が課題となることが多い。寝食も惜しんで何時間もゲームに没頭することは珍しくない。ADHDの背景には遅延報酬回避の特性があるとされるが，逆に報酬の遅延が少ないゲームなどの活動には，強い没頭がみられることがある。

また義務的な課題に取り組む前などに，強く集中することなくゲームやネットで時間を潰す姿もよくみられるが，これはゲームなどがなければテレビやマンガに置き換わるだけの行動であり，ICTとの特別な関連をそこに見出すべきかは悩ましい。

しかし，ICTはADHDのある人の不注意からくる失敗を減らすことにも大きく貢献する。デジタル機器を用いたTodoリスト，カレンダー，リマインダーの設定や，忘れ物防止のためのスマートタグの活用など，不注意を補完するための種々のアプリケーションやデバイスがある。またクラウドストレージの利用は，メモや書類など情報の紛失のリスクを大きく低減する。こうした活用法に関する情報もまたネット上で広く共有されており，容易にアクセスが可能である。このようにICTを利用するスキルを獲得，開発することはADHDに対する心理社会的治療の一つの選択肢となりうる。

彼らのもつもう一つの特性が多動性・衝動性である。現代のネットのなかは，あちこちに情報が散りばめられていて，リンクをクリックするととても面白い記事を読めたり，ときにはつまらない文章を読まされたりもする。このような混沌として雑然とした環境は，実は多くのADHDの人にとってはかなり居心地がよいものであるのかもしれない。ひょっとすると彼らは多数派の人よりもネットを楽しめているのかもしれないのだ。

一方で彼らの衝動性は，ゲームへの課金や通信販売での買い物，性的なメッセージや画像の送信（セクスティング）や出会い系サイトを利用した危険な性的活動にも繋がってしまうこともある。またネットを介した不用意なコミュニケーションによる対人関係の悪化やいじめの加害，被害が生じることもある。

ADHDのある人は，ICTからの利益も不利益も，多数派の人よりも多く受けていると考えておくべきである。この利益を最大化し，不利益を最小化するための支援が求められている。

2）デジタルゲームとインターネットへの嗜癖

現代の精神医学では物質への依存（dependence）が生じるのと同様に行動への嗜癖（addiction）が生じると考えられるようになっている。2022年に発効されたICD-11[193]では，これらはDisorders due to substance use or addictive behaviors（物質使用症群または嗜癖行動症群）として一つのカテゴリーにまとめられている。嗜癖の対象となりうる行動は，ギャンブル，性的活動，買い物など幅広く想定されているが，ゲームへの嗜癖もその一つであると考えられ，近年，疾患概念の整理が進み診断基準が確立されはじめている。

ゲームへの嗜癖に関しては，DSM-5には“今後の研究のための病態”という位置づけでインターネットゲーム障害（internet gaming disorder）が記載された[18]。ICD-11にはゲーム行動症（gaming disorder）が採用となっている[193]。

しかし米国精神医学会の慎重な姿勢にもみられるように，情報通信技術の問題を正式な疾患概念として採用し，臨床に応用することについては，いまだに十分な研究の蓄積がなされているとはいいがたい状況である。ICD-11への採用についても，多くの専門家が加わった激しい論争が行われ，現在も議論が続いている[194～196]。採用に積極的となるべき論拠としては，ゲームが引き起こす問題の大きさや，それが公衆衛生的な問題であると考えられること，ゲーム関連企業などがこの問題を小さくみせようとしているのではないかという懸念があることなどが挙げられている。一方，慎重になるべき理由としては，疾患として扱うべきだとする科学根拠がいまだに十分ではないこと，ゲームの病的使用はあったとしても比較的まれであると考えられること，健康にゲームをプレイしている子ども達にスティグマをもたらす恐れがあることなどが挙げられており，特に拙速な臨床応用については慎重な意見も多い。

概念の整理や診断基準の確立が進み，研究に一定の進展のみられているゲームへの嗜癖に比して，全般的なネット使用への嗜癖についての研究は，より多くの困難を抱えている。ネット使用に関しては，使用の目的や態様についての個人の異質性が非常に高く，一定の診断基準などを確立することも極めて困難である。こうした状態を指し示す用語としても，インターネット依存症（internet addiction disorder），病理的なインターネット使用（pathological internet use），問題のあるインターネット使用（problematic internet use），強迫的インターネット使用（compulsive internet use），インターネット過剰使用（internet overuse）など，さまざまなものが用いられている。こうした状況のため，治療的介入についても研究上の課題は多い。

ゲームやネットへの嗜癖がみられる場合，それが単独で出現することは臨床場面ではまれである。文献的にもゲームやネットへの嗜癖がみられる際には，ADHDや自閉スペクトラム症といったいわゆる発達障害の併存がみられることが多いとされ，またうつ病，不安症の併存も多く報告されている。Hyunはこうした精神病理に関連する要因がオンラインゲーム嗜癖の最も大きなリスク要因となると指摘している[197]。

現時点ではこの分野の研究はほとんどが横断的なものであり，併存症とゲームへの嗜癖との因果関係は明らかではない[198]。また臨床的な課題となることの多い不登校や引きこもりの状態像との併存もしばしばみられる。こうした事例では家族の主訴はゲームやネットの問題であることも多いが，中核的な課題はむしろ不登校，引きこもりの側にある事例が大半である。

3）ADHDとデジタルゲーム・インターネット嗜癖

(1) ADHDに併存する嗜癖

ネットやゲームへの嗜癖については，ADHDとの関連が注目されている。わが国においても12～15歳の通院中の青年を対象とした調査によって，自閉スペクトラム症の青年では10.8%，ADHDの青年においては12.5%でネットの病的使用がみられ，両者を併存している場合にはその割合は20.0%であったと報告されている[199]。

またCabelguenらは未成年のゲーム行動症の患者の42%と成人患者の38%にADHD症状がみられ，先行研究とも概ね一致していると報告している[200]。

Dullurらはゲームの嗜癖とADHDに関連する系統的レビューを実施し，そこに一貫性の高い関連を見出し，特に不注意の下位尺度との間に高い関連がみられたと報告している[201]。

ゲームの嗜癖とADHDの併存に着目した生物学的研究も行われている。LeeらはADHDの有無にかかわらずIGD患者では右前帯状皮質，左下前頭回，左島の白質体積の低下をみとめるものの，ADHD併存IGD群では，ADHDを併存しないIGD群や対照群と比べて，右楔前部の灰白質体積が大きく，右下前頭回の灰白質体積が小さかったと報告している[202]。また定量脳波を用いた研究では，IGDとADHDをあわせもつ青年は，ADHDのみの青年と比較して，側頭部で相対的なδ（0.5～3.5Hz）のパワーが低く，相対的なβ（12.5～35.0Hz）のパワーが高いことが報告されている。

(2) 抗ADHD薬によるゲーム嗜癖の改善

ゲームへの嗜癖を伴うADHD症状に対する，薬物による介入に関しての研究はいまだに乏しい。ParkらはADHDを伴うIGDの青年期患者86人に対し，いずれもADHD治療薬であるアトモキセチンによる治療を行う群とメチルフェニデートによる治療を行う群との2群に割り付けての比較研究を行っている[203]。その結果，ADHD症状の改善については，メチルフェニデート群が優れていたが，IGDの症状は両群ともに改善を示し，群間で差を認めなかったとしている。またアトモキセチン群では抑うつ症状についても改善が得られたとしている。

現時点ではゲーム嗜癖症状自体に対するADHD治療薬の効果に関する研究は極めて限定されているが，その併存の頻度や想定される基底となる病態の重複などを考慮すると，今後薬物療法の有用な選択肢となる可能性がある。

また一方で，ADHDのある子どもに対して，特定のゲームが治療的に働くことが報告されており，米国FDAはすでにこれを治療として承認しており，日本でも治験が開始されている[204]。この治療では不注意症状の改善がみられるのが特徴であるとされている。

4）デジタルゲーム・インターネット嗜癖の予防

(1) ICTリテラシーの獲得

ADHDのある子どもに対しては，嗜癖の予防に加えて，ICTを介した加害，被害の予防，障害特性によるハンディキャップの緩和など，さまざまな目的のためにICTに関するリテラシー獲得の支援を行っていく必要がある。近年ではデジタル・シティズンシップ教育の概念が提唱され[205]，家庭や学校などでの取り組みも進んでいる。

嗜癖の予防に関しては，いまだ実証された方法は確立していないが，デジタル機器の使用開始に先立って，大人と相談しながら約束を用意すること，約束を守るのを大人に手伝ってもらいながら，つきあい方を身につけていくことなどが提唱されている[206]。

ADHDのある子どもの場合，過集中傾向，注意の転動性，他の活動が嫌いになりやすいこと，反抗挑発性の進展などのために，約束を守る経験を積むことが困難となる。特にICTを使った活動を機嫌良くお終いにするのが難しく，また他の活動中にゲームやネットの使用をはじめてしまうことも多くなりやすい。ICTリテラシー獲得にはより多くの大人の援助が必要である。

(2) 孤立の防止

近年ではゲームやネットへの嗜癖を含む，依存，嗜癖の問題は「孤立の病」であると表現されることが増えている[207]。嗜癖の予防の観点からも，子どもの孤立の防止と解消こそが求められる。

ゲームやネットでの活動の他にもリアルで，できれば誰かとともに楽しめる活動のレパートリーを獲得していること，ゲームやネットの使用をめぐって周囲の大人と対立していないこと，ADHDという障害はあっても周囲の人から支援を受けられ，よい将来が待っていると期待していることを目標にできるとよい。

5) 併存例への対応

(1) スクリーニングと診断

ADHDのある人にはしばしばゲームやネット利用に関連する困難がみられるため，生活状況などに関する聴取のなかで，聴き取っておく必要がある。ネット嗜癖に関連するスクリーニングツールとしてはYoung's Internet Addiction Test（YIAT）[208]が用いられることが多く，日本語版がネット上でも公開されている[209]。ゲーム行動症に関してはGADIS-Aが作成されており[210]，日本語への翻訳も行われている[211]。

2022年2月時点でのICD-11のゲーム行動症の診断基準は，①ゲーム行動の制御障害，②ゲームの優先順位の亢進，③否定的な結果とゲーム行動の維持，継続が必須項目とされており，原則として12カ月以上の持続が要件となっている[193]。また「危険なゲーム行動」と双極性障害I型，II型が除外基準となっているが，ADHDとの併存は認められている。

(2) 併存例への治療的介入

ADHDのある人に，ゲームやネットへの嗜癖が疑われる状況となったとき，周囲の養育者や支援者は，包括的に問題を評価する必要がある。ゲームやネットの嗜癖の状況のみならず，背景にある不安や抑うつなど他の精神病理，家族との関係，社会との関係まで視野に入れないと，適切に対応することは困難となる。

ADHDは不登校の大きなリスク要因ともなっており，不登校や学習への嫌悪などを介してゲームの長時間使用と関連している可能性も考慮する必要がある。不登校や引きこもりの状態が併存している場合，ゲームやネットへの嗜癖がその原因であると短絡的に考えられていることがある。しかし臨床的には多くの場合，不登校や引きこもりの退屈しのぎとして，ゲームやネットが選ばれているのであり，「ゲームさえやめさせれば，学校に行くと思います」という楽観的な予測があたることはまれである。むしろ不登校への一般的な対応を行うなかで，ゲームやネット以外の活動の頻度と時間が拡大することがしばしば経験される。

不登校の治療に軸足を置くとき，ほとんどの場合に優先せねばならないのは，家族の関係を良好に保つこと，改善すること，せめて悪化させないことである。ゲームやネットの使用をめぐる家族間の対立はしばしば事態をさらに悪化させることとなる。支援者はときに「ゲームの約束を守らせてください」などと家族に助言することで，この対立の激化に手を貸していることがあるので注意すべきである。性急にゲームやネットの使用をやめさせる，取り上げる対応は，家庭内の暴力の誘発に繋がることもあり，家族間の対立を悪化，持続させることが多いため，避けておくのが手堅い方針である。

在宅での治療においては，ゲームやネットを使う時間を減らす介入は多くの実施が困難である。むしろゲームやネットを使っていない時間を増やすことを目標に取り組むのが現実的な対応である。特に誰かと一緒に他の活動に取り組む時間を増やすことができれば，それが望ましい。勉強が大好きなごく一部の子どもを除けば，ゲームやネットに代わる活動として学業を設定するのは最も成功の可能性が低い取り組みとなる。ペットの世話，工作，編み物などから，家族との食事中の会話を長く楽しむこと，アナログゲームを一緒にやること，一緒に釣りに行くことなど，本人の既存の行動レパートリーや好みを考えながら，結果的にゲーム，ネットの使用時間の減少に繋げることを目指していくことになる。

ただし，不安のただなかにある家族にこうした方針を採用してもらうことは容易ではない場合もある。将来の見通しも示しながら，根気よく家族の行動変容に取り組む姿勢が求められる。本人にとってゲームやネットがどのような価値や意味をもっているのかを，家族とともに推測，想像していく作業を行うことが家族の行動変容に繋がることもある。こうした取り組みの際には，ADHDに対するペアレント・トレーニングやアルコール依存症者の家族向けの支援プログラムを日本の引きこもりに応用したCRAFTのワークブック[212]などが参考になる。両親や家族内の足並みがほどほどに揃っていること，本人と家族，さらには社会との良好な接点を徐々に回復する手立てを講じることが，結果として「孤立の病」ともいわれる嗜癖の問題を改善すると期待できる。

こうした手立てを講じてもなお激しい暴力の問題や金銭を巡るトラブルなどが持続する場合，おそらく主診断は素行症となるが，在宅での治療が困難となることがある。児童福祉や司法領域，医療領域の資源などを活用することを考慮すべきである。

ゲーム行動症自体に対する治療法としては，成人においては認知行動療法の有効性が示唆されている[213]が，小児については確立された治療法はなく，いまだ研究の途上である。また現時点でADHDに併存するゲーム行動症についての治療に関する実証的な研究は乏しいが，前述のようにADHD自体に対する治療が，ゲーム嗜癖の改善にも繋がりうることが示唆されており，ADHDが適切に治療されることが望まれる。

6）症例

症例　初診時　13歳男児

主訴　何も困っていない（本人）　ゲームがやめられない。家族への暴力（両親）

家族歴　両親と本人の3人家族。養育環境に問題はない。両親の教育への期待は高い。

成育歴　妊娠周産期に特記事項なし。運動，言語の発達に遅れはなかった。乳幼児期より常にじっとしておらず，よく動く子で，歩行器で走り回っていた。幼児期，学齢期に計2回の交通事故にあっている。就学後は教室から出て行ってしまうことがあり，忘れ物，失くし物も多かった。学習にはなんとかついていっていた。

現病歴　中学入学後，友人との喧嘩をきっかけに登校しなくなった。その後，保健室への登校を行っていたが，それもしなくなった。本人はゲームやネットばかりの在宅生活となり，母が止めさせようとすると，暴力を振るうことがみられた。激しい暴力のために，母が警察を呼ぶことがあり，その後，学校より勧められ，X年11月，児童精神科クリニック初診となった。

生育歴などからADHD（混合状態）の診断となり，反抗挑発症が疑われる状態であった。

ゲーム，ネットについては，父は続けてもよいと考えていたが，母は学校を休んでゲームをやっていることが許せず，母からの指摘を契機に暴れることがときに続いた。両親と相談しながら守られていなかった約束を緩め，父と一緒にゲームをすることをはじめた。母に対しては支持的な面接を継続した。その後，父と散歩や魚釣りに出かけることが増え，ゲーム，ネットの時間はいくらか減少した。母も本児が努力して外出する姿などを見て，受け入れられるようになり，衝突することがなくなった。

その後，突然，数回にわたり自発的に日中登校したが続かず，放課後に担任を訪問することを続け，これを楽しみにしていた。X+2年3月，SNSで交流している同世代の児から刺激を受け，学習について自ら話題にすることが増えてきた。週3回，塾に通い始め，サポート校への入学を目標に家庭での学習を再開。ゲームには飽きやすくなっていつの間にか時間が減り，最近は動画の視聴が中心となっている。

考察 不登校にともない，ゲーム，ネットの使用をめぐる対立から反抗，家庭内での暴力が誘発されていたが，徐々に両親間の足並みを揃える支援を行うとともに，活動レパートリーの拡大を図り，家庭内での緊張の緩和と社会参加の再開が得られた事例である。

※症例は複数のケースを合成した架空のものである

（吉川 徹）

参考文献

1）渡部京太：AD／HDの中長期経過．注意欠陥／多動性障害の診断治療ガイドライン（齊藤万比古，渡部京太・編）．じほう，pp191-200, 2006
2）Faraone SV, et al : Separation of DSM-Ⅲ attention deficit disorder and conduct disorder : evidence from a family-genetic study of American child psychiatric patients. Psychol Med, 21（1）: 109-121, 1991
3）Pelham WE, et al : Teacher ratings of DSM-Ⅲ-R symptoms for the disruptive behavior disorders. J Am Acad Child Adolesc Psychiatry, 31（2）: 210-218, 1992
4）Spitzer RL, et al : The DSM-Ⅲ-R field trial of disruptive behavior disorders. J Am Acad Child Adolesc Psychiatry, 29（5）: 690-697, 1990
5）Mannuzza S, et al : Hyperactive boys almost grown up. V. Replication of psychiatric status. Arch Gen Psychiatry, 48（1）: 77-83, 1991
6）Offord DR, et al : Ontario Child Health Study. Ⅱ. Six-month prevalence of disorder and rates of service utilization. Arch Gen Psychiatry, 44（9）: 832-836, 1987
7）Lahey BB, et al : Oppositional defiant and conduct disorders: issues to be resolved for DSM-Ⅳ. J Am Acad Child Adolesc Psychiatry, 31（3）: 539-546, 1992
8）Loeber R, et al : Which boys will fare worse? Early predictors of the onset of conduct disorder in a six-year longitudinal study. J Am Acad Child Adolesc Psychiatry, 34（4）: 499-509, 1995
9）Biederman J, et al : Is childhood oppositional defiant disorder a precursor to adolescent conduct disorder? Findings from a four-year follow-up study of children with ADHD. J Am Acad Child Adolesc Psychiatry, 35（9）: 1193-1204, 1996
10）Storm-Mathisen A, Vaglum P : Conduct disorder patients 20 years later : a personal follow-up study. Acta Psychiatr Scand, 89（6）: 416-420, 1994
11）齊藤万比古，原田謙：反抗挑戦性障害．精神科治療学，14 : 153-159, 1999
12）Loeber R, et al : Diagnostic conundrum of oppositional defiant disorder and conduct disorder. J Abnorm Psychol, 100（3）: 379-390, 1991
13）Steiner H : Practice parameters for the assessment and treatment of children and adolescents with conduct disorder. American Academy of Child and Adolescent Psychiatry. J Am Acad Child Adolesc Psychiatry, 36（10 Suppl）: 122S-39S, 1997

14) Reyes, M, et al : A randomized, double-blind, placebo-controlled study of risperidone maintenance treatment in children and adolescents with disruptive behavior disorders. Am J Psychiatry, 163 (3) : 402-410, 2006
15) Malone, et al : A double-blind placebo-controlled study of lithium in hospitalized aggressive children and adolescents with conduct disorder. Arch Gen Psychiatry, 57 (7) : 649-654, 2000
16) Polanczyk G, et al : The worldwide prevalence of ADHD: a systematic review and metaregression analysis. Am J Psychiatry, 164 (6) : 942-948, 2007
17) Willcutt EG : The prevalence of DSM-Ⅳ attention-deficit/hyperactivity disorder: a meta-analytic review. Neurotherapeutics, 9 (3) : 490-499, 2012
18) American Psychiatry Association : Diagnostic and Statistical Manual of Mental Disorders, Fifth edition. Psychiatric Association, 2013
19) Sugrue D, et al : Methylphenidate and dexmethylphenidate formulations for children with attention-deficit/hyperactivity disorder. Am J Health Syst Pharm, 71 (14) : 1163-1170, 2014
20) Sobanski E : Psychiatric comorbidity in adults with attention-deficit/hyperactivity disorder (ADHD). Eur Arch Psychiatry Clin Neurosci, 256 : i26-i31, 2006
21) Tannock R : Attention-deficit/hyperactivity disorder with anxiety disorders. Attention Deficit Disorder and Comorbidities in children, Adolescents and Adults (Brown TE, ed), pp125-170, American Psychiatric Press, 2000
22) Bubier JL, et al : Co-occuring anxiety and disruptive behavior disorders: The roles of anxious symptoms, reactive aggression, and shared risk processes. Clin Psychol Rev, 29 (7) : 658-669, 2009
23) Franke B, et al : Live fast, die young? A review on the developmental trajectories of ADHD across the lifespan. Eur Neuropsychopharmacol, 28 (10) : 1059-1088, 2018
24) Gershon J : A meta-analytic review of gender differences in ADHD. J Atten Disord, 5 (3) : 143-154, 2002
25) Pliszka SR : Comorbidity of attention-deficit hyperactivity disorder and overanxious disorder. J Am Acad Child Adolesc Psychiatry, 31 (2) : 197-203, 1992
26) Cockcroft K : Working memory functioning in children with attention-deficit/hyperactivity disorder (ADHD) : A comparison between subtypes and normal controls. J Child Adolesc Ment Health, 23 (2) : 107-118, 2011
27) Tannock R, et al : Differential effects of methylphenidate on working memory in ADHD children with and without comorbid anxiety. J Am Acad Child Adolesc Psychiatry, 34 (7) : 886-896, 1995
28) Pliszka SR : Comorbidity of attention-deficit/hyperactivity disorder with psychiatric disorder: an overview. J Clin Psychiatry, 59 : 50-58, 1998
29) Masi G, et al : Comorbidity of obsessive-compulsive disorder and attention-deficit/hyperactivity disorder in referred children and adolescents. Compr Psychiatry, 47 (1) : 42-47, 2006
30) Manassis K, et al : Dichotic listening and response inhibition in children with comorbid anxiety disorders and ADHD. J Am Acad Child Adolesc Psychiatry, 39 (9) : 1152-1159, 2000
31) Barkley RA : Deficient emotional self-regulation is a core component of attention-deficit/hyperactivity disorder. J ADHD Relat Disord, 1 (2) : 5-37, 2010
32) Bowen R, et al : Nature of anxiety comorbid with attention deficit hyperactivity disorder in children from a pediatric primary care setting. Psychiatry Res, 157 (1-3) : 201-209, 2008
33) Becker SP, et al : Social anxiety is associated with poorer peer functioning for girls but not boys with ADHD. Psychiatry Res, 281 : 112524, 2019
34) Biederman J, et al : Social Adjustment Inventory for Children and Adolescents: concurrent validity in ADHD children. J Am Acad Child Adolesc Psychiatry, 32 (5) : 1059-1064, 1993
35) Manassis K, et al : Cognition in anxious children with attention deficit hyperactivity disorder: a comparison with clinical and normal children. Behav Brain Funct, 3 : 4, 2007
36) Biederman J, et al : Familial association between attention deficit disorder and anxiety disorders. Am J Psychiatry, 148 (2) : 251-256, 1991
37) Diamond IR, et al : Response to methylphenidate in children with ADHD and comorbid anxiety. J Am Acad Child Adolesc Psychiatry, 38 (4) : 402-409, 1999
38) Jensen PS, et al : ADHD comorbidity findings from the MTA study: comparing comorbid subgroups. J Am Acad Child Adolesc Psychiatry, 40 (2) : 147-158, 2001
39) Geller D, et al : Atomoxetine treatment for pediatric patients with attention-deficit/hyperactivity disorder with comorbid anxiety disorder. J Am Acad Child Adolesc Psychiatry. 46 (9) : 1119-1127, 2007
40) Griffiths KR, et al : Response inhibition and emotional cognition improved by atomoxetine in children and adolescents with ADHD: The ACTION randomized controlled trial. J Psychiatr Res, 102 : 57-64, 2018

41) Compton SN, et al : Cognitive-behavioral psychotherapy for anxiety and depressive disorders in children and adolescents: an evidence-based medicine review. J Am Acad Child Adolesc Psychiatry, 43（8）: 930-959, 2004
42) Gould KL, et al : Cognitive-Behavioral Therapy for Children With Anxiety and Comorbid Attention-Deficit/Hyperactivity Disorder. J Am Acad Child Adolesc Psychiatry, 57（7）: 481-490, 2018
43) Storch EA, et al : Impact of comorbidity on cognitive-behavioral therapy response in pediatric obsessive-compulsive disorder. J Am Acad Child Adolesc Psychiatry, 47（5）: 583-592, 2008
44) Fireman B, et al : The prevalence of clinically recognized obsessive-compulsive disorder in a large health maintenance organization. Am J Psychiatry, 158（11）: 1904-1910, 2001
45) Storch EA, et al : The role of comorbid disruptive behavior in the clinical expression of pediatric obsessive-compulsive disorder. Behav Res Ther, 48（12）: 1204-1210, 2010
46) Frank H, et al : Hoarding behavior among young children with obsessive-compulsive disorder. J Obsessive Compuls Relat Disord, 3（1）: 6-11, 2014
47) O'Kearney R : Benefits of cognitive-behavioural therapy for children and youth with obsessive-compulsive disorder: re-examination of the evidence. Aust N Z J Psychiatry, 41（3）: 199-212, 2007
48) Geller DA, et al : Impact of comorbidity on treatment response to paroxetine in pediatric obsessive-compulsive disorder: is the use of exclusion criteria empirically supported in randomized clinical trials? J Child Adolesc Psychopharmacol, 13（Suppl 1）: S19-S29, 2003
49) Uran P, et al : Family Functioning, Comorbidities, and Behavioral Profiles of Children With ADHD and Disruptive Mood Dysregulation Disorder. J Atten Disord, 24（9）: 1285-1294, 2020
50) CADDRA : Canadian ADHD Practice Guidelines 4th Edition. 2018
51) Moreno C, et al : National trends in the outpatient diagnosis and treatment of bipolar disorder in youth. Arch Gen Psychiatry, 64（9）: 1032-1039, 2007
52) Blader JC, et al : Increased rates of bipolar disorder diagnoses among U.S. child, adolescent, and adult inpatients, 1996-2004. Biol Psychiatry, 62（2）: 107-114, 2007
53) Wozniak J, et al : Mania-like symptoms suggestive of childhood-onset bipolar disorder in clinically referred children. J Am Acad Child Adolesc Psychiatry, 34（7）: 867-876, 1995
54) Biederman J, et al : Resolved: mania is mistaken for ADHD in prepubertal children. J Am Acad Child Adolesc Psychiatry, 37（10）: 1091-1096, 1998
55) Kowatch RA, et al : Review and meta-analysis of the phenomenology and clinical characteristics of mania in children and adolescents. Bipolar Disord, 7（6）: 483-496, 2005
56) Ballenger JC, et al : The "atypical" clinical picture of adolescent mania. Am J sychiatry, 139（5）: 602-606, 1982
57) Bhangoo RK, et al : Clinical correlates of episodicity in juvenile mania. J Child Adolesc Psychopharmacol, 13（4）: 507-514, 2003
58) Faedda GL, et al : Pediatric bipolar disorder: phenomenology and course of illness. Bipolar Disord, 6（4）: 305-313, 2004
59) Findling RL, et al : Rapid, continuous cycling and psychiatric comorbidity in pediatric bipolar I disorder. Bipolar Disord, 3（4）: 202-210, 2001
60) Geller B, et al : Four-year prospective outcome and natural history of mania in children with a prepubertal and early adolescent bipolar disorder phenotype. Arch Gen Psychiatry, 61（5）: 459-467, 2004
61) Lewinsohn PM, et al : Bipolar disorders in a community sample of older adolescents: prevalence, phenomenology, comorbidity, and course. J Am Acad Child Adolesc Psychiatry, 34（4）: 454-463, 1995
62) Carlson GA : Who are the children with severe mood dysregulation, a.k.a. "Rages"? Am J Psychiatry, 164（8）: 1140-1142, 2007
63) Leinbenluft E, et al : Defining clinical phenotypes of juvenile mania. Am J Psychiatry, 160（3）: 430-437, 2003
64) Biederman J, et al : Psychiatric comorbidity among referred juveniles with major depression: fact or artifact? J Am Acad Child Adolesc Psychiatry, 34（5）: 579-590, 1995
65) Kovacs M, et al : Childhood-onset dysthymic disorder. Clinical features and prospective naturalistic outcome. Arch Gen Psychiatry, 51（5）: 365-374, 1994
66) Brent DA, et al : Risk factors for adolescent suicide. A comparison of adolescent suicide victims with suicidal inpatients. Arch Gen Psychiatry, 45（6）: 581-588, 1988
67) Biederman J, et al : Educational and occupational underattainment in adults with attention-deficit/hyperactivity disorder: a controlled study. J Clin Psychiatry, 69（8）: 1217-1222, 2008
68) Angold A, et al : Depressive comorbidity in children and adolescents: empirical, theoretical, and methodological issues. Am J Psychiatry, 150（12）: 1779-1791, 1993

69) Pliszka SR, et al : ADHD with Comorbid Disorders: Clinical Assessment and Management, The Guilford press, 1999
70) MTA Cooperative Group : Moderators and mediators of treatment response for children with attention-deficit/hyperactivity disorder: the Multimodal Treatment Study of children with Attention-deficit/hyperactivity disorder. Arch Gen Psychiatry, 56 (12) : 1088-1096, 1999
71) Biederman J, et al : Clinical correlates of ADHD in females : findings from a large group of girls ascertained from pediatric and psychiatric referral sources. J Am Acad Child Adolesc Psychiatry, 38 (8) : 966-975, 1999
72) McGee R, et al : Hyperactivity and serum and hair zinc levels in 11-year-old children from the general population. Biol Psychiatry, 28 (2) : 165-168, 1990
73) 中安信夫：精神科臨床を始める人のために—精神科臨床診断の方法—. 星和書店, 2007
74) Wing L, et al : Diagnostic Interview for Social and Communication Disorders 11th edition, 2003 (内山登紀夫, 他・訳：DISCO日本語版)
75) Ann Le Couteur, et al : Autism Diagnostic Interview-Revised. WPS, 2003 (Adi-R日本語版研究会・監訳, 土屋賢治, 他・マニュアル監修：ADI-R日本語版, 金子書房, 2013)
76) 発達障害支援のための評価研究会・編：PARS-TR親面接式自閉スペクトラム症評定尺度テキスト改訂版. 金子書房, 2018
77) 稲田尚子：発達障害のアセスメント, 2 自閉症スペクトラム障害のアセスメント；ASDのスクリーニング①—M-CHAT. 臨床心理学, 16 (1) : 12-15, 2016
78) Thapar A, et al : Attention deficit hyperactivity disorder. Lancet, 387 (10024) : 1240-1250, 2016
79) 内山登紀夫：自閉症概念の歴史と援助手段の変遷—カナーから自閉症スペクトラムへ60年間の歴史—. 言語発達遅滞研究, 4 : 1-12, 2002
80) KANNER L, et al : Notes on the follow-up studies of autistic children. Proc Annu Meet Am Psychopathol Assoc, 227-239 : discussion, 285-289, 1954-1955
81) 内山登紀夫：正常との境界域を診る；広汎性発達障害とスペクトラム概念. 精神科治療学, 27 (4) : 443-451, 2012
82) Taylor E : Antecedents of ADHD: a historical account of diagnostic concepts. Atten Defic Hyperact Disord. 3 (2) : 69-75, 2011
83) Banaschewski T, et al : ADHD and Hyperkinetic Disorder. Oxford University Press, 2015
84) Rommelse N, et al : Differentiating between ADHD and ASD in childhood: some directions for practitioners. Eur Child Adolesc Psychiatry, 27 (6) : 679-681, 2018
85) Rocco I, et al : Time of onset and/or diagnosis of ADHD in European children: a systematic review. BMC Psychiatry, 21 (1) : 575, 2021
86) Hong JS, et al : Attention Deficit Hyperactivity Disorder Symptoms in Young Children with Autism Spectrum Disorder. Autism Res, 14 (1) : 182-192, 2021
87) Shephard E : Early developmental pathways to childhood symptoms of attention-deficit hyperactivity disorder, anxiety and autism spectrum disorder. J Child Psychology, 60 (9) : 963-974, 2019
88) Cage E, et al : Experiences of Autism Acceptance and Mental Health in Autistic Adults. J Autism Dev Disord, 48 (2) : 473-484, 2018
89) Cage E, et al : Understanding the Reasons, Contexts and Costs of Camouflaging for Autistic Adults. J Autism Dev Disord, 49 (5) : 1899-1911, 2019
90) 高梨淑子, 他：「大人の発達障害」をめぐる最近の動向；成人期発達障害と気分障害・不安症. 精神医学, 62 (7) : 967-976, 2020
91) Solberg BS, et al : Patterns of Psychiatric Comorbidity and Genetic Correlations Provide New Insights Into Differences Between Attention-Deficit/Hyperactivity Disorder and Autism Spectrum Disorder. Biol Psychiatry, 86 (8) : 587-598, 2019
92) 内山登紀夫, 他：成人の発達障害に合併する精神及び身体症状・疾患に関する研究；発達障害の原因, 疫学に関する情報のデータベース構築のための研究. 厚生労働科学研究, 2020
93) 内山登紀夫, 他：成人発達障害の実態把握と支援ニーズに関する研究；発達障害の原因, 疫学に関する情報のデータベース構築のための研究. 厚生労働科学研究, 2020
94) Sikora DM, et al : Attention-deficit/hyperactivity disorder symptoms, adaptive functioning, and quality of life in children with autism spectrum disorder. Pediatrics, 130 (Suppl. 2) : S91-S97, 2012
95) Ashwood KL, et al : Brief Report: Adaptive Functioning in Children with ASD, ADHD and ASD + ADHD. J Autism Dev Disord, 45 (7) : 2235-2242, 2015
96) Howes OD, et al : Autism spectrum disorder: Consensus guidelines on assessment, treatment and research from the British Association for Psychopharmacology. J Psychopharmacol, 32 (1) : 3-29, 2018
97) Sturman N, et al : Methylphenidate for children and adolescents with autism spectrum disorder. Cochrane Database Syst

Rev, 11 (11) : CD011144, 2017
98) de Bruin EI, et al : High Rates of Psychiatric Co-Morbidity in PDD-NOS. J Autism Dev Disord, 37 (5) : 877-886, 2007
99) Ronald A, et al : Evidence for overlapping genetic influences on autistic and ADHD behaviours in a community twin sample. J Child Psychol Psychiatry, 49 (5) : 535-542, 2008
100) Simonoff E et al : Psychiatric Disorders in Children With Autism Spectrum Disorders: Prevalence, Comorbidity, and Associated Factors in a Population-Derived Sample. J Am Acad Child Adolesc Psychiatry, 47 (8) : 921-929, 2008
101) Grzadzinski R, et al : Parent-reported and clinician-observed autism spectrum disorder (ASD) symptoms in children with attention deficit/hyperactivity disorder (ADHD) : implications for practice under DSM-5. Mol Autism, 7 : 7, 2016
102) Roy S, et al : Comprehensive analysis of ultrasonic vocalizations in a mouse model of fragile X syndrome reveals limited, call type specific deficits. PLoS One, 7 (9) : e44816, 2012
103) Maoz H, et al : Theory of Mind and Empathy in Children With ADHD. J Atten Disord, 23 (11) : 1331-1338, 2019
104) Havdahl KA, et al : Multidimensional Influences on Autism Symptom Measures: Implications for Use in Etiological Research. J Am Acad Child Adolesc Psychiatry, 55 (12) : 1054-1063, 2016
105) Hayashi W, et al : ASD symptoms in adults with ADHD: a preliminary study using the ADOS-2. Eur Arch Psychiatry Clin Neurosci, 272 (2) : 217-232, 2022
106) Lord C, et al : Developmental Trajectories as Autism Phenotypes. Am J Med Genet, 169 (2) : 198-208, 2015
107) Richler J, et al : Developmental trajectories of restricted and repetitive behaviors and interests in children with autism spectrum disorders. Dev Psychopathol, 22 (1) : 55-69, 2010
108) Polderman TJ, et al : Attentional switching forms a genetic link between attention problems and autistic traits in adults. Psychol Med, 43 (9) : 1985-1996, 2013
109) Simon Baron-Cohen, Sally Wheelwright : Autism-Spectrum Quotient (AQ) (若林明雄・日本版構成：AQ日本語版児童用. 三京房, 2016)
110) 大関信隆：AQ（自閉症スペクトラム指数）下位尺度の有効性に関する基礎研究. 東北福祉大学研究紀要, 33：165-175, 2009
111) Winnie Dunn : Sensory Profile. Pearson, 1999 (辻井正次・日本語版監修, 萩原拓, 他・日本語版作成：SP感覚プロファイル. 日本文化科学社, 2015)
112) Bolton PF, et al : Epilepsy in autism: Features and correlates. Br J Psychiatry, 198 (4) : 289-294, 2011
113) American Psychiatric Association : Diagnostic and Statistical Manual of Mental Disorders, Fifth edition, American Psychiatric Association, 2013 (髙橋三郎, 大野裕・監訳：DSM-5 精神疾患の診断・統計マニュアル, 医学書院, 2014)
114) World Health Organization : The ICD-10 Classfication of Mental and Behavioral Disorders, clinical descriptions and diagnostic guidelines, WHO, 1992 (融道男, 他・監訳：ICD-10 精神および行動の障害—臨床記述と診断ガイドライン, 医学書院, 2005)
115) 日本版WISC-Ⅳ刊行委員会：WISC-Ⅳ 知能検査. 日本文化科学社, 2010
116) 日本版KABC-Ⅱ制作委員会訳：日本版KABC-Ⅱ（個別式心理教育アセスメントバッテリー）. 丸善出版, 2013
117) 稲垣真澄, 他・編：特異的発達障害診断・治療のための実践ガイドライン. 診断と治療社, 2010
118) 小林朋佳, 他：学童におけるひらがな音読の発達的変化：ひらがな単音, 単語, 単文速読課題を用いて. 脳と発達, 42 (1)：15-21, 2010
119) 宇野彰, 他：改訂版標準読み書きスクリーニング検査—正確性と流暢性の評価—. インテルナ出版, 2017
120) 上野一彦, 他：PVT-R 絵画語い発達検査. 日本文化科学社, 2008
121) 眞田敏：発達障害の疫学および病態生理に関する研究動向. 発達障害研究, 30 (4)：227-238, 2008
122) 宇野彰：AD／HDに伴うLD 精神・神経疾患研究委託費「注意欠陥／多動性障害の診断・治療ガイドライン作成とその実証的研究」平成11～13年度研究報告書（主任研究者・上林靖子）：pp91-98, 2002
123) 文部科学省：通常の学級に在籍する発達障害の可能性のある特別な教育的支援を必要とする児童生徒に関する調査結果について, 平成24年12月5日 (http://www.mext.go.jp/a_menu/shotou/tokubetu/material/1328729.htm)
124) The International Dyslexia Association (IDA) : Are There Other Learning Disabilities Besides Dyslexia ? (http://www.interdys.org/FAQ.htm)
125) 稲垣真澄, 小林朋佳：ADHD とLD. 別冊「発達」31 ADHD の理解と援助（小野次朗, 小枝達也・編）. ミネルヴァ書房：pp190-197, 2011
126) Tannock R, Brown TE : ADHD with Language and/or Learning Disorders in Children and Adolescents : ADHD comorbidities handbook for ADHD Complications in children and adults (Brown TE, eds). American Psychiatric Publishing : pp189-231, 2009
127) Wasserstien J, Denckla MB : ADHD and learning disabilities in adults: Overlap with executive dysfunction. ADHD comorbidities handbook for ADHD Complications in children and adults (Tannock R, Brown TE, eds). American

Psychiatric Publishing, 233-247, 2009
128) 岡牧郎，他：広汎性発達障害と注意欠陥／多動性障害に合併する読字障害に関する研究．脳と発達，44（5）：378-386, 2012
129) 中井昭夫：発達性協調運動障害（developmental coordination disorder：DCD）：発達障害ベストプラクティス―子どもから大人まで．精神科治療学，29（Suppl）：403-408，2014
130) 平林伸一：DAMP症候群とは．発達障害医学の進歩18．診断と治療社，pp11-17，2006
131) Gillberg C : Deficits in attention, motor control, and perception: a brief review. Arch Dis Child, 88（10）: 904-910, 2003
132) 金生由紀子：チック障害の理解と支援に向けて―トゥレット症候群を中心に．日社精医誌, 23：10-18，2014
133) Schlander M, et al : Tic disorders: administrative prevalence and co-occurrence with attention-deficit/hyperactivity disorder in a German community sample. Eur Psychiatry, 26（6）: 370-374, 2011
134) Yoshimasu K, et al : Childhood ADHD is strongly associated with a broad range of psychiatric disorders during adolescence: a population-based birth cohort study. J Child Psychol Psychiatry, 53（10）: 1036-1043, 2012
135) Ogundele MO, Ayyash HF: Review of the evidence for the management of co-morbid Tic disorders in children and adolescents with attention deficit hyperactivity disorder. World J Clin Pediatr, 7（1）: 36-42, 2018
136) Roessner V, et al : European clinical guidelines for Tourette syndrome and other tic disorders-version 2.0. Part Ⅲ: pharmacological treatment. Eur Child Adolesc Psychiatry, 31（3）: 425-441, 2022
137) Weisman H, et al : Systematic review: pharmacological treatment of tic disorders--efficacy of antipsychotic and alpha-2 adrenergic agonist agents. Neurosci Biobehav Rev, 37（6）: 1162-1171, 2013
138) Pringsheim T, et al : Practice guideline recommendations summary: Treatment of tics in people with Tourette syndrome and chronic tic disorders. Neurology, 92（19）: 896-906, 2019
139) Cohen SC, et al : Meta-Analysis: Risk of Tics Associated With Psychostimulant Use in Randomized, Placebo-Controlled Trials. J Am Acad Child Adolesc Psychiatry, 54（9）: 728-736, 2015
140) Rutter M, et al : Emanuel Miller Lecture: Attachment insecurity, disinhibited attachment, and attachment disorders: Where do research findings leave the concepts? J Child Psychol Psychiatry, 50（5）: 529-543, 2009
141) Zeanah CH, et al : Institutional rearing and psychiatric disorders in Romanian preschool children. Am J Psychiatry, 166（7）: 777-785, 2009
142) Trocmé N, et al : Canadian Incidence Study Of Reported Child Abuse And Neglect 2008（CIS-2008）: Major Findings. Public Health Agency of Canada, 2010
143) Kaiser NM, et al : Child ADHD severity and positive and negative parenting as predictors of child social functioning: evaluation of three theoretical models. J Atten Disord, 15（3）: 193-203, 2011
144) Clarke L, et al : Attention Deficit Hyperactivity Disorder is Associated with Attachment Insecurity. Clinical Child Psychology and Psychiatry, 7（2）: 179-198, 2002
145) Wylock JF, et al : Child attachment and ADHD: a systematic review. Eur Child Adolesc Psychiatry, 2021（Online ahead of print）
146) Ainsworth MDS, et al : Patterns of Attachment: A Psychological Study of the Strange Situation. Psychology Press, 1978
147) Vaughn BE, et al : Attachment behavior at home and in the laboratory: Q-sort observations and strange situation classifications of one-year-olds. Child Dev, 61（6）: 1965-1973, 1990
148) Main M, et al : Security in Infancy, Childhood, and Adulthood: A Move to the Level of Representation. Monographs of the Society for Research in Child Development, 50（1/2）, 66-104, 1985
149) Miano S : Sleep and Attention-Deficit/Hyperactivity Disorder. Pediatric Sleep Medicine, 627-638, 2021
150) Instanes JT, et al : Adult ADHD and Comorbid Somatic Disease: A Systematic Literature Review. J Atten Disord, 22（3）: 203-228, 2018
151) Becker SP : ADHD and sleep: recent advances and future directions. Curr Opin Psychol, 34 : 50-56, 2020
152) American Academy of Sleep Medicine : International Classification of Sleep Disorders, Third Edition. American Academy of Sleep Medicine, 2014（日本睡眠学会診断分類委員会・訳：睡眠障害国際分類第3版，ライフサイエンス，2018）
153) Cortese S, et al : Sleep in children with attention-deficit/hyperactivity disorder: meta-analysis of subjective and objective studies. J Am Acad Child Adolesc Psychiatry, 48（9）: 894-908, 2009
154) Taurines R, et al : Developmental comorbidity in attention-deficit/hyperactivity disorder. Atten Defic Hyperact Disord, 2（4）: 267-289, 2010
155) Thunström M : Severe sleep problems in infancy associated with subsequent development of attention-deficit/hyperactivity disorder at 5.5 years of age. Acta Paediatr, 91（5）: 584-592, 2002
156) Oosterloo M, et al : Possible confusion between primary hypersomnia and adult attention-deficit/hyperactivity disorder. Psychiatry Res, 143（2-3）: 293-297, 2006

157) Ito W, et al : Hypersomnia with ADHD: a possible subtype of narcolepsy type 2. Sleep and Biological Rhythms, 16（2）: 205-210, 2018
158) 神林崇・編：神経発達症と睡眠．睡眠医療，14（4），ライフサイエンス，2020
159) Snitselaar MA, et al : Sleep and Circadian Rhythmicity in Adult ADHD and the Effect of Stimulants. J Atten Disord, 21（1）: 14-26, 2017
160) Gruber R , et al : Contributions of circadian tendencies and behavioral problems to sleep onset problems of children with ADHD. BMC Psychiatry, 12 : 212, 2012
161) Van der Heijden KB, et al : Idiopathic chronic sleep onset insomnia in attention-deficit/hyperactivity disorder: a circadian rhythm sleep disorder. Chronobiol Int, 22（3）: 559-570, 2005
162) Chaste P, et al : Genetic variations of the melatonin pathway in patients with attention-deficit and hyperactivity disorders. J Pineal Res, 51（4）: 394-399, 2011
163) Bijlenga D, et al : The role of the circadian system in the etiology and pathophysiology of ADHD: time to redefine ADHD? Atten Defic Hyperact Disord, 11（1）: 5-19, 2019
164) Konofal E, et al : Sleep and ADHD. Sleep Med, 11（7）: 652-658, 2010
165) Lee SH, et al : Effect of methylphenidate on sleep parameters in children with ADHD. Psychiatry Investig, 9（4）: 384-390, 2012
166) Becker SP, et al : Effects of Methylphenidate on Sleep Functioning in Children with Attention-Deficit/Hyperactivity Disorder. J Dev Behav Pediatr, 37（5）: 395-404, 2016
167) Solleveld MM, et al : Effects of 16 Weeks of Methylphenidate Treatment on Actigraph-Assessed Sleep Measures in Medication-Naive Children With ADHD. Front Psychiatry, 11 : 82, 2020
168) Garnock-Jones KP, et al : Atomoxetine: a review of its use in attention-deficit hyperactivity disorder in children and adolescents. Pediatr Drugs, 11（3）: 203-226, 2009
169) Huss M, et al : Distinguishing the efficacy and sedative effects of guanfacine extended release in children and adolescents with attention-deficit/hyperactivity disorder. Eur Neuropsychopharmacol, 29（3）: 432-443, 2019
170) Horiuchi F, et al : Effects of adenotonsillectomy on neurocognitive function in pediatric obstructive sleep apnea syndrome. Case Rep Psychiatry, 2014 : 520215, 2014
171) 井上雄一：脚がむずむずしたら読む本．メディカルトリビューン，2011
172) Picchietti DL, et al : Pediatric restless legs syndrome diagnostic criteria: an update by the International Restless Legs Syndrome Study Group. Sleep Med, 14（12）: 1253-1259, 2013
173) 谷池雅子・編：日常診療における子どもの睡眠障害．診断と治療社，2015
174) Picchietti MA, et al : Advances in pediatric restless legs syndrome: Iron, genetics, diagnosis and treatment. Sleep Med, 11（7）: 643-651, 2010
175) Cortese S, et al : Restless legs syndrome and attention-deficit/hyperactivity disorder: a review of the literature. Sleep, 28（8）: 1007-1013, 2005
176) Konofal E, et al : Restless legs syndrome and attention-deficit/hyperactivity disorder. Ann Neurol, 58（2）: 341-342, 2005
177) Witt O, et al : Adult ADHD versus borderline personality disorder : criteria for differential diagnosis. Fortschr Neurol-Psychiatr, 82（6）: 337-345, 2014
178) Ferrer M, et al : Comorbid attention-deficit/hyperactivity disorder in borderline patients defines an impulsive subtype of borderline personality disorder. J Pers Disord, 24（6）: 812-822, 2010
179) Cumyn L, et al : Comorbidity in adults with attention-deficit hyperactivity disorder. Can J Psychiatry, 54（10）: 673-683, 2009
180) Miller CJ, et al : Childhood attention-deficit/hyperactivity disorder and the emergence of personality disorders in adolescence: a prospective follow-up study. J Clin Psychiatry, 69（9）: 1477-1484, 2008
181) Biederman J, et al : Adult psychiatric outcomes of girls with attention deficit hyperactivity disorder : 11-year follow-up in a longitudinal case-control study. Am J Psychiatry, 167（4）: 409-417, 2010
182) Richards JS, et al : Differential susceptibility to maternal expressed emotion in children with ADHD and their siblings? Investigating plasticity genes, prosocial and antisocial behaviour. Eur Child Adolesc Psychiatry, 24（2）: 209-217, 2015
183) Bagcioglu E, et al : Facial emotion recognition in male antisocial personality disorders with or without adult attention deficit hyperactivity disorder. Compr Psychiatry, 55（5）: 1152-1156, 2014
184) Mordre M, et al : The impact of ADHD and conduct disorder in childhood on adult delinquency : a 30 years follow-up study using official crime records. BMC Psychiatry, 11 : 57, 2011
185) Sevecke K, et al : Attention-deficit hyperactivity disorder and personality disorders in treated in-patient and 133 incarcerated adolescents. Prax Kinderpsychol Kinderpsychiatr, 57（8-9）: 641-661, 2008

186) Semiz UB, et al : Effects of diagnostic comorbidity and dimensional symptoms of attention-deficit-hyperactivity disorder in men with antisocial personality disorder. Aust N Z J Psychiatry, 42 (5) : 405-413, 2008
187) Flory JD, et al : Serotonergic function in children with attention-deficit hyperactivity disorder : relationship to later antisocial personality disorder. Br J Psychiatry, 190 : 410-414, 2007
188) Thapar A, et al : Catechol O-methyltransferase gene variant and birth weight predict early-onset antisocial behavior in children with attention-deficit/hyperactivity disorder. Arch Gen Psychiatry, 62 (11) : 1275-1278, 2005
189) Jacob CP, et al : Co-morbidity of adult attention-deficit/hyperactivity disorder with focus on personality traits and related disorders in a tertiary referral center. Eur Arch Psychiatry Clin Neurosci, 257 (6) : 309-317, 2007
190) Fossati A, et al : The relationship between childhood history of ADHD symptoms and DSM- Ⅳ borderline personality disorder features among personality disordered outpatients: the moderating role of gender and the mediating roles of emotion dysregulation and impulsivity. Compr Psychiatry, 56 : 121-127, 2015
191) Sebastian A, et al : Frontal dysfunctions of impulse control-a systematic review in borderline personality disorder and attention-deficit/hyperactivity disorder. Front Hum Neurosci, 8 : 698, 2014
192) Storebø OJ, Simonsen E : Is ADHD an early stage in the development of borderline personality disorder? Nord J Psychiatry, 68 (5) : 289-295, 2014
193) World Health Organization : The ICD-11. 2018 (https://icd.who.int/browse11/l-m/en)
194) Rumpf HJ, et al : Including gaming disorder in the ICD-11: The need to do so from a clinical and public health perspective. J Behav Addict, 7 (3) : 556-561, 2018
195) Aarseth E, et al : Scholars' open debate paper on the World Health Organization ICD-11 Gaming Disorder proposal. J Behav Addict, 6 (3) : 267-270, 2016
196) van Rooij AJ, et al : A weak scientific basis for gaming disorder: Let us err on the side of caution. J Behav Addict, 7 (1) : 1-9, 2018
197) Hyun GJ, et al : Risk factors associated with online game addiction: A hierarchical model. Comput Hum Behav, 48 : 706-713, 2015
198) González-Bueso V, et al : Association between Internet Gaming Disorder or Pathological Video-Game Use and Comorbid Psychopathology: A Comprehensive Review. Int J Environ Res Public Health, 15 (4) : 668, 2018
199) So R, et al : The Prevalence of Internet Addiction Among a Japanese Adolescent Psychiatric Clinic Sample With Autism Spectrum Disorder and/or Attention-Deficit Hyperactivity Disorder: A Cross-Sectional Study. J Autism Dev Disord, 47 (7) : 2217-2224, 2017
200) Cabelguen C, et al : Attention deficit hyperactivity disorder and gaming disorder: Frequency and associated factors in a clinical sample of patients with Gaming Disorder. J Behav Addict, 10 (4) : 1061-1067, 2021
201) Dullur P, et al : A systematic review on the intersection of attention-deficit hyperactivity disorder and gaming disorder. J Psychiatr Res, 133 : 212-222, 2021
202) Lee D, et al : Preliminary evidence of altered gray matter volume in subjects with internet gaming disorder: associations with history of childhood attention-deficit/hyperactivity disorder symptoms. Brain Imaging Behav, 13 (3) : 660-668, 2019
203) Park JH, et al : Effectiveness of atomoxetine and methylphenidate for problematic online gaming in adolescents with attention deficit hyperactivity disorder. Hum Psychopharmacol, 31 (6) : 427-432, 2016
204) Kollins SH, et al : A novel digital intervention for actively reducing severity of paediatric ADHD (STARS-ADHD) : a randomised controlled trial. Lancet Digit Health, 2 (4) : e168-e178, 2020
205) 坂本旬，他：デジタル・シティズンシップ：コンピュータ1人1台時代の善き使い手をめざす学び．大月書店，2020
206) 吉川徹：子どものこころの発達を知るシリーズ10；ゲーム・ネットの世界から離れられない子どもたち：子どもが社会から孤立しないために．合同出版，2021
207) 松本俊彦：薬物依存症；シリーズ ケアを考える．筑摩書房，2018
208) Young KS : Internet Addiction: The Emergence of a New Clinical Disorder. CyberPsychol Behav, 1 (3) : 237-244, 1996
209) 久里浜医療センター：IAT : Internet Addiction Test（インターネット依存度テスト）．(https://kurihama.hosp.go.jp/hospital/screening/iat.html)
210) Paschke K, et al : Assessing ICD-11 Gaming Disorder in Adolescent Gamers: Development and Validation of the Gaming Disorder Scale for Adolescents (GADIS-A). J Clin Med, 9 (4) : 993, 2020
211) 鷲見聡：ゲーム障害の診断に関する課題．最新精神医学，26（4）：367-370，2021
212) 境泉洋，他：CRAFTひきこもりの家族支援ワークブック改訂第二版．金剛出版，2021
213) Stevens MWR, et al : Cognitive-behavioral therapy for Internet gaming disorder: A systematic review and meta-analysis. Clin Psychol Psychother, 26 (2) : 191-203, 2019

7 ADHDをめぐる注目すべき課題

1 ADHDと非行および少年犯罪

1）はじめに

非行や犯罪と特定の疾病・障害について論じることについては，もし特定の疾病・障害が非行や犯罪と直結するというような誤解を生じることとなっては，間違いなくその疾病・障害とそれらに罹患した者に対する誤ったスティグマを増大させるため，慎重に行うことが求められる。ただでさえ非行や犯罪という行為は，社会規範に反するものと見なされ，スティグマや非難・排斥の対象にされやすい。したがって，われわれはこの問題を慎重に取り扱い，隠蔽や誇張，誤解を招く表現を避け，これまで蓄積されてきた信頼度の高い事柄を客観的に論じていく必要がある。

また非行と犯罪については，その差異を知っておく必要がある。非行の定義については，統一された見解はなく意味は幅広いが，「犯罪」と違って「非行」は単純に触法の有無だけで論じることはできない。例えば，家出を繰り返したり，校則違反を繰り返すだけでは「犯罪」を犯したことにはならないが，「非行」とは見なされる場合が多い。例えば，少年司法システムのなかでは「ぐ犯」と呼ばれる触法行為はしていないものの「将来的に犯罪を犯すリスクが高い」行為も非行と見なされる。つまり，「非行」は法律だけでなく，国や地域，宗教や道徳，社会通念や社会情勢など，さまざまな要因から規定されるものなのである。したがって，非行とADHDとの関連研究を参考にする場合，非行の範囲をどのように定義しているかに留意する必要がある。本ガイドラインにおいては「非行」を基本的には「少年が行う攻撃的行動や反社会的行動」（本項で少年と述べた場合，男子少年と女子少年の両方を指す）として検討する。

2）非行のリスクファクターとしての精神疾患[1, 2]

(1) 非行リスクを高める生物学的な要因

現在までに犯罪や非行のさまざまな危険因子の検討がなされてきた。そのなかで内分泌的要因（男性ホルモンの影響），神経伝達物質的要因（セロトニンやノルアドレナリンと攻撃性の関連），脳局在機能要因（前頭葉や側頭葉の一部や扁桃体などとの関連），自律神経系要因，知的要因，遺伝要因，実行機能障害との関連，性差の関連――などのさまざまな危険因子の示唆がなされてきた。しかし，これらはいわば状況証拠であり，これらの因子と非行化・犯罪化の直接的な因果関係の立証は為されていない。

(2) 三次的・四次的に非行リスクを上昇させる可能性がある精神疾患

攻撃性が高まると当然ながら他害行為のリスクも高まるため，攻撃性が高まる可能性がある精神疾患への対応を誤ると三次的，四次的に非行が高まる可能性はある。精神病性障害，気分障害，不安障害，PTSD，神経発達症などである。物質関連障害については物質乱用そのものが非行にあたるという特殊性はあるものの，ケースによっては攻撃性を増し，二次的に暴力，三次的・四次的に非行を来すこともありうるため，ここに含んでもよいと考えられる。

(3) 一次的に攻撃性を高め，二次的に非行を来す可能性のある素行症類縁疾患

DSM-5による「秩序破壊的・衝動制御・素行症群」に分類される反抗挑発症（oppositional defiant disorder；ODD），間欠爆発症（intermittent explosive disorder；IED），素行症（conduct disorder, CD），放火症・窃盗症などがここに含まれる。また「抑うつ障害群」に分類される重篤気分調節症（disruptive mood dysregulation disorder；DMDD）も発達にそぐわない激しい易怒性が慢性的に持続するというなかで二次的に非行を来しやすいといえよう。

3）ADHDと非行・少年犯罪の疫学

Moffitらはニュージーランドで実施されている大規模前向きコホート調査をもとに3歳時点でADD（DSM-Ⅲによる診断。現在のADHDとの重複度は高い）と診断された者の約半数が15歳時点で非行化したと1990年に報告した[3]。これらの非行化事例には本ガイドライン別項でも取りあげられている破壊的行動障害マーチ（DBDマーチ；反抗挑発症と素行症の併存・進展に関する問題）の経過をたどったと考えられる事例が多く含まれている。また2001年のSiponmaaらの報告では126人の若年犯罪者の調査でADHD罹患者が約15％存在したとされている[4]。わが国では，2005年の藤川の報告において，家庭裁判所に送致された計862人の非行少年への独自のスクリーニングカード調査でADHDが疑われる者の割合は5.7％であった[5]。また渕上らも少年鑑別所においてスクリーニング検査を実施し，ADHDの疑いがある者が12.4％いることを同じく2005年に報告している[6]。松浦らも自記式チェックリストによる少年院での調査にて，少年院在院男子少年が比較群の男子高校生に比して不注意得点で約2倍，多動衝動性得点で約3倍，全体得点で約2.2倍高く，少年院在院女子少年でも同様の傾向が認められたこととともに，少年院にADHD罹患少年が多く在院している可能性を示唆した（2012年）[7]（ただし，藤川ら，渕上ら，松浦らの調査はいずれもスクリーニングテストを用いた調査であり，ADHDの確定診断をしたものでないことは留意が必要である）。法務省も2015年の少年院新入院者の16.6％が精神障害を抱えており，この大部分が発達障害（知的障害を含む，2015年当時）となっていること，そしてその数値が年々上がっていること認めている[8]。これらの数値は一般社会での有病率を超している。

このようにADHDと攻撃的行動や反社会的行動の関連は比較的多く，報告され，考証されてきた。こういった背景からADHDはDSM-Ⅳまでは他の神経発達症と同一のカテゴリーではなく，「注意欠如および破壊的行動障害」として素行障害や反抗挑戦性障害とともに分類されたという経緯がある。しかし，こういった知見の一方で，十一はADHDの反社会的行動について，併存症や極端に不遇であったり不利であったりする環境要因（虐待など）がないかぎり，深刻な非行化はしないのではないかと自験例をもとに推測している[9]。また，DBDマーチの提唱者である齊藤はADHDの破壊的行動のリスクよりも，いかにADHD者が適切な支援を受けられていないか，適切な支援を受けられればDBDへの進展がなかったはずのADHD者が不適切な対応を取られることで二次的に破壊的行動を呈さざるを得なかったという事象に注目すべきことも主張している[10]。また，米国Public Health Serviceの報告においても反社会的行動への発達的問題の統計的な主効果（他の要因の影響を無視した場合の，ある要因の効果が全体的に与える影響）は小さいことが判明している[11]。

これらの知見が意味するところは，ADHDに罹患していることのみが攻撃的行動や反社会的行動の危険因子となるわけではないものの，ADHDをもつ子ども達の障害特性，置かれた環境や周囲の関わりの不適切さ，そういった多因子の内容次第では，比較的高率に攻撃的行動や反社会的行動が発露するリスクが存在していることを示唆している。現在までに調査や研究によって明らかになっている非行化や犯罪化へのリスクファクターのなかでは，神経発達症と非行・犯罪については以下のように目されている。つまり，神経発達症そのものは非行や犯罪のリスクファクターではなく「適切な支援を受けていない神経発達症」が非行や犯罪のリスクファクターであるというものである。適切な支援に該当しない不適切な対応としては虐待，いじめ，理不尽な叱責等のトラウマを生じうる対応のほか，社会的に是認されない興味や関心を放置されることも含まれる。

4）ADHD者が非行・少年犯罪を起こす機序

目標に向けて注意や行動を制御する実行機能（executive function；EF）あるいは実行制御機能（executive control function；ECF）の障害が衝動的な行動を抑制できず，攻撃的行動や反社会的行動のような外在化症状を引き起こすという考えがある。ECF異常はADHDのDual Pathway Modelにおいては報酬系異常とともに中核症状とされるが，ADHDの併存の有無にかかわらず，ECF異常は素行症のリスク因子となっており，重篤な素行症になるほど，ECF異常がより顕著となっているとの報告がある[12, 13]。ADHDは実行機能や報酬系の異常のために，多動，注意欠如が起こってくるが，それらとともに衝動性も重要な障害特性となる。その衝動性が反社会的行動と不幸にして結びつく可能性は排除できない。

Millsは英国自閉症協会のリサーチディレクター在任時に自閉スペクトラム症（autism spectrum disorder；ASD）と反社会的行動・犯罪に関する複数の報告を総合的に考察し，ASD者による反社会的行動を含む問題行動を3つの因子から論じた[14]。つまり，準備因子（predisposing factors），誘発因子（precipitating factors），永続因子（perpetuating factors）である。これらはASD者向けに提唱されたモデルであるがADHDを含む神経発達障害と問題行動を考える際にもあてはまるモデルであり，アセスメントと支援に極めて有用であるため紹介する。

準備因子とは，その因子自体は問題行動に直結しているわけではなく，その因子のみで問題行動が惹起されるわけではないものの，問題行動につながりうる可能性をもった因子である。準備因子に含まれる因子は，例えば「硬直性」，「こだわりや強迫」，「衝動統制不良」，「他の精神疾患の併存」などであり，障害特性そのものを中心とした因子といえよう。

そして，準備因子が基盤として存在するなかで，誘発因子が生じてくると反社会的行動を含む問題行動が惹起されると考えられる。誘発因子として挙げられている因子は，「社会的な孤立や情緒的なつながりの欠如」，「家族からの虐待や過度の叱責」，「いじめ」などのいわゆる二次障害を惹起すると考えられている因子や「本人の障害特性を利用して悪事を企む他者の存在」などの偶発的要素を含んだ因子である。二次障害について改めて考えると，発達障害の共通概念は「何らかの脳機能の障害のために，年齢に期待される発達課題を達成できない」ことといえよう。したがって，発達障害自体は本来は社会的評価とは無関係であるはずである。しかし実際は，発達障害の障害特性はさまざまな社会的評価と結びつき，多くの場合，社会的評価は低下する。その結果として「いじめ」，「虐待」，「理不尽で過度な叱責」などが生じるリスクが高まる。それらが続くと当然ながら本人の自尊心や自己肯定感は毀損し，他者や社会を信頼できなくなる。基本的信頼感が損なわれ，本人は大きな生きづらさを抱えるようになる。このようになると反応性にさまざまな症状が出現してくる。これがいわゆる二次障害であるが，二次障害の症状には抑うつや不安のように内在化していく症状もあれば，暴力や不登校，ひきこもりなどのように外在化していく症状もある。発達障害の存在が早期に発見され，早期から正しい支援を受けられれば二次障害は本来は生じないはずであるが，発達障害の存在に周囲が気づけなかった場合など，正しい支援が得られなかった場合，二次障害を呈するリスクが高まっていく。厄介なのは，二次障害である内在化症状・外在化症状が華々しく出現すると周囲の耳目はそれらの症状に集中し，結果的に基盤として存在する一次障害（発達障害）にいっそう気づけなくなってしまうことである。その帰結として社会的な評価がいっそう低下したり，周囲の不適切な対応がエスカレートしたりして，二次障害もいっそう増悪するという悪循環が生じてしまう。

問題行動が悪化していく際には，このような状況が背景として存在することが多く，問題行動の改善や矯正には，このような状況へ適切に介入していく必要がある。前述したように，ADHDの罹患が単独因子として，直接的に反社会行動に至る危険因子となるという世界的に認知・認証されたエビデンスはない。無論，ADHDの一次障害特性が準備因子として反社会行動の惹起やその内容に影響することはありうる。しかし，犯罪や非行に至る危険因子となるのは，むしろADHD者に対する周囲の不適切な対応や支援であって，それらが二次障害を引き起こし，その二次障害が放置された結果，三次的・四次的に犯罪や非行を惹起していることが多いのである。このことは前述したDBDマーチ概念や提唱者の齊藤の主張，あるいは十一の主張にも当てはまる。誘発因子が違えば，その介入方法も当然違ってくるため，このアセスメントは重要となる。

最後の永続因子とは反社会的行動を含む問題行動が繰り返されるようになるための因子である。これには「計画的で正しい介入がなされない」，「誘発因子が継続している」，「併存する精神障害の治療がなされない」などが挙げられている。Millsは永続因子について，「反社会的行動に対して単に罰するだけの対応を取ることは最も強い永続因子になりうる」と指摘している。

これら3因子でのアセスメントはASDだけでなくADHDを含めた神経発達症ひいては精神障害をもつ人々に起こる問題行動全般のアセスメントに応用でき，そして正しい介入ポイントを明確化する。発達障害は生来の脳機能の障害であるために，準備因子として挙げられているような障害特性は，変化しないとはいえないものの変化させることが難しいのも事実である。しかし，誘発因子や永続因子は介入可能なことが多く，これら介入可能な因子を明らかにすることは正しい支援を選択し，結果として正しい改善効果を生み出すことに資する。

5）症例提示

症例 A（15歳男子）

主訴 繰り返される暴力や窃盗

家族歴 30歳代の両親。同胞4人中第1子長男。実父に覚せい剤にて服役歴あり。

初診までの経過

言語運動発達歴に遅れはなかった。幼少時からじっとしていることが困難であったほか，静かにするように言われてもお喋りを続ける子どもであった。そのような行動に対して実父は頻回に叱責を繰り返し，ときに体罰を加えることもあった。幼稚園時代も多動は残存していたが，そのほかにも他児とよく遊んだり年少児の面倒をみたりしていた反面，容易にかんしゃくを起こして他児を叩いたり，他児に噛みついたりすることが多く，それらの問題行動に対しても両親は体罰も含めた厳しい叱責を行った。そのような両親の厳しい指導に対して徐々に反発・反抗をするようになり，日頃の両親の指導に対しても容易に怒り，かんしゃくを起こすようになった。両親や幼稚園教諭の指導にも反抗を認めた。普通小学校に進学したものの多動，授業への集中困難により勉強についていけず，成績は不良。徐々に怠学傾向が出現し，他児との頻回の喧嘩，他児の物を壊す，他児の物を盗むといった問題行動が小学校低学年から出現するようになった。指導を行う教師に対しても反発・反抗し，ときに暴力を振るうこともあり，学校側も対応困難にて家庭との効果的な連携が取れず状況は悪化し本人は学校内でも孤立していった。小学5年時に上級生にアダルトビデオを見せられ，それ以降，性に対しての興味が増して女子児童のスカートをめくったり，胸を触るなどの性問題行動も出現するようになった。

有効な支援が取れぬまま普通中学校に進学するも成績は引き続き低迷し，怠学・校則無視・飲酒・喫煙・家出・暴言暴力・学校や級友の所有物の窃盗などを繰り返すほか，女子生徒の胸を触る・女子生徒のかばんを漁る，などの性問題行動も頻発するようになった。そのようななか，両親の叱責に反発しての家出中に，店舗からの窃盗事件と捕まえようとした店員に対する暴力事件を惹起して逮捕され，観護措置のうえ少年院送致となり，初診となった。

診断と見立て

ADHDと考えられる少年が基盤障害に気づかれぬまま，両親から理不尽な叱責を繰り返され，反抗挑発症を併存し，学校でも孤立したうえに非行化し，非行を繰り返す素行症に進展した結果非行を繰り返すようになったと考えられるケースである。二次的・三次的に反抗挑発症や素行症へ進展していると考えられ，典型的なDBDマーチの経過をたどっている。本事例も，もしADHDの存在が早期に判明し，早期から適切な対応・支援が行われていれば，非行化は免れた可能性が高い。非行化するということは本人のみならず，周辺に何らかの被害を受ける者を生み出すということであり，ADHDの早期発見・早期療育の重要性はいうまでもない。

6）ADHD者が非行・少年犯罪を起こした際のアセスメント

世界保健機関（WHO）は疾患のあるべき見立てと治療のモデルとしてEngelの提唱した「バイオ・サイコ・ソーシャルモデル」[15]を提唱しているが，ADHD者を含めた非行臨床においても本モデルは重要である。非行や犯罪の場合，どうしてもその動機や背景といったサイコロジカルな視点やソーシャルな視点で事例を見てしまいがちになるし，実際にその視点も大切であるが，われわれはそれらとともにバイオロジカルな視点も忘れぬようにせねばならない。その3つの視点をバランスよく保ちながら，前述したMillsらの提唱した3因子（準備・誘発・永続）モデルにより事例を丁寧にアセスメントしていくことを推奨する。その際にはADHD特性をより詳細に把握するために必要な認知機能・知能などの検査のみならず，言語能力の検査や，必要であれば脳画像検査や脳波などの器質的検査も組み合わせて施行する必要がある。そういった検査と発達歴や生育歴，生育環境とともに検討し，バイオ・サイコ・ソーシャルの公平な視点で3因子を洗い出し，支援方法を決定していくのである。

発達障害とは直接の関係のない研究結果であるが，犯罪学の視点からはAndrews & Bontaが再犯防止介入において対象者のリスクに見合った密度の処遇を実施せねばならぬことを指摘している[16]。複数の研究でも，手厚い介入をすればそれだけ効果が上がるというものではなく，過剰な介入は逆に再犯率を上昇させてしまう，つまり逆効果となることがあると判明しており，対象者の支援ニーズをいかに正確にアセスメントするかは重要である。精密なアセスメントを実施し，支援チームでの検討のうえ，正しい介入や支援方法を選択するべきであろう。そして支援に携わる者は常に対象者を正しく捉えられているか，支援ニーズと支援にずれは生じていないか，ということを随時に検証せねばならない。ずれが生じれば誤った支援となり，場合によっては逆効果となってしまうからである。

7）ADHD者が非行・少年犯罪を起こした際の支援

(1) 薬物療法について

ADHDの治療や支援に中心は心理社会的療法であることはいうまでもないが，ADHDは他の神経発達症よりも薬物療法が奏功するケースが多いこともエビデンスがある。Kleinらは3分の2がADHDの診断基準も満たす84人の素行症を抱えた少年（8～15歳）にメチルフェニデートとプラセボを5週間投与したところ，素行症に特有の反社会的行動がメチルフェニデート治療によって有意に減少したことを明らかにしている[17]。またCampbellらはプラセボ対照二重盲検臨床試験において，50人の行動障害児（5～12歳）を対象に調査を行い，ADHD併存の有無や重症度にかかわらず，リチウムが素行症を有する若年者の治療に有益であることを報告している[18]。しかし，米国児童青年精神医学会の治療ガイドラインでは，抗精神病薬は素行症における攻撃性を低減するが，副作用などのために使用は制限されるべきであると勧告している[19]。また，英国のNICEガイドラインでは，

・反抗挑発症や素行症の日常管理に薬物療法は推奨しない
・ADHDの併存例にはADHD治療薬の使用を検討する
・爆発的な怒りと重度の感情調節不全の問題を抱え，心理社会的介入に反応しなかった素行症のある若年者の重度の攻撃的行動の短期管理にリスペリドンの使用を検討するが，漫然と投与しない

以上のことなどを推奨している。

(2) 心理社会的治療

非行は極めて社会的な問題行動であり，生物・心理・社会的な視点によるアセスメントと複合的支援が実効性のある支援には必須である。トラウマティックな問題や発達の問題，精神疾患を抱えながら非行を起こしているケースへの支援に単一の正解はない。特化した支援方法が確立されているわけでもないし，個人や単一の機関で可能な支援は限られており，まず多職種・多機関の支援チームを作ることを優先すべきと考える。生物学的な薬物療法だけで問題が解決することはほとんどなく，心理社会的治療や支援が必須となる。トラウマケアに関しても正しいアセスメントのなかで必要なトラウマ支援の水準を見極め，ケースによっては専門的トラウマ治療技法の導入も必要となる。再非行防止のための支援方法としては，有効性を認められている非行や犯罪の防止プログラムが存在しているため，それらを対象者の特性に応じて改変し，より本人にフィットした形で実施していくことが重要となる。技法としては認知行動療法を応用したリラプス・プリベンション・モデルや，ポスト・リラプス・プリベンション・モデルとして開発されたGood Lives Model（GLM：グッドライブスモデル，グッドライフモデル）が有用と考えられる[20]。

対象者や家族とよく話し合い，さまざまなアセスメントを綿密に行い，対象者の障害特性やトラウマ体験，背景，生きづらさなどを正しく理解し，彼らの今後のGood life実現のため必要な支援，つまり対象者や対象者の家族がモチベーションをもって支援者とともに取り組める支援は何かを支援チーム内で検討し，地道に提供していくしかない。トラウマの観点でいえば，彼らの加害行為だけに目を向けた支援をしても彼らは「どうせわかってくれない」と心を閉ざしてしまう。かといって被害体験ばかりに目を向けたアプローチをしても彼らは自身のしてしまった加害行為について整理ができなくなる。支援においては被害体験へのアプローチと加害行為へのアプローチのバランスが大切であるし，難しい面でもある。このバランスはケースによって異なる。

繰り返すが非行や少年犯罪を起こしたADHD者の支援に単一の正解はない。対象者や対象者の

家族がモチベーションをもって支援者とともに取り組める支援が何かを支援チーム内で検討し，地道に提供していくしかないのである。その際にも「バイオ・サイコ・ソーシャルモデル」の公平な視点でそれぞれの職種が自身の担うべき支援を，チーム内で検討し，情報を共有しながら，矛盾なく実施していく必要がある。したがって，長期にわたって多様な支援が必要となるケースも多い。焦らず時間をかける必要があることも留意しておくべきであろう。

（桝屋 二郎）

2 児童虐待をはじめとする逆境体験とADHD

1）児童虐待を含む逆境体験について

児童虐待とは，「児童虐待の防止等に関する法律」によれば，身体的虐待，性的虐待，ネグレクト，心理的虐待の4つが規定されている。“虐待”（本来必要のない攻撃を加えられること）と“ネグレクト”（本来提供されるべきものが与えられないこと）は区別されるものではあるが，両者は表裏一体な関係ともいえる。すなわち「身体的／性的／感情的に虐待すること」とは「感情的な苦痛のなかで子どもを心理的に孤独にすること」であるため“ネグレクト”と理解されるし，「ネグレクトすること」とは「恐怖や絶望などの苦痛な感情を呼び起こすこと」であるため“虐待”と理解できるからである。

児童虐待を中心に据え，それ以外にも「親との離別」体験や，「親・家族の物質依存」および「親・家族の精神疾患」の存在，「親・家族の服役」体験など，子どもにとって有害なストレスとなる体験を18歳になるまでに経験していることをまとめて1998年にFelittiらが「小児期逆境体験（adverse childhood experiences；ACE）」と定義した[21]。その研究ではそれらの体験の成人期の健康への影響を研究しており，その結果はACEスコア（小児期の逆境体験の種類の数）が高くなるほど（逆境体験が多くなるほど），心身のさまざまな領域における健康問題が深刻化していくことが示されている。その後もさまざまな地域で，幅広い年代でもACEの検討がなされてきて，現在的な理解としては，ACEは決してまれなものではなく[22, 23]，地域や文化によって異なるものの4～7割程度の者が少なくとも1つ以上のACEを体験していると考えられている[24～27]。そして精神的なものに限っても，ACEはさまざまな問題（学業成績の低下や反社会行動）[24, 28]や精神疾患（うつや不安障害，PTSD）[27, 29]との関連が指摘されており，現在では**図1**[30]のような理解に至って来ている。

2）逆境体験が子どもに及ぼす影響

(1) 愛着（アタッチメント）システムの不安定化

アタッチメントについては「危機的な状況に際して，あるいは潜在的な危機に備えて，特定の対象との近接を求め，またこれを維持しようとする個体の傾性」と規定することができる[31, 32]。これは，元来ヒトが危機的な状況で陰性感情が高まった際に，アタッチメント対象へ近接・接触することで，自身の崩れた感情をなだめ回復するシステムを有しているともいいかえられる。アタッチメントシステムが安定的なほど，危機的な状況に至った際には素直にシグナルを発することができ，他者から助力を得られやすくなる[33]。また危機的なときにタイミングよく頼れる対象をもっているということは，危険でないときには積極的に探索行動を行うことができるということであるため[34]，アタッチメントは自律性（autonomy）およびそれに支えられた探索行動（exploration）の

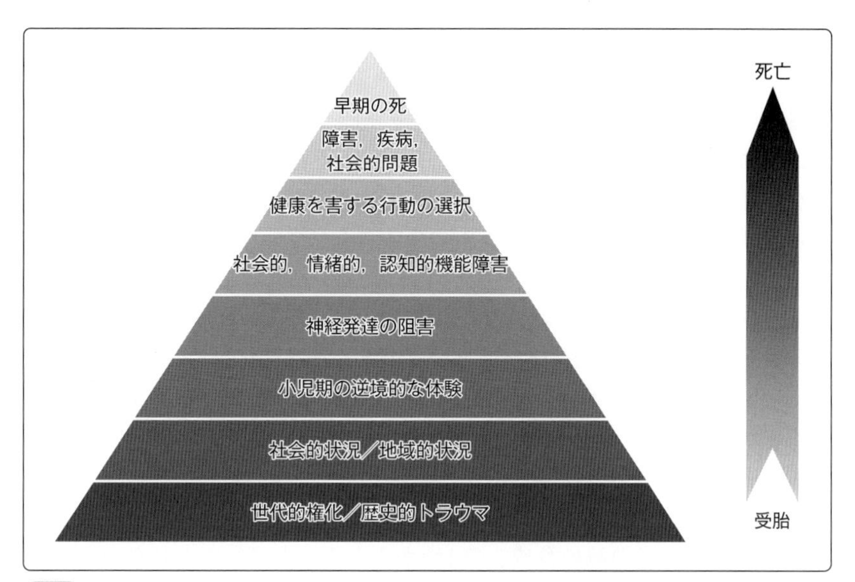

図1 ACEピラミッド：ACEが生涯を通して健康福祉に影響を及ぼすメカニズム
〔The ACE Pyramid（https://www.cdc.gov/violenceprevention/aces/index.html）より作成〕

発達とも深く関与してくる[35)]。

アタッチメントの問題としては，「安定型」を最も適応的なタイプとして，「回避型」と「アンビバレント／抵抗型」，「無秩序・無方向型（D型）」となるにつれ，より非適応的になっていくと考えられている[36)]。「回避型」と「アンビバレント／抵抗型」は，「安定型」ほどには安定的ではないものの，そのアタッチメントシステム利用にあたっての方略は組織化されている。「回避型」はアタッチメントシステムを最小化する方略（養育者が子どものシグナルを回避する場合に起きやすいと考えられており，子どもは情動表出を抑制するようになること）を用い，「アンビバレント／抵抗型」はアタッチメントシステムを最大化する方略（養育者が一貫しない反応を示す場合に起きやすいと考えられており，子どもはシグナルを最大化するような情緒表出を行うようになること）を用いると考えられている[37)]。それに対して「D型」は，アタッチメント対象自体が子どもに対して不安や恐怖を与える場合に起きやすいと考えられており，その典型が児童虐待といえる[38)]。そのような関係においては，アタッチメント活性化方略が未組織な状態（disorganized）となり，シグナルの出し方も無秩序（disorganized）で無方向（disoriented）なものとなる[39)]。

Zeanahらは，養育者にアタッチメントはしているものの，虐待・ネグレクトを受けてアタッチメントに関わる行動が著しく歪んでいる症例をまとめ，「アタッチメント障害（安全基地の歪み）」という診断概念を提唱した[40)]。これらの安全基地の歪みのある子どもの特徴は，①自己を危険にさらす攻撃的な行動，②探索が制限され過剰なしがみつき，③特定の養育者に対する過剰な警戒心と不安な過服従，④役割逆転した面倒見，としている。この水準のアタッチメントはD型アタッチメントの延長にあるとはいえ，やはりアタッチメント活性化方略としては未組織なまま（自分の崩れた感情はおざなりのまま）で，対人関係性だけは，とりあえず部分的に統制（懲罰統制・役割逆転）したD-controllingとよばれる状態に近似している[41)]。

ただし，この「安全基地の歪み」概念をもってしてもDSM-5[42)]でいうところの「反応性愛着障害」よりは適応的な水準の病理と考えられており[36)]，医学的診断としての「反応性愛着障害」は相当深刻な病態に限られている。DSMで規定される反応性愛着障害に関しては，DSM-Ⅳ-TR[43)]では，その下位分類として「制限型」（緊張して警戒的であったり，極めて矛盾したりする関係性など）と「脱抑制型」（よく知らない相手にも過度の馴れ馴れしさを示すなど）とに分けられていた。その後「脱抑制型」は中核病理が必ずしもアタッチメント関連ではないと理解されたため，DSM-5からは「脱抑制型対人交流障害」として「反応性愛着障害」から分離された（しかしそれでも「不適切な養育環境」によるものとの理解は両者に共通）。いずれにしても「反応性愛着障害」の医学診断の定義は，選択的なアタッチメント対象すら有していない最重度の愛着障害であり，極めてまれなものといえる。

ゆえにZeanahらのいう「安全基地の歪み」水準のアタッチメント障害を有する子どもについては，アタッチメント病理に基づいた医学診断はいまのところは存在していない。よってその問題の出現の仕方に応じて，例えばADHDや反抗挑戦症，あるいは重篤気分調節症や間欠爆発症などに現時点では分類されていることが多いのではないかと考えられる。

(2) トラウマ関連症状

トラウマとは「傷」を意味するギリシャ語に由来しており，「強烈な恐怖」,「孤立無援感」「自己統制力の喪失」,「完全な自己消滅の脅威」の4つからなる，人が耐えられないと感じる体験を指す[44]。災害や犯罪，身体暴力／性暴力，交通事故，虐待，予期せぬ突然死や事故死で大切な人を失うことなど，さまざまな出来事がトラウマになりうる。また自身が体験するだけでなく，自分の周りの人が体験したという話を聞いたり，目撃したりすることもトラウマになる可能性を有している。トラウマに関連した主だった症状としてはPTSD症状と解離症状が挙げられる。

①PTSD（Posttraumatic Stress Disorder）症状

PTSDと医学診断するにあたっては，いわゆるA項目（命の危険が脅かされる体験や性的暴力を受ける出来事など）の存在が必須だが，従来から典型的には外傷性とはいえないストレスを経験した後でもPTSD症候群を発症する人がかなりの割合で存在するとはいわれてきた[45]。PTSDの基本症状は，侵入的思考や侵入的想起，トラウマを想起させる刺激の回避，感情麻痺，過覚醒などが挙げられる。またDSM-5以降はそれらに認知と気分の陰性変化も加えられている。解離症状を伴うかどうかを評価させている点もDSM-5の新たな変更点であり，これにより本項最後に述べるようなPTSDの“複雑性”の要素を一部取り込むこととなった。

②解離症状

DSM-5によれば，解離の特徴は，意識，記憶，同一性，情動，知覚，身体表象，運動制御，行動の正常な統合における破綻および（または）不連続であるとされている。これまでは解離を引き起こす要因として，幼少期の性的，精神的，身体的虐待が注目されてきたが，近年では親の病気や問題のある愛着形成が幼児を圧倒する対人的な環境となって影響し，正常な自我状態の統合を妨げることが解離性障害の要因となることが指摘されている[46]。とりわけストレンジ・シチュエーション法[47]における解離行動（D型アタッチメントに一致）と学童期から青年期に見られる解離症状には発達上の連続性が認められることが注目されてきている[48, 49]。

Allenは解離を理解するにあたっては，デタッチメント（detachment）とコンパートメンタライゼーション（compartmentalization）に大まかに区分することが臨床上は有益だとしている[50]。デタッチメントには情動麻痺，離人感・現実感消失，体外離脱体験，自己像視などが含まれ，コンパートメンタライゼーションには健忘，遁走，人格交代，一部の転換症状などが含まれる。「アタッチメント」に対して「デタッチメント」という用語で規定されている点もアタッチメントの視点を加えて考えると至極納得できるものである。このデタッチメントタイプの解離においては，はたから見ると多くの場合「ボーッとした様子」として映ることとなる。

(3) リソース不足による社会からの孤立化

Cloitreらは，児童虐待が引き起こす短期的・長期的リソースの喪失という展開および，その結果としてのPTSDの慢性化という病態理解について述べている[51]。児童虐待はほとんどが養育者になされるため，子どもからすると「健全なアタッチメントの喪失」を第一に経験することとなる。そしてそれが続くと，「自己制御と対人関係能力の育たなさ」や「不適切な対人行動の学習」が促されるので，結果的に「社会的・感情的な発達の機会の喪失」が引き起こされ，同年代集団からの脱落と劣等感の発生していく。そのような喪失が続いていくと，最終的には「コミュニティからの支援の喪失」へと繋がっていくという重層化仮説である。近年の研究では，トラウマを体験した直後の反応としてPTSDの診断基準に示されているような症状を呈することは一般的であり，多くの人は内的・外的なリソースにより徐々に回復していくことがわかってきている[52, 53]。回復せずにPTSDが慢性化していく理由としては，そのようなリソースが不足していることが多く，被虐待者においてはまさにその傾向が顕著であるという理解である。

3）ADHD症状と逆境体験関連症状との鑑別

(1) アタッチメントやトラウマの視点から見た際のADHD診断の課題

ADHDの診断基準が基本的には子どもの“行動”に依拠しているため，はたから観察される“行動”によってのみなされている。DSMで注記されていることとしては，「反抗的行動，挑戦，敵意の表れでないこと」と「課題や指示を理解できないことでない」だけであるため，子どもの内的な考えや体験は診断にあたっては加味されない。Child Welfare Information Gatewayの「Parenting a Child Who Has Experienced Trauma」では，0～5歳，6～12歳，13～18歳それぞれの年代でのトラウマを抱えた子どもの特徴的な行動について示されている[54]。それによれば「落ち着かなさ」，「多動性」，「発達の遅れ」，「気持ちの切り替えの難しさ」，「夜尿」といったADHDでも特徴的な問題が数多く挙げられている。またPTSDに至っている子どもにおいては，全般的な不安症状や抑うつ症状，明らかに外傷的出来事とは関係のない新たな恐怖症状，反抗的行動，退行による社会的スキルの低下（言語やトイレ），あるいは物質乱用や自傷行為といった症状が前景に立っているような場合をしばしば認めるとの報告もあり[55]，子どものトラウマ関連症状は他の障害の症状様であることが少なくないため，注意を要する。

PTSDの評価にあたっては，子どもは自身の内的な体験を表現する能力が大人に比べて限定的であるため，トラウマ体験やPTSD症状をうまく言語化できない可能性を理解しておく必要がある。そのためDSM-5では6歳以下の子どもの診断にあたっては独立して診断基準が示されている[42]。またそれらの評価にあたって保護者および子どもへのトラウマの心理教育がまず必要となってくることも少なくない。

そのようなPTSDへの理解を踏まえてADHDとの鑑別を図っていくこととなるが，症状論的には，PTSDの過覚醒によって非常に刺激に過敏になっている状態とADHDの多動衝動性との鑑別，デタッチメントタイプの解離症状と不注意症状との鑑別が難しいところといえる。しかし，その視点をもってもなお子どものトラウマとADHDとは完全に区別しきれないものでもあり，The National Child Traumatic Stress Networkの「Is It ADHD or Child Traumatic Stress? A Guide for Clinicians」のなかでは，トラウマとADHDとの関係について**図2**のように示されている[56]。子どもの外傷性ストレスの症状がADHDの症状と取り違われる可能性があり，誤診の危険性は高いとしている一方で[57]，ADHDとトラウマとが重なってくる可能性も認めており，その場合はより複雑化するとしている[56]。すなわちトラウマ症状とADHD症状とは鑑別の視点をもたなければ

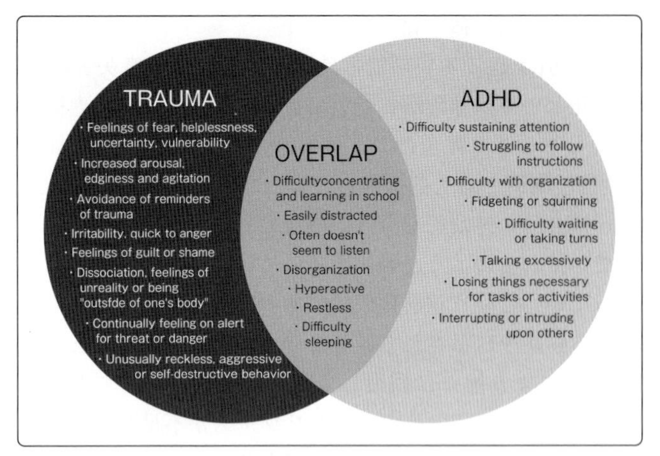

図2 Are Children with ADHD at Greater Risk for Trauma?

〔The National Child Traumatic Stress Network: Is It ADHD or Child Traumatic Stress? A Guide for Clinicians. 2016（https://www.nctsn.org/resources/it-adhd-or-child-traumatic-stress-guide-clinicians）より引用〕

いけないと同時に，併存もありうる関係と理解できる。

(2) 発達性トラウマ障害という視点

これまでの考察を踏まえると，臨床的にはdevelopmental trauma disorder（発達性トラウマ障害）という視点をもっておくことが現実的ではないかと思われる。発達性トラウマ障害はvan der Kolkに提唱されている臨床概念であるが[58]（DSM-5の改定において提案書が提出されたが最終的には不採用となる），その診断基準の基本的な枠組みとしては，長期に渡る逆境的な体験をしている児童において，①感情および身体調節の障害，②注意と行動の調節障害，③自己および対人関係における調節障害，④トラウマ関連症状の存在を認め，そのためにさまざまな領域において問題を呈しているものとなっている。実際の臨床像としては，幼児期に愛着形成に障害を呈し，学童期になるとADHDの多動性と破壊的行動が前面に表れ，思春期にPTSDや解離症状の明確化などが起きてきて，成人期になると一部は複雑性PTSDに進展するといった様相を呈すると考えられている。

これは複雑性PTSDの広範な議論が背景にはあり，複雑性PTSDの小児期版として発達性トラウマ障害概念が提唱されてきていると理解できる[50]。複雑性PTSDに関しては，Hermanが，トラウマに関連する問題の集合体を“complex PTSD”と概念化したことが始まりといえる[59]。Hermanが提唱したcomplex PTSDの症状は，①感情制御変化，②意識変化，③自己感覚変化，④加害者への感覚の変化，⑤他者との関係の変化，⑥意味体系の変化――の6つのカテゴリーから構成されていた。DSM-Ⅳ[60]の作業部会では，これらの症状カテゴリーに「身体化」を加えた7カテゴリーからなる「Disorders of Extreme Stress Not Otherwise Specified：DESNOS」という呼称が提唱された[61]。

以後さまざまな議論を経て，今回ICD-11においてComplex PTSD（CPTSD）の診断基準が採択されることとなった[62]。基本的な定義としては，PTSDの診断基準を満たしたうえで，さらに「感情制御困難（affect dysregulation；AD）」，「否定的自己概念（negative self-concept；NSC）」，「対人関係障害（disturbances in relationships；DR）」が同時に存在することとなっている[28]。CPTSDを非常に単純化して定義するならば「CPTSD=PTSD＋安定したアタッチメントスタイルの形成不全」とすることができる[61]。

トラウマ理論とアタッチメント理論とはそれぞれ独立したものではあるが，トラウマ関連症状とアタッチメントの不安定性とが混在することこそが“複雑性”といえ，児童虐待をはじめとする逆境体験においてはこの“複雑性”がさまざまな形で臨床像に影響を及ぼしてくる。そのような理解をもったうえで，ADHD症状との鑑別あるいは併存を検討していくことがこの領域における作業の肝要といっていいだろう。

（小平 雅基）

3 周産期障害とADHD

1）はじめに

ADHDの発症には遺伝的要因が強く関与していることが示唆されているが，環境要因も少なからず発症に寄与していることが想定されている。そのなかでも，周産期障害は環境要因の代表的なものであり，これまでに多くの疫学的研究が行われているが，研究結果にばらつきも大きく，結論にまで至っていない。この数年間，これらの研究を対象にしたメタ解析がいくつか報告され，ADHDの発症を高める周産期のリスクファクターが明らかになってきた。本項では，これらのメタ解析の結果を中心に概説し，ADHDの発症を予防するために留意すべき周産期管理について述べる。

2）周産期の産科的合併症とADHDの発症リスク

周産期の合併症のなかで，ADHDのリスクファクターとして十分なエビデンスがあるとされているのは，妊娠前の肥満（body-mass index［BMI］≧30 kg/m^2；OR=1.63, 95% CI=1.49 − 1.77），妊娠中の高血圧（妊娠高血圧腎症および子癇を含むOR=1.29, 95% CI=1.22–1.36），妊娠高血圧腎症および子癇（OR=1.28, 95% CI=1.21 − 1.35）であり，示唆的なエビデンスがあるとされたのは，妊娠前の過体重（BMI 25.0–29.9 kg/m^2；OR=1.28, 95% CI=1.21 − 1.35）であった[63]。

妊娠前の肥満や高血圧などの代謝性疾患については，胎盤血流の低下，酸化ストレスの増大，母体の炎症性シグナルの活性化などがもたらす子宮内環境への影響がメカニズムとして想定されており，これらの変化が，血液脳関門（blood-brain barrier：BBB）の透過性を高めることで，未熟胚において神経解剖学的変化をもたらすことが提唱されている[64, 65]。妊娠高血圧腎症および子癇については，同胞を対象とした研究（HR=1.13, 95% CI=1.05 − 1.22）でも一般集団を対象とした研究（HR=1.15, 95% CI=1.12 − 1.19）においても，同程度の危険率であったことから，妊娠高血圧腎症および子癇に関連する遺伝的な要素とは関連がなく，妊娠高血圧腎症および子癇そのものがADHDのリスク因子であることを示唆している[66]。一方で，妊娠前の肥満および過体重については，同胞を対象とした研究では統計学的な有意差がみられず，妊娠前の肥満および過体重そのものへの遺伝的な要因が排除できないとされている[67, 68]。これはADHDと肥満そのものに遺伝的相関が強くみられることにも関連している。

母親の妊娠中の甲状腺機能についても報告が散見されるが[69, 70]，イスラエルの大規模コホートを用いた解析では，母親の甲状腺機能低下症がADHDの発症リスクを増加させる可能性があるものの（調整HR=1.14, 95% CI=1.10, 1.18），甲状腺ホルモンそのものではなく，甲状腺ホルモンを変化させる別の要因が発症リスクを高めており，その結果，妊娠中に甲状腺ホルモンを投与すること自体は児の発症リスクの低下には繋がらない可能性があることが報告されている[71]。

3）周産期の精神科的合併症とADHDの発症リスク

母親のうつ病については，妊娠前・妊娠中・出産後いずれの時点においても児のADHDの発症リスクを高めることが繰り返し報告されている（HR=1.35, 95% CI=1.27 – 1.45）[72~74]。母親のうつ病がADHDの発症リスクを高めるメカニズムとして，胎盤におけるグルココルチコイド，ミネラルコルチコイド受容体の発現増加[75]，HPA-axisの変化[76]などが提唱されている。一方で，母親のADHDが周産期のうつ病と関連しており，その結果として児のADHDの発症リスクが高く検出される可能性についても指摘されている[77]。

ADHDの発症に遺伝的要因が強く関与していることを考えると，両親がADHDを有していることは児のADHDの発症リスクを増大させることは想像に難くないが[78]，父親のADHDよりも母親のADHDの方が，強い影響を有することが報告されている（母親：調整OR=2.2, 95% CI=2.0 – 2.3, 父親：調整OR=1.7, 95% CI=1.6 – 1.8）[79]。

4）周産期の薬剤への曝露とADHDの発症リスク

母体の妊娠中のアセトアミノフェンへの曝露は，メタ解析においても，十分なエビデンスのあるADHDのリスクであるとの報告がなされている（RR=1.25, 95% CI=1.17 – 1.34）。アセトアミノフェンは，胎盤・血液脳関門を通過し，特に妊娠第3期以降の曝露が早期の曝露よりADHDの発症リスクを高めることも報告されている[80, 81]。一方で，アセトアミノフェンを使用するに至った他の交絡因子，すなわち炎症や感染などの存在についても検討すべきであると考えられる。

抗うつ薬については，抗うつ薬がADHDの発症リスクを高めるという報告とこれを否定した報告が混在しているが[82~84]，遺伝的な要因を考慮し，妊娠中の抗うつ薬継続群と中止群を比較した研究では，抗うつ薬のADHDに対する発症リスクは統計学的に有意ではないという報告が多い[84~86]。

抗精神病薬については，香港で行われた2001～2015に出生した33万3,749人を対象とした観察研究で，妊娠中の抗精神病薬の内服は早期産（OR, 1.40）のリスクを高めるものの，低出生体重，ASD，ADHDの発症リスクを増大させないことが報告されている[87]。この結果はその後のメタ解析によっても支持されている[88]。

さらに近年ではバルプロ酸やラモトリギンなどの抗てんかん薬，気分安定薬が児のADHDの発症リスクも高めることが報告されているが[89, 90]，今後の追試が必要である。

5）周産期のその他の物質への曝露とADHDの発症リスク

妊娠中の母体の喫煙については，示唆的なエビデンスがあるとされているが（OR=1.6, 95% CI=1.45 – 1.76）[63]，遺伝的な影響を考慮すると統計学的には有意でなくなるという報告も多い[91~93]。特に，ADHDそのものに喫煙との関連が示唆されており，母のADHDが交絡因子である可能性も考えられる[94]。

妊娠中の母体のアルコール摂取については，メタ解析の結果を含めて否定的なものが多い[95, 96]。アルコールの摂取量ごとの解析においても，≦20g/週〔OR=1.01（0.68 – 1.49）〕，≦50g/週〔OR=0.94（0.85 – 1.03）〕≦70g/週〔OR=0.94（0.86 – 1.02）〕と発症リスクを増大させることはないと報告されている[97]。一方で，病的飲酒については，ADHDの発症リスクを増大させることも報告されているが[98]，喫煙と同様に母親のADHDや精神疾患などを交絡因子として検討すべきである。

金属，微量元素と児のADHD発症のリスクについては，十分なエビデンスがあるとはいえないが否定的なものが多い[99, 100]。一方で，ノルウェーの705人のADHDと1,034人の対象者からなる出生コホートでは，妊娠17週の母体のカドミウム〔OR=1.59（CI：1.15, 2.18)〕とマグネシウム〔OR=1.42, 95％（CI=1.06, 1.91)〕がADHDの発症リスクを高めることが報告されている[101]が，今後の追試が待たれる。

そのほかには，PFOAやPFOAなどの化学物質とADHDの発症リスクについても検討が行われている。まだ，報告はわずかであるが，PFOAへの曝露がADHDの発症リスクを高める可能性が示唆されているが〔OR=1.54, 95％（CI=1.16－2.04)〕，これを否定する報告もみられる[102~104]。

6）出生時の合併症とADHDの発症リスク

出生時の合併症については，メタ解析によって，出生時の低酸素状態（5分後のApgar score＜7と骨盤位もしくは低在横定位）と早期産がADHDの発症リスクを増大させるという示唆的なエビデンスがあるとされている[63]。

在胎週数比出生体重（small for gestational age；SGA）は，子宮内発育制限と密接に関連しており[105]，中枢神経系の構造的および機能的異常を引き起こすことが知られている[106]。わが国においては，周産期の管理において，長らく妊娠中の体重増加を抑制するような傾向がみられたが，これが結果的に児の早期産や低出生体重を引き起こしている可能性についての認識が高まり[107]，現在は過度な体重増加抑制の指導は減っていると考えられる。

早期産／低出生体重については，複数のコホート研究およびメタ解析において，遺伝的な影響を考慮しても十分なエビデンスがあるADHD発症のリスクとして報告されている（RR= 2.64；95％CI=1.85－3.78)[108, 109]。さらに，早期産／低出生体重の重症度との相関があるとの報告もみられる[110]。

7）終わりに

以上，ADHDの発症リスクを増大させることが想定されている周産期の障害と環境因子について，現在までに得られているエビデンスをもとに概説した。まとめると，ある程度リスク因子として十分な証左がある因子としては，①妊娠前の肥満・過体重，妊娠中の高血圧，妊娠高血圧腎症および子癇，②周産期のうつ病，③妊娠中のアセトアミノフェンおよびニコチンへの曝露，④早期産と低出生体重――が挙げられ，これらに対する周産期の管理が重要であると考えられる。一方で，近年では児のもつ遺伝的特性と環境因子との関連，すなわち遺伝環境相互作用を踏まえたリスク因子の評価が必要であることも提唱されており[111]，今後もリスク因子に対する評価は変わっていく可能性があることを留意しておくべきである。

（高橋 長秀）

参考文献

1）桝屋二郎：非行のバイオロジー．そだちの科学，23：2-7，2014
2）桝屋二郎：少年犯罪の現状と加害少年への支援．こころの科学，199：58-63，2018
3）Moffit TE：Juvenile delinquency and attention deficit disorder: boys' developmental trajectories from age 3 to age 15. Child Dev, 61（3）：893-910, 1990
4）Siponmaa L, et al：Juvenile and young adult mentally disordered offenders: the role of child neuropsychiatric disorders. J Am Acad Psychiatry Law, 29（4）：420-426, 2001
5）藤川洋子：青年期の高機能自閉症・アスペルガー障害の司法的問題―家庭裁判所における実態調査を中心に．精神科（心療内科），7（6）：507-511，2005
6）渕上康幸，他：注意欠陥/多動性障害と非行との関連の検討．発達障害と非行に関する実証的研究（少年問題研究会・編），

日立みらい財団研究報告書，日立みらい財団，pp45-81，2005
7）松浦直己：エビデンスからみた日本の矯正教育の取り組み―発達障害の関連から―．発達障害研究，34（2）：121-130，2012
8）法務省：少年矯正統計統計表年報，2016
9）十一元三：発達障害と反社会的行動．子どもの心の診療シリーズ2 発達障害とその周辺の問題（齊藤万比古・総編集），中山書店，pp133-143，2008
10）齊藤万比古・編著：発達障害が引き起こす二次障害へのケアとサポート．学習研究社，2009
11）Office of the Surgeon General（US）: Youth Violence: A Report of the Surgeon General, 2001
12）Seguin JR, et al : Executive functions and physical aggression after controlling for attention deficit hyperactivity disorder, general memory and IQ. J Child Psychol Psychiatry, 40（8）: 1197-1208, 1999
13）Toupin J, et al : Cognitive and familial contributions to conduct disorder in children. J Child Psychol Psychiatry, 41（3）: 333-344, 2000
14）Mills R : 発達障害セミナー イギリスとわが国の発達障害者と触法を考える．PandA-J, 13, 2011
15）Engel GL : The need for a new medical model: a challenge for biomedicine. Science, 196（4286）: 129-136, 1977
16）Andrews DA, et al : The psychology of criminal conduct, 5th edition. Elsevier, LexisNexis, 2010
17）Klein RG, et al : Clinical efficacy of methylphenidate in conduct disorder with and without attention deficit hyperactivity disorder. Arch Gen Psychiatry, 54（12）: 1073-1080, 1997
18）Campbell M, et al : Lithium in hospitalized aggressive children with conduct disorder: a double-blind and placebo-controlled study. J Am Acad Child Adolesc Psychiatry, 34（4）: 445-453, 1995
19）Steiner H : Practice parameters for the assessment and treatment of children and adolescents with conduct disorder. American Academy of Child and Adolescent Psychiatry. J Am Acad Child Adolesc Psychiatry, 36（10 Suppl）: 122S-139S, 1997
20）Ward T, et al : The treatment of sex offenders: Risk management and good lives. Professional Psychology: Research and Practice, 34（4）: 353-360, 2003
21）Felitti VJ, et al : Relationship of childhood abuse and household dysfunction to many of the leading causes of death in adults. Am J Prev Med, 14（4）: 245-258, 1998
22）Gilbert LK, et al : Childhood adversity and adult chronic disease: an update from ten states and the District of Columbia, 2010. Am J Prev Med, 48（3）: 345-349, 2015
23）Hughes K, et al : The effect of multiple adverse childhood experiences on health: a systematic review and meta-analysis. Lancet Public Health, 2（8）: e356-e366, 2017
24）Porche MV, et al : Adverse family experiences, child mental health, and educational outcomes for a national sample of students. School Ment Health, 8（1）: 44-60, 2016
25）Cronholm PF, et al : Adverse Childhood Experiences: Expanding the Concept of Adversity. Am J Prev Med, 49（3）: 354-361, 2015
26）Ashton K, et al : Adverse childhood experiences and their association with health-harming behaviours and mental wellbeing in the Welsh adult population: a national cross-sectional survey. Lancet, 388（Special Issue 2）: S21, 2016
27）Kessler RC, et al : Childhood adversities and adult psychopathology in the WHO World Mental Health Surveys. Br J Psychiatry, 197（5）: 378-385, 2010
28）Schilling EA, et al : Adverse childhood experiences and mental health in young adults: a longitudinal survey. BMC Public Health, 7 : 30, 2007
29）Widom CS : Posttraumatic stress disorder in abused and neglected children grown up. Am J Psychiatry, 156（8）: 1223-1229, 1999
30）The ACE Pyramid（https://www.cdc.gov/violenceprevention/aces/index.html）
31）Bowlby J : Attachment and Loss, Vol 1: Attachment. Basic Books, 1969（黒田実郎，他・訳：母子関係の理論；I 愛着行動．岩崎学術出版，1976）
32）遠藤利彦・編：入門アタッチメント理論；臨床・実践への架け橋．日本評論社，2021
33）Music G : Nurturing Natures: Attachment and Children’s Emotional, Sociocultural and Brain Development. Psychology Press, 2011（鵜飼奈津子・監訳：子どものこころの発達を支えるもの；アタッチメントと神経科学，そして精神分析の出会うところ．誠信書房，2016）
34）Bowlby J : A Secure Base: Parent-Child Attachment and Healthy Human Development. Basic Books, 1988
35）Goldberg S : Attachment and development. Arnold, 2000
36）青木豊：乳幼児虐待のアセスメントと支援．岩崎学術出版，2015
37）遠藤利彦：生涯にわたるアタッチメント．アタッチメントに基づく評価と支援（北川恵，工藤晋平・編著），誠信書房，pp2-27,

2017
38) Judith C Baer, Colleen Daly Martinez : Child maltreatment and insecure attachment: a meta - analysis. Journal of Reproductive and Infant Psychology, 24 (3) : 187-197, 2006
39) Main M, Solomon J : Procedures for Identifying Infants as Disorganized/Disoriented during the Ainsworth Strange Situation. Attachment in the preschool years: Theory, research, and intervention (ed. by MT Greenberg, et al) , The University of Chicago Press, pp121-160, 1990
40) Zeanah CH, Boris NW : Disturbances and disorders of attachment in early childhood. Handbook of Infant Mental Health, Second Edition (ed. by Zeanah C) , Guilford Press, pp353-368, 2000
41) Karlen Lyons-Ruth, Deborah Jacobvitz : Attachment Disorganization from Infancy to Adulthood. Handbook of Attachment Theory, Research, and Clinical Applications, Third Edition (ed. by Jude Cassidy, Phillip R Shaver) , Guilford Press, pp667-695, 2016
42) American Psychiatric Association : Diagnostic and Statistical Manual of Mental Disorders, Fifth Edition (DSM-5) . American Psychiatric Association, 2013
43) American Psychiatric Association : Diagnostic and Statistical Manual and Mental Disorders, 4th edition, Text Revision (DSM-Ⅳ-TR) . American Psychiatric Association, 2000
44) NC Andreasen : Posttraumatic Stress Disorder. Comprehensive Textbook of Psychiatry, 4th Edition (ed. by HI Kaplan, BJ Sadock) , Williams & Wilkins, 918-924, 1985
45) Long ME, et al : Differences in posttraumatic stress disorder diagnostic rates and symptom severity between Criterion A1 and non-Criterion A1 stressors. J Anxiety Disord, 22 (7) : 1255-1263, 2008
46) Lyons-Ruth K : The interface between attachment and intersubjectivity: Perspective from the longitudinal study of disorganized attachment. Psychoanalytic Inquiry, 26 (4) : 595-616, 2007
47) Ainsworth MD, Bell SM : Attachment, exploration, and separation: Illustrated by the behavior of one-year-olds in a strange situation. Child Dev, 41 (1) : 49-67, 1970
48) Carlson EA, et al : Dissociation and the development of the self. Dissociation and the Dissociative Disorders: DSM-V and Beyond (ed. by PF Dell, JA O' Neil) , Routledge, pp39-52, 2009
49) Dutra L, et al : The relational context of dissociative phenomena. Dissociation and the Dissociative Disorders: DSM-V and Beyond (ed. by PF Dell, et al) , Routledge, pp83-92, 2009
50) Allen JG. Mentalizing in the Development and Treatment of Attachment Trauma. Routledge, 2013
51) メリレーヌ クロアトル, 他・著, 金吉晴・監訳, 河瀬さやか, 他・訳：児童期虐待を生き延びた人々の治療；中断された人生のための精神療法. 星和書店, 2020
52) Shalev AY : Discussion: treatment of prolonged posttraumatic stress disorder —learning from experience. J Trauma Stress, 10 (3) : 415-423, 1997
53) Shalev AY, et al : Posttraumatic stress disorder as a result of mass trauma. J Clin Psychiatry, 65 (Suppl 1) : 4-10, 2004
54) Child Welfare Information Gateway : Parenting a Child Who Has Experienced Trauma. 2014 (https://www.childwelfare.gov/pubpdfs/child-trauma.pdf)
55) Practice parameters for the assessment and treatment of children and adolescents with posttraumatic stress disorder. J Am Acad Child Adolesc Psychiatry, 37 (10 Suppl) : 4S-26S, 1998
56) The National Child Traumatic Stress Network : Is It ADHD or Child Traumatic Stress? A Guide for Clinicians. 2016 (https://www.nctsn.org/resources/it-adhd-or-child-traumatic-stress-guide-clinicians)
57) Szymanski K, et al : Trauma and ADHD — Association or Diagnostic Confusion? A Clinical Perspective. Journal of Infant, Child, and Adolescent Psychotherapy, 10 (1) : 51-59, 2011
58) van der Kolk BA : Developmental trauma disorder : Toward a Rational Diagnosis for Children with Complex Trauma Histories. Psychiatric Annals, 35 : 401-408, 2005
59) Herman L : Trauma and Recovery. Basic Books, 1992 (中井久夫・訳：心的外傷と回復 増補版. みすず書房, 1999)
60) American Psychiatric Association : Diagnostic and Statistical Manual of Mental Disorders, 4th edition (DSM-Ⅳ) . American Psychiatric Association, 1994
61) 飛鳥井望：複雑性PTSDの診断概念と治療論をめぐる考察. 複雑性PTSDの臨床実践ガイド；トラウマ焦点化治療の活用と工夫（飛鳥井望・編), 日本評論社, pp23-41, 2021
62) WHO : ISD-11 (https://icd.who.int/en)
63) Kim JH, et al : Environmental risk factors, protective factors, and peripheral biomarkers for ADHD: an umbrella review. Lancet Psychiatry, 7 (11) : 955-970, 2020
64) Böhm S, et al : The Effect of Hypertensive Disorders of Pregnancy on the Risk of ADHD in the Offspring. J Atten Disord, 23 (7) : 692-701, 2019

65) Rees S, et al : Brain development during fetal life: influences of the intra-uterine environment. Neurosci Lett, 361 (1-3) : 111-114, 2004
66) Maher GM, et al : Association between preeclampsia and attention-deficit hyperactivity disorder: a population-based and sibling-matched cohort study. Acta Psychiatr Scand, 142 (4) : 275-283, 2020
67) Musser ED, et al : Maternal prepregnancy body mass index and offspring attention-deficit/hyperactivity disorder: a quasi-experimental sibling-comparison, population-based design. J Child Psychol Psychiatry, 58 (3) : 240-247, 2017
68) Chen Q, et al : Maternal pre-pregnancy body mass index and offspring attention deficit hyperactivity disorder: a population-based cohort study using a sibling-comparison design. Int J Epidemiol, 43 (1) : 83-90, 2014
69) Levie D, et al : Maternal Thyroid Function in Early Pregnancy and Child Attention-Deficit Hyperactivity Disorder: An Individual-Participant Meta-Analysis. Thyroid, 29 (9) : 1316-1326, 2019
70) Modesto T, et al : Maternal Mild Thyroid Hormone Insufficiency in Early Pregnancy and Attention-Deficit/Hyperactivity Disorder Symptoms in Children. JAMA Pediatr, 169 (9) : 838-845, 2015
71) Rotem RS, et al : Maternal Thyroid Anomalies and Attention-Deficit Hyperactivity Disorders in Progeny. Am J Epidemiol, 191 (3) : 430-440, 2022
72) Van Batenburg-Eddes T, et al : Parental depressive and anxiety symptoms during pregnancy and attention problems in children: a cross-cohort consistency study. J Child Psychol Psychiatry, 54 (5) : 591-600, 2013
73) Chen LC, et al : Association of parental depression with offspring attention deficit hyperactivity disorder and autism spectrum disorder: A nationwide birth cohort study. J Affect Disord, 277 : 109-114, 2020
74) Wolford E, et al : Maternal depressive symptoms during and after pregnancy are associated with attention-deficit/hyperactivity disorder symptoms in their 3- to 6-year-old children. PLoS One, 12 (12) : e0190248, 2017
75) Reynolds RM, et al : Maternal depressive symptoms throughout pregnancy are associated with increased placental glucocorticoid sensitivity. Psychol Med, 45 (10) : 2023-2030, 2015
76) Bleker LS, et al : Hypothalamic-pituitary-adrenal axis and autonomic nervous system reactivity in children prenatally exposed to maternal depression: A systematic review of prospective studies. Neurosci Biobehav Rev, 117 : 243-252, 2020
77) Nidey NL, et al : Association between perinatal depression and risk of attention deficit hyperactivity disorder among children: a retrospective cohort study. Ann Epidemiol, 63 : 1-6, 2021
78) Minde K, et al : The psychosocial functioning of children and spouses of adults with ADHD. J Child Psychol Psychiatry, 44 (4) : 637-646, 2003
79) Joelsson P, et al : Parental psychopathology and offspring attention-deficit/hyperactivity disorder in a nationwide sample. J Psychiatr Res, 94 : 124-130, 2017
80) Stergiakouli E, et al : Association of Acetaminophen Use During Pregnancy With Behavioral Problems in Childhood: Evidence Against Confounding. JAMA Pediatr, 170 (10) : 964-970, 2016
81) Gou X, et al : Association of maternal prenatal acetaminophen use with the risk of attention deficit/hyperactivity disorder in offspring: A meta-analysis. Aust N Z J Psychiatry, 53 (3) : 195-206, 2019
82) Boukhris T, et al : Antidepressant Use in Pregnancy and the Risk of Attention Deficit with or without Hyperactivity Disorder in Children. Paediatr Perinat Epidemiol, 31 (4) : 363-373, 2017
83) Man KKC, et al : Prenatal antidepressant use and risk of attention-deficit/hyperactivity disorder in offspring: population based cohort study. BMJ, 357 : j2350, 2017
84) Sujan AC, et al : Associations of Maternal Antidepressant Use During the First Trimester of Pregnancy With Preterm Birth, Small for Gestational Age, Autism Spectrum Disorder, and Attention-Deficit/Hyperactivity Disorder in Offspring. JAMA, 317 (15) : 1553-1562, 2017
85) Malm H, et al : Gestational Exposure to Selective Serotonin Reuptake Inhibitors and Offspring Psychiatric Disorders: A National Register-Based Study. J Am Acad Child Adolesc Psychiatry, 55 (5) : 359-366, 2016
86) Laugesen K, et al : In utero exposure to antidepressant drugs and risk of attention deficit hyperactivity disorder: a nationwide Danish cohort study. BMJ Open, 3 (9) : e003507, 2013
87) Wang Z, et al : Association Between Prenatal Exposure to Antipsychotics and Attention-Deficit/Hyperactivity Disorder, Autism Spectrum Disorder, Preterm Birth, and Small for Gestational Age. JAMA Intern Med, 181 (10) : 1332-1340, 2021
88) Wang Z, et al : Prenatal exposure to antipsychotic agents and the risk of congenital malformations in children: A systematic review and meta-analysis. Br J Clin Pharmacol, 87 (11) : 4101-4123, 2021
89) Christensen J, et al : Association of Prenatal Exposure to Valproate and Other Antiepileptic Drugs With Risk for Attention-Deficit/Hyperactivity Disorder in Offspring. JAMA network open, 2 (1) : e186606, 2019
90) Yeh TC, et al : Bipolar women' s antepartum psychotropic exposure and offspring risk of attention-deficit/hyperactivity disorder and autism spectrum disorder. J Affect Disord, 295 : 1407-1414, 2021

91) Huang L, et al : Maternal Smoking and Attention-Deficit/Hyperactivity Disorder in Offspring: A Meta-analysis. Pediatrics, 141（1）: e20172465, 2018
92) Obel C, et al : The risk of attention deficit hyperactivity disorder in children exposed to maternal smoking during pregnancy-a re-examination using a sibling design. J Child Psychol Psychiatry, 57（4）, 532-537, 2016
93) Gustavson K, et al : Smoking in Pregnancy and Child ADHD. Pediatrics, 139（2）: e20162509, 2017
94) Talati A, et al : Smoking and psychopathology increasingly associated in recent birth cohorts. Drug Alcohol Depend, 133（2）: 724-732, 2013
95) Eilertsen EM, Maternal alcohol use during pregnancy and offspring attention-deficit hyperactivity disorder（ADHD）: a prospective sibling control study. Int J Epidemiol, 46（5）, 1633-1640, 2017
96) Jm M, et al : Prenatal alcohol exposure and risk of attention deficit hyperactivity disorder in offspring: A retrospective analysis of the millennium cohort study. J Affect Disord, 269 : 94-100, 2020
97) San Martin, et al : Low-moderate prenatal alcohol exposure and offspring attention-deficit hyperactivity disorder（ADHD）: systematic review and meta-analysis. Arch Gynecol Obstet, 300（2）: 269-277, 2019
98) Pagnin D, et al : Prenatal alcohol use as a risk for attention-deficit/hyperactivity disorder. Eur Arch Psychiatry Clin Neurosci, 269（6）: 681-687, 2019
99) Forns J, et al : Exposure to metals during pregnancy and neuropsychological development at the age of 4 years. Neurotoxicology, 40 : 16-22, 2014
100) Patel NB, et al : Very low-level prenatal mercury exposure and behaviors in children: the HOME Study. Environ Health, 18（1）: 4, 2019
101) Skogheim TS, et al : Metal and essential element concentrations during pregnancy and associations with autism spectrum disorder and attention-deficit/hyperactivity disorder in children. Environ Int, 152 : 106468, 2021
102) Skogheim TS, et al : Prenatal exposure to per- and polyfluoroalkyl substances（PFAS）and associations with attention-deficit/hyperactivity disorder and autism spectrum disorder in children. Environ Res, 202 : 111692, 2021
103) Forns J, et al : Early Life Exposure to Perfluoroalkyl Substances（PFAS）and ADHD: A Meta-Analysis of Nine European Population-Based Studies. Environ Health Perspect, 128（5）: 57002, 2020
104) Liew Z, et al : Attention deficit/hyperactivity disorder and childhood autism in association with prenatal exposure to perfluoroalkyl substances: a nested case-control study in the Danish National Birth Cohort. Environ Health Perspect, 123（4）: 367-373, 2015
105) Walker SP, et al : Inequality in early childhood: risk and protective factors for early child development. Lancet, 378（9799）: 1325-1338, 2011
106) Mallard C, et al : Reduced number of neurons in the hippocampus and the cerebellum in the postnatal guinea-pig following intrauterine growth-restriction. Neuroscience, 100（2）: 327-333, 2000
107) Uchinuma H, et al : Gestational body weight gain and risk of low birth weight or macrosomia in women of Japan: a nationwide cohort study. Int J Obes（Lond）, 45（12）: 2666-2674, 2021
108) Bhutta AT, et al : Cognitive and behavioral outcomes of school-aged children who were born preterm: a meta-analysis. JAMA, 288（6）: 728-737, 2002
109) Franz AP, et al : Attention-Deficit/Hyperactivity Disorder and Very Preterm/Very Low Birth Weight: A Meta-analysis. Pediatrics, 141（1）: e20171645, 2018
110) Aarnoudse-Moens CS, et al : Meta-analysis of neurobehavioral outcomes in very preterm and/or very low birth weight children. Pediatrics, 124（2）: 717-728, 2009
111) Rahman MS, et al : Elevated risk of attention deficit hyperactivity disorder（ADHD）in Japanese children with higher genetic susceptibility to ADHD with a birth weight under 2000g. BMC Med, 19（1）: 229, 2021

第3章

ADHDの治療・支援

1 心理社会的治療

1 心理社会的治療の効果に関するエビデンス

ADHDの治療・支援は環境調整に始まる多様な心理社会的治療から開始すべきであり，薬物療法が優先されるべきではない。あくまで薬物療法は心理社会的治療が効果不十分であることを確認したうえで，あわせて実施すべき選択肢である。これはプライマリ・ケアにおいても例外ではなく，いきなり薬物療法開始という姿勢は当事者や親をはじめとする家族の不信を招きやすい。

ADHDの心理社会的治療は①環境調整，②親への心理社会的治療，③子どもへの心理社会的治療，④学校など関連専門機関との連携――という4領域の治療・支援をバランスよく組み合わせて実施すべきである[1]。また環境調整と同時に取り組まなければならない心理社会的治療として親への取り組みが大事で，親個人へのガイダンスの後にペアレント・トレーニングである。また，親への心理社会的治療と同時に子どもへの心理社会的治療を計画しなければならない。まず支持的精神療法を行い，その後認知行動療法，小集団ソーシャルスキル・トレーニング（SST），サマー・トリートメント・プログラム（STP），遊戯療法などがある。

しかし近年，さまざまな非薬物療法が提唱されている。認知トレーニング（ワーキングメモリトレーニング，注意トレーニング），ニューロフィードバック，反復経頭蓋磁気刺激（rTMS）療法，食事療法（人工着色料や甘味料の除去食物），ω-3，ω-6脂肪酸，ビタミン，ミネラル，アミノ酸，ハーブなどの補助薬などが取り上げられている。特にSNSなどを通じて盛んになってきているものも多い。この章ではそれらの非薬物療法のエビデンスについて調べてみた。

2017年にCataia-Lopezら[2]は子どもと青年期のADHDにおける薬物療法と非薬物療法のネットワークメタ解析を伴うシステマティックレビューを行っている。無作為対照試験の論文を集め，薬物療法（中枢神経刺激薬，非中枢神経刺激薬，抗うつ薬，抗精神病薬，他の薬剤）と非薬物療法（行動療法，認知トレーニング，ニューロフィードバック），補助薬や代替品（食事療法，脂肪酸，アミノ酸，ミネラル，ハーブ，身体活動）について検討された。

ここでいう行動療法とはペアレント・トレーニング，教師トレーニング，SST，認知行動療法である。

その結果，行動療法であるペアレント・トレーニング，教師トレーニング，SST，認知行動療法はプラセボより有意に効果的であった。中枢神経刺激薬と行動療法の併用が最も効果的であり，中断率も少なかった。行動療法はプラセボの2.97倍有効であり，中枢神経刺激薬と行動療法の併用ではプラセボの13.62倍有効であった。

認知トレーニング，ニューロフィードバック，食事療法（人口着色料や甘味料の除去食物），ω-3，ω-6脂肪酸，ビタミン，ミネラル，アミノ酸，ハーブなどの補助薬，代替品はエビデンスがなかった。認知トレーニングはプラセボの0.70倍であり，ニューロフィードバックはプラセボの1.96

倍であるが，行動療法の0.66倍であった。またその他の論文でも認知トレーニングやニューロフィードバックなどに関するエビデンスは限定的であった。

NICEのガイドラインにおいても，バランスのよい食事，栄養，定期的な運動をすることが強調されており，人工着色料除去食品や他のADHDによいとされている食事療法を推奨してはいけないとされている[3]。また脂肪酸補助食品を推奨してはならず，制限除去食などは長期的な効果や有害についてエビデンスがないことを伝えるように記載されている。ただSonuga-Barkeらの論文では遊離脂肪酸や人工着色料除去食が効果は少ないがADHD症状に有用であるとの報告もあり[4]，注意を要する。またNICEのガイドラインでは5歳以下では家族心理教育や環境調整を前提にまず，ペアレント・トレーニングを推奨している。5歳以上でも同様にペアレント・トレーニングを推奨し，有効性が認められないと，薬物療法が推奨されている。そのうえでその薬物療法が効果が認められなかった場合に認知行動療法を考慮するように述べられている。

またカナダのADHD実践ガイドライン[5]では，非薬物療法として，患者・家族への心理社会的治療，環境調整，自尊感情の強化が優先的にあり，特殊な有効介入として，行動療法（ペアレント・トレーニング，SST，怒りの制御）があり，教育では体制化された学習スキル，心理的には，認知行動療法，対人関係療法，遊戯療法，芸術療法　家族療法　支持的精神療法が記載されている。さらにライフスタイルとして適正な栄養，睡眠，運動，課外活動が含まれている。

近年，適応外でADHDにrTMSが行われているが，この治療についてもエビデンスは乏しく，Westwoodらのシステマティックレビューおよびメタアナリシスでは臨床的な改善を示す証拠はほとんどなかった[6]。主に左または両側の背外側前頭前野（DLPFC）に1～5セッションの陽極経頭蓋直流刺激（tDCS）を行ったメタアナリシスでは，注意力ではなく，抑制と処理速度に改善傾向が認められた。本研究のレビューおよびメタ解析では，主にDLPFCを対象とした1～5回のrTMSおよびtDCSが，ADHDの臨床的または認知的指標を改善するという限定的なエビデンスが示された。これらの知見は，ADHDに対する代替の神経療法としてDLPFCに対してrTMSまたはtDCSを使用することをまだ支持していなかった。

（飯田 順三）

2 環境調整および親ガイダンス

1）はじめに

ADHDの治療方針とは，「その人が社会で折り合いをつけて生きていくことができること」である。そのためには，その子のことを周囲が理解し，自己肯定感が下がらないよう，家族や関係者，そして仲間に支えられながら，自分の力が発揮できるということを目指すことにほかならない。

2）親ガイダンスの必要性

ADHDにおける親ガイダンスとは，ADHDと診断されたわが子のことを親自身が理解することを援助することである。

ADHDが，いかに認められにくい障害であるかは本ガイドラインでも随所に述べられている。認められにくい障害とは，障害がないと判断されやすく，その誤解から，子どもの示すさまざまな言動は，本人に責任があるか養育の責任者である親の関わりにその責任があると判断されやすい。

われわれは，これまで子どもの示す言動のすべての責任を負わされた家族（その多くは母親であるが）の苦しみを教えられてきた。無知から来る追求に傷つき，家族は皆疲れ果て，途方に暮れ，周囲の関係者に不信感を抱いている。

子どもの健全な成長を願わない親はいない。できるだけ円満で平和な生活を望まない家族はいない。ADHDをはじめとする「認められにくい障害」は，日々の生活を営みにくくする。

ADHDをはじめとする「認められにくい障害」があると後にわかった親は，それ以前から，わが子を一生懸命育てつき合っていても，どこかしら他の子どもたちとは異なる成長を示していると感じている。しかし，彼らが示す落ち着きのなさ，気の散りやすさ，待てなさは，子どもなら大なり小なり，皆もっている行動パターンである。唯一異なるのが，こちらのいうことを聞いてくれないという一点である。一生懸命に関わっても，彼らの行動パターンを変更することができないのである。

そのため，しばらくは母親だけが子どもの育ちを内心不安に感じつつ養育することになる。周囲からは，しつけが不十分という誤解を受け，非難されているため，なかなか父親に相談もしにくく，ひとりで丸抱え状態になってしまいやすい。幼児期に関わりが薄い父親の場合は子どもの育ちに不安を感じる時期を逸してしまう。

結果，しばらくは母親が孤立した状況で自責的なあるいは強い困惑した気分の果てに，専門機関による相談や診察を求め，あるいは周囲から勧められる。

3）診断の受け止め方と伝え方

われわれの調査では，幼児期あるいは就学前後に診断を受けてADHDと診断された親の多くが実は3歳前後から「うちの子はどこか違う」と感じており，内心なにかしらの発達のつまずきを心配していたことが明らかになっている[7)]。

しかし，こうした「もしかしたら」という心配は，「ひょっとしたら，勘違いかもしれない」という気持ちと常に表裏一体となっているため，診断されたときのショックは，やはり大きい。

一般に子どもにある障害を受容していく過程には，衝撃・拒否・悲嘆・抑うつ・受容といったDrotarDの段階説[8)]と，成長発達の節目ごとに親が一喜一憂するというOlshansky Sの慢性的悲嘆説[9)]などがある。

段階説では，わが子にある障害を告知されたとき，親は衝撃と同時に認めたくないという否認の時期から始まり，哀しみ，怒り，不安という情緒的な嵐のときを越えて，積極的に子どもの問題に向き合おうとする。最初それは，原因究明の動きであったり（ドクターショッピング），訓練のための動きであったりして，障害の消失にむけての努力であることが多い。その後，再び障害の深さに向き合い，情緒的な嵐に晒されるが，このとき，思い描いていた「障害のない子ども（五体満足）」という対象を失ったという「対象喪失」体験を得て，当然の気分の落ち込みを経て，「障害のあるわが子」を受け止めていく受容の段階に至る。その後，この受容体験を後に続く親に伝えることで，希望をともに抱くようになる。

一方，慢性的悲哀説は，子どもが歩き始める時期，ことばを話すようになる時期，就学時，思春期，高校進学時など，誰の目にも明らかな成長・発達の時期，人生の節目ごとに親は一喜一憂するという考え方を指す。

いずれも，子どもにある障害に，真正面から向き合うことの困難性を説いている。養育者に求められることは，障害を受け入れることではなく，障害に対する価値観の転換であるが，その過程には身近な者達の支えと（多くの）時間を要する。

診察場面で，養育者に対して最優先するべき支援は，「診断」の告知でも早々の説明でもない。これまでの養育への労いと自責感情の開放を最優先するべきである。

その後にADHDにおける基礎的な情報を正しく伝える。その際も診断名だけが強調されることのないように，子どもの行動特性を具体的に示しながら説明するべきである。AくんはADHDであるということを伝えるのではなく，ADHD傾向のあるAくんの日々の思い（じっとしているのがつらい，思う前に話をしてしまう，後悔先に立たずというつまずきによる自己嫌悪など）を共有するための説明である。昨今は，他の発達障害，特に自閉スペクトラム症の併存，鑑別あるいは被虐待児症候群や反応性アタッチメント障害などとの鑑別が難しいことからも，診断を急がずに，他の障害などの可能性を引き合いに出しながら，丁寧に説明する必要がある。説明当日に同伴できなかった他の家族のためには，来談者に口頭で説明した後に，できるだけ印刷したものを手渡したい。時間的な余裕がなければ，後日資料とともに説明した手紙を添えて郵送してもよいと思われる。

「子どもを良い方向にむける方法は必ずある」という思いを親と共有するため，診断名と関わり方をペアにして提示する。特に家庭での声のかけ方，関わり方，褒め方，注意の仕方などや，学校現場での対応についても具体的な対応を提示するべきであろう。関わる戦略は必ずあるという事実を伝え，「なんとかなりそうだ」とわずかでも安堵してもらい，診断後，わが子に向きあうときに，新たな勇気が湧いてくるような励ましを心がけたい。

4）環境調整

ADHDのある本人とその家族をライフステージに沿って応援していくことが環境調整となる。

乳児期は多動で危機回避ができないわが子にひとときも気持ちが休まらない親に対して，身近な知人や家族からの配慮と親の苦悩を軽減するための育児支援策として保健師の適切な介入が望ましい。

幼児期は，保育・幼稚園の職員の穏やかに成長を待つ関わりと，叱責でなく褒めることでその子を伸ばす実践を通して，親を安堵させ，正しい希望を指し示してほしい。

学齢期になれば，学びと友人関係で大きな失敗に至らぬよう，責め合うのでなく褒めて認めるクラス運営を教師に依頼し，思春期になって自己肯定感が貶められないように，個々にある力を正当にポジティブに評価し励ましてほしい。ときにこれからのモデルとなる大人の登場に期待したい。

青年期以降は適材適所で力が発揮できるような理解を求めたい。

環境調整とは，こうした途切れない応援を計画実施することで，個々の人間的成長をそのゴールに置いている。

（田中 康雄）

3 学校との連携

1）はじめに

ADHDの児童の多くは，幼児期であればその多動性で気づかれることが多い。その特性は，就学後に学校での衝動的な不適応行動として評価されていることが多く，あわせて忘れ物や不注意についての指摘も加わってくる。具体的には「学校の準備ができない」，「忘れ物やなくし物が多い」，「学校で身の回りの整頓ができない」などがそれである。就学後の子どもにとって，学校は自己像を確立するための重要な場所であり，これらの不適応な状況が，自己像の確立に好ましくない影響を与えることは明白であろう。症状の改善のみならず，バランスの取れた自己像の確立が児童思春期精神科共通の治療目標であり，そのためにADHDの教育の場の支援は治療における重要な要素の一つであり，その支援を教育機関と医療機関が協力して行うことは意義のあることである。

2）特別支援教育と支援のあり方

文部科学省特別支援教育のあり方に関する特別委員会は，共生社会の形成に向けたインクルーシブ教育システム構築のための特別支援教育の推進（報告）を示している[10]。その参考資料のなかに，通常級におけるLD，ADHD，高機能自閉症児の在籍率は6.3％（平成23年5月1日現在）との記載があり，もはや発達障害をもつ児童が学校教育の場で特別な存在ではないといえる。同時に，その特性のために生きづらさを抱え，特別な支援が必要であることについても忘れてはならない。この報告は障害者の権利に関する条約の国連における採択，政府障害者制度改革の動き，中央教育審議会での審議，障害者基本法の改正についての記述があり，①共生社会の形成に向けたインクルーシブ教育システムの構築，②インクルーシブ教育システム構築のための特別支援教育の推進，③共生社会の形成に向けた今後の進め方――など，共生社会の形成に向けての，教育現場での必要な取り組みが記載されている。そのなかで「障害のある子どもが，その能力や可能性を最大限に伸ばし，自立し社会参加することができるよう，医療，保健，福祉，労働等との連携を強化し，社会全体の様々な機能を活用して，十分な教育が受けられるよう，障害のある子どもの教育の充実を図ることが重要である」と指摘されている。これはすなわち，ADHDをはじめとする発達障害児の支援において，特別支援教育の推進を図ることが前提にあり，そのために医療をはじめとした多機関が連携した包括的な支援の枠組みを作らなければならないということであろう。特に通常学級に一定数のADHDの児童が在籍し，その状況について教員の多くも認知していることから，特別支援教育の枠組みのみならず，通常学級での支援を行っていくことも重要な課題である。いずれの場合でも教育機関のみに解決を求めるのではなく，医療と教育の双方が相互に理解し連携することによって支援体制が形成されることが求められる。

3）家族に同意を得るための留意点

まず連携を行うにあたって，家族や本人の同意を得ることは重要である。同意を得る過程で何より注意しなくてはならないのは，保護者が診断を十分に理解し納得していることであろう。その診断や告知についての方法や留意点については別項にゆずるが，本人の主観的な困り感に十分留意したうえで，保護者の困り感や希望を聞くように工夫しなくてはならない。その際，保護者と教育機関の間でどのような取り組みをしてきたのか，保護者と教育機関の間で良い関係が築けているのかなども，話を聞きながら評価していったほうがよいだろう。「先生からお薬を飲んだほうがいいと言われたが納得いかない」，「周りの子どもが迷惑しているので，病院にいった方がよいと，教員から思いもしないことを言われた」と訴える保護者は少なくない。また，子どもの行動上の問題を，親の育て方や対応の結果として評価されている場合も少なくない。このような場合は，保護者の心理的な孤立感や怒りに十分理解を示し，保護者と教育機関との対立の構造を強化することなく，“困った子ども”，“うまく対応できない親”としてのストーリーを，“困っている子ども”，“十分に対応してくれている親”のストーリーとして伝え直すことで，問題の解決に協力できるような体制を作らなくてはならない。これらに留意したとしても，同意が得られない場合や，虐待が疑われるケースなどは一定数存在する。特に虐待などが疑われる場合は，教育機関のみならず，地域の児童家庭支援センターなどとも連携し，場合によっては要保護児童対策協議会の個別支援会議などで情報を共有することも検討してよいと思われる。

4）学校との連携の方法と注意すべき点

学校との連携を行うにあたって，まず本人と保護者の希望を十分に聞き，その希望が医学的な観点からどの程度実現可能で，そこに向けどのようなステップを踏むことが必要かなど十分に評価する必要がある。こういった話し合いを通じて，学校へどのように要望するかを明確にしていく。次に学校の状況を確認することが必要となる。子どもの客観的な状態を知るうえではADHD-RSやCBCLなどの記載をお願いすることも一つの方法である。これらの評価指標は数値化，定量化されることで客観的な評価が可能となり，先の保護者から聞き取った情報も合わせてより正確に子どもの状態や必要とされる支援が検討できる。可能であれば学校の体制も確認したいところである。その子が所属するクラスの人数や教員の配置，所属する学校で使用可能な支援体制などの情報は支援に役立つ。いくら医学的に正確な支援の情報だとしても，それを実行できる状況が学校になければ，医師のアドバイスは何の意味ももたない。よって学校の情報に関しては何らかの方法で確認をしたほうがよいだろう。連携で最も必要なのは，一方的な情報提供や依頼ではなく，双方向的な情報の共有と協働なのである。子ども自身や保護者も困っていることはもちろんだが，教員も子どもの支援に戸惑い困惑している場合がほとんどであり，ひどく追い込まれている場合もある。医療機関からの一方的な情報提供は，一歩間違えると権威的になりかねず，支援どころか教員の負担を増やすだけのものになってしまうことに，医師は十分留意しなくてはならない。

連携の方法としては，書面による情報提供，電話や直接会って話し合うなどの方法が考えられる。書面による情報提供は医学的評価や支援の内容が明確に記載されていることが望ましく，その内容について保護者や本人も知っておいたほうがよい。保護者から学校に届けてもらうことで，医療機関が教育機関とやりとりをする時間が節約できるという利点がある。しかし，一方的な情報提供になりやすいことには注意が必要であろう。文面のみでは真意が伝わらず，情報の独り歩きといったよくない状態を招くことも十分にありうる。それを防ぐためには，情報提供後の連絡や連携のあり方について，提供書のなかに記載しておくなど，臨機応変に連携できる状況を担保しておくべきである。特別支援教室や通級指導教室の利用を検討する場合には，各市区町村に設置されている教育支援委員会で審議されることとなる。この際，医療機関には診断書や意見書などの書面提出を求められる場合もあり，先の評価に沿って書面の作成を行うことも積極的に関与した方がよく，これも書面による連携の一つの形式といえる。電話や面会での情報提供は双方向的な連携になることが最大の利点であろう。このときに学校の状況なども確認することができ，子どもの置かれた状況やニーズに沿った連携を行うことが可能となる。ネックとなるのはその時間の確保である。このような時間を確保することは医療機関，教育機関とも非常に難しいものである。放課後や診療後の時間で行うことも可能であるが，それなりに負担となる場合もある。

具体的にどのような情報を伝えていくべきか少し触れておきたい。学校に伝える情報としては，まずADHDの症状についてである。症状を伝える際には，具体的な生活の様子に合わせて伝えたほうが理解されやすい。その対応については個別の状態についてはもちろんであるが，生活場面ごとの対応の違いなどにも言及したほうがなおよい。また症状のどのような点に対して服薬の効果が期待できるのか，もしくは十分に薬効が出てないと考えられる点に対してどのように対応していったほうがよいのかなども話しておいたほうがいいだろう。こういった情報収集は薬効の効果判定にも役立つ。また，ADHDそのものの問題というよりは，二次的に派生している問題が大きくなっている場合もある。そのことについては，ADHDの症状とは別の問題として説明し，それに対応する方法も相談しなくてはならない。またその子のもつ強みについて説明することを忘れてはならない。多動性や衝動性は，ときとして思い切りの良さや，積極性となる場合もある。ADHDの症状をなくすことに注力してしまうと，かえってその子らしさを失わせ，自尊心を低下させる場合がある。ADHDの症状をうまく利用でき，その子らしさの一部として機能できるよう手助けすることによって，子どもの自尊心が高まることに繋がることもあるであろうし，ADHD治療の目標の一つが，バランスの取れた肯定的な自己像の形成であることを考えれば，このような対応はぜひとも大事にしたい。

5）学校との連携の実際

筆者は個人で児童精神科の診療所を営んでいるが，学校との連携はすべての面において必須と考えている。しかし，実際に時間を確保することは難しく，連携には限界があり，十分に行えていないのが現状である。そのなかで行っている連携の工夫があるので紹介したい。

まず，来院した方には問診票を記載していただくのだが，そのなかに「学校との連携に同意しますか？」との質問項目を作っている。多くの保護者はこれに同意すると記載するが，同意をためらう保護者もいる。この場合にはその意図を確認し，連携に同意が取れるように，のちの診療で話し合いを続けている。学校との連携を行うにあたっては**図1**のようなお知らせを作成している。「子ども相談」と題したこの取り組みは，十分に時間が確保できないなかで始めたもので，電話での対応が中心であるが，そこを入り口にして階層的な連携（**図2**）を形作ることを目的としている。

まず診療のなかで連携を積極的に希望する保護者や，医師が必要と判断した場合に子ども相談の案内を行う。学校から連絡が入った場合，診療担当の精神保健福祉士が対応する。連絡が入らない場合には，診察の際に保護者や本人の希望を確認したうえで，当方から連絡を入れる場合もある。対応にあたっては，学校の困り感を十分に聞き取ることを第一に行い，子どもの様子や，その時点での支援体制が十分かどうかも評価している。そのうえで受診状況や今後の治療方針についても可能な範囲で触れ，引き続き連携していくことをお願いし，次回受診時に保護者とこのやりとりを共有するようにしている。このような対応で十分な問題の解決に至らない場合は，診療所内でカンファレンスを行い，精神保健福祉士から学校への継続的な状況確認を行い，必要に応じて個別の関係者会議を開催するようにしている。これは診療後の時間になるが，診療所からは医師と精神保健福祉士が参加し，学校からは担任のみではなく教務主任や教頭や校長などの管理職が参加する場合もある。この段階の連携になった場合には，多くの担任は行き詰まり感や孤立感が強くなっている。そのため会議では子どもの情報を伝え支援策を検討することと並行して，教員の困り感や苦労に共感し，いまできていることを確認するように留意している。個別の関係者会議の情報は診察や学校でも保護者と共有すると同時に，診療所と学校の間で電話による継続相談を約束している。虐待などが疑われるケースや，生活上の問題（虐待を含む）が多く存在するケースなどは少し連携の幅を広げる必要がある。学校との連携と少し外れた議論になるかもしれないが，いまや学校では教育上の配慮のみではなく，生活上の問題への配慮も求められていることも事実である。この領域に関しては教員にとって専門外であるにもかかわらず，学校生活のなかでは決して看過できない問題でもある。ADHDに対する治療が，その症状特性のみへの対応ではなく，心理社会的な支援も必要であることを考えれば，生活上への問題の配慮が必要なケースに対して，医師が中心となって積極的に関わらなくてはならない。市区町村の児童家庭支援センターや他の関係機関なども含めた関わりが必要となる場合もあり，多機関連携会議を行い情報共有や支援のあり方を検討していくことも必

学校の先生方

〇〇〇〇〇〇〇〇〇診療所

院長　〇〇　〇〇

『子ども相談』のご案内

拝啓　忙しい日々が続いておりますが、先生方におかれましてはますますご清祥のこととお慶び申し上げます。平素よりうしじまこころの診療所の運営に格別のご高配を賜り厚く御礼申し上げます。

当院では、受診されているお子様につきまして、学校の先生方と普段の様子や学校での困りごとなどを共有し、話し合うことで、その子がよりよく生活するために、『子ども相談』を実施しています。方法は、電話、対面でのカンファレンスなどを考えております。何かご相談したいことがございましたら、まずは下記の番号までお電話ください。

敬具

記

日時　　水曜・金曜　　　　　１４時 ～１７時

※なるべく上記の時間内でお願いいたします。勤務の都合上、不在の場合もありご迷惑をおかけすることもありますが、よろしくお願いいたします。

住所　　〒〇〇〇-〇〇〇〇　〇〇〇〇〇〇〇〇〇〇〇

お問い合わせ先

〇〇〇〇〇〇〇〇〇診療所

担当（ケースワーカー）：〇〇

TEL：〇〇〇-〇〇〇-〇〇〇〇

図1 子ども相談

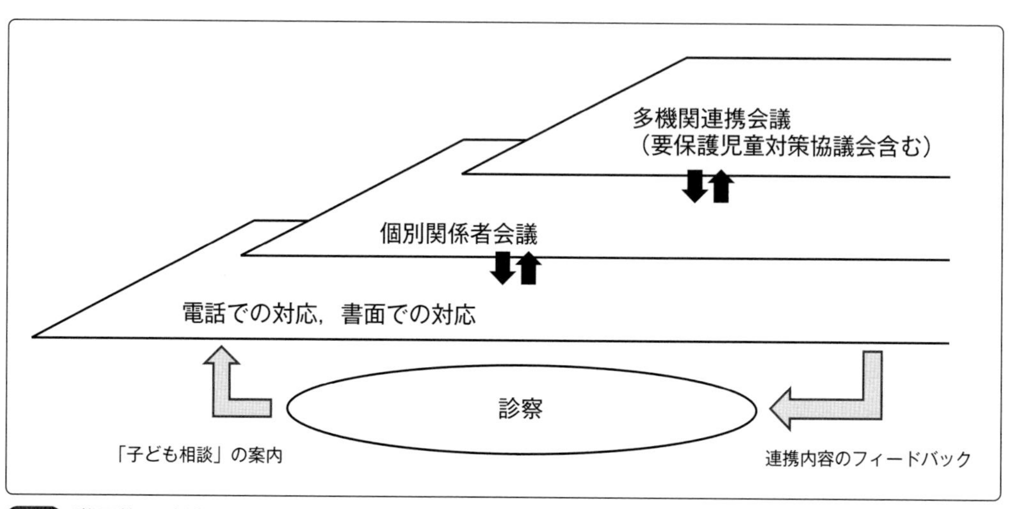

図2 階層的な連携

要と考えている。教員の多くはその責任感からケースを1人で抱えていることも多く，心理的に追い込まれ，見通しをまったくもてなくなっている。こういった多機関での関わりが結果としてその孤立感を和らげより良い支援を引き出すことに役立つということを知っておくべきである。

6）最後に～連携において医師に求められること～

ADHDにおける学校との連携について述べ，階層的な連携の構築とその重要性について言及した。ここで大事なのは，誰かがひどく権威的になったり，指示的になったりすることは，決してあってはならないということである。逆に人任せになってしまうことにも注意しなくてはならず，関わる以上はその責任を十分に引き受ける覚悟がなくてはならない。状況が好転しないときに，誰かの責任に帰することもよくあることであり，そういうときこそ連携を密にして，支援体制の再構築を考えなくてはならない。医師はその専門性を活かし，常に支援全体を俯瞰すると同時に，支援体制を維持することに留意しなくてはならない。連携を通して構築された支援体制こそが，子どもがバランスの良い肯定的自己像を育むのにもってこいの場所なのである。

（牛島 洋景）

4 地域連携システム・親の会，自助組織など

1）はじめに

ADHDは，中枢神経系に因由しつつも，心理的・社会的環境下においてその状態に大きな差異が生じる。そのため心理社会的治療・支援の役割は大きい。本論では地域連携について検討する。

2）地域連携システムの必要性

われわれが出会う養育者や関係者は，子どもに一生懸命に関わってきた果てに，これ以上何をどのようにしたらよいのだろうと，立ち往生している方ばかりである。

彼らは，子どもたちと上手に関係がもてないことに自責の念を抱き，子どもに不適切な関わりをしているから，愛情が足りないせいではないかという誤解のなかで，傷ついている。

ある養育者は，公園の砂場で知らない子どもたちのおもちゃを奪い取って泣かすわが子に，何を言ってわからせたらよいのだろうと戸惑っていたとき，「しつけがなっていない」と別の親に一喝された，と診察室で涙を落とした。

ある教師は，「日々授業中に展開する騒々しさと指示の通りにくさに，疲労困憊になっていきました。同僚や先輩教師からは，頑張りなさいという励ましだけで，誰も『大変だね』と言ってくれませんでした。暗に私の教師としての力量不足と責められているようでした」と，ため息をもらした。

ある少年は，「ぼくはダメな人間だ。生きる資格がない。いつも叱られるのに，何も変えられない」と，診察室で憔悴して肩を落とした。

これらの事態を少しでも良い方向に向かうように，少なくともこれ以上彼らが傷つかないような状況を作る必要がある，この思いが，地域連携を渇望する。

地域連携とは，子ども本人，養育者，現場にいる関係者が，手を携えて互いに支えあうことである。

3）地域連携システムが抱えている現状[11, 12]

2001年にわれわれは，全国18箇所のADHDのある子どもたちの自助あるいは支援グループの現状と課題を調査した。総数485人からの結果を以下に述べる。

①グループへの参加状況

積極的に参加する会員の過半数は親で，会を構成している他職種会員（主に保育・教育関係者）の定例会への参加は少なかった。

②グループ活動に対する満足度

親は，満足と不満に二極化していた。その一方で，定例会に参加の少ない他職種会員（主に保育・教育関係者）の満足度は高く，親の満足度とは有意差が認められた。

③連携に対する評価

図3は，親と他職種会員が「連携が取れていると思うか否か」における調査結果である。それによると，親は，関係機関と良好な連携が取れているとは評価していないことがわかる。一方，関係機関は，親と比較的良好な連携が取れていると評価しがちで，さらに，関係機関どうしは，それほど良好な連携が取れているとは評価していなかったという結果を得た。

さらにわれわれは，2008年に，いくつかの親の会の会員から，それぞれの活動状況や不満な点を尋ねた。それによると，会の代表が示す活動方針の不透明さや考えのズレ，あるいは他職種関係者との考え方のズレを述べる方が少なくなかった。同時に，これまで牽引してきた代表への敬意も強く，互いに親だからこそ認め合い，親でもある代表の思いに自らの思いを重ねて，決別できない苦悩を述べた方もいた。

一般に，親の会は，啓発から権利擁護，さらに請願運動という政策的な圧力を連携して行うことを役割の一つに前進してきた。この動きは，時代的背景や世論によって強弱し，近年，要求の多様化を前に結束しにくい状況へと展開しているといわれている。実際に，全国各地の自助・支援グループは，長期化していくなかで分離解体したり，活動停止状態に追い込まれる場合もある。まさに，子どもの状況の多様化，目的の多面化を前に，多くの親が一同にまとまることの難しさを，自

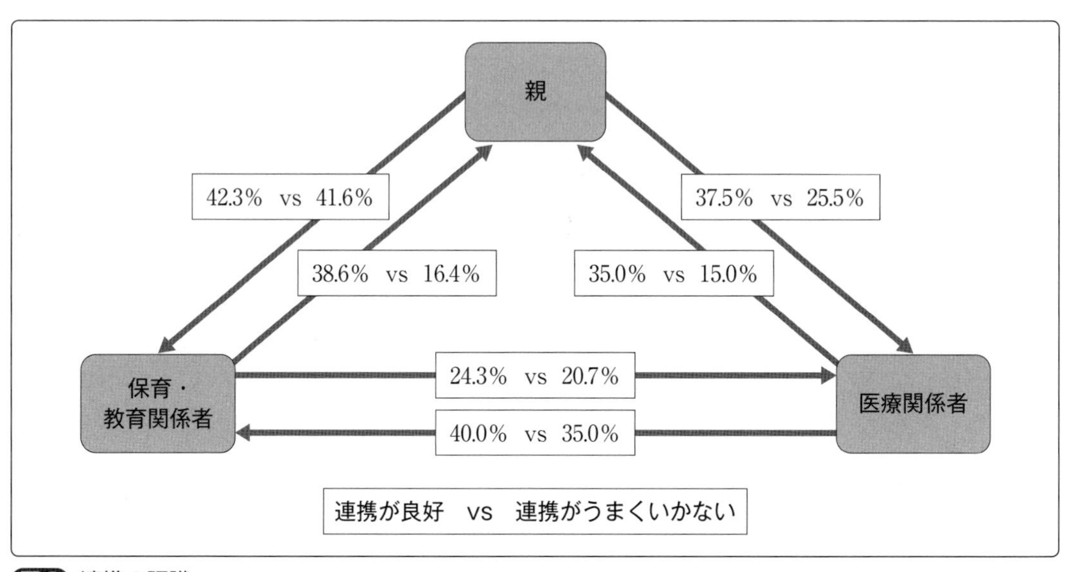

図3 連携の認識

覚せざるを得ない。

図3からは，それぞれの立場にある者が，己の立脚点で相手を見てしまい，相手の思いへ思いを重ねることができていない，と指摘することもできる。保育・教育関係者と，医療関係者はそれぞれ親に対して，よい状況を提供していると（やや一方的・自己満足的に）思いながら，保育・教育関係者と医療関係者双方が手を組めていないという（他罰的な）状況を示し，親の孤立感は，そこでも際立っているということになる。

4）地域連携システムの立ち上げ方

2001年の親へのアンケート調査には「専門機関と親は戦うのではなく，一緒によい方向を探すこと」という親の言葉があった。

われわれは，「連携とは，複数の者（機関）が，対等な立場に位置したうえで，同じ目的をもち，連絡をとりながら，協力し合い，それぞれの者（機関の専門性）の役割を遂行すること」と定義した。

連携するためには，まず何よりも互いの専門性を尊重し，役割分担を明確にする必要がある。そのためには，互いの職場，職業を自分の目で確認しておく必要がある。すなわち現場の動きを体験することである。

次に，それぞれの異職種の人間が常に共通言語で話ができないといけない。おのおのの現場でしか通用しない言葉を使用し続けては，世界は広がらず，理解も深まらないからである。常に日常の生活の視点が必要になる。

異職種で出会うとき，職種を越えた大変さを互いに慰労する必要もある。できるかぎり，互いが批判するまえに，まず「大変だね，ご苦労様」と声をかけるべきである。お互いが支え合うことで，小さな輪ができる。

連携のシステムが立ち上がるときは，諦めずに求め続ける人の存在からはじまる。必然性がある。決して一人では立ち行かない。現状をなんとかしなければと，「気づいてしまった」人が，システムの旗手となる。必要性に「気づいてしまった」人が，強く必要を願う人が一人でもいれば立ち上がる。

それがシステムのはじまりで，私は情念からはじまると信じている。一方で継続させる力は情念だけでは，困難であり，ここに組織論が必要になる。グループを引っ張り続ける継続した思いが求められる。この思い自体も，実は参加することの利点を強く感じるものが，今度は旗手になるのではないだろうか。

5）戦略的な地域連携システムのあり方

連携を支援するための医療機関の役割を**図4**に示した。

養育者に対しては，これまでの養育の歴史への「ねぎらい」をもっとも重要なものと考える。「難しい子育てを要求されるこの子との関わりを，よくぞここまで頑張って続けられたものです」と，できるだけ素直に評価するべきである。ときに大声で叱ることがあっても，場合によって叩くことがあったとしても，それはこの子との関係性のなかで，やるだけやったなかで「有効かつ最善の」解決策の一つであったと理解する。そのうえで，これから「より役立つ関わり策」を一緒に考えることを目標にするわけである。「ねぎらう気持ち」をきちんと伝えてからでないと，できる代替案は検討できないだろうと思われる。次に，子どもの個別性（Aくんは明るく元気いっぱいな子である）を支持したうえで，子どもの示す言動を理解するヒントになるような医学的な情報（ADHD

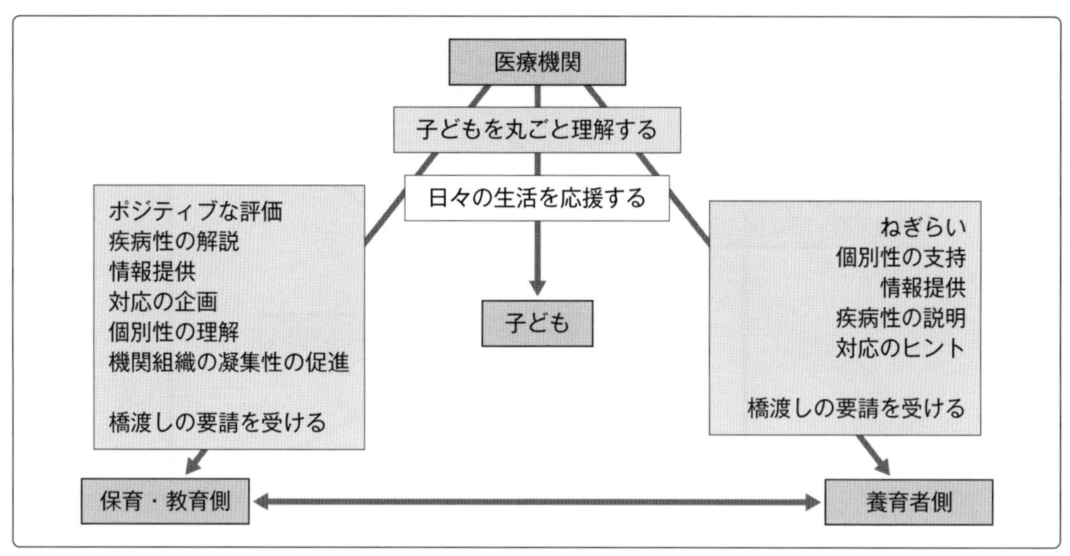

図4 連携を支援する医療機関の役割

の特性との関係）を提供する。こうすることで，「子ども」と「子どもにあるADHD」を切り離し，ADHDに対する戦略は必ずある，ということが示せると思われる。

関係者に対しては，担当者個々の対応をポジティブに評価することからはじめる。担当者の労に対し，十分に評価し，ここでも「ねぎらう」ことを重視する。次に子どもが示すさまざまな言動を，子どもに「存在するADHD」を見据えて検討する。知識としてADHDの特性を理解する。情報の提供や戦略の企画は，組織全体に働きかけて，組織そのものが一致団結して，担当者を支えながら，可動していくようにする。組織全体で取り組むという姿勢を作ることが重要である。その後に，子どもの個別性の理解を進める。ここにきて，ようやく現場の視点は「ADHD」から「ADHDのある子ども」に変化し，さらに「ADHDもある子ども」へと変化していく。この変遷から浮かび上がる理解のまなざしは重要である。

そして常に子どもに対しては，日々の生活を応援する存在でいるべきで，この3つの関与を成立させているのが，子どもを丸ごと理解することで前提にしている。

6）地域連携システムの課題

連携をシステムとして確立していくために必要なことは，第一にそれを必要とする人の存在，その人々の相互理解と支え合いから，そのシステムを継続することにある。

個々の専門性の立場と，主体的に応援する立場は，ときに矛盾と葛藤を生む。専門性という深さと，応援という横の広がりを両立することは，思っている以上に難しい。

個々には，自身を見失うことのないように，足下を見据え，しかし，そこに固執することのない自由度をもって，ともに応用性に富んだ応援を検討することになる。そのためには，相互に認め合い，支え合い，許し合う思いやりが求められる。それによってわれわれは孤立から脱却できる。

現在，親の会，自助グループはかつての勢いはないかもしれない。かつては，孤立と孤独から脱却するために仲間作りが必要だった。インターネットが普及して自由に発信し，探索し，繋がりあえる状況になったいま，仲間作りも大きく変化してきていると思われる。そこには広い視野をもって，さまざまな立場，状況にいるものが繋がりあえる可能性がある。同時に，継続する対話の難し

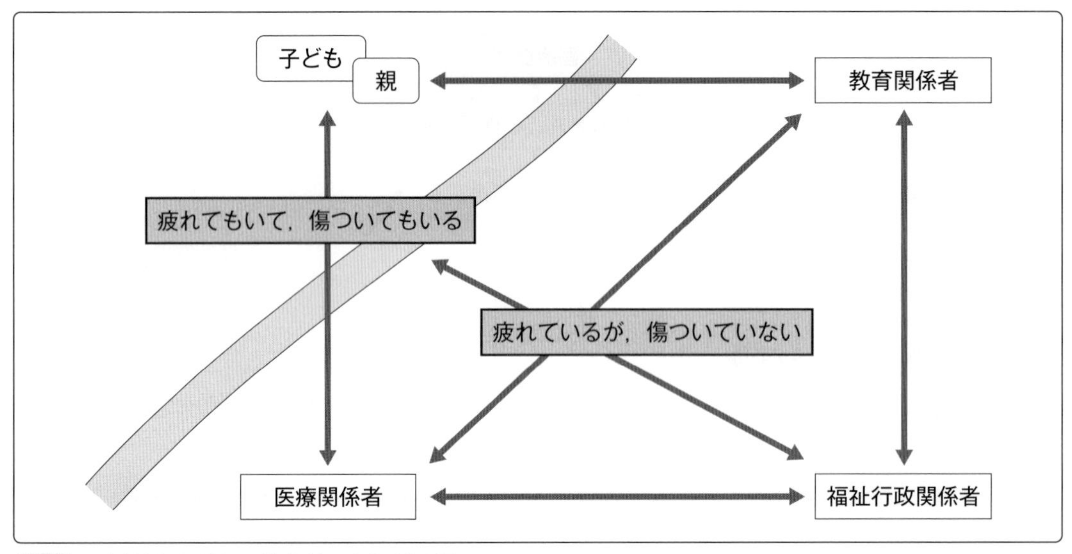

図5 関係者と子ども・養育者にまたがる河

さと，みえない差異性から新たな傷つきが生まれる可能性も無視できないように思われる。

そもそも連携を求めるとき，誰もが差異性をもっているという前提を理解しておかねばならない。本来，ADHDのある子どもへの「支え合い」は，子どもを真ん中に置いて，親も関係者も対応に支え合うことを目標にしているが，現状は**図5**のようなものである。

私たち関係者は，この問題に関わることで『疲れてしまう』が，傷つくところまでには達していない。しかし，子どもと親は「疲れている」だけでなく「傷ついて」もいる。さらにわれわれは，ときに感謝されるが，子どもと親は，常に課題に向き合い続ける現在進行形中で，安堵することなく終わりなき歩みを続けている。多少の「労い」はあってもそれで終わりにはならない。

連携をするということは，こうした互いの立場の相違を超えて，互いに敬い，ともに生き続けることになる。どれほど努力してもたどり着けない現実，よかれと思った応援が裏目に出ることもある。完全に納得し合う関係にはなりえず，それでも，関わり続けてよかったと思えるときに期待し，われわれは跨げない河があることを承知して手を携えあう。

地域連携システムの課題とは，そこに十分な対話が成り立っているか，安易な決別に至らないで，衝突を繰り返しても許しあえる関係性を維持できるかどうかといえる。

（田中 康雄）

5 ペアレント・トレーニング

1）はじめに

薬物療法は，ADHD症状に対してエビデンスがより確立されているが，ADHD症状以外のADHDの問題，情動調節や学業成績，QOLなどについての治療効果のエビデンスはまだ限られており，また親は心理社会的治療を好むことが多いといわれている[13]。ADHDの心理社会的治療のなかで，幼児期，学童期において国際的に実際に最も行われ，欧米のガイドラインで推奨され，またエビデンスレベルが高いといわれるものがペアレント・トレーニングである[14~16]。行動療法の理論を基本とし，親に対して行うトレーニングで，子どもの行動に焦点を当て，好ましい行動を増やすための，「肯定的な注目の仕方（ほめ方）」，好ましくない行動については「注目を与えない（取り去る）」という手法を学び，適切な指示の出し方を学ぶ。10回位を1週間か2週間あけて，ロールプレイや宿題を家で行う形式であることが多い。本項においては，このような形式のペアレント・トレーニングを行動療法的ペアレント・トレーニング（behavioral parent training；BPT）とする。まず，欧米のガイドラインでのBPTの位置づけと積み重ねられたエビデンスを概観し，歴史や理論を踏まえ，日本の医療機関におけるBPTについて述べる。

2）欧米のガイドラインでのBPTの位置づけ

まず，欧米のガイドラインでのBPTの位置づけであるが，年齢によって推奨の仕方が異なっている。6（または5）歳までは，ほとんどすべての欧米のガイドライン（英国，ドイツ，オランダ，スペイン，カナダ，米国小児科学会）においてBPTが第一選択として推奨されている[17]。学童期にBPTを第一選択として推奨しているのは，ドイツ，オランダ，スペイン，米国小児科学会のガイドラインである。米国小児科学会では，薬物治療も第一選択だが，BPTをGradeAとして併用することを推奨している[18]。

4～6歳誕生日までは，基本的には，BPTが推奨され，改善しない場合にメチルフェニデート内服が考慮される。6～12歳誕生日までは米国食品医薬品局（Food and Drug Administration；FDA）が認可した薬物治療とBPT，学校での教師が提供する行動療法の併用，環境調整が推奨されている。12～18歳誕生日までは，学校での教師が提供する行動療法の併用が推奨されている。米国疾病予防管理センター（Centers for Disease Control and Prevention；CDC）の一般の人がアクセスできるWebサイトに，一番エビデンスのある非薬物療法として，BPTが推奨され，説明のパンフレットもダウンロードできる[19]。さらに，実際に提供している機関の情報も同じページからアクセスできる。英国のThe National Institutes for Health and Clinical Excellence（NICE）では，第一選択として，ADHD特性への環境調整を行い，そのうえで問題があれば，第二選択として薬物治療，また反抗挑戦症や素行症が合併した場合にBPTを併用としている[3]。

3）BPTの効果のエビデンス

2011年のコクランレビューにおいては，子どもの問題行動と親の育児ストレスに対して，BPTはエビデンスレベルは弱いながらも，効果があるという位置づけであった[20]。2013年のレビューにおいては，就学前の子どもに対しては，行動療法は効果があり，薬物療法は効果が低いことが示された[4]。その後の就学前の子どもへのBPTの効果についてのメタアナリシスでは，親のレポートにおいてADHD症状，行動の問題の低下に中等度の効果がみられた一方，BPTを受けたかどうかについてブラインドでの独立した評価者によるADHD症状には効果がなく，行動問題においても効果がないと報告された。ネガティブな養育行動の改善には，独立した評価者において低度であるが効果があった[21]。Daleyらは，2018年，いままで行われたADHDのBPTを中心とした心理社会的治療について，RCTやその他の研究について，専門の臨床家の意見もとり入れ，エビデンスレベルを評価したレビューを行った。それによると，BPTは，ADHD症状そのものの改善をターゲットとしての第一選択にはならないが，ブラインドで評価した子どもの反抗挑戦性の行動の問題と親の養育行動の改善がエビデンスとして認められるため，推奨されるとした。ADHDの感情の問題に対するBPTの効果を示した研究は少ないが，親のネガティブなコメントの頻度低下を示したもの[22]や，子どもの反抗挑戦性の行動が低下したという結果と合わせ[23]，BPTで親子関係が改善し，子どもの親への協力と関わりが増えていったと考えられる。

ADHDに特化したプログラムとすべきかという点においては，1つのRCTで，ADHDに特化したBPT（New Forest Parenting Programme[24]）について，伝統的なBPT（Helping the Noncompliant Child[25]）との効果比較を行ったが，有意差は認められなかった[26]。今後，報酬系や愛着の質についてのADHDの特性を鑑みたプログラムを作成していくことが期待される。教師のトレーニングをBPTに加えてさらに治療効果を増加させるかという検証では，非盲検の教師と親評価で効果がBPTを上回ったという報告もあるが[27]，古典的なBPTに他の非薬物療法を組み合わせると効果が高まるかどうかについては，まだエビデンスは十分ではない。

多くのレビューにおいて，BPTの効果検証の多くがブラインドで評価されていなかったことが問題とされ，また客観的な指標で評価されていないこと，長期的な効果の持続が示されていないことが，今後の課題とされている。BPTを提供するスタッフやファシリテーターにどのくらいのトレーニングやスーパーヴィジョンが必要かを検討した研究は少なく，メタアナリシスはない。セラピストのモチベーションと，決まったプログラムへの忠実度（fidelity）がBPT効果と関連するという報告はある[28]。

BPTの目的は「子どもの行動変容，すなわち好ましい行動を増やし，好ましくない行動を減らすための技術を親が習得することが主目的」である[29]。そのため，子どものADHD症状や行動が変化することがプライマリーアウトカムとして評価されることが多かった。先行研究では，ブラインドでなく，BPTを受けた親が評価したADHD症状が改善したという報告が多いが，それがブラインドでなく客観的な評価でなくても，親の子どもへの認識が変化したこと自体が良い影響となる可能性はある。参加される親が子どもとの関わりのなかで成功体験を少しずつ積み上げること，そして，親自身がほめられ，認められる経験を積み重ねることができる場を提供することで，親の子どもに対する情緒的な繋がりが改善し，長期的には子どもの行動の改善をもたらすと考えられ，今後，長期的な検証が必要である。

4）BPTの理論

BPTは，社会学習理論を基盤とし，オペラント条件づけなどの原理を含むものである[30]。先行子テクニック（antecedent-based techniques）は，明確な指示（instruction）とどのような行動がある特定の状況にあっているかを明確にする構造化が含まれている。結果ベーステクニック（consequent-based techniques）としては，「ほめる」，「注目を外す」，「軽い罰」が含まれる[31]。ほとんどのBPTは，これらのテクニックをどちらかに重きをおきながら組み合わせている[32]。先行子中心のテクニック，結果中心のテクニックとWait listを比較したランダム化比較試験によると[33]，どちらのタイプのBPTも，子どもの問題行動について，コントロール群と比較して効果的であり，2群の効果の差はなかった。

BPTのエレメントのどの部分が結果に影響するかについてのメタアナリシスにおいては，子どもの問題行動をあらかじめ予測し，問題の多い場面についてプランを立てておくといった，先行子を調節するような行動療法的なテクニックについての内容が多いBPTを学ぶことは，親としての自信や親のメンタルヘルスへの良い影響があると報告された。また，ほめるという強化子を与えることについての学ぶ量が多いほど，親のネガティブな養育が改善していた[32]。

近年，ADHDと愛着の不安定さとの関連に注目され，親の養育や周囲の環境だけでなく，神経生物学的な愛着の安定性への準備状態の違いにより愛着の発達に影響することが指摘されるようになった。ADHDと診断された子どもは，ADHD症状による難しさにより，親の養育に脆弱さが生まれる可能性がある[34)]。最近のメタアナリシスでは，注意の問題と不安定な愛着や無秩序型の愛着には関連があるといわれている[35)]。愛着の安定性とBPTの効果との関連を調べた研究では，先行子を調節するような行動療法的なテクニックは，安定型の子どもの問題行動に効果的であり，ほめるという強化子を与えることについて学ぶテクニックは，無秩序型（disorganized）の愛着の子どもの問題行動に有効であるという報告もある[33)]。BPTで用いられている軽い罰のコンポーネント（期待された報酬を与えないresponse costなど）に関しては，ADHDにおいてその有効性がエビデンスとして示されていないこと，また，神経基盤においてエビデンスが少ないことから，長期的には感情的な問題を大きくする可能性を指摘し，使用について慎重にすべきという意見もある[34)]。

5）BPTの歴史

BPTについての最初の研究は，1959年に行われた，1歳9カ月の男児のかんしゃく行動に対して，オペラント消去手続きを用いて治療したWilliamsによる研究と考えられている[36)]。1966年には系統的なプログラムに沿って進めるものへ変化し，体系的に個別BPTを実施し効果を実証した最初の研究が行われた[37)]。1969年に，子どもの不従順に対するプログラムとしての2段階プログラムが開発された。第1段階：親は子どもの従順さや望ましい行動に対して，積極的に関心を向け，不適切な行動を無視する。第2段階：あらかじめ決めておいた不従順行動に対して，タイムアウトを用いるというものであり，現在のBPTの基礎となっている[38)]。1970年代に，個別方式に加えてグループトレーニングのアプローチが開始され[39)]，1975年には，子どもにタイムアウト法を実施する際，親にどのトレーニング方式が最も効果的か，資料，講義，ビデオ視聴，ロールプレイを組み合わせたビデオ視聴，そして統制群を含めた5群について比較研究[40)]が行われた。1970年代後半には，外向化問題にBPTが適用されるようになり，1981年，Hanfの2段階プログラムの考え方は，その後Forehandらによって引き継がれ[25)]，1995年，BarkleyらのADHDのBPTへと発展[41)]した。

6）わが国におけるBPT

BPTは，わが国においても，さまざまな場所で少しずつ異なる方法で実施されている。1990年代，肥前療養所（肥前精神医療センター）で知的障害も併せもつ子どもの親への行動療法に基づく「親訓練」が実施された。また，1990年代後半からカリフォルニア大学ロサンゼルス校（UCLA）のBPTが紹介され，国立精神保健研究所グループと奈良県立医科大学グループにより発達障害向けの日本版BPTが開発され（それぞれのテキストが出版されている[29, 42)]），実施者研修も開始された。2016年に改正された発達障害者支援法では第5条において発達障害の疑いのある子どもの親について十分な情報や相談の機会の提供が必要であること，第13条において家族支援の必要性が強調され，BPTも家族支援としてのニーズが示された。全国でBPTが広まる一方，プログラムの質の維持が課題になっていた。

2018年からは日本ペアレント・トレーニング研究会がインストラクター養成講座を担うようになり，それは主に福祉機関向けのものとして行われている。2019年にはわが国におけるペアレント・トレーニングの標準化が試みられ，厚生労働省障害者総合福祉推進事業で「ペアレント・トレーニング実践ガイドブック」が刊行された。発達障害支援で重要とされる家族支援プログラム（ペアレント・プログラム，ペアレント・トレーニングなど）について，地域での実施をよりいっそう普及させるために，プログラム内容を整理し，実施基準の検討策定が行われた。そのうえでプログラムの基本プラットフォームや実施運営等についてまとめた実施ガイドブック[43)]の作成が行

表1 基本プラットホーム（必須要素）

コアエレメント
①子どもの良いところ探し＆ほめる，②行動理解（ABC分析），③環境調整（行動が起きる前の工夫），④子どもの行動の3つのタイプ分け，⑤子どもが達成しやすい指示，⑥子どもの不適切な行動への対応
運営の原則
・全5回以上，概ね隔週。（※医療機関で行うものに関しては，概ね全10回で隔週か週1回を推奨） ・1回の実施時間は参加者の人数によるが，90～120分程度を目安としている ・原則として，すべての回に出席することを求められる ・講義で知識を得ながら，演習やロールプレイを体験し，家庭での取り組みを振り返る ・親が子どもへの関わりを修正していくプロセスが重要である ・参加者の人数は，1グループが4～8人が運営しやすい
実施者の専門性
・コアエレメントの内容を理解して親に助言できること ・親のこれまでの関わり方を否定せずに子どもに適した関わり方を提案できること ・子どもの成長や親の養育スキル獲得を，小さなことから発見してフィードバックできること

（日本発達障害ネットワークJDDnet事業委員会・作成，日本ペアレント・トレーニング研究会・協力：ペアレント・トレーニング実践ガイドブック．令和元年度障碍者総合福祉推進事業，2020より一部改変）

われた。そのガイドブックで示された基本プラットフォームを**表1**に示す。

2021年度からは，基本プラットフォームを踏まえて，厚生労働省科学研究費により国立精神・神経医療研究センターと東京大学医学部附属病院との共同開催で，日本における医療機関でのADHD児の親へのBPTの実施者養成研修が開発，施行され，今後も継続していく予定である。しかし，いまだ診療報酬上の算定がないことなどが実装阻害要因と考えられ，医療機関での実装化のためのさらなる制度の整備が必要である。

7）BPTの実際

ここでは，医療機関でのBPTとして東京大学医学部附属病院で行っているBPTを紹介する。**表2**のように，全10回のコアエレメントを備えたプログラムとなっており，週に1回，90分でグループセッションを行っている。プログラムのなかで特に長く時間を取り，復習を繰り返し，強調しているのは，「してほしい行動に注目する」，「ほめることを習慣にする」というセクションである。ロールプレイなど，実践形式で学び，親もほめられる体験を重視している。また，毎回，セッションで習得したことを家庭で取り組む内容の宿題が出るため，親は毎日何かに取り組むこととなる。実施スタッフとしては，ファシリテーター1人，サブファシリテーター1人（書記も行う），できれば宿題のコピーや板書，ロールプレイ補助にもう1人いるとよい。

①プログラムの内容

「子どもの行動を3種類に分ける」では，子どもの日常の行動（見える，聞こえる，数えられる行動）を親が振り返り，「してほしい行動（いましていて続けてほしい行動）」，「してほしくない行動（いましていて減らしてほしい行動）」，「危険・許しがたい行動」の3種類に分ける練習をする。各々の種類に対する対応の仕方が違うことがポイントである。

「してほしい行動」に対しては，「肯定的な注目を与える（ほめる）」，「してほしくない行動」に対しては，「注目を取り去って，してほしい行動を待ってほめる」，「許しがたい行動」については，「限界設定のルールを提示する」という対応をとる。「してほしい行動に注目する」というセクションでは，ロールプレイも行ってほめ方の基本を学ぶ。子どもと視線を合わせて，穏やかに，明瞭に，パーフェクトを待たずに，具体的な行動をすかさずほめるという方法である。

表2 BPTプログラムの構成の例

1	行動を3種類に分ける	6	指示の出し方
2	してほしい行動に注目する	7	ほめほめ表の作り方
3	ほめることを習慣にする	8	ほめほめ表の実践/ルールを提示する
4	してほしくない行動への注目を取り去る	9	環境調整
5	注目を取り去る計画を立てておく	10	これまでの振り返り～自分自身をほめよう～

（東京大学医学部附属病院で施行：2022年現在）

肯定的な注目は非常に重要なセクションであり，次のステップの「してほしくない行動から注目を取り去る」を有効にするには，肯定的注目を効果的に与える方法を習得していないと難しい。子どもは否定的な注目であっても，注目を得たがるために，叱責や注意を繰り返すとさらにしてほしくない行動が増える。これを避けるために，「してほしくない行動から注目を取り去る」というセクションでは，「否定的注目をやめ，してほしい行動が出るまで待ち，出たらすかさずほめる」という方法を学ぶ。

「指示の出し方」では，子どもの特性や場面に合わせて「予告」や「選択」などの手法も用いながら，わかりやすい効果的な指示の仕方を学ぶ。ここでも重要なのは，指示に従ったら，すかさずほめるということである。

「ルールを提示する」では，「ほめる」，「注目を取り去って，待つ，ほめる」，「効果的な指示」を行っても，子どもが危険な行動や，許しがたい行動を繰り返す場合に，「限界設定のルールを提示する」ものである。ただ，このセクションがADHDの子どもにとって，本当に有効かというエビデンスはなく，なるべく用いずに「ほめる」，「注目を取り去って，待つ，ほめる」，「効果的な指示」で対応することを推奨している。

②宿題

宿題は，トレーニングで習った内容を実際に家で子どもに試してみながら練習する大事な要素である。宿題を振り返るときの工夫としては，宿題の提出された内容をわかりやすくまとめてホワイトボードに書いておき，宿題での報告のエピソードをロールプレイしあって，感想を共有し，参加者全員が他の参加者の報告に関心をもつことができるように配慮している。宿題で成功した経緯などを詳しく聞き，親をほめることで成功体験を増やす。宿題のなかで失敗したと考えている場合には，失敗したと考えられる経緯のなかでの成功したポイントを探し，ほめるフィードバックを行い，トレーニング中の挫折体験をもたないようにする工夫が大事である。

③グループでのBPT

グループのBPTでは，グループダイナミクスが働く。他の参加者と子どもとの関係を聞くことや，ロールプレイで子ども役を行って他の参加者からほめられる体験をもつことで，子どもの気持ちを理解しやすくなる経験をもつことができる。宿題の報告などの際，他の参加者からの共感を得られることで，育児の孤独感を減らすことができ，成功体験をもったという実感に繋がる。個人セッションの場合，スタッフも1人で対応していることが多いが，グループセッションでは，スタッフも複数関わるので，スタッフ間の話し合いをもてることも重要なポイントと考えられる。コストパフォーマンスが個別BPTよりも良いという報告もある[44]。グループBPTでは6カ月後のフォローアップで個別のBPTと比較して著明に改善していたという結果や[45]社会サポート，他のメンバーからの解決法や特別なテクニックを学べる，自分の経験をノーマライズできる点[46]が良いと報告されている。しかし，家庭訪問型の個別BPTに比べて，効果の差はなく，ドロップオフが家庭訪問型で少なく，コストはグループで多くかかったという報告もある[47]。

現状においては，親の希望や，各医療機関での資源（人的，スペースなど）などによってBPTの提供形態を選ぶことになると思われるが，グループという枠組みに合わない人についての配慮を行う必要がある。子どもの診察に来ている親は，自らの心理状態を明らかにしないままに，グループに入ることも多いと考えられる。可能ならば，グループ編成の際に，親の精神疾患，発達障害特性の強さなどについて，医師によるアセスメントの機会があるとよい。日本語や日本の文化に慣れていない海外からの移民の場合も配慮を要する。ADHDの診断を受けている親，うつ病の診断を受けている親について，トレーニングの効果が得られにくいという先行研究があり，うつ病について疾患そのものの治療も並行して行うことを推奨する報告もある[44]。

④親のADHD症状と養育行動の問題への治療

ADHD児の両親のうち，1人はADHDをもつといわれており，親がADHD症状をもつことは少なくない[48]。また，BPTの効果は，親がADHD症状をもっているほど得られにくいという報告がある。では，親の治療はどのようにしたらよいのであろうか。ADHDと診断された母へリスデキサンフェタミン（LDX）による薬物療法とBPTの効果比較を行ったところ，母の感情制御の改善に両方とも効果的であった。母のADHD症状に対しては薬の効果が勝ったが，自己記入のレポートおよび観察による養育行動の変化の評価においては，BPTのほうがより養育行動を改善した[49]。つまり，養育行動に関しては，BPTの効果のほうが親への薬物療法より高いため，親のADHD症状があっても，BPTは行ったほうがよいと考えられる。

親がADHD症状をもつから子どもの養育が難しいのかというと，それを裏付けるエビデンスが確立しているわけではない。例えば，養子縁組したADHD児の研究によると，子どものADHDに関連した情動制御の問題が，遺伝的に関連しない母の不適切な養育に関連し，さらに，のちの子どものADHD症状に関連することがわかった[50]。つまり，親が生物学的，遺伝的にADHDの特性をもっていなくても，子どものADHDに関連した情動制御の問題が親の不適切な養育に関連するということである。さらには，不適切な養育は子どものADHD症状の予後悪化に結びつくという悪循環が起こる可能性があるということである。

⑤オンラインBPT

2019年までは，対面でBPTを行っていたが，COVID-19感染拡大に伴い，オンラインでの提供に切り替えており，2022年現在，研修もオンラインで提供している。

COVID-19感染拡大前から，BPTのオンライン化については研究が重ねられてきた。オンライン化したことで，①BPTへの出席率の向上，②アクセシビリティーの向上，③親の実行可能性の上昇が認められ[51]，対面と比べてオンラインでのBPTの効果は劣らない[52]という報告もある一方，対面に比較して，親の満足度が低下し，ドロップアウトが早くなったとも指摘されている[53]。オンライン化しても効果は変わらない可能性が高いが，親の満足度を高める工夫やドロップアウトを防ぐ方法を考える必要がある。

現在，われわれが行っているオンラインBPTの工夫としては，①宿題や次回のZoomアドレスリンクを送る際，トレーニング各回での取り組みについてフィードバックを伝える，②オンライン上のロールプレイでは，まず，それぞれ家でのシチュエーションを語ってもらい個別のシナリオを作る，③親役と子ども役をスタッフではなく参加者が順番に演じる，④スタッフが演じたロールプレイビデオを参考に事前にメールで送っておく――などを行っている。

スタッフの人数・配置としては，オンライントレーニングでは，ファシリテーター1人，サブファシリテーター1人（書記も行う），カメラワーク（パソコンのカメラをそのまま使ってもよい）と

ZOOMなどの操作担当の1人が必要と考えられる。

8）おわりに

BPTは非薬物療法のなかで国際的に最も行われ，また効果のエビデンスも積み上げられているものであり，実施者養成研修の充実や，診療報酬についてなど日本の医療機関での実装化のための阻害要因を減らす努力が重要である。また，同時に客観的な指標による長期的な効果についての検証を行う努力もしていく必要がある。薬物療法とともに，必要とする患者が選択することが可能になることによって，ADHD患児の長期予後の改善が促進され，長期的には医療経済的な寄与にも繋がる可能性がある。

（石井 礼花）

6 ADHDの子どもの診断名告知

1）はじめに

子どものADHDの診断名告知の意義については，種々の議論があり，他の疾患の診断名告知とは異なる発達障害告知における多義性が指摘されてきた[54)]。これはADHDという疾患の性質に由来するところも大きい。ADHDは併存障害が多く，単独で障害化していることが少ないこと，障害化するのには子どもを取り巻く環境要因も大きいこと。例えば，DSM-5のような操作的診断では，社会的機能水準が診断項目にあることから[55)]，子どもが置かれた状況次第で診断が変わってくる可能性があること，また加齢により変化し，障害化しなくなる事例も少なくないことなどが挙げられる。また，その予後は自閉スペクトラム症の併存状態によっても左右されることが最近知られており，こうしたことが告知を複雑化し，また簡単には予後を推定できないことが，明確な展望を語りにくくさせているといえるだろう。

子どものADHDの告知を大別すると，治療プロセスの一つと考え，広義の精神療法や，治療教育のなかに含める考え方がある。もう一つは倫理的，人権的見地から，患者の知る権利を尊重し，診断が確定次第，正確に告知する考えである。後者は一般的な身体疾患のモデルであり，通常は治療者として選択しがたい。また，障害受容の促進もいわれてきたが，受容できるか否かは家族，本人側の要因も大きい。そこで告知に臨むスタンスは，基本的には，患者の利益が不利益を上回るときにおいて行うこととすべきであろう。しかし，どの時点でどのように告知すればそうなるのかは事例の性質によるので，容易に一般化できない。また，いつどのような形での告知が最も安全であるのかについての研究はまだない。ADHDがどのようなスティグマをもっているのかは，時代や地域により文化社会的な要因も大きく，リスク要因となりうる。ADHDでは自己評価が低下している場合が多く，若年者では安易な診断の告知が患者の自己評価をさらに低下させる恐れがあり，また事例により治療に対して拒否的となる場合もある。一方，治療効果をもつ要因としては，いままでの困難が自らの特性に基づくものであり，改善の可能性があると知り，治療のモチベーションが高まる場合もある。そこで治療におけるこの諸刃の剣ともいえる，診断名告知を実際にはどのように扱うかについて概説したい。

2）告知プロセス

告知という行為には一定のプロセスが想定できる。それのプロセスを**図6**に示した。まず，告知前に事前の準備というプロセスがなければ，告知も極めて唐突で危険な行為となりかねない。しかしこの部分は実臨床においては，情報の得にくい部分であろう。改めて，現状をどのように患者と家族が認識しているかを問うという手間は重要である。丁寧な状況認識の聴取が，良好な告知結果を得る重要なポイントである。また，告知主体との関係性が十分確立していることも重要である。信頼関係のない告知は治療的な効果より弊害が大きい。そのうえで，静かな場所と，特定の時間を設定し，告知し，さらにフォローアップを行う。告知の結果は必ずしも予見できないので，さらにその結果を慎重に検討し，その後の治療に繫げる必要がある。

3）告知の主体

告知は一般的には医師が行うが，発達障害の児童において告知を行った主体を実態調査した研究では，意外にもわが国では母親が行っていたケースが多いと報告されている[56, 57)]。この告知とはここで述べている診断名告知と同等ではないが，診断名は母親が子どもに告げている事実は重要である。母親がこのような役割を担っているのは，医師が児童に直接の告知は避けているのかもしれない。この理由を調査したものは見当たらないが，医師が患者の状況を十分認識し，自己肯定感を損なわずに，患者が受けた診断を活用できる状況を判断することの難しさを物語っているといえるだろう。告知の主体が母親になりやすい事実に鑑みて，家族への告知の在り方はより慎重に行う必要がある。家族から子どもにどのように伝えるべきかという課題にもある程度考慮し，家族に告知する際に子どもへの伝え方についても付言する必要があるだろう。

4）告知のタイミング

治療上有益である場合において，診断名告知を行うが，そのタイミングを見計らうにはどうしたらよいであろう。広い意味で治療者から考える理想の告知のタイミングは患者自身が自分の状況に疑問を感じ，答えを求めているときである。ただこのタイミングは，家族の診断名告知ニーズとは一致しないことが多い。子どものADHDでは，知識があまりないこと，メタ認知が育っていない

図6 告知のプロセス

ことも多く，実際にはこの告知タイミングは思春期以降にずれ込むことが多い。告知対象の個別性が高く，年齢にはばらつきが大きいという報告も多く[57, 58]，年齢はあくまで成長のなかの一つの目安であり，適不適な時期を年齢で断定することは難しいと考えられる。一方，家族では治療を開始する前提として診断名告知が必要となる場合も少なくない。そこで，この問題を場面に分けて考えてみたい。

(1) 家族から診断名告知を求められた場合

そのときに告知を行うのは医療者として当然のことだが，家族であっても，その性質上，ありのままがよいのか，病態のみに留めるほうがよいのかは事例による。また，家族と子どもが，同席がよいか，別々がよいかという課題がある。告知を求めているのが家族なのか，あるいは患者が家族を通じて知りたいのか，それとも両方なのかによっても異なる。両方の場合でも，できれば別々に告知を行うことが望ましい。それは子どもと家族では受け取り方が異なること，子どもの家族の面前での告知において，医師から病気であると伝えてもらうことで子どもに反省を促したいと考えている家族が少なくないからである。

家族の告知希望は，種々の願望が背後にある。単に診断名を知りたいというものから，これは少なくないが，医師に障害であることを否定してほしいという願望である。医師が，「発達の凸凹に過ぎない」，あるいは「性質，傾向のようなもの」と言えば，秘められた家族の意図に治療者が沿ってしまい，治療が中断，停滞する要因となりやすい。一方で，反抗挑戦的な子どもに悩まされている家族では明確な診断により，子どもへの積極的な治療を家族が希望している場合がある。この場合，逆に子どもには強い自己否定や，現実からの逃避を引き起こさせる要因ともなってしまうリスクがある。

(2) 子どもから診断名告知を求められた場合

子どもは，基本的にメタ認知が育ってきて自分のマイナス面を受容できる人格的成熟度が高まっていることが望ましい。原則的には小学生の低学年時期までには診断名の告知を行うことは早いと思われる。それ以降になり疾患を理解する能力があるものに対して，考慮する。自己評価が低い子どもでは，診断面より特性で説明する。一方，中学以降で治療モチベーションがある子どもでは，今後の治療に寄与する側面が高まってくるので，子どもの困り感に共感しつつ，適切な情報を与え，対処方法や，今後の経過などについて詳しく説明する。

(3) 治療者として診断名告知が治療上有益と考えられる場合

治療を遂行する必要から診断名告知が必要となる場合は少なくない。ペアレント・トレーニングに導入する際や，薬物療法を開始する場合などがそれにあたる。この場合家族にADHDという診断名の告知のみならず，疾患の特性や対応など治療教育的アプローチを必ず併用し，治療遂行に家族の協力を求めることが望ましい。

5）告知の基本要素

診断名告知には一般的に特性に関する情報，具体的な対処方法，告知後の見通し——についての3つの要素が必要事項として考えられてきた[59]。より具体的には以下のような順番が考えられる

告知方法実際例：

①病名告知に先立ち検査結果を詳細に説明する。

②図示など視覚情報を含めて分かりやすく説明する。

③障害の理解のため，まずその定義・原因・経過を説明し，その後，障害の概念を説明する。

④現在の状態について理解が得られたら，種々の治療方法を概説する。
⑤今後の変化の可能性についての説明を行う。

6）告知の内容と表現

告知内容は，前述のように，一連の過程をもって行われるのが通例であるが，その際に病態告知に留まるのか，それとも正式な診断名としてのADHDを説明するのかは課題である。患者や家族の理解する能力，治療的意義を総合して判断する。ADHDというカテゴリーが，実際には単体の障害として存在することは臨床的に少ないことから，医師側の認識する患者の症状を取り上げて，そのなかで発達的特性として不注意，多動・衝動といった側面から，実際の症状と結びつけて説明する。そのうえで，そうした特性はADHDという障害に該当すること，そして，その特性は年齢とともに変化する可能性があることを説明する。ここでADHDを告知する際の主要症状理解についての実例を示す。

7）実例

ADHDという疾患概念は3つの主要症状により構成されていることを中心に説明を展開する。親にはどういった症状が，どのような障害に基づくのかを説明する。子どもには，実体験を自分のもつ課題として認識させ，それを起こしやすい特性に気づきを与える。

親への説明：病態の実際とその意味を考える
①「順番を待てない」，「あてられる前に発言する」などは衝動性の課題です。
②「落ち着きがない」，「じっとしていられない」などは多動性の課題です。
③「忘れ物をする」，「提出物が出せない」などは不注意の課題です。

子どもへの説明：病態と，そこにおける課題を明らかにして内省力を育てる。
①教室でじっと座っていられなかったりもじもじとしたりするのはなぜでしょう？
⇒「あなたには，自分の身体を動かすのを抑えようと思って上手にできない特性があるのかもしれません」
②順番を待てなかったり，先生の言葉をさえぎって話してしまうのはなぜでしょう？
⇒「あなたには，自分の何かしたい気持ちを抑えるのが難しい特性があるのかもしれません」
③忘れ物をしたり，提出物を出せなかったりするのはなぜでしょう？
⇒「あなたには，色々なことがあると，つい別のことを考えたりして，大切なことでも必要なときに思い出せなかったりする特性があるのかもしれません」

【過去を振り返って：事例から】
ADHDの診断名告知が有意義であった事例　初診時中学1年の男子
就学困難があり，家族も疲弊していた。家族に病名を告知したが，本人に症状からの治療の必要性を説明して，薬物療法を開始した。しかし，怠薬が目立ち，反抗的な行動や，非行も目立ち始めた。そこで本人にはいつか自分の本当の能力を発揮する必要があるとき，この治療が助けになると話した。その後2年間来院はなかったが，高校を受験する時期になり，また本人が再来した。先生が本当に能力を必要とするとき助けになると言ったから来た。俺の病気について教えてほしいと言った。そこで，詳しく本人に告知した。その後，高校は希望の学校に進学，大学も卒業し，自分の夢を実現した。いまでも悩みがあると相談に来るが，先生には感謝しているとときどき話す。

ADHDの診断名告知が課題であった事例　初診時小学5年の男子

家族が診断を求めて来院。授業に参加できない，落ち着きがない，忘れ物が多いとの主訴で来院した。一通りの検査を終了し，ADHDの診断を家族のみに告知した。児童には，現在の課題を説明し，治療の必要を説明したが，服薬には拒否を認めた。そこで，しばらく経過をみていくこと，生活の管理の仕方，忘れ物減らし方，などを治療教育していくこととした。1カ月しても状態が大きく改善しなく，注意されると強い反発や暴力が親に対して認められた。親が困って，子どもにあなたはADHDという病気だから薬を飲まないと治らないのよと，診察場面で話した。子どもは，落ち込んで帰って行き，その後来院が途絶えた。ケースワーカーが連絡すると，子どもが自分の問題を親のせいにして困っているとのことだった。

8）倫理的義務のとしての告知

医師の治療上の配慮とはかかわらず，現実的な要請として，診断名告知が医療者に求められる場合も少なくない。まず，民間の医療保険に加入する際には告知の必要があり，発達障害に関し加療していた場合，契約時の告知がないと告知義務違反となる判例があり，このような問い合わせが患者や家族あった場合，告知の必要がある。義務ではないが就学上の配慮を学校側に求めるうえで，診断を求められることは少なくない。この場合，病態記載だけは配慮できないと言われる場合もある。また，メチルフェニデートを始めとした薬物療法を施行する前提としても診断名告知は重要となる。周知のように登録制の中枢神経刺激薬では診断名告知と同意が必須となっている。上記のような，医師側の治療的配慮とは別に建前として明確な診断名告知を求められる場合，子どもには治療的配慮をして診断名告知は慎重に留保し，家族には告知するということが多いと思われる。

9）診断名告知の副作用

告知を行うことの副作用にも治療者は留意する必要がある。どのような副作用が想定されるであろう。それらは筆者の経験では次のようなものが認められた。①反応性の抑うつ，興奮，②支援や治療の拒否，③治療の中断　④親への攻撃，⑤障害を前提にした課題の肯定を求める態度（開き直り）――などである。反抗挑戦傾向があるADHDでは，②から⑤が生じやすいことから，より慎重さが求められる。そこで，本人への告知は，治療的意義が明確な場合に限って慎重になされる必要がある。

10）おわりに

診断名告知は，治療の一部分として重要な課題である。ADHDが加齢とともに変化する病態であるから明確な診断名告知を行わなくても改善を示す事例も多い。このため，いつ，どのように，誰に告知するかは個別性の高い問題である。私は告知の有用性の高い事例に限り診断名告知を行い，その他は病態とその理解という教育的な指導を行うことが多い。外来という限られた時間と空間で是非を判断する情報収集の難しさと，良好な治療関係を築く困難があるからである。診断名告知を適切に患者と家族の利益に繋がるように施行するには，今後さらなる研究による検証が求められる。

（小野 和哉）

7 行動療法・認知行動療法（SST以外）

1）はじめに ―行動療法・認知行動療法のライフコースに沿った適用―

ADHDの治療における行動療法・認知行動療法は軽症～中等症の例では薬物療法と並ぶ有効性のエビデンスをもつファーストラインの治療に位置づけられる。特に就学前の子どもでは第一に選択される治療法である[60]。行動療法・認知行動療法は複数の行動理論や認知理論に基づき子どもの発達過程に応じて幅広い目標と内容をもっており治療のモダリティも個人，家族，集団など多様であるため臨床のセッティングに応じて柔軟に運用できる。個人に実施する場合は，個別の治療ニーズに最適化したフォーミュレーションを提供できるメリットがある。集団の場合はより多くのケースに介入でき同世代がサポートし合いながら治療課題を達成するという社会技術訓練としての機会も得られる。

学齢期前期・中期のADHDのある子どもに対しては養育者を介入の対象とする行動療法的ペアレント・トレーニングがあり，これについては⑤ペアレント・トレーニング（276ページ）で詳述されている。養育者に加えて，不適応行動が生じやすい学校でも教師が共同治療者として参加し，教室など集団場面を措定した行動療法が推奨され，教室における行動随伴性マネージメント，仲間関係（ピア）に焦点づけた集中的グループ訓練プログラム（サマーキャンプ）は有効性のエビデンスが確立されたプログラムである（❽ソーシャルスキル・トレーニング（SST）（293ページ）参照）。また学齢期後期から思春期の子どもでは，発達経路に沿って外在化する不適応行動については減少あるいはパターンが変化する一方で自尊心の低下などの心理的問題の併存が前景化する場合も多い。このため個別の状態像と心理社会的課題に合わせた認知行動療法が提供される。青年期・成人期ではADHDのある人にとって自己管理が重要な課題となるため，個人・集団での問題解決，時間管理および対人関係や感情調整のスキル獲得のためのプログラムが開発されている。

2）ADHDへの行動療法・認知行動療法の実際

(1) ADHDの行動療法

不注意・多動衝動性の基本症状によって生じる不適応行動，自己コントロールの困難を治療の対象とする。

行動分析：不適応行動への行動変容アプローチに際しては問題となる行動を具体的かつ明確に定義するだけでなく，不適応が生じる状況・文脈における反対のよい行動すなわち適応行動の定義と呈示が重要である。系統的な行動観察は行動療法の導入のために必要な手続きである。改善したい問題を行動でみる基本的な手続きとして，先行刺激（antecedent）－行動（behavior）－結果（consequence）のかたちで記述するABC分析を用いる（応用行動分析）。

環境調整：先行刺激（antecedent）への行動療法的介入として学校や家庭における環境調整がある。ADHDの子どもの多くで課題達成のための手続きの内言化のプロセスや注意の制御，プランニングに困難がある。このため目標となる行動と期待される結果を簡潔に言語化して伝え，目標行動のチェックリストの掲示やレポート・カード（daily report card）の携帯などの方法で視覚化する。また注意の持続に干渉する刺激が減るようにワーク・スペースを時間的・物理的に構造化するなどの準備を通じて適応行動が生じやすい環境調整を行う。①学習課題を2つ以上の選択肢のなかから子ども自身に選択できるようにする，②学習課題を細かい部分に分け一度に完成を求められる量を少なくなるように調節する（スモールステップ法），③教室でのルールを簡略に提示し定期的にルールについて話し合いルールを守れた生徒を指摘したり，授業の開始前にルールを思い出させたりする――などは教室での先行刺激への介入の代表的なものである[61]。

随伴性マネージメント：行動の結果（consequence）への行動療法的介入として適応行動の増加および不適応行動の減少に向けた随伴性マネージメントが行われる。具体的には適応行動への注目，賞賛，その他の強化子を用いた正の強化，不適応行動に対する計画的な無視，レスポンスコスト（強化子の撤去）およびタイムアウトを用いた弱化，そしてこれらの強化・弱化の手続きを系統的に行うトークン・システム（ポイントシステム）の導入がある。弱化については罰（punishment）という用語も用いられるが，これは日常生活で用いられる場合とは意味が異なる。ある行動（反応）をした後に生じた結果により行動（反応）が起きる頻度が下がることを正の弱化（罰），ある結果がなくなるか減ることで行動（反応）が減る場合を負の弱化（罰）と呼ぶ。正の弱化では行動の結果として嫌悪的な刺激が生じること（嫌子）で行動が抑制されるが，例えば体罰は用いる側も用いられる側も不快であり，望ましくない情動状態が生じ，その状況からの逃走，回避などによる混乱や標的となる行動のみならず全体的な反応性が抑制されやすいなど望ましくない影響が大きい。このような望ましくない結果はレスポンスコスト法やタイムアウト法の使用によって回避することができる。日常生活で「罰」と考えられている叱責も，その前の行動が減らなければ弱化（罰）ではない。また弱化（罰）を中心にした介入のみでADHDのある子どもの破壊的行動を減らすことはまれである。言語的叱責をADHDのある子どもを適応行動に注意を切り替え引き戻す介入として用いる場合は，問題となっている行動と望まれる行動を具体的に示し，短く，穏やかで静かな態度でなされる必要がある[61]。主な随伴性マネージメントの例を**表3**に示す。

ADHDのある子どもでは報酬系の反応性の障害（遅延報酬の嫌悪）が多くみられることを前提として，適応的な目標行動に対する正の強化のための強化子をタイミングは間を置かず即時に，頻度は可能なかぎり頻繁に呈示する必要がある。このため随伴性マネージメントの目標行動を達成できる確率が高くなるように細かいステップに分けて強化することが望ましい。随伴性マネージメントは正の強化と負の弱化を組み合わせ一貫性をもって実施された場合にもっとも効果的である。教室で教師が目標となる行動の達成度に応じてポイントをレポートカードに記録することで即時強化を行うとともにポイントに応じ家庭で行われている随伴性マネージメントの強化子（決まった時間にテレビを見ることができる）に交換できるようにルールを設定し学校から家庭へ適応行動の般化を図る。これらの随伴性マネージメントによる行動療法的介入は，個人でもグループのかたちでも

表3 家庭・学校で用いられる行動療法的介入（随伴性マネージメント）

技法	内容
正の強化	望ましい行動への具体的な賞賛，報酬，特権を得る
計画的な無視（負の罰：弱化）	望ましくない行動の結果としての社会的注目の撤去により消去
レスポンス・コスト（負の罰：弱化）	望ましくない行動の結果として報酬・特権を取り上げられる
タイムアウト（負の罰：弱化）	望ましくない行動の結果として強化している可能性のある刺激から遠ざける（より年少の子どもで用いられる）
トークン・エコノミー	正の強化とレスポンス・コストを組み合わせたシステム（バックアップ強化子の設定）
分化強化	増やしたい行動と減らしたい行動を決め（分類し），増やしたい行動のときのみ強化する

行うことができる。教師が教室でのADHDのある子どもの問題行動を減らすためにクラスの生徒全体を対象としてトークン・システム（ポイントシステム）を導入する方法がある〔⑩STP（サマー・トリートメント・プログラム）（305ページ）参照〕。

セルフマネージメント：ADHDのある子どもにみられる自己コントロールの困難の背景には実行機能および報酬系の障害が想定されている。自己コントロールを高めるためにセルフモニタリングと自己強化のスキルを学習することが有効である[62]。セルフマネージメントのみでのADHD症状への効果は限定されるが，前述の随伴性マネージメントによる行動変容の手続きの後，教師が随伴性マネージメントをフェイディング（段階的に減らす）していく段階で用いることは行動療法的介入の効果の持続・定着のために有効である[63]。

(2) ADHDのある子どもへの認知行動療法

認知行動療法では行動面に加えて認知面にも焦点があてられる。ライフコースの視点からは学齢期後期から思春期の子どもでは自己概念，セルフモニタリングやメタ認知など高次の認知機能が飛躍的に発達を遂げる。このためADHDの治療においても問題の原因となる行動に代わる適応的な新しい行動を学ぶ際に治療的共同作業（協働的経験主義）が中心になり合意形成の過程が重視されると同時に子ども自身の認知面の問題にも治療の焦点が移行する。

機能分析：認知行動療法は個人内要因として行動に加え，思考，感情の要素を含めてそれぞれの相互作用を仮定する。刺激や情報は認知という情報処理過程（フィルター）を通じて個人内の行動，思考，感情に影響を与えているという視点から問題となる症状の機能分析を行う。出来事と思考，感情と行動の関係に気づくことはADHDのある子どもが直面するさまざまな日常生活の困難状況の理解に役立つ。ADHDのある子どもの自己理解にもとづく問題解決とセルフコントロールにむけて認知行動療法の機能分析の方法や多様な技法はいずれも有用である。機能分析を活用した悪循環の理解とフォーミュレーションはADHDについての心理教育と結びつくことで個別の自己理解を深めることに繋がる。ADHDへの認知行動療法で用いられるフォーミュレーションの代表的な例を**図7**に示す[64]。補償方略と，その失敗のあり方にはADHDの主症状や認知行動特性が関与し，

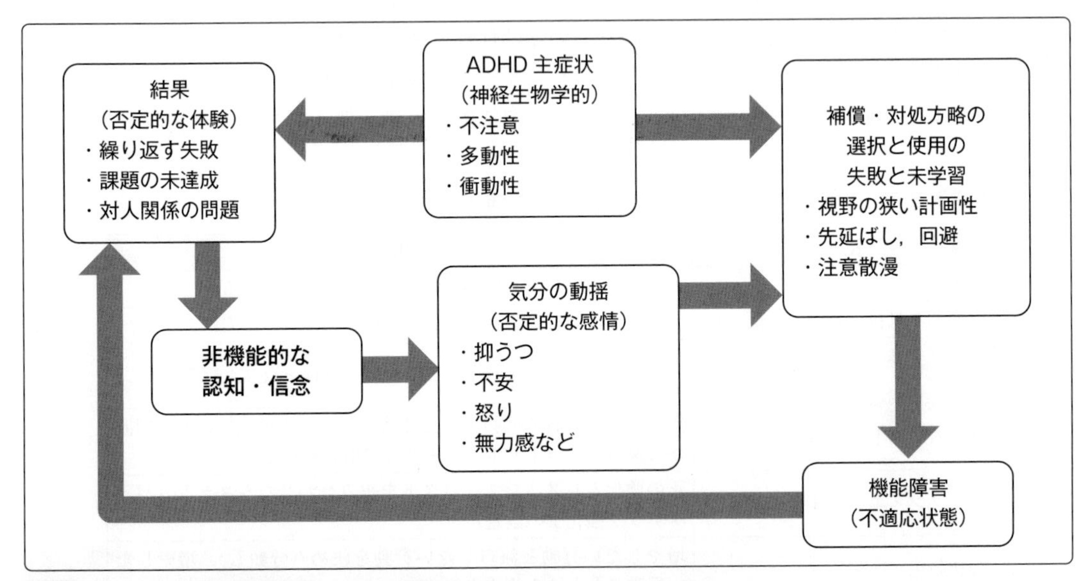

図7 ADHDの認知行動療法における機能分析フォーミュレーション

結果として生じた機能障害により繰り返される否定的な体験が非機能的な認知や信念を生み，非機能的な認知や信念による自動思考が二次的な問題としての否定的な感情や不適応状態を生じる悪循環を生む。この悪循環の媒介要因としての非機能的な認知・信念を同定し働きかけるのが認知行動療法のアプローチである。

ADHDへの認知行動療法アプローチ：問題解決的技法や思考記録法，認知再構成法やスモールステップの原理などの認知行動療法の基本的な技法は思春期，成人期のADHDのある人の学業，就労，日常生活や対人関係での困りごとへの対処に役立ち，成功体験を通じて自己効力感や自尊心を高める。またADHD症状に関連する不適応状態への対処に特化した内容の認知行動療法の技法やプログラムも応用・開発されている。**表4**にADHDのある人への代表的な認知行動療法アプローチを示す。

順序だて（優先順位）と計画性（プランニング）：ADHDの基本障害の一部と考えられている実行機能や時間処理の障害は日常生活における優先順位の決定や予定や計画を立てることなどセルフマネージメントの困難として現れる。To doリストの作成と優先順位づけをコーチングのもとに具体的に書き出しながら行うことで，優先順位づけの手続きを具体化しスキルとして学習することができる。時間管理を視覚化しやすいスケジュール帳や携帯電話のリマインダー機能などを活用しながら，毎朝のスケジュール確認の時間と工程のルーチンを形成する時間管理プログラムは重要な構成要素である[65]。このようなプログラムでは，スキルを身につける行動療法的介入のみならず，日常生活でのセルフモニタリングをコーチングのもとで継続する経験を通じて否定的な自己認知の修正（認知再構成）など認知的介入ともなる。

注意持続訓練：集中力の持続時間や転導性など注意制御の困難は思春期以降も持続しやすい。退屈な課題で集中できる時間を把握し，それに合わせて休憩時間を効果的に入れながら長時間の作業への適応を図ることができる。注意持続訓練は問題解決に繋がるスキルとなると同時にセルフコントロールの経験として自己効力感を高めることに繋がる。

感情調整訓練：思春期から成人期のADHDのある人にとって怒りや攻撃的態度など感情調整の障害はADHDのある子どもの日常生活でしばしば問題となる。怒りのコントロールにむけて怒りやその背景にある負の感情への気づき（心の温度計）や対処のためのストレス・マネージメントおよび対人関係における問題解決のための社会的スキル（主張訓練）などの技法を加えてをプログラムを実施する場合がある。

併存症への介入：年長児では反抗挑戦症や素行症などの外在化障害のみならず，ADHD症状による社会機能障害の持続－失敗体験による自尊心の低下を背景に不安・抑うつ症状など内在化障害が併存する頻度も高い。不安・抑うつ症状に対しては学齢期，思春期，成人期のそれぞれに対して認知行動療法プログラムが開発され有効性のエビデンスがあるため発達特性に合わせた調整（心理教育モジュールの追加など）を行ったうえで適用することができる[66]。

(3) その他の療育的介入

ADHDの基本障害を補償する戦略の獲得を目標として，特定のスキルを訓練する介入も開発されている。実行機能障害などの神経心理学的な病因仮説にもとづき主要な要素である言語的および非言語的ワーキング・メモリの強化をコンピュータ化されたプログラムを用いて行う認知機能訓練（cognitive training）は行動療法的介入と組み合わせて実施されているが，単独では十分な有効性のエビデンスは得られていない[67]。ワーキングメモリに加え反応抑制や認知的柔軟性の強化を目指した訓練課題を含むプログラムも開発されている。先進的な治療としては脳波や脳磁図の測定データを用いてバイオフィードバックを行うニューロフィードバックがある。

表4 ADHDに対する認知行動療法的介入

ADHDの二次的な問題	不適応状態	行動への介入	認知への介入
自尊心の低さ・慢性的な不成功のパターン化・無抵抗主義（学習性無力感）	・劣等感が強く，自己否定的。批判に過敏に反応 ・失敗が続き実力に釣り合う結果が出せていない（学習性無力感） ・状況を悲観的にとらえ，当然と思われる権利なども主張せず，与えられた状況を受け入れる	・できていることや継続していることを書き出す ・成功している活動や得意な活動を書き出す ・コミュニケーションスキル訓練（アサーション・主張訓練）	・認知再構成法「自分は何もできない」，「自分は受け入れられない」というスキーマへの対処 ・認知再構成法：「私は失敗するというスキーマ」，「成功よりも失敗を大きくとらえる拡大思考」に対して ・認知再構成法：「私は無能である」というスキーマに対して ・現実検討：抵抗しないことのメリット・デメリット分析
順序だてと計画性（優先順位の混乱・先延ばし・瀬戸際戦術）	・課題を完遂することが難しく，課題を抱え込む傾向にある。前の課題が終わらない時点で次を始める ・優先順位の低い課題をいくつか終えることで安心し，優先順位が高い困難な課題を放置する ・未完了の課題を必要以上に重大に感じることで完了する自信をなくし，着手できないなどの理由から先延ばしにする ・課題に取り掛かるのをギリギリまで待つ。締め切りがきてから仕事に取り掛かるなど	・課題の細分化による達成可能な計画だて（スモールステップ法），自分で締め切りを作るなどのゴール設定 ・To doリストによる優先順位づけの整理 ・達成可能な目標とスモールステップ法で自分の締め切りを決めてタイムマネジメント 目標達成後の自己報酬マネジメント ・To doリスト作成などタイムマネジメント 目標達成後の自己報酬マネジメント	・現実検討：達成が難しい課題に対する考え方の整理（達成困難なままとするメリット・デメリット分析） ・現実検討：先延ばしにすることへの自分のメリット・デメリット分析
生活管理・秩序化の困難と問題解決スキルの乏しさ	・遅刻が多い，締め切りを守らない。金銭管理が困難。仕事場や家は散らかっており，大事なものが見当たらない ・先の見通しがもてず，困難が生じたときの問題解決のスキルが不足している	・セルフケア・セルフマネージメント（睡眠衛生，時間の見積り），金銭管理や整理整頓へ達成可能な計画だての工夫（スモールステップ法など） ・課題のto doリストの作成，課題解決法，ゴール設定，優先順位づけ，他者に協力を求める	
努力・注意集中の持続の困難および一貫性の欠如	・大きな課題や単純な作業が苦手ですぐに飽きてしまう ・読書の際に筋を追えない。同じセクションを何度も読み返す ・課題への取り組みで均一の質を保つことが難しく，結果は状況や時間などに左右される	・苦手な課題や作業後の自己報酬計画 ・集中訓練。必要なポイントを箇条書きにして整理する ・高すぎる目標設定となっていないかを検討し，達成可能な目標設定の策定	・マインドフルネス：注意を妨害する刺激を与えながらの集中訓練 ・認知再構成法：「いつも一貫性を保てないという考え」に対して
対人関係の困難・社会的スキルの欠如	・社交的に不適切な言動をしてしまうことから長期間に及ぶ関係が保てない ・相手の会話に割り込んだり，思いつくままに話してしまう。社会的な合図などをくみ取れない。	・必要なときに人に助けを求めるなどの社会的スキルトレーニング ・コミュニケーションスキルトレーニング，コミュニケーションのトラブルへの課題解決	・認知再構成法（「社会人のコミュニケーションは完璧でなければならない」などのスキーマに対して）

3）健康問題としてのADHDへの行動療法・認知行動療法の活用

ADHDに対する心理社会的介入は慢性疾患モデルや近年では神経発達症モデルに基づき心身の健康やウェルビーイングに関わる幅広い問題に対してライフコースの長期的な視点からの包括的なアプローチが提案されている[68]。行動療法・認知行動療法は生物心理社会的なフォーミュレーションにもとづき医療のみならず教育・保健福祉の多職種－多領域で共有可能であり，個人，家族，学校，地域など幅広い場面と対象に応用できる介入技法である。導入と実施にあたっても学校や地域の環境要因や文化的要因の多様性に配慮した個別かつ包括的な治療目標を設定することができる。また子どもの発達経路と発達水準に適合した目標と方法を選択し個々の子どもと家族のニーズを介入計画に取り入れるなどのケースマネージメントシステムのなかで長期的な視点にもとづき継続的に活用されることが望ましい[69]。学齢期の子どもでは家庭と学校のパートナーシップのもとで随伴性マネージメントの技法を共有することで相乗的な効果が期待できる。また思春期以降のケースでは治療のへの動機づけを高めるために養育者との子どもの関係調整や合意形成が導入にあたって重要になる[70]。睡眠衛生の問題やけがのしやすさなどADHDのある人が障害を通じて直面しやすい健康問題もあり，心身の健康管理と家族のウェルビーイングに向けてレジリエンスを高める目的でも行動療法および認知行動療法的アプローチが寄与するところは大きい。

（山下 洋）

8 ソーシャルスキル・トレーニング（SST）

1）SSTとは

ソーシャルスキル・トレーニング（social skills training；SST）は社会生活技能訓練と邦訳される。SSTは日常生活を送るうえで必要なスキル習得を援助するための，認知行動療法に基づいた治療法である。SSTは主に対人技能の獲得を標的目標としており，スキルの不十分さから社会生活上での障害を来している人がそれを克服するために行われる[71]。スキルの獲得が不十分であると，親しい人間関係を築けず心理社会的に悪影響を及ぼすため，スキルの獲得は広く人生の質に関わる[72]。このような考え方から，SSTは希望を志向する援助（hope-oriented approach）とよばれる。SSTは集団でも個人でも行われるが，集団の場合は仲間同士の援助や相互の社会的学習を促進すること，集団内の凝集性が高まるなどのメリットがあることが知られている[71]。

SSTの基本的な枠組みは，Libermanらにより1970年代に主に統合失調症などの慢性精神疾患を対象に形づくられたが[73]，小児を対象としたSSTはそれよりも歴史が古く，1960年代から社会的不適応が懸念されるあらゆる子どもを訓練対象にしてきた[74]。SSTはいくつかの治療技法が集合した学習パッケージであり，Mueserらによると**表5**の8項目を共通様式としてもつものである[71, 75]。この学習パッケージをもとに，SSTにはさまざまなバリエーションがあり，多様なプログラムを適合させることが可能である[76]。

(1) 子どもを対象としたSSTの特徴

子どものSSTにおいて，発達的視点，予防的視点，治療的視点で分けて考えるとわかりやすい。発達的視点とは，子どもの全体的な社会的スキルのレベルを高めていくことであり，学校での全体的な取り組みが大切となる。予防的視点とは社会的スキルが欠けている子どもを早期に発見し，適

表5 SSTの共通様式

1. 対人状況における患者の技の不足な点と過剰な点を評価すること
2. ある特定の技能についての学習方法を提供すること
3. 社会的場面を模したなかでの治療者らによる技能のモデリングが行われること
4. 患者に対して練習しているある技能に焦点を当てた教示が行われること
5. ある技能についての患者による実技リハーサルが行われること
6. 治療者グループのメンバーから患者に対して正のフィードバックと矯正的なフィードバックが与えられること
7. リハーサルとフィードバックを繰り返すこと
8. 般化を促すための宿題が与えられること

切な指導を試みることで，不適応感を予防することである。治療的視点は，重度の社会的スキル欠如を治療し，集団場面への再適応を図ることである[77]。

子どもは主に「遊び」を通して社会的スキルを身につけることから，動機づけと般化を促すため「遊び」を通じてスキルを獲得する方法が推奨される。一般的に子どもはスキルを般化することが難しく，周囲の両親や教師が介入し，家庭や学校などにおける日常生活への般化を促すことが重要である。子どものSSTでの注意点としては，参加者である子ども同士がお互いに影響されやすく，他の子どもに失敗を笑われる，いたずらをされるなどによって悪影響が及ぼされることがあるため，席順を工夫する，スタッフが個別につくなど事前の準備が大切である[78]。お互いが影響されやすいという点では，子ども同士がアドバイスを聞き入れやすいこともあり，上手に活用できる可能性がある[79]。

(2) ADHD者の社会機能について

ADHD者は中核症状として多動・衝動性，不注意が認められる。これらの症状は，対人面においてさまざまな影響を与える。多動・衝動性から生じる問題として，「我慢ができない」，「鈍感である」，「感情的になりやすい」――ことがある。一方，不注意からは相手の気持ちや感情に注意を向けられず，相互関係を共有することや衝突を回避することが難しくなる[80]。具体例として，「会話中に割り込む」，「ゲームのルールを破る」，「負けたときに怒って暴力をふるう」，「相手を怒らせていることに気がつかず自己中心的な行動を続ける」――などが挙げられる。そのような行動が仲間から嫌悪感をもたれるため，友人関係を築くことが難しく，友人関係を築くことができたとしても短期間で破綻を来してしまう[81]。

また，ADHD者は状況を推察して適切な行動を行うことが難しいため，対人関係の失敗からフィードバックをして学ぶことが苦手である。結果として，将来にわたり不適切な行動を続けてしまう傾向にある[82]。さらに，自分の行動が不適応的であっても，自分は実際と比べてうまくできていると間違った解釈をしてしまう傾向があり，仲間に対してネガティブな感情を抱きやすい[83]。友人関係が悪化すると，社会的スキルを学ぶ機会が減少するという悪循環に陥るため，学童期に友人関係が悪化すると，将来的な社会生活で不適応を起こしやすくなる。不適応な状態が続くと，学業や職業，生活面での問題を引き起こしやすくなり，うつ病や不安症，薬物乱用などの危険性を高める[84]。

(3) ADHD児を対象としたSSTを行ううえでの注意点

ADHD児においては，対人関係における行動や注意や感情をコントロールすること，注意をされたときや思いどおりにいかなかったときの問題解決方法を学ぶことが大切であり[85]，特に「怒りのコントロール」は最も重要な身につけるべきスキルとされる[86]。さらに，スキルを伸ばすのみでなく，失敗体験を減らし，達成感をもたせてセルフエスティームを高めることがその後の経過にも重要であり，ポジティブな声掛け（できたことを褒め，できなかったことは叱るのではなく具体的に方法を示しできるように促す）を行うことが大切である。SSTを行うにあたり，刺激の制限など（例：教材や遊具などは目につかない場所に置く，必要なもの以外は机の上に置かない，出入り口を1カ所にする）の環境整備をする，不適応な行動に移りそうなときはさりげなく声掛けや誘導をする，役割分担を与えるなど工夫して対応する。すると周囲から注意されることを減らすことができ，その結果自尊感情を損ねることを回避できる[85]。

(4) ADHD児へのSSTの効果

前述したようにADHD児では社会機能における障害が認められる傾向にあり，社会機能の改善を目的としたSSTはニーズにそった治療法であると考えられる。また，英国国立医療技術評価機構（NICE）ガイドラインでは学童期のADHD児に対する親を含めたグループ療法が，Canadian ADHD Resource Alliance（CADDRA）のガイドラインでは学童期のADHD児に対しSSTを含めた認知行動療法が推奨されている[87, 88]。しかし，過去の文献からはADHD児に対してSSTは効果的なアプローチと結論付けている文献がある一方で，効果が乏しいとする報告もある[16, 78, 89, 90]。このように効果の報告が違う理由として，行われているSSTの内容がそれぞれで異なること，さまざまな治療法を組み合わせていることや，評価者や評価方法が違うことが影響していると考えられる[91]。これらの報告を詳しくみると，親による評価では社会機能や行動面の評価が改善したという報告やADHDの中核症状である多動・衝動性，不注意が改善し，フォローアップ後も効果が維持されたという報告が多くある[92〜94]。一方で，本人や教師による評価では社会機能や行動面，ADHDの中核症状に対してSSTの効果が疑わしいと報告されている[93, 95, 96]。これは，本人評価ではSST前の高すぎる自己評価から客観的に自分を認識できるようになったことで本人評価の改善が乏しかった可能性がある[86]。また，ほとんどのSSTは親との連携はなされているが，教師との連携が少ない。米国小児科学会（AAP）のガイドラインではADHD児への心理社会的治療法として学校での環境調整やサポートが重要視されており[97]，教師との連携が重要であることを示唆している。

次にさまざまなSST介入研究のなかでもより効果的であると報告されたSSTに共通している特徴について示す。ほとんどのSSTで用いられているが，ペアレント・トレーニングが含まれていることである。社会的スキルの成長や仲間との関係に親が重要な役割を果たしており，SST終了後もSSTで学んだ親が引き続き子どもを援助するため，より効果的であったと考えられる。他に報告は少ないが，仲間との相互関係に介入するとSSTの効果をより強めることが示されている[98]。これは，ADHDの子どもだけでなく，ADHDの子どもが所属する集団の仲間に対しても介入を行う包括的な方法を指す。このような包括的に行われるSSTが普及し，今後研究が進むことが望まれる。

2）奈良県総合リハビリテーションセンターSSTの紹介

(1) 概要

奈良県総合リハビリテーションセンターSSTは米国UCLAのF. Frankelが考案[99]，実施しているものを岩坂が日本版に改訂したものである[100]。対象は知的障害のある子どもを除いたADHDなど神経発達症のある小学3年生から6年生の子ども約6人とその親である。スタッフは精神科医師，臨床心理士，作業療法士，外来看護師と学生ボランティアという多職種により構成されている。

(2) 奈良県総合リハビリテーションセンターSSTの内容

SSTは，1セッションが学習タイム，遊びタイム，親プログラムに分けられており，全11セッション（最後の1セッションは修了式）を1クールとし，約半年間かけて行っている。子どもが学習タイムを行っている間，親は別室で親プログラムを行い，遊びタイムでは子どもが行っているこ

表6 SSTの全体スケジュール

	学習タイム（前半50分） ウォーミングアップ5分 チャレンジ報告10分を含む	遊びタイム（後半40分）	親プログラム
①	ルール説明・自己紹介	体を思いっきり使おう	オリエンテーション
②	場面や表情を読む	体の大きさを意識しよう	場面を見て先を読む
③	行動による結果を予測する	パワーを意識しよう	感覚統合の話
④	上手に誘う	タイミング（開始と停止）を意識しよう	遊びの始め方
⑤	理由をたずねる	加速（力とスピード）を感じよう	感覚統合と対人面
⑥	やり方を教えてもらう	他者の体を感じよう	遊びの続け方
⑦	ほめる・応援する	他者とタイミングをあわせよう	学校との連携
⑧	怒りのコントロールの仕方	他者と加減をしながら動こう	衝動コントロール
⑨	断って意見を言う	他者と言葉をかけあいながら動こう	感覚統合相談
⑩	まとめとフィードバック	まとめ	フィードバック
⑪	修了式・事後評価	集団ゲームでの応用	

とを見学し，子どものスキルの般化を家庭でサポートできるようにする。セッション間は自宅や学校において各セッションで学んだことを実践するチャレンジ課題に取り組む。また，学校での般化を促すため，希望者に限りスタッフが学校訪問を行い，授業を見学し，教師と学校での様子や課題について話し合う。

標的スキルは，場面・状況をよく見て自分の行動による結果を予測し（第2・3回），遊びを始め（第4・5回），その遊びを続ける（第6〜9回）ために必要なスキルである。最終的には，言葉で意見や気持ちを主張し，感情をコントロールできるようになることを目標としている。
全体スケジュールを**表6**に示す。

次に各々のプログラムの手順について説明する。

①学習タイム

精神科医師もしくは臨床心理士から学習タイムの進行役のリーダーおよび進行補助役のサブリーダーを各1人ずつ決め，残りのスタッフ3〜5人程度で，ポイントジャッジ役，ロールプレイ担当，参加児のサポートをする。部屋は30畳程度の広さで参加児6人が長机に横並びに座り，参加児の1.5mほど前にホワイトボードを設置している。参加児の注意がそれないように，広すぎない部屋を使うことが大切である。

・ルール確認

「手を挙げてあてられてから話す」，「人の話を聞く」，「リーダー（学習タイムの進行役スタッフ）の言うことを聞く」という学習タイムのルールを確認し，ルールを守れていたらポイントを加点し，守られなかったらポイントを減点する。ただし，基本的には本人を認める視点が大切であり，極力減点はせず，着実にポイントがたまるように配慮する。また，「しっかり見て，じっくり聞いて，はっきり言う」というSST全体の基本ルールを確認し，意識を促すために室内や本人が持つファイルに貼っておく。

・チャレンジ報告

前回セッションで学んだスキルを自宅や学校で行ったことをチャレンジシート（**図8**）

にそって報告する。報告後，がんばってきたことに対してスタッフや親からの賞賛（拍手やシール）が与えられる。また，チャレンジシートには親と教師のコメント欄があり，ポジティブなコメントを書いてもらうことが大切である。

・ウォーミングアップ

ウォーミングアップは感覚統合理論に基づき，作業療法士が進行する。学習タイムに臨むにあたり，覚醒状態を適度に調整し，姿勢保持のための筋緊張を高める目的で作業療法士が設定した軽い運動を行う。

・学習タイム

学習タイムは，導入（なぜこのスキルが必要かを説明する），モデリング（スタッフによるありがちな失敗例を提示した後，子どもたちの意見を聞いて成功例を設定する）を行った後，子どもたちによるロールプレイ（成功例）を行い，それに対するフィードバックをスタッフや他の子どもたちから行う。最後にワークシート（図8）を記入し，理解度の確認を行い，次回までのチャレンジの説明を行う。最後に，参加できたご褒美として缶バッジが手渡される。

②遊びタイム

遊びタイムの進行役は作業療法士が行い，残りのスタッフ7人程度で，安全管理や遊びの仕掛け，参加児と親のサポートを行う。遊びタイムは体を動かすため，学習タイムより多くのサポート役が必要となる。部屋は150m^{2}程度の部屋を利用し，あらかじめ遊びに必要なもの（サーキットでは平均台やボールプールなど）を準備する。遊びタイムの始まりは，ルール確認と学習タイムで学んだスキルを再確認する。次に自分自身や物の操作，そして空間や人との関わり方を認識するため，表6に示した感覚統合のテーマに基づき作業療法士が考えた遊びを行う。遊びタイムでの目標は，学習タイムで学んだスキルを用いることであり，遊びのなかでそれらのスキルを用いる場面をあらかじめ設定しておく。また，遊びのなかでは競争をする場面，協力をする場面を含んでおり，それらを学ぶことも大切である。これらをとおして，子どもたちはスキルだけでなく主体的に遊びながら自信を高め，チームワークをもてるようになっていく。遊びタイム終了後には，参加児，スタッフ，親が集まり，全体フィードバックを行う。参加児一人ひとりにポジティブなフィードバックを行い，全員で拍手をし，最後にご褒美として缶バッジを渡して終了となる。

③親プログラム

親プログラムは各回のテーマにより精神科医師，臨床心理士，作業療法士，奈良県総合リハビリテーションセンター内にある特別支援教育推進室支援係の教師が担当している。まずは，セッションで学ぶスキルの内容と，セッションの流れを説明する。そして，そのスキルについて，自宅や学校でうまく使えているかを話し合う。また，表6で示されているテーマについて講義し，質疑応答の場が設けられる。

(3) SSTの有用性と今後の課題

筆者を含め岩坂らのグループは，SST前後およびSST終了半年後にさまざまな評価を行い，治療効果について調査検討しており，それらを紹介する。

SST第1期から第13期までの参加児童80人（ADHDを主とした神経発達症の診断がついている）を対象に，社会的スキルとしてSSTで定めた目標スキル尺度を，ADHDの中核症状の評価としてADHD評価尺度（ADHD Rating Scale；ADHD-RS），行動面の評価として子どもの行動チェック

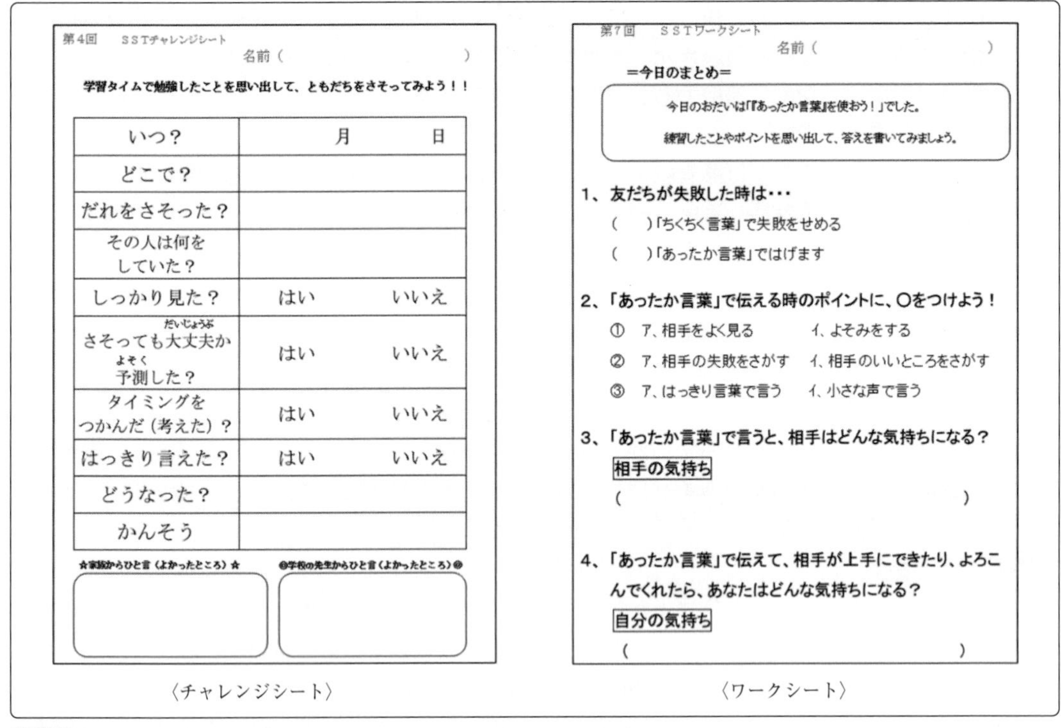

第4回　ＳＳＴチャレンジシート

名前（　　　　　　　　）

学習タイムで勉強したことを思い出して、ともだちをさそってみよう！！

いつ？	月　　日
どこで？	
だれをさそった？	
その人は何をしていた？	
しっかり見た？	はい　　いいえ
さそっても大丈夫か予測した？	はい　　いいえ
タイミングをつかんだ（考えた）？	はい　　いいえ
はっきり言えた？	はい　　いいえ
どうなった？	
かんそう	

☆家族からひと言（よかったところ）☆

◎学校の先生からひと言（よかったところ）◎

〈チャレンジシート〉

第7回　ＳＳＴワークシート

名前（　　　　　　　　）

＝今日のまとめ＝

今日のおだいは「『あったか言葉』を使おう！」でした。

練習したことやポイントを思い出して、答えを書いてみましょう。

1、友だちが失敗した時は・・・

（　　）「ちくちく言葉」で失敗をせめる

（　　）「あったか言葉」ではげます

2、「あったか言葉」で伝える時のポイントに、○をつけよう！

① ア、相手をよく見る　イ、よそみをする

② ア、相手の失敗をさがす　イ、相手のいいところをさがす

③ ア、はっきり言葉で言う　イ、小さな声で言う

3、「あったか言葉」で言うと、相手はどんな気持ちになる？

相手の気持ち

（　　　　　　　　）

4、「あったか言葉」で伝えて、相手が上手にできたり、よろこんでくれたら、あなたはどんな気持ちになる？

自分の気持ち

（　　　　　　　　）

〈ワークシート〉

図8 チャレンジシートとワークシート

リスト（Child Behavior Checklist；CBCL）を用いて調べた。すると，親評価で社会的スキルがSST前と比べSST終了半年後で一部（「話を聞く」，「場面を読む」，「怒りのコントロール」）改善を認めた。ADHD-RSの親評価は，SST前と比べ，合計スコア，不注意スコアがSST後およびSST終了半年後でともに改善を認め，多動・衝動スコアはSST終了半年後で改善を認めた。CBCLも親評価ではあるが，SST前と比べSST後は合計得点，内向尺度，外向尺度ともに改善しており，下位項目では「ひきこもり」，「非行的行動」，「攻撃的行動」，「その他の問題」で改善を認めた[101]。

また筆者らは，SSTに参加しADHDと診断された15人を対象に生物学的指標として，SST前後で事象関連電位（event-related potentials；ERP）を調べた。すると無意識的な自動処理を反映する成分と考えられているMismatch Negativity（MMN）の振幅がC4においてSST後に有意な改善を認めた。ADHDにおけるMMNについては，多動・衝動性の強さとMMNの振幅低下の相関が報告されており[102]，メチルフェニデート（MPH）やアトモキセチン（ATX）による薬物療法で，SSTと同様にMMNの振幅が一部改善することが示されている[103, 104]。このことから，第三者による主観的な評価だけでなく，客観性をもってSSTの効果が示唆された[105]。

しかし一方で，教師評価ではSSTによる改善は乏しく，特に学校でのスキルの般化を促すために教師との連携が必要であると考えられた。この結果を踏まえSSTでの学校訪問の取り組みを始めており，今後学校訪問を含めたSSTの効果の検証が待たれる。

3）今後の展望

ADHD児に対するSSTの治療は有用であるが，日常生活場面への般化，友人関係における相互関係への介入，コストやマンパワーの問題などの課題がある。それらの課題に向けた新たな取り組みを紹介する。サマー・トリートメント・プログラム[106]などの日常生活場面に近いレクリエーショ

ン場面でのSSTは，日常生活へのスキルの般化に対し有用である。また，学校現場では，特別支援学校や特別支援学級で主に行われていたSSTから，一般集団への般化や友人同士の相互関係を促すための，全校児童を対象としたSSTによる社会性の獲得を目指す教育（social skills education；SSE）へと広がりをみせている[107]。

近年，バーチャルリアリティーによるSST研究[108]も進んできており，時間や場所の制限なく自分の好きなときにできることやコストやマンパワーを軽減することができることから，新たな有望な治療法になりうると考えられる。

（浦谷 光裕）

 PCITおよびCARE

1）はじめに

親子相互交流療法（parent-child Interaction therapy；PCIT）と子どもと大人の絆を深める（Child-Adult Relationship Enhancement；CARE）プログラムはともに，行動理論を基盤とした心理プログラムである。前者は個別の子どもと養育者に実施し，子どもの行動の改善に関するエビデンスのある心理療法であるのに対して，後者は養育者に実施する心理教育的介入である。いずれもADHDの子どもと養育者において有益となりうるため，簡単に紹介する。

2）PCITについて

(1) PCITの概要[109]

PCITは，1970年代にフロリダ大学でEyberg氏が考案した個別の親子心理療法である。対象は2～7歳の子どもとその養育者（親，里親，施設職員など）であり，当初は衝動性，反抗などの破壊的行動の問題の改善を目的に開発された。複数のメタ解析において，破壊的行動の改善，養育者のストレスの軽減，子どもと養育者の関係性の改善に効果があることが示され，エビデンスが認められた治療介入法である[110~112]。その後の研究において，PCITは破壊的行動障害への効果のみならず，自閉スペクトラム症，分離不安症，虐待をはじめとしたトラウマなどにも有効であり，虐待家族における再虐待率を低下させると報告されている[113~115]。

PCITでは，治療者が子どもと養育者を別の部屋から，マジックミラーまたはモニターを通して観察し，トランシーバーなどで養育者の耳元に直接コーチングを行う（**図9**）。養育者は子どもと実際に関わりながらリアルタイムでスキルを身につけることが特徴である。PCITの修了基準は，養育者のスキルが合格基準に到達することと，子どもの問題行動が正常範囲にまで下がることである。このため，回数はケースによって異なる。毎週60～90分のセッションを合計14～18回行うため養育者のスキルは定着しやすく，対象の子どものみならず兄弟の行動も改善されることや，子どもの行動の改善は学校にも般化し，改善がPCIT終了後3年間維持されることが確認されている[116, 117]。

養育者のスキルの確認は，PCITに特化したコーディングシステムを用いて行う。このコーディングのスキルの習得と，ライブコーチングのスキルの習得のため，PCITを実施するためには，開発者のEyberg氏が認定しているPCITインターナショナルの基準を用いたトレーニングが必要となる（詳しくは後述）。日本では2005年よりPCITが実践され，2021年末現在で28人の認定トレー

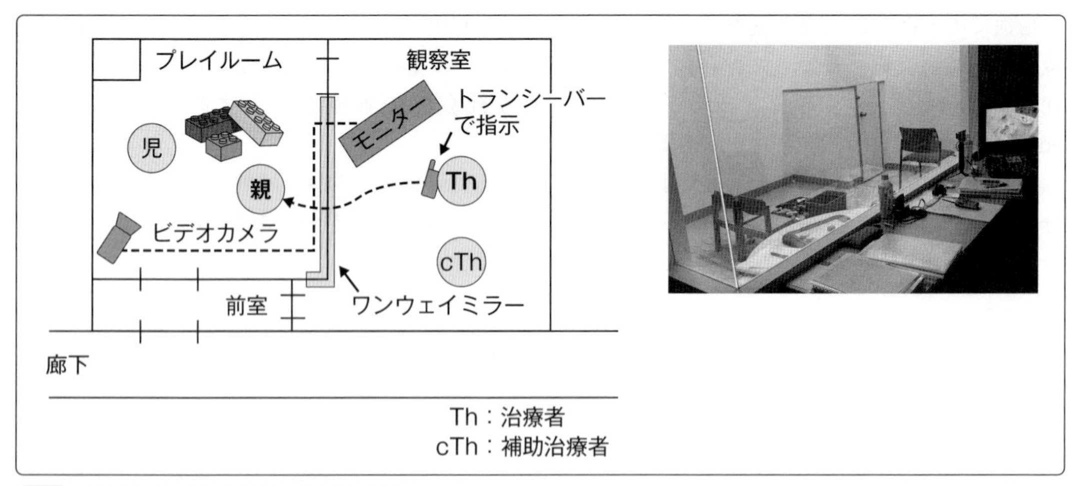

図9 当院におけるPCITの部屋の設置

ナーと53人の認定セラピストが誕生しており，北海道から沖縄まで各地方に分布している。

(2) ADHDの子どもへの効果

ADHDの子どもの心理社会的治療法として，行動理論に基づいたペアレント・トレーニングの効果が十分に認識されている。7歳までのADHDの子どもを対象としたメタ解析では，①肯定的な養育スキルの増加，②一貫性のあるしつけの方法の維持，③タイムアウトの使用，④養育者が子どもにスキルを実施できるようにトレーニングを行うこと——の4つの要素を含む治療法が最も高い効果量をもつことが示されており[118]，PCITもこの4つの要素を兼ね備えている。

ADHDの子どもと養育者を対象としたPCITの効果研究は複数報告されている。Matosらはプエルトリコで，78%にADHDの診断をもち，89%にODDの診断をもつ4〜6歳の子どもと家族を対象とした効果研究を行い，PCITの実施によって養育者の報告による多動症状とODD症状の有意な改善を，それぞれ62%と88%に認めたことを報告した[119]。Nixonらは，3〜5歳のADHDの診断をもつ子どもと家族34組にPCITを実施し，実施群は待機群に比して有意にADHD症状が改善し，治療後にADHDの診断基準に該当しなくなる割合が高いことを認めた[120]。Eybergらによると，治療前にADHD，ODD，CDのいずれかまたは併存した子ども20例（うちADHD単独・併存例は併せて15例）にPCITを実施したところ，修了した13例においてADHD，ODD，CDのいずれの診断にも合致しなくなった子どもは11人であった[121]。さらに，2年後に追跡可能だった11例において，養育者記入の質問紙（CBCLおよびECBI）における外向尺度の問題行動の指標は低く維持されており，中枢神経刺激薬を服用していたのは2例であった。PCITの実施によって，薬物療法実施を必要としなくなる程度にADHDの中核症状が改善する可能性が示唆された。また，過去のPCITの効果研究では薬物療法を併用している子どもも含まれていたが，近年の報告では薬物療法の有無によってPCITの効果に相違がないことが示された[122]。日本ではADHDの子どもと家族にPCITを実施し，問題行動の改善を認めた症例報告がなされている[123]。

まとめると，PCITはADHD症状や併存する破壊的行動障害の症状を改善させることが研究報告により示唆されており，PCITを実施可能年齢（2〜7歳）のADHDの子どもの治療計画にPCITは一つの選択肢となりうる。

(3) 具体的な実施法（表7）

PCITは2段階に分かれる。前半は子ども指向相互交流（child-directed interaction；CDI）と呼

表7 PCITの治療経過および実際のスキル

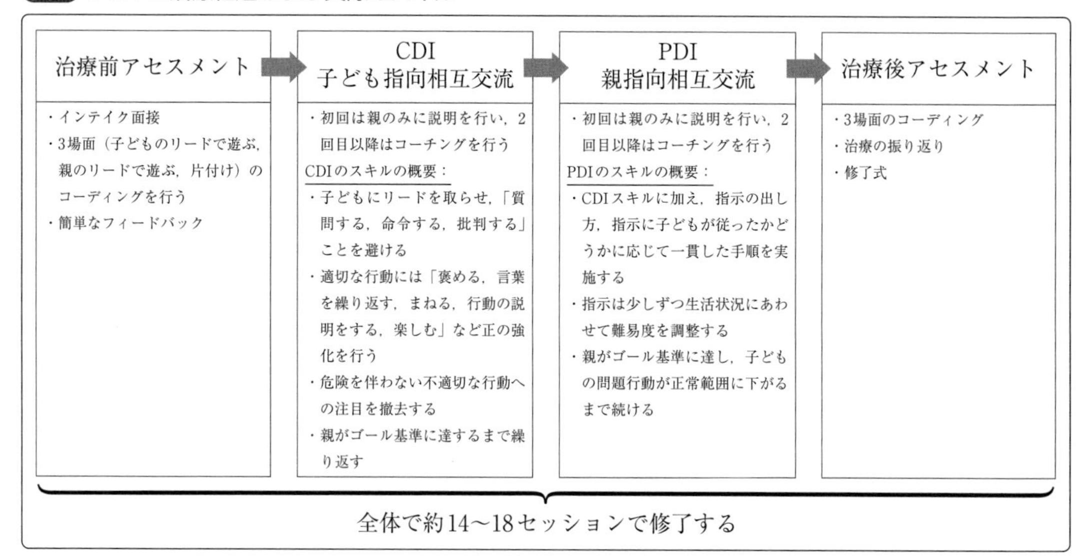

ばれ，養育者が子どものリードにあわせて遊び，表7に示したようなスキルを身につけていく。温かい関係性を育むこと，養育者が子どもの行動に応じて注目の度合いを変えることで，子どもの適応的行動を増やすことが目的となる。セッション間には5分間，遊びの相互交流が宿題として出され，毎日実施することが推奨される。遊びのなかでのスキルが上達していくと，褒めることが定着するため，日常生活の状況でスキルを般化していく。

後半は親指向相互交流（parent-directed interaction；PDI）と呼ばれ，いわゆるしつけの手順が追加される。前半のCDIで子どもの問題行動はすでに大幅に改善されていることが多く，後半のPDIでは必要な場面で養育者がイニシアチブを取って指示を出すことで，バランスの良い養育態度をとれることを目標とする。CDI同様，遊びのなかの簡単な指示から日常場面での指示に般化を行う。

CDIの初回とPDIの初回のみ，養育者だけの来院とし，概要を説明するティーチングセッションを行うが，それ以外は子どもと養育者で治療に参加する。コーチングセッションの時間配分はおおよそ**表8**のとおりである。毎セッション，養育者は子どもの行動に関するチェックリスト（アイバーグ子どもの行動評価尺度，eyberg child behavior inventory；ECBI）[124]を記入し，進捗を確認する。これらの結果はコーディングの結果と共に養育者にも毎回提示し，それをもとに宿題やセッションを組み立てていく。

コロナ禍以前より米国では，インターネットを介したオンラインPCIT（internet-based PCIT：I-PCIT）の実践がなされており，わが国でも2020年より急速に普及してきた。家庭における子どもと養育者の日常の様子をコーチングするため，日常への般化がしやすいことが利点であるが，治療室のように環境を構造化しにくく問題行動の制限が困難な欠点がある。

(4) PCITの適応・限界

PCITの適応は2〜7歳の子どもと養育者である。毎週セッションに参加できることと，宿題の実施ができることが条件となるが，施設によっては隔週の実施がなされている場合もある。PCITにおけるエビデンスは，治療修了まで継続できたケースにおけるものであり，治療中断した場合には治療効果が減弱することが報告されている[125]。中断率は30〜65%であり，低い社会経済的状況，

表8 PCITコーチング・セッションの治療構造

チェックイン	約5〜10分	・親と治療者で宿題の振り返り ・子は別室でコ・セラピストと待機 ・家庭や日常の様子について，ECBIを記入
コーチング	約40分	・治療者とコ・セラピストは別室から親子の交流を観察 ・5分間コーディングし，親子のやり取りを数値化 （CDIは毎回，PDIは指定された回） ・コーディングの評価をもとにライブ・コーチングを行う ・両親がいる場合は時間を半分に分けて，1人ずつが子どもと関わる時間を設ける
チェックアウト	約5〜10分	・親と治療者でコーチングの振り返り ・宿題を通して，親のスキルを強化 ・日常の般化について助言

（加茂登志子：日本語版ECBIアイバーグ子どもの行動評価尺度；Eyberg Child Behavior Inventory. 千葉テストセンター，2016より引用）

養育者の抑うつ状態，養育者の子どもに対する否定的認知などが中断のリスク要因として挙げられている[126]。そうした子どもと養育者の場合でも，養育者とのラポール形成を十分に行い，養育者の治療への動機づけを高めることで修了できるケースもある。性的虐待の加害養育者と子どもにおいては，PCITは禁忌となっている。

(5) PCITを実施するには

PCITを実施するには大きく分けて，設備の準備と治療者のトレーニングが事前に必要となる。

設備に関しては，2部屋が必要となり，子どもと養育者の様子を観察するためのマジックミラーまたはビデオカメラとそのモニター，コーチングのためのトランシーバー，ケーススーパービジョンを受ける場合には録画機器が必要となる。同室でコーチングを行うインルーム・コーチングという方法もあるが，子どもにも治療者の声が聞こえてしまうため，年長児においては使用しにくい。子どもと養育者が使用するおもちゃはルールのない創造的な遊びが可能なものが推奨されており，積み木，組み立てブロック，おままごと，画用紙と色鉛筆，パーツの取り外しが可能な人形，など2〜3種類（治療前後の評価には5種類）が必要となる。

治療資格を得るためには，PCITインターナショナルが推奨するトレーニングを受ける必要がある。先に述べたように，PCITに特化したコーディングシステムやコーチングのスキルの習得のために必要とされている。具体的には，40時間のイニシャルワークショップを受講し，その後2ケースのスーパービジョンを受ければ認定セラピストの資格が取得可能である。ワークショップは定期的に開催されているため，PCIT Japanのホームページを参照されたい。

このように初期費用がかかるが，PCITは子どもの長期予後を改善させる効果の高い介入方法であり，費用対効果の研究においても利点が多いことが示されている[127]。

(6) 症例

症例 4歳10カ月 男児

母による主訴 落ち着きがない，かんしゃく，興奮すると母を叩く

PCIT導入までの経過

周産期異常なし，言語発達・運動発達の遅れはなかった。3歳より保育園に通ったが，友達を叩く，場面の切り替えが苦手など，集団生活がうまくいかなかった。落ち着きがないのは母が働いているためだと周囲の親族に責められたため，母は退職して幼稚園に転園したがそこで

も他児とのトラブルが認められた。4歳5カ月で児童精神科を受診し，精神医学的評価および発達検査ののちADHDと診断された。母はペアレント・トレーニングの本を読み，関わりを工夫したが，子育てに対して自信がない様子であった。主治医の勧めで4歳10カ月より児と母に対するPCITが開始となり，筆者が担当した。

PCITの治療経過

定期的な外来通院と並行してPCITが実施された。治療前のアセスメントでは，子どものリードで遊ぶ，養育者のリードで遊ぶ，片付け，の3場面を実施する。児が好きなように遊べる場面では，楽しくおもちゃで遊べていたが，母のリードで遊ぶ場面では，何度も繰り返し声をかけられないと遊びを切り替えられず，切り替えられても長くぐずる様子がみられた。

前半のCDIの初回には母に一通りスキルを伝え，ロールプレイを実施した。母は理解が早く，宿題をほぼ毎日実施し，スキルは早いペースで身についたが，母自身「仮面をかぶっているみたい」と表現し，普段の関わりと隔たりがあると話した。CDIコーチングセッション#2では，児が場に慣れてきたこともあり，家でみせるような問題行動を多く示した。具体的には，母の顔にお尻を押し付けたり，椅子の上にのぼったり，おもちゃをわざと母の顔を見ながら舐めたりした。こうした行動は，児が飽きたときや母の注意が児から逸れたときに起きやすい傾向が認められたため，それを指摘し，適切な行動を行っているとき（椅子に座って遊んでいる，丁寧におもちゃを扱う）に肯定的な注目を与え続けること，不適切な行動には一貫して注意を払わず，その行動が止んだときに褒めるよう（「戻ってきてくれてありがとう」）にコーチングした。治療者は母に対して，同様にCDIスキルで関わるように意識し，母が使うことのできるスキルを褒めることや，母の普段の努力をねぎらうように努めた。CDIはセッション#5でゴール基準に達したため，PDIに進むこととした。母は宿題以外の時間でも児の行動を褒められるようになり，より自然にスキルを使えるようになっていた。セッションでは母子のスキンシップが増え，温かい遊びが続いた。いつも自信なさそうな母も「関わり方がだいぶわかってきました」と嬉しそうに報告した。

後半のPDIの初回では，指示の出し方と児が従ったかどうかに応じてタイムアウトを含む手順を母に一通り説明した。その次のコーチングセッションで児に対しても同じように手順を伝え，母の指示に従う練習を行うことを伝えた。まず，簡単な遊びの指示（「青いお皿を渡してください」，「黄色いブロックをここに置いてください」）の練習をし，児は100%母の指示に従い，褒められて嬉しそうであった。その後のセッションでは，日常でも使える指示（「足を箱から降ろしてください」，「椅子に座ってください」）に徐々に難易度を上げ，宿題も同様の指示の練習とした。長い指示は聞き逃すこともあったが，短く区切り，指差しをすることで従う割合が高まった。PDIが進むと母のいうことはほぼ聞けるようになり，幼稚園での友達に対して衝動的に手が出てしまうことはあったものの頻度は減った。母はそれに対して「可愛さは天下一品なんだけど，まだ落ち着きのない部分がある」と，以前は児を否定的にとらえることが多かったが，児の衝動性と児の性格とを分けてとらえられるようになっていった。

PDIコーチング#8では，公共の場でのスキルの応用を行うため，セッションルームを出て院内を歩くセッションを実施した。定期的に「上手に歩けてるよ」と母は声をかけ，児は母と手をつないで回ることができた。#9では，弟も来院し，兄弟と母のコーチングセッションをもった。兄弟セッションでは，兄弟に交代でスキルを用いて，肯定的な注目を向け，おもちゃの取り合いになったときは母が児に指示を出して対応した。

本ケースはCDI5回，PDI9回で修了し，前後のアセスメント入れて合計18回で修了となった。児の問題行動尺度の得点は低下して正常範囲内となり（ECBI：139→90点），母の養育ストレス尺度の得点も低下した（PSI-SF：120→93点）。母は，「子どもの難しさをわかってくれるのはここだけだった」と涙を流しながら感想を述べた。

考察

もともと多動衝動性の強いADHD児で，開始時には集団生活でのトラブルに母は自責的であった。年齢的に薬物療法は困難と判断され，主治医の勧めでPCITが開始となった。PCITを通じて，母はスキルを身につけ不適切な注意引き行動を予防し，必要なときには指示に従わせられるようになり，本児の問題行動および母の養育ストレスの低減が認められた。

3）CAREについて

(1) CAREの概要[128]

CAREは，シンシナティ子ども病院で開発され，PCITをはじめとする複数の行動理論を基盤とした心理教育的介入である。複数の養育者のグループまたは個別に実施し可能で，講義とロールプレイを通してスキルを実践的に養育者に伝えることができる。PCITがインテンシブな治療で，設備を含めた治療環境が必要であるのに比べると，CAREは4～6時間で習得可能であるため，定期的な来院が困難なケースに実施できるメリットがある。また，グループで実施した際には，養育者同士がつながるピアグループ的な側面をもちうる。

筆者が勤務する施設では，CAREの内容を4～5回に分け，1時間～1時間半ずつ実施している。習得したスキルを子どもに実践することを宿題とし，翌セッションで疑問点や問題点のディスカッションを行い，スキルを定着させる工夫を行っている。2018年に改訂されたマニュアルには，CAREは治療ではないことが明記されているが，一方で受講した養育者の養育スキルが改善することや，子どもの問題行動が軽減することが報告されている[128]。少し古いデータになるが，当院で2013～2017年に子どもの診断がADHDであった11人を含む合計44人の養育者に個別に実施し，問題行動の有意な減少を認めた[129]。

CAREを実施することができるファシリテーターになるには，PCITまたは前向き子育てプログラム[130]などのエビデンスのある行動理論に基づいた心理療法の資格をもち，さらに，CAREのトレーニングを受けることが要件となる。ファシリテータートレーニングの詳細については，CARE Japanのホームページを参照されたい。

4）おわりに

本項は，今版より追加となった項である。PCITとCAREの治療者は増えているものの，ADHDの治療の選択肢となるには実施可能な施設が十分とはいえない。PCITを通して，ADHDの子どもが自尊心を向上させ仲間関係を育む基盤を作っていけることや，養育者が衝動性などの強い子どもに冷静に対応できるようになることは，ADHDの子どもの長期予後の改善だけでなく虐待予防にもつながっていくと思われる。将来的に多くの施設で実施され，低年齢児のADHD治療の選択肢として定着していくことを願う。

（細金 奈奈）

10 STP（サマー・トリートメント・プログラム）

1）Summer Treatment Program（STP）：目標・適応

STPは，ADHDのある青少年のための集中治療プログラムで，適応スキルを養い，問題行動を減らす行動介入を行う集中治療法である。家族は，ADHD症状そのものよりもADHDがもたらす機能障害に困って治療を求めて受診する。友達関係，学業成績，家庭機能とペアレンティングにおける機能障害が長期的予後を決める因子であり，治療の目標とすべきである。臨床医は，あまり信頼できない報告をもとに診察室で「待ちの治療」を行っているが，STPは，診察室を飛び出し，学校に近い環境で子どもに治療を行うものである。STPは，エビデンスに基づく複数の介入パッケージでほとんどの介入が，オペラント条件づけと社会学習理論に基づく応用行動分析を用いている[131]。STPは，米国ですでに40年近くの歴史があり，現在，北米主要都市20カ所でフロリダ国際大学William E Pelham, Jr教授らが開発したSTPが行われている。米国でのSTPは，5～16歳までのADHD児を対象とした6～9週間のプログラムである。児童は，12～15人の同年齢児と同じクラスでSTP期間中過ごす。米国では，就学前児や高校生向けSTPも開発されている[132, 133]。福岡県久留米市で2005年から開催している「くるめSTP」は，米国のSTPに基づき，わが国の医療・教育文化に合わせてアレンジした2週間プログラムである。米国のSTP同様，くるめSTPのADHD症状や行動改善に関する短期的効果をすでに報告した[134～136]。STPには，①治療，②研究，③教育の3つの機能がある。参加した子どもたちにエビデンスに基づく効果的な治療法を提供するだけでなく，行動療法，薬物療法，両者の併用療法の効果検証など米国国立精神衛生研究所（NIMH）主催のMTA研究などADHDの理解に貢献する莫大な研究が行われてきた。STPの目標は，下記の6つであり，くるめSTPの対象となる児童はADHDの診断を医療機関で受け，夏季休暇中に下記の目標を達成したい知的障害のない小学生である。

・問題解決スキルやソーシャルスキル，友達とうまくやっていけるという自覚を育てる
・学習スキルを改善する
・指示に従う，課題を遂行できる，大人の要求に応じるなどの能力を育てる
・日々の生活（対人的，スポーツや学習場面など）で必要な能力を伸ばすことによってセルフエスティームを高める
・子どものポジティブな変化を育て，維持し，強化するための方法を保護者に教える
・学習や社会的機能におよぼす行動療法や薬の効果を自然な状況下で評価する

2）実施法[106, 131～133]

くるめSTPは夏休み中の2週間，月曜日から金曜日までの日帰りデイキャンプで，子どもたちは，市内の小学校に通う。学校生活に近い環境でSTPを行うことが重要なポイントである。神経発達症に詳しい小児神経科医や看護師，臨床心理士，特別支援教育に関わる教師スタッフチームの指導のもと，事前研修を受けた心理学科大学生カウンセラーが中心となって子どもたちに直接指導を行う。子どもたちは同年齢の子ども12人のグループのなかで，毎日7時間（米国STPでは9時間）を学習センターやレクリエーション活動で過ごし，グループとして行動することや友達づくり，大人との適切な関わり方を学ぶ。子どもたちは約1時間（米国STPでは2～3時間）を学習センターで教師と過ごし，行動修正プログラムは終日行われる。「くるめSTP」に参加する大学生・大学院生，

教師は，5月に全体研修を受けた後，それぞれの班ごとに研修を受ける。医療班の学生は，医師，看護師による参加児童の熱中症防止などの体調管理を中心とした研修を受け，心理班の学生は，ポイントシート係，スポーツ係，子どもの教室移動等を担当する進行係にそれぞれ分かれてリードカウンセラー（大学生カウンセラーの指導）を務める臨床心理士による研修を受ける。また，教育班の教師は，学習センターの時間のなかで使用するプリントや指導方法の研修を受ける。市教育委員会から学校長宛に依頼して，参加を希望した，主として特別支援教育を担当する教師と学生が関わっている。学習センターでの活動は，①個別学習（算数，国語などのプリント課題），②友達と教え合うPeer tutoring（米国では2人組の教え合い，くるめSTPでは，4〜5人の班によるグループ学習），③パソコンを用いた個別学習（くるめSTPでは，算数ソフト）の3つに分かれており，それぞれ後述するポイントシステムで行動や学習が評価される。そのほかの時間は，ソーシャルスキル・トレーニング（SST），スポーツスキル・トレーニング，スポーツの試合，水泳などを行う。スタッフの指導のもと，各グループ8人の学生カウンセラーが12人の子どもを担当する。また，米国STPでは，保護者もクラス別に週1回夜に行われるペアレント・トレーニング（託児あり）にSTPスタート数カ月前から参加し，STP期間中も継続する（トータル10回）。くるめSTPの場合は，STP前に保護者会1回，STP期間中に5日間連続90分1コマのペアレント・トレーニングを受講する。

3）STPで用いられる主な手法[106, 132]

(1) ポイントシステム

STPでは，子どもが適切な行動をとると報酬としてポイントがもらえ，不適切な行動をとるとポイントを失う。ポイントを獲得できるのは，①ルールを守る，②スポーツ中の態度が良い，③不適切な行動をしなかった場合のボーナスポイント，④質問に注意を払い正確に答える，⑤指示や命令に従う，⑥仲間を助ける，⑦仲間と一緒にものを使う，⑧グループ討論で積極的に発言する，⑨挑発や侮辱を無視する——などである。逆に，ポイントを失うのは，①〜⑨の項目の違反や他人を攻撃する，物を破壊する，盗む，妨害する，不平を言う，からかう，ののしる，嘘をつく，許可なしに活動場所を離れる——などである。

また，すべての活動には「活動のきまり」があり（例：スポーツのきまり・一生懸命試合に参加する），きまりを守りながら活動することで，多くのポイントが獲得できる。各自がポイントを獲得する（もしくは失う）と即座にカウンセラーが子どもに「○○君，“仲間を助ける”で10点の加点です」といったふうに伝える。カウンセラーのうち1人は，子どもに対する他カウンセラーの加点，減点のポイント宣言をポイントシートに絶えず記録する。活動の終わりの「ポイントチェック」の時間に各自の獲得したポイントをアナウンスする。子どもは獲得したポイントによってさまざまな賞を獲得することができ，顔写真が掲示され多くの人から賞賛される経験をもつことができる。最もポイントを多く獲得した子どもは“Honor Roll”（くるめSTPでは，「金メダル賞」）という名誉を得ることができ，エレベーターが使えるなどの特権が与えられる。正の強化子としては，上記のポイントだけでなく，毎日の連絡カード（デイリーレポートカード：DRC）の目標達成度に応じて保護者が家庭で与えるご褒美，仲間やスタッフと遊べる時間の獲得などがある。また，個別に設定されたポイントやデイリーレポートカードの目標を達成した子どもたちは，金曜日のお楽しみ会・遠足に参加できるという大きなご褒美も設定している。加えて，保護者の褒め言葉，皆の前での賞賛など社会的強化子も多く用いる。

(2) デイリーレポートカード（daily report card：DRC）

DRCは，ADHDの子どもの治療に最もよく用いられる効果的方法である。STPでは，標的行動（target behavior，ADHDの子どもに特徴的かつ最も困っている問題行動）と，目標到達基準（通常80%）が最初の1週間で決められ，2週目が始まる前に1週目のデータを基に改訂される。標的行動は，学習活動とスポーツの両方から通常3個選ばれる。標的行動によくとりあげられる問題行動は，忘れ物が多い，スポーツルールを守らない，質問に正確に答えない，活動ルールを破る，言葉による悪口，非服従，不満・不平を言う，タイムアウトを守らない，いばる，嘘をつく，わざと幼稚な行動をとるなどである。DRCは保護者にSTPの治療効果について毎日フィードバックするもので，家庭と学校との優れたコミュニケーション手段でもある。DRCは，毎朝子どもに手渡され，子どもが自分で管理する。決められた時間にカウンセラーが各自のDRCの目標が達成されたら「はい」，されなかったら「いいえ」に○をつけ，子どもに返す。午前中（午後）の「はい」の数が75%以上かつタイムアウトの延長もなければ，15分間のお昼休み（帰りの自由時間）がもらえる。治療効果評価の手段としてもDRCは簡単で有用な方法であり，日本の学校でも使える簡単な方法である。DRCのスタートパッケージ日本語版は，「NPO法人くるめSTP」のWebサイトからダウンロード可能である[137]。

(3) タイムアウト

他人への攻撃，物を壊す，繰り返し先生の言ったとおりにしない場合は，ポイントの減点とともに，クールダウンのためにタイムアウトが課せられる。タイムアウトは，最低10分間，決められた場所に一人で座っていなければならない。ただし，指示どおりにタイムアウトが実施できれば，タイムアウトの時間は半分に短縮される。タイムアウト中は，ポイントは与えられない。

(4) SST：友達関係改善のための介入

毎日のテーマ（「仲間と協力する」，「活動に参加する」など）に沿って，朝の会で，カウンセラーがロールプレイ（良い例，悪い例）で，実際の活動場面での行動のモデルを子どもたちに示す。また，良いロールプレイは，希望する子どもにもやってもらう。活動中にはSSTに基づく行動のフィードバックを行う。

(5) スポーツスキル・トレーニング

スポーツのルールやスポーツマンシップを学ぶことと，スキルアップのためスポーツの練習（サッカーかキックベース）を行う。ADHDのある子どもたちはゲームのルールを覚えていない・守れない，運動が苦手な子が多い。そのため，学校で友達に拒絶され，セルフエスティームが下がる。スキルレベルに応じた小グループでのスポーツスキル・トレーニングを行い，午後に行われる試合で実践する。発達性協調症のある子どもには少人数で丁寧な指導を行う。

(6) 個別プログラム

STPの標準的な介入方法でうまくいかない場合，スタッフは，問題行動の機能的分析を行い，個別プログラムを考える（例：タイムアウトの時間短縮を目標行動にする）。毎年，個別プログラムを必要とするのは，24人中1人程度である。

4）STPの意義[136, 138]

くるめSTPは，ADHDをもつ子どもの行動改善だけでなく，スタッフや学生の臨床研修・教育にもとても役立つプログラムである。2005～2019年の15年間にくるめSTPに参加したADHD児は324人に達し，STP期間中のドロップアウトは0である。STPは，地域での医療，心理，教育の協働・連携システムの新しいモデルになっている。毎年参加する心理学科，看護学科，医学科学生はのべ50人，教師は15人，児童が通常通っている小学校関係者を中心に多数のSTP見学者を受け入れている。くるめSTPに参加した学生が，臨床心理士になり，各地で発達障害の支援に関わっている。地域で神経発達症児を支援するさまざまな職種の人材育成に役立っている。また，保護者にとっては，夏季休暇中のrespiteになることや，ペアレント・トレーニングに参加することでSTPとの相乗効果が得られている[139]。

くるめSTPは，ADHDの理解啓発促進，他地区へのSTPの普及を目指してNPO法人くるめSTPを結成してくるめSTPの実施，パンフレット作成，Webサイト開設[106]，全国各地でSTP普及セミナーを行っている。

5）STP実施に必要なもの，課題

STPの実施には，学習やレクリエーションが可能な学校施設が必要である。くるめSTPの場合，久留米市教育委員会のご協力によって久留米市特別支援学校を使わせてもらっている。米国では心理学科大学キャンパスを使っていた。できるだけ通常の学校に近い環境での実施が良く，病院は適さない。夏休み中に学校を借りて実施するのが最も良いが，教育委員会や学校長，校区の協力を要する。スタッフは，地元の大学の心理学科等の学生や大学院生とそのスーパーバイザー役の心理，医療スタッフおよび地域の小学校から特別支援教育に関わる教師の参加が必要である。参加にあたっては，教育委員会や校長会のバックアップがあるとやりやすい。

スタッフのトレーニングは，書物による自主学習，くるめSTPの見学，STPを実施しているスタッフからの講義，モデリング，ロールプレイング等を行う。はじめて実施する場合は，受け入れの生徒数を数人程度の少人数にして，スタッフも役割分担を明確にすることで個人の負担を軽くする。STPに用いるワークシートやチェックリストは，くるめSTPから提供可能である。

課題の一つは，わが国における他地区でのSTPの普及である。2010年から島根県出雲市で島根県立大学短期大学部看護学科，市教育委員会が中心になって，5日間のサマースクールを始め，継続している。大学生カウンセラーは看護学生である。立ち上げやプログラム改善にくるめSTPスタッフが関わった。現在，久留米市小学校の夏季休暇が短縮され，くるめSTPは，1週間プログラムで実施している。STPの短期的効果には個人差がある。効果の大小にどのような因子が影響しているのか，参加者のほとんどが男子であり，男女間の効果に差があるかについても検討が必要である。STP単独で効果があまり期待できない場合にどのような個別支援が必要か個別最適治療を考えるうえで重要である。また，STP終了後，効果を持続させるためにはどのような方法がよいかという問題も残されている。ADHDのある子どもに行動療法から始めるほうがよいのか，薬物療法から始めるほうがよいのかという疑問に関しては，Pelhamらの研究がある[140]。行動療法を最初に行ったほうが教室でのルール違反や反抗挑戦症状が有意に低く，保護者のペアレント・トレーニング の参加率も良いという結果が報告された。

（山下 裕史朗）

11 児童思春期の個人精神療法—遊戯療法を中心に—

1）はじめに

遊戯療法は児童思春期年代を対象として「遊ぶこと」を主な自己表現・コミュニケーションの手

段として行う精神療法の一つである。成人を対象とする精神療法あるいはカウンセリングとよばれる治療では言語を主な媒介とするが，まだ言語による自己表現能力が十分ではない主に小学生年代から幼さの残る中学生年代を対象とする場合，「遊ぶこと」が言葉に代わるものとなる。

1990年代になりADHDをもつ子どもの治療としては行動修正技法やソーシャルスキル・トレーニング，ペアレント・トレーニングの技法が洗練され実践されるようになるにつれて，個人精神療法（遊戯療法）についてはむしろその効果について懐疑的であるとする見解が多く出されるようになった。その理由としては，遊戯療法の対象とされるものは主に心因性のパーソナリティや行動上の問題であり，ADHD児の一般的な特徴として治療的な効果を般化し内省することが難しいこと，臨床調査によって裏づけられた治療効果の評価がないことが挙げられ，適切な薬物療法を併用しなければ認知行動療法は効果がなく力動精神医学的な個人精神療法はむしろ有害であるという見方もなされた。

けれども，その後ADHDをもつ子どもたちに関わるなかでしばしば指摘される自己評価の低さや抑うつをめぐる問題は，個人的なアプローチである遊戯療法のなかで最も適切に扱われるものであり，肯定的な治療同盟の成立を基盤として治療に積極的に関与させ，さらに年長化してからは薬物療法に自分で責任をもたせることにも有用であるという見解も出されてきた。わが国においても軽度発達障害の個人精神療法の可能性についての検討に目が向けられるようになったなかで，ADHD児を対象とした遊戯療法が取り上げられる機会が増えてきた。

遊戯療法が有効かどうかはADHDをもつ子どもが遊戯療法の対象として適当か否かという議論を越えて，ADHDをもつ子どものどのような問題を対象として，どのような枠組みのなかで，どのようになされるかについて検討し，それを支えるための環境や治療構造と技術上の修正点について検討することにある。

2）ADHDをもつ子どもの遊戯療法

(1) その対象と目指すもの

ADHDをもつ子どもたちに対して個人精神療法（遊戯療法）の実施が計画されるのは，不注意・多動性・衝動性という彼らのもつ基本的な特性以外の問題が精神科的治療・あるいは心理社会的治療の対象となると考えられたときといえる。

かつて国立精神・神経センター（現・国立国際医療研究センター）国府台病院児童精神科において遊戯療法を行ったADHDをもつ子どもたちを振り返ってみると，併存症・二次的障害として強迫性障害・抑うつ・チック・遺尿あるいは遺糞などの症状を呈し，しばしば不登校や学校内での乱暴や学習障害を伴っている。皆川はADHDをもつ子どもたちは単にADHDと診断される症状をもつことだけではなく，これを背景とするさまざまな情緒・行動上の問題をもつために，臨床的にはパーソナリティ発達の問題として治療対象とされると述べている[141]。そしてこのような子どもの問題については，子どもの精神発達全体を把握する理論枠に基づきこれを用いて子どもと出会い関わり合う精神療法的接近が，自我構築的なより高次の発達を治療目標として行われることが望まれるのではないかと指摘している。

齊藤は併存症を伴うADHD児に対する精神療法の治療目標として以下の5つの視点を示している[142]。それらは，①遊ぶことの自由さや創造性が損なわれないと同時に，明確な枠組みと制限を通して衝動と直面すること，②象徴的表現を通じて，破壊を伴わずに衝動を表現することの体験（罪悪感を伴わずに積極性としての攻撃性を体験できること），③“肯定”と“安心”の体験を通じた信頼の形成，④治療者の自我機能の取り入れと内在化の実現，⑤真の能動性の獲得と自尊心の回復――の5つである。次節では，これらの点を個々のケースで実現するための実際的な工夫について考えてみたい。

(2) 遊戯療法の実施について

遊戯療法を行うときには常に，対象とする子どもの年齢や抱えている問題，そして能力などを知り，そのキャパシティに合わせて環境を整えることが必要とされるが，ADHDをもつ子どもを対象とするときには特に配慮が必要で，その関わり方にも修正を要する。

わが国において遊戯療法はほとんどの場合，毎週1回40分から50分，外来治療の一環という設定で行われるので，ここでも基本的な枠組みとしてこの設定のなかで考えてみたい。

①評価

児童精神科的な評価に加えて，子どもの知的能力・認知的特徴・学習障害の有無・情緒的な特徴について知能検査を中心とした心理学的査定と子どもを支える心理社会的な環境を把握した後に遊戯療法に導入する。

Cleve Eはその視点として，①感情や攻撃性をどのように表現する子どもか，②他者とどのような関わり方をする子どもか，③生来の内的な強さ，精神的な活動力，生きることへの強い切望(lust)，④自己像・自己評価について，子どもの肯定的な側面について知ると同時に弱点も正確にとらえておくこと――を挙げている[143]。

個人的な治療を開始する前にその後の経過を検討するベースラインとして，その子どもの強さと弱さについて評価を行うことは児童精神科的介入の基本であるといえるが，ADHDをもつ子どもの場合，特に抑うつ気分や強迫性障害の症状などが前面に出て，その基本的な問題である注意や多動性・衝動性などが介入の初期には特にとらえにくくなっていることがある。治療が展開するなかでこれらの基本的な特性が目立った問題となったときに適切な対応がなされるためにも，初期に子ども自身の特徴を把握しておくことが欠かせない。

②物理的設定について

時間的な設定については先に述べたが，治療の恒常性を保つことが一つの鍵となるため，ある程度の長期間にわたり受けもつことが可能な一人の治療者が，いつも同じ設定の遊戯療法室で特定の曜日の決まった時間に子どもと会うことができるようにする。遊戯療法室に置く遊具は通常の遊戯療法の設定と同様ではあるが，壊れにくく，特に子どもたちの破壊的な衝動性を刺激しないものであることが必要である。遊具が多すぎることがADHDをもつ子どもにとってむしろ刺激の多すぎる状況となり，治療者との相互的な関係を築くことの妨げになったり手に余って落ち着かなくさせてしまうことがあるので，子どもが守られた環境であることを実感できる空間であることが望ましい。

③遊戯療法の技法としての配慮

遊戯療法の技法的な修正についてCleve Eの指摘を中心に考えてみたい。

治療の初期の段階では，遊戯療法は子どもが理解しやすいはっきりとした枠組みのなかで明確なルールに基づいてなされることが必要とされる。個々の子どもについてその基準が検討されるが，初期の介入では治療者は積極的で具体的な姿勢で子どもに関わるようにする。想像をめぐらせたり遊ぶことができない子どもたちに対しては，遊具や素材が彼らの衝動性を刺激しすぎることがしばしばあり，子どもが何も見つけられなくなっていることがあるので，このような時期には遊具の種類や数を限ったほうがよい。子どもたちに“この遊戯室の中で治療者と一緒に過ごすこと。その中では自分を傷つけることも，治療者を傷つけることも，家具や遊具を壊すこともしてはいけない”ことを子どもたちが理解できる言葉で伝えるが，治療者は彼らが何かしようとするといつも制止されることを日常生活のなかでしばしば体験している子どもたちであるということを念頭に置き，彼ら自身のあり方・対処方法を治療者が受け止めることのできる許容範囲のなかで確かめてみることも求められる。

明確でわかりやすい枠組みが保たれることによって，子どもたちが少しずつ穏やかになる時期になったときに治療は中期に達し，子どもは自分の激しい衝動性に向かい合うことができるようになる。この時期に治療者は譲歩せずにしっかりとした枠組みを維持する必要がある。この作業期ともいうべきこの時期の妥協しない治療者の姿勢が，重度の衝動性の問題を抱えた子どもの治療が有効なものとなるためには必須のものである。治療者は各セッションが子どもにとって安全を感じ自分自身に気づくことができる場になることを心がける。そして同時にこれを維持し衝動の爆発を予防するためのルールや制限を設ける。この制限はどのような状況になっても子どもと治療者との共同作業が可能なものとなる環境を維持するためのものであり，そのルールは個々の子どもに合わせて治療者により修正される必要がある。子どもの示すルールに従わない問題が徐々に治療者との間で意味のあるものとして見えてくるにしたがって，同時に子どもは耐えられるようになり，他者にも受け入れるような個人的な表現をとるようになり，これを指標にすることは治療者が治療の向かう方向を確認する手がかりの一つともなる。

子どもたちは自分自身の肯定的な側面を，どのように他者に示したらよいかわからずに過ごしている。治療者は子どもが自分自身の良い面を見いだすことができるまで，子どもの拡大鏡となって彼らのすべての小さな前進的段階をみせてあげるものとなり，見出した良い面を名づけていくことが次の段階の作業となる。このことにより，子どもは少しずつ自己評価の基本となる良い点にも目を向けられるようになる。治療者は子どもの思考と行動の内容，そして意味がより堅固な構造をもつように仕向けるために子どもの思考と行動の繋がりを反射し，そのなかで考えることがしばしば唐突に生じる行動に先立つべきものであるということを伝えていく。衝動統制の難しい子どもたちにとって，彼らを取り巻く世界が常に予測できないことに満ちている，ということの理由と結果を十分に理解することは難しいことなので，このことは非常に重要なこととなる。子どもたちが自分自身の強い面や弱い面などさまざまな部分を知ることができるようになり，現実的に彼らに影響する自分自身の問題が何であるかを知ることを援助していくための工夫が，ADHDをもつ子どもに対する遊戯療法・個人精神療法の終結期には課題となる。

ADHDをもつ子どもの遊戯療法は長期にわたることが多く，先に述べたような技法上の工夫を重ねながら遊戯療法を続けていくことは治療者にとっても多大なエネルギーを要する作業となる。構造化された時間と空間を子どもと治療者に確保する背景として，教育・福祉その他さまざまな分野の専門家との連携と家族や治療者へのサポートシステムは欠かせないものであるといえよう。

3）症例

一人の小学生の遊戯療法の過程を例として考えてみたい。

症例 A（初診時小学校４年生）男児

現病歴

小学校に入学したころから妹をいじめることが目立つようになり，友だちとの遊びや学習時に自分の思うようにいかないことがあると壁に頭をぶつけたり友達を殴ってしまうなどの行動がクラス内で問題となっていたが，何とかその時々の対処で切り抜けてきていた。新学年になって担任教師が交代し，学習面でも苦手な課題がさらに難しくなったためか，登校することを嫌がるようになり児童精神科を受診することとなった。

妹をいじめることについてはAが“お前がいなければ僕はいい子でいられるのに…いなければいい”というようにA自身も感じているが，クラス内での問題行動についてはそのときのことを憶えていないという。

経過

初診後に知能検査を中心とした心理テストによる評価も行い週1回，約50分の遊戯療法が計画された。

遊戯療法を開始すると，Aは遊具に興味をもっているように見えるが，自分から何をしたいのか意思表示することが難しく戸惑っているような態度を示した。治療者の働きかけに促されるように少しずつボクシングゲームやサッカーゲームを行うようになっても，その勝負の結果にはこだわらず淡々とした表情でゲームを続けることがおよそ3カ月続いた。このようなセッションが続いたある日，Aは学校で流行っているゲームだと言ってトランプゲームを提案し，このゲームを通じてAの“本当は負けたくない”気持ちが見えてくるようになった。

Aが提案したトランプゲームにA自身が勝つことができるようになったころから徐々にはっきりと意思を伝えるようになり，同時にこのゲームを行うときにはそれまで決して見せなかった非常に興奮した表情を見せるようになった。同時にその興奮が激しくなると，突然にそのゲームを“飽きた”と中断してしまうことがみられた。唐突に箱庭療法のミニチュア動物の足を折ったらどうなるかと治療者に尋ね，治療者がこれを制限するとその瞬間は制限を受け入れるがその後いくつかのミニチュアの手足を折ったり，ミニチュアが治療者に砂をかけているようなシーンをつくってA自身が治療者に砂をかけるというような形で攻撃性や衝動性をめぐる問題が遊戯療法の場面でもみられるようになった。けれども同時にサッカーゲームでは徐々に激しい攻防の複雑なゲーム展開が工夫されるようになり，治療者を出し抜いて楽しむ面もみられるようになるなど，このような時期が1年近く続いた。

遊戯療法のなかでAらしさやAの意思表示が明らかになってくることと並行して，少しずつ学校や家庭での衝動的な行動が減少し始めた。

決して器用とはいえない手つきではあるものの非常に丁寧に粘土細工を作ってみたり，箱庭療法のミニチュアのなかから“変なやつ”というキャラクターを選び，かっこいいものと変だけれども可愛いものの，それぞれを認める表現が遊びのなかで繰り返された。

“自分が叱られたのかと思ってあわてて謝ったら，自分のことではなかった…”と学校でのちょっとした失敗談などを楽しそうに語るようにもなった。時折ある腹痛に苦しんでいることを治療者にしきりに訴えるようになるが，治療者が母親に確認すると，母親はそのようなことでAが困っていることに気づいていない——というような，自分自身のことを上手に伝えることが難しく，ときには譲れない思いが募ってしまうというようなAのあり方が見えるようになった。仲間関係・学校での出来事の話題が増え，安定した学校生活の様子が推測されるようになったころから，徐々に通院の回数を減らして終結とした。

考察

Aの遊戯療法の経過を振り返ってみると，初期のAは自己表現に対する極端な抵抗の高さが目立ち，むしろ“遊ぶこと”のできない抑制された状態にあった。次々に遊具に手を伸ばしてみるものの，その用具をどのように扱ったらよいのかという見通しを立てにくく遊びを創り出すことが難しいことも，しばしばADHDをもつ子どもの遊戯療法ではみられる。子どもたちは“○○がないから遊べない”と批判めいたことを口にするものの，それが未知のものに落ち着いて目を向けてみようとすることの難しさであったり，不器用に扱ってしまって失敗したり叱られたりすることをしばしば体験し，新しい状況に混乱しがちな彼らの特性が反映されていることが少なくない。Aの場合にも，最初に見せた勝つことに執着しない態度がむしろ負けることを認めたくないことの裏返しだったことは，その後の展開を見ても明らかだった。

少しずつ自由に"遊ぶこと"ができるようになったAの遊びには，攻撃性や衝動統制をめぐる課題の激しさと困難さがみられるようになる。抑えなければいけないことと自分自身が感じていても，次の瞬間には行動として破壊してしまい，その結果をどのように扱ったらよいのか戸惑い，さらに混乱した状況に陥ってしまうことがしばしばみられる。ADHD児の遊戯療法では，治療初期から彼らが理解しやすく明確な枠組みが示されることが必要とされるが，作業期ともいえるこの時期には自らの衝動的な心の動きに気づき，けれどもこれを抑えることが難しかった次の瞬間には罪悪感や無力感を抱くという彼らを守るために，治療者が外在化された枠組みとしてあり続けることが欠かせない。このような枠組みが少しずつ取り入れられるにしたがって，攻撃性は単なる破壊に繋がるエネルギーではなく，積極性・創造性に繋がるものとしても意味をもつようになっていく。このようなプロセスを通って自分自身への評価も変化し，他者との関係のなかでも過敏に傷つかない，ほどよい自己肯定感と自尊感情に裏づけられた前進的な発達の路線に軌道修正されていく経過が，Aの遊戯療法の終盤でもみられたといえよう。

4）より複雑な課題を抱える子どもたち

不適切な養育環境で育ち小児期から外傷体験にさらされてきた子どもたちを治療対象とすることが近年，子どもの心の臨床で確実に増えている。そして，軽度発達障害をもつ子どもたちの示す症状とその環境要因が分かちがたく，臨床像をみえにくくしていることが岩垂などにより指摘されている[144]。Cleveのこれらの子どもたちにとってサイコセラピーが「心のリハビリテーション」，心が生きなおすことの一つの枠になるという言葉とその実践にはいまも多くの学びがある[143]。

これらの子どもたちの遊戯療法も基本的には先に遊戯療法の技法としての配慮として述べたことと変わるものではないが，その激しさにしばしば治療者が対応しきれないような行動がある日突然，突出する。被虐待体験をもつ子どもが，治療者の意図しないちょっとした動作をきっかけとして，攻撃的なあるいは逆にフリーズして身動きできないような怯えた状態や行動に陥ることが遊戯療法のなかでも起きる。このような断片化した突発的な行動が起きること自体が，彼らにとって対象恒常性の獲得が非常に難しく，時間のかかることであることを示しているともいえる。不適切な養育環境で育った1人の女児の思春期になってからの言葉である。「いま，“あなたはどう思っているの”と問われても，幼い時期の常に相手の顔色と話すタイミングを見計らい，それでも突然殴られたりを繰り返し，いつも誰を信じていいのかわからなかった自分には，自分の感じたことや考えたことを人に伝えてもよいと思えず，どうしたらよいのかわからない」。

このような思いと自分自身も訳のわからないままに込み上げる激しい思いが，いま，誰に，あるいは何に向けられているのか，表現する言葉を特に遊戯療法開始時の子どもたちはまだもっていない。子どもたちの心の動きを治療者として想像し，少しずつ言葉としても表現できるように，その気持ちを表す言葉を育てるところからスタートし，そして同時にそれが彼らにとって心身の安全と安定を確実にしていくことでもあるという体験を積み重ねる作業が遊戯療法のプロセスとなる。

また，より複雑な問題を抱えた子どもたちは少なからず児童精神科入院治療の対象となる。遊戯療法を入院治療の一部分として実施する場合には，「本項2）ADHDをもつ子どもの遊戯療法（2）遊戯療法の実施について」（310ページ）で述べた頻度よりも，少なくとも毎週2回30分，あるいは入院施設の他のプログラムなどと考えあわせて毎週3回20分とする設定が適していると筆者は考えている。これはしばしば子どもたちが対象恒常性を獲得することの難いまま成長していること，児童精神科入院治療という生活空間のなかでの体験，日常生活のリズムに組み込まれた一コマとして遊戯療法を活かすための修正となる。連続性のある他者との相互関係をゲームやクイズあるいは描画をツールに穏やかでちょっと意外性もある時間を明確な枠組みのなかで継続することが彼らとの遊戯療法の糸口となり，少しずつ折々の気持ちを言葉にする場になっていく。

通院・通所，あるいは入院治療といういずれの設定の場合も，治療導入期にはごくシンプルな設定の場で，そしてその場での2者関係が少しずつ成立する段階に合わせてその表現媒体を広げ，子どもが外界との関わりを徐々に築きなおす伴走者となることが遊戯療法の治療者として求められることといえよう。

5）おわりに

ADHDをもつ子どもを対象として遊戯療法を行うには，彼らの基本的な特性として衝動統制の難しさや治療的な効果を般化し内省することが難しさをもつために，先に述べたような治療技法上の修正が必要であると考えられる。また，Cleve Eの詳細な事例報告からも明らかなように，子どもたちが前思春期から思春期に達した時期にはその介入に新たな工夫が必要となる[143)]。気づきの時期には個人差が大きいが，子どもたちは少なからず自分たちの個性や特性について不器用ともいえるようなかたちで悩みを抱えるようになる。けれども子どもたちの悩みはその表現の唐突さや情緒的・行動的な問題として現れがちであり，内面的な変化として理解されにくく自己評価が低いという言葉で一括りにされやすい。将来の自分がどんな大人になれるか，どのような職業選択ができるか，自分を見つめはじめた子どもたちにはちっぽけで不器用な自分が強調されて見えてくる。まだ内面を表現するには十分な言葉をもたず，現実的な自己決定の時期もまだ少し先のこの年代の子どもたちが，少なくとも自分自身の未知の部分に期待・有能感をもって大人になることを目指す道筋を一緒に考えていく作業が，この年代に達した子ども・青年を対象とする精神療法では一つの作業となり，ときには現実的な進路や未来を考えてみる場となる。

このような視点に立って遊戯療法を行うためにはかなり長い期間，治療に通うための環境が整っていることが欠かせないが，実際にはADHDをもつ子どもがしばしば不適切な養育環境のなかにあり，彼らの示す情緒や行動上の問題が増幅されていることも少なくない。臨床的な印象として“よいモデル”と“よい枠組み”によって支えられ，これらの機能を取り入れることが難しい子どもほど，新しい対象としての治療者を必要とすると考えられ，個人精神療法的な介入を必要とするという矛盾に行き当たることが少なからずある。このような現状に対して，いま，あらためて家族という枠組みを越えて教育や福祉との連携のなかでどこまで子どもたちにこのような機会を保証していくことができるのか，ADHDをもつ子どもたちへの介入の一手段として遊戯療法が有効なものとなるためにも，子どもを支えるシステムの一つとして検討することが求められる。

（佐藤 至子）

12 児童精神科での入院治療

1）はじめに

ADHDをはじめとする神経発達症児の診療においては本人との関係づくりを中心に親ガイダンス，学校との連携，薬物療法など多方面からの治療的アプローチが行われることが必須である。このようなアプローチは通常外来診療を中心に行う。しかし子どもの示す問題行動が顕著になり，家庭生活や学校生活を維持できない場合には入院治療も考えなくてはならない。その際は神経発達症の中核症状やその併存症状のみならず心理発達の問題，心理社会的な背景にも十分留意をして治療計画を立てなくてはならない。

一方，わが国において児童思春期の精神科入院機能をもつ病院は限られている。また現時点では児童精神科入院治療に対して確立されたガイドラインのようなものは存在しない。入院適応やその治療の組み立てにおいては症例ごとに柔軟に各病院の治療構造に合わせて治療者が考えていくしかないのが現状である。このようなことを踏まえたうえで入院治療を要するADHDを背景にもつ子ども達の臨床的な特徴とその治療経過について記してみたい。なお，文中に出てくる症例は診断を含む見立てや治療の流れに影響を及ぼさない範囲で大幅に変更を加えた架空症例である。また児童思春期専門病棟をもつ治療構造下でのものであることも明記しておく。

2）児童精神科病棟の治療構造について

はじめに児童精神科病棟の治療構造について示す。以下は筆者が勤務経験のある2つの専門病棟の治療構造である。

①国府台病院　児童精神科病棟

国府台病院児童精神科では初診の年齢制限を中学3年までとしている。45床の児童精神科開放病棟があり，小学高学年から中学3年までの前思春期の子どもを中心に入院治療を行い，公立小中学校の病院内学級が併設されている。前思春期の子どもの仲間集団形成とその活動を支え治療的に活用しているところが特徴である。

②駒木野病院　児童精神科病棟

駒木野病院児童精神科も同様に初診の年齢制限を中学3年までとしている。33床の児童精神科閉鎖病棟で病床のほとんどが個室である。国府台病院とは異なり，訪問学級での1対1の授業を基本としているのが特徴である。

両病棟ともに入院治療のプログラムとしては，①個人精神療法，②集団療法（活動集団療法，コミュニティ・ミーティングなど），③身体的治療（薬物療法など），④家族への介入（親ガイダンス，心理教育プログラム，家族療法など），⑤環境療法（疑似家族的関係性,規律ある生活，隔離・身体拘束など），⑥治療教育（病院内学級での教育活動，原籍校との連携など），⑦社会体験（夏期キャンプなどの病棟行事など）――が行われている。そして細かな違いこそあれ児童精神科病棟構造に流れる理念は以下のものである。①子どもと病棟スタッフとの間で「ほどほどに安全」で「ほどほどに健康」な関係性が築かれること，②子どもにとって入院構造そのものが安全と感じられる必要があること，③入院構造が子どもの健全な発達を支えるのに役立つスキルを構築し養育環境を整備すること――である[145]。そしてこの理念は後述する子どもの愛着形成促進に必要不可欠なものであることも付け加えておく。

3）入院導入について

症例

満期産，普通分娩。運動発達に比較して言語発達がやや遅れていた。同胞２人中の第2子。幼児期より多動傾向がありけがや迷子になることが多かった。人見知りはなく，人懐っこく甘えん坊であった。母親は感情の起伏が激しく本児を非常に可愛がる面もあったが，叱責時に衝動的に本児の頭を叩いたりすることも多かった。父親は幼少期から多動傾向を指摘されており衝動的なところもあった。本児が指示に従えないときには本児に対して暴力を振るうこともあった。幼稚園へ入園後，順番を守れず集団行動ができなかった。就学後は席に座っていられず，教室のドアを蹴ったり他児を押しのけたりするなどの衝動行為が目立つようになった。実兄の中学受験で母親がかかりきりになったころから他児への粗暴行為は一層悪化した。学校教師の勧めもあり小学校２年時に当院児童精神科を受診しADHDと診断され薬物療法が開始された。小学３年生時に母が悪性腫瘍を発症し，入退院を繰り返すようになると兄に対しての暴言，暴力がエスカレートしていった。小学４年生時より学校内でいじめにあい，不登校となった。外来では本児は主治医に対して「病気しない人と将来結婚したい」と話した。小学５年生時に母が死去した以降，顔面のチックが出現するようになったが，表面上は本児の様子に大きな変化はなかった。しかし兄弟げんかは危機的となり，兄に対して包丁を突きつけることもあった。また「死にたい」と言い飲酒後に過量服薬をし，自宅の窓ガラスを割りその上を歩くなど自暴自棄な行動が増えていった。そのため小学５年夏，父親の同意のもと当科に入院（医療保護入院）となった。

(1) 児童精神科院治療に至る背景

ADHDを背景にもつ子どもたちが児童精神科病棟への入院治療に導入される背景について述べてみたい。齊藤は児童精神科の入院適応について，①急性症状の深刻化への危機的介入が必要な場合（深刻な家庭内暴力や外来では対応不可能な精神病様症状など），②非社会的行動の遷延化（不登校やひきこもりなど），③家族の保護・支持機能に重大な問題がある場合（虐待やネグレクト，親の精神疾患など），④外来では診断もしくは治療方針の決定が困難な場合——の4つを挙げている。ADHDを中心とする神経発達症の入院治療に対しても同様の適応が当てはまる[146]。しかしながら神経発達症の中核症状のみで児童精神科病棟へ入院治療となることはほとんどない。実際には二次性併存症といわれる外在化障害群（反抗挑発症や素行症など）や内在化障害群（強迫症，分離不安症，社交不安症，全般不安症，うつ病など）の諸症状により生活が破綻して，入院治療に至る。その場合には前述した①または②が（実際には①から④の要因が複雑に絡まり合って）主な入院適応となることが多い。

提示した症例をみればわかるように入院治療に導入されるような症例の場合，この内在化症状と外在化症状それぞれが荒れ狂う竜巻のように渾然一体となって臨床の場に現れる。それに加え『思春期における衝動性の高まり』や『神経発達症としての生来的な衝動性の強さ』もこの混乱のなかに大きく寄与することが多い。神経発達症特有の社会的能力・コミュニケーション能力の幼さが同世代他児との関係性の悪化を生むこともある。むしろ思春期においてそれは顕在化し，さらなる社会生活の混乱へと繋がっていく。ADHD特有の衝動性の強さ故にその行動化は激しくなる。そのため彼らの苦悩は周囲から理解・共感されにくいものとなり，心理的に孤立化していく。心理的な孤立化は強い罪悪感や被害感を生む。そして最終的に自己破壊的で健康を害する行動（粗暴行為，売春や過量飲酒，違法薬物使用など）に至るようになる。このような悪循環を思春期のうちに食い止めるために児童精神科入院治療は導入されるといってよい。

入院治療の導入にあたっては精神保健福祉法による運営を基本とする。したがって子どもの行動に対しての罰としての意味合いをもった入院治療や，「子どものために」という想いばかりが先行する独善的な入院治療がなされてはならない。また児童精神科病棟における入院治療が万能というわけでもなく，常習的な反社会的行動（万引きや窃盗など）には矯正保護施設や司法機関を利用することのほうが良い場合もあるだろうし，家族の保護・支持機能に問題がある場合も福祉機関を利用するほうが利点の多い場合もある。以上のことを考慮にいれながらADHDを背景に有する子ども達の児童精神科入院適応を判断していくことになる。

(2)　入院治療の実際

本症例の入院治療は約4年にわたった。入院初日から興奮が激しく，自傷行為（壁へ頭を打ちつけるなど）が頻回であるため入院数日で個室下での行動制限下での治療を余儀なくされた。女性医師（以下，D医師）が入院主治医となった。主治医は毎日20～30分，看護師は1日2回本児と15分の「かかわり」を行った。「かかわり」は本児の好きな漫画やゲームをともに行うことが主であった。本児の遊びの合間に，母への想いが本児から聞かれることもあった。例えば亡くなった母に対しては「太っていた」，「殴りやがって」などと表現した。母に対しての替え歌を自ら作り歌うこともあった。泣きながら「母さんが生きていたときに毎日のように蹴られたり殴られたりしていたんだ。本気で蹴られたんだよ！　母さんいなくなって，家なら好き放題，ぶっ壊し放題だ。兄をトンカチで殴りたい，包丁で切りたい。将来は借金しまくってニートになって自殺する。ビルから飛び降りる。母さん死んでよかったよ」と話した後に「俺にあきれたでしょ？　母さんよくあきれたって言ってたよ」と，ためすように聞いてきたが主治医は穏やかに否定した。

入院後数カ月が経過して母の一周忌があった。その際には父に母の写真を持ってきてもらい写真を病室に飾り，お花を添えた。本児はしばらく手元の漫画から目を離さず，「久しぶりに（母を）見たなー」とつぶやき，手をあわせた。主治医は「（児が）元気になるよう見守ってください」と亡母にお願いした。その後に母が好きだったチキンとポップコーンを病室内でともに食べた。

自傷行為が徐々に落ち着いてきたために行動制限が解除となり，病棟内での同世代他児との交流が始まるようになった。本児の一方的なコミュニケーションから他児関係が破綻することも多かった。その結果他児に対しての暴力行為やその後の本児の自傷行為が目立ってきたために再度の行動制限下での治療を要した。そして主治医との面接のなかでは本児は徐々に母親の良い思い出を表出するようになった。それとともに，女性主治医に対しての身体接触が増え，甘えを攻撃（叩くなど）で示すようになった。「先生は母さんの幻影だ」と本児自らが話すこともあった。身体接触については限界設定を行い，暴力は毅然として拒否し，パペットで「戦いごっこ」をすることは許可とした。男性スタッフとは馬乗りや肩車など体を使った遊びを本児はしていた。担当看護師（男性）が異動する際に本児は「肩車をしてくれる人がいなくなる」と涙ぐみ，思い出（一緒に園芸をしたことなど）を主治医とともに語り合うようになった。

その後病棟行事などに大人の付き添いで徐々に参加できるようになり，院内分校への登校も可能になっていった。しかし興味の趣くままに活動し，衝動性が強いために他児とトラブルとなることも多かった。そのため，その都度大人が介入した。このようなことを繰り返すうちに他児との関係性も構築されていった。それとともに本児の退行的な言動は自然と収束していった。病棟のコミュニティ・ミーティングのなかで各自の出身地の話題になったときに本児は「俺はここで生まれたんだ」と発言した。

入院後3年経過し女性主治医の異動を伝えた際に本児は，私に「先生の妻や子どもが突然いなくなったらどう思う？　俺はいまそんな気持ちだよ」と話した。そして女性主治医の替え歌を聴かせてくれた。異動後にやはり本児の自傷行為と衝動的言動が増悪し，一時的に行動制限を要したがその後は落ち着いて病棟で生活していた。中学3年の卒業とともに本児は退院をした。その後の外来で本児は，「昔の嫌な記憶が突然頭の中に湧いてきて恥ずかしいようなつらいような自分がどうしていいんだかわからなくなる。自己嫌悪だろうと思う。そんなときに先生（入院主治医）にときどき本当に会いたくなる」と話した。そして私が『Bにとって（入院主治医は）もうひとりのお母さんだったよね』と伝えると本人は静かに泣いた。

入院治療に導入された神経発達症の子どもたちにわれわれが提供すべきことは，①「安全な環境を構築」したうえで，②「悪循環となっている行動化を止める（抱えること）」そしてそのうえで，③「情緒的な繋がりを対象児と作っていくこと」——だと私は考えている。各種症状に対して認知や行動にアプローチする手段はあるものの，まずはこの土台形成が構築されていない場合にはそれは何の意味もなさないことが多い[147]。

いずれにしろ心がけたいのは「安全な環境を提供していくこと」という視点である。混乱状態から対象児を護り，衣食住が当たり前のように満たされ，十分な睡眠が取れるようにする。過覚醒や睡眠の状態を安定化させるために薬物療法を考慮しなければならない場合もあるだろう。ADHDをはじめとする神経発達症を背景にもつ症例の入院治療の場合には構造化された見通しのよい生活環境を提供すること，本人の特性に合わせて簡潔にわかりやすく治療スタッフが説明することなども気をつけたい。あくまでも必要最低限かつ短期間に抑えるべきであるが，精神運動興奮状態をはじめとする症状が激しい場合には精神保健福祉法に基づき，隔離・拘束を含めた構造のなかで対象児の混乱を鎮めることも考えなくてはならない。

しかし，逆境体験を重ねた神経発達症の児童にとっては，この作業（安全な環境を提供していくこと）はときとして嫌悪刺激となる。一例を挙げると，入浴などの保清は本来心地良い体験のはずだが，それさえ拒絶することもある。スタッフは入院環境のなかでは拒否をされつつも，辛抱強く，粘り強く提供していく必要がある。村瀬は深くこころに傷を負い，しかも心理的に発達が極めて遅れている子どもたちには，日々の何気ない営みにセラピューティックなセンスがさりげなく込められた日々の24時間の生活を質のよいものにすることの重要性を説いている[148]が，入院治療にこそこのような姿勢が意識されるべきである。

そのうえで対象児との『情緒的な繋がり』がもてるようにスタッフは意識していく。それは構造化された面接だけが対象になるのではない。情緒的繋がりは普段の回診でのちょっとしたやりとりで行われるかもしれないし，看護との関わりや生活補助のなかで行われるかもしれない。言語的に行われる場合もあるし，非言語的に行われる場合もあるだろう。身体治療のなかで行われることもあるし，ちょっとした冗談のやりとりで生まれることもあるかもしれない。ありとあらゆる機会を利用して対象児が『何を感じているか？』ということに意識を向け，その物語を読み，ともに感じる場を積み上げていくことが必要となる。そのためにはさまざまな視点からの症例理解を多職種で共有していくことが必要となる。主治医はそうした意味で入院治療においてチーム全体を精神療法的に機能させるように配慮すべきである。

しかしながら，その作業は困難を極めることが多い。入院治療を要するようなADHDを背景にもつ子どもたちの攻撃的言動は突発的かつ衝動的でわれわれにとって予想がつかない。治療スタッフとして情緒的な理解がしづらくなり，対象児と治療構造が対立的な関係になってしまい，治療スタッフそれぞれが分裂してしまうこともまれではない。野坂は『対象者が攻撃的な言動を示すと，組織も権威主義的で支配的な対応を強めていき，そこで働く支援者も威圧的な態度をとるようになる。トラウマの影響をうけた人や組織が相互に影響し，再トラウマを生じさせるのである』とその著書のなかで記している[149]が，対象者を入院児童に置き換えると，入院治療の現場でも同様のことが生じることがまれではない。

『安全な環境の構築』，『悪循環となっている行動化を止める（抱える）こと』，『情緒的な繋がりを積み重ねること』という作業を地道かつ根気強く積み重ねていくと，対象児にスタッフが『かわいらしさ』，『愛おしさ』を感じられるようになる。結論をいえばこの感覚に広さと深みが生まれるときが治療の転換期となる場合が多い。この事象を端的に述べるとすれば治療構造と対象児との間に愛着が生まれたという瞬間なのだろう。言い換えれば治療スタッフが対象児のことを理屈ではなく情緒で理解できた（腑に落ちた）体験であり，そればかりでなく対象児にとってわかってもらえた体験なのである。しかし神経発達症の治療においてはその道のりは非常に困難なことが多い。

対象児と治療構造との間に愛着形成が進むと，情動調整能力は進み，二次障害としての行動化は徐々に影を潜めていく。不思議とこの時期には治療スタッフや治療構造それ自体の情動調整能力も進んでいく。加えて対象児が自身をわずかではあるが客観視できるようにもなっていく。そのうえで認知や行動に焦点を当てた各種治療技法を入院治療の枠のなかで提供していく価値はあるだろうし，むしろ治療を大きく前進させることへ繋がる。さらに仲間集団への再会と挑戦[146]，教育・社会経験，生活拠点である地域への活動の広がりと共通理解といった作業を通して入院治療は完結していく。以上述べたような治療は専門知識と経験を有するスタッフと児童精神科専門院病棟の治療的枠組みのなかでこそ可能であり，思春期前半であるからこそ提供できるものであることも強調しておきたい。子どもが自らを客観視できるようになると自然と感情調整も進んでいく。しかし自らを客観視でき感情統制が可能となっていくにつれてADHDをはじめとする神経発達症を有する人々は抑うつ的となっていくことが多い。自身を客観視できればできるほどに自らの生きづらさや，自分の人生に何が起きていたのか？　ということにも気づくようになるからである。それは自身への将来への不安や絶望感として現れることもある。ときとして行動化が再度止まらなくなり，その後の再入院が必要となる場合もある。いずれにしろ自身の入院治療のなかで自分のことを知ろうとしてくれて，そして理解してくれたかもしれない人たちがいたという体験はその後の彼らの生きる力になる。そしてこういった経験は神経発達症を有する人々に入院治療の枠を超えて彼らの生きていく力となる。

（岩垂 喜貴）

13 ヤングアダルトのADHDへの心理社会的治療

1）はじめに

ヤングアダルト期のADHD者は，高校在学までの時期と異なった問題を抱えることが多い。一般にヤングアダルト期は，養育者から自立し社会の一員としての役割を求められる時期であり，精神的葛藤が高まる。さらにADHD特性があると，精神的葛藤が一段と高くなる。結果，自らの特性の認識が強くなり，障害についての問題意識が出てくる。高校年齢までは親に連れられしぶしぶ通院していたが，ヤングアダルト期になると，通院の意欲が高くなり単独で通院するようになることもある。

ヤングアダルト期のADHD者の診察において，しばしば取り上げられる事項は，大学生活で起こるさまざまな問題と，就職活動あるいは就職後の職務における問題であろう。

大学生活では，学習の問題，恋愛関係を含めた対人関係の問題，アルバイトでの職務の問題，親や家族との問題など多岐にわたる困りごとが，それまでの年代に比べて増加し，内容も深刻になる。加えて大学入学後は，自由度が高まるため自ら意思決定しなければならない場面が増える。困難に遭遇したとき，自ら周囲に援助を求めなければ，事態は悪化し失敗体験に繋がっていく。

就職活動に関しては，個人内の能力の差が大きいADHD者は，ジョブマッチングを慎重に行うべきである。過去にアルバイトなどでの失敗体験から，積極的に自分の能力の客観的評価を知っておきたいという者も多い。

また社会人になってから，職務困難に陥るADHD者もみられる。これは就職活動でのジョブマッチングがうまくなされていない，職業選択の際の本人のセルフモニタリングが甘い，職場のADHD特性に対する無理解の結果である場合がある。

忘れてはならないのが併存症の問題であろう。近年，自閉スペクトラム症（ASD）との併存が増加しており，診断の際に併存の可能性を念頭におく[150]。また前述のように，ヤングアダルト期はそれ以前と比較して精神的葛藤が高まる機会が多く，気分障害圏や神経症圏の疾患などの併存症を発現させやすい状況となる。特に，物質関連障害，ギャンブル障害などは，この時期以降曝露される機会が多くなるため，併存率が増加するという[151]。

以上のように，ヤングアダルト期のADHD者がもつ問題は，それまでと比較して多岐にわたり複雑化する。その結果，それまでの不適応感や「自分は他人とどこかが違う」という違和感が，よりいっそう本人のなかで明確になる時期でもある。このような状態で生活することの困難さについて理解・共感し，その原因を説明・教育し，障害の受容の過程を援助し，さらに症状をコントロールして今後の生活をよりよくするために，さまざまな治療手段を用いる。その治療手段のなかで精神療法は，非常に重要な位置にあることはいうまでもない。

本項ではヤングアダルト期のADHDに対する精神療法をはじめとした社会心理的治療について記述する。精神療法に関しては，それぞれの精神療法の概略を説明したうえで，その導入方法とゴール設定，治療の枠づけ，有用性，禁忌に分けて述べる。次に，精神療法以外の援助について述べる。

2）精神療法

精神療法として，一般外来で行われる支持的な精神療法のほか，サイコエデュケーション，認知行動療法，集団精神療法を中心に述べる。

ADHDを対象とする精神療法の意義・目的を診療の進行に沿って経時的にまとめると以下のようになる（**図10**）[152, 153]。

(1) 支持的精神療法

初診時の主訴や病歴・成育歴の聴取の段階で，すでに症状による困難について共感し支持する精神療法的機能は開始されている。

次の段階は本人に診断を説明した後の，障害受容の過程における教育と支持である。ADHDが

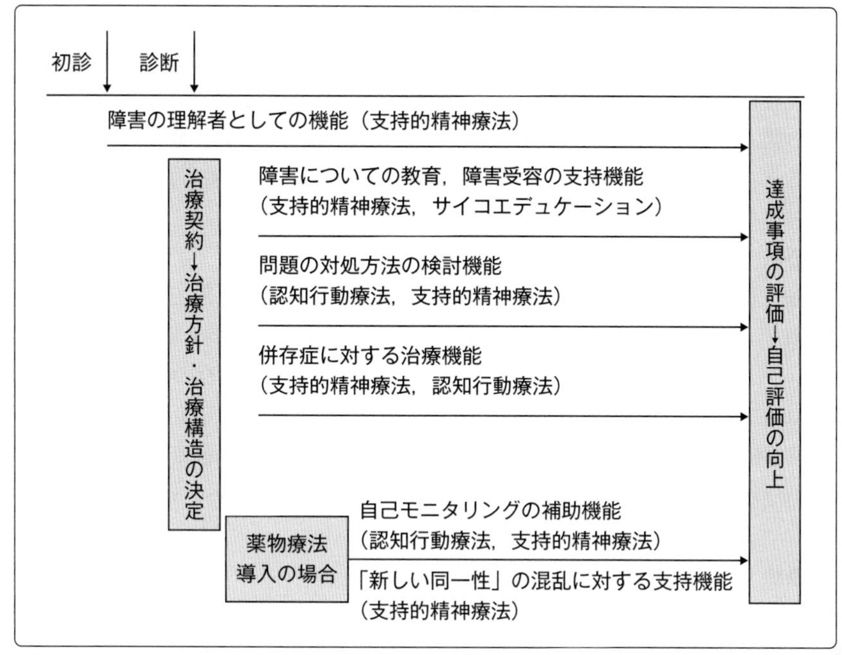

図10 精神療法の流れ

〔Bemporad JR：Aspects of psychotherapy with adults with attention deficit disorder. Ann NY Acad Sci, 931：302-309, 2001, Weiss MD, Weiss JR：A guide to the treatment of adults with ADHD. J Clin Psychiatry, 65（Suppl 3）：27-37, 2004をもとに作成〕

どのような原因で起こる障害なのか，過去から現在にかけてADHDの症状が患者の生活にどのように影響を与えてきたのかを話し合う。また患者の主訴と家族の主訴とが違っており，なおかつ家族の主訴のほうがより重要視すべきものである場合には調整が必要である。次に提供可能な治療はどのようなものがあるかを説明し，患者とともに治療の標的とする症状や障害を定める。

さらに本人の障害の理解者としてその“生きにくさ”に共感し，治療同盟を確立していくことが重要である。一方，薬物治療を導入した後はその効果を評価するため，自らの行動をモニタリングするよう援助していかなければならない。具体的には自己モニタリングの方法を伝え，自分の評価と他者の評価を比較して，その違いに焦点を当てていく。もし薬物療法が有効であった場合，患者は薬物療法を導入する前の自分と，薬物により改善している自分とのギャップに苦しむかもしれない。その際には患者の「新しい同一性」の獲得に対するサポートが必要となる[154]。そして薬物の効果が認められる状態での自分を受け入れ，自尊心を向上させていくように調整する。反対に薬物が無効であった場合には，症状による障害に対する対処方法を相談・助言していくことが必要である。そして最終的には，過去の陰性的な評価を打ち消して患者の長所やADHDならではのよさを指摘し，自己評価の改善を図ることがよいだろう[155]。

(2) サイコエデュケーション（心理教育）

患者個人を対象になされるものと，家族を対象になされるものがあるが，ここでは患者個人になされるものについて記述する。心理教育は各種心理検査や評価尺度の結果を伝えると同時に施行されるものである。スペクトラム構造を説明したうえで，ADHDはディメンション診断であり特性に近い概念であること，さらにその特性は時と場合によっては短所にも長所にもなることなどを，絵や図を使って説明する。場合によっては，パワーポイントでスライドを作成して，タブレットや

PCで提示すると，集中して聞いてくれる場合もある[156]。

また心理検査の結果を提示して，その患者なりの特性を提示して，過去の失敗体験の原因を話しあう。患者の現在抱えている問題が神経発達を基盤とするものだということを理解することは，いままで他人から能力が低いとみなされ，自らもそのように認識していた患者にとっては，低い自己評価を修正するきっかけになるだろう。また障害があるために存在する自分の限界を知ることで，患者は現実検討力を高めることができる[157]。

(3) 認知行動療法

認知行動療法に関しては，薬物療法と併用すれば成人ADHDに有効であるとの報告があり，欧米では推奨されている[158]。S. Safrenらは，成人ADHDの認知行動モデル（**図11**）をもとに認知行動療法マニュアルを開発している[159]。療法の内容の概要は，ADHDの3つの特性に焦点を絞り，認知再構成やマインドフルネスなどの認知的介入，生活スキルや社会適応スキルの訓練，優先順位決定訓練，整理整頓訓練などの行動的介入，リラクゼーション，集中訓練などの身体的介入をする。また，認知行動療法は，個人で行われることもあるが，社会適応スキルを学ぶために集団で行われることもある。

(4) 集団精神療法

集団精神療法には，家族療法，夫婦療法，自助グループなどが含まれるが，ここでは外来やデイケアで行われるごく標準的な集団精神療法の説明にとどめる。

集団精神療法の目的は，同じ障害や問題をもつ者が相互に情報を交換・共有し，困難に対していかに行動していくかを学習することである。さらにコミュニケーションの技術や，怒りやストレスのコントロール技術を獲得し，場合によってはロールプレイを導入する。

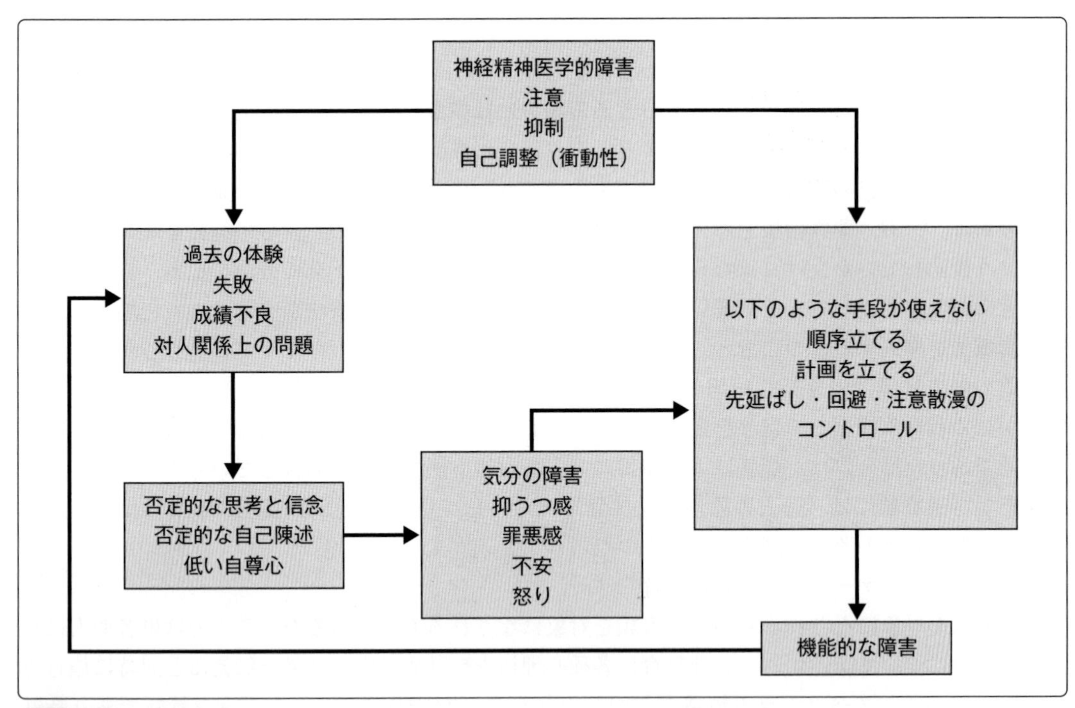

図11 認知行動モデル

〔Safren SA, et al : Mastering Your Adult ADHD : A Cognitive-Behavioral Treatment Program. Therapist Guide. Oxford University Press, 2005（板野雄二・監訳：おとなのADHDの認知行動療法—セラピストガイド—，日本評論社，2011）より引用〕

治療構造については，1週に1回，セッションの時間や期間は設定し，人数は多くても10数人が適当であろう。それぞれのセッションはあらかじめ決まった目的・テーマがあるのがよい。テーマは即時的で，患者の生活にすぐに応用できるものがよいと考えられる。インストラクターは，興味のない事物に関しては集中できないというADHDの特性を認識したうえでテーマを選ぶべきである。導入の際は，集団療法の規則を作る。ミーティングの時間厳守，構成員の秘密の厳守，発言の拒否権の保証などが挙げられる。

(5) 精神療法導入の方法と治療のゴール設定

ADHDや併存症が存在する場合にはその診断やそれらの障害の説明を患者に伝えた後に，今後医療機関でどのような治療的対応が可能なのかを説明する。その際精神療法に関しては，具体的にどのような治療内容を患者に提供できるかを明確化し，患者と共有しておくことが重要である。また，併存症が存在する場合は，いかなる問題・症状に治療のターゲットを置くのかを患者との間で再確認しておかなければならない[153]。ゴール設定についても患者が具体的にどの程度の事柄が達成できれば終了なのか，初診の主訴に照らし合わせて検討しておく必要がある。特に大学進学や就職などが問題の背景にあるヤングアダルト期においては，それ以前の時期と異なり，生活の枠組みが不確かとなり，行動範囲が広がるため，さまざまな問題に直面せざるを得なくなる。その都度，問題解決のターゲットをどこに絞っておくのか相互確認が必要となる。

以上のような治療契約を，治療開始時点で実施しておくべきである。また認知行動療法については，本人の治療への動機づけの確認をするべきである。さらに患者が契約内容を忘却しないように，その内容を書面に明記して患者に渡し，書面の複写を外来診療録に綴じておくことも必要になる。

(6) 治療の枠づけの問題

治療の場所，時間，関わる治療者などの設定，治療内容の範囲，治療者の限界などいわゆる「治療の枠づけ」は，ADHDの患者にも当然必要である。ADHDの患者にとって治療の場所，時間の設定は，スケジュールを自ら管理する能力を伸ばしたり，約束を守る訓練をする目的で行う面では治療的である。しかし，時間を守れず遅刻をしたり，来院の曜日を間違えたりすることを，他の神経症圏の患者を扱うのと同等に，治療に対する抵抗や治療者に対するアンビバレンツな感情の表れとして解釈するのは必ずしも適当ではない。患者の行動の原因は，神経生物学的障害であるADHDの症状である可能性が高いからである[160]。

(7) 実施内容と方法

精神療法の内容としては，①患者がADHD診断を受容するまでの精神的サポート，②日常生活や社会生活における問題に対する具体的アドバイス，③日常生活や社会生活を送っていくうえでの辛さに対しての理解と共感，④達成した事柄に関しては評価して患者の自己評価を高める，⑤薬物療法を施行する場合は，処方薬に関する教育，確実に服薬するための工夫や援助の方法，処方薬を使いこなすためのセルフモニタリングの援助，処方薬の効果が発現したときの自己受容，さらに処方薬を終了する時期の検討――などが挙げられる。

いずれの精神療法であっても，患者の生来的な障害については十分な配慮が必要になってくる。精神療法の内容を忘却しないために療法中メモをとらせるなどの指導が必要である。

なお「自分はADHDだから何もできない」と自らの障害を理由に本来遂行しなければならない業務や義務から逃避したり，他者の注意や勧告に対して居直ったりするケースがときにみられる。このような場合は，患者との間で，障害特性がありながらも立派に社会生活を続けている他患の実例を挙げ再度治療の目標を確認して，障害をもちながらもそれを乗り越えて生活していくという姿勢を継続していくように促すべきである。

(8) 限界と禁忌

ADHDは神経生物学的障害であるため，精神療法を施行する際，薬物療法なしでは症状の軽減に限界があると思われる。精神療法単独での治療が適応となるのは，ごく軽度のADHD症状をもつ患者に限られてくると考えられる。また併存症が存在する患者については，ADHDの症状と併存症の症状が複雑に絡み合っていて明確な区別がつかなくなっているものもあり，薬物療法を含め治療ターゲットを絞るのが困難な場合もある。また他の医療機関でADHDの知識がない医師に他の疾患として治療を受けていた患者の場合，障害に関する問題が未解決なままで症状も改善せず[161)]，医療に対する不信感を強くもっていることがある。そのために医師—患者関係がとりにくく，慎重に診察を進めなければならないことがある。

禁忌については，認知行動療法では，併存症に反社会的人格障害がある場合や知的能力が低く言語的コミュニケーションが不十分な場合が挙げられるだろう。

3）精神療法以外の支援

(1) 支援制度

精神障害者保健福祉手帳については，2011年よりADHDの診断で取得が可能となった。福祉支援を受けるためには，この手帳を持っていることが条件となる場合がほとんどである。手帳取得のためには，医療機関で診断書を作成してもらい，必要書類とともに自治体の障害福祉課などに提出する必要がある。ただし診断書を作成できるのは，当該医療機関に初診してから6カ月以降となる。自立支援医療制度を使うと，医療保険の外来通院費用の3割負担分が1割になる。継続的に医療機関を受診する場合に使用する。医師の診断書が必要である。

さらに障害基礎年金の利用も可能である。

(2) 支援機関

発達障害者支援センターは，2005年に施行された「発達障害者支援法」に基づいて設立された専門機関であり，全国の都道府県・政令指定都市に1カ所設けられている。事業内容は，発達障害者やその家族に対するコンサルテーション，情報提供，関係機関との連携などが挙げられる。

障害者職業支援センターは，障害者に対して就労の相談や職業能力の評価や職業訓練プログラムを実施している。さらに，就業後の職場においての支援をするジョブコーチを派遣することもある。ハローワークの専門援助部門は，障害者のための専門相談部門である。ジョブマッチングや就業指導，ジョブコーチの派遣などを行う。試行的短期間雇用の「トライアル雇用」を進めることもある。専門援助部門を利用する場合は，医師の意見書が必要となる場合もある。

その他，障害者就労を支援するNPOや民間企業なども増えてきている。

(3) 大学との連携

まず大学入試に関しては，2011年より大学入試センター試験での特別処置が認められ，発達障害をもつ学生は，医師の診断書を提出することによって，個室での受験が認められるようになった。

大学入学後は，学内の学生相談室や保健管理センター，大学によっては障害学生支援室など，困ったときに相談できる場所の確保を促し，自らの特性をあらかじめ説明して，学生生活を送るにあたって問題が起きた場合，すぐに相談できるようにしておく。また実際に問題が起こった場合に，大学のカウンセラーや保健師や職員と連携を取り，問題を解決する。

(4) 就職活動支援

就職活動をするにあたっては，医療機関で行った心理検査やチェックリストの結果などを参考にして，将来の進路を検討する。就労に関しては，一般就労あるいは障害者就労で就職活動をするのかを吟味する。大学生の場合は就職課の職員と相談することになる。一般就労のメリットとしては，職種選択の幅が広く，報酬などの労働条件がよく，特別扱いされることがない。一方デメリットとしては，周囲が特性を理解して配慮してくれることがない，特性をもととしたジョブマッチングが困難，多様で幅広い能力を要求される，医療機関通院の時間を確保しづらいなどが挙げられる。一方，障害者就労のメリットとしては，ハローワークでの専門援助部門の相談ができ特性に合わせたジョブマッチングができる，ジョブコーチの利用ができる，トライアル雇用がある，職場環境を特性に合わせて配慮してもらえる，定型業務が多いなどが挙げられる。デメリットとしては，仕事内容が単純であり，大学，専門学校などで学んだ知識技術が活かされない，就職できる会社の選択肢が少ない，給料等の労働条件がよくない，障害特性を開示するため特別扱いされるなどが挙げられる[162]。なお障害枠での就職を希望する場合は，知的障害がない場合は，精神障害者保健福祉手帳が必要となる。

4）症例提示

患者 初診時24歳 男性

主訴 「気が散ってしまって仕事がうまくこなせない，自分はADHDではないか」

成育歴および現病歴 大学卒業後，ある会社に就職して働き始めたが，デスクワークがいつまでたっても能率的にこなせなかった。自分のデスクの周囲は書類の山となり，隣の同僚のデスクを侵食するようになった。また，約束の時間を守ることができなかったり，取引先との約束を守ることができないことが続いた。小学校の頃から忘れ物や遅刻が多かったので，自分の性格的なものだと思っていたが，交際していた彼女からADHDではないかと書物を渡され読んだところ，ADHDの症状が自分の問題点と酷似していたため受診となった。

初診時は一人で受診した。ややぼんやりとしている感じで，こちらの説明が長くなると聞いていないように見え，実際話の内容の確認をしてくることがあった。心理検査の予約をするが，予約日を忘れてしまい，なかなか検査を施行することができなかった。

成育歴を確認すると，小学校1年時の通知表で授業を聞いていない，忘れ物が多いという記載があった。本人の記憶でも授業中に他のことを考えていることのほうが多かったという。

母親がチェックした現在のADHD RS-Ⅳ 日本語版のポイントは25であった。

検査

脳波，血液検査では異常なし，WAIS-RではFIQ119（VIQ 130，PIQ 96）であった。

治療

上記診察・検査の結果，患者がADHDの不注意型であることを伝えて，今後の治療のなかで，担当医が施行可能な内容について伝えた。患者は「薬物療法には抵抗があり，薬はできるだけ飲みたくない」と述べたため，2週間に1回の外来での精神療法のみ行っていくこととなった。具体的な精神療法の内容としては，職場での作業の効率化を目指して，スケジュール管理を行うため，Outlookを用いることや，約束の場所・時間を把握するため電子手帳を使用するなどのアドバイスをした。また，患者の長所・得意分野を指摘し評価し，自己評価を高めていくアプローチを行った。その結果，会社でのトラブルが幾分減ったと述べ，ADHD RS-Ⅳ 日本語版のポイントも約1年後には15に減少した。

（朝倉 新，松本 英夫）

⑭ 児童自立支援施設および少年院での処遇

「児童自立支援施設」は，児童福祉法に基づき，非行少年および生活指導を要する児童を処遇する厚生労働省管轄の児童福祉施設であり，特に近年後者の割合が大きく増加している。一方，「少年院」は少年法に基づき非行少年を処遇する法務省管轄の矯正施設である。児童自立支援施設の2022年3月1日の在籍数は1,316人[163]，少年院の同年3月末の収容人員は1,299人である[164]。本書「第2章7-①ADHDと非行および少年犯罪」(245ページ)において示されているとおり，非行とADHDの関連は深い。児童自立支援施設ではADHDの診断を受けた子どもが入所児童の23.6％を占める（2019年）とされ，一般人口中の比率に比べて相当大きい。ただし，ADHDをもつ少年の大部分は非行に走らないこと，また両施設に入所するADHDをもつ少年の多くが被虐待経験をもつことには留意が必要である。

世界的にみても，ADHDをもつ非行少年に特化したエビデンスのある処遇はいまだ存在しない。その一方，両施設は1世紀前後の歴史をもつ施設であるが，これらの施設におけるADHDの特性をもつ少年の比率は，診断がつけられるようになる以前の時代と現在とで大きく変わっているとは考えにくい。とすれば，診断がつけられる以前から，これらの施設では，ADHDをもつ少年への対応がそれなりになされていたとも考えられる。

1）両施設が共通してもっている治療構造

少年院はもちろんだが，児童自立支援施設ももともとは非行少年のための施設であり，両者はそのための治療構造を有しているが，そのうちADHDをもつ少年に有効に働く可能性があると考えられる点を次に挙げる。

(1) 一般社会に比べて強い生活枠組み

児童自立支援施設は開放処遇，少年院はそのほとんどが閉鎖処遇であるという違いはあるが，一般社会に比べて強く明確な生活枠組みをもつ。

①規則正しい生活日課

両施設では起床，就寝の時間はもちろん，学習，作業，レクリエーション，食事といった日課は毎日時刻が決められており，極めて規則正しいルーチンな生活を送ることとなる。

②ルールと違反時のペナルティの明確さ

生活上のさまざまなことについて，やるべきこと，やるべきでないことが一般社会よりも明確に決められており，それに違反したときのペナルティも明確に定められている。

③対人暴力，器物破損などの行動化に対する明確で強い規制

特に，破壊的な行動については，明確なペナルティが例外なしに与えられる。「症状である」といった免責は認めない。

(2) 対人関係の明確さ

①限定されたわかりやすい対人関係

両施設間でその程度はかなり異なるものの，一般社会に比べると対少年，対職員のいずれも接触できる人数は限定され，また固定されている。また，本音と建前の使い分けといった複雑なコミュニケーションは非常に限られる。特に職員はわかりやすく直接的な物言いをするように意識している。

②比較的同質な小集団による生活

学校や地域社会では非行などの問題行動を起こす少年は特異な存在であるが，両施設ではその不注意や衝動性といった特性も含めて，ありふれたこととみなされる。また，そのような行動への対応に職員全体が習熟しているため，環境の動揺が少ない。

③指導の一貫性

子どもの指導を担当する職員が明確に決まっているため，指導の一貫性が保たれやすい。

(3) 成功体験の積みやすさ

①習熟度および能力に応じた学習

就学児の場合，少人数あるいは個別学習による一人ひとりに合わせたきめ細やかな学習指導がなされる。

②生活を通じた全人的な働きかけと細かい行動修正

24時間職員が行動をともにするため，生活を通して全人的な働きかけがなされる。また，他の少年とのコミュニケーションの齟齬や細々とした行動上の問題の修正が可能である。

③施設内で用意された多様な経験

一般社会では不十分であったさまざまな成功体験を積ませることによって，自尊感情の向上を図る。

(4) 日常における作業量・運動量の豊富さ

エビデンスは十分とはいえないが，経験的には日常の身体活動が豊富であることが，彼らを心理的に安定させる可能性がある。

これらの治療構造は，ADHDという診断名が登場する以前から両施設が共通してもっていたものであるが，これらの構造がADHDをもつ少年に対しても有効に働いてきたものと思われる。実際，一般社会で極端な行動化がみられたために大量の向精神薬を投与されていたADHDをもつ少年が，施設の環境に適応していくなかで数カ月足らずで大きく薬を減量できるようになることは決して珍しくない。

これらの治療構造上の利点に加え，近年ADHDの診断がつけられるようになってからの両施設の共通した利点として，次のようなことが挙げられる。

(5) ADHDをもつ少年の特性への理解度の高さ

もちろんばらつきがないわけではないが，特に近年は随時職員研修などが行われることもあり，一般社会に比べるとADHDに対する理解度は平均して高い。

(6) ADHDをもつ少年の行動への対応の適切さ

前述の（2）とも関連するが，ADHDという診断が提示されることによって，適切な対応の仕方が理論的な根拠に基づいてより明確化され，経験的なものだけでない，より適正な対応がなされるようになった。

(7) 服薬遵守率の高さ

一般社会においては，行動化の激しいADHDの少年に対する服薬管理は容易ではない。施設の中でも強制的に服薬させることができるわけではないが，職員が完全に服薬管理を行うため，少なくとも一般社会よりも服薬遵守率はかなり高いはずである。特にメチルフェニデート徐放錠（商品名：コンサータ），アトモキセチン（商品名：ストラテラ）などの登場はADHDをもつ非行少年の施設内処遇を大きく変えたといっても過言ではない。施設内でより安定して過ごすことができるようになることで，多様な成功体験も積みやすくなったからである。

以上に挙げたような治療構造は，少年院でより枠組みが強く，児童自立支援施設では比較的緩やかであるという違いはあるものの，概ね共通である。その一方で，その構造のなかでの処遇は，両者において相当に異なっている。児童自立支援施設では，わかりやすく適切な環境のなかで，正しく豊かな生活を送らせること自体によって少年を改善しようとする，いわゆる生活モデルがとられるのに対し，少年院では処遇の柱として認知行動療法を主体とした心理モデルが大幅に取り入れられている。それはADHDをもつ非行少年に対する処遇の場合でも同様である。

2）児童自立支援施設でのADHDをもつ少年の支援

児童自立支援施設は全国で58カ所あり，うち男女各1カ所の国立施設には医務課がある。しかし，そこにADHDなどの発達障害あるいはその他の精神障害をもつ子が集められるわけではない。この点は少年院と大きく異なる。また両国立を含むすべての施設で，入所児童のうちADHDの診断を受けた子を1つの寮に集めるといった分類処遇はなされておらず，むしろ意識的にそれぞれの寮にさまざまな特性の子が混在するようにしている。多様性が子どもたちの対人能力を高めると考えているからである。

一つの寮は多くて10人ほどの小舎制が主流であり，全国の施設のうち約7割が数人の職員が寮を担当する交代制，約3割が実際の夫婦が寮を担当する夫婦制である。これら子どもの小集団と限定された職員による疑似家族的環境が児童自立支援施設の特色である。子どもはいったんある寮に所属すると，平均して1～2年ほどの在所期間中ずっとその寮で生活することになる。他の児童福祉施設と異なり学校機能ももつため，入所期間中は原則として24時間施設内で暮らすことになる。当然職員とも，また他の子どもとも極めて濃厚な対人関係が作られることになる。少年院と違い，基本私語は自由であるから，特に子ども間の関係はインフォーマルなコミュニケーションも含め，雑多ではあるが大変豊かである。ADHDを伴う少年は対人関係やコミュニケーション能力に問題を抱えていることも多いため，寮での濃厚な人間関係を中心に，それらの訓練を生活のなかでごく自然に行っていくことになる。

ただし，その結果として，子ども同士，あるいは対職員トラブルは少なくない。児童自立支援施設では，小さなトラブルが日常的に起こるくらいの緩やかな枠組みにしておくことがむしろ推奨されており，行動化を成長の好機ととらえ，行動化の理由に理解を示しつつも，行動化そのものは許さずに介入するというスタンスをとっている。少年院に比べて枠組みがゆるいこともあって，ADHDの子どもの行動化はより多いと考えられ，診断がついた場合，少年院に比べ，より早期にメチルフェニデートなどの投薬が始められるのは，この点も影響していると思われる。

また，ADHDに加えて被虐待経験をもつ子どもも多いため，職員との関係は受容的なものであるように心がけている。また，少年院と比べ，入所者の年齢が低いこと，疑似家族的な環境であることから，職員がペアレント・トレーニングの手法を用いることが有効である。

以上のように，児童自立支援施設では，ADHDに特化した治療プログラムをもっていない。しかし，その治療構造全体が，そもそも入所児童の一定の割合を占めていたと思われるADHD的な特性をもつ子に対して有効であり，対職員および子ども同士の濃厚な対人関係のある生活のなかで改善を図る仕組みとなっている。この構造全体が治療プログラムであるという言い方もできるだろう。

3）少年院でのADHDをもつ非行少年の処遇

非行少年の大幅な減少に伴い，少年院の統廃合が進んでおり，2021年4月現在全国で47庁あるが，今後さらに減少する見込みである。

少年院では，少年の特性に応じた分類処遇がなされる。年齢や犯罪傾向の進度に応じて第1種（旧少年院法における初等・中等少年院に相当）および第2種少年院（同特別少年院に相当）があり，また心身に著しい障害のある少年が収容される第3種少年院（東日本少年矯正医療・教育センター，京都医療少年院）などがある（ただし，ADHDの診断のみで第3種少年院に収容されることは少ないと思われる）。また，年齢・心身の障害・犯罪的傾向の程度などに着目し，その類型ごとに「矯正教育課程」を定めている。そのなかの一つに知的障害，情緒障害，発達障害などをもつ在院者に対応する「支援教育課程」があり，そこでの処遇に向けた「発達上の課題を有する在院者に対する処遇プログラム実施ガイドライン（2016）」が作成されている[165]。発達障害に対するプログラムの1例としては，ボディイメージや身体機能の向上を図る「認知作業トレーニング」（宮川医療少年院）が挙げられる[166]。スクリーニング検査として動作模倣や静的・動的人物画の得点が特に低かった者数人を各クールの対象とし，①棒体操：新聞を丸めて作った棒を使った体操。協調運動の向上を目指す，②動作模倣：提示された姿位や動作を模倣する，③姿位伝言ゲーム：提示された姿位を言葉だけでパートナーに伝える，④爪楊枝積み：時間内にできるだけ高く爪楊枝を井型に積み上げる――といったプログラムを行う。修了者は，「何かをする前にいったん立ち止まって考えられるようになった」，「2つ以上の行動が組み合わさると混乱してできなくなることがわかった」，「担任の先生に『相手への伝え方がうまくなった』と言われた」，「相手の立場に立った行動がとれるようになった」といった感想を述べており，歩行検査，動的人物画などで得点の有意の向上がみられている。これらの効果は，就労・作業の向上に直結すると考えられる。

ただし，2020年の新収容者1,624人中，なんらかの精神障害ありとされた者は458人に上っており，また支援教育課程以外の矯正教育課程（社会適応課程など）に属する少年にも発達上の困難を抱えている者は少なくないため，執務資料「処遇上特別の配慮を必要とする少年に対する効果的な処遇の在り方について」などに基づいて対応している。

なお，このような体制のもとでも，治療的働きかけの基盤となるのは，やはり少年と担当の法務教官との関係性，および他の少年との集団生活である。

4）両施設における医療職の役割

(1) 診断

両施設は，非行あるいは家庭・地域・学校などでの適応を改善することを目的とした施設であり，障害の治療はあくまでそれをより良く行うためになされる。ただし，ADHDの場合は不注意や衝動性などの症状の改善が問題行動の改善に直接的に結びつきやすい面がある。また，その頻度が比較的高いこともあって，両施設において処遇と医療が最も連携しやすいケースでもある。それがより有効に機能するためには，やはりまず正しい見立てを行い，それを処遇職員に適切に伝えていくことが重要である。以前に比べると最近では入所の時点ですでに診断がなされていることも多いが，発達障害の特性上，鑑別所での短期間の観察では診断しがたいこともあり，特に女子の場合は現在でもADHDの見落としは少なくないことに留意すべきである。入所の時点で確定診断がつかない場合もあるため，その後も処遇職員と十分情報を共有して，正確な診断に至るよう心がける。施設内の医療は，生活全体の明確な構造化がなされていることなど，一般社会での医療よりも有利な点も少なくない。

(2) 治療的関わり

投薬にあたっては，少年にその意味を説明するとともに，薬は助けにはなるが，あくまで自分で自身の行動をコントロールすることが重要であることを強調することが多い。これは施設の特性と強く関わる部分である。

また，精神療法的関わりのなかでは特に少年と担当する職員との関係を良好に保つことに腐心することが多い。また，施設の生活や行事などでの少年の様子を把握しておき，自尊感情を高めるために活用する。

(3) 処遇職員との連携

ADHDをもつ少年の行動化への対応にあたっては，その心理的意味の理解が不可欠なことは当然であるが，両施設の職員はその点には長けていることが多い。そのため，それと同時に生物学的な特性としての理解を促していくことが医療職の役割として重要である。また，障害をもたない少年に比べてその変化には時間がかかることも多いため，半年，1年といった長いタイムスパンでみれば彼らも必ず成長していくことを伝え続けなければならない。その一方，薬物療法が極めて有効であることも少なくないため，職員がそれで安心してしまうことによって，なされるべき処遇が停滞することがないよう，むしろそこからが処遇の始まりであることを伝えていくこともまた必要である。

(4) 事件への向き合いの援助

ADHDをもつ非行少年の起こす事件は，その不注意や衝動性といった特性と関連したものであることが多く，結果的に重大な事件となったとしても事件の構造としては単純なものであることが少なくない。そのため，日常診療のなかで生活場面での失敗などをとらえて，それが起こした事件と結びつくものであることに気づかせるといった形で事件と向き合わせることが多い。もちろん，このような働きかけは医療職だけが行うわけではなく，やはり処遇担当職員と連携しながら行うこととなる。

(5) 治療の連続性の確保

また，両施設での少年との関わりはあくまで有期限であるため，退所後の家族および地域の医療のサポートに繋げていくことも，医療職の重要な役割である。在院中に家族に対して心理教育的な働きかけを行うことによって，正しい理解，対応を求めたり，服薬管理が可能かどうかを見極めることも必要となる。少年が非行化したことに罪悪感を覚えている親もいることから，必ずしも子育ての失敗によるものではないことを伝え，それまでの苦労をねぎらうことも重要である。またできる限り在院中に地域医療との連携を始めることによって，退所後の通院の継続を図る。これらの働きかけが彼らの転帰を大きく変える可能性がある。一方，服薬管理が望めない環境に戻らざるを得ない少年も少なくないため，その場合は，投薬を漸減し退所までに中止することになる。それでも服薬によって施設内でより多くの成功体験を積ませ，自己評価を高めることには大きな意味があると考えられる。

5）成人犯罪者への連続性の問題

まだ緒に就いたばかりではあるが，刑務所でもADHDのスクリーニングと治療が始まっている。網走刑務所での報告（2021）によれば，成人ADHDのスクリーニングツールであるASRS Ver1.1を用いた新入受刑者中の陽性率は12.1％である[167]。これは一般成人の有病率の約5倍にあたり，少年院におけるADHDのスクリーニング陽性率が一般少年の約5倍という報告と符合している。しかも，成人受刑者の場合，陽性者のほとんどが未診断・未治療である。ADHDをもつ者の犯罪率が治療によって低下するというエビデンスは積みあがってきており[168, 169]，刑務所におけるスクリーニングと治療の今後の普及が再犯予防の観点からも期待される。

6）おわりに

ADHDを伴う少年の治療にあたった者は，少年の両施設への入所を臨床的敗北であると受け取るかもしれない。それはある意味当然のことではあるが，ここで述べてきたとおり，両施設は行動化の激しいADHDをもつ子の治療環境として多くの利点をもっていることも確かである。諸外国の同様の施設に比べると，職員の処遇力は大変高く，少年の転帰も良好である。一般社会で彼らの行動をコントロールすることが困難な場合には，この両施設への入所を選択することが，長期的にみれば少年にとっての利益となることが少なくないことを付言しておきたい。

（富田 拓）

参考文献

1）齊藤万比古・編：注意欠如・多動症—ADHD—の診断・治療ガイドライン第4版．じほう，2016
2）Catalá-López F, et al : The pharmacological and non-pharmacological treatment of attention deficit hyperactivity disorder in children and adolescence: A systematic review with network meta-analyses of randomized trials. PLoS One, 12（7）: e0180355, 2017
3）National Institute for Health and Care Excellence : Attention deficit hyperactivity disorder: diagnosis and management, NICE guideline NG87. 2019（https://www.nice.org.uk/guidance/ng87）
4）Sonuga-Barke EJ, et al ; European ADHD Guidelines Group: Nonpharmacological interventions for ADHD: systematic review and meta-analyses of randomized controlled trials of dietary and psychological treatments. Am J Psychiatry, 170（3）: 275-289, 2013
5）Canadian ADHD Resource Alliance（CADDRA）: Canadian ADHD Practice Guidelines Third Edition. Refer to www.caddra.ca for latest updates, 2014
（https://www.caddra.ca/pdfs/caddraGuidelines2011.pdf）
6）Westwood SJ, et al : Noninvasive brain stimulation in children and adults with attention-deficit/hyperactivity disorder: a systematic review and meta-analysis. J Psychiatry Neurosci, 46（1）: E14-E33, 2021
7）田中康雄：ADHDの明日に向かって．星和書店，2001
8）Drotar D, et al : The adaptation of parents to the birth of an infant with congenital malformation: a hypothetical model. Pediatrics, 56（5）: 710-717, 1975
9）Olshansky, S. 著（1962），松本武子・訳：絶えざる哀しみ—精神薄弱児をもつことへの反応．家族福祉—家族診断・処遇の論文集．家庭教育社，pp133-138，1968
10）文部科学省特別支援教育のあり方に関する委員会；初等中等教育分科会「共生社会の形成に向けたインクルーシブ教育システム構築のための特別支援教育の推進（報告）」(平成24年7月23日)
11）田中康雄：注意欠陥／多動性障害の地域治療．支援システム～それぞれの立場における対応策について～〔厚生労働省精神／神経疾患研究委託費（主任研究者 齋藤万比古）：注意欠陥／多動性障害の総合的研評価と臨床的実証研究〕，2004
12）田中康雄：多動・注意障害のある子どもを持つ親への支援．精神科治療学，23（10）：1187-1193, 2008
13）Johnston C, et al : Acceptability of behavioral and pharmacological treatments for attention-deficit/ hyperactivity disorder: relations to child and parent characteristics. Behav Ther, 39（1）: 22-32, 2008
14）Daley D, et al : Practitioner Review: Current best practice in the use of parent training and other behavioural interventions in the treatment of children and adolescents with attention deficit hyperactivity disorder. J Child Psychol Psychiatry, 59（9）: 932-947, 2018
15）Caye A, et al : Treatment strategies for ADHD: an evidence-based guide to select optimal treatment. Mol Psychiatry, 24（3）: 390-408, 2019
16）Evans SW, et al : Evidence-based psychosocial treatments for children and adolescents with attention-deficit/ hyperactivity disorder. J Clin Child Adolesc Psychol, 43（4）: 527-551, 2014
17）Coghill D, et al : The management of ADHD in children and adolescents: bringing evidence to the clinic: perspective from the European ADHD Guidelines Group（EAGG）. Eur Child Adolesc Psychiatry, 22 : 1-25, 2021

18) American Academy of Pediatrics : CLINICAL PRACTICE GUIDELINE (https://pediatrics.aappublications.org/content/pediatrics/144/4/e20192528.full.pdf)
19) CDC Website (https://www.cdc.gov/ncbddd/adhd/behavior-therapy.html)
20) Zwi M, et al : Parent training interventions for Attention Deficit Hyperactivity Disorder (ADHD) in children aged 5 to 18 years. Cochrane Database Syst Rev, 2011 (12) : CD003018, 2011
21) Rimestad ML, et al : Short- and Long-Term Effects of Parent Training for Preschool Children With or at Risk of ADHD: A Systematic Review and Meta-Analysis. J Atten Disord, 23 (5) : 423-434, 2019
22) Daley D, et al ; European ADHD Guidelines Group : Behavioral interventions in attention-deficit/ hyperactivity disorder: A meta-analysis of randomized controlled trials across multiple outcome domains. J Am Acad Child Adolesc Psychiatry, 53 (8) : 835-847, 2014
23) Thompson MJ, et al : A small-scale randomized controlled trial of the revised new forest parenting programme for preschoolers with attention deficit hyperactivity disorder. Eur Child Adolesc Psychiatry, 18 (10) : 605-616, 2009
24) Sonuga-Barke, et al : Nonpharmacological Interventions for Ppreschoolers With ADHD The Case for Specialized Parent Training. Infants Young Child, 19 (2) : 142-153, 2006
25) Rex L Forehand, et al : Helping the noncompliant child: a clinician's guide to parent training. The Guilford Press, 1981
26) Abikoff HB, et al : Parent training for preschool ADHD: A randomized controlled trial of specialized and generic programs. J Child Psychol Psychiatry, 56 (6) : 618-631, 2015
27) Pfiffner LJ, et al : A two-site randomized clinical trial of integrated psychosocial treatment for ADHD-inattentive type. J Consult Clin Psychol, 82 (6) : 1115-1127, 2014
28) Eames C, et al : The impact of group leaders' behaviour on parents acquisition of key parenting skills during parent training. Behav Res Ther, 48 (12) : 1221-1226, 2010
29) 岩坂英己：困っている子をほめて育てるペアレント・トレーニングガイドブック第2版；活用のポイントと実践例．じほう，2021
30) Shaffer A, et al : The past, present, and future of behavioral parent training: Interventions for child and adolescent problem behavior. The Behavior Analyst Today, 2 (2) : 91-105, 2001
31) Antshel KM, Barkley R : Psychosocial interventions in attention deficit hyperactivity disorder. Child Adolesc Psychiatr Clin N Am, 17 (2) : 421-437, 2008
32) Dekkers TJ, et al : Meta-analysis: Which Components of Parent Training Work for Children With Attention-Deficit/Hyperactivity Disorder? J Am Acad Child Adolesc Psychiatry, 61 (4) : 478-494, 2022
33) Hornstra R, et al : Attachment Representation Moderates the Effectiveness of Behavioral Parent Training Techniques for Children with ADHD: Evidence from a Randomized Controlled Microtrial. Res Child Adolesc Psychopathol, 2022 (Online ahead of print)
34) van der Oord S, Tripp G : How to Improve Behavioral Parent and Teacher Training for Children with ADHD: Integrating Empirical Research on Learning and Motivation into Treatment. Clin Child Fam Psychol Rev, 23 (4) : 577-604, 2020
35) Pallini S, et al : Attachment and attention problems: A meta-analysis. Clin Psychol Rev, 74 : 101772, 2019
36) WILLIAMS CD : The elimination of tantrum behaviors by extinction procedures. J Abnorm Soc Psychol, 59 : 269, 1959
37) Bijou SW : Parent Training: Actualizing the Critical Conditions of Early Childhood Development. Parent Training: Foundations of Research and Practice (ed. by Dangel RF, Polster RA), Guilford Press, 1984
38) Hanf C : A two stage program for modifying maternal controlling during mother-child (M-C) interaction. Paper presented at the Western Psychological Association Meeting, Vancouver, B.C., 1969
39) Graziano AM : Parents as behavioral therapists. Progress in behavior modification Vol.4 (ed. by M Hersen, RM Eisler, PM Miller), Academic Press, pp251-298, 1977
40) Nay WR : A systematic comparison of instructional techniques for parents. Behavior Therapy, 6 (1) : 14-21, 1975
41) Barkley RA : Taking Charge of ADHD: The Complete, Authoritative Guide for Parents. The Guilford Press, 1995
42) 上林靖子・監，北道子，他・編：こうすればうまくいく発達障害のペアレント・トレーニング実践マニュアル．中央法規，2009
43) 日本発達障害ネットワーク JDDnet 事業委員会：ペアレント・トレーニング実践ガイドブック．2020 (https://www.mhlw.go.jp/content/12200000/000653549.pdf)
44) Chronis-Tuscano A, et al : Development and preliminary evaluation of an integrated treatment targeting parenting and depressive symptoms in mothers of children with attention-deficit/hyperactivity disorder. J Consult Clin Psychol, 81 (5) : 918-925, 2013
45) Andrew Christensen, et al : Cost effectiveness in behavioral family therapy. Behavior Therapy, 11 (2) : 208-226, 1980, Community Parent Education Program. Ontario, Canada: Hamilton Health Sciences Corp (ed. by Cunningham CE, et al), 1998

46) Cox P, et al : Group therapy. The American psychiatric publishing textbook of psychiatry, 5th edition (ed. RE Hales, et al), American Psychiatric Publishing, pp1329-1376, 2008
47) Sonuga-Barke EJS, et al : A comparison of the clinical effectiveness and cost of specialised individually delivered parent training for preschool attention-deficit/hyperactivity disorder and a generic, group-based programme: a multi-centre, randomised controlled trial of the New Forest Parenting Programme versus Incredible Years. Eur Child Adolesc Psychiatry, 27 (6) : 797-809, 2018
48) Minde K, et al : The psychosocial functioning of children and spouses of adults with ADHD. J Child Psychol Psychiatry, 44 (4) : 637-646, 2003
49) Chronis-Tuscano A,et al : Acute Effects of Parent Stimulant Medication Versus Behavioral Parent Training on Mothers' ADHD, Parenting Behavior, and At-Risk Children. J Clin Psychiatry, 81 (5) : 19m13173, 2020
50) Harold GT, et al : Biological and rearing mother influences on child ADHD symptoms: revisiting the developmental interface between nature and nurture. J Child Psychol Psychiatry, 54 (10) : 1038-1046, 2013
51) DuPaul GJ, et al : Face-to-Face Versus Online Behavioral Parent Training for Young Children at Risk for ADHD: Treatment Engagement and Outcomes. J Clin Child Adolesc Psychol, 47 (sup1) : S369-S383, 2018
52) Xie Y, et al : A study on the effectiveness of videoconferencing on teaching parent training skills to parents of children with ADHD. Telemed J E Health, 19 (3) : 192-199, 2013
53) Breider S, et al : Self-directed or therapist-led parent training for children with attention deficit hyperactivity disorder? A randomized controlled non-inferiority pilot trial. Internet Interventions, 18 : 100262, 2019
54) 氏家享子：発達障害児本人への診断名告知について考える—様々な疾病・障害も含む診断名告知に関する研究動向から—. 東北福祉大学研究紀要, 42：95-110, 2018
55) American Psychiatric Association : Diagnostic and Statistical Manual of Mental Disorders, Fifth Edition. American Psychiatric Association, 2013
56) 小谷裕実：高機能広汎性発達障害児に対する保護者及び本人への診断告知の実際—沖縄県自閉症協会へのアンケート調査から—. 花園大学心理カウンセリングセンター研究紀要, 5：29-38, 2011
57) 宮本信也, 他：研究委員会シンポジウム；障害理解を考える—教育の現場で子どもにどう説明するか—. LD 研究, 20 (1), 47-59, 2011
58) 田中真理, 他：軽度発達障害児における自己意識の発達—自己への疑問と障害告知の観点から—. 東北大学大学院教育学研究科・教育学部研究年報, 54 (2), 2006
59) 三村將, 他：軽度認知障害への対応・訓練—説明と病名告知を含めて—. 老年精神医学雑誌, 20 (3), 287-293, 2009
60) Wolraich ML, et al : Clinical Practice Guideline for the Diagnosis, Evaluation, and Treatment of Attention-Deficit/Hyperactivity Disorder in Children and Adolescents. Pediatrics. 144 (4) : e20192528, 2019
61) DuPaul GJ, et al : School-Based Intervention for Children with Attention Deficit Hyperactivity Disorder: Effects on Academic, Social, and Behavioural Functioning. International Journal of Disability, Development & Education, 53 (2) : 161-176, 2006
62) Wills HP, et al : Implementation of a self-monitoring application to improve on-task behavior: A high-school pilot study. J Behav Educ, 23 (4) : 421-434, 2014
63) Eggett B : A Review of Self Management Interventions for Children with ADHD and Implications for Education Professionals. 2013
64) Safren SA : Cognitive-behavioral approaches to ADHD treatment in adulthood. J Clin Psychiatry, 67 (Suppl.8) : 46-50, 2006
65) 中島美鈴, 他：成人注意欠如・多動症の時間管理に焦点を当てた集団認知行動療法の効果の予備的検討. 発達心理学研究, 30 (1)：23-33, 2019
66) 野上慶子：ADHD と不安症の併存症の子どもに対する認知行動療法の研究動向. LD研究, 30 (1)：85-96, 2021
67) Evans SW, et al : Evidence-Based Psychosocial Treatments for Children and Adolescents With Attention Deficit/Hyperactivity Disorder. J Clin Child Adolesc Psychol, 47 (2) : 157-198, 2018
68) DuPaul GJ, et al : Future Directions for Psychosocial Interventions for Children and Adolescents with ADHD. J Clin Child Adolesc Psychol, 49 (1) : 134-145, 2020
69) Eddy LD, et al : Longitudinal Evaluation of the Cognitive-Behavioral Model of ADHD in a Sample of College Students With ADHD. J Atten Disord, 22 (4) : 323-333, 2018
70) Sibley MH, et al : Engagement Barriers to Behavior Therapy for Adolescent ADHD. J Clin Child Adolesc Psychol, 1-16, 2022 (Online ahead of print)
71) 池淵恵美：社会生活技能訓練 (SST) の実際. 専門医のための精神科臨床リュミエール4精神障害者のリハビリテーションと社会復帰 (松原三郎・編), 中山書店, pp68-79, 2008

72) Bagwell CL, Schmidt ME : Friendships in childhood and adolescence. Guilford Press, 2011
73) Liberman RP, et al. 著（1975），安西信雄・監訳：生活技能訓練基礎マニュアル―対人的効果訓練：自己主張と生活技能改善の手引き―．創造出版，1990
74) 東京SST経験交流会・編：総論SSTの適応と効果「事例から学ぶSST実践のポイント」．金剛出版，pp13-21，2002
75) Mueser KT, et al : Psychological interventions in schizophrenia, Recent Advances in Schizophrenia. Springer-Verlag, pp213-235, 1990
76) Liberman RP. 著（2008），池淵恵美・監訳：精神障害と回復―リバーマンのリハビリテーションマニュアル．星和書店，pp181-183，2011
77) 佐藤正二，他：学校におけるSST実践ガイド．金剛出版，2006
78) Mikami AY, et al : Social Skills Training. Child Adolesc Psychiatric Clin N Am, 23（4）: 775-788, 2014
79) Kaya C, et al : Peer-mediated interventions with elementary and secondary school students with emotional and behavioural disorders: literature review. J Res Spec Educ Needs, 15（2）: 120-129, 2015
80) Normand S, et al : Attention-Deficit/Hyperactivity Disorder and the challenges of close friendship. J Can Acad Child Adolesc Psychiatry, 16（2）: 67-73, 2007
81) Normand S, et al : How do children with ADHD（mis）manage their real-life dyadic friendships? A multimethod investigation. J Abnorm Child Psychol, 39（2）: 293-305, 2011
82) Sagvolden T, et al : A dynamic developmental theory of Attention-Deficit/Hyperactivity Disorder（ADHD）predominantly hyperactive/impulsive and combined subtypes. Behav Brain Sci, 28（3）: 397-419, 2005
83) Owens JS, et al : A critical review of self-perceptions and the positive illusory bias in children with ADHD. Clin Child Fam Psychol Rev, 10（4）: 335-351, 2007
84) Murray-Close D, et al : Developmental processes in peer problems of children with attention-deficit/hyperactivity disorder in Multimodal Treatment Study of Children with ADHD: developmental cascades and vicious cycles. Dev Psychopathol, 22（4）: 785-802, 2010
85) 五十嵐一枝：発達障害のソーシャルスキルトレーニング．PTジャーナル．52（9）：861-867，2018
86) 岩坂英巳：行動療法，特にソーシャルスキル・トレーニング（SST）．注意欠如・多動症―ADHD―の診断・治療ガイドライン第4版（斎藤万比古・編），じほう，pp275-313, 2016
87) NICE guideline ; Attention deficit hyperactivity disorder: diagnosis and management. 2018（https://www.nice.org.uk/guidance/ng87）
88) Canadian ADHD Resource Alliance（CADDRA）: Canadian ADHD Practice Guidelines, Edition 4.1. 2020
89) Gardner DM, Gerdes AC : A Review of Peer Relationships and Friendships in Youth With ADHD. J Atten Disord, 19（10）: 844-855, 2015
90) Pelham WE Jr, et al : Evidence-based psychosocial treatments for attention-deficit/hyperactivity disorder. J Clin Child Adolesc Psychol, 37（1）: 184-214, 2008
91) Willis D, et al : Stand-Alone Social Skills Training for Youth with ADHD: A Systematic Review. Clin Child Fam Psychol Rev, 22（3）: 348-366, 2019
92) Pfiffner LJ, et al : A randomized controlled trial of a school-implemented school-home intervention for attention-deficit/hyperactivity disorder symptoms and impairment. J Am Acad Child and Adolesc Psychiatry, 55（9）: 762-770, 2016
93) Schramm SA, et al : Training problem solving and organizational skills in adolescents with attention-deficit/hyperactivity disorder: a randomized controlled trial. Journal of Cognitive Education and Psychology, 15（3）: 391-411, 2016
94) Hannesdottir DK, et al : The OutSMARTers program for children with ADHD. J Atten Disord, 21（4）: 353-364, 2017
95) Haack LM, et al : Parenting as a mechanism of change in psychosocial treatment for youth with ADHD, predominantly inattentive presentation. J Abnorm Child Psychol, 45（5）: 841-855, 2017
96) Evans SW, et al : Evaluation of a school-based treatment program for young adolescents with ADHD. J Consult Clin Psychol, 84（1）: 15-30, 2016
97) American Academy of Pediatrics, Subcommittee on Children and Adolescents with Attention-Deficit/Hyperactivity Disorder. ADHD: Clinical practice guideline for the diagnosis, evaluation, and treatment of children and adolescents with attention-deficit/hyperactivity disorder. Pediatrics, 2019
98) Mikami AY, et al : A randomized trial of a classroom intervention to increase peers' social inclusion of children with attention-deficit/hyperactivity disorder. J Consult Clin Psychol, 81（1）: 100-112, 2013
99) Frankel F, et al : Parent-assisted transfer of children's social skills training: effect on children with and without attention-deficit hyperactivity disorder. J Am Acad Child and Adolesc Psychiatry, 36（8）: 1056-1064, 1997
100) 岩坂英巳，高橋弘幸：ADHDへのソーシャルスキルトレーニング．精神科治療学，25（7）：911-918，2010
101) 浦谷光裕，太田豊作，岩坂英巳，他：神経発達症児に対するソーシャルスキルトレーニング（SST）の効果．第57回日本児

童青年精神医学会総会抄録，270, 2016
102)澤田将幸，飯田順三，根來秀樹，他：注意欠陥/多動性障害（AD/HD）の衝動性とmismatch negativity（MMN）．精神科治療学，21（9）：987-991, 2006
103)Sawada M, et al : Effects of osmotic-released methylphenidate in attention-deficit/hyperactivity disorder as measured by event-related potentials. Psychiatry Clin Neurosci, 64（5）: 491-498, 2010
104)Yamamuro K, et al : Event-related potentials reflect the efficacy of pharmaceutical treatments in children and adolescents with attention deficit/hyperactivity disorder. Psychiatry Res, 242 : 288-294, 2016
105)浦谷光裕，岩坂英巳，太田豊作，他：ソーシャルスキルトレーニング前後の注意欠如・多動症の事象関連電位．児童青年精神医学とその近接領域，57（3）：438-449，2016
106)くるめSTP書籍プロジェクトチーム・著，山下裕史朗・向笠章子・編：夏休みで変わるADHDをもつ子どものための支援プログラム；くるめサマー・トリートメント・プログラムの実際．遠見書房，2010
107)太田仁，太田綾：インクルーシブ教育システムとソーシャル・スキル・エジュケーション―小学校での通級指導におけるSSEの実践過程―．梅花女子大学心理こども学部紀要，6：43-55，2016
108)Ke F, Im T : Virtual-reality-based social interaction training for children with high-functioning autism. The Journal of Educational Research, 106（6）: 441-461, 2013
109)Eyberg SM, Funderburg B : Parent-Child Interaction Therapy protocol. PCIT International, 2011（加茂登志子・訳：Japanese Version of Parent-Child Interaction Therapy protocol 2011, PCIT International, 2011）
110)Cooley ME, et al : Parent-Child Interaction Therapy: A Meta-Analysis of Child Behavior Outcomes and Parent Stress. Journal of Family Social Work, 17（3）: 191-208, 2014
111)Thomas R, et al : Parent-Child Interaction Therapy : A Meta-analysis. Pediatrics, 140（3）: e20170352, 2017
112)Ward MA, et al : Parent-child interaction therapy for child disruptive behaviour disorders: A meta-analysis. Child Youth Care Forum, 45（5）: 675-690, 2016
113)Solomon M, et al : The effectiveness of parent-child interaction therapy for families of children on the autism spectrum. J Autism Dev Disord, 38（9）: 1767-1776, 2008
114)Choate ML, et al : Parent-child interaction therapy for treatment of separation anxiety disorder in young children: A pilot study. Cognitive and Behavioral Practice, 12（1）: 126-135, 2005
115)Chaffin M, et al : Parent-Child Interaction Therapy With Physically Abusive Parents: Efficacy for Reducing Future Abuse Reports. J Consult Clin Psychol, 72（3）: 500-510, 2004
116)Brestan-Knight E, et al : Parent-child interaction therapy: Parent perceptions of untreated siblings. Child & Family Behavior Therapy, 19（3）: 13-28, 1997
117)Hood KK, et al : Outcomes of parent-child interaction therapy: Mothers' reports of maintenance three to six years after treatment. J Clin Child Adolesc Psychol, 32（3）: 419-429, 2003
118)Kaminski JW, et al : Evidence Base Update for Psychosocial Treatments for Disruptive Behaviors in Children. J Clin Child Adolesc Psychol, 46（4）, 477-499, 2017
119)Matos M, et al : Adaptation of Parent-Child Interaction Therapy for Puerto Rican families: A preliminary study. Fam Process, 45（2）: 205-222, 2006
120)Nixon RD : Changes in hyperactivity and temperament in behaviourally disturbed preschoolers after Parent-Child Interaction Therapy. Behaviour Change, 18（3）: 168-176, 2001
121)Eyberg SM, et al : Parent-Child Interaction Therapy with behavior problem children: One and two year maintenance of treatment effects in the family. Child & Family Behavior Therapy, 23（4）: 1-20, 2001
122)Wang C, et al : A retrospective examination of the impact of pharmacotherapy on Parent-Child Interaction Therapy. J Child Adolesc Psychopharmacol, 31（10）: 685-691, 2021
123)Hosogane N, et al : Parent-Child Interaction Therapy（PCIT）for young children with Attention-Deficit Hyperactivity Disorder（ADHD）in Japan. Annals of General Psychiatry, 17（1）, 2018
124)Eyberg SM : Eyberg child behavior inventory and Sutter-Eyberg student behavior inventory-Revised: Professional manual, 1999（加茂登志子・訳：日本語版 ECBI アイバーグ子どもの行動評価尺度．千葉テストセンター，2016）
125)Boggs SR, et al : Outcomes of Parent-Child Interaction Therapy: A comparison of Treatment Completers and Study Dropouts One to Three Years Later. Child & Family Behavior Therapy, 26（4）: 1-22, 2004
126)Fernandez MA, et al : Keeping families in once they've come through the door: Attrition in Parent-Child Interaction Therapy. Journal of Early and Intensive Behavior Intervention, 2（3）: 207-212, 2005
127)Goldfine M, et al : Parent-Child Interaction Therapy: An Examination of Cost-Effectiveness. Journal of Early and Intensive Behavior Intervention, 5（1）: 119-141, 2008
128)Pearl E, et al : Child adult relationship enhancement（CARE）: A brief, skills-building training for foster caregivers to

increase positive parenting practices. Children and Youth Services Review, 90 : 74-82, 2018
129)細金奈奈，小平雅基，齊藤万比古：児童精神科臨床における養育支援―総合母子保健センター愛育クリニックでの取り組み―．精神経誌，124（1）：28-35，2022
130)Sanders MR : Triple P-Positive Parenting Program: towards an empirically validated multilevel parenting and family support strategy for the prevention of behavior and emotional problems in children. Clin Child Fam Psychol Rev, 2（2）: 71-90, 1999
131)Pelham WE, et al : Summer treatment programs for Attention-Deficit/Hyperactivity Disorder. Evidence-based psychotherapies for children and adolescents（Weisz JR, Kazdin AE : Eds）, Gilford Press, pp277-292, 2010
132)Fabiano GA, et al : Summer Treatment Program for Youth with Attention deficit/hyperactivity Disorder. Child Adolesc Psychiatr Clin N Am, 23（4）: 757-773, 2014
133)山下裕史朗：ニューヨーク州立大バッファロー校におけるADHDの子どもと家族に対する包括的治療．日本小児科学会雑誌，109（10）：1301-1307，2005
134)穴井千鶴，向笠章子，山下裕史朗：AD/HDに対する包括的治療エビデンス―行動療法と薬物療法の統合―．臨床精神薬理，11（4）：651-660，2008
135)Yamashita Y, et al : Short-term effect of American summer treatment program for Japanese children with attention deficit hyperactivity disorder. Brain Dev, 32（2）: 115-122, 2010
136)Yamashita Y, et al : Summer treatment program for children with attention deficit hyperactivity disorder: Japanese experience in 5 years. Brain Dev 33（3）: 260-267, 2011
137)NPO法人くるめSTP（http://www.kurume-stp.org/）
138)山下裕史朗：注意欠陥多動性障害の包括的治療法：サマー・トリートメント・プログラム9年間の実践．小児保健研究，73（4）：521-526，2014
139)免田賢，他：ADHD単独群とASD合併群のサマー・トリートメント・プログラムとペアレントトレーニングの効果．小児の精神と神経，55（1）：25-38，2015
140)Pelham WE Jr, et al : Treatment Sequencing for Childhood ADHD: A Multiple-Randomization Study of Adaptive Medication and Behavioral Interventions. J Clin Child Adolesc Psychol, 45（4）: 396-415, 2016
141)皆川邦直：軽度発達障害に対する精神分析的精神療法と親ガイダンスの適応．思春期青年期精神医学，14（2）：126-131，2004
142)齊藤万比古：軽度発達障害の医療―AD/HDとアスペルガー症候群―．国立精神・神経センター国府台病院院内研修会資料，2004
143)岩垂喜貴：ある入院症例を通して発達障害を有する患者のトラウマ関連症状を考える．精神経誌，122（4）：296-301，2020
144)Cleve E：From Chaos to Coherence: Psychotherapy with a Little Boy with ADHD. Karnac, 2004
145)マーガレット・E・ブラウシュタイン，他：実践子どもと思春期のトラウマ治療―レジリエンスを育てるアタッチメント・調整・能力（ARC）の枠組み．岩崎学術出版社，2018
146)齊藤万比古：不登校の児童・思春期精神医学．金剛出版，2006
147)JG アレン・著，上地雄一郎，他・訳：愛着関係とメンタライジングによるトラウマ治療―素朴で古い療法のすすめ．北大路書房，2017
148)村瀬嘉代子・著，滝川一廣，他・編：心理臨床という営み―生きるということと病むということ．金剛出版，2006
149)野坂祐子：トラウマインフォームドケア―“問題行動”を捉えなおす援助の視点．日本評論社，2019
150)Antshel KM, et al : Autism Spectrum Disorders and ADHD: Overlapping Phenomenology, Diagnostic Issues, and Treatment Considerations. Curr Psychiatry Rep, 21（5）: 34, 2019
151)Biederman J, et al：Is ADHD a risk factor for psychoactive substance use disorders? Findings from a four-year prospective follow-up study. J Am Acad Child Adolesc Psychiatry, 36（1）: 21-29, 1997
152)Bemporad JR：Aspects of psychotherapy with adults with attention deficit disorder. Ann NY Acad Sci, 931：302-309, 2001
153)Weiss MD, Weiss JR：A guide to the treatment of adults with ADHD. J Clin Psychiatry, 65（Suppl 3）: 27-37, 2004
154)Wender PH：Attention Deficit Hyperactivity Disorder in Adults. Oxford University Press, 1995（福島章，他・訳：成人期のADHD. 病理と治療，新曜社，2002）
155)Murphy KR：Psychological Counseling of Adults with ADHD. In Barkley RA（ed.）, Attention Deficit Hyperactivity Disorder；A Handbook for Diagnosis and Treatment（2nd ed）. Guilford Press, pp582-591, 1998
156)今村明：おとなの発達症のための医療系支援のヒント．星和書店，2014
157)Young S：A Model of Psychotherapy for Adults with ADHD. Clinician's Guide to Adult ADHD；Assessment and Intervention（ed. by Goldstein S, Ellison AT）, Academic Press, pp147-163, 2002
158)Wilens TE, et al：Cognitive Therapy in the Treatment of Adults with ADHD: A Systematic Chart Review of 26 Cases. J

Cognitive Psychotherapy, 13（3）: 215-226, 1999
159) Safren SA, et al：Mastering Your Adult ADHD：A Cognitive-Behavioral Treatment Program. Therapist Guide. Oxford University Press, 2005（板野雄二・監訳：おとなのADHDの認知行動療法―セラピストガイド―，日本評論社, 2011）
160) Aviram RB, et al：Psychotherapy of adults with comorbid attention-deficit/hyperactivity disorder and psychoactive substance use disorder. J Psychother Pract and Res, 10（3）: 179-186, 2001
161) Ratey JJ, et al：Unrecognized attention-deficit hyperactivity disorder in adults presenting for outpatient psychotherapy. J Child and Adolesc Psychopharmacol, 2（4）: 267-275, 1992
162) 福田真也：大学生のアスペルガー症候群―理解と支援を進めるためのガイドブック．明石書店，2010
163) 全国児童自立支援施設協議会：全国児童自立支援施設入所状況報告．2022（http://zenjikyo.org/）
164) 法務省：少年矯正統計．2022（http://www.e-stat.go.jp）
165) 藤原尚子：「発達上の課題を有する在院者に対する処遇プログラム実施ガイドライン」について．刑政，127（6）: 54-65, 2016
166) 宮口幸治：宮川医療少年院 不器用な少年たちへの認知作業トレーニング（Cognitive Occupational Training : COT）の開発．刑政，123（9）: 116-122，2012
167) 富田拓，大松広伸：受刑者に対する注意欠如多動症（ADHD）のスクリーニングと加療の試み．矯正医学，70（2）: 83-84, 2022
168) Lichtenstein P, et al : Medication for attention deficit-hyperactivity disorder and criminality. N Engl J Med. 367（21）: 2006-2014, 2012
169) Mohr-Jensen C, et al : Attention-Deficit/Hyperactivity Disorder in Childhood and Adolescence and the Risk of Crime in Young Adulthood in a Danish Nationwide Study. J Am Acad Child Adolesc Psychiatry, 58（4）: 443-452, 2019

2 薬物療法

1 わが国で使用可能なADHD治療薬４剤の特性および効果に関するエビデンス

1）メチルフェニデート徐放錠

(1) 化学的特性とその奏効機序

メチルフェニデート塩酸塩（以下，メチルフェニデート）は，中枢神経刺激薬に属するADHD治療薬であり，シナプス前終末の細胞膜にあるドパミントランスポーターとノルアドレナリントランスポーターに親和性をもち，その働きを阻害する。メチルフェニデートのドパミントランスポーターに対する親和性は，ノルアドレナリントランスポーターに対する親和性より10倍高い。

ドパミントランスポーターは，ドパミンの再取り込みを司っており，報酬系に関与する側坐核に高密度に分布している。そのため，メチルフェニデートを服用すると，側坐核におけるドパミン濃度が上昇する。そのことがADHDで機能不全があると考えられている報酬系の作用を高めることになる。また，ノルアドレナリントランスポーターは，前頭前野に多く分布しており，ノルアドレナリンとドパミンの再取り込みを司っている。そのため，メチルフェニデートを服用すると，前頭前野のノルアドレナリンとドパミンの濃度が上昇し，ADHDで機能不全があると考えられている実行機能の働きを高めることになる。

前述のように，メチルフェニデートによる効果は，トランスポーターの阻害による実行機能や報酬系機能の改善であり，それ自身は対症療法にとどまる。しかし，報酬系機能の改善は，これまでよりも小さな報酬に対して動機づけられやすくなることを意味しており，行動面からの治療的アプローチに対して相乗的な効果をもたらしうる。このように包括的な治療の枠組みのなかでADHD治療薬の効果を理解することが可能である。

(2) 副作用とその対策

メチルフェニデートの服用に際して，頭痛や腹痛，不眠，食欲低下，情緒不安定を来しうる。頭痛や腹痛は，服用を継続するなかで改善することが多いが，服用後に違和感や軽度の微熱など，ノルアドレナリン作用に関連すると思われる症状を訴える子どもは散見される。不眠は，特に服用時間が遅れた場合に入眠困難として出現することがある。食欲低下は，臨床的に最も懸念される副作用で，「給食を残すようになった」という子は多く，朝食を十分に摂らせたり，作用の弱まる夜に補食をしたり，週末や長期休暇に休薬日を設けるなどして，体重が横ばいになったり，減ったりしないように注意することが求められる。メチルフェニデートの服用後に，かえって情緒不安定になったり，こだわりが増強したり，抜毛などがみられる子どももいる。これらの副作用には薬剤の中止も含めた対応が求められる。また，運動性チックのある患者，トゥレット症またはその既往歴・家族歴のある患者では，薬理作用上，症状を悪化させる可能性が否定できないことから，禁忌とされている。また，てんかんあるいはその既往のある患者では，けいれん閾値を低下させる恐れがあることから慎重投与となっている。

メチルフェニデートの服用に関連した長期的副作用で懸念されるのは，神経発達への影響，成長遅延，心血管系への影響，依存リスクであると思われる。神経発達への影響については，脳容積の変化にメチルフェニデートは悪影響をもたらさないことが示されているが，小児ではメチルフェニデートの服用により白質線維の拡散異方性に変化が生じたとの報告もある。臨床例において，明確な神経発達への影響についての報告はないが，微細な影響を明らかにする証左は不足している。成長遅延については，最終身長への影響はあるもののごくわずかであるとされている。また，本剤はノルアドレナリン系への作用を有することから甲状腺機能亢進，不整頻拍，狭心症のある患者では禁忌となっている。心疾患を有する小児では突然死のリスクを高めるとの報告はあるが，心疾患のない小児ではそのようなリスクは確認されていない。

依存リスクについては，薬剤が報酬系への作用を有するため，薬剤そのものは依存リスクを持ち合わせることになる。服用以前の報酬系の働きが低い場合には，報酬系が過剰に刺激されにくく，むしろ自己治療としてその他の依存性のある物質を使用するリスクを軽減させる可能性もある。しかし，報酬系の機能が正常な場合，あるいは，過剰な薬剤摂取では，報酬系が過剰に刺激されて依存に至る危険が高まることになる。したがって，依存を予防する最大のポイントは，正しい診断のもとに承認用量を遵守して使用することである。そのため，メチルフェニデート徐放錠の投与は30日までという上限が定められており，また登録した医師しか処方できず，登録した薬剤師しか調剤できないという流通規制が行われている。なお，次に述べる製剤特性からメチルフェニデート徐放錠服用時の血液中濃度の推移は，メチルフェニデート速放錠に比べて緩やかになっており，依存リスクは軽減されている。

(3) 薬物動態と製剤特性

メチルフェニデートはエステラーゼによって脱エステル化され，薬理学的活性を有しないα-フェニル-2-ピペリジン酢酸となり尿中から排泄される。メチルフェニデートを速放錠で服用した場合，最高血中濃度に達するのは2時間，半減期は7時間程度である。

メチルフェニデート徐放錠は，浸透圧を利用した放出制御システム（OROS）を用いている。服用すると，錠剤表面のメチルフェニデートが溶解し，血中濃度が立ち上がる。その後，錠剤表面より内部へ水分が入り，押し出しコンパートメントが膨張する。その結果，対面に開けられた孔より薬剤が放出される，という仕組みである。この徐放錠は，その効果がおよそ12時間持続するよう製剤設計されている。このような製剤の特性上，錠剤の粉砕や分割などは行えない。物理的に破砕した場合には，ゲル状の内容物となり，静脈注射などをしようとしても行えないようになっており，乱用リスクを軽減する工夫が施されている。

(4) 効果のエビデンス

・中核症状への有効性

メチルフェニデート徐放錠のpivotal studyでは，プラセボに比べてメチルフェニデート速放錠，メチルフェニデート徐放錠は，Clinical Global Impression（CGI）で中等度以上の改善を示す反応率，保護者評価（良い，非常に良いの割合），教師評価（良い，非常に良いの割合）のいずれにおいても有意な改善を示している。平均投与量は，メチルフェニデート速放錠が0.9mg/kg，メチルフェニデート徐放錠が1.1mg/kgであった[1)]。

メチルフェニデート徐放錠の至適用量を確認する非盲検試験が6～12歳の児童を対象に実施されており，その結果，36mg/日を最頻投与量として18～54mg/日まで広く分布している[2)]。また，

Findlingらは，ADHDの児童を対象に二重盲検比較試験を行ったが，メチルフェニデート徐放錠を18mg/日より投与し，忍容性があり有効性のスコアADHD-RSの変化が25%以上となるまで増量したところ，最頻投与量はこの試験の最大投与量である54mg/日，続いて36mg/日であった[3]。これらの試験の結果は，メチルフェニデート徐放錠の至適用量が18〜54mg/日まで幅広く分布しており，適切な臨床評価のもと投与量を個別に決定する必要があることを示している。

病型によって，メチルフェニデート徐放錠の用量反応性が異なることを示唆する研究もある。Steinらは，ADHDの児童・青年47人（5〜16歳）を対象としたメチルフェニデート徐放錠のプラセボ対照無作為化二重盲検交差比較試験（各投与群は1週間投与）を行い，ADHDの病型別にメチルフェニデート徐放錠の投与量とADHD症状の改善について検討した[4]。その結果，混合型においては54mg/日まで直線的な用量反応相関が認められた。一方，不注意優勢型においては18mg/日で十分な効果が得られ，用量依存性は認められなかった。

さらに寛解率を指標として，メチルフェニデート徐放錠の効果に用量反応性があるかを検討した研究もある。Steeleらは，CGIあるいはADHD-RSスコアにより定義された寛解を達成した割合を調べたところ，用量依存的に寛解率が増加することを示した[5]。また，Medoriらは，ADHD成人401人（18〜63歳）を対象に，固定用量におけるメチルフェニデート徐放錠のプラセボ対照無作為化二重盲検試験を実施したところ，Conners' Adult ADHD Rating Scale（CAARS）総得点，不注意サブスコア，多動性／衝動性サブスコアのいずれにおいても用量依存性が認められた[6]。

これらの所見を総合すると，臨床用量の範囲内では，メチルフェニデート徐放錠は用量依存的に中核症状の改善，あるいは寛解率の増加が期待されるが，用量には個人差も認められ，とりわけ不注意が優勢な症例においては，比較的低用量で有効性が認められる場合があると考えられる。

・副作用

国内で実施された臨床試験では，およそ80%に有害事象が認められており，食欲不振，不眠，体重減少，頭痛，腹痛，悪心，嘔吐が認められた。有害事象の発現頻度は各用量（18，27，36，45および54mg/日）とも同程度であり，メチルフェニデート徐放錠の用量の違いによる副作用発現頻度の違いは認められなかった。

中枢神経刺激薬は理論上，チックを悪化させる可能性があることから，メチルフェニデート徐放錠の添付文書においては，運動性チックのある患者，トゥレット症候群またはその既往歴・家族歴のある患者では症状を悪化または誘発させることがあるため，禁忌とされている。しかし，Palumboらは，メチルフェニデートの短期無作為化試験3試験におけるチック発症頻度を解析し，チックの発症頻度はメチルフェニデート徐放錠群で4.0%，メチルフェニデート速放錠群で2.3%，プラセボ群で3.7%であり，発症頻度に有意差は認められなかった[7]。また，Tourette's Syndrome Study groupの報告によると，慢性チックを併発したADHD患者136例を対象として，プラセボ，メチルフェニデート速放錠，クロニジン，メチルフェニデート速放錠およびクロニジン併用の4群で16週間無作為化二重盲検試験を行った[8]。ただし，0〜4週はクロニジンの用量設定期間，4〜8週はメチルフェニデートの用量設定期間とした。その結果，メチルフェニデート投与開始によりチックスコアの軽度な悪化傾向がみられたが，メチルフェニデート投与継続によりチックスコアは低下した。以上のことから，チックを併存したADHD患者に対して，メチルフェニデート治療はチック症状を悪化および誘発させない可能性が示されている。

また，中枢神経刺激薬による心血管系リスク（突然死）も懸念されたが，メチルフェニデート投与患者における突然死の発生頻度（0.2人・年/10万人）は極めて低く，一般人口での18歳未満で生じる突然死の頻度（1.3〜8.5人・年/10万人）と有意差はないが，心疾患がある小児に対してのみメチルフェニデート徐放錠を用いる場合は，投薬のメリットおよび心血管系の副作用に対するリスクを勘案して慎重に対応する必要があると考えられる。

長期的な副作用で懸念されるのは，成長抑制や依存リスクであろう。Wilensらは，メチルフェニデート徐放錠の長期臨床試験において，21カ月間の試験を終了し，身長および体重が測定された178人について同年齢の健常の児童と比較した。その結果，実測値では身長が－0.23cm（－0.1cm/年），体重が－1.23kg（－0.54kg/年）の遅延を，Zスコアでは身長が－0.063，体重が－0.093の遅延を示し，全体として軽度な成長遅延が認められた[9]。なお，ADHD患者へのメチルフェニデート投与による成長ホルモンに対する影響については，一定の見解は得られていない。

メチルフェニデートは，ドパミントランスポーターの阻害作用を有し，側坐核を含む報酬系を刺激することから，薬剤そのものは依存リスクを有する。しかし，メチルフェニデート徐放錠は，メチルフェニデート速放錠に比べて血中濃度の変動が小さく，また，粉砕化ができないなど，依存リスクは軽減されている。

Spencerらは，18～55歳の健康成人12人にメチルフェニデート速放錠またはメチルフェニデート徐放錠を単回経口投与したときの血中濃度，ドパミントランスポーター占有率および多幸感スコアを測定した[10]。その結果，メチルフェニデート速放錠群では投与5時間までの多幸感のスコアが高かったが，メチルフェニデート徐放錠群ではメチルフェニデート速放錠より低い値を示した。また，メチルフェニデート速放錠では血中濃度およびDAT占有率のピーク時間と多幸感スコアのピーク時間に相関性が認められたが，メチルフェニデート徐放錠では相関性は認められず，血中濃度およびDAT占有率のピーク時においても多幸感スコアは低かったという。ADHD患者での依存リスクのデータは明確でないが，少なくとも実臨床においては，流通規制も相まって，速放錠に比べて依存に関する問題は軽減されていると考えられる。

2）リスデキサンフェタミン

(1) 化学的特性とその奏効機序

リスデキサンフェタミンメシル酸塩（以下，リスデキサンフェタミン）は，中枢神経刺激薬に属するADHD治療薬であり，活性体である*d*-アンフェタミンにL-リシンが共有結合したプロドラッグである。1日1回朝に経口服用すると，速やかに吸収され，血液中で加水分解され，活性体である*d*-アンフェタミンとなり薬理作用を発揮する。

d-アンフェタミンは，ドパミントランスポーター，ノルアドレナリントランスポーターの阻害作用をもち，シナプス間隙に放出されたノルアドレナリン，ドパミンの再取り込みを抑制する。また*d*-アンフェタミンは神経細胞内に取り込まれ小胞モノアミントランスポーター2にも作用し，ドパミンおよびノルアドレナリンの小胞内への取り込みを阻害する。その結果，細胞質中のドパミンおよびノルアドレナリン濃度が増加し，トランスポーターを介した逆輸送により，シナプス間隙への遊離がさらに促進される。これらの機序により，シナプス間隙におけるドパミン，ノルアドレナリン濃度を上昇させる。その結果，ADHDにおいて機能不全が示唆される実行機能や報酬系機能を高めると考えられる。

(2) 副作用とその対策

リスデキサンフェタミンの服用に際して，食欲減退や体重減少，不眠，体重減少，頭痛，悪心が認められる。食欲減退，不眠，頭痛，悪心はいずれも投与初期に発生頻度が高く，その後発生頻度は減少する。食欲減退，体重減少，成長遅延については，本剤服用前に朝食を摂る，夕食の時間を少し遅くする，間食，夜食などを摂ることで1日の総食事量と必要なカロリーを摂取させることが望ましい。もしくは休薬日を設定し，その日にしっかりと食事を摂ることも考えられる。中等度以上の食欲低下に対しては，消化管運動を改善する薬剤の投与も考慮しうるが，対策を講じても食欲の低下が著しく，体重の減少や成長への影響が懸念される場合には，必要に応じて本剤の減量や中断も検討する。不眠が現われた場合は，就寝時間などを考慮すること，午後の服用は避けることが望ましい。

重篤な心血管障害，甲状腺機能亢進，褐色細胞腫の運動性チックのある患者，トゥレット症またはその既往歴・家族歴，薬物乱用，閉塞隅角緑内障のある患者では禁忌とされている。また，双極症のある患者では混合状態あるいが躁状態に移行する恐れがあることから，うつ状態のある患者に対して投与を検討する場合には，双極症を含む精神疾患や自殺の既往や家族歴などからみて，双極性障害の可能性がないか評価を行う必要がある。

長期的副作用で懸念されるのは，神経発達への影響，成長遅延，心血管系への影響，依存リスクであるのは，メチルフェニデート徐放錠と同様であるが，本剤が*d*-アンフェタミンのプロドラッグであることからも，依存性への懸念は大きい。実際，*d*-アンフェタミンは報酬系の刺激作用があることから，薬剤そのものには依存リスクがある。しかし，プロドラッグとすることで，その血液中濃度上昇は加水分解の速度に依存し，緩やかな上昇になるだけでなく，1日1回の服用で半日にわたる効果を維持することができ，1日3回の服用の場合に比べて血液中濃度の上下動の繰り返しを避けることができる。急激な血液中濃度の上昇は多幸感を，また，血液中濃度の急激な低下は薬剤への渇望と結びつきやすい。そのためプロドラッグは血液中濃度を持続的に維持し，その効果を持続させるとともに，依存リスクを軽減させるものと考えられている。なお，国内外の臨床試験においても依存に関連する有害事象はなく，また依存性評価指標の結果からも依存性を疑う症例は認められていない[11]。また，中枢神経刺激薬乱用歴のある外国人成人を対象に行われた試験において，リスデキサンフェタミンカプセルのわが国における承認最高用量（70mg）を大幅に超える1日150mgの投与によってプラセボよりも有意に高い薬物嗜好性が認められたがその一方で1日50mg，100mgの投与時にはプラセボとの薬物嗜好性に有意差は認められなかったという報告もある[12]。

平成30年2月21日に厚生労働省医薬・生活衛生局監視指導・麻薬対策課は，リスデキサンフェタミンを覚せい剤原料に指定し，輸出入，製造，流通，所持，使用に関する規制の対象とした。さらに，平成31年3月26日に，厚生労働省医薬・生活衛生局は，総務課長，医薬品審査管理課長，医薬安全対策課長，監視指導・麻薬対策課長名で「リスデキサンフェタミン製剤の使用に当たっての留意事項について」と題する通知を発出している。そのなかでは，製造販売業者に対して，「①医薬品リスク管理計画を策定の上，適切に実施すること。②本剤が，注意欠陥／多動性障害（AD／HD）の診断，治療に精通した医師によって適切な患者に対してのみ処方されるとともに，薬物依存を含む本剤のリスク等について十分に管理できる医療機関及び薬局においてのみ取り扱われるよう，製造販売に当たって必要な措置を講じること。③使用実態下における乱用・依存性に関する評価が行われるまでの間は，他のAD／HD治療薬が効果不十分な場合にのみ使用されるよう必要な措置を講じること。」との承認条件を課し，流通規制についても記載されている。

また，6歳未満および18歳以上の患者における有効性と安全性は確立しておらず，現時点における本剤の承認は小児に限定されることから，18歳未満において本剤を使用した患者においてのみ18歳以降の継続投与が可能であり，その際には治療上の有益性と危険性を考慮して慎重に投与し，定期的な有効性と安全性の評価のもと，有用性が認められない場合には投与の中止を考慮し，漫然とした投与にならないよう注意が求められている。

(3) 薬物動態と製剤特性

リスデキサンフェタミンは，活性体である*d*-アンフェタミンとL-リジンがアミド結合で共有結合したプロドラッグで経口服用後，主に血中で*d*-アンフェタミンとL-リジンに加水分解される。健康成人にリスデキサンフェタミンカプセル20mg，50mgおよび70mgを漸増法で1日1回5日間ずつ反復経口投与したとき，投与5日目の血漿中リスデキサンフェタミンは1〜1.5時間で最高濃度となり，その後半減期0.4〜0.5時間で消失した。一方，血漿中*d*-アンフェタミンは投与後3〜5時間で最高濃度に達し，その後半減期9.4〜10.3時間で消失した。また，反復投与開始後5日以内に定常状態に達した。

d-アンフェタミンは，主に脱アミノ反応を経て，馬尿酸や安息香酸に代謝されるが，一部は肝チトクローム酵素CYP2D6の関与する4水酸化反応により代謝される。*d*-アンフェタミンは肝臓で代謝を受けるものの，その多くは*d*-アンフェタミンのまま尿中に排泄される。

(4) 効果のエビデンス

・中核症状への有効性

リスデキサンフェタミンカプセルの国内pivotal studyは，6〜17歳のADHD児童を対象に無作為化プラセボ対照二重盲検比較試験として実施された[13]。リスデキサンフェタミンカプセル30，50および70mg/日の投与はいずれもプラセボ投与に比べて4週間後のADHD-RS-Ⅳ総スコアを有意に減少させた。評価時点ごとの解析では投与1週間後からADHD-RS-Ⅳ総スコアの有意な減少を認めた。ADHD-RS-Ⅳサブスケールに対する作用の検討では，リスデキサンフェタミンカプセルはいずれの用量でもプラセボと比較して多動性・衝動性サブスコアおよび不注意サブスコアの有意な改善を示し，サブスケール間の効果の明確な相違を認めなかった。さらに，いずれの用量でもCGI-I，Parent's Global Assessment（PGA），Conners 3（保護者用）の総スコアを有意に改善した。海外の第3相無作為化プラセボ対照二重盲検比較試験においても，リスデキサンフェタミンカプセル30，50および70mg/日はいずれの用量でもADHD-RS-Ⅳ総スコア，多動性・衝動性サブスコアおよび不注意サブスコアCGI-Iを有意に改善した[14, 15]。国内外臨床試験成績などから，本剤の開始用量および維持用量を30mg/日とすること，増量が必要な場合には1週間以上あけて20mg/日を超えない範囲で行うこと，70mg/日を最高用量とすることが適切と考えられた[16]。

リスデキサンフェタミンカプセルとメチルフェニデート徐放錠の有効性を同一試験で評価したCoghillらの研究では，6〜17歳のADHDの児童・青年を対象としたプラセボ，実薬対照無作為化二重盲検並行群間比較試験において，両剤はプラセボに比較して7週間後のADHD-RS-Ⅳ総スコアを有意に低下させた〔ADHD-RS-Ⅳ総スコアのベースラインからの変化量：プラセボ群：－5.7，リスデキサンフェタミンカプセル（平均50.15mg/日，1日1回）群：－24.3，メチルフェニデート徐放錠（平均44.47mg/日，1日1回）群：－18.7〕[17]。また，Newcornらが行った，13〜17歳のADHDの青少年を対象としたプラセボ，実薬対照無作為化二重盲検並行群間比較試験においてリスデキサンフェタミンカプセル70mg/日はメチルフェニデート徐放錠72mg/日に比較して，6週間後のADHD-RS-Ⅳ総スコアを有意に低下させた（ADHD-RS-Ⅳ総スコアのベースラインからの変化量：プラセボ群：－17.0，リスデキサンフェタミンカプセル70mg群：－25.4，メチルフェニデート徐放錠72mg群：－22.1）[18]。

Dittmannらが実施した，6〜17歳のメチルフェニデートによる治療が効果不十分と判断されたADHDの児童・青年を対象とした実薬対照無作為化二重盲検並行群間比較試験において，リスデキサンフェタミンカプセルはアトモキセチンに比較してCGI-Iを用いた効果発現までの期間が有意に短く，投与9週間後のADHD-RS-Ⅳ総スコアも有意に低下させた〔ADHD-RS-Ⅳ総スコアのベースラインからの変化量：リスデキサンフェタミンカプセル（平均52.5mg/日，1日1回）群：－26.3，メチルフェニデート徐放錠（平均40.2mg/日，1日1回）群：－19.4）[19]。

国内pivotal studyの成績をもとにリスデキサンフェタミンカプセルの有効性に影響を及ぼす可能性のある背景因子の解析では，混合型と不注意優勢型の病型間の明確な相違を認めなかったが（多動性－衝動性優勢型の患者は少数で解析できず），年齢が13歳以上の患者において有効性が低下する傾向がみられた[16]。

・**副作用**

国内pivotal studyおよび国内長期投与試験を含む承認時における安全性評価対象症例172例中，リスデキサンフェタミンカプセル投与による副作用（臨床検査値異常変動を含む）は154例（89.5%）に認められた[11]。死亡および重篤な副作用は認められなかった。発現頻度が10%以上の主な副作用は，食欲減退（79.1%），初期不眠症（36.6%），体重減少（25.6%），頭痛（18.0%），悪心（11.0%）であった。国内pivotal studyにおける副作用発現率は，30mg群で68.4%（13/19例），50mg群で100.0%（18/18例），70mg群で65.0%（13/20例）で，プラセボ群での発現はなかった。

海外の6～17歳のADHDの児童・青年を対象とした第4相長期投与試験（非盲検・非対照・用量調節試験，104週間投与）において，リスデキサンフェタミンカプセル投与による副作用は安全性評価対象症例314例のうち232例（73.9%）に785件認められ，主なものは食欲減退155例（49.4%），体重減少57例（18.2%），不眠症41例（13.1%）であった[11]。また，死亡例は認められなかった。重篤な副作用は本剤群で失神が2例3件，不整脈が1件認められたが，いずれもその後回復した。

Coghillらの研究において，副作用はリスデキサンフェタミンカプセル投与群で111例中53例（47.7%）に認められ，主なものは食欲減退（25.2%），体重減少（12.6%），不眠症（10.8%）であった[20]。メチルフェニデート徐放錠群では111例中49例（44.1%）に認められ，主なものは食欲減退（15.3%）であった。プラセボ群では110例中24例（21.8%）で認められ，主なものは頭痛（7.3%）であった。また，死亡例は認められなかった。重篤な副作用はメチルフェニデート群で過量投与1例が認められた。Newcornらの研究において，副作用はリスデキサンフェタミンカプセル投与群で218例中117例（53.7%）に認められ，主なものは食欲減退（31.7%）であった。メチルフェニデート徐放錠群では219例中98例（44.7%）に認められ，主なものは食欲減退（22.8%），頭痛（11.0%）であった。プラセボ群では110例中31例（28.2%）に認められ，主なものは食欲減退（9.1%），頭痛（6.4%），易刺激性（5.5%）であった。また，死亡例は認められなかった。重篤な副作用はプラセボ群で精神病性障害1例が認められた[18]。Dittmannらの研究において，副作用はリスデキサンフェタミンカプセル投与群で128例中73例（57.0%）に認められ，主なものは食欲減退（25.8%），体重減少（21.1%），悪心12.5%），不眠症（11.7%）であった。アトモキセチン群では134例中78例（58.2%）に認められ，主なものは悪心（11.9%），傾眠（11.2%）であった。また，死亡・重篤な副作用は認められなかった[19]。

中枢神経刺激薬は理論上，チックを悪化させる可能性があることから，リスデキサンフェタミンカプセルは，チックのある患者，トゥレット症候群またはその既往歴・家族歴のある患者では症状を悪化または誘発させることがあるため，禁忌とされている。

国内pivotal studyにおいて収縮期血圧はすべての投与群で治験薬投与期間を通して大きな変動はみられなかったが，最終評価時の拡張期血圧および脈拍数はプラセボ群と比較してリスデキサンフェタミンカプセル群でわずかな増加がみられた[11]。国内臨床試験では，突然死，心筋症，トルサード・ド・ポアン，心筋梗塞，心不全，および失神などの有害事象は確認されなかった。しかし，国内外臨床試験において0～16.7%に血圧上昇（20mmHg以上），7.4～26.5%に脈拍数増加（20bpm

以上）が認められた[11]。心臓に構造的異常を有する患者など，重篤な心血管障害のある患者においては，本剤の交感神経刺激作用により血圧または心拍数を上昇させ，症状を悪化させる恐れがあるので，「重篤な心血管障害のある患者」への本剤の投与は禁忌となっている。

長期的な副作用で懸念されるのは成長抑制と依存である。国内の承認時までの臨床試験における安全性評価対象症例172例中，体重減少が44例（25.6%）発現している。また，Banaschewskiらは，リスデキサンフェタミンカプセルの長期臨床試験において24カ月の試験を実施し，身長および体重が測定された314人について同年齢の健常児と比較した。その結果，ベースラインと比較して最終評価時では，体重が＋2.1kg，身長が＋6.1cm，BMIが－0.5kg/m^{2}であった。Zスコアでは，体重が－0.51，身長が－0.24，BMIが－0.59であることを報告した[21]。リスデキサンフェタミンカプセル投与中の患児は，成長を注意深く観察し定期的な身長や体重の測定および食欲の確認を実施すること。また，身長や体重の増加が思わしくないときは，投与中断などの適切な処置を行うことが必要と考えられる。

依存については，*d*-アンフェタミンがドパミントランスポーターの阻害作用を有するため，中枢でのドパミンの増加による依存リスクを有する。しかし，リスデキサンフェタミンは*d*-アンフェタミンのプロドラックであり，投与後の*d*-アンフェタミンの急激な血中濃度上昇を抑制することから依存・乱用のリスクは低いとされている[22]。国内臨床試験では，薬物乱用および依存に関連する有害事象（SMQの薬物乱用および依存に該当する事象）の発現はなかった[11]。また，依存性評価指標であるD-2-AおよびD-2-Bの結果からも，依存性を疑う症例はないと考えられた。海外臨床試験でも本剤投与例に重篤な薬物乱用および依存に関連する有害事象の発現は認められなかった。

3）アトモキセチン

(1) 化学的特性とその奏効機序

アトモキセチン塩酸塩（以下，アトモキセチン）は，選択的ノルアドレナリン再取り込み阻害薬であり，非中枢神経刺激薬に属するADHD治療薬である。シナプス前終末の細胞膜にあるノルアドレナリントランスポーターに親和性をもち，その働きを阻害するが，ドパミントランスポーターに対する親和性はほとんど有しない。

ノルアドレナリントランスポーターは，前頭前野に多く分布しており，ノルアドレナリンとドパミンの再取り込みを司っている。そのため，アトモキセチンを服用すると，前頭前野のノルアドレナリンとドパミンの濃度が上昇し，ADHDで機能不全があると考えられている実行機能の働きを高めることになる。しかし，ドパミントランスポーターには親和性が低いため，側坐核におけるドパミン濃度には影響しない。そのため，ADHDで機能不全があると考えられている報酬系の作用は改善しないが，依存リスクは低いと考えられる。

(2) 副作用とその対策

アトモキセチンの服用に際して，食欲減退や悪心・嘔吐などの消化器系症状，傾眠，頭痛などを来しうる。消化器系の副作用は，投与初期に認められることが多く，低用量から緩徐に増量すること，食後に服用タイミングを分割することで回避できることが多い。眠気が強い場合には減量が求められる。ノルアドレナリンの作用に関連して，有意な心拍数増加，血圧上昇が認められる。ただし，増加後の心拍数や血圧も正常範囲内にとどまることが多い。しかし，もともとの心拍数や血圧によっては重大な問題となり得ることから，投与開始以前の心拍数や血圧を把握しておき，投与後の変化をみることが望ましい。重篤な心血管系障害のある患者や褐色細胞腫の患者への投与は禁忌とされている。

成長抑制については，一過性で，長期的な影響はないと考えられているが，食欲低下などがある例では注意深い観察が求められる。

また，投与初期における自殺念慮については，プラセボ投与群との比較ではリスクが高まると考えられているが，臨床試験では自殺既遂は認められていない。また，服用後の攻撃的行動，敵意の発現率は低いものの，プラセボ投与群よりはやや高いとの報告がある。

(3) 薬物動態と製剤特性

アトモキセチンは服用からおよそ1時間で最高血中濃度となり，その後CYP2D6で代謝され，主として4-ヒドロキシ体になり，直ちにグルクロン酸抱合される。4-ヒドロキシ体は，アトモキセチンと同様にノルアドレナリン再取り込み作用を有するが，直ちにグルクロン酸抱合されて薬理作用を失うため，4-ヒドロキシ体の血中濃度は著しく低い。排泄は，主として尿中に排泄される。

CYP2D6は，遺伝子多型があり，通常の活性を有するextensive metabolizer（EM）と活性の欠損したpoor metabolizer（PM）が存在する。PM群では，EM群に比べ，平均血中濃度が約10倍になり，定常血中濃度も約5倍になる。PMではEMに比べて，EMにおける血中濃度半減期はおよそ4時間である。パロキセチンなどCYP2D6の働きを阻害する薬剤との併用は，併用注意となっている。

アトモキセチンは，5mg，10mg，25mg，40mgのカプセル製剤と4mg/mLの内用液が使用可能である。アトモキセチンには眼球刺激性があるため，カプセルを開封しての服用は不可となっている。内用液は，錠剤が服用できない子どもに使用でき，また細やかな用量設定が可能であるが，内用液そのものへの嗜好性があるほか，高用量を服用する場合には，薬価が高かったり，多くの量の内用液を服用する必要があるので不向きな場合もある。患者のニーズにあわせた剤形選択が求められる。

(4) 効果のエビデンス

・中核症状への有効性

米国食品医薬品局（FDA）に提出されたアトモキセチンのpivotal studyには，2つの短期無作為化プラセボ対照二重盲検比較試験が含まれる。いずれも7～12歳のADHD児童を対象とし，中枢神経刺激薬の治療歴がある場合はアトモキセチン群あるいはプラセボ群に割り付け，中枢神経刺激薬の治療歴がない場合はアトモキセチン群，メチルフェニデート速放錠あるいはプラセボに割り付けた。各試験において，アトモキセチン群はプラセボ群に比べADHD-RS総スコアの有意な改善を示した。なお，両試験ともactive controlであるメチルフェニデート速放錠群ではプラセボ群に対して有意な改善が認められた。アトモキセチンの長期有効性については，Buitelaarらが10週間のオープン試験でアトモキセチンに反応があった患者を対象に行った15カ月間のプラセボ対照無作為化中止試験において，再発予防効果を確認している[23]。

メチルフェニデートとアトモキセチンの有効性について比較した臨床試験を比較したNewcornらの研究では，6～16歳のADHD患者516人を対象にアトモキセチンとメチルフェニデート徐放錠の6週間プラセボ対照無作為化二重盲検並行群間比較試験を行った[24]。その結果，治療反応者の割合（ADHD-RS総スコア40％以上の減少）やADHD-RS総スコア，不注意サブスコアならびにChild Health Questionnaire Psychosocial Summary Scoreの変化量のいずれの評価項目に対しても，両剤はプラセボよりも優れ，メチルフェニデート徐放錠（平均1.16mg/kg/日　1日1回）はアトモキセチン（平均1.45mg/kg/日 分2）に比べ効果が有意に優れていた。なお，本試験では二重盲検比較試験期間（アセスメント1）中にメチルフェニデート徐放錠に割り付けられ試験を終了した178人を，同じく二重盲検下でアトモキセチンに切り替え6週後に効果判定を行った（アセスメント2)。アセスメント1でメチルフェニデート徐放錠に不反応であった70人のうち30人（43%）はアトモキセチンに反応を示した。一方，アセスメント2においてアトモキセチンに不反応であった69人のうち29人（42%）はアセスメント1においてメチルフェニデート徐放錠に反応を示しており，一方の薬剤を十分量使用しても反応しないADHD患者には他方の薬剤が有効な可能性がある。

・副作用

Caballeroらは，アトモキセチンのプラセボ対照比較試験3本と米国イーライリリー社の社内データをもとにアトモキセチンの副作用を集計したところ，発現頻度が5%以上の主な副作用は腹痛，食欲低下，嘔吐，傾眠，易刺激性，倦怠感，眩暈，消化不良であり，これらはいずれもプラセボ群よりも有意に発現頻度が高かった[25)]。Newcornらのメチルフェニデート徐放錠との比較試験では，両群ともにプラセボ群よりも食欲不振が有意に多く発現し，メチルフェニデート徐放錠群では不眠関連事象が，アトモキセチン群では傾眠が有意に多く認められた[24)]。Michelsonらの用量固定プラセボ対照比較試験では，食欲不振および傾眠の発現に用量依存傾向が，拡張期血圧の上昇，心拍数の上昇および体重減少の発現については特定の用量間において直線的な用量依存性が確認されている[26)]。国内臨床試験においても，食欲不振と嘔吐の発現，収縮期および拡張期血圧の上昇，心拍数の上昇ならびに体重減少に用量依存性が確認された。

Spencerらは，アトモキセチンを服薬している6～17歳のADHD患者61人について，5年間の成長に対する影響を評価したところ，体重は治療開始15カ月目に最大の低下（標準値の57.9パーセンタイル，－9.9%ポイント）を示し，36カ月目に標準値に戻った[27)]。身長は18カ月目に最大の低下（標準値の49.0パーセンタイル，－6.6%ポイント）を示し，24カ月目に標準値に戻ったため，最終身長には影響がなかった。

アトモキセチンは，まれではあるものの自殺念慮／企図の誘発リスクが懸念された。Bangsらは，アトモキセチンによる自殺関連イベントをFDA定義コードに従って分類しメタ解析を行った[28)]。その結果，自殺完遂例はなく，自殺行動／念慮（FDA コード1～4）のMantel-Haenszel検定によるイベント発症率は0.52（アトモキセチン6/1,357人，プラセボ0/851人）であり，プラセボ群に対して有意な差を認めた（$p = 0.010$）。しかし，そのMantel-Haenszel危険率は2.49であり有意な差は認められなかった（$p = 0.190$）。

4）グアンファシン

(1) 化学的特性とその奏効機序

グアンファシン塩酸塩（以下，グアンファシン）は，非中枢神経刺激薬に属する選択的なノルアドレナリンα_{2A}受容体の作動薬である。グアンファシン徐放錠は，親水性ポリマーを用いることでグアンファシンの溶出を制御し，終日にわたる効果が期待できるように製剤設計されている。グアンファシンが前頭前皮質の錐体細胞の後シナプスに存在するα_{2A}受容体を選択的に活性化し，細胞内の環状アデノシン一リン酸（cyclic AMP）の産生を低下させることにより，過分極により開口する陽イオンチャネル（Hyperpolarization-activated cyclic nucleotide-gated channels）の開口確率を低下させ，膜抵抗を増加させる。その結果，興奮性シナプス後電位が増大し，発火頻度が増大することで，シグナル伝達が増強されると考えられる[29)]。グアンファシンはドパミントランスポーターおよびノルアドレナリントランスポーターの阻害作用を有さないため，シナプス間隙におけるノルアドレナリンやドパミンの濃度を上昇させることなく，ADHDで機能不全があると考えられている実行機能の働きを高めることになる。そのため，ADHDで機能不全があると考えられている報酬系に作用せず，依存リスクは低い。

(2) 副作用とその対策

グアンファシン徐放錠の服用に際して，傾眠，頭痛，血圧低下，徐脈などを来しうる。傾眠や頭痛は投与初期に認められることが多く，低用量から緩徐に増量することで回避できることもある。また，傾眠については，グアンファシン徐放錠が朝投与でも夕方投与でも同等の有効性を示すことから，朝投与で日中眠気を催す場合には夕方投与の検討も可能である[30]。

α_{2A}アドレナリン受容体作動薬の薬理作用として血圧低下および・脈拍減少が認められ，グアンファシン徐放錠の投与により血圧低下，低血圧，徐脈および失神を引き起こす可能性があると考えられる（国内第3相試験の併合解析における各副作用の発現頻度は，血圧低下10.2%，低血圧5.1%，徐脈5.9%および失神0.8%であった）。もともとの心拍数や血圧によっては重大な問題となり得ることから，投与開始以前の心拍数や血圧を把握しておき，投与後の変化をみることが望ましい。また，国内pivotal studyにおいて1例QT延長が認められている（1mg投与時に軽度発現し，投与を継続したまま2週間後に回復）。QT延長が現れる可能性があるため，投与開始前に心電図異常の有無を確認し，異常を認めた場合には投与の可否について慎重な判断を行うとともに定期的に心電図検査を行うなど患者の状態を慎重に観察することが望ましい。房室ブロック（第二度，第三度）のある患者への投与は禁忌とされている。

成長抑制については，国内pivotal studyおよび国内継続投与試験において体重減少に関連する有害事象は認められなかった。逆に，国内第3相試験の併合解析では体重増加が4例（1.6%）発現している。定期的に体重を測定し，肥満の徴候があらわれた場合は，食事療法，運動療法等の適切な処置を行うことが望ましい。

なお，本剤は肝チトクローム酵素CYP3A4およびCYP3A5で代謝される。CYP3A4/5阻害薬およびCYP3A4/5誘導薬との併用により本剤の作用がそれぞれ増強あるいは減弱する可能性があるため，併用注意となっている。

(3) 薬物動態と製剤特性

グアンファシンは服用から5〜8時間で最高血中濃度となり，単回投与時の消失半減期は18.4時間である[31]。反復投与したとき，投与開始5日目以降で定常状態に達する。主な代謝経路は，CYP3A4あるいはCYP3A5による芳香環の水酸化とそれに続くグルクロン酸抱合または硫酸抱合である。グアンファシンは肝臓と腎臓の両方を介して排泄される。健康成人男性に4mgを反復経口投与したとき，血漿中および尿中で90%以上が未変化体として検出され（ヒドロキシグアンファシンの硫酸抱合体やヒドロキシグアンファシンのグルクロン酸抱合体が0.42〜5.2%），反復投与後の未変化体の尿中排泄率（最終回投与後0〜24時間）は投与量の36.0%であった。食後投与（高脂肪食）に単回投与すると空腹時投与に比べて最高血中濃度は約1.2〜1.4倍高く，血中濃度－時間曲線下面積（area under the blood concentration-time curve；AUC）は約1.2〜1.3倍高かった。なお，グアンファシン徐放錠は徐放性製剤であるため，割ったり，砕いたり，すりつぶしての服用はできない。

(4) 効果のエビデンス

・中核症状への有効性

グアンファシン徐放錠の国内pivotal studyは，6〜17歳のADHD児童を対象に無作為化プラセボ対照二重盲検比較試験として実施された。グアンファシン徐放錠0.08mg/kgおよび0.12mg/kg（体重換算用量）を投与した群ではプラセボを投与した群に比較して7週間後のADHD-RS-Ⅳ総スコア（主要評価項目）の有意な減少が認められた。評価時点毎の解析では投与1週間後からADHD-RS-Ⅳ総スコアの有意な減少がみられた。また，0.08mg/kgおよび0.12mg/kg群ではプラセボ群に比較して投与2週目以降にCGI-IおよびParent's Global Assessment（PGA）の改善を示した患者の割合が有意に高く，0.12mg/kg群ではプラセボ群に比較して投与5および7週目にConners3日本語版（保護者用）反抗挑戦性サブスケールスコアが有意に低下した[32]。

海外の第3相無作為化プラセボ対照二重盲検比較試験においても，グアンファシン徐放錠投与によりADHD-RS-IV総スコア，CGI-I，PGA，CPRS-R合計スコア，CPRS-R合計スコアが有意に改善されていた[31]。国内外の臨床成績から，グアンファシン徐放錠の開始用量は体重50kg未満の小児では1mg/日，体重50kg以上の小児では2mg/日，維持用量は0.05～0.08mg/kg/日，最高用量は0.09～0.12mg/kg/日と考えられた[33]。

ADHD-RS-Ⅳ多動性/衝動性，不注意サブスケールに対するグアンファシン徐放錠の作用は国内pivotal studyで検討された。ADHD-RS-Ⅳ多動性/衝動性サブスケールは0.08mg/kgおよび0.12mg/kg投与により1週間後からプラセボ投与に比較して有意に低下した。ADHD-RS-Ⅳ不注意サブスケールは0.12mg/kg投与では1週間後から，0.08mg/kg投与では2週間後からプラセボ投与に比較して有意に低下した。病型ごとの比較では，混合型，不注意優勢型，多動性-衝動性優勢型のいずれにおいても0.08mg/kgおよび0.12mg/kg投与によりプラセボ投与と比較して7週間後のADHD-RS-Ⅳ総スコアは有意に減少した[32]。

グアンファシン徐放錠とアトモキセチンの有効性を同一試験で評価したHervasらの研究では，6～17歳のADHD患者338人を対象にグアンファシン徐放錠とアトモキセチンの10あるいは13週間プラセボ対照無作為化二重盲検並行群間比較試験が行われた。その結果，両剤はプラセボに比較してADHD-RS-Ⅳ総スコアを有意に低下させた[34]〔プラセボ群との群間差：グアンファシン徐放錠（平均0.09mg/kg/日，1日1回）群：－8.9，アトモキセチン（平均1.03mg/kg/日，1日1回）群：－3.8〕。

・副作用

国内pivotal study（治療期7週間）および国内継続投与試験（治療期51週間）を併合した解析において，副作用の発現頻度はグアンファシン徐放錠投与群で74.8%，プラセボ投与群で17.9%であった。グアンファシン徐放錠投与群における発現頻度が5%以上の主な副作用（発現頻度）は，傾眠，頭痛，血圧低下，倦怠感，徐脈，腹痛，低血圧であり，いずれもプラセボ投与よりも発現頻度が高かった[1]。死亡・重篤な副作用は認められなかった。国内pivotal studyおよび国内継続投与試験において主な副作用の時期別の発現頻度を検討したところ，傾眠，頭痛，腹痛は，投与後2週間未満の発現頻度が最も高く，その後頻度は経時的に減少した[35]。海外の第3相無作為化プラセボ対照二重盲検比較試験の併合解析では，有害事象の発現頻度は，グアンファシン徐放錠群で79.1%，プラセボ群で70.5%であった。グアンファシン徐放錠群での発現頻度が比較的高かった有害事象のうち，グアンファシン徐放錠群でプラセボ群より発現頻度が高かった有害事象は，傾眠，頭痛，疲労，鎮静，上腹部痛であった[31]。

Hervasらの研究において治験薬と関連のある有害事象は，グアンファシン徐放錠投与群で61.4%に認められ，主なものは傾眠，疲労，頭痛であった。アトモキセチン投与群では55.4%に認められ，主なものは食欲減退，悪心，疲労，傾眠，浮動性めまい，頭痛，腹痛であった。プラセボ群では39.6%で認められ，主なものは頭痛，傾眠，疲労であった。また，死亡例は認められなかった。重篤な有害事象はグアンファシン徐放錠投与群で2例（失神1例，虫垂炎1例），プラセボ群1例（失神）が認められ，失神の2例は治験薬と因果関係があると判定された[34]。

国内pivotal study（治療期7週間）において拡張期血圧，収縮期血圧および脈拍数の平均値はプラセボ群では治療期を通して大きな変動がみられなかったのに対し，グアンファシン徐放錠投与群では治療期中に低下および減少し，漸減後には投与前の値におおむね回復した[32]。また，収縮期血圧の低下および脈拍数の減少には，用量依存性があると考えられた。国内継続投与試験（治療期51週間）における拡張期血圧，収縮期血圧および脈拍数の平均値は，治療期を通じてベースラインと比較して低値を示したものの，投与期間の長期化に伴って平均変化量が増加することはなく，用量との相関も明確には認められなかった[32]。グアンファシン徐放錠には血圧低下および脈拍減少のリスクがあるため，増量する際には1週間以上の間隔をあけて1mgずつの漸増と用量の変更前および変更後1〜2週間を目安とした血圧および心拍数の測定が必要と考えられた。また，減量・中止の際も3日間以上の間隔をあけて1mgずつの減量と血圧および脈拍数を測定するなど患者の状態を十分に観察することが必要と考えられた[33]。

国内pivotal studyにおいて1例QT延長が認められている[31]（1mg投与時に軽度発現し，投与を継続したまま2週間後に回復）。QT延長が現れる可能性があるため，投与開始前に心電図異常の有無を確認し，異常を認めた場合には投与の可否について慎重な判断を行うとともに定期的に心電図検査を行うなど患者の状態を慎重に観察することが望ましい。

メチルフェニデート徐放錠およびアトモキセチンにおいて体重減少のリスクが確認されているが，国内pivotal studyおよび国内継続投与試験においてグアンファシン徐放錠投与群ではベースラインからの体重の変化量は投与期間を通じて増加が認められた。

5）ADHD治療薬の比較と併用療法のエビデンス

わが国では小児には4剤，成人には3剤のADHD治療薬が使用可能である。これらの薬剤については，先述のようにプラセボへの優越性だけではなく，薬剤間の比較試験も実施されているが，成人期における比較試験のデータはほとんどないのが実情であり，小児のエビデンスからその有効性を推測しているのが実情である。

ADHD治療薬の有効性と安全性を比較するため，6〜17歳のADHD児童を対象にした無作為対照試験36本をもとに，ネットワークメタ解析を実施した研究がある。有効性の指標として，ADHD-RS-Ⅳ，臨床全般改善度（CGI-I），安全性／忍容性の指標としてあらゆる理由による中断，有害事象に関連した中断が選択された。ADHD-RS-Ⅳスコアのベースラインからの変化量は，プラセボに比べてリスデキサンフェタミンは－14.98（95%信頼区間：－17.14，－12.80），メチルフェニデート徐放性製剤－9.33（－11.63，－7.04），グアンファシン徐放性製剤－8.68（－10.63，－6.72），アトモキセチン－6.88（－8.22，－5.49）であった。臨床全般改善度の各薬剤のプラセボに対する相対リスクは，リスデキサンフェタミン2.56（2.21，2.91），メチルフェニデート徐放性製剤2.13（1.70，2.54），グアンファシン徐放性製剤1.94（1.59，2.29），アトモキセチン1.77（1.31，2.26）であった。これらの結果から，リスデキサンフェタミンは他剤に比べて有効性で勝ることが示された[36]。

あらゆる理由による中断では，プラセボに対する相対リスクが，アトモキセチン0.88（0.71，1.08），グアンファシン徐放性製剤0.87（0.66-1.12），リスデキサンフェタミン0.66（0.46-0.91），メチルフェニデート徐放性製剤0.52（0.38，0.69）であり，有害事象による中断のプラセボに対する相対リスクが，グアンファシン徐放性製剤4.5（2.14，10．31），リスデキサンフェタミン2.95（1.21，7.59），アトモキセチン2.35（1.27，4.37），メチルフェニデート徐放性製剤1.29（0.59，2.77）であった。このことは，リスデキサンフェタミンが効果不足等の有害事象以外の理由による脱落は少ないものの，有害事象に基づく脱落はグアンファシン徐放性製剤に次いで認められることを意味している。

ADHD治療薬の併用についてもいくつかのエビデンスが認められる。アトモキセチン／メチルフェニデートの併用療法の有効性について比較したCarlsonらの研究では，6〜12歳のADHD患者25人を対象にアトモキセチン／メチルフェニデートの併用療法の6週間無作為化二重盲検比較試験を行った。ただし，無作為化二重盲検比較試験の前に4週間のアトモキセチン／プラセボを用いたオープンラベルを実施しており，4週間後にアトモキセチン／プラセボでCGI-Iスケールが3以上の患者に対して無作為にアトモキセチン／メチルフェニデートまたはアトモキセチン／プラセボに割り付けられた。アトモキセチンの目標用量は1.2mg/kg/day，最大用量は1.4mg/kg/dayであり，メチルフェニデートの目標用量は1.08mg/kg/day，最大用量は1.2mg/kg/dayであった。その結果，無作為化二重盲検比較試験開始後1週間時点ではADHD-RS総スコアにおいてアトモキセチン／メチルフェニデートでアトモキセチン／プラセボに比べて有意に優れていたものの，治療終了時点のADHD-RS総スコアにおいてアトモキセチン／プラセボとアトモキセチン／メチルフェニデートの群において有意な差はみられなかった。安全性に関しては，MPHを併用することでの体重減少により，患者の体重の治療群間に有意な差がみられたものの，両群で死亡や重篤な有害事象は発生せず，アトモキセチン／メチルフェニデート群はアトモキセチン／プラセボ群と比較しての有害事象は少ない傾向であった[37]。

グアンファシン／メチルフェニデート（*d*-メチルフェニデート）の併用療法の有効性について比較したMcCrackenらの研究では，7〜14歳のADHD患者207人を対象にグアンファシン／メチルフェニデートの併用療法の8週間無作為化二重盲検並行群間比較試験を行った。患者は研究期間の前半4週間と後半4週間で異なる治療を受けた。前半プラセボ，後半メチルフェニデートの群，前半グアンファシン，後半グアンファシン／プラセボの群，前半グアンファシン，後半グアンファシン／メチルフェニデートの群の3群に無作為に割り付けられた。グアンファシンは1日2回1〜3mg/day，メチルフェニデートは1日1回5〜20mg/day使用された。その結果，ADHD-RS総スコア，不注意サブスコアの変化量およびCGI-Iの改善度のいずれにおいても前半グアンファシン，後半グアンファシン／メチルフェニデートの群は他の2群と比べて有意に優れていた。安全性に関しては有害事象の全体的な発生率は高かったものの，群間で差はみられなかった。試験中に深刻な有害事象は発生せず，ほとんどの有害事象は，重症度が軽度から中等度だった[38]。

グアンファシン／メチルフェニデート，リスデキサンフェタミンを含む中枢神経刺激薬の併用療法の有効性について比較したWilensらの研究では，6〜17歳のADHD患者461人を対象にグアンファシン／中枢神経刺激薬の併用療法の9週間無作為化二重盲検並行群間比較試験を行った。無作為化二重盲検並行群間比較試験の前に患者は4週間以上いずれかの中枢神経刺激薬を服用しており，9週間の研究期間の前半5週間でグアンファシンもしくはプラセボの用量調整期間，後半4週間を用量固定期間として設定した。中枢神経刺激薬に加えて，起床時，就寝時いずれもプラセボ群，起床時グアンファシの群，就寝時プラセボの群，起床時プラセボ，就寝時グアンファシン群の3群に無作為に割り付けられた。用量調整期間ではグアンファシンは1mg/dayから開始し，1週間以内に用量を変更しないように最大4mg/dayとなるように調整した。その結果，ADHD-RS総スコア，不注意サブスコア，多動性/衝動性サブスコアのベースラインからの変化量およびCGI-S，CGI-Iの改善度のいずれにおいても起床時もしくは就寝時にグアンファシンを併用した中枢神経刺激薬群はプラセボを併用した中枢神経刺激薬群と比べて有意に優れていた[39]。安全性に関しては有害事象の全体的な発生率はグアンファシン併存群で高い傾向であったものの，ほとんどの有害事象は重症度が軽度または中等度であり，これまでの中枢神経刺激薬もしくはグアンファシンのみを投与した研究で確認された副作用以外のものはみられなかった。

（岡田 俊）

2 海外の診療ガイドラインをめぐる現状

1）はじめに

2018年以降，海外ではメタ解析やシステマティックレビューが行われ，それらのエビデンスに基づいたガイドラインの改訂が積極的に行われた。また，エビデンスに基づいた心理社会的な治療・薬物療法の序列づけについても積極的に行われてきている。

海外の治療ガイドラインの現状を把握することはわが国でのADHD治療の位置づけを理解するうえでも重要である。海外のADHD治療をレビューし，英語圏を中心としていたガイドラインが，欧米圏を中心に非英語圏でもガイドラインの作成が進んでいる。

近年のガイドラインは，メタ解析あるいはシステマティックレビューの結果に基づいたエビデンスのレベルを治療のステージにより明確に序列化する傾向がみられる。また，それぞれの段階の治療法に関するエビデンスを示し，そのエビデンスのレベルとリスクとベネフィットを列挙するような形式に変わってきている。したがって，以前のガイドラインに比べて情報量も増え，患者にあわせた臨床的な判断が求められるものに変わってきている。

本項では，海外のそのような動向を考慮し，欧米のものを中心に2018年以降に改訂された海外のADHD治療ガイドラインについてその現状をまとめ，個々の特徴について概説する。

2）海外のガイドラインの概説（表1）

表1に示されるように多くの海外のガイドラインではメタ解析やシステマティックレビューの結果に基づいて，さらに経済的な要因，患者・家族の意見を取り入れながら作成されている[40]。

(1) NICEガイドライン

2008年，ADHD，または運動機能亢進症（HKD）の診断と管理に関するエビデンスに基づくガイドラインが英国国立医療技術評価機構（NICE）より発表され，2018年には新たに推奨事項を更新し改訂された[41]。

NICEガイドラインの最初のセクションには，提供されるサービスや関係部署に関するガイダンスが含まれ，また，子どもから成人期への移行についても大きな問題として取り上げられている。同様に，ADHDが疑われる症例の特定と紹介に関するガイダンスには，子どもや若者の反社会的行動や行動障害に関するNICEガイドラインとの相互参照に加え，保護者の支援・トレーニングはグループベースでADHDに焦点を当てたものにすべきと明記されている。また，ADHDの有病率が増加する可能性のあるグループについて医師に認識させるためのガイダンスも含まれている。

NICEガイドライン2018によると，ADHDの診断は，「疾病及び関連保健問題の国際統計分類 第10改訂版（ICD-10）」または「精神障害の診断と統計マニュアル 第5版（DSM-5）」に従って行うことが推奨されている。また，NICEガイドラインには，ADHDの患者，その家族・介護者，教育施設，その他の関連医療従事者（併存疾患がある場合）に対して，生活のあらゆる側面で利用可能な情報と支援を概説する項目が含まれている。

ADHDの管理を最適化するためには，治療計画を策定することが推奨されている。ADHDの患者とその家族・介護者が十分に関与し，実施されている計画を理解できるように，NICEガイドラインでは，ADHDの管理法を紹介する治療計画の概要も掲載している。ADHDの患者は，障害の重症度や治療目標など複数の要素を考慮した包括的，全体的，共有的な治療計画をもつことが推奨

表1 海外のガイドラインの概説

	NICE（2018）	ドイツのガイドライン（2018）	スペインのガイドライン（2017）	CADDRA（2018）	AAP（2019）
診断・治療者	診断は，専門の精神科医，小児科医，またはADHD診断の訓練と専門知識をもち，多職種によるADHDサービスに従事している適切な資格を有する医療専門家が行う。プライマリーケア医と処方を共有することができる。	診断は，児童青年精神科医，児童心理学者，小児科医，またはADHDの診断に関する訓練と専門知識を有するその他の適切な資格を有する医療専門家が行う。診断処方は，児童思春期精神科医または小児科医が行う	診断は，併存疾患の評価と鑑別診断のための特別な訓練を受けた専門家が行う。具体的には小児科医，心理学者，児童青年精神科医，（成人の場合は一般精神科医），小児神経科医が診断を行う。家庭医，プライマリーケア医，小児科医，精神科医が処方する	完全にライセンスされ，十分な訓練を受けた臨床医	児童青年精神科医，臨床児童心理士，発達・行動小児科医，神経発達障害専門医，児童神経科医，または児童・学校単位の評価チームからの助言に基づいて診断治療を行う
ガイドラインに含まれる領域あるいは介入	アセスメント&診断・認識，マネジメント 情報とサポート，心理学的介入 薬物療法とモニタリング 心理学的介入の組合せ，介入と薬物療法 教育現場での介入設定　食事への介入 移行 ケアの組織化	アセスメントと診断 治療計画 心理社会的介入(親，患者，学校)　薬物療法 ニューロフィードバック 食生活への介入　入院治療，再入院，青少年福祉サービス 移行期 自助努力	インターベンションに焦点を当てる。心理社会的介入 薬理学的介入 組織的および生活技能的介入 サポートとトレーニング	アセスメントと診断 心理社会的介入 薬物療法 ニューロフィードバック 食事への介入	アセスメントと診断 心理社会的介入 薬物療法とモニタリング 教育現場での介入　ケアの組織化 実施
独立したシステマティックレビューによるエビデンスの確認（有／無）	あり	あり	あり（他のガイドラインも考慮。NICE REF，米国小児科学会REF)	一部治療に関してあり（＝公表されたエビデンスに基づく，エビデンスがない場合は専門家のコンセンサスに基づく）。	あり
どうエビデンスを評価したか	システマティックレビュー／メタアナリシス シス，グレード	システマティックレビュー／AWMF／グレード	エビデンスレベルと推奨度 SIGN REF 他のガイドラインの推奨をAGREE（Appraisal of Guideline Research and the World）で採点。	部分的にシステマティックレビュー	一部：システマティックレビュー エビデンスのあるシステマティックレビュー AAPのポリシーに基づき採点
ADHDの重症度による推奨の違い	いいえ	あり	あり	いいえ	いいえ
年齢による推奨の違い	あり	あり	あり	あり	あり

（次ページに続く）

	NICE (2018)	ドイツのガイドライン (2018)	スペインのガイドライン (2017)	CADDRA (2018)	AAP (2019)
第一選択の治療介入（薬物あるいは非薬物）	5歳未満： ADHDに焦点をあてたグループペアレントトレーニング。薬物療法は推奨されない 学齢期の子ども： 1回目 ADHDに特化した情報提供とサポート。 第2回目 生活の少なくとも1つの領域において，持続的かつ重大な障害がある場合：薬物療法を行う。 反抗挑戦症や行動障害が併存している場合：親のトレーニングプログラムを追加する。 青年の場合：1回目 薬物療法 第2回目 薬物治療後も，少なくとも1つの生活領域に障害がある場合：認知行動療法を行う。	中等度から重度のADHDには薬物療法（6〜18歳），重度の場合は心理療法後に4〜6歳児に投与 6歳未満および6歳から18歳までの軽度から中等度のADHDの児童・青年に対する心理療法	5歳未満の子ども薬物療法は推奨されない 学齢期の子供や青年 1回目の教育的治療／学問的支援の心理学的アプローチ 2回目 1回目が効かない場合，または重症の場合のみ投薬が推奨される。 成人 中等症から重症の場合，1回目の薬物療法を行う。 軽症の場合は心理社会的治療または薬物療法を選択する。	未就学児への心理社会的介入	未就学児（4〜6歳）の場合。 親や教師が行う行動療法を第一選択とする。 6〜11歳の子どもの場合。FDAが承認したADHDの治療薬，および／またはADHDの治療としてエビデンスに基づく親および／または教師が行う行動療法（できれば両方） 12〜18歳の青少年の場合。 FDAが承認したADHDの治療薬で，本人の同意があるもの。 ADHDの治療として，エビデンスに基づく訓練介入および／または行動介入がある場合
心理学的介入に関する普遍的推奨事項（Y／N）と資格―何のために，どのように提供するか，例えば，グループ／個人，時期，など	はい 学齢期の子どもや青年。ADHDに特化した情報とサポート，薬物療法を検討する前のレビュー	はい 心理教育；グループベースまたは個人，親および／または教師および／または患者ベースの心理治療	あり 組織能力訓練，心理教育，学校・医療機関・家庭との連携，社会的スキル，実行機能訓練，認知行動療法	介入形式指定なし	はい 子どもと家族への心理教育。提供形態は特定しない。 教育的介入と個別の指導サポートは，治療計画の必要な部分であると考えられている

（次ページに続く）

	NICE (2018)	ドイツのガイドライン (2018)	スペインのガイドライン (2017)	CADDRA (2018)	AAP (2019)
投薬の順序	あり 学齢期の子どもと青年 1回目メチルフェニデート，2回目リスデキサンフェタミンを投与。 (リスデキサムフェタミンの場合，デキサンフェタミンを検討) 3番目はアトモキセチンまたはグアンファシンです。	あり 第1回 精神刺激薬 2回目 アトモキセチンまたはグアンファシン ADHD＋不安症：精神刺激薬またはアトモキセチン ADHD＋物質乱用。長時間作用型精神刺激薬，またはアトモキセチン，グアンファシン ADHD＋チック症：精神刺激薬またはアトモキセチンまたはグアンファシン	なし 推奨される薬物(順不同)：メチルフェニデート，リスデキサムフェタミン，グアンファシン，アトモキセチン	はい 第1回 長時間作用型精神刺激薬第 2回 アトモキセチン，グアンファシン XRおよび短・中時間作用型精神刺激薬 3位 ブプロピオン，クロニジン，イミプラミン，モダフィニル	はい "エビデンスは特に精神刺激薬で強く，アトモキセチン，徐放性グアンファシン，徐放性クロニジンの順で十分だが強くない"とある。
医療経済要因を検討したか	はい	いいえ	いいえ	いいえ	いいえ
家族・患者の意見を取り入れたか	はい	はい	はい	いいえ	はい

〔Coghill D, et al : The management of ADHD in children and adolescents: bringing evidence to the clinic: perspective from the European ADHD Guidelines Group (EAGG). Eur Child Adolesc Psychiatry, 1-25, 2021より一部改変〕

されている。治療計画を個人のニーズに合わせて作成するために，医師は，利用可能なすべての治療法の潜在的な利点と悪影響，健康的なライフスタイルの潜在的な利点，個人の好み，治療の順守の重要性について本人およびその家族／介護者と話し合うことが推奨されている。

また，ガイドラインでは，すべての年齢層に対して，非薬物療法と薬物療法を網羅した管理勧告が記載されており，薬学的治療開始前のベースライン評価に関する情報も含まれている。NICEのガイドラインの全般の治療アルゴリズムと薬物療法のアルゴリズムを**図1，2**に示す。5歳以上では環境調整，薬物療法，CBTの順に推奨されている[42]。

NICEガイドラインでは，併存する疾患をもつ人の治療について，ADHDと不安障害，チック障害，自閉スペクトラム症の人には，他のADHDの人と同じ薬の選択肢を提供することを推奨している。また，急性精神病または躁病エピソードを経験した5歳以上のADHDの子ども，若者，成人では，すべてのADHDの薬物を中止することが推奨され，エピソードが治まった後に薬物の再投与を検討することができるとしている。

NICEガイドラインには，必要に応じて第一・第二選択薬物療法以外の薬物選択に関するアドバイス，ADHD治療薬を処方する際の重要な考慮事項（複数の1日1回の徐放型製剤があるためその薬物動態を考慮，中枢神経刺激薬の効果量と期間のばらつき，中枢神経刺激薬の誤用・転用リスクなど），用量滴定〔英国国立処方箋（BNF）／小児用BNFに沿って症状や副作用に応じた滴定，特定の共存する疾患を有する場合にはより遅い滴定などの推奨〕についても記載されている。用量が安定したら，ADHD治療薬の処方とモニタリングは，プライマリーケアとのShared Care Protocol

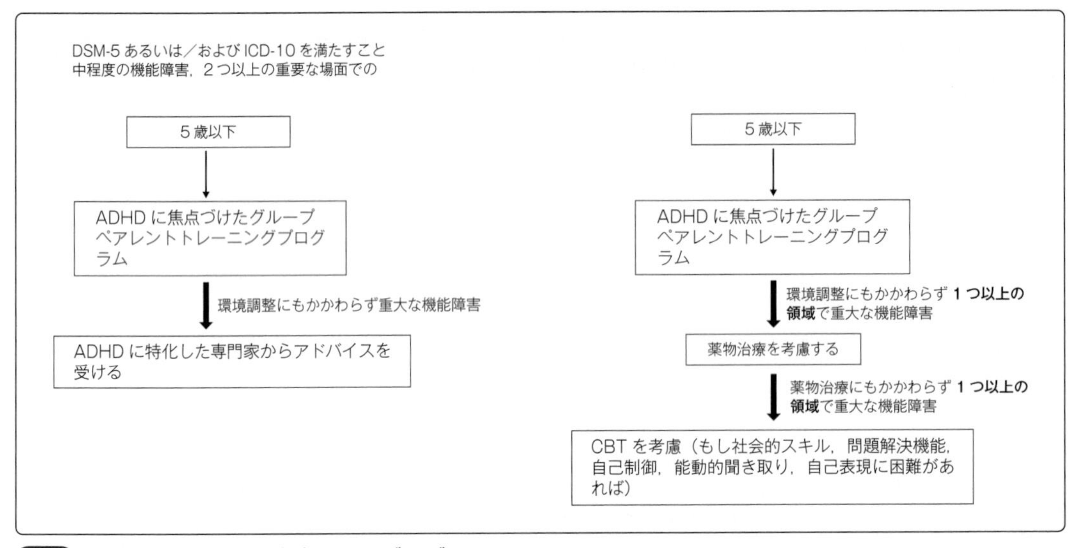

図1 年齢によるADHD治療のアルゴリズム

（National Institute for Health and Care Excellence : Clinical Guidelines, 2018より一部改変）

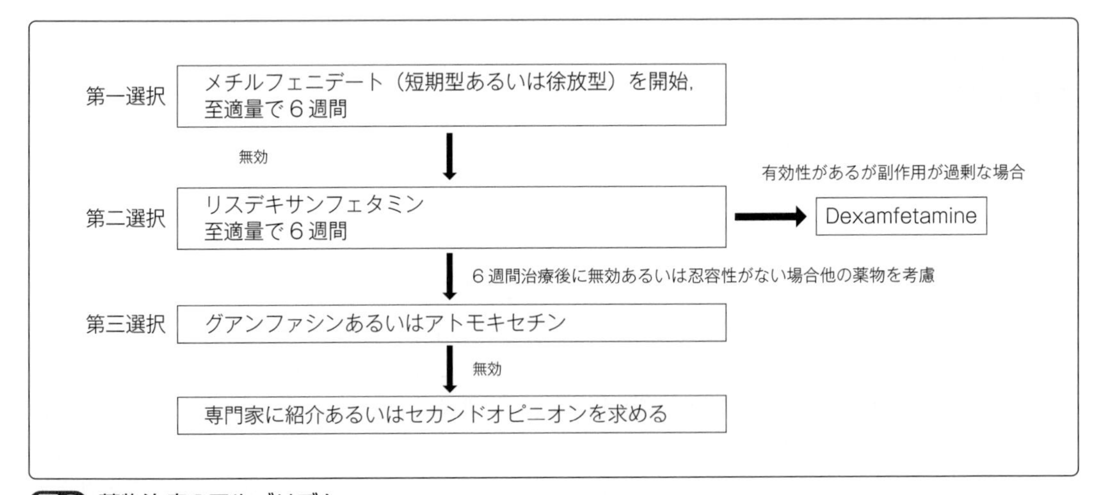

図2 薬物治療のアルゴリズム

National Institute for Health and Care Excellence : Clinical Guidelines, 2018より一部改変

の取り決めのもとで行うことが推奨されている。

維持とモニタリングの推奨（身長，体重，心血管系パラメータ，チック，性的機能障害，発作，睡眠，行動のモニタリングを含む），および非薬物療法と薬物療法の両方における治療アドヒアランスの改善方法（有益性／リスク教育を含む）についてのガイダンスも含まれている。ADHDの管理に関するガイダンスは，治療を継続してもよいかどうかを判断するための投薬レビューと個人または介護者の話し合いに関する推奨で締めくくられている。

また，NICEガイドラインは，個人の嗜好やニーズの重要性を強調しており，医師がADHDの治療に対して，生涯を通じてより総合的なアプローチを提供することを支援するサービスを中心に構成されている。NICEガイドラインは，利用可能なエビデンスの詳細なレビューの結果であり，これらのガイドラインの適用は義務ではないが，医療従事者はADHDの個人のニーズ，好み，価値観の考慮とともに，これらのガイドラインを考慮することが推奨されている。

(2) ドイツのガイドライン

2018年，小児期，青年期，成人期のADHD，またはHKDの診断と管理に関するドイツ版ガイドラインが発表され，2003年のドイツ精神医学・心理療法・精神身体医学・神経医学ガイドラインを更新して小児と青年に対する推奨事項を含める改訂が行われた[43]。

ガイドラインの推奨事項の最初のセクションでは，ADHDの診断について述べており，ADHDの診断がなされるためには，障害の症状（多動性，衝動性，不注意）がICD-10またはDSM-5に示された基準を満たす必要があると推奨している。なお2018年に，ICD-10が国際疾病分類第11改訂（ICD-11）に更新されて，現在HKDはADHDと呼ばれるようになっている。また，ドイツのガイドラインでは，自己評価，質問票，行動観察，心理テスト，実験室・機器による検査からなるさまざまな診断方法の重要性が概説されている。診断時の年齢については，年齢が低いほどADHDの症状と通常の行動のバリエーションを区別することが困難な場合があり，そのため3歳未満でADHDの診断を行うことは推奨されないとしている。また，本ガイドラインの診断の項では，ADHDの管理に影響を与える可能性があり，専用の治療管理が必要となる一般的な精神疾患の併存とともに，鑑別診断時に考慮することが推奨される精神疾患について詳述している。

ADHDの診断が下されると，ドイツのガイドラインでは，利用可能なすべての管理オプションをADHDの本人および／またはその介護者に説明し，すべての治療決定が情報に基づいた方法で行われ，本人が意思決定プロセスに完全に参加できるようにすることを目的としている。また治療は，個々の症状，機能レベル，参加意思，本人の希望およびおかれている社会環境によって，心理社会的（心理療法を含む）および薬理学的（適切な場合），補助的介入を組み合わせることができるマルチモーダル治療計画の文脈で行われることが推奨されている。重症度（軽度，中等度，重度）の分類は，症状の重症度と機能障害のレベルの両方を組み合わせたDSM-5に基づいている。一般に，ガイドラインでは，薬理学的介入の前に心理社会的介入を最初に試みることが推奨されている。

(3) スペインのガイドライン

エビデンスの系統的レビューと異なる治療法のリスクとベネフィットの評価に基づく推奨に国が注力している一環として，2017年に「ADHDの治療的介入に関するスペイン臨床実践ガイドライン」が発表された。このガイドラインは，ADHDの管理に焦点を当て，心理教育的，心理的，薬理的選択肢を概説し，意思決定を支援し，集学的アプローチを促進するための推奨事項を形成している[44]。これらのガイドラインはスペインの医療従事者を対象としており，推奨される薬剤の一部は他の国では承認されていない可能性がある。

①非薬物療法——小児および青年

3～12歳の子どもがADHDと診断された場合，第一選択治療として，両親のための心理教育および行動訓練プログラムを提供することが推奨されている。これらのプログラムは，訓練を受けた専門家によって提供され，構造化され，十分なセッションを含み，家庭での作業を取り入れ，子どもと親の関係を改善する戦略を含み，親が自分の目標を特定できるようにすることが推奨される。教育的介入もまた，ADHDの子どもや青年の治療プログラムの一部として含まれることがある。初等教育期間中，教師は，認知行動療法や身体活動プログラムなどの行動修正技術の訓練を受けることが推奨され，親は宿題や家庭でのルーチンワークに関する訓練を受けることが推奨される。ADHDの子どもには，社会的機能および自律性スキルのトレーニングが行われることもある[44]。中等教育期間中は，非薬理学的介入により，親が家庭や学校で子どもの学問的責任を促進することができ，組織的スキル，時間管理，宿題，勉強に焦点を当てることができる。親と教師とのコミュニケーションが重要であり，行動上の問題を修正するために親と子供が協力することも重要である。成功や失敗を記録し，努力と進歩に報いることが推奨される。

②薬物療法について――小児および青年

ADHDの治療のための薬理療法は，6歳未満の小児には推奨されない。6歳以上の小児および青年では，精神教育や心理療法が有効でない場合，またはADHDの症状による影響が大きい場合に，薬物療法が推奨される。このガイドラインでは，スペインにおいて，メチルフェニデート，リスデキサンフェタミン，グアンファシン，アトモキセチンが小児および青年のADHDの治療薬として認可されていることが記載されている。

(4) カナダのガイドライン

カナダADHDリソース・アライアンス（CADDRA）によるADHDの診断と治療に関する「カナダADHD診療ガイドライン」が2018年に改訂された[45]。現在の最新版はガイドライン（4.1版）は，2020年にADHD，またはHKDの新たに発表された研究に対して常に見直しを行われている。

カナダのガイドラインはカナダ国内のADHD専門医，小児科医，精神科医，心理学者，プライマリーケア医，薬剤師，看護師，教育者などが関わる多職種で編成し改良した産物であり，このガイドラインは，カナダにおけるADHDとHKDの研究成果をまとめたものであり，システマティックレビューに加えてコンセンサスに基づく知見との統合を求めているのが本ガイドラインの特徴である。

CADDRAガイドライン2020の第1章と第2章は，ADHDの診断，鑑別診断，併存する障害について記載している。第3章では，小児期（就学前，学童期）から思春期，成人期，高齢期までの具体的な問題や要因について取り上げている。第4章と第5章では，ADHDの心理社会的および薬理学的管理について述べ，第6章では，オメガ3脂肪酸，栄養補助食品，ニューロフィードバック，カイロプラクティックケアなど，その使用を推奨する前にさらなる研究を必要とする治療法が含まれている。

CADDRAガイドラインは，ADHDは生涯を通じてさまざまなレベルの障害をもたらす持続的な障害であると述べている。例えば，第3章では，有病率から特定の亜集団における過小診断，典型的な治療アドヒアランス，事故率，その他のリスクまで，各年齢層で考慮すべき特別なポイントを強調している。また，ADHDが本人，家族全体，学校・教育，職場生活，医療・社会的影響など，生活のあらゆる領域で及ぼし得る影響について記述している。

CADDRAガイドラインは，ADHDには，適切な場合には心理社会的治療と薬理学的治療の両方の選択肢を含む，包括的，協調的，かつ多面的な治療アプローチが必要であることを強調している。第4章では，心理教育がADHDの人にどのように役立つかを説明し，ADHDの治療時に取りうる主要な行動，すなわち，発見する，解明する，希望を与える，教育する，共感する，励ます，導く，動機づける，文化的およびジェンダー的感受性を示す，バランスのとれたライフスタイルを促進する，リソースを提供する――ことについて論じている。具体的な介入方法については，家庭，学校，職場でどのように実施されるかについて配慮している。

第5章では，心理社会的アプローチを補完する薬理学的治療について検討されている。先に述べたように，第5章の冒頭では，第一選択薬，第二選択薬，第三選択薬の概要を説明した後，段階的アプローチによる薬理学的処方を論じている。

本ガイドラインでは本人の積極的な関与による積極的な統合・包括的ケア（非薬物療法と薬物療法）により医療従事者，教師，その他の関係者に対するADHDの管理に関する継続的な教育の提供，必要に応じて，専門的な知識を得ることを目標としている。

(5) 米国小児科学会のガイドライン

表2 海外のADHD治療薬ガイドラインの比較

	NICE			CADDRA		ドイツのガイドライン		スペインのガイドライン	AAP
	第一選択	第二選択	第三選択	第一選択	第二選択	第一選択	第二選択		
LDX		✓		✓			✓	✓	
MPH	✓			長時間作用型	短時間または中間作用型	速崩または徐放		✓	✓
ATX			✓		✓		✓	✓	
DEX			✓		✓		✓		
GXR			✓		✓		✓	✓	
AMF mixed salts				✓					

LDX：リスデキサンフェタミン，MPH：メチルフェニデート，ATX：アトモキセチン，DEX：dexamfetamin，GXR：グアンファシン，AMF mixed salts：混合アンフェタミン塩

2019年，米国小児科学会（AAP）は，ADHD治療における薬物療法と行動療法の中心的役割を支持する，ADHDに関する最新のガイドラインを発表した。

AAPガイドラインでは，

①学業または行動の問題，および不注意，多動性，または衝動性の症状を呈する4歳から18歳の子どもまたは青年は，ADHDについて評価されるべきである
②ADHDの評価において，プライマリーケア医（PCC）は，併存する疾患をスクリーニングする必要がある
③ADHDの就学前児童（4〜6歳）に対しては，PCCは治療の第一線として，証拠に基づく行動管理における親の訓練（PTBM）および／または行動教室介入を処方する必要がある
④行動的介入がうまくいかない場合は，メチルフェニデートを検討することがある
⑤ADHDの小中学生（6〜12歳）に対しては，PCCは，PTBMおよび/または行動学的教室介入とともに，FDAが承認したADHDの薬物を処方する必要がある
⑥ADHDの青年（12〜18歳）に対しては，PCCは青年本人の同意のもとに，FDAが承認したADHDの薬物を処方すべきである。PCCは，エビデンスに基づく訓練介入および／または行動的介入も処方することが推奨される

以上の5つのガイドラインの薬物の推奨をまとめると**表2**になる。ガイドラインごとに推奨のレベル，重みづけの違いが同じエビデンスをもとに作られていても結果として推奨が異なる。

3）まとめ

海外の多くの国がガイドラインを作成している。多くの国は既存のエビデンスを用いて新たにメタ解析を行ったり，メタ解析[46]を利用しよりエビデンスに用いたガイドラインを作成しようとする試みを行っている，今回ここで紹介した以外にもオランダ，インド[47]，シンガポール[48]，サウジアラビア[49]，オーストラリアでもガイドラインが作成されている。またガイドラインの有効性についての評価を積極的に行う取り組みもなされている[50]。

（齋藤 卓弥）

3 ASD併存例でのADHD薬物療法

1）どのエビデンスによるべきか

他の疾患（例えば，知的発達症併存例でのADHD薬物療法[51]）でも議論になるように，特定の臨床グループでのADHD症状に対する薬物治療を行う際，臨床家は次のような疑問に行き着くだろう。それは，①それぞれの特定の臨床グループにおける限られたエビデンスを頼りに治療法を決めるべきか，それとも，②一般のADHD群における大規模なデータから得られた周知のエビデンスに沿って治療方針を決めるべきか――である。参考にする文献や専門家の意見（エキスパートオピニオン）によって意見が分かれ，この点に関しては，現時点では明確な答えがない。筆者は，自閉スペクトラム症（ASD）や他の神経発達症を専門とするセンターで勤務し，ASDとADHDの併存例を多く診療しているため，前者に偏った考え，治療方針をしがちであることを自覚している。しかしながら，前者におけるエビデンスの弱み（サンプル数の少なさ，各臨床試験におけるASDとADHD併存児の異質性が非常に大きいこと）を踏まえ，両エビデンスの観点を大切にしながらこの章を進めていきたい。また，後にも述べるが，発達障害を含む精神科薬物治療では，結局のところ治療は診断でなく症状群を標的にするため，診断の精度を高めることが最適な治療を提供することになると信じている（これについては他項も参照）。

2）中枢神経刺激薬は第一選択となるか

上述したように，どの観点でエビデンスを選択するかの難しさが臨床には付きまとう。一般的なADHDガイドラインで推奨されている中枢神経刺激薬を第一選択としてASD併存例のADHD症状にも使用するべきか，それともこクロスオーバーの臨床グループには別の治療法を検討しなければならないのだろうか。最近出版されたメタ解析では，メチルフェニデート（MPH）が用いられた4つの二重盲検プラセボ比較試験（RCT）のデータを統合し，ASDとADHDの併存例における薬剤の有効性と安全性が検討された[52]。含まれた4つの二重盲検試験はすべてクロスオーバー（交差）試験であり，うち3つの試験で短時間作用型のMPH[53~55]，残りの1つの試験[56]で長時間作用型のMPHが用いられた。この解析結果では，MPHの有効性はプラセボと比較して認められたものの，治療の効果の大きさ（エフェクトサイズ）は，一般の（つまりASD併存例でない）ADHDで行われたメタ解析結果に比べると小さかった。もう少し具体的には，ADHD治療の大規模なメタ解析[46]（81のRCTデータ，14,000のサンプルサイズ）でのMPHのエフェクトサイズは約0.8〔standardized mean differences（SMD）がエフェクトサイズの指標として用いられた〕であったのに対し，ASD併存例でのメタ解析では，0.6であった。ただし，前者は臨床家の評価，後者は養育者の評価に基づいて算出された治療効果であることに注意が必要である。また，上記のASD例でのADHD症状に対するMPH治療のメタ解析に含まれた二重盲検試験においては，効果判定に要した治療期間が短いこと（1～2週間）も治療効果に影響している可能性があり，現時点でのエビデンスからは，ASD併存例のADHD症状におけるMPHの中期的（例えば使用8週間後）な治療効果についてのエビデンスは明らかになっていない。さらに，長時間作用型のMPHにおいては1試験のみであり，また先進国の臨床現場では短時間MPHに比して長時間MPHが頻用されている（筆者注：2022年7月時点では日本ではMPHは長時間作用型のみ認可されている）ことから，長時間作用型MPHのASD併存例のADHD症状への薬効についてはさらなる研究が必要だと考える。なお，アンフェタミン系薬剤（日本で認可されているリスデキサンフェタミンを含む）については，現時点ではASD併存例におけるRCTはない。

治療効果に関しては，さらに，直接比較ではないものの，上記のASD併存例でのADHD治療のメタ解析研究[52]では，ASD併存例でのMPHのエフェクトサイズは，非中枢神経刺激薬のアトモキセチン（4つのRCT）のそれに比べて大きくなく，また，グアンファシンと比較すると劣っていた。この結果は，非ASD併存例のADHD治療におけるエビデンス[46]とは大きく異なるものである。ただし，ASD併存例でのサンプルサイズの明らかな違い（MPH＜アトモキセチン），解析に含まれたRCTの数の問題（グアンファシンは1つのRCTのみ）が上記の結果に寄与している可能性が大きく，また近年，主に使用されている長時間作用型のMPHとの比較は十分にできないため，実地臨床での治療指針の決定に際しては，上記研究におけるこれらの研究結果の限界点を理解しておかなければならない。

治療方針を決定するうえで，各薬剤の安全性は非常に重要である。短時間作用型のMPHを用いたRCT[53]では，苛立ちの悪化により18％の参加者が治験を中断した。上記のASD併存例におけるADHD治療のメタ解析研究においても，MPH群にのみ，有害事象による試験参加の中断が，プラセボ群と比較して優位に上昇していた。エキスパートオピニオンでは，ASD併存例では特に，ADHD単独例に比べて中枢神経刺激薬への過敏性が強く，関連する有害事象（例えば，情緒不安定，焦燥感の高まり）が多いと報告されている[57]。これが，ASD併存例における生物学的な相違によるかどうかについては現時点ではわかっていない。また，中枢神経刺激薬で最も頻度の高い有害事象である食欲不振は，ASD併存例ではさらに問題となることがある。長時間作用型MPHのRCT[56]では，苛立ちの悪化はMPHとプラセボの間で有意な差はみられなかった一方で，MPH群に食欲減衰と睡眠障害が有意に多くみられた。ASD併存例では，ASD特有のこだわりや感覚過敏により，治療前から基盤に摂食に問題のある例がある。これにより，昼食が食べられなければ朝食・夕食の量を増やす，または間食を取り入れることでカロリー摂取を補助するという，食欲減衰への一般的なアプローチが，ADHD単独例に比べて困難となり得ることを治療者は認識しておかなければならない。

3）実臨床での第一選択薬

ASD併存例における不十分なエビデンスレベル，上記におけるADHD単独例における中枢神経刺激薬のエビデンスレベルの高さを考慮すると，現在の診療では，禁忌がない場合，それに準ずる理由（例：家族または本人の中枢神経刺激薬に対する強い反対，コントロール不良なてんかん）がなければ，まず中心神経刺激薬を第一選択とするのがよいだろうと考える。筆者もほとんどの場合，ASD併存例のADHD症状の薬物治療は中枢神経刺激薬からスタートする。用量は可能なかぎり最小投与量からスタートし，増量は緩徐に行う。米国にはメチルフェニデート系，アンフェタミン系ともに複数の薬剤の選択肢があるが，両系の優劣については科学的には明らかでない。

中枢神経刺激薬の選択時には，必ず心疾患を除外しなければならない。ASD併存例において特に注意を要することは，特に知的発達症も併存する場合に，少ない確率ながらも稀な遺伝疾患が存在する可能性がある。稀少遺伝疾患では，顔貌奇形や心奇形を併発しやすいため，内科的既往歴の聴取の際には，たとえ根治していても先天性心疾患の既往がないかを聴取する。また，診察時には，丁寧な身体診察は小児科医にゆだねるとして，顔貌の観察をするように心がけることを児童思春期の精神医療分野で診療する医師には期待したい（そして顔貌奇形に関して何か疑った際には，ぜひ小児科医にさらに丁寧な診察を依頼していただきたい）。

最後に，てんかんの既往がASD併存例ではADHD単独例に比して多い。てんかんの既往自体は中枢神経刺激薬の使用の禁忌ではないが，コントロール不良なてんかんを有するADHD＋ASD児では，多動や不注意といったADHD症状が強くても，中枢神経刺激薬の治療をためらってよいと考える。この場合，何よりも先にてんかんコントロールを少しでも良好にできないかが優先されるべき治療であり，小児神経科医と共同する必要がある。

4）非中枢神経刺激薬はいつ考えるのがよいか

ASD児でのADHD症状に対するアトモキセチンの効果は各RCT，またメタ解析（4つのRCTのデータ）で支持されているが，エフェクトサイズで示された治療効果の大きさは，小から中にとどまった[52)]。この治療効果は，ADHD単独例でのメタ解析と比較して，ほぼ同等かやや劣っていた。また，ASD併存例でのアトモキセチン使用は，プラセボ群に比べてADHD症状は有意に改善したものの，行動問題（反抗挑戦性障害に準ずる症状）の有意な改善はみられなかった。

α受容体作動薬では，短時間型クロニジンを用いたASD患者のADHD症状に対する二重盲検交差試験が2つ（いずれも非常に少ないサンプルサイズ）[58, 59)]，そして徐放型グアンファシンとプラセボのRCT（N＝62）が1つのみである[60)]。クロニジンを用いた2つの研究ではADHD症状に対してプラセボより有意な症状の低下がみられたものの，衝動性や多動症状の改善はクロニジンの副作用である倦怠感によるものか，真の治療効果であったのかの判断が難しい。サンプルサイズを増やしたクロニジンの臨床試験はこれらの2つの研究以降はなく，臨床現場で用いる際は忍容性と効果を慎重に考慮した使用が必要である。長時間型グアンファシンを用いた二十盲検試験の治療判定時（8週目）では，最も頻繁に報告された投与量は3mgであった。上記研究におけるグアンファシンの治療効果は非常に高く，ADHD単独例でのRCTにおけるエフェクトサイズよりも大きかった。忍容性については，治療開始後最初の4週間で血圧や脈拍が多少低下する児がみられたものの，最終的にはベースラインに戻った。これらの結果は，ASD児おけるADHD症状への徐放型グアンファシンの使用に際するエビデンスとなるが，小〜中等度のサンプルサイズと単独のRCTであることから，研究結果が勝者の呪い（winner's curse：最初に効果を発見した場合，通常にみられる効果よりも過大な効果がみられる傾向にある）である可能性に臨床家は注意して頂きたい。つまり，別のRCTで上記結果が反復されるか，もしくはサンプル数・RCT数の増加により，グアンファシンの治療効果が，上記研究でみられたものより低値に収束していくのかどうかについて，批判的に吟味しなければならない。

以上の観点から，ASD児における非中枢神経刺激薬の位置づけについては，現時点でのエビデンスレベルでは，ADHD単独例とほぼ同様に考えてよい。つまり，中枢神経刺激薬の単独治療の効果が不十分である場合や，中枢神経刺激薬への忍容性不良の場合に使用する第2選択薬となる。1つ目の状況は明らかである。実臨床でASD併存例を中枢神経刺激薬で治療する場合，ADHD単独例に比して，2つ目の忍容性不良の状況から非中枢神経刺激薬を使用する場合が多いと，経験レベルではあるが筆者は感じる。さらに述べると，ASD併存例のADHD治療では，低用量の中枢神経刺激薬にさえ敏感で，副作用（苛立ちの増加など）を呈する例が多くあり，さらに，低用量の中枢神経薬である程度の効果は得られるが，増量するとある閾値を境に上記のような副作用を呈するため，十分な増量ができない，という例もある。

非中枢神経刺激薬の使用は，①単剤使用，②中枢神経刺激薬との併用——の2つの選択肢がある。低用量の中枢神経刺激薬にも耐えられない場合は，非中枢神経刺激薬の単剤使用のほかないが，増量に耐えられないが低量の中枢神経刺激薬の薬効が部分的にみられる場合は，さらにADHD症状を改善する目的で非中枢神経刺激薬を併用することになる。上記に加えて，ASD併存例の実臨床では，低量の中枢神経刺激薬で比較的効果があるが，感情の不安定さが副作用として生じてしまう，しかしながら，非中枢神経刺激薬単剤ではADHD症状の軽減が得られない，という状況も存在する。このような場合，筆者は，グアンファシンを先にスタートし，その後に少量の中枢神経刺激薬を加えることがある。これは，中枢神経刺激薬が悪化させ得る苛立ちや不安といった感情系の副作用をグアンファシンにより減弱，または防止することが狙いである。具体的には，長時間作用型グアンファシン1 mg朝一回とMPH18mgを併用するような治療戦略である。この戦略の背景として，α受容体に対して作用するグアンファシンが，交感神経系を介して情動の制御にもたらす効果を期待している。これは経験則であることを付け加えておく。ASD児やADHD児の情動のコントロールの困難さ（emotion dysregulation）に交感・副交感神経系の関与が報告されているため[61]，ASD・ADHD併存例へのグアンファシンの大きな治療効果，ADHD症状への直接的な効果に加え，情動の安定化による衝動性の低下といったような間接的な治療効果も寄与しているかもしれない。

5）ADHD治療での抗精神病薬の位置づけ

いくつかのRCTでは，非定型抗精神病薬がASD児のADHD症状を軽減することが示されている。例えば，RUPP試験では，プラセボ群に比して，リスペリドン群ではaberrant behavior checklist（ABC）の多動症状の下位尺度が有意に減少した[62]。同様の効果は，アリピプラゾールでもみられた[63]。しかしながら，これらの結果から抗精神病薬をADHD治療の選択肢とするかについては慎重な議論が必要である。

第一に，上記2剤を用いたASD児でのRCTはADHD症状を主要アウトカムとしていない。主要アウトカムは苛立ち・攻撃性であり，多動の下位尺度は副次的アウトカムである。統計学的有意差が副次的アウトカムにみられた場合，多重検定の問題という観点から解釈（つまり，抗精神病薬のADHD症状への有効性が真にあるのか，について）は注意を要する。次に，これらのRCTでは，ADHDに特化した治療効果尺度ではない。用いられた尺度（ABC）の多動の下位尺度がADHDの症状を評価しているかの正確性・妥当性については検証が必要である。

ASD併存例でないADHDの治療では，抗精神病薬は他の精神疾患や顕著な情動の問題が併存する際に効果があると報告されている[64]。これは，ASD併存例のADHD治療にも適応できるだろう。ASD児に特有の苛立ちや攻撃性は，ADHDの衝動性と重複する，または互いに影響しうるため，これらの情動問題のコントロールが不十分であると，中枢神経刺激薬や非中枢神経刺激薬による治療効果が十分に得られなかったり，またこれらの薬剤への忍容性（例えば中枢神経刺激薬使用による情動問題の悪化）に影響が出たりしうる。このような際に，非定型抗精神病薬の役割が治療効果や継続に寄与すると考えられる。臨床現場では，ASD併存例において純粋なADHD治療という場面よりも，それらに感情や行動の問題が付加していることが多いと考える。エビデンスレベルのもととなる臨床試験では，こういった精神科的・心理的併存問題や疾患は，除外基準とされることが多いため，RCTの知見をそのまま目の前の患者さんに適応してよいかについては，臨床家の分析力と判断力が問われるだろう。

6）その他，ASD併存例のADHD薬物治療について臨床家が心がけたい点

感覚特性と適応機能の問題から，ASD併存例では，カプセルや錠剤の内服が困難なことが，定型発達児に比べて多いと考える。この場合，治療開始前に内服のトレーニングを要するだろう。行動療法的アプローチが必要となるため，この役割を処方医が保護者と共同する必要がある。このト

レーニングについては，日本語で資料や動画が見つからないため，カナダのカルガリー大学のKaplan医師が紹介しているトレーニング法（https://bonniejkaplan.com/how-to-swallow-pills ）と出版論文[65]をここに共有する。

代替案として，米国では液剤の中枢神経刺激薬を使用する選択肢が存在する。今後，日本でも認可される中枢神経刺激薬が増加し，液剤の選択肢も可能となるかもしれない。しかしながら，ASD併存例においては、感覚過敏などの症状のため，液剤の香りや味によっては内服困難となる児が存在することを注意書きとしたい。

次に，薬理遺伝的検査（pharmacogenomic testing）の位置づけについて述べたい。これは，疾患の原因を探索する遺伝子検査とは異なり，個々の遺伝情報に基づいて薬物代謝や応答を調べる検査で，副作用の予測，治療薬の選択，用量の調整などを目的としたものである。成人のうつ病の薬物治療などと比較して，現時点でのADHDへの薬物治療，また児童思春期世代におけるデータは十分でない。さらに，最近出版された論文では，思春期の中等度から重症うつ病に対してこの検査をもとに薬物治療した群を標準的な薬物治療を受けた群とに分け，二重盲検試験が行われた[66]。このRCTでは両群において，治療結果に有意な差はみられなかった。これらを踏まえて，この検査が日常診療でルーチン化されることは現時点では考えられないが，治療困難例や特定の疾患，例えば，薬物治療に対する忍容性が問題となりやすいASD併存例の薬物治療においては，今後さらなるデータの蓄積にて，この検査が今後治療に有用化されることが期待される。

7）おわりに

ADHD，ASD各疾患の診断精度は近年向上し，治療に関するエビデンスも年々蓄積されている。しかしながら，各臨床試験での知見の外的妥当性，つまりRCTから得られる結果を実臨床で診る患者にそのまま適応できるか，については今後も改善が必要である。実臨床では概して，他の併存疾患や問題，また心理社会的背景・問題といった複雑さを有しているのに対し，多くの臨床試験では，実臨床で多くみられる他の精神疾患や問題が除外基準として設定されている。そのため，現存するどのエビデンスをどのように用いるか（または組み合わせるか）については，臨床家一人ひとりのアートとしての技量を要する。

（廣田 智也）

4 その他の併存症をもつADHDの薬物療法

1）はじめに

ADHDの併存症に関する治療については，「第2章ADHDの診断・評価 6併存症」の各論で，薬物療法についても詳しく述べられている。併存症の治療は各症例についてさまざまな治療を総合的に行い，個別に対応していくという，オーソドックスなスタイルに帰結する。しかしながら，保険適応がある薬は限られており，適応外使用を検討しながら，薬物療法を行っている。海外のADHDの治療ガイドラインについては，「本章2-②海外の診療ガイドラインをめぐる現状」で併存症のある場合の総合的な治療について詳しく述べられている。

ADHDにはライフステージに渡ってさまざまな精神疾患の併存がみられる。ADHDによくみられる併存症として，児童・思春期では行動障害（反抗挑発症，間欠爆発症，素行症），チック症，不安障害，うつ病が[67, 68]，成人期であれば不安障害，うつ病，双極性障害，行動障害（反抗挑発症，反社会性パーソナリティ障害），そして物質使用障害が挙げられる[69, 70]。これら併存症の存在は，ADHDの管理や治療を困難にし，患者自身や家族・支援者に著しい負担を与える[71]。

本ガイドラインでは，併存する精神疾患をもつADHDへの薬物療法について，まずADHDに対する薬物療法から開始し，その治療によって併存症が改善しなければ，その併存症固有の薬物治療を組み合わせることを推奨している。しかし併存する精神疾患の特性によっては，ADHDよりも併存症への薬物療法を優先することが必要となる。本項では併存症をもつADHDに対する薬物療法について，まずADHDと併存する精神疾患のどちらを優先して治療を行うのかについて述べ，次に併存症をもつADHDに対する薬物療法の注意点について触れ，最後に併存症をもつADHDに対する薬物療法の実際について概説する。

2）ADHDと併存する精神疾患のどちらを優先的に治療するのか

(1) ADHDの治療を優先する場合

ADHDをもつ患者は，ADHDに基づく逆境的な体験や偶発的なライフイベントによって負った心理的外傷体験の影響によって，反抗，不安，抑うつといった二次性の症状が形作られることが多い。これらがICDやDSMといった診断基準に合致すると二次性の併存症となる。このことから，ADHDに対する治療によりADHDの中核症状が改善することで，二次性併存症の改善が得られることが期待される。米国小児科学会（American Academy of Pediatrics）やCADDRA（Canadian ADHD Resource Alliance）によるADHDの診断・治療ガイドラインでは，ADHDに対する治療によって併存する気分や不安，そして攻撃性や反抗といった問題が改善するとしている[72, 73]。成人期ADHDにおいても同様に，ADHDの治療を優先して行うことでうつ病や不安症群の改善が得られると考えられている[74, 75]。

一般的に，ADHDに精神疾患の併存がみられる場合，より重症と判断される疾患を優先して治療するとされることが多い[72~74, 76]。実臨床においては，最も重症である疾患，診断の確実性，薬物療法に反応する可能性の高い疾患，そして患者や家族の好み，といったさまざまな要因を考慮して，治療の優先順位を決定する必要がある[73]。

これらのことから，本ガイドラインでは併存する精神疾患をもつADHDへの薬物療法について，まずADHDに対する薬物療法から開始することを推奨する。

(2) 併存する精神疾患の治療を優先する場合

統合失調症，躁状態（双極性障害），物質使用障害が一次性または二次性の併存症として存在する場合には，ADHDよりもこれら併存症への治療が優先される[72, 74, 76~78]。特に中枢神経刺激薬はドパミンを遊離させ，陽性症状とほとんど区別のつかない精神病症状を引き起こすことがあるため[78]，統合失調症が併存するADHDに対する中枢神経刺激薬の使用は推奨されない。スウェーデンにおけるナショナルデータベースを用いたコホート研究では，メチルフェニデートの単剤療法は躁病エピソードのリスクを増加させるものの，メチルフェニデートに気分安定薬を併用することよって，そのリスクは低下することが明らかにされている[79]。カナダ気分・不安治療ネットワーク（Canada Network for Mood and Anxiety Treatments；CANMAT）と国際双極性障害学会による双極性障害ガイドラインにおいても，双極性障害をもつADHDに対する薬物療法を検討する場合には，ADHDの治療を行う前に気分安定薬や第二世代抗精神病薬を用いて双極性障害を安定化させることが推奨されている[80]。そして臨床的経験から，患者がアルコールや中枢神経刺激薬を乱用し続けているときにはADHDへの治療を進めることが極めて困難となることが知られている[78]。

さらに薬物依存症をもつADHDに対する薬物療法の効果について検討したシステマティックレビュー・メタ解析によると，物質使用障害をもつADHDに対してADHD治療薬による治療を行った場合，ADHDの中核症状の改善が得られたとしても，併存する物質使用障害の改善が得られにくいことが報告されている[81)]。

これらのことから，統合失調症，躁状態（双極性障害），物質使用障害が一次性または二次性の併存症として存在する場合にはその治療を優先し，それらが安定した後にADHDへの薬物療法を検討することを推奨する。

3）薬物療法の実際

英国国立医療技術評価機構（National Institute for Health and Care Excellence；NICE）によるADHDの診断および治療ガイドラインでは，不安障害やチック症といった併存症が存在する場合であっても，併存症をもたない場合と同様の薬物選択を行うとしている[77)]。その一方，疾患ごとに使用薬剤の推奨が異なるガイドラインも存在する[73, 82)]。ここでは，併存症をもつADHDに対する薬物療法の注意点ならびに薬物療法の実際を述べる。

(1) 併存症をもつADHDに対する薬物療法を行う際の注意点

併存症をもつADHDに対する薬物療法を検討する場合，薬物相互作用を考慮した薬物選択を行う必要がある。併存症をもつADHDに対する薬物療法は多剤併用となりやすく，薬物相互作用による副作用が生じるリスクが高まる[73)]。**表3**に現在わが国で使用することができるADHD治療薬の禁忌を挙げた。

わが国ではモノアミンオキシダーゼ（MAO）阻害薬を投与中または投与中止後2週間以内の患者では，高血圧クリーゼに至る恐れがあるため中枢神経刺激薬（メチルフェニデート，リスデキサ

表3 各薬剤添付文書上における禁忌*

	中枢神経刺激薬		非刺激薬	
	メチルフェニデート徐放錠	リスデキサンフェタミン	アトモキセチン	グアンファシン
身体	MAO阻害薬を投与中または投与中止後14日以内の患者	MAO阻害薬を投与中または投与中止後14日以内の患者	MAO阻害薬を投与中または投与中止後14日以内の患者	—
	甲状腺機能亢進	甲状腺機能亢進症	—	—
	不整頻拍，狭心症	重篤な心血管障害	重篤な心血管障害	房室ブロック（第二度，第三度）
	褐色細胞腫	褐色細胞腫	褐色細胞腫またはその既往歴	—
	閉塞隅角緑内障	閉塞隅角緑内障	閉塞隅角緑内障	—
	—	—	—	妊婦または妊娠している可能性
精神	過度の不安，緊張，興奮性	過度の不安，緊張，興奮性	—	—
	運動性チック，Tourette症候群またはその既往歴・家族歴	運動性チック，Tourette症候群またはその既往歴・家族歴	—	—
	重症うつ病	—	—	—
	—	薬物乱用の既往歴	—	—

MAO：モノアミンオキシダーゼ
*各薬剤の添付文書より作成

ンフェタミン）ならびにアトモキセチンの使用は禁忌となる。また，ノルアドレナリン系に作用する向精神薬，例えば特定の抗うつ薬（デュロキセチン，ベンラファキシン）と中枢神経刺激薬またはアトモキセチンの併用は，高血圧を含む心血管障害の発症のリスクを高める可能性があるため注意が必要である[74]。またパロキセチンのCYP2D6阻害作用により，アトモキセチンの血中濃度が上昇する可能性がある。

特にわが国では精神科的併存症として，運動性チック，トゥレット症またはその既往歴・家族歴がある場合には中枢神経刺激薬の使用は禁忌である。また，重症のうつ病を併存する場合にはメチルフェニデート徐放錠が，薬物乱用の既往歴がある場合にはリスデキサンフェタミンが禁忌となる。そのほか，精神病性障害および双極性障害を併存する場合には，中枢神経刺激薬ならびにアトモキセチンは，その使用によって症状が増悪する恐れがあるとして慎重投与とされている。そして，抑うつ状態にある患者に対するグアンファシンの使用も慎重投与となっている。

併存症をもつADHDに対する薬物療法を検討する場合，ADHDや併存症診断の確実性，身体的合併症の評価，既往歴，家族歴，そして薬物相互作用や過敏症，また禁忌や慎重投与となっている疾患について添付文書を確認することなどが必要となる。

(2) 行動障害

カナダの治療ガイドラインによると，行動障害（反抗挑発症，間欠爆発症，素行症）をもつ児童・思春期ADHDに対する薬物療法に関するエビデンスの質の高さ，治療によるベネフィット，そして副作用の少なさから，最も推奨される薬物として中枢神経刺激薬が挙げられている[83]。さらに，いくつかのADHD治療ガイドラインにおいても，素行症や反社会性パーソナリティ障害を併存する場合には中枢神経刺激薬による治療が推薦されている[73, 82]。特に，行動障害に対するグアンファシン単剤療法は，中枢神経刺激薬の効果が乏しい場合やその認容性が低い場合に検討するべきであるが，中枢神経刺激薬がADHD症状に対して十分に奏効しているにもかかわらず攻撃的行動が持続している場合には，中枢神経刺激薬とグアンファシンの併用を検討することが推奨されている[83]。一方，児童・思春期および成人期ADHDに対する中枢神経刺激薬とアトモキセチンの併用療法に関する系統的文献レビューでは，行動障害に対する中枢神経刺激薬とアトモキセチンの併用に関するエビデンスは限定的であることが示されている[84]。児童・思春期ADHDを対象とした，わが国でも頻用されているADHD-RS-Ⅳを効果判定に用いた臨床試験に関する系統的文献レビューによると，反抗挑発症をもつADHDに対する薬物療法に関する治療効果量は，アトモキセチンは0.47～0.72の範囲，グアンファシンは0.92であった[71]。さらに，ADHD治療薬が奏効しない場合には適応外使用としてリスペリドンやその他の第二世代抗精神病薬の使用が考慮される[73, 83]。しかし第二世代抗精神病薬の使用に際しては副作用モニタリングが不可欠であり[85]，3カ月間の有効性が確認された場合には漸減と中止を検討することが推奨されている[83]。クエチアピン，ハロペリドール，リチウム，そしてカルバマゼピンに関しては，エビデンスの質が低い一方で副作用がみられるため，その使用は推奨されない[83]。

これらのことから，行動障害（反抗挑発症，間欠爆発症，素行症）をもつADHDに対する薬物療法として，メチルフェニデート徐放錠またはグアンファシン，そしてアトモキセチンのいずれかが推奨される。効果不十分のためADHD治療薬の併用療法を行う場合には，メチルフェニデート徐放錠とグアンファシンの併用を検討する。ADHD治療薬が奏効しない場合には，リスペリドンなどの第二世代抗精神病薬の適応外使用を検討する。

(3) チック症

チック症をもつADHDに対する薬物療法に関する臨床試験では，そのほとんどがトゥレット症を対象としている。いくつかのADHD治療ガイドラインは，チック症をもつADHDに対して中枢神経刺激薬[82]または非刺激薬（アトモキセチンまたはグアンファシン）の使用を推奨している[73, 82]。チック症をもつ児童期ADHDに対する薬物療法に関するメタ解析によると，メチルフェニデート，アトモキセチン，グアンファシンはいずれもADHD症状とチック症に有効であることが示されている[86, 87]。特にアトモキセチンとグアンファシンは併存するチック症状に対する効果が高いと考えられているが[86]，そのエビデンスの質は低いと考えられている[87]。児童・思春期ADHDを対象としたADHD-RS-Ⅳを効果判定に用いた臨床試験に関する系統的文献レビューによると，チック症をもつADHDに対する薬物療法に関する治療効果量は，アトモキセチンは0.6，グアンファシンは1.23であった[71]。

また，チック症をもつADHDに対する薬物療法について検討したメタ解析の多くは，dextroamphetamineはチックを悪化させる可能性があるものの[86, 88]，メチルフェニデートはチック症を悪化させないとしている[86~89]。しかしわが国では運動性チック，トゥレット症またはその既往歴・家族歴がある場合には中枢神経刺激薬（メチルフェニデート徐放錠，リスデキサンフェタミン）の使用は禁忌となっている。そのため，以下に推奨するようにグアンファシンまたはアトモキセチンが有効と判断されなかった場合，メチルフェニデート徐放錠の投与を検討する余地はある。実臨床においては，メチルフェニデート徐放錠以外に重度のADHD症状を改善できず，投与によりチック症状が悪化しないケースでは，例外的にメチルフェニデート徐放錠を採用することがありうる[90]。その場合には，患者本人，保護者にその旨を説明したうえで，インフォームド・コンセントまたはインフォームド・アセントを得て，薬物療法を実施する必要がある。

これらのことから，チック症をもつADHDに対する薬物療法として，グアンファシンまたはアトモキセチンのいずれかを推奨する。

(4) 不安症群

いくつかのADHD治療ガイドラインでは，不安症をもつADHDに対して中枢神経刺激薬またはアトモキセチンの使用を推奨している[73, 82]。しかし中枢神経刺激薬は治療開始時または増量時に不安を増大させる可能性があるため，薬物調整は通常より時間をかけ，また注意深い経過観察が必要である[73]。なお，わが国では過度の不安，緊張，興奮性のある場合には中枢神経刺激薬（メチルフェニデート徐放錠，リスデキサンフェタミン）の使用は禁忌となっている。不安症群をもつ児童・思春期および成人期ADHDに対する薬物療法に関する系統的文献レビューは，他のADHD治療薬と比較して，アトモキセチンの有効性があると結論づけている[91~93]。児童・思春期ADHDを対象としたADHD-RS-Ⅳを効果判定に用いた臨床試験に関する系統的文献レビューによると，不安症群をもつADHDに対する薬物療法に関するアトモキセチンの治療効果量は0.46から1であった[71]。メチルフェニデート徐放錠，リスデキサンフェタミン，またグアンファシンについてのエビデンスは十分ではない。

これらのことから，不安症群をもつADHDに対する薬物療法として，アトモキセチンの使用を推奨する。

(5) うつ病

併存症をもつ児童・思春期および成人期のADHDに対するアトモキセチンの有効性に関する系統的文献レビューによると，アトモキセチンはADHD症状を改善させるものの，抑うつ症状の改善をもたらすことはないとされている[92, 93]。CADDRAによるADHD治療ガイドラインでは，

ADHD治療薬に抗うつ薬〔選択的セロトニン再取り込み阻害薬（SSRI）など〕の併用を行うとしている[73]。児童・思春期ADHDを対象としたADHD-RS-Ⅳを効果判定に用いた臨床試験に関する系統的文献レビューによると，うつ病をもつADHDに対する薬物療法に関するアトモキセチンの治療効果量は0.46～1であった[71]。メチルフェニデート徐放錠，リスデキサンフェタミン，またグアンファシンについてのエビデンスは十分ではない。

これらのことから，うつ病をもつADHDに対する薬物療法として，アトモキセチン使用を推奨する。

(6) 睡眠障害

CADDRAによるADHD治療ガイドラインでは[73]，ADHDには約50％に睡眠障害が併発し，さらに中枢神経刺激薬を用いることで，入眠困難が出現する。しかしADHDに併発した睡眠障害に関する薬物治療に関してはエビデンスが十分ではない。睡眠障害をもつADHDに対する治療は，常に睡眠衛生教育とADHD治療薬の最適化から始める必要がある[74]。

4）おわりに

ADHDの併存症の治療は，子どもの精神疾患の薬物療法をどのようにすればよいかということに帰着する。子どもに対する薬物療法は，心理社会的な治療下での第二義的な治療にならざるを得ない。なぜなら子どもの脳の発達途上の脆弱性に伴い，薬理効果が現れにくく効果的な薬物療法が少ないゆえである。さらに，ADHD症状についてもADHD様症状が一過性に出現していることがある。環境調整を行い，併存症の治療をすることでADHD様症状が改善することがある。結局，ADHDの併存症は各種治療を鑑みながら，変遷する病態に対応することが必要である。

わが国において児童・青年期精神疾患の薬物ガイドラインがないゆえ，2014年度から厚労科研において薬物治療のガイドライン作りが行われ，2018年に「児童・青年期精神疾患の薬物治療ガイドライン」（じほう）が出版された[90]。わが国で子どもに使用できる薬物の数が少なく適応外使用になること，エビデンスは海外の文献やガイドラインがもととなるが，可能な範囲で作成された。ADHDの併存症としての各疾患での薬物治療については，ここまでで述べてきたが，ADHDがあるなしにかかわらず，おのおのの精神疾患に関する，薬物療法の立位置については知っておく必要がある。

行動障害の薬物療法については本項3）の（2）において詳しく述べた。行動障害に対する治療法に関しては，ペアレント・トレーニングや家族療法，ソーシャルスキル・トレーニング（SST）などの心理社会的治療が有効であり，第一選択されるべきことは広く知られている。しかし重度の行動障害では，それらの心理社会的治療への反応が不良である場合があり，ときに薬物治療が併用される[94]。

子どもの不安症の治療は，その重症度，併存障害を考慮して組み立てていく。米国児童青年精神医学会の臨床指針では，親への心理教育を十分に行うこと，軽症では薬物療法よりも認知行動療法（CBT）が推奨される。不安症の子どもの薬物治療の第一選択薬はSSRIである。しかしわが国では，強迫性障害に対するフルボキサミン以外は適応外使用である[95]。

子どものうつ病，治療的アプローチでは，重症度に応じて精神療法，薬物療法，あるいはその併用を行う。軽症うつ病の治療においては，心理教育，支持的精神療法，家庭・学校における環境調整を行う。中等症－重症うつ病に対しては，CBT，対人関係療法，家族療法，薬物療法を用いる。薬物療法で有効なのはSSRIである。しかしわが国ではセルトラリンとエスシタロプラムが挙げられるが適応外使用である[96]。

子どもの睡眠障害，治療的アプローチは睡眠衛生指導や行動療法である。薬物療法のエビデンスは少なく薬物療法は推奨されないが，わが国では神経発達症に伴う入眠困難に関してはメラトニンが6～15歳で保険適応があり使用できる[97]。

次に併存症のあるADHDをどの医療機関で治療できるかであるが，近年小児科でADHDを診療している医療機関は増えているものの，地域によっては診察まで長期の待機を要することがある。さらに併存症をもつADHDに関しては，小児科医が対応に困り児童精神科医に紹介する場合が多いが，地域によって対応できる医療機関は限られる。そして，ADHDの治療については，年齢とともに治療方針が変化し，幼児期，児童期のADHDの症状そのものに焦点を当てる時期と，小学校入学後の学校での不適応に伴う二次障害，さらに思春期になれば診断基準を満たす併存障害の治療が必要になるように，発達に応じた治療が必要である。

（辻井 農亜，中村 和彦）

5 薬物療法終結の判断と終結法

本ガイドラインでは，ADHD治療薬を用いた薬物療法の終結について，「安定した状態が1年以上にわたって維持されている」ことを条件に検討することを推奨している。しかし終結を検討する時期が中学生年代を中心とする思春期（10歳過ぎ～18歳未満）にあたる場合には，その可否の判断はより慎重になされるべきである。本項では，まずADHDに対する薬物療法の終結の判断について，なかでも思春期年齢における薬物療法の終結の判断について述べ，最後に，実際の終結法と注意点について概説する。

1）薬物療法の終結の判断

(1) 薬物療法を終結できる場合

一部のADHD患者は，思春期から成人期にかけて多動性・衝動性および／または不注意といったADHDの中核症状に改善がみられ[76]，それらに対する薬物療法の必要性が低下する[73, 98]。そのため，英国国立医療技術評価機構（National Institute for Health and Care Excellence；NICE）によるADHDの診断および治療ガイドラインをはじめとしたADHDに関する種々のガイドラインは，薬物療法の継続の必要性について定期的に本人や家族と話し合うことを推奨している[73, 98～100]。定期的に評価すべき項目として，薬物療法の継続についての患者や家族の希望，現在の治療の利点，副作用，臨床的必要性，教育や雇用への影響，服用し忘れた場合の影響，そして心理的・教育的・社会的といった追加のサポートの必要性が含まれる[99]。

薬物療法を終結するのか，継続するのかの決定には，患者や家族が主体的に関わることができるように主治医は務める必要がある[99]。薬物療法の終結を検討するタイミングには，「直近での薬物調整の必要性がないとき」，「休薬期間や患者が服薬を忘れたときであっても症状の悪化がみられないとき」，「患者が副作用のために服薬を控えていたとき」，「まだ自分に投薬が必要であるのかと疑問に感じたとき」，そして，「時間経過とともにADHDの中核症状が軽快し自らの投薬量が「多すぎる」と考えたとき」――がある[73, 100]。

薬物療法の終結を検討する条件として，米国児童青年精神医学会（American Academy of Child and Adolescent Psychiatry；AACAP）のADHDの実践ガイドラインでは，薬物療法に十分に反応し，学業や家庭，そして社会的に十分に機能できている状態が少なくとも1年間は続いた場合としている[100]。その他のADHDに関するガイドラインでは，「ADHDの中核症状が改善したとき」[73]，「成長のなかでその必要性が低下したとき」[98]，そして，「薬物療法の有益性および有害性のバランスを評価し終結が適切であると考えられるとき」[99]——としている。

ADHDに対する薬物療法は長期にわたり継続されることが多い。例えば，児童・思春期および成人期のADHD患者に対して2年以上の長期転帰をみた査読つき論文に関する系統的文献レビューによると，ADHDに対する薬物療法を含む治療的介入を行わない場合と比較して，介入を行った場合，ADHDの中核症状の改善に加えて，学業，反社会的行動，運転，非医学的な薬物の使用／依存的行動，肥満，就業，司法や財政援助といったサービスの利用，自尊心，および仲間関係や婚姻関係など社会的機能の転帰といった長期的な転帰を改善させることが示されている[101]。しかし児童・思春期（6～18歳）のADHDに対するプラセボを対象としたADHD治療薬の中止試験および長期間の前向き観察研究の系統的文献レビューは，長くとも2年間の薬物治療を行った後にADHD治療薬の終結を検討すべきであると結論づけている[102]。それは，ADHDをもつ子どもたちの多くが，薬物療法を開始した後の1～2年の間に薬物療法に強く反応を示し，かつ治療効果がより強固なものとなることで，薬物療法が終結されたとしても安定した状態を保つと考えられるためである[102]。このことは成人期のADHDにおいても同様と考えられる。

これらのことから，児童・思春期，また，成人期のADHDに対する年単位にわたる薬物療法を行うなかで少なくとも年に1回は本人や家族と薬物療法の継続の必要性についての話し合いを行い，安定した状態が1年以上にわたって維持されていることが確認された段階で薬物療法の終結を考慮することが推奨される。なにより，薬物療法の終結に関する判断には患者や家族が主体的に関わることができるように務めることが求められる。

(2) 思春期年齢における薬物療法の終結の判断

AACPAのADHDの実践ガイドラインは，児童・思春期のADHD患者には著しい不適応行動がみられるため，一般的に思春期を超えるまで薬物療法が継続されることを示唆している[100]。米国小児科学会（American Academy of Pediatrics）が作成した児童・思春期のADHD患者（4～18歳）を対象とした診断・治療ガイドラインでは，薬物療法の中止は，交通事故，薬物関連の犯罪，暴力的な事件の再犯，うつ病，対人関係の問題，また，外傷を負う——などの壊滅的な転帰をたどるリスクが高いとしている[72]。AACPAによる児童・思春期の患者に対する向精神薬使用の実践ガイドラインにおいても，思春期年齢における薬物療法の終結は慎重に行う必要があるとされている[103]。

ADHD治療薬によって多動性・衝動性および／または不注意といった中核症状が寛解したと判断されたADHD患者を対象として，ADHD治療薬の継続と比較して，薬物療法の中止（治療薬ではなくプラセボを服薬する）が中核症状の再燃・再発を引き起こすのかどうかをみたADHD治療薬の中止試験がある。系統的文献レビューおよびメタ解析によって，薬物療法を中止することは，中止しない場合と比較して，児童・思春期ならびに成人期のADHDにおいて明らかに中核症状が再燃・再発することが示されている[104]。しかし，児童・思春期のADHD患者では薬物療法の中止によって明らかに生活の質（quality of life；QOL）が悪化するものの，成人期のADHD患者では中止によるQOLの悪化が確認されていない[104]。また，8～18歳のADHD患者を対象としたADHD治療薬の中止の効果をみたランダム化比較試験は，年齢の中央値が13.8歳を超える患者では治療薬を中止しても（プラセボに切り替えても）ADHDの中核症状の再燃・再発がみられない可能性を示唆している[105]。これらのことは，中学生年代を中心とする思春期のADHD患者と比較して，成人期のADHD患者では，薬物療法を終結したとしてもADHDの中核症状の再燃・再発がみられないか，再燃・再発があったとしても身体的状態，日常生活機能，心理・社会的情動機能，社会的機能といった複数の領域における主観的well-beingが十分に保たれた状態（QOLが向上した状態）が維持される可能性を示している[106]。この背景には，成長に伴う脳の成熟やストレスとなる出来事や状況への代償的対処方法の獲得が存在することが想定されている[104, 107]。

もちろん，思春期年齢における薬物療法の終結が不可能というわけではない。これまでも中核症状の再燃・再発なしに薬物療法を終結できる児童・思春期のADHD患者が存在することも知られてきた[108, 109]。さらに，薬物療法の中止によってADHDの中核症状が再燃・再発したとしても[104]，多くの被験者が離脱なく中止試験を終了していることは注目に値する[99]。しかし目の前の患者が薬物療法を終結できるかどうかを予測する因子はいまだ明らかではない。思春期年齢において薬物療法を中止することにより症状の再燃のみならず，QOLの悪化もみられることは示されており[104]，この年代に対する薬物療法の終結については，これまで以上に慎重に検討する必要がある。

これらのことから，思春期を過ぎた年齢になるとADHD治療薬の終結を考慮できる可能性がより高まるが，終結を検討する時期が中学生年代を中心とする思春期にあたる場合その可否の判断はより慎重になされる必要がある。

(3) 薬物療法を継続する場合

前項の逆で，少なくとも1年ごとの定期的な症状評価を行い，安定した状態が1年以上にわたって維持されていない場合は薬物療法の継続を余儀なくされる。このような場合には，治療薬の変更や追加が行われたり，心理社会的治療・支援の強化が図られたりすることとなる。

近年，レセプトデータや疾患レジストリデータなどのreal-world dataを用いたコホート研究が多数報告されている。ADHD患者を対象として，ADHD治療薬が服薬された期間と服薬されなかった期間における，ある事象の発生（率）を比較検討したコホート研究は，薬物療法を終結するべきか，継続するべきかの判断に対する臨床的な示唆を与える。児童・思春期のADHD患者において，中枢神経刺激薬または非中枢神経刺激薬を服薬していない場合，わずかではあるが成績の低下[110]，故意ではない傷害や外傷性脳損傷の発生[111, 112]が有意に増加していた。思春期から成人期のADHD患者においては，ADHD治療薬を服薬していない場合，大学入試での低い成績[113]，物質関連の問題[114]，犯罪の発生率[115]，そして自殺関連事象の発生[116]が有意に増加していた。そして，成人期のADHD患者においては，ADHD治療薬を服薬していない場合には自動車事故の発生が有意に増加していた[117]。さらに全年齢において，ADHD治療薬が服薬された期間と比較して服薬されなかった期間では，うつ病の発生が20%上昇することが報告されている[118]。これらの報告は調剤処方箋データベースを元にADHD治療薬の服薬状況が推定されており，実際に服薬がなされていたのかどうか，また，休薬期間が設定されていたのかどうかなどは不明である。しかし，報告された結果を参考に，本人や家族と薬物療法の継続の必要性について話し合うことが重要であろう。

また，薬物療法の終結が可能となる条件がそろっていたとしても，本人がかたくなに終結を望まないということを臨床上経験することがある[119]。これは，本人が薬物療法の有効性を強く実感していたり，薬物療法を行っているときと行っていないときの違いを実感したりしていると起こりうることである。ADHD治療薬の投与を継続すべきかどうか，患者や家族と，併存疾患，副作用，学校やその他の重要な出来事とのタイミングを検討し，それでも薬が必要であると感じているかどうかについて，意思決定を共有することが重要となる[107]。

2）実際の終結法と注意点

薬物治療の終結を行う際には，①安定した状態が1年以上にわたって維持されているのかを確認し，②中学生年代を中心とする思春期にあたる場合には，その可否の判断はより慎重に行うことが求められる。

前述のように，NICEガイドラインをはじめとするいくつかのADHDに関するガイドラインでは定期的に継続的な薬物療法の必要性について本人や家族と話し合うことを推奨しており[73, 98, 99]，薬物療法の終結に関する判断には患者や家族が主体的に関わることができるように務める必要がある。児童・思春期であれば特に，長期休暇といったストレスが少ないと考えられる時期は，薬物療法の終結には良い時期であるが，家庭において本を読んだり宿題をしたりといった作業に取り組ませることで，症状が寛解しているのかを確認することも必要である[100]。新しい学年の始まりは終結を行うには良い時期ではないが，学校でのルーチンが確立されると，薬物療法の終結について教師の意見を求めることもできる[100]。

また，ADHD治療薬の中止によって多動性衝動性および／または不注意といったADHDの中核症状が明らかに再燃・再発すると考えられる[104]。そのため薬物療法を終結する前に，ADHD治療薬の中止によって中核症状が再燃・再発する可能性があることを本人や家族，そして教師や本人に関わる全ての大人に説明することが必要である。しかし同時に，薬物療法の終結によって中核症状が再燃・再発したとしても，QOLが向上した状態が維持されていれば，十分に治療効果が保たれていると考えられることの説明も肝要である。ADHDの治療目標は，多動性衝動性や不注意といったADHDの中核症状の消失ではなく，障害受容を通じたほどほどの自尊心の形成と，ADHD特性を踏まえた適応性の高いパーソナリティの形成であり[119]，この目標に沿った形でADHDに対する薬物療法が終結できることが望ましい。

(1) 休薬期間（中止試験）の設定

薬物療法の終結の前に休薬期間（中止試験）を設定することがある[120]。多くの場合，ADHDの中核症状の再発・再燃は2週間以内にみられるため，休薬期間の設定は短期間で十分である[108, 121]。多動・衝動が優勢に存在するタイプや混合して存在するタイプと比較して，不注意が優勢に存在するタイプでは，中核症状の再燃・再発がみられるかを確認するためにはより長期の休薬が必要になることがある[103]。

休薬期間の設定は，家族から理解を得やすい傾向があり[122]，家族が見守るなかで減薬や中止によるADHDの中核症状の変化を確認することができるという利点がある[99]。特に中枢神経刺激薬であれば，週末や長期休暇などの休薬期間を設定することで，成長遅延，体重減少，不眠などの副作用を軽減することができる[122, 123]。週末に休薬期間（日）を設定することは，学校の成績に影響を与えないと考えられている[124]。

その一方，週末や長期休暇などに休薬期間を設定することは，学校や職場での問題の有無を確認することができないという欠点もある[99]。休薬期間を設定する際には，減量や中止による離脱症状，または再開による食慾不振，不眠，頭痛，腹痛，そして悪心といった副作用の出現には注意が必要である。さらに，毎週末の精神刺激薬の中止によって副作用が増加することが臨床的に経験され[73]，また休薬期間を設定することで全体的な服薬遵守を悪化させる可能性がある[99]。休薬期間を設定した場合には，その間どのように過ごしたのか，休薬後の服薬再開はスムーズに行えたのか（本人の服薬再開に対する抵抗はなかったのか），休薬後の服薬状況についてなど，きめ細やかな評価が必要である。

(2) 中枢神経刺激薬

中枢神経刺激薬であるメチルフェニデート徐放錠は，一般的に漸減そして休薬期間を徐々に増やしていく方法が用いられる。高用量のメチルフェニデート徐放錠を使用している場合は特に，離脱症状や反跳現象といった有害事象の発生に注意する必要がある[73]。リスデキサンフェタミンの終結はメチルフェニデート徐放錠に準じると考えられる[108, 125]。

(3) 非中枢神経刺激薬

非中枢神経刺激薬であるアトモキセチンには依存性，また中止に伴う有害事象を考慮する必要はなく，漸減なしに終結することも可能とされている[73]。しかし臨床の場においては，中止に伴う患者や家族，また教師の不安や，中止による軽微な有害事象であったとしてもその個別性に配慮するという臨床姿勢から，漸減を組み込むことが望まれる[119]。

一方，非中枢神経刺激薬であるグアンファシンには，その急激な中止により反跳現象として血圧および脈拍数が一過性に上昇する可能性がある[73, 98]。グアンファシンの終結を行う場合には漸減を行い[98]，さらに血圧と脈拍に加えて，心血管系の副作用を示唆する症状（運動不耐性，めまい，失神など）に関するモニタリングも必要となる[126]。また，グアンファシンを用いた治療中に，本人や家族が過去の経験から週末や祝日を休薬期間としていることがある。グアンファシンを投与する際には，これまでのADHD治療薬（中枢神経刺激薬）とは異なり急な減量または中止により血圧および脈拍数が一過性に上昇する可能性があることを，本人や家族に繰り返し説明する必要がある[127]。

3）終結後の対応

ADHDの治療は，薬物療法が単独で行われることはなく，心理社会的治療が併用される。薬物療法の終結をみても，それでADHDの治療・支援が終わるわけではない。薬物療法の終結後も，さまざまな心理社会的なライフイベントの影響を受けることで多動性・衝動性および／または不注意といったADHDの中核症状の再燃・再発，そしてQOLの悪化がみられることがある。その場合には心理社会的治療・支援の強化や薬物療法の再開を検討するなど，柔軟に対応することが肝要である。

（辻井 農亜）

6 中枢神経刺激薬の依存と乱用

1）はじめに

欧米で作成された子どものADHDの薬物療法に関するガイドラインやアルゴリズムでは，中枢神経刺激薬が第一選択薬として挙げられている。わが国で現在ADHDに適応が承認されている中枢神経刺激薬はメチルフェニデート徐放錠（商品名：コンサータ）とリスデキサンフェタミンカプセル（商品名：ビバンセ）の2つである。メチルフェニデート徐放錠は2007年10月，リスデキサンフェタミンカプセルは2019年3月にそれぞれ適応が承認されている。

メチルフェニデート徐放錠については，2013年末にそれまでの小児期に加え成人期ADHDへの適応が承認され使用可能となったため，成人を診療している精神科医の間でもADHDに対する薬物療法が注目を集めることとなった。メチルフェニデート徐放錠が承認される以前のわが国におけるADHDの子どもに対する薬物療法の中心は，短時間作用型のメチルフェニデート錠（商品名：リタリン）であった。欧米においては1960年代よりADHD治療における効果が報告されていたが，わが国ではADHDの子どもに対しては適応外のままであり，投薬にあたっては子どもと家族に対して十分な説明と同意のもとに主治医の責任で行わなければいけなかった。この短時間作用型のメチルフェニデート錠はもともとナルコレプシーと難治性および遷延性うつ病が適応症であったが，本剤がうつ状態を主訴に処方を受け続ける薬物依存症患者の処方薬乱用の大きな原因となった時代が長らく続いた。実際，インターネット上にはメチルフェニデート錠乱用者を示す「リタラー」なる言葉が飛び交い，不正入手法などの裏情報があふれて社会問題化していた。このような状況を受け，2007年10月26日に厚生労働省留意事項通知によって難治性うつ病，遷延性うつ病がメチルフェニデート錠の適応から外され，ナルコレプシーに限られた[128]。2008年以降はナルコレプシーの診断・治療や薬物依存のリスクに精通したものに限られた登録制とするなどの厳格な流通規制がとられ，実質的には処方できる医師を専門医のみとする販売に切り替えられた。こうした経過のなかで，メチルフェニデート徐放錠がADHD治療薬として承認された。

しかしながら，2018年1月にメチルフェニデート徐放錠を不正譲渡した医師が逮捕されたことを契機に医師・薬剤師・弁護士などからなる適正流通管理委員会の体制が強化された[129]。医師・薬剤師に対してはe-learning受講やADHD治療経験を証明する症例報告もしくは関連論文の提出，関連学会への参加状況の報告が求められるなど厳格な審査が行われ，患者への処方状況はWeb上の管理システムによって一元管理されるようになった。覚せい剤原料となりうるリスデキサンフェタミンカプセルについても同様の措置が講じられている。両薬剤の添付文書には「本剤の投与は，注意欠陥／多動性障害（AD/HD）の診断，治療に精通し，かつ薬物依存を含む本剤のリスク等について十分に管理できる，管理システムに登録された医師のいる医療機関及び薬剤師のいる薬局において，登録患者に対してのみ行うこと。また，それら薬局においては，調剤前に当該医師・医療機関・患者が管理システムに登録されていることを確認した上で調剤を行うこと」，「本剤の投与にあたっては，患者（小児の場合には患者又は代諾者）に対して，本剤の有効性，安全性，及び目的以外への使用や他人への譲渡をしないことを文書によって説明し，文書で同意を取得すること」という警告が記載されており，医師・医療機関・薬局・調剤責任者に一定の基準を満たし手続きを経ることを義務付けた登録制になっている。

2）メチルフェニデートの依存と乱用

メチルフェニデートは依存リスクが高いコカインと同じ薬理作用を有し，ドパミントランスポーターでのドパミン再取り込みを阻害することから細胞外ドパミン濃度を増加させ，側坐核へのドパミン神経伝達を高め報酬系回路に影響を与える。また，ドパミン神経細胞の生理的なドパミン放出過程に作用して神経伝達を増幅させることで報酬系回路を活性化させる[130]。メチルフェニデート乱用者は通常，錠剤を砕いて鼻から吸入したり，水に溶かして静脈内に投与したりすることが知られていた。メチルフェニデートを静脈内投与すると，コカイン同様に急速に脳内にとりこまれて多幸感を引き起こす。しかし，経口摂取では脳内の取り込みはきわめて緩徐であることが報告されており，多幸感も少ない。メチルフェニデート徐放錠は浸透圧ポンプをもつOROS製剤（osmotic controlled release oral delivery system）であり，薬剤とポリマーを膜により保護しているため，すりつぶすことができない構造になっている。仮にすりつぶしたとしても，薬剤は凝集するため静脈内投与や鼻腔吸引などの治療目的外での投与方法は不可能であり，乱用することが困難な構造である[131]。

3）リスデキサンフェタミンの依存と乱用

リスデキサンフェタミン自体は薬理活性をもたず，血中で徐々に代謝されて薬理活性を示すプロドラッグという仕組みで依存性軽減の取り組みがなされた中枢神経刺激薬であり，乱用の可能性を低減しつつ1日を通して一貫した長い効果の持続を実現することを目的として開発された薬剤である。リスデキサンフェタミンを経口摂取後，胃腸で天然の必須アミノ酸であるL-リジンと活性型*d*-アンフェタミンに変換され，この活性型*d*-アンフェタミンが薬効を発揮する。リスデキサンフェタミンから*d*-アンフェタミンへの変換はpHに影響されず，通常の胃腸の通過時間の変化にも影響されにくい。リスデキサンフェタミンカプセルには遊離*d*-アンフェタミンが含まれていないため，粉砕や単純な抽出などの機械的な操作では*d*-アンフェタミンは得られず，*d*-アンフェタミンを生成するには比較的高度な生化学的処理を加える必要がある[12]。

4）ADHD患者の依存リスク

ADHDと物質使用障害の併存頻度が高いことはよく知られているが，遺伝的素因や脳内の抑制系と報酬系の機能障害など，共通の脆弱性要因によって部分的に説明できることが示唆されている。既存のガイドラインでは，ADHD患者に物質乱用の傾向がないかスクリーニングすること，その傾向があるならば乱用の可能性がない薬を使用すること，ADHD薬の誤用や転用の兆候に注意することなどの一般的なアドバイスを提供している[72]。過去の横断研究によるとADHDを伴う場合の生涯の物質使用障害の罹患率はADHDを伴わない場合と比較すると2倍高いともされている[132]。また，素行症を伴う場合の物質使用障害罹患率はより高いとされている[133]。ADHDを伴う場合，ADHDを伴わない場合と比較すると早期に物質使用障害に展開しやすく，かつ物質使用障害の重症度は高いといわれている[134]。10代前半の思春期ADHD患者を対象としたMTA研究の結果ではADHD群と対象群の36カ月後の薬物使用は対照群で約8％であるのに対し，ADHD群では17％と有意に高かった[135]。ADHDに付随する臨床的特徴に関する検討では，小児期の不注意症状の重症度が複数の物質使用の結果を予測し，小児期の反抗挑戦症／素行症症状が将来の違法薬物使用と素行症症状を予測した[136]。また，ADHDと物質使用障害を併存する場合はADHD単独もしくは物質使用障害単独群よりも併存する不安症状や抑うつ症状がより重度であるという結果もある[137]。以上より，ADHDと物質使用障害の関連性を考慮するとき，その不注意症状や素行症の併存，不安抑うつ症状の併存に留意する必要がある。

ADHDの生物学的な病態と物質使用障害との共通する関係については，ドパミン神経系の機能低下があげられる。ADHD症状は実行機能障害とともに報酬系の障害が認められ，これが物質使用障害の発症に関わっていると考えられる。報酬系の障害は，ADHD，物質使用障害の両疾患に共通するものであり，将来の利益が約束される遅延報酬よりもリスクを含む即時的報酬を選択する傾向があり，こうした衝動的選択と物質使用障害には関連があるとされている[138]。ADHD患者の物質使用障害発症の背景として親子間葛藤，非行仲間との交流，親の物質使用障害がリスクとなるため，共通の生物学的背景やリスクとなる心理社会的背景に着目することは臨床的にも重要である。

5）ADHD患者における中枢神経刺激薬による治療と依存リスク

メチルフェニデートやリスデキサンフェタミンのような中枢神経刺激薬によるADHD治療は患者の依存リスクに影響を及ぼすのか，ということに関して，先行研究では中枢神経刺激薬によって青年・成人期の依存リスクは高まらないことが示唆されている[139]。また，薬物療法を受けた

ADHD青年群，薬物療法を受けていないADHD青年群，非ADHDの青年群の3つのグループを比較した3年間の縦断研究では，薬物療法を受けたADHD患者では，対照群である非ADHDの青年群に比べて物質使用障害のリスクが低いことが報告されている[140]。また，ADHD治療について薬物療法群，行動療法群，併用療法群，および地域ケア群の4つを36カ月追跡した縦断研究においてはそれぞれの群で薬物乱用リスクに有意差は認められなかった[135]。

なお，中枢神経刺激薬による治療開始年齢と青年期・成人期における依存リスクへの影響も検討されている。児童期にメチルフェニデートを投与したADHD患者176人を児童期後期および成人期まで追跡したところ，治療開始年齢が6～7歳の群は，治療開始年齢がやや遅い8～12歳の群と比較して将来の薬物乱用および反社会的パーソナリティ障害の発現が有意に低いことが報告されている[141]。

これらの結果から，小児期の中枢神経刺激薬治療が少なくとも物質使用障害発症のリスクを増やさない，あるいは保護的な影響を及ぼす可能性が示唆されており，近年のメタ解析でも同様の結論となっている[142]。中枢神経刺激薬を適切に用いるのであれば，その依存リスクは低く，むしろ中核症状である実行機能と報酬系の障害に対して中枢神経刺激薬を用いて中核症状を緩和することで将来の物質使用障害のリスクが軽減される可能性もあるかもしれない。もちろん依存リスクの軽減には心理社会的な側面にも着目した包括的治療が必要であることはいうまでもない。

（藤田 純一）

参考文献

1）Wolraich ML, et al : Randomized, controlled trial of oros methylphenidate once a day in children with attention-deficit/hyperactivity disorder. Pediatrics, 108（4）: 883-892, 2001

2）Swanson J, et al : Initiating Concerta（OROS methylphenidate HCl）qd in children with attention-deficit hyperactivity disorders. J Clin Res, 3 : 59-76, 2000

3）Findling RL, et al : A randomized, double-blind, placebo-controlled, parallel-group study of methylphenidate transdermal system in pediatric patients with attention-deficit/hyperactivity disorder. J Clin Psychiatry, 69（1）: 149-159, 2008

4）Stein MA, et al : A dose-response study of OROS methylphenidate in children with attention-deficit/hyperactivity disorder. Pediatrics, 112（5）: e404, 2003

5）Steele M, et al : Remission versus response as the goal of therapy in ADHD : a new standard for the field? Clin Ther, 28（11）: 1892-1908, 2006

6）Medori R, et al : A randomized, placebo-controlled trial of three fixed dosages of prolonged-release OROS methylphenidate in adults with attention-deficit/hyperactivity disorder. Biol Psychiatry, 63（10）: 981-989, 2008

7）Palumbo D, et al : Emergence of tics in children with ADHD : impact of once-daily OROS methylphenidate therapy. J Child Adolesc Psychopharmacol, 14（2）: 185-194, 2004

8）Tourette's Syndrome Study Group : Treatment of ADHD in children with tics: a randomized controlled trial. Neurology, 58（4）: 527-536, 2002

9）Wilens T, et al : ADHD treatment with once-daily OROS methylphenidate: final results from a long-term open-labelstudy. J Am Acad Child Adolesc Psychiatry, 44（10）: 1015-1023, 2005

10）Spencer TJ, et al : PET study examining pharmacokinetics, detection and likeability, and dopamine transporter receptor occupancy of short- and long-acting oral methylphenidate. Am J Psychiatry, 163（3）: 387-395, 2006

11）塩野義製薬株式会社：ビバンセカプセル，インタビューフォーム（第5版，2020年8月改訂）

12）Jasinski DR, et al : Abuse liability and safety of oral lisdexamfetamine dimesylate in individuals with a history of stimulant abuse. J Psychopharmacol, 23（4）: 419-427, 2009

13）Ichikawa H, et al : Phase Ⅱ/Ⅲ Study of Lisdexamfetamine Dimesylate in Japanese Pediatric Patients with Attention-Deficit/Hyperactivity Disorder. J Child Adolesc Psychopharmacol, 30（1）: 21-31, 2020

14）Biederman J, et al : Efficacy and tolerability of lisdexamfetamine dimesylate（NRP-104）in children with attention-deficit/hyperactivity disorder: a phase Ⅲ, multicenter, randomized, double-blind, forced-dose, parallel-group study. Clin Ther, 29（3）: 450-463, 2007

15) Findling RL, et al : Efficacy and safety of lisdexamfetamine dimesylate in adolescents with attention-deficit/hyperactivity disorder. J Am Acad Child Adolesc Psychiatry. 50 (4) : 395-405, 2011
16) 医薬品医療機器総合機構：ビバンセカプセル20mg，同カプセル30mg，審査報告書（2018年11月）
17) Coghill D, et al : European, randomized, phase 3 study of lisdexamfetamine dimesylate in children and adolescents with attention-deficit/hyperactivity disorder. Eur Neuropsychopharmacol, 23 (10) : 1208-1218, 2013
18) Newcorn JH, et al : Randomized, Double-Blind, Placebo-Controlled Acute Comparator Trials of Lisdexamfetamine and Extended-Release Methylphenidate in Adolescents With Attention-Deficit/Hyperactivity Disorder. CNS Drugs, 31 (11) : 999-1014, 2017
19) Dittmann RW, et al : Efficacy and safety of lisdexamfetamine dimesylate and atomoxetine in the treatment of attention-deficit/hyperactivity disorder: a head-to-head, randomized, double-blind, phase Ⅲb study. CNS Drugs, 27 (12) : 1081-1092, 2013
20) Coghill D, et al : European, randomized, phase 3 study of lisdexamfetamine dimesylate in children and adolescents with attention-deficit/hyperactivity disorder. Eur Neuropsychopharmacol, 23 (10) : 1208-1218, 2013
21) Banaschewski T, et al : Growth and Puberty in a 2-Year Open-Label Study of Lisdexamfetamine Dimesylate in Children and Adolescents with Attention-Deficit/Hyperactivity Disorder. CNS Drugs, 32 (5) : 455-467, 2018
22) Childress AC, et al : The use of lisdexamfetamine dimesylate for the treatment of ADHD. Expert Rev Neurother, 12 (1) : 13-26, 2012
23) Buitelaar JK, et al : Comparison of symptomatic versus functional changes in children and adolescents with ADHD during randomized, double-blind treatment with psychostimulants, atomoxetine, or placebo. J Child Psychol Psychiatry, 50 (3) : 335-342, 2009
24) Newcorn JH, et al : Atomoxetine and osmotically released methylphenidate for the treatment of attention deficit hyperactivity disorder : acute comparison and differential response. Am J Psychiatry, 165 (6) : 721-730, 2008
25) Caballero J, Nahata MC : Atomoxetine hydrochloride for the treatment of attention-deficit/hyperactivity disorder. Clin Ther, 25 (12) : 3065-3083, 2003
26) Michelson D, et al : Atomoxetine in the treatment of children and adolescents with attention-deficit/hyperactivity disorder: a randomized, placebo-controlled, dose-response study. Pediatrics, 108 (5) : E83, 2001
27) Spencer TJ, et al : Effects of atomoxetine on growth in children with attention-deficit/hyperactivity disorder following up to five years of treatment. J Child Adolesc Psychopharmacol, 17 (5) : 689-700, 2007
28) Bangs ME, et al : Meta-analysis of suicide-related behavior events in patients treated with atomoxetine. J Am Acad Child Adolesc Psychiatry, 47 (2) : 209-218, 2008
29) Arnsten AF, et al : Catecholamine influences on prefrontal cortical function: relevance to treatment of attention deficit/hyperactivity disorder and related disorders. Pharmacol Biochem Behav, 99 (2) : 211-216, 2011
30) Newcorn JH, et al : Randomized, double-blind trial of guanfacine extended release in children with attention-deficit/hyperactivity disorder: morning or evening administration. J Am Acad Child Adolesc Psychiatry, 52 (9) : 921-930, 2013
31) 塩野義製薬株式会社：インチュニブ錠，インタビューフォーム（改訂第4版，2020年7月改訂）
32) 市川宏伸，他：日本人の小児ADHDに対するguanfacine塩酸塩徐放錠の有効性及び安全性：第2／3相二重盲検プラセボ対照試験．臨床精神薬理，21 (8) : 1093-1117，2018
33) 医薬品医療機器総合機構：インチュニブ錠1 mg，同錠3 mg，審査報告書（2017年2月）
34) Hervas A, et al : Efficacy and safety of extended-release guanfacine hydrochloride in children and adolescents with attention-deficit/hyperactivity disorder: a randomized, controlled, phase Ⅲ trial. Eur Neuropsychopharmacol, 24 (12) : 1861-1872, 2014
35) 塩野義製薬株式会社，インチュニブ錠 1mg，インチュニブ錠 3mgに関する資料（申請資料概要）2.7.4 臨床的安全性 (https://www.pmda.go.jp/drugs/2017/P20170412001/index.html)
36) Joseph A, et al : Comparative efficacy and safety of attention-deficit/hyperactivity disorder pharmacotherapies, including guanfacine extended release: a mixed treatment comparison. Eur Child Adolesc Psychiatry, 26 (8) : 875-897, 2017
37) Carlson GA, et al : A pilot study for augmenting atomoxetine with methylphenidate: safety of concomitant therapy in children with attention-deficit/hyperactivity disorder. Child Adolesc Psychiatry Ment Health, 1 (1) : 10, 2007
38) McCracken JT, et al : Combined Stimulant and Guanfacine Administration in Attention-Deficit/Hyperactivity Disorder: A Controlled, Comparative Study. J Am Acad Child Adolesc Psychiatry, 55 (8) : 657-666.e1, 2016
39) Wilens TE, et al : A controlled trial of extended-release guanfacine and psychostimulants for attention-deficit/hyperactivity disorder. J Am Acad Child Adolesc Psychiatry, 51 (1) : 74-85.e2, 2012
40) Coghill D, et al : The management of ADHD in children and adolescents: bringing evidence to the clinic: perspective from the European ADHD Guidelines Group (EAGG). Eur Child Adolesc Psychiatry, 1-25, 2021

41）National Institute for Health and Care Excellence : Attention Deficit Hyperactivity Disorder: Diagnosis and Management. NICE Guidelines, 87, 2018
42）Dalrymple RA, et al : NICE guideline review: Attention deficit hyperactivity disorder: diagnosis and management（NG87）. Arch Dis Child Educ Pract Ed, 105（5）: 289-293, 2020
43）DGKJP, DGPPN, DGPSJ : Langfassung der interdisziplinären evidenz- und konsensbasierten（S3）Leitlinie "Aufmerksamkeitsdefizit- /Hyperaktivitätsstörung（ADHS）im Kindes-, Jugend- und Erwachsenenalter". 2018
44）IACS : Guía de Práctica Clínica sobre las Intervenciones Terapéuticas en el Trastorno por Déficit de Atención con Hiperactividad（TDAH）. 2017
45）CADDRA : Canadian ADHD Practice Guideline 4th Edition. 2018
46）Cortese S, et al : Comparative efficacy and tolerability of medications for attention-deficit hyperactivity disorder in children, adolescents, and adults: a systematic review and network meta-analysis. Lancet Psychiatry, 5（9）: 727-738, 2018
47）Dalwai S, et al : Consensus Statement of the Indian Academy of Pediatrics on Evaluation and Management of Attention Deficit Hyperactivity Disorder. Indian Pediatr, 54（6）: 481-488, 2017
48）Fung DS, et al : Academy of Medicine-Ministry of Health clinical practice guidelines: attention deficit hyperactivity disorder. Singapore Med J, 55（8）: 411-414, 2014
49）Bashiri FA, et al : Adapting evidence-based clinical practice guidelines for people with attention deficit hyperactivity disorder in Saudi Arabia: process and outputs of a national initiative. Child Adolesc Psychiatry Ment Health, 15（1）: 6, 2021
50）Mücke K, et al : Guideline adherence in German routine care of children and adolescents with ADHD: an observational study. Eur Child Adolesc Psychiatry, 30（5）: 757-768, 2021
51）Sun CK, et al : Therapeutic effects of methylphenidate for attention-deficit/hyperactivity disorder in children with borderline intellectual functioning or intellectual disability: A systematic review and meta-analysis. Sci Rep, 9（1）: 15908, 2019
52）Rodrigues R, et al : Practitioner Review: Pharmacological treatment of attention-deficit/hyperactivity disorder symptoms in children and youth with autism spectrum disorder: a systematic review and meta-analysis. J Child Psychol Psychiatry, 62（6）: 680-700, 2021
53）Research Units on Pediatric Psychopharmacology Autism Network : Randomized, controlled, crossover trial of methylphenidate in pervasive developmental disorders with hyperactivity. Arch Gen Psychiatry, 62（11）: 1266-1274, 2005
54）Ghuman JK, et al : Randomized, placebo-controlled, crossover study of methylphenidate for attention-deficit/hyperactivity disorder symptoms in preschoolers with developmental disorders. J Child Adolesc Psychopharmacol, 19（4）: 329-339, 2009
55）Handen BL, et al : Efficacy of methylphenidate among children with autism and symptoms of attention-deficit hyperactivity disorder. J Autism Dev Disord, 30（3）: 245-255, 2000
56）Pearson DA, et al : Effects of extended release methylphenidate treatment on ratings of attention-deficit/hyperactivity disorder（ADHD）and associated behavior in children with autism spectrum disorders and ADHD symptoms. J Child Adolesc Psychopharmacol, 23（5）: 337-351, 2013
57）Quintana H, et al : Use of methylphenidate in the treatment of children with autistic disorder. J Autism Dev Disord, 25（3）: 283-294, 1995
58）Jaselskis CA, et al : Clonidine treatment of hyperactive and impulsive children with autistic disorder. J Clin Psychopharmacol, 12（5）: 322-327, 1992
59）Fankhauser MP, et al : A double-blind, placebo-controlled study of the efficacy of transdermal clonidine in autism. J Clin Psychiatry, 53（3）: 77-82, 1992
60）Scahill L, et al : Extended-Release Guanfacine for Hyperactivity in Children With Autism Spectrum Disorder. Am J Psychiatry, 172（12）: 1197-1206, 2015
61）Cai RY, et al : Emotion regulation in autism spectrum disorder: Where we are and where we need to go. Autism Res, 11（7）: 962-978, 2018
62）McCracken JT, et al : Risperidone in Children with Autism and Serious Behavioral Problems. N Engl J Med, 347（5）: 314-321, 2002
63）Owen R, et al : Aripiprazole in the treatment of irritability in children and adolescents with autistic disorder. Pediatrics, 124（6）: 1533-1540, 2009
64）Sultan RS, et al : Antipsychotic Treatment Among Youths With Attention-Deficit/Hyperactivity Disorder. JAMA Netw Open, 2（7）: e197850, 2019

65) Kaplan BJ, et al : Successful treatment of pill-swallowing difficulties with head posture practice. Paediatr Child Health, 15 (5) : e1-e5, 2010
66) Vande Voort JL, et al : A Randomized Controlled Trial of Combinatorial Pharmacogenetics Testing in Adolescent Depression. J Am Acad Child Adolesc Psychiatry, 61 (1) : 46-55, 2022
67) Reale L, et al : Comorbidity prevalence and treatment outcome in children and adolescents with ADHD. Eur Child Adolesc Psychiatry, 26 (12) : 1443-1457, 2017
68) Biederman J, et al : Do stimulants protect against psychiatric disorders in youth with ADHD? A 10-year follow-up study. Pediatrics, 124 (1) : 71-78, 2009
69) Fayyad J, et al : The descriptive epidemiology of DSM-Ⅳ Adult ADHD in the World Health Organization World Mental Health Surveys. Atten Defic Hyperact Disord, 9 (1) : 47-65, 2017
70) Solberg BS, et al : Gender differences in psychiatric comorbidity: a population-based study of 40 000 adults with attention deficit hyperactivity disorder. Acta Psychiatr Scand, 137 (3) : 176-186, 2018
71) Tsujii N, et al : Efficacy and Safety of Medication for Attention-Deficit Hyperactivity Disorder in Children and Adolescents with Common Comorbidities: A Systematic Review. Neurol Ther, 10 (2) : 499-522, 2021
72) Wolraich ML, et al : Clinical Practice Guideline for the Diagnosis, Evaluation, and Treatment of Attention-Deficit/Hyperactivity Disorder in Children and Adolescents. Pediatrics, 144 (4) : e20192528, 2019
73) Canadian ADHD Resource Alliance : Canadian ADHD Practice Guidelines 4.1. 2020 (https://www.caddra.ca)
74) Kooij JJS, et al : Updated European Consensus Statement on diagnosis and treatment of adult ADHD. Eur Psychiatry, 56 : 14-34, 2019
75) Young S, et al : Females with ADHD: An expert consensus statement taking a lifespan approach providing guidance for the identification and treatment of attention-deficit/ hyperactivity disorder in girls and women. BMC Psychiatry, 20 (1) : 404, 2020
76) Faraone SV, et al : Attention-deficit/hyperactivity disorder. Nat Rev Dis Primers, 1 : 15020, 2015
77) National Institute for Health and Care Excellence : Attention deficit hyperactivity disorder: diagnosis and management. 2018
78) Stahl SM : Stahl's Essential Psychopharmacology: Neuroscientific Basis and Practical Applications. Cambridge University Press, 2021
79) Viktorin A, et al : The Risk of Treatment-Emergent Mania With Methylphenidate in Bipolar Disorder. Am J Psychiatry, 174 (4) : 341-348, 2017
80) Yatham LN, et al : Canadian Network for Mood and Anxiety Treatments (CANMAT) and International Society for Bipolar Disorders (ISBD) 2018 guidelines for the management of patients with bipolar disorder. Bipolar Disord, 20 (2) : 97-170, 2018
81) Cunill R, et al : Pharmacological treatment of attention deficit hyperactivity disorder with co-morbid drug dependence. J Psychopharmacol, 29 (1) : 15-23, 2015
82) Long version of the interdisciplinary evidence- and consensus- based (S3) guideline "Attention-Deficit/Hyperactivity Disorder (ADHD) in children, adolescents and adults". AWMF Registration No. 028-045, 2018 (https://www.awmf.org/fileadmin/user_upload/Leitlinien/028_D_G_f_Kinder-_und_Jugendpsychiatrie_und_-psychotherapie/028-045eng_S3_ADHS_2020-12.pdf)
83) Gorman DA, et al : Canadian guidelines on pharmacotherapy for disruptive and aggressive behaviour in children and adolescents with attention-deficit hyperactivity disorder, oppositional defiant disorder, or conduct disorder. Can J Psychiatry, 60 (2) : 62-76, 2015
84) Treuer T, et al : A systematic review of combination therapy with stimulants and atomoxetine for attention-deficit/hyperactivity disorder, including patient characteristics, treatment strategies, effectiveness, and tolerability. J Child Adolesc Psychopharmacol, 23 (3) : 179-193, 2013
85) 藤田純一, 他：児童・青年への抗精神病薬の代謝・内分泌系リスクと求められる副作用モニタリング・スケジュール. 児童青年精神医学とその近接領域, 61 (1)：55-66, 2020
86) Bloch MH, et al : Meta-analysis: treatment of attention-deficit/hyperactivity disorder in children with comorbid tic disorders. J Am Acad Child Adolesc Psychiatry, 48 (9) : 884-893, 2009
87) Osland ST, et al : Pharmacological treatment for attention deficit hyperactivity disorder (ADHD) in children with comorbid tic disorders. Cochrane Database Syst Rev, 6 (6) : CD007990, 2018
88) Pringsheim T, et al : Pharmacological treatment for Attention Deficit Hyperactivity Disorder (ADHD) in children with comorbid tic disorders. Cochrane Database Syst Rev, (4) : CD007990, 2011
89) Whittington C, et al : Practitioner Review: Treatments for Tourette syndrome in children and young people - a

systematic review. J Child Psychol Psychiatry, 57（9）: 988-1004, 2016
90）海老島健：注意欠如・多動症（ADHD）の薬物治療．児童・青年期精神疾患の薬物治療ガイドライン（中村和彦・編），じほう，pp50-62，2018
91）Villas-Boas CB, et al : Pharmacological treatment of attention-deficit hyperactivity disorder comorbid with an anxiety disorder: a systematic review. Int Clin Psychopharmacol, 34（2）: 57-64, 2019
92）Clemow DB, et al : A review of the efficacy of atomoxetine in the treatment of attention-deficit hyperactivity disorder in children and adult patients with common comorbidities. Neuropsychiatr Dis Treat, 13 : 357-371, 2017
93）Hutchison SL, et al : Efficacy of atomoxetine in the treatment of attention-deficit hyperactivity disorder in patients with common comorbidities in children, adolescents and adults: a review. Ther Adv Psychopharmacol, 6（5）: 317-334, 2016
94）吉田恵心：素行症と神経性やせ症の薬物治療．児童・青年期精神疾患の薬物治療ガイドライン（中村和彦・編），じほう，pp135-145，2018
95）渡部京太：不安症の薬物治療．児童・青年期精神疾患の薬物治療ガイドライン（中村和彦・編），じほう，pp113-124，2018
96）傳田健三：うつ病の薬物治療．児童・青年期精神疾患の薬物治療ガイドライン（中村和彦・編），じほう，pp13-33，2018
97）岩垂喜貴：睡眠障害の薬物治療．児童・青年期精神疾患の薬物治療ガイドライン（中村和彦・編集），じほう，pp125-134，2018
98）Banaschewski, T, et al : Aufmerksamkeitsdefizit-/Hyperaktivitätsstörung（ADHS）im Kindes-, Jugend- und Erwachsenenalter. 2018（https://www.awmf.org/uploads/tx_szleitlinien/028-045k_S3_ADHS_2018-06.pdf）
99）National Institute for Health and Care Excellence : Attention deficit hyperactivity disorder: diagnosis and management. NICE guideline, 2018（https://www.nice.org.uk/guidance/ng87/resources/attention-deficit-hyperactivity-disorder-diagnosis-and-management-pdf-1837699732933）
100）Pliszka S; AACAP Work Group on Quality Issues : Practice parameter for the assessment and treatment of children and adolescents with attention-deficit/hyperactivity disorder. J Am Acad Child Adolesc Psychiatry, 46（7）: 894-921, 2007
101）Shaw M, et al : A systematic review and analysis of long-term outcomes in attention deficit hyperactivity disorder: effects of treatment and non-treatment. BMC Med, 10 : 99, 2012
102）van de Loo-Neus, et al : To stop or not to stop? How long should medication treatment of attention-deficit hyperactivity disorder be extended? Eur Neuropsychopharmacol, 21（8）: 584-599, 2011
103）Walkup J; Work Group on Quality Issues : Practice parameter on the use of psychotropic medication in children and adolescents. J Am Acad Child Adolesc Psychiatry, 48（9）: 961-973, 2009
104）Tsujii, N, et al : Effect of Continuing and Discontinuing Medications on Quality of Life After Symptomatic Remission in Attention-Deficit/Hyperactivity Disorder: A Systematic Review and Meta-Analysis. J Clin Psychiatry, 81（3）: 19r13015, 2020
105）Matthijssen AM, et al : Continued Benefits of Methylphenidate in ADHD After 2 Years in Clinical Practice: A Randomized Placebo-Controlled Discontinuation Study. Am J Psychiatry, 176（9）: 754-762, 2019
106）辻井農亜：児童青年期の神経発達症の治療とQOL．精神医学，64（3）: 349-355，2022
107）Lohr WD, et al : Intentional Discontinuation of Psychostimulants Used to Treat ADHD in Youth: A Review and Analysis. Front Psychiatry, 12 : 642798, 2021
108）Coghill DR, et al : Maintenance of efficacy of lisdexamfetamine dimesylate in children and adolescents with attention-deficit/hyperactivity disorder: randomized-withdrawal study design. J Am Acad Child Adolesc Psychiatry, 53（6）: 647-657, 2014
109）Zeiner PAL : Do the beneficial effects of extended methylphenidate treatment in boys with attention-deficit hyperactivity disorder dissipate rapidly during placebo treatment? Nordic Journal of Psychiatry, 53（1）: 55-60, 2009
110）Keilow M, et al : Medical treatment of Attention Deficit/Hyperactivity Disorder（ADHD）and children's academic performance. PLoS One, 13（11）: e0207905, 2018
111）Ruiz-Goikoetxea, et al : Risk of unintentional injuries in children and adolescents with ADHD and the impact of ADHD medications: A systematic review and meta-analysis. Neurosci Biobehav Rev, 84 : 63-71, 2018
112）Ghirardi, et al : Use of medication for attention-deficit/hyperactivity disorder and risk of unintentional injuries in children and adolescents with co-occurring neurodevelopmental disorders. J Child Psychol Psychiatry, 61（2）: 140-147, 2020
113）Lu Y, et al : Association Between Medication Use and Performance on Higher Education Entrance Tests in Individuals With Attention-Deficit/Hyperactivity Disorder. JAMA Psychiatry, 74（8）: 815-822, 2017
114）Quinn PD, et al : ADHD Medication and Substance-Related Problems. Am J Psychiatry. 174（9）: 877-885, 2017
115）Lichtenstein P, et al : Medication for attention deficit-hyperactivity disorder and criminality. N Engl J Med, 367（21）: 2006-2014, 2012
116）Chen Q, et al : Drug treatment for attention-deficit/hyperactivity disorder and suicidal behaviour: register based study. BMJ, 348 : g3769, 2014

117) Chang Z, et al : Association Between Medication Use for Attention-Deficit/Hyperactivity Disorder and Risk of Motor Vehicle Crashes. JAMA Psychiatry, 74（6）: 597-603, 2017
118) Chang Z, et al : Medication for Attention-Deficit/Hyperactivity Disorder and Risk for Depression: A Nationwide Longitudinal Cohort Study. Biol Psychiatry, 80（12）: 916-9222, 2016
119) 齊藤万比古，ADHDの診断治療指針に関する研究会・編：注意欠如・多動症―ADHD―の診断・治療ガイドライン，第4版. じほう，2016
120) Ibrahim K, et al : Caught in the eye of the storm: a qualitative study of views and experiences of planned drug holidays from methylphenidate in child and adolescent ADHD treatment. Child Adolesc Ment Health, 21（4）: 192-200, 2016
121) Brown RT, et al : Methylphenidate and cognitive therapy with ADD children: a methodological reconsideration. J Abnorm Child Psychol, 14（4）: 481-497, 1986
122) Waxmonsky JG, et al : A Randomized Controlled Trial of Interventions for Growth Suppression in Children With Attention-Deficit/Hyperactivity Disorder Treated With Central Nervous System Stimulants. J Am Acad Child Adolesc Psychiatry, 59（12）: 1330-1341, 2020
123) Ibrahim K, et al : Drug Holidays From ADHD Medication: International Experience Over the Past Four Decades. J Atten Disord, 19（7）: 551-568, 2015
124) Martins S, et al : Weekend holidays during methylphenidate use in ADHD children: a randomized clinical trial. J Child Adolesc Psychopharmacol, 14（2）: 195-206, 2004
125) Brams, M, et al : Maintenance of efficacy of lisdexamfetamine dimesylate in adults with attention-deficit/hyperactivity disorder: randomized withdrawal design. J Clin Psychiatry, 73（7）: 977-983, 2012
126) Daviss WB, et al : Clonidine for attention-deficit/hyperactivity disorder: Ⅱ. ECG changes and adverse events analysis. J Am Acad Child Adolesc Psychiatry, 47（2）: 189-198, 2008
127) 辻井農亜：神経発達症で薬物療法の終了を考えるとき．精神科（投稿中）
128) 厚生労働省医薬品局「塩酸メチルフェニデート製剤の使用にあたっての留意事項について」（平成19年10月26日薬食総発第1026001号／薬食審査発第1026002号／薬食安発第1026001号／薬食監麻発第1026003号）
129) 厚生労働省医薬品局「メチルフェニデート塩酸塩製剤（コンサータ錠18mg，同錠27mg及び同錠36mg）の使用にあたっての留意事項について」（令和元年9月4日薬生総発0904第1号／薬生薬審発0904第3号／薬生安発0904第1号／薬生監麻発0904第1号）
130) 岡田俊：薬の使い方Methylphenidate徐放錠を使いこなす第1回；Methylphenidate徐放錠の薬理学的特性と臨床用量．臨床精神薬理，11（12）：2325-2334，2008
131) 岡田俊：薬の使い方Methylphenidate徐放錠を使いこなす第8回；AD/HDの中枢刺激薬治療と依存リスク．臨床精神薬理，12（7）：1661-1672，2009
132) Biederman J, et al : Psychoactive substance use disorders in adults with attention deficit hyperactivity disorder（ADHD）: effects of ADHD and psychiatric comorbidity. Am J Psychiatry, 152（11）: 1652-1658, 1995
133) Schubiner H, et al : Prevalence of attention-deficit/hyperactivity disorder and conduct disorder among substance abusers. J Clin Psychiatry, 61（4）: 244-251, 2000
134) Wilens TE, et al : Attention deficit hyperactivity disorder（ADHD）is associated with early onset substance use disorders. J Nerv Ment Dis, 185（8）: 475-482, 1997
135) Molina BSG, et al : Delinquent behavior and emerging substance use in the MTA at 36 months: prevalence, course, and treatment effects. J Am Acad Child Adolesc Psychiatry, 46（8）: 1028-1040, 2007
136) Molina BS, Pelham WE Jr : Childhood predictors of adolescent substance use in a longitudinal study of children with ADHD. J Abnorm Psychol, 112（3）: 497-507, 2003
137) Wilens TE, et al : Characteristics of adults with attention deficit hyperactivity disorder plus substance use disorder: the role of psychiatric comorbidity. Am J Addict, 14（4）: 319-327, 2005
138) Szobot CM, Bukstein O : Attention deficit hyperactivity disorder and substance use disorders. Child Adolescent Psychiatr Clin N Am, 17（2）: 309-323, 2008
139) Barkley RA, et al : Does the treatment of attention-deficit/hyperactivity disorder with stimulants contribute to drug use/abuse? A 13-year prospective study. Pediatrics, 111（1）: 97-109, 2003
140) Biederman J, et al : Pharmacotherapy of attention-deficit/hyperactivity disorder reduces risk for substance use disorder. Pediatrics, 104（2）: e20, 1999
141) Mannuzza S, et al : Age of methylphenidate treatment initiation in children with ADHD and later substance abuse: prospective follow-up into adulthood. Am J Psychiatry, 165（5）: 604-609, 2008
142) Özgen H, et al : Treatment of Adolescents with Concurrent Substance Use Disorder and Attention-Deficit/Hyperactivity Disorder: A Systematic Review. J Clin Med, 10（17）: 3908, 2021

第4章

子どものADHDの中長期経過および成人期のADHD

ADHDの中長期経過

注意欠如・多動症（ADHD）は小児における障害と記載されたが，欧米で行われたADHD児の前方視的経過追跡調査から成人期にも症状が持続し，社会適応に影響を与えることは明らかになっている[1)]。ADHDが生涯にわたり持続する神経発達症であると認識される一方で，複数のコホート研究において操作的診断基準を満たすADHDが必ずしも小児期から成人期まで連続性を有しないことが指摘されるようにもなっている。操作的診断基準で診断される一定数は成人期まで明確に持続し，神経学的基盤があることも明確にされつつある。本項では，主に米国で行われてきたADHD児の前方視的経過追跡調査をレビューし，ADHD児の中長期予後に関して報告したい。

1 米国で行われた７つのADHD児の前方視的経過追跡研究

Cherkasovaらは，米国で行われた7つのADHD児の前方視的経過追跡研究のレビューを報告している[2)]。7つの研究（**表1**）は，Montreal study，New York study，Milwaukee study，Massachusetts General Hospital（MGH）study，Pittsburgh ADHD Longitudinal Study（PALS），Berkeley Girls with ADHD Longitudinal Study（BGALS）とMultimodal Treatment Study of Children With ADHD（MTA study）である。

表1 米国で行われた７つのADHD児の前方視的経過追跡研究

	サンプルサイズ	初回時年齢／最終調査時年齢	フォローアップスケジュール／リテンション
Montreal study	P=104（male 90%） C=45（male 90%）	6～13歳 ／21～21歳	15年間（5年ごと） ／73%，60.6%
New York study	P=195（male100%） C=45（male100%）	6～12歳 ／39～45歳	33年間（10，17，33年後） ／94%，86%，67%
Milwaukee study	P=158（male91%） C=81（male94%）	4～12歳 ／24～32歳	20年間（8～10，13～15，18～20年後） ／78%，93%，85%
Massachusetts General Hospital（MGH）study	P=280（male 50%） C=242（male 50%）	6～17歳 ／17～28歳	11年間（10年後に追跡調査） ／74.3%
Pittsburgh ADHD Longitudinal Study（PALS）	P=364（male89.6%） C=240（male88.7%）	11～28歳 ／26～43歳	15年間 ／最終フォローアップで90%
Berkeley Girls with ADHD Longitudinal Study（BGALS）	P=140（male 0%） C=88（male 0%）	6～12歳 ／22～29歳	16年間（5，10，16年後） ／92%，95%，93%
Multimodal Treatment Study of Children With ADHD（MTA study）	P=576（male 80%） C=289（male 80%）	7～9歳 ／19～28歳	16年間（3，6，8，10，12，14，16年後） ／93%，83.8%，80%（6～10年後），82%（12～16年後）

1）ADHD症状の推移

ほとんどの研究でADHD症状が成人期まで持続していた。

Montreal studyでは，ADHD群の66%が，ADHD症状（落ち着きのなさ，集中力の低下，衝動性，爆発性）を少なくとも1つ報告したのに対し，対照群では7%だった。Milwaukee Studyでは，27歳までに，調査基準に基づいて自己報告または親からの報告により，症状と機能が定義された障害から回復したと考えられるサンプルは約35%だった。自己報告と親からの報告を求めたときにはこの基準を満たした者は14%だけだった。残りの65～86%は，ADHDの症状が持続していた。完全な診断基準を満たしているか，対照群に比べて症状が強く（93パーセンタイル），障害が強い状態が続いていた。MGH studyでは，22歳時にADHD群の77%が症状を示し続けていた。PALS studyでは，平均20歳時にDSM-Ⅳ-TRの基準を満たしたADHD群は，自己報告で9.6%，親の報告で12%，親の報告と自己報告の組み合わせで19.7%だった。親の報告と自己報告の組み合わせに基づいて，76%は診断基準を満たさないもののADHD症状は持続し，60%は臨床的に有意な障害を継続していた。30歳時には23%が自己報告または親の報告に基づいてDSM-5のADHD症状を5つ認めた。MTA study（平均25歳時）では，DSM-5の基準での継続率は49.9%だった。BGALS studyでは症状残存率は57%で，DSM-Ⅳの基準では57%，DSM-5の基準では76.6%だった。一方，New York studyでは，他の研究に比べてADHDの持続率が低いことが報告された。思春期後期には，ADHD群の約41.5%がDSM-Ⅲ基準でADHD症状を認めたのに対し，対照群では3.4%だった。成人期初期には，ADHD群ではDSM-Ⅲ-Rの基準を満たした者は5.7%（対照群は0.6%）だった。ADHDの持続性が低下したのは，17歳時の追跡調査では自己報告のみだったのに対し10歳時の調査では観察者の評価を用いたことによると考えられている。成人期中期には，ADHD群ではDSM-Ⅳ-TRの基準を満たした物は22.2%で，対照群は5.1%に増加した。

ADHDの診断基準を満たす持続率は5.7%から77%だった。これには診断基準や情報源が異なるため生じたと考えられる。ADHD症状の持続率は60%から86%だった。

2）教育や学歴

教育機能において著しい永続的な障害があることが一致して認められた。Montreal studyでは，ADHD群は対照群と比較して，青年期の学業成績が悪く，修了した教育機関の数が少なく，成績が悪く，落第した学年が多く，退学した学校が多かった，MGH studyでは，ADHD群の半数は平均成績が「C」以下で，家庭教師や特別クラスへの編入を必要とすることが多く，高校では学年を再履修しなければならない者もかなりの割合でいた。PALS studyではADHD群は，対照群に比べて高校の成績平均値が1学年低く大学に進学して修了する可能性も低かった。New York study，BGALS study，MTA studyでは，ADHD群の教育達成度の低さが報告されていた。

全体では，ADHD群の学士号を取得した者は5～17%だったのに対し，対照群は30～56%だった。

3）職業的・経済的機能

すべての研究で，ADHD群は対照群と比べて高度な職業機能がないことを認めた。Montreal studyでは，ADHD群の17～24歳における職業能力は，雇用者から対照群と比較して劣っていると評価されることはなく，両群の間には仕事の状態，仕事の満足度，失業や解雇などについて差は認めなかった。21～33歳時では，ADHD群は仕事を辞めたり，解雇されたりする頻度が高く，雇用者からの評価も有意に低かった。New York studyでは，ADHD群では職業達成度が低く，相対的に経済的に不利であることを認めた。Milwaukee studyでは，ADHD群は職業機能や金銭管理の面で障害があることを認めた。MGH studyでは，ADHD群は無職で親に経済的に依存している可能性が高く，出身家庭よりも社会経済的地位が低いことを認めた。PALS studyでは，ADHD群は，20代前半の職業的・経済的機能が予想よりも大幅に低下し，30歳までに経済的な幸福度が大幅に悪化し，ADHDの既往があるとないとでは生涯収入の格差が127万ドルになると予測された。BGALS studyとMTA Studyでも，ADHD群は仕事を辞めたり，解雇されたり，失業したりする率が高く，職業機能が低いことを認めた。

4）メンタルヘルス

ほとんどの研究で，ADHD群ではメンタルヘルスの問題を多く認めた。Montreal studyでは，ADHD群でヤングアダルト時により重大な精神疾患の既往歴をもち，メンタルヘルスおよび対人関係上の問題や自殺未遂の発生率が高かった。ADHD群は複数の診断基準を満たす者が有意に多く，全体的な機能が低下していた。Milwaukee studyでは成人期の最終調査で併存症を多く認めた。ADHD群では，気分障害（抑うつパーソナリティ，気分変調症，大うつ病）になる可能性が4倍，不安障害が5倍，1つ以上のパーソナリティ障害〔最も一般的なものは反社会性パーソナリティ障害（ASPD）〕が2倍だった。ADHD群の84％は併存症を認め，併存する障害は平均3.5で，64％が2つ以上の併存症を認めた。MGH studyでは，ADHD群は気分障害や不安症が併存することが多かった。さらに，ADHDは外傷性脳損傷，自閉的な特性（autistic trait），感情調整と関連していることを認めた。BGALS studyでは，ADHD群は，自傷行為や自殺企図のリスク上昇を含む精神症状（特に内在化の問題）が増加し，全体的な機能障害が大きくなりサービス利用の増加を認めた。自殺企図は，ADHD（混合して存在）で22.6％とADHD（不注意優勢に存在）で7.7％の女児に多く認められ，非自殺的自傷行為（それぞれ50.6％対28.9％）と相似していた。MTA studyでは，ADHD群は不安症や気分障害の割合が高く，感情の不安定さや神経症的傾向が多く認められた。対照的に，New York studyのADHD群では，ASPDや物質使用障害（SUD）が多いことが認められ，対照群と比べて気分障害，不安症が多くはなかったが，ADHD群では精神科施設への入院率が高かった。PALS studyでは，思春期にはADHD群と対照群では気分障害や不安症を併存する率は同程度だったが，成人期にはADHD群ではうつ病が明らかに増加していた。

5）身体的健康

身体的健康状態の調査では，ADHD群で身体的健康状態が悪く，死亡率が高くなることが報告されていた。Milwaukee Studyでは，健康と生活習慣に関する14領域を用いて，ヤングアダルト時までの平均余命を推定した。その結果，ADHD群では，対照群に比べて9～10年余の平均余命の短縮に繋がり，成人期まで障害が持続すると11～13年余の平均余命の短縮に繋がると推定した。このように，ADHDが推定余命に及ぼす影響は，喫煙，肥満，飲酒，睡眠不足，運動不足，栄養不足の単独あるいは複合的な影響よりも悪かったことから，ADHD（混合して存在）は精神疾患ではなく公衆衛生上の問題であると結論づけている。New York studyでは，ADHD群では3回以上の救急部への入院や頭部外傷，死亡率の上昇，さらに高い肥満率が認められた。PALS studyでは，ADHD群は対照群に比べて死亡率が高かった。BGALS studyでは，ADHD群が成人期の肥満度と関連していることを認めた。MTA studyにおいて，診断から16年後に，ADHD群では10人の死亡者（自殺3人，殺人4人，飲酒運転2人，ひき逃げ1人）だったのに対して，対照群では1人（自殺1人）で有意差は認めなかった。

身体的成長の指標に対する中枢神経刺激薬の効果を検討している研究がある。MGH studyでは，親の身長を参考にした分析で成人の最終身長は損なわれなかったものの，中枢神経刺激薬の治療は身長の伸びの進み具合を一時的に遅らせることと関連していた。MTA studyでは，18歳までの中枢神経刺激薬使用の一貫性を関数として成長を調査した。中枢神経刺激薬を常に使用していた者は，常に使用していなかった者よりも2.35cm低かった。中枢神経刺激薬を常に使用していた者と常に使用していなかった者は，ほとんど使用しなかった者よりも2.55cm背が低かった。

6）物質使用

ほとんどの研究で，ADHD群では物質使用が対照群と比べて多く，特に思春期やADHDが持続している者ではその傾向が強いことが示唆されていた。Montreal studyでは，ADHD群は対照群と比べて思春期にレクリエーショナル・ドラッグ，特に大麻の使用を多く認めた。ヤングアダルト時では，ADHD群は薬物やアルコールの使用が多くなる傾向を認めたが対照群と有意差を認めなかった。PALS studyでは，ADHD群でアルコールやその他の物質使用を多く認めた。Milwaukee Studyでは，ADHD群では対照群に比べSUDを多く認めた。New York studyでは，思春期後期および成人期中期の時点においてADHDの持続性がSUDと関連していた。MTA studyでは，ADHD群はアルコール使用障害ではなくSUDの発症が多かった。週1回のマリファナの使用や毎日の喫煙も認められたが，それ以前（青年期）のあらゆる物質使用によって影響されることがわかった。MGH studyでは，ADHD群とSUDとの関連が強く，喫煙していたADHD児はアルコール使用障害やその他のSUDに進展するリスクが示唆された。一方，BGALS studyでは，25歳時にADHD群では物質使用の増加を認めなかった。

7）反社会的行動

ADHD群では，反社会的行動が多いことで一致していた。Montreal studyでは，ADHD群の23%がASPDの基準を満たしていたが，対照群では2.4%だった。New York studyでは，ベースライン時にCDをもつものを除外していた。ADHD群はすべての追跡評価において，対照群と比較してCDおよびASPDを発症するリスクが高かった。最終調査では，ADHD群には16.3%にASPDを認めたが，対象群には認めなかった。Milwaukee Studyでは，ADHD群では犯罪行為，逮捕または投獄が多かった。対照群と比べて，なんらかのパーソナリティ障害を認めることが多く〔ADHD（混合して存在）：67%，ADHD（不注意優勢に存在）：28%，対照群：12%〕，なかでもASPDが最も多かった。MGH Studyでは，ADHD群で破壊的行動障害が多いことを認めた。PALS Studyでは，ADHD群は思春期にCD，ヤングアダルト時にASPDの発症が多く，ADHDの男性，特に小児期にCDを併発した参加者は，対照群に比べて重度の非行行為を行う傾向があり，非行の開始時期も早く，非行行為の種類も多いことを認めた。MTA studyでは，ADHD群はより多くの法律違反を犯していた。一方，BGALS studyでは，ADHD群は対照群と比べてすべての追跡時点で外在化の問題が多かったが，非行については差がなかった。

8）運転

Montreal studyでは，ADHD群は対照群と比べて交通事故が多かった。New York studyでは，ADHD群は事故での過失があると判断されたことが2回以上，事故に巻き込まれて負傷することが2回以上という者が多かった。PALS studyでは，ADHD群は交通違反や交通事故が多く，運転開始年齢が遅く，無免許運転が多かった。MTA studyでは，ADHD群で交通事故に遭う回数が多く，

ADHD症状の持続は交通事故の回数が多いことを示していた。一方，BGALS studyでは，運転違反に関してADHD群と対照群の間に有意差を認めなかった。

9）機能的転帰の予測因子

Cherkasovaらによるレビューでは，機能的転帰に関して最も明確な結果が得られた予測因子や理論的に重要性の高い予測因子について検討している[2)]。

(1) ADHD症状の持続性

MTA studyでは，ADHD持続群はADHD寛解群に比べて，教育・職業（および性機能）の転帰が悪く（両者とも対照群に比べて悪い），症状の寛解が機能の正常化には十分でない場合が多いことが示された。ADHD寛解群は，対照群と同等で，ADHD持続者と比べて，精神的健康状態，SUD，自動車事故のリスクでは良好だった。New York Studyでは，思春期後期および成人期中期でのADHDの持続が，CD/ASPDの発症と関連しており，さらにSUDとも関連していた。Milwaukee Studyでは，ADHDの持続が，無謀運転およびその繰り返し，さらに全体的な機能障害，併存症，職業機能の低下と関連していた。最も重要なことは，ADHDの持続は推定寿命を12年余短縮することと関連していたことである。BGALS studyでは，ADHDの持続は，外在化，内在化症状，自傷行為，職業性，社会性，およびすべての障害の領域と関連していた。一方，ADHDの持続は，計画外妊娠，肥満度，学業成績，およびほとんどの社会的障害を予測しなかった。PALS studyでは，ADHDの持続は，重度の飲酒，アルコール問題，うつ病の転帰に寄与していたが，フルタイム雇用，月収，家を離れて暮らすなどの経済的転帰を十分に説明できなかった。MTA studyでは，ADHDの持続は，小児期のADHDの重症度，小児期の併存症，親の精神的健康問題によって予測され，成人の機能レベルは小児期のADHDの重症度や併存症だけでなく，世帯収入，家族規模，親の教育レベルなどの社会人口学的要因，親の夫婦機能や親の監視などの家族的要因によって予測された。

(2) 反社会的行動

New York studyでは，ADHD群ではCD/ASPDおよびSUDの割合が不均一に高く，攻撃的な犯罪による逮捕，重罪の告発，有罪判決，投獄などの犯罪率の有意に多かった。危険な運転や危険な性行為などのリスクテイク行動，3回以上の救急外来への入院や頭部外傷，精神科入院，死亡率の上昇など，成人期のリスクに関連した医学的転帰を認めた。PALS studyでは，ASPDはアルコールのmisuseと関連し，アルコール使用障害が42％と有意に多く，青年期の非行はヤングアダルト時の多量飲酒を仲介し，経済的転帰の悪化を予測した。Milwaukee Studyでは，反抗挑発症の症状はより多くの全体的な機能障害と関連し，反抗挑発症とCDの症状は教育達成度と職業機能を予測し，CDはメンタルヘルスの転帰を予測した。Montreal studyでは，反社会的行動は，仕事の成果，物質使用，そして当然のことながら警察への関与を予測していた。

(3) 併存症

BGALS studyでは，外在化症状が小児期ADHDとヤングアダルト時の非自殺性自傷行為との関連を媒介し，内在化症状が自殺企図との関連を媒介した。PALS studyでは，抑うつ症状が重度の飲酒やアルコール問題と関連していた。MGH studyでは，小児期の併存症が青年期の精神病理を予測し，成人期の精神病理の相違の一部を説明していた。MTA studyでは，小児期の併存症がADHD症状の持続を予測していた。

(4) 中枢神経刺激薬による治療の影響

MTA studyでは，最初に薬物療法の効果が最も高く，さらに長期的な転帰（3年間）がより良好なサブグループが特定され，治療によって長期的な転帰が改善されるのは一部の子どもに限られることが示唆された。中枢神経刺激薬の内服頻度と期間に応じて，成人期までの成長に有意な変化を認めた。一方，MGH studyでは，中枢神経刺激薬の保護効果が示唆された。小児期に中枢神経刺激薬の治療を受けたADHD児は，学年を繰り返すこと，気分障害，不安症，破壊的行動障害，依存症を発症する可能性が低かった。身長については一時的な遅れと関連していたが，親の身長を基準にした分析では，成人期の身長は損なわれていなかった。

(5) 性別

MGH study研究では，ADHDの臨床的特徴（症状，発症年齢，関連した障害，併存症や症状減少のパターンなど）に性別による影響はないことがわかった。併存する破壊的行動障害の発症が，男児よりも女児のほうが遅れることを認めた。BGALS studyでは，対象のほとんどが男性であるコホートでは典型的にみられた非行や物質乱用の増加を認めなかった。ところが，特にADHD（混合して存在）の女児では，自傷行為（自殺未遂や自殺以外の自傷行為）が多く，主に男児のADHDを対象とした研究ではみられなかった。

(6) ディスカッションにおけるまとめ

ディスカッションでは，ADHD症状は持続し，教育的機能，職業的機能，メンタルヘルス，身体的健康，薬物乱用，反社会的行動，運転といった領域での機能的転帰に悪影響を及ぼすことがわかった。これは，前方視的研究と後方視的研究を対象としたレビューの結果と一致していたと述べられている。検討した予測因子のうち，機能的転帰の最も信頼性の高い予測因子は，ADHD持続性と併存症，特に破壊的行動障害の併存だった。

ADHDの持続性は，教育・職業機能などの転帰の重要な予測因子だったが，ADHD症状の寛解者は，対照群と比べて比較してこれらの領域で障害を示した。さらに，ADHDの持続性は，BGALS studyでは計画外妊娠，学業成績，社会的障害とは関連しておらず，女性ではADHD持続性の影響が異なることが示唆された。ADHD寛解者は幼少期のADHDによる教育上の欠陥が，後の教育上ひいては職業上の成果に低下していく影響を及ぼす可能性を示唆している。またADHD寛解者は学習や仕事の遂行に支障を来す認知機能の低下が残っている可能性があり，学習や仕事の遂行に支障をきたす認知機能の低下が残っている場合もある。いずれの場合も，教育的な再履修が機能的な転帰の改善に役立つ可能性を示唆している。

メンタルヘルスや身体的健康では，Milwaukee studyとNew York studyではADHD群の死亡率が著しく高いことが明らかになった。MTA studyでは，平均25歳までにADHD群では10人（対照群では1人）が死亡したことが報告された。これは統計的に有意ではなかったが，対象の年齢が上がるにつれて，その後の追跡調査で有意になる可能性がある。ADHDと死亡リスクの上昇との関連性はますます認識されてきており，その原因は主に事故，交通事故や犯罪，さらに自殺のリスクが高いことも明らかになっている。

併存症では，破壊的行動障害やASPDは犯罪や反社会的行動だけでなく，傷害，入院，死亡率，物質使用，教育および職業上の転帰，その他のメンタルヘルスの併存の有意な予測因子であることが明らかになった。このことから，破壊的行動の併存は発達段階にかかわらず潜在的に重要な介入対象であると考えられる。これらのADHDに併存する破壊的行動障害は重要な修正可能な危険因子であることがわかり，ADHDの転帰を劇的に改善する可能性がある。また，気分障害や不安症の併存症の治療は長期的な転帰を改善する可能性があり，特に女性では内在化症状が女子の自殺傾向を予測すること明らかになった。

機能的転帰への薬物療法の効果については，矛盾した結果が得られた。MTA studyは，このベネフィットの欠如が，特定の特徴（例えば，より多くの障害）をもつ患者（家族）がより多くの薬物療法を継続するという選択バイアスに起因している可能性を検討した。しかし3年後の追跡調査では，選択バイアスの役割は支持されなかった。MGH studyでは薬物療法の有意な保護効果が認められた。薬物療法の長期的な効果に関する研究はほとんど行われておらず，追跡期間が長くなると効果が薄れることを示しており，現在も議論の対象となっている。

2 ADHDの神経学基盤をめぐって

小児期から成人期までの予測する要因について，脳画像と臨床症状が調べられている。

Shawらは，小児期からADHD症状が持続する32人と成人期になってADHD症状が寛解した43人，74人の定型発達者の拡散テンソル画像を比較し，拡散異方性の低下は成人期まで持続するADHDにのみ認められ寛解者では認められないこと，左鉤と下前頭後頭束の拡散異方性が不注意症状と関連するが，多動性－衝動性とが関連しなかったと報告している[3]。Szekelyらは，fMRIと脳磁図を用い，成人期には寛解したADHD患者と成人期まで診断が持続するADHDを比較し，fMRI解析では，抑制時の右尾状核の異常が小児ADHDの既往を反映しており，寛解した成人にも存在した[4]。対照的に，成人期の転帰に関連した差異は皮質（右下前頭および下頭頂／楔前部）および小脳領域に認められた。持続性ADHD群ではこれらの領域の活動が低かったが，寛解したADHD群や罹患していない参加者群との間に有意差は認められなかった。

3 おわりに

MTA studyでは，小児期のADHD（混合して存在）に対する14カ月間の治療の種類や強度は，6～8年後の機能を予測しないことが明らかになり，むしろ，治療の種類にかかわらず，早期のADHD症状の軌跡が予後を左右する。ADHD児は，治療によって長期的な転帰が改善されるのは一部の子どもに限られることが示唆されており，思春期には著しい障害を示してくる可能性があり，長期的なフォローアップは必要になるのだろう。また，女性のADHD児を対象としたBGALS studyではいくつかの重要な結果が浮かびあがってきた。Cherkasovaらのレビューではあまり注目されなかった早期妊娠があるが，男性では物質使用，自動車運転の問題，非行が多くみられ，ADHD群と対照群では有意に異なっていた。このことから，女性における長期的転帰をさらに研究し，女性のADHD患者にあわせた治療法を開発する必要性があることが明らかになったといえるだろう。これまでわが国では，ADHDの子どもの前方視的な追跡研究は報告されていない。米国を中心としたADHDの子どもの長期経過が，そのままわが国の子どもにおいてもあてはまるのか否かは不明である。今後わが国においても，ADHDの子どもの前方視的経過追跡調査が行われ，ADHDの子どもの長期的な予後，さらに長期的な予後を規定する要因を明らかにすることが必要と考えられる。さらにADHDの生物学的基盤が明らかになっていき，転機に影響を及ぼすのかが明らかになっていくとよいと思う。

（渡部 京太）

参考文献

1）American Psychiatric Association : Diagnostic and Statistical Manual of Mental Disorders, Fifth Edition. American Psychiatric Publishing, 2013（髙橋三郎，大野裕・監訳：DSM-5 精神疾患の診断・統計マニュアル，医学書院，2014）

2) Cherkasova MV, et al : Review: Adult Outcome as Seen Through Controlled Prospective Follow-up Studies of Children With Attention-Deficit/Hyperactivity Disorder Followed Into Adulthood. J Am Acad Child Adolesc Psychiatry, 61 (3) : 378-391, 2022
3) Shaw P, et al : White matter microstructure and the variable adult outcome of childhood attention deficit hyperactivity disorder. Neuropsychopharmacology, 40 (3) : 746-754, 2015
4) Szekely E, et al : Defining the Neural Substrate of the Adult Outcome of Childhood ADHD: A Multimodal Neuroimaging Study of Response Inhibition. Am J Psychiatry, 174 (9) : 867-876, 2017

成人期のADHD

1 はじめに

以前は，ADHDは子どもだけの疾患であるという考えが一般的であったが，いくつもの子どものADHDの中長期経過の研究は，ADHDが成人期まで継続する疾患であるという結果を示している。しかしそれらの研究が世に出ても，わが国では主に成人を診療している精神科医の間ではADHDはそれほど話題にはなっていなかった。

しかしそれまで小児ADHDには保険適応が承認されており，かつ小児期から処方されていた患者に限り，18歳を越えても継続投与が許可されていた2剤の治療薬のうち，2012年8月にアトモキセチンが，2013年12月にメチルフェニデートの長時間型徐放製剤が，それぞれ18歳以上の成人期への適応追加が承認され，成人期に初めてADHDと診断された患者へも薬物療法が可能になった。2剤が成人期のADHD患者へ使用可能となったことをきっかけに，患者のみならず，特にいままで成人を中心に診療してきた治療者側の注目も非常に高まってきた。

一方で患者自らがADHDの診断名を強く求めて来院するケースや，治療者側が不注意や衝動性のある患者を容易にADHDと診断する過剰診断の問題も生じてきている。これらを防ぐためには，発達歴を含めたより客観的な診断や評価が必要である。さらにそれらに従い厳密にADHDと診断された場合にのみ，ADHD治療薬による薬物療法が行われるべきである。

2 疫学

ADHDの有病率に関しては，DSM-Ⅳ-TR[1]では，学齢期の子どもで3〜7%，青年期，成人期における有病率のデータはあまりないと記載されていたが，DSM-5[2]では，人口調査によると，ほとんどの文化圏で，子どもの約5%および成人の約2.5%にADHDが生じることが示されていると明記されている。

WHOが主導する国際的な精神・行動障害に関する疫学研究プロジェクトである世界精神保健（World Mental Health；WMH）調査[3]では，ADHDの成人の有病率はフランス7.3%，米国5.2%，オランダ5.0%など比較的高い国から，スペイン1.2%，レバノン1.8%，など低い国までさまざまであるが，総合すると3.4%であるという。また過去の疫学調査の論文をメタアナリシスした研究によると[4]，2.5%という報告もある。日本での静岡県浜松市での大規模な調査では[5]，成人のADHD有病率の推定値が1.65%と示されている。

他の研究でも，文化圏の違いや調査の手法などでいくらかの違いはあるものの，DSM-5の記載である子どもでは約5%，成人では約2.5%という数字をおおむね信じていいように思われる。

3 診断

診断は成人であっても，標準的にはDSM-5に準拠した診断アルゴリズムに従って行えばよい。ADHDの診断基準において，DSM-Ⅳ-TRからDSM-5への変更で最も変化があったのは成人のADHDを強く意識したものになったということである（430ページ参照）。

診断基準A. の不注意症状および／または多動性－衝動性症状の9つのうち，子どもは6つ（またはそれ以上）が診断の基準となっているが，青年期後期期間および成人（17歳以上）では，5つでよいことになっている。加齢による症状自体の緩和に加え，患者本人の生活上の工夫などにより目立たなくなってきている症状もあるので妥当な判断だと考える。さらにそれぞれの症状の記載はDSM-Ⅳ-TRからDSM-5で大きな変化はなかったものの，（　）付きの「例」として成人の症状確認に有用なものが追加された。例えば不注意の「(g) 課題や活動に必要なものをしばしばなくしてしまう」の必要なものはDSM-Ⅳ-TRでは，（例：おもちゃ，学校の宿題，鉛筆，本，または道具）とあったが，DSM-5では（例：学校教材，鉛筆，本，道具，財布，鍵，書類，眼鏡，携帯電話）となり，子どもだけでなく成人も意識したものになっている。

診断基準B. には，「不注意または多動性—衝動性の症状のうちいくつかが12歳になる前から存在していた」とある。ADHDは発達障害なので，子どもの頃からの症状の存在が必須だが，DSM-Ⅳ-TRではこの年齢が「7歳未満」であった。子どもの患者であれば，7歳未満での存在も比較的確認しやすいだろうが，成人で初めて受診した患者ではそれが困難な場合も多かった。それが12歳になると小学校時代での確認でよいことになるので，成人でも確認しやすくなるだろう。

子どもであればほとんどの場合，保護者が一緒に受診するので，本人以外からの客観的な情報を得られるが，成人の場合は初診時には1人で受診することが多いので客観的な情報を得るのが困難な場合も多い。さらに成人の場合は，ADHDという診断名を求めて来院する場合も多く，その場合は受診までにADHDに関するさまざまな情報を入手している経過で，意図のあるなしにかかわらず，自分の症状がADHDの色を帯びてくるということも少なくない。よって配偶者や保護者，職場の同僚や上司などに早い段階で来院してもらい，客観的な情報を得ることが大切である。また子ども時代の症状の確認には保護者が難しい場合は同胞でもよい。

半構造化面接のCAADID（Conners' Adult ADHD Diagnostic Interview for DSM-Ⅳ-TR）[6]の日本語版であるConners 成人期ADHD診断面接[7]が使用可能である。わが国での妥当性，信頼性の評価は現在行われているところである。CAADIDはパートⅠとパートⅡで構成されており，パートⅠでは家族歴，既往歴，現病歴を聴取し，パートⅡはDSM-Ⅳ-TRに基づいて現在の症状と過去（児童期）の症状を，症状ごとに確認していく。一定の時間は必要であるが，症状をもれなく聴取することができるため，成人期ADHDの診断をさほど多く行っていない医師などには有用であろう。

4 評価尺度

診断はDSM-5に準拠した診断アルゴリズムに基づき行うが，症状の重症度や治療効果の判定などには評価尺度が有用である。成人ADHDに対する治療薬の欧米でのプラセボ対照の二重盲検比較試験で使用されている効果判定尺度はCGI（臨床全般改善度）以外では，CAARS（Conners' Adult

ADHD Rating Scale)[8] が多く，一部でAISRS（ADHD investigator Symptom Rating Scale)[9] が使用されている。これらは主に中核症状を評価するのに有用である。AISRSは日本語版は未公刊であるが，CAARSは通常版（66質問）がCAARS™日本語版[10] として使用可能であり，screening version日本語版（30質問）に関してはわが国での治験の際に信頼性，妥当性の検証が終了している[11]。なおscreening version日本語版は治験時の使用に限定されていて，現時点ではわが国では未公刊である。CAARSは中核症状以外にも，情緒面の問題や自己概念などの評価を含んでいるので，その点からも治療効果の判定に有用であろう。

臨床試験には使用されていないが，Kesslerらによって作成されたWHOの評価尺度として18項目から成るAdult ADHD Self-Report Scale（ASRS)[12] があるが，これは現在では6項目からなるスクリーニング・バージョンのみが使用されることも多い。診断や効果判定などには使用できないが，あくまでもスクリーニングツールとして参考程度に使用したい。

またQOLに関してはADHD患者における評価のため開発されたAAQOL（Adult ADHD Quality of Life Measure)[13] が使用されている試験がいくつかある。AAQOLは作業機能や家族関係，社会的機能，日常生活の活動，精神的な適応などの評価が可能であり，ADHD患者における薬物療法でのQOLの改善の評価に適しているが，日本語版は治験時の使用に限定されており，現時点では日本語版は未公刊である。

前述のCAARS，AAQOLに加え，BRIEF-A（Behavior Rating Inventory of Executive Function)[14] という実行機能や自己管理能力の自己評価尺度が効果判定に用いられている。BRIEF-Aは発達障害や外傷性脳損傷などの神経疾患，統合失調症やうつ病などの精神疾患に使用できる標準化された実行機能評価尺度で，行動の抑制や行動の転換，自己のモニタリングやワーキングメモリ，計画・整理などの項目の評価が可能であるが，これも日本語版は治験時の使用に限定されており，現時点では日本語版は未公刊である。

以上から，現時点では，66の質問からなるCAARS™日本語版を評価尺度として利用するのが現実的である。今後，患者の負担減のためCAARSのscreening version（30質問）の公刊，また幅広くQOLや実行機能を評価するAAQOLやBRIEF-Aの日本語版の公刊を希望する。

5 併存症

成人ADHD患者には併存症がある割合が高く，またいくつも併存症をもつことが指摘されている[15, 16]。FayyadらはADHDのスクリーニング検査を欧州，南北アメリカおよび中東の10カ国，1万人以上の18〜44歳の成人を対象に実施している[3]。評価した中核疾患は，不安障害，気分障害および物質使用障害であった。するとADHDの24.8%に気分障害，38.1%に不安障害，11.1%に物質乱用があったという。さらに，ADHDの12.9%が併存症を2つ経験し，16.2%が併存症を3つ以上経験していたという。さらにADHDが重症であれば重症であるほど併存症をもつ割合が増えるという報告[17] もある。

そのように考えると，成人のADHD患者はADHDそのものの症状ではなく併存症の症状を訴えて来院するケースも多いことは容易に推測でき，臨床上もそのような印象が強い。またそのような患者はADHDとしても重症である可能性は高いので，併存症の背景にあるADHDを見逃さず，診断することが重要である。

6 成人特有の問題

成人になって初めて精神科や心療内科を受診する患者の診断は難しいと考えられている。いくつも理由は考えられるが，筆者は大きく3つあると考えている。

その1つは年齢が上がれば上がるほど発達歴を聴取しにくいこと，2つ目は併存症が多いため，たとえADHDがベースにあっても，必ずしもADHD症状を主訴としないこと，3つ目は幼少期からずっとADHD症状があるため，患者本人がその異常に気がついていないことである。

3つ目は，そのため患者本人が工夫して，社会適応しているケースも多く，診断が不要な場合も多い。しかし子どものときより，本人に期待する社会の要求水準は当然上がっており，そのために苦しんでいる場合もある。さらに通常は何とか社会適応していても，職場の異動や昇進などで新たな業務や部下の管理などが仕事に加わると顕在化してくるケースも多い。女性の場合は結婚や出産など自分のやるべきこと以外に仕事が増えたときに症状が顕在化していくケースが多い。

7 治療

ADHDの治療としては，小児であっても成人であっても，まずは環境調整や心理社会的治療が優先される。しかし残念ながらすべての症例が，それらのみで改善するとはいいがたい。また成人になって初めてADHDと診断されたケースは，多くの場合，失敗体験や努力が報われない経験を人より多く重ねており，このため挫折感や無力感が強く，あきらめが早い場合もある。また，受診までの長い年月にわたり，彼らの特性を周囲から理解されず，自尊感情が低下している場合も多い。このようなケースはしばしば，心理社会的治療への導入が困難だったり，導入できたとしても途中で治療から脱落することになる。

以上のような症例は薬物療法を同時に考慮するべきであろう。薬物療法により環境調整や心理社会的治療への導入がスムーズになったり，取り組みがスムーズに進むことが多く，相乗効果が期待できる場合が多い。

さらにADHDに治療・支援はそれぞれのライフサイクルに応じてなされるべきである。そのように考えると，成人の場合は発達障害者支援センターやハローワークなど公的機関や社会的なシステムも積極的に活用するべきである。

そのように考えると行動範囲や社会的な役割が比較的小さい子どもより，より広範囲な，かつ総合的な治療プログラムが必要であるともいえる。

症例 Aさん　42歳　女性

主訴 抑うつ，意欲の低下，不安，不眠，不注意なミスが多い，子どもへの暴言・暴力

家族歴 子ども（小学生）がADHDで治療中

職業 スーパーでパート勤務

現病歴

X年3月，2年働いたパートの勤務先を「ミスが多すぎる」という理由で解雇され，新しい職場をすぐに見つけるものの，覚えることが多くて覚えられない，またミスが多いため，上司や同僚から注意されることも多く，ストレスがあり，気分が落ち込んできたという。

X年4月，子どもが新しい学年になり，色鉛筆や絵の具の補充などさまざまな準備ができていないことを子どもに指摘され，それに対して興奮し，子どもへの暴言・暴力が出現したことをきっかけに周囲から勧められ当院を受診した。自分の仕事だけではなく子どもの学校の準備もできないことが情けないと訴え，意欲の低下や不安，不眠も認められた。

既往歴

幼稚園では友達とトラブルが多かったことを本人も覚えているという。小学校入学後は忘れ物や物をなくすことが多く，授業には集中できず，成績は下位だったという。友人とのトラブルも続いており，高学年では女子のグループからは仲間はずれにされ，男子と遊ぶことが多かった。短大卒業後，すぐに結婚し，夫のDVのため数年で離婚。20歳代後半で再婚し，一女をもうけるが，やはり夫のDVのため30歳代後半で離婚する。X−2年，子ども（女児）が学校で不注意や多動性−衝動性が強いため児童精神科受診，ADHDと診断され治療が開始され，症状は改善していった。子どもの発達歴を確認していくなかでAさん自身の子ども時代と非常によく似ていると感じていたという。2回の結婚とも，夫から「食事が手早く作れない」，「片づけができず，部屋が汚い」などと叱られることが多く，その経過中に夫からの暴力を受けるようになるのだという。Aさんはいままでに数度，抑うつ，意欲の低下，不安，不眠などを主訴に精神科の受診歴があり，その度に「適応障害」や「うつ病」などと診断され，抗うつ薬や睡眠薬を処方され，しばらくすると症状が改善し，治療を中断してきたという。

経過

両親に来院してもらい，発達歴を聴取していった。幼少期から落ち着きがなく，友達とのトラブルが多かった。小学校入学後，忘れ物が多い，授業中ボーっとしていて教師から頻繁に注意される，他児とのトラブルが多いので両親は毎週学校から呼び出され，相手の家に謝りに行く，女子のグループには入れない，順番が待てないなどの情報を得た。ADHDの症状が幼少期から続き，それらが勤務先の変更や子どもの新学年を機に顕在化した症例だと考えた。抑うつや意欲の低下，不安などはうつ病や不安障害の診断基準は満たさず，適応障害と診断した。しかしその背後にあるADHDへの介入が重要と判断した。子どもへの影響，仕事への対処など不適応の程度を考え，早急な支援が必要と考えたため，環境調整と同時に薬物療法が必要と判断した。環境調整としては，自分が苦手なことを意識し，メモで残す，携帯電話（スマートフォン）のカレンダーで管理するなどのアドバイスをした。Aさんは子どもの対応を落ち着いてできている，仕事上のケアレスミスが減った（ミスを減らす方法を実践できている），衝動的な決定をすぐにしないようになっている，などと薬の効果を感じている。X＋1年4月，同じスーパーで仕事ができている。Aさんは，子どもや周囲の人へあまり怒らなくなった，自分や子どもの準備もできている，と自覚している。

考察

薬物療法により環境調整への導入がスムーズになり，取り組み自体がスムーズに進んだなど，相乗効果があったので，環境調整と同時に薬物療法を選択してよかったと考えている。本症例のように女性の場合は結婚や出産，子どもの幼稚園や小学校の準備で顕在化しやすい印象がある。さらに併存症の症状を主訴に来院するケースが多いが，その背景にあるADHDを見逃さないことが重要である。

（根來 秀樹）

参考文献

1) American Psychiatric Association：Diagnostic and Statistical of Manual disorders, Fourth Edition, Text Revision（DSM-Ⅳ-TR）. American Psychiatric Association, 2000（髙橋三郎，他・訳：DSM-Ⅳ-TR精神疾患の診断・統計マニュアル新訂版．医学書院，2004）
2) American Psychiatric Association：Diagnostic and Statistical of Manual disorders, Fifth Edition（DSM-5）. American Psychiatric Association, 2000（髙橋三郎，大野裕・監訳：DSM-5精神疾患の診断・統計マニュアル．医学書院，2014）
3) Fayyad J, et al : Cross-national prevalence and correlates of adult attention-deficit hyperactivity disorder. Br J Psychiatry, 190 : 402-409, 2007
4) Simon V, Czobor P, Bálint S, et al : Prevalence and correlates of adult attention-deficit hyperactivity disorder: meta-analysis. Br J Psychiatry, 194（3）: 204-211, 2009
5) 中村和彦, 大西将史, 内山 敏他：おとなのADHDの疫学調査．精神科治療学, 28（2）: 155-162, 2013
6) Epstein J, et al : CAADID™; Conners'Adult ADHD Diagnostic Interview for DSM-IV™. Multi-Health Systems,
7) Epstein J, et al : CAADID™日本語版マニュアル（中村和彦・監, 染木史緒, 大西将史・監訳）. 金子書房, 2012
8) Conners CK, et al : Conners'Adult ADHD Rating Scale（CAARS）Technical Manual. Multi-Health Systems, 1999
9) Spencer TJ, et al : Validation of the adult ADHD investigator symptom rating scale（AISRS）. J Atten Disord, 14（1）: 57-68, 2010
10) Conners CK, et al : CAARS™日本語版マニュアル（中村和彦・監，染木史緒，大西将史・監訳）．金子書房，2012
11) 高橋道宏，多喜田保志，市川宏伸他：成人期のADHD症状評価尺度CAARS-screening version（CAARS-SV）：日本語版の信頼性および妥当性の検討．精神医学，53（1）: 23-34，2011
12) Kessler RC, et al : The World Health Organization Adult ADHD Self-Report Scale（ASRS）: a short screening scale for use in the general population. Psychol Med, 35（2）: 245-256, 2005
13) Brod M, et al : Validation of the adult attention-deficit/hyperactivity disorder quality-of-life Scale（AAQoL）: a disease-specific quality-of-life measure. Qual Life Res, 15（1）: 117-129, 2006
14) Mahone EM, Cirino PT, Cutting LE, et al : Validity of the behavior rating inventory of executive function in children with ADHD and/or Tourette syndrome. Arch Clin Neuropsychol, 17（7）: 643-662, 2002
15) Pliszka SR : Patterns of psychiatric comorbidity with attention-deficit/hyperactivity disorder. Child Adolesc Psychiatr Clin N Am, 9（3）: 525-40, vii, 2000
16) Gillberg C, et al : Co-existing disorders in ADHD-implications for diagnosis and intervention. Eur Child Adolesc Psychiatry（Suppl 1）, 13 : 180-192, 2004
17) Adler LA, et al : Double-blind, placebo-controlled study of the efficacy and safety of lisdexamfetamine dimesylate in adults with attention-deficit/hyperactivity disorder. J Clin Psychiatry, 69（9）: 1364-1373, 2008

3 成人期に初めて診断されるADHD

1 はじめに

近年,「大人の発達障害」がマスメディアでも取り上げられ, 一般の方も含め, 広く周知されるようになってきた。2016年に, 発達障害者支援法の改正にて「支援が切れ目なく行われる」と明記され, 子どもから大人までのライフステージを通じた切れ目のない支援が目的・基本理念とされた。このように, 支援継続の必要性からも子どもから大人の神経発達症の連続性が注目されている。医療においても, 成人期以降も小児科医・児童精神科医で診療を継続するキャリーオーバーの問題があり, 成人期以降の一般精神科医への移行は大きな課題である。このようななかで,「大人の発達障害」をどのようにとらえ, 診断をつけるのか, 治療が必要なのか,「自称ADHD」という人にどう対応すればよいのか, 整理して考えていきたい。

2 成人期ADHDと称されるパターン

「成人期ADHD」は, ①児童期からADHDの診断がついていて成人期になっても引き続いて悩んでいる場合, ②児童期は問題がなく（もしくは困る程度ではなく）成人期になって初めてADHDの診断がついた場合——の大きく2つに分かれる（**図1**）。実際に自閉スペクトラム症

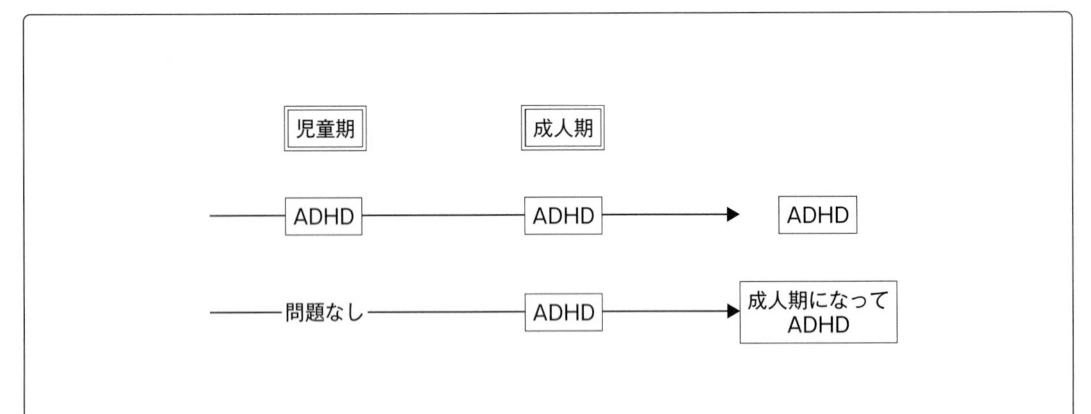

児童期の診断がそのまま成人期にも継続するパターン（上段）と, 児童期に症状がなく成人期になってADHDが突然に発症したかのようなパターン（下段）がある。

図1 成人期ADHDの2パターン

表1 成人期で初めてADHDと診断される一群の特徴

個人的要因	・ADHD症状自体は軽症 ・知的レベルは低くない（むしろ高い） ・器質的な脳構造や脳機能の差異がある
環境要因	・児童期は支援者（家族・教員・友人）の手厚いサポートがあった ・成人期になって環境が変わり，サポートが得られにくい状況になっている
臨床症状	・ADHD症状よりも他の精神疾患が目立つ（うつ状態，不安状態） ・社会的問題行動が前面に出やすい（嗜癖の問題，反社会行動）

（ASD）も含め神経発達症の発症にこの2パターンがあるのだろうか，その対応や治療方針は異なるのだろうか，私たち臨床家が診療場面でよく悩むことである[1]。前述の②にあたる児童期に診断されず成人期になってから初めて診断を受ける神経発達症が急増してきたこと，それに伴いみられる複雑な症例の対応に苦慮することが増えたことなどが近年の話題となるなど神経発達症領域の臨床は新たな局面に突入したといってよいだろう（**表1**）[2]。児童精神科・小児神経科の診察場面だけでなく，一般精神科病院，発達障害児者支援センター，ハローワーク，産業医面接などでも対応困難な症例が増えたことによる混乱，確定診断ができる専門家不足などが問題になっている。以上のことから，いままで神経発達症の診断をつける経験が少なかった一般精神科医に求められる比重が大きくなってきているし，今後も増え続けると予想される。

3 ADHDの児童期から成人期への連続性

果たして，児童期には問題がなく，成人期になって初めてADHDの診断がつくケースはあるのだろうか。発達段階に異常がないとすると，神経発達症の診断名に合致しないのではないだろうか。これに関して，興味深い出生コホート調査が3編，相次いで報告されている。いずれも，児童期から成人期への連続性について否定的な見解を示している。それを批判的吟味しながら，成人期になって初めてADHDの診断がつくケースについて考察したい。

1）ニュージーランドのADHDの出生コホート調査[3]

ニュージーランド・ダニーデンにて1972年4月～1973年3月に出生した1,037人に対するコホート調査で，定期的に種々の評価を行った。児童期ADHDは，11，13，15歳時にDSM-Ⅲの診断基準で評価を行い，61人（6.0%）がADHDと診断された。成人期ADHDは，38歳時にDSM-5の診断基準で過去12カ月の症状を確認し，31人（3.1%）がADHDと診断された。有病率としてはほかの調査と比較して同等である。しかし，児童期から成人期になり，ADHDの診断を満たすものが61人から31人に単純に減少した（つまり30人が診断基準を満たさなくなった）わけではなく，両時期にADHDの基準を満たしたのはたった3人しかおらず，重複はほとんどしていなかったという事実が興味深い（**図2**）。児童期ADHD61人のうち58人が成人期では診断基準を満たさず，児童期ADHDの診断がなかったのに成人期になり28人がADHDとして診断がついたという結果であった。さらに，成人期になってADHDと診断される場合，物質依存などの併発率も高かった。Moffitt TEらは，結論として，ADHD症状を呈している成人は，児童期発症の神経発達症とは異なっている障害群である可能性を提唱した。同じような結果が再現されれば，児童期ADHDと成人期ADHDの分類法を再考したほうが良いとした。

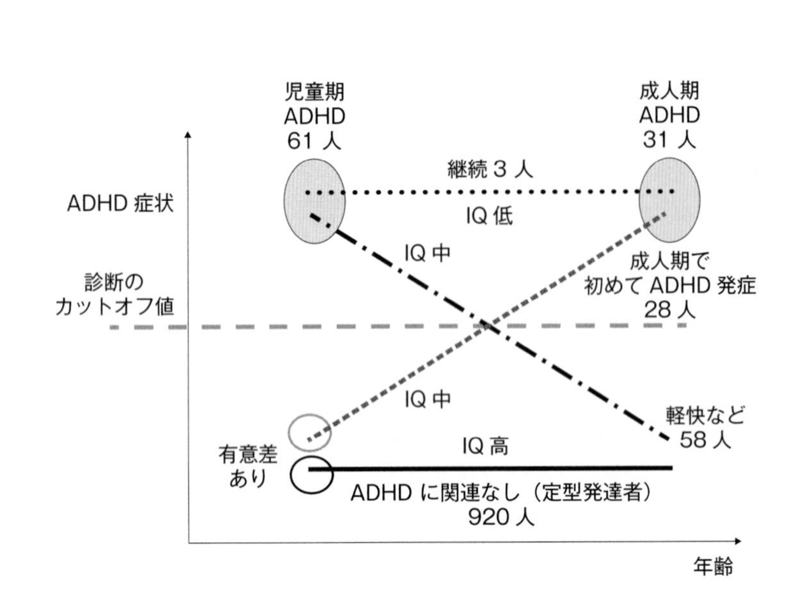

児童期ADHDと成人期ADHDは別の集団で成り立っているように見える。しかし，成人期ADHDと初めて診断がつく集団（▪▪▪▪線）も児童期にすでにADHD症状スコアがある程度示しており，ADHD症状を呈さない定型発達群よりは有意に高い結果であった。IQの高さも影響を与えていることが想定できる。

図2 ニュージーランドの出生コホート調査における，ADHDの診断と人数の推移

〔Moffitt TE, et al : Is Adult ADHD a Childhood-Onset Neurodevelopmental Disorder? Evidence From a Four-Decade Longitudinal Cohort Study. Am J Psychiatry, 172(10) : 967-977, 2015より作成〕

2）イングランドおよびウェールズのADHDの出生コホート調査[4)]

イングランドおよびウェールズにて1994年1月～1995年12月に出生した1,000組以上を対象にした大規模な双生児コホート調査（2,232人）で，5，7，10，12歳時の評価をDSM-Ⅳの診断基準で2,040人中247人（12.1％）が児童期ADHDと診断された。18歳時のDSM-5の診断基準で166人（8.1％）が成人期ADHDと診断された。このコホートでも，両時期にADHDの基準を満たしたのはたった54人しかおらず，重複は少なかった。また，成人期のみ基準を満たした遅発型（late-onset）ADHD患者は，不安障害，うつ病，マリファナやアルコールの物質依存症などの併発が高いこと，さらに，双生児のデータ分析から遅発型ADHDは小児期ADHDに比べて遺伝的要因の可能性が低く，発症率が男女でほぼ等しいと報告した。Agnew-Blais JCらは，両時期に持続しているADHD群より，大人になって初めて診断される成人期ADHD（つまり遅発型ADHD）のほうが多いため，児童期発症ADHDと遅発型ADHDはそれぞれ異なる原因で発症するとし，ADHDの遺伝子的な研究や治療に示唆を与えるとした。

3）ブラジルのADHDの出生コホート調査[5)]

ブラジル・ペロタスにて1993年の1年間に出生した5,249人に対するコホート調査で，11歳時に

Strengths and Difficulties Questionnaire（SDQ）の多動のカットオフ値や親へのインタビューから児童期ADHD症状を評価し，DSM-Ⅳに当てはめ393人（8.9％）がADHDと診断された。成人期ADHDは，18～19歳時にDSM-5の診断基準（発症時期を気にせず）で確認し，492人（12.2％）がADHDと診断された。両時期にADHDの基準を満たしたのはたった60人しかおらず，重複はほとんどしていなかった。成人になって初めてADHDと診断される場合，交通事故，収監，うつ病，全般性不安障害，社交不安障害，自殺企図，性感染症などの症状や併発症が児童期ADHDよりも多くなることを報告した。本論文の著者らは，成人期ADHDは神経発達症とはいえないのではないかとした。

4）ADHD症状スコアと知能指数IQとの関連

3つのコホート調査は，児童期にADHD診断がつく者と成人期にADHD診断がつく者がほとんど重複していないので，別の障害群ではないかとした。しかし，そのように考えるのが妥当なのか。ADHD症状スコアや知能指数IQなども含め吟味するとどうだろうか[6]。

ニュージーランドの出生コホート調査では，児童期ADHDのIQ（平均＝90，SD＝16）はADHD診断がつかない群より10以上低いことが指摘されている[3]。つまり，知的レベルが低いことで，社会適応能力が元来低く，ADHDの症状は児童期から顕在化しやすく，ADHDの診断がつきやすかったとも推察される。一方，成人期ADHDは知能指数や各種認知機能検査では平均からの落ち込みはみられず，元来の知的レベルが高かったと考えられる。つまり，児童期は知的レベルでADHDの素因をカバーできており（隠せており），ADHD診断がされにくかったと推察される。しかしながら，成人期ADHDとなる31人は両時期にADHDと診断されない対照群920人と比較して，児童期で既にADHD症状スコアが有意に高かった（教師評価で有意差あり；P＝0.01）。つまり，成人になって初めてADHDと診断された人々も，診断基準を満たすほどではないにしろ，児童期からADHD症状の傾向は確実にあったようである（図2）。

イングランドおよびウェールズの出生コホート調査では，両時期にADHD診断を満たす54人の平均IQは88で，成人になって診断が消失した193人の93や，成人になって初めて診断がつく112人の97より統計学的に低い[4]。両時期にADHDと診断されない対照群1,681人の101と比較してもその差は明瞭であり，知的レベルがADHD症状を顕在化するかどうかは大きな要因と考えられる。また，本コホート調査でも，成人になって初めてADHD診断がついた112人は対照群1,681人と比較して，児童期のADHDスコアが有意に高かった（4.14+/-2.5 vs. 2.15+/-2.4）。つまり，ニュージーランドの出生コホート調査と同様に[3]，成人になって初めてADHDと診断された人々も，診断基準を満たすほどではないにしろ児童期からADHD症状の傾向は確実にあったわけである。

ブラジルの出生コホート調査においても，児童期ADHD診断を満たす393人のIQは平均90で，成人期ADHD診断がついた492人の95より統計学的に低い[5]。各時期にADHDと診断されない各対照群4,033人，3,547人の各97と比較してもその差は明瞭であり，知的レベルが児童期にADHD症状を顕在化させていた大きな要因と考えられる。

たしかに，3つのコホート調査とも，「児童期ADHDと診断がついた人々の多くは成人期では診断がつかず，成人期ADHDと診断がついた人々の多くは児童期には診断がついていなかった」という事実はあるのであろう。このことは，われわれも日々の臨床でよく経験をする。また，成人になって初めてADHDの診断がつく症例も多く経験する。そのなかに，子どもの頃には診断がつかないまでもADHD症状があったと推測される症例は結構ある。そのような症例において，子どもの頃からADHD素因は連続して存在していると考えると理解しやすいのではないだろうか。IQを

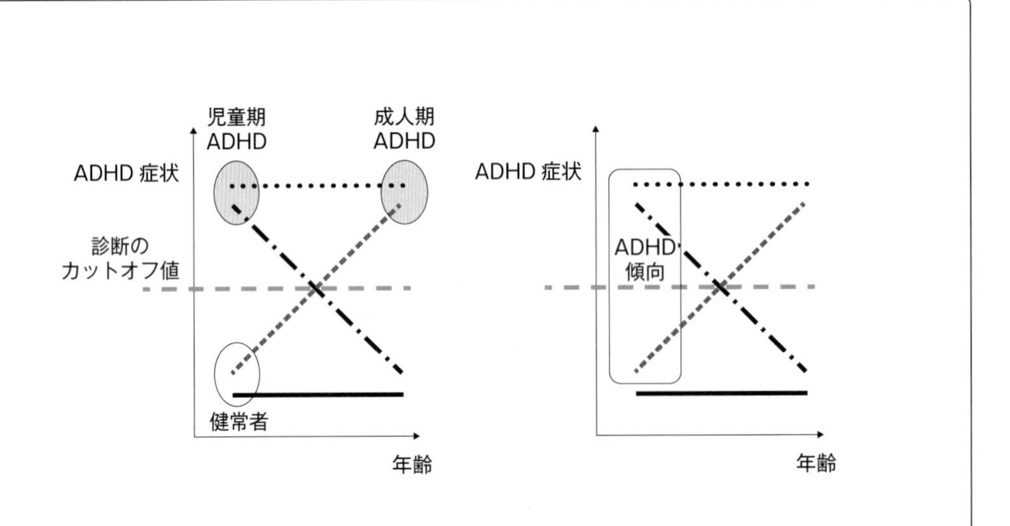

時期によって，ADHD症状（顕在化する症状の数）は変化する。ずっと顕在化する群もいれば（••••線，持続したADHD群），一度も顕在化しない群もいる（黒線，定型発達群）。一方，児童期にだけ顕在化し成人期には目立たなくなる群（▪ ━線，児童期のみADHD群）もいれば，児童期には基準を満たさず成人期に顕在化する群（▪▪▪▪線，成人期になってADHD群）もいる。左図のように，児童期の症状数だけで児童期ADHDの診断，そうでないものは健常者としてしまうと，成人期になって初めてADHDとされる一群が説明できなくなる。右図のように，ADHD傾向があるグループとして捉えていれば，成人期で軽快する群や成人期で顕著になってくる群も理解しやすい。

図3 児童期ADHDの未診断＝健常ではない

含めた社会適応能力が備わっていたかが，ADHD診断を決定づけると考えるとわかりやすいのではないか（表1）。

この4パターンを簡単に図にしたのが**図3**である。ある診断基準を設けて，その基準をクリアするときにADHDとし，基準以下を健常とするので，われわれは混乱するのである（図3左）。診断基準を設けるのはよいが，その傾向，診断閾値下のADHD傾向も拾い上げて考えるべきである。その傾向を見逃さずADHD傾向とすると，時期によっては診断基準を満たすようになる場合もあれば，基準を満たさなくなる場合もある。その基準を行き来することもありうる（図3右）。児童期にADHDと診断されていない＝健常としてしまうから，われわれは混乱してしまうのである。

4 ADHD症状は見え隠れする

人にはそれぞれ得意分野や苦手分野があるが，総合的な個人能力が同等でもADHDなど神経発達症がある人々はその能力の差が激しいことはよくいわれている。その能力の激しい個別差が時期によって神経発達症が見え隠れする原因と考えられる[6]。例えば，心の器に社会適応能力の水が入っているとイメージしてみる（**図4**）。元来の知的レベルが高ければその水は多く，知的レベルが低いとその水は少なめかもしれない。また，状況によってその水は増えたり減ったりするとイメージしてみよう。周囲からのサポートが手厚ければ，この社会適応能力の水が増えるであろう。一方で，周囲からの要求水準が高かったり，強いストレスがかかったりすれば，社会適応能力の水が減るであろう。定型発達者では，周囲からの要求水準が高いときや強いストレスがかかったときに社会適

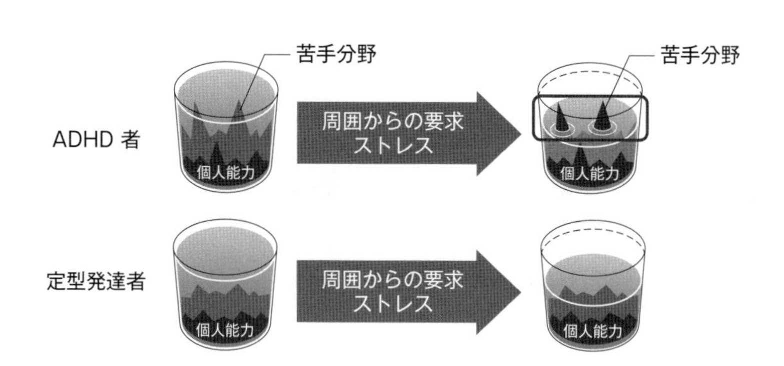

心の器に社会適応能力の水（知的レベルや周囲のサポートにより増量）が満たされているイメージ（左）。元来の知的レベルが低かったり，周囲からの要求水準が高かったり，強いストレスがかかったりすれば，社会適応能力の水は減るイメージ（右）。定型発達者では社会適応能力の水が減ったときでも苦手分野は目立たないが，ADHD傾向が強ければ得意分野と苦手分野の差が激しいため，社会適応能力の水が減る際は苦手分野が露呈しやすい。容易に適応障害を起こしやすく，ADHDの診断がつきやすい。心の器に社会適応能力の水（知的レベルや周囲のサポートにより増量）が満たされれば，苦手分野も隠され，生活のうえで適応しやすくなる。

図4 ADHD傾向と社会適応能力

〔Kosaka H, et al : Symptoms in individuals with adult-onset ADHD are masked during childhood. Eur Arch Psychiatry Clin Neurosci, 269(6) : 753-755, 2019より改変〕

応能力の水が減っても，その人の個人能力の苦手分野はさほど目立たない。一方，神経発達症者では元来の個人内能力の差が激しく，社会適応能力の水が減る際は，その人の苦手分野が容易に露呈しやすいとも考えられる（図4）。このときに苦手分野における適応困難が出現し，周囲から神経発達症症状の顕在化とされるのではないだろうか。適応障害的にADHD症状が出現する時期があるのであろう。

児童期はADHDの診断がつかず，成人期にADHDが診断される症例（**図5**③，表1）は，児童期は家族などの周囲のサポートが手厚かったり，義務教育という環境のなかでうまく適応できていたり，元来の知的レベルでカバーしているから適応困難が起きにくかったのだろう。成人になり，家族などの周囲のサポートが薄まり，すべての行動に自主性を強いられ，社会適応能力の水が減った結果，知的レベルではカバーしきれずに苦手分野が露呈して，ADHD症状が顕在化し，診断が新たについたのであろう。つまり，ADHDの素因は生来からあり，成人になって急にADHD特性が出現したわけではないと考えられる。一方，反対のケースも考えられるであろう（図5②）。児童期にADHD診断がついた症例でも，当事者なり家族なりが本人の特性に合わせた環境調整，心理社会的サポートを行い，自分に適した進路・就労先を見つけた場合，周囲の者が本人にとっての負担のある業務を依頼せず，本人の特性に合わせたできる範囲のことを指示するような環境づくりになっていた場合，社会適応能力の水が増え，本人の苦手分野は目立たなくなり，本人の自尊心が育ち，ADHD症状は目立たず，診断がつかなくなることもあり得るであろう。青木の総説でも，「障害特徴といわれているものは，決して固定しているものではなく，時・所・人によって現れ方が異なるものではないか」と述べられている[7]。神経発達症特性を芸術面，技術面でうまく活かし，成

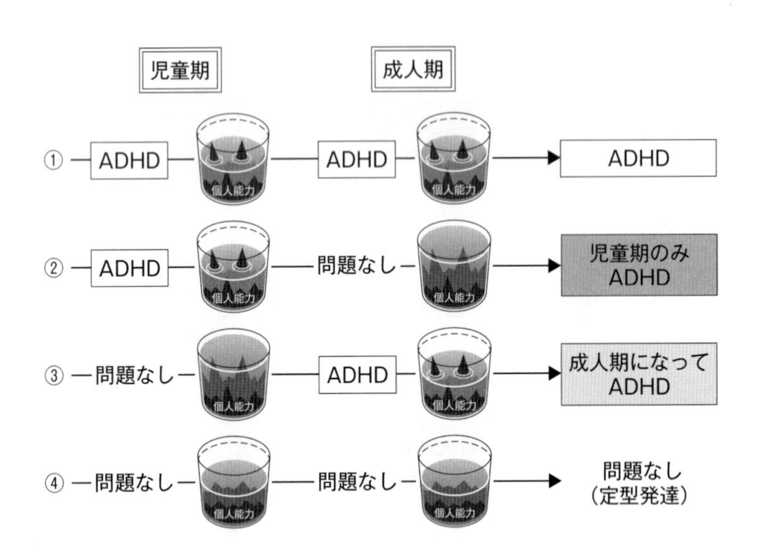

①ADHD診断が生涯続くケースでは，常にADHD特性が露呈している。②児童期にのみADHD診断されるケースでは，周囲のサポートによって社会的適応力が向上すれば，特性が隠され，日常生活の支障が減り，診断名がつかなくなる。③児童期には高い知能や環境的支援により隠れていたADHD特性が，成人期になってからストレスなどにより特性が露呈すると，成人期になって初めて気づかれるADHDと診断される。④元来，個人内能力の差が激しくなければ，ある程度のストレス下ではADHD特性の顕在化はみられない。

図5 ADHD特性が顕在化する時期に診断される

〔Kosaka H, et al : Symptoms in individuals with adult-onset ADHD are masked during childhood. Eur Arch Psychiatry Clin Neurosci, 269(6) : 753-755, 2019より改変〕

功している人々も多数おられるであろう。その人々も自分に不向きの異なった職業に就いたら，支援者がいなくなったら，どうなるであろうか。神経発達症の診断がつけられてしまうことが十分にあり得るであろう。

定型発達児者と同じようなストレスがかかった場合にでも，適応困難や生活困難感が容易に出現しやすいのが神経発達症とも考えられる[6]。その神経発達症特性が目立つ適応困難が子どものときに起こるか大人になってから起こるかの違いで，「子どものときのみ神経発達症」，「大人になって初めて診断される神経発達症」といった症例として出現するのであろう。このように考えると，それらは別の障害群ではなく，すべて同じ特性をもつ単一疾患であると考えられる（図5①～③）。われわれ医療者は，いつの世代であっても，神経発達症の特性が目立たなくなるように，心理社会的アプローチにより社会適応能力を上げさせることが最善と考えられる。薬物治療も周囲からのサポートの一つとして位置づけられるであろう。

5 成人期ADHDの有病率

成人期ADHDの有病率の調査は十分になされていない。いくつか理由があるが，ADHDと診断される機会が少ないことも挙げられるであろう。児童期は家族や教員の客観的意見があり，いますぐに対応しなければならない状況がある。ところが，成人期ADHDは，客観的意見が得られにくいし，当事者もADHD自体よりは，併存疾患である気分障害や不安障害，ときには，物質使用障害や睡眠覚醒リズム障害，ゲーム障害などが主体となり，ADHD診断に気づかれないままのことも多いであろう。

2021年に報告されたシステマティックレビューとメタ解析の論文では，18歳以上の成人期でも，児童期から成人期まで続いている「持続性ADHD群」と，児童期の診断の有無にかかわらず成人期現在にADHD症状がある「症候性ADHD群」で分けて検証された（**図6**）[8]。有病率は，持続性ADHD群は2.58％（世界での推計1億3,984万人），症候性ADHD群では6.76％（世界での推計3億6,633万人）にもなるという結果であった。持続性ADHD群は図5①に相当し，症候性ADHD群は図5①，③の合わせたケースと推察される。成人期になってADHDと診断されるのが珍しいどころか，過半数を占めており，先ほどの3つの出生コホート調査を否定するものではないことがわかる。

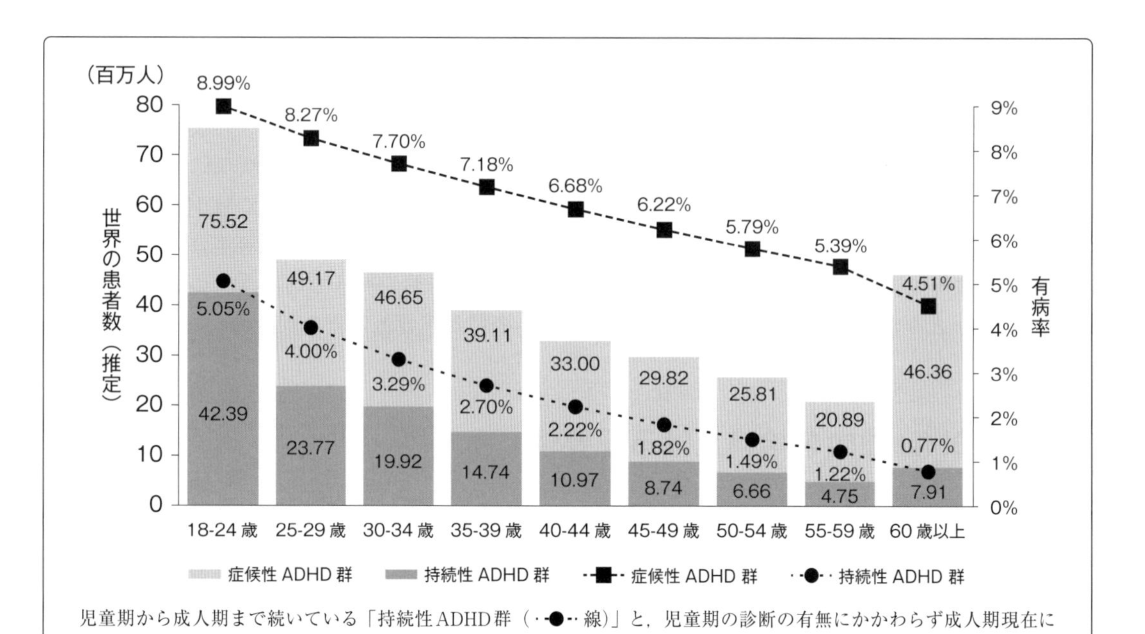

児童期から成人期まで続いている「持続性ADHD群（‥●‥線）」と，児童期の診断の有無にかかわらず成人期現在にADHD症状がある「症候性ADHD群（‐■‐線）」の有病率と推定される世界での患者数を折れ線グラフと棒グラフで示す。年齢が上がるにつれ，有病率は下がる。しかし，持続性ADHD群よりも症候性ADHD群が圧倒的に多いことがわかる。

図6 成人期ADHDの有病率と患者数

(Song P, et al : The prevalence of adult attention-deficit hyperactivity disorder: A global systematic review and meta-analysis. J Glob Health, 11 : 04009, 2021より作成)

6 成人期で初めて診断されるADHD者の苦悩

児童期から診断がついていた場合は，家族がいい意味であきらめがつき，当事者に合わせた対応となり，その人に合った人生目標を立てている。社会資源によるサポートも法整備もされており，その情報を入手して，実際に手厚いサポートを受けられている。

ところが，成人期で初めて気づかれた症例では，当事者も家族も人生観をなかなか修正させることができないことが多く，障害者枠就労を拒むこともあるし，就労しても大きな挫折を感じることもあるだろう。うつや不安状態，精神病症状で精神科的治療も必要な場合も多く，その負担も大きい。社会資源によるサポートもいまだ十分とはいえない（表1）[2]。

成人期に初めて気づかれるADHD者の主訴（つまり実際に感じている困難）は，不注意，多動衝動性などの中核症状ではなく別の形で現れ，当事者も家族も生活に困惑していることが多い。本来は，知的レベルや周囲のサポートで，それなりにADHD特性を隠せて，日常生活を送れ，学校でも目立った問題がなく，対人関係でも大きなトラブルがなく過ごされていたわけである。そのために，子どもの頃には発達障害という診断がつかなかったわけである。ADHD傾向としては軽症である。ところが，実際に成人になって気づかれるADHDは社会適応が著しく悪いことが多い。就職が出来なかったり，多額の借金があったり，家庭内でもトラブルになったり，本来軽症であったのに，重症度合いが逆転しているかのようである（表1）[2]。

ADHDの診断がついた人々だけでなく，ADHD傾向をもっているだけでも苦悩していることが多い。最近の報告では，ADHDの診断がついていない9,640人の日本人成人に対して，Adult ADHD Self Report Scale（ASRS）を実施し，陽性になった群と陰性になった群では，日常生活の負担が明らかに違うことが立証されている[9]。ADHD未診断でもASRS陽性群は陰性群と比較して，うつ病，全般性不安障害，双極性障害，不眠症などの精神神経疾患との併発が有意に高いだけでなく，アレルギー疾患や喘息も有意に併存しやすいと報告した（**図7**）。さらに，健康関連の生活の質（HRQoL）が有意に低く，仕事の生産性と活動の障害（WPAI）や医療資源の利用（HRU）が有意に高かった[9]。この報告はADHDの未診断者であるが，丁寧に診断すればADHD診断がつくかもしれない。少なくとも，現在の世の中，ADHD診断の有無にかかわらずADHD傾向があるだけで，そのような人々が日常生活に苦悩している事実は知っておくべきであろう。つまり，ADHD診断がつくかどうかよりも，ADHD傾向を見逃さない姿勢が重要と考える。

7 ADHD傾向を拾い上げる重要性

ここまで述べてきたように，ADHD傾向を拾い上げることが重要だと考えられる。診断がつくかどうかは，その時々によって，自分の得意な環境下にいるかどうか，サポートの有無など置かれている状況がどうかによって大きく左右される。ADHD傾向がある者が児童期に，児童精神科や小児神経科で「診断がつかない」と説明されたとしたら，その後，当事者や家族が明らかに苦悩した際に受診をするのはいつになるだろうか。かなり遅れるのではないだろうか。「いま現在はADHD診断がつかないけれど，その傾向があるので，今後は十分に留意したほうがよい」と伝える意義は大きいと考えられる。診断がつかなくても，当事者がADHD傾向を自覚して生活していくことや，家族がペアレント・トレーニングなどのスキルを実践していくことに，何か不都合があ

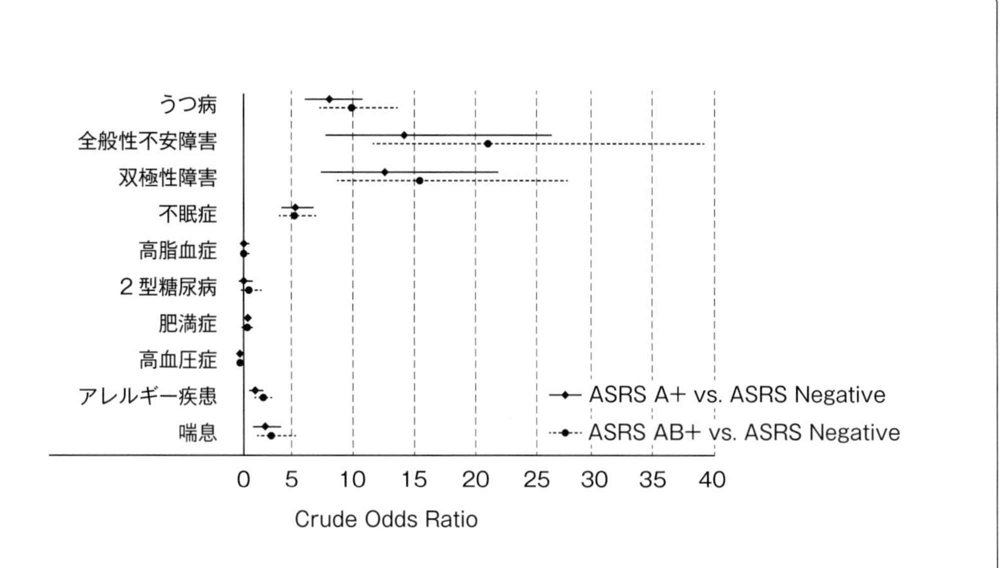

ADHD未診断で，Adult ADHD Self Report Scale（ASRS）の陽性群（Part A 4項目以上，または，Part AとB合わせて9項目以上）と陰性群の併存疾患をもつ比較。うつ病，全般性不安障害，双極性障害，不眠症などの精神神経疾患との併発が5倍以上であり，アレルギー疾患や喘息も2倍以上である。

図7 ADHD未診断であっても，ADHD傾向が強ければ併存疾患をもちやすくなる

〔Naya N, et al : The Burden of Undiagnosed Adults With Attention-Deficit/Hyperactivity Disorder Symptoms in Japan: A Cross-Sectional Study. Cureus, 13(11) : e19615, 2021より改変〕

るだろうか。そのような医療者の心がけが，ADHD傾向がある人に対して，ストレス状況下でもADHD症状を顕在化させにくくする予防・対策になると考える。

また，これはADHD傾向に限ったことではない。ASD傾向も同様である。神経発達症の日常生活の支障は，ADHDベクトルとASDベクトル，そして知的レベル（IQの低さ）のベクトルで作られる立方体の大きさで決まるともいわれている[10]。この独立した3つの尺度のほか家族による生育環境を考慮した発達的基盤が人格形成に強く影響を与えるとされる[10]。ある基準で診断をつけるかつけないかではなく，傾向として，ディメンジョンの考え方が重要と考える。

8 おわりに

成人期に初めてADHDと診断されることは十分にあり得る。元来，軽症であり，知的レベルや周囲のサポートで症状の顕在化をマスクしていたが，強いストレス状況下で自身の社会適応能力だけでカバーしきれないときにADHD特性が顕在化し，診断がつくと考えられる。成人期の神経発達症の臨床現場において，医療者は苦悩している当事者と家族に寄り添い，サポートをしながらおつきあいしていく必要がある。そんななか，人生がうまくいかなかった理由が神経発達症傾向のためとわかり，当事者自身がすっきりして割り切れることも多い。医療現場が診断をつける場所や薬剤投与をする場所だけで終わらないように留意したい。

（小坂 浩隆）

参考文献

1）小坂浩隆，他：発達障害の子どもから大人への連続性について．最新精神医学，22（3）：197-208，2017.
2）小坂浩隆：ADHDの概念．医学のあゆみ，280（2）：129-133，2022
3）Moffitt TE, et al : Is adult ADHD a childhood-onset neurodevelopmental disorder? Evidence from a four-decade longitudinal cohort study. Am J Psychiatry, 172（10）: 967-977, 2015
4）Agnew-Blais JC, et al : Evaluation of the prsistence, remission, and emergence of attention-deficit/hyperactivity disorder in young adulthood. JAMA Psychiatry, 73（7）: 713-720, 2016
5）Caye A, et al : Attention-deficit/hyperactivity disorder trajectories from childhood to young adulthood: Evidence from a birth cohort supporting a late-onset syndrome. JAMA Psychiatry, 73（7）: 705-712, 2016
6）Kosaka H, et al : Symptoms in individuals with adult-onset ADHD are masked during childhood. Eur Arch Psychiatry Clin Neurosci, 269（6）: 753-755, 2019
7）青木省三：成人期の発達障害について考える．専門医のための精神科臨床リュミエール23；成人期の広汎性発達障害（青木省三，村上伸治：責任編集），中山書店，pp2-16，2011
8）Song P, et al : The prevalence of adult attention-deficit hyperactivity disorder: A global systematic review and meta-analysis. J Glob Health, 11 : 04009, 2021
9）Naya N, et al : The Burden of Undiagnosed Adults With Attention-Deficit/Hyperactivity Disorder Symptoms in Japan: A Cross-Sectional Study. Cureus, 13（11）: e19615, 2021
10）岡野高明，他：成人におけるADHD, 高機能広汎性発達障害など発達障害のパーソナリティ形成への影響―成人パーソナリティ障害との関連．精神科治療学，19（4）：433-442，2004

第5章

第4版から第5版へのガイドラインの改訂をめぐる検討

1 第5版ガイドラインへの改訂をめぐる検討 ―執筆者アンケートを通じて―

2006年上梓の「注意欠陥／多動性障害―AD/HD―の診断・治療ガイドライン 改訂版」以来採用してきた本書の巻頭を飾る2色刷りの「子どもの注意欠如・多動症（ADHD）の診断・治療ガイドライン」は，いわば本書のエッセンスと呼ぶべき部分である。そのいわば「狭義」のガイドラインは，編集者が本書の各執筆者の執筆内容からADHDの診断・評価および治療・支援をめぐる推奨事項を抽出し，ガイドラインとしての一貫性を維持しつつ実際の臨床現場での実行可能性を備えた内容とすべく修正・推敲を加えて素案とし，それに対する各執筆者の意見を組み込んで最終案を作成し，再び各執筆者による検討と承認を経て完成するという過程を経て成立したものであった。改訂版および第3版が上記のような過程を経て作成されたガイドラインであったが，本書の直前の版である「注意欠如・多動症―ADHD―の診断・治療ガイドライン 第4版」（2016）に掲載した「子どもの注意欠如・多動症（ADHD）の診断・治療ガイドライン」は従来の作成法に加え，治療・支援ガイドラインの部分にあたる心理社会的治療と薬物療法についてのエキスパート・コンセンサスを反映させたものである。このエキスパート・コンセンサスは，国際医療研究委託費21－指127「注意欠如・多動性障害―ADHD―の客観的指標に基づく診断・治療指針の作成に関する研究」の一環として，2011年から2012年にかけて日本ADHD学会の医師会員を対象として実施したアンケート調査の結果から作成したものである（牧野，他，2015／牧野，他，2018）。このエキスパート・コンセンサス作成のためのアンケート調査では，回答者が「推奨する治療法」を挙げる質問に加え，各治療法を「実際に用いているか否か」についても質問しており，第4版に掲載したガイドラインではこの調査における推奨度と実際の実施状況とを総合的に判断しガイドラインに反映させた。

本書「注意欠如・多動症―ADHD―の診断・治療ガイドライン 第5版」に掲載された「子どもの注意欠如・多動症（ADHD）の診断・治療ガイドライン」は，本書各項目の記載内容から上記のような手順で作成されたガイドライン素案に，第4版掲載のガイドラインの主な推奨項目について修正あるいは変更の必要性を各執筆者に問うアンケート調査の結果を組み込んだガイドライン案を編集者が作成し，各執筆者の検討を経て完成させるという過程を通じて作成されている。

ここではこの執筆者50名を対象としたアンケート調査の集計結果を本書の「子どもの注意欠如・多動症（ADHD）の診断・治療ガイドライン」成立の基礎資料として供したい。

1 調査の概要と回答数

今回の調査は，2016年の本書の前版である第4版の上梓から現在までの間にADHD薬に新たにグアンファシン徐放錠（商品名：インチュニブ）とリスデキサンフェタミンカプセル（商品名：ビバンセ）が加わり，従来のメチルフェニデート徐放錠（商品名：コンサータ）とアトモキセチンカプセル（先発商品名：ストラテラ，ジェネリック薬剤複数あり）に加え4剤となったことで，薬物療法を中心としたガイドライン改訂の必要性が高まったことに応じて実施したものである。さらにリスデキサンフェタミンカプセルの発売に先立ち同剤とメチルフェニデート徐放錠の2剤に対して患者登録が必要になるなど厳しい適正流通管理が求められることになり，この2剤処方にあたっては処方医およびその所属医療機関，調剤薬剤師およびその所属薬局，患者氏名，そして毎回の処方内容が登録制になったことは，ADHD治療薬が4剤時代に入ったこととあいまってガイドライン改訂の必要性を高めた要因である。この薬物療法に関するガイドライン改訂に取り組むのを機に，診断・評価ガイドラインにおける評価バッテリーについて，そして治療・支援ガイドラインのうち心理社会的治療の具体的技法の推奨についても，各々の時代的変化に適合した改訂が必要か否かを問い修正に関する意見を収集することとした。その結果，執筆者アンケートは治療を総合的かつ体系的に組み立てるための治療アルゴリズム，心理検査バッテリー，心理社会的治療の推奨できる技法，薬物療法導入のタイミングと薬剤選択のアルゴリズムなどを問う質問紙となった。

調査依頼および調査用紙は2021年12月10日に各執筆者宛てEメールで送付され，2022年1月7日を回答期限としている。調査対象は50名の本書執筆者（共著の項では筆頭執筆者を対象とした）であり，回答者は44名，うち医師は40名，心理師は4名であった。なお未回答者は医師5名心理師1名の計6名である。また，以下で登場する薬剤名はすべて次のような略語で表記する。

①メチルフェニデート徐放錠 ⇒ OROS-MPH
②アトモキセチンカプセル ⇒ ATX
③グアンファシン徐放錠 ⇒ GXR
④リスデキサンフェタミンカプセル ⇒ LDX

2 調査結果

以下では調査に用いた質問紙の各質問を示し，各々の集計結果および自由記述欄に記載された回答の概要を示しつつ，それらに関する筆者の理解と見解を述べていく。

質問１
第４版ガイドラインの診断・評価ガイドライン②で診断の基準をDSM-5に準拠することを推奨し，診断アルゴリズムを図１として提示しておりました〔第４版冒頭のガイドライン部分 *(7)* ページ〕。第５版ガイドラインでもこの点は継承したいと考えていますがいかがお考えでしょう。

この質問への回答は，「a. DSM-5に準拠で賛成」，「b. ICD-10に準拠すべき」，「c. その他」の3択であり，cの回答者にはその理由を自由記述欄に記載することを求めている。結果は44名全員が「a. DSM-5に準拠で賛成」と回答しており，この点は第5版の診断・評価ガイドラインにおいても継承すべきだろう。

質問２
第４版ガイドラインの診断・評価ガイドライン④でADHDの重症度判定基準として「GAF尺度（内容的にはCGASを加味しています）」を表２として提示し，これに準拠した重症度判定を推奨しておりました〔第４版 *(9)* ～ *(10)* ページ〕。第５版ガイドラインでもこの点は継承したいと考えていますがいかがお考えでしょう。

この質問への回答は，「a. 賛成，b. 反対，c. その他」の3択であり，bあるいはcを選択した回答者には，その理由を自由記述欄に記載することを求めている。その結果は「a. 賛成」が43名（回答者の98%），「b. 反対」が1名（同2%）であった。やはり臨床場面で使いやすいという点では現在でもGAF（子どもではCGAS）に軍配が上がるようであるが，反対の理由として記載されていた「DSMでGAFはなくなっており，機能水準を反映する他の言葉で表現すべきではないか」というものであり，DSM-5に準拠した他の機能水準の評価法を採用すべきではないかという反対意見も重要な指摘である。GAFが基本的に評価者の主観に基づく直観的な評価という点で正確性に欠けることは筆者も感じているところである。一方，DSM-5における重症度の評価は，「軽度」が診断を下すのに必要な項目数の症状があったとしても少なく（17歳未満は6個以上，17歳以上は5個以上という基準を大きく越えない），症状がもたらす社会的または職業的技能への障害はわずかでしかないとされ，「重度」が診断を下すのに必要な項目数以上に多くの症状がある，またはいくつかの症状が特に重度である場合，あるいは症状が社会的または職業的機能に著しい障害をもたらしている場合とされており，「中等度」は両者の間と定められているといった具合に，症状の個数と各症状の重症度や社会的機能水準への影響から判断すると方法を採用している。DSM-5の重症度規定は症状数を評価基準に入れるなど客観的な判断基準を示そうとしているものの，例えば「軽度」に入る症状数にとどまっていてもそのうちのいくつかの症状が非常に深刻で臨床的には重症と評価すべきと考えるケースも珍しくはなく，逆に症状数は多くてもそれぞれの障害度は低く，軽度あるいは中等度の範囲にとどまるケースもありうる。また，症状の重症度や社会的機能への障害度など評価者の主観が影響するという点ではGAFと大きな違いはないようにも感じられる。結局，実際にはどちらを選ぶというより両者を視野に入れた折衷的な重症度評価が適切であり，ASEBA（Achenbach System of Empirically Based Assessment）に含まれるCBCL（Child Behavior Checklist）およびTRF（Teacher's Report Form），Vineland-II，MSPA（Multi-dimensional Scale for PDD and ADHD），SDQ（Strengths and Difficulties Questionnaire）などADHDの子どもの行動プロファイルあるいは障害の特性プロファイルを得ることのできる評価尺度の一つあるいは複数を組み合わせた評価バッテリーの結果も加味して重症度は総合的に評価されるべきであるとする指針を第5版の診断・評価ガイドラインに組み込むことを提案する。

質問３

第４版ガイドラインの診断・評価ガイドライン⑦でいくつかの心理検査，知能検査，認知機能テストの名称を挙げ，「ADHDが疑われる子どものための心理検査バッテリー」を図２として提示し，こうした発想で心理検査等を組み立て実施することを推奨しておりました〔第４版 *(13)* ページ〕。第５版ガイドラインでも同様のバッテリーを提示したいと考えております。ガイドライン⑦のテキスト部分とこのテスト・バッテリーの流れ図〔第４版 *(12)* ～ *(13)* ページ〕をご覧になって，修正すべきとお考えの点がございましたらお教えください。特に心理師の先生方にはこの５年間でここに挙げられた検査の正式なバージョンアップが行われ名称が変化している検査がございましたら括弧内に記載をお願いします。また現在では実施されることが稀になっている検査につきましても，もしおありでしたら選択肢ｂに〇をつけ，修正点およびご意見は括弧内に記載をお願いします。

この質問への回答は，「a. このままでよい」と「b. 修正が必要」の2択であり，bを選択した回答者には自由記述でその理由の記載を求めている。結果は無記入の4名を除いた回答者40名のうち

「a. このままでよい」が31名（回答者の77.5%），「b. 修正が必要」が9名（同22.5%）であった。このままでよいとした回答が多数を占めるにしても，修正が必要とした回答が9名から寄せられており，しかも9名のうち4名が心理師で，本調査に回答した心理師の執筆者全員にあたることから，その意見は重視すべきであると考える。

ADGDの評価にあたってどのような心理検査を選択すべきか，そのうち推奨度の高いものはどれかといったテスト・バッテリーの組み合わせについて回答者が挙げた修正すべき点の要旨を以下に示したい。

①知能検査であるWISC-Ⅳについて，2021年にWISC-Ⅴ日本語版が出版されており，徐々にそちらへの転換が進んでいることから，少なくともWISC-IVとWISC-Vの混在を前提に両者を併記すべきである。
②新版K式発達検査は幼児用の発達評価として入れておくべきではないか。
③CBCL（ASEBAに含まれている），Vineland-II，SDQはよく用いている。
④MSPAは「神経発達症特性の評価」として組み入れても良いのではないか。
⑤TATの子ども用として開発されたCAT日本版試案はすでに販売が停止されており削除する必要がある。
⑥描画テスト，ロールシャッハ・テスト，TAT，PFスタディはADHD臨床でほぼ使っていない。
⑦ADHD臨床でTATは検査に時間がかかり分析方法も統一されていないのでほぼ使っていない。
⑧古めかしい絵ではあるが，TATは対人関係をみるためにまだ役立つものとして投映法の国際学会でも認められているので残しておきたい。
⑨改訂版標準読み書きスクリーニング検査（STRAW-R）を特異的発達障害診断・治療ガイドラインが提示した診断法に加え限定性学習症の評価法として追加したらどうであろうか。
⑩CPT（Continuous Performance Test）も挙げるとよいと思う。

以上が質問3に対するテスト・バッテリーに関する意見の要旨である。いずれも重要な指摘であるので基本的にはガイドラインに取り入れる意義があると考える。ただし，パーソナリティ検査（描画テスト，TAT，PFスタディ，文章完成法，ロールシャッハ・テストなど）はADHDの子どもの全体像を把握するうえでは重要な情報源であり，ADHD診療におけるその意義を否定することには賛成できない。かといってここに挙げた検査をすべて実施すべきという推奨では下記の意見⑪にもあるように臨床現場の現実に即していない指針になってしまう。基本的には評価者あるいは評価チームが実施することに慣れているパーソナリティ検査を行うことが望ましいとする水準にとどめるべきだろう。また，ASEBA（Achenbach System of Empirically Based Assessment）に含まれるCBCL（Child Behavior Checklist），Vineland-Ⅱ，MSPA，そしてSDQ（Strengths and Difficulties Questionnaire）はいずれも重要な聞き取り式の評価尺度であるが，それらは心理検査バッテリーのガイドラインとは別に自記式のADHD-RSなどと共に評価尺度に関するガイドラインで触れるべきである。また，CPTは標準注意検査法（Clinical Assessment for Attention；CAT）のテスト・バッテリーに含まれており，現在CAT-CPT2が標準となっていることからこれを診断・評価ガイドラインではCATとの関連から記載することを筆者は提案したい。

なお医師の回答者から寄せられた意見にはテスト・バッテリーに関する意見以外に以下のような指摘があった。

⑪ガイドラインにあまり詳しく心理検査名を挙げると，それをしないとガイドラインにのっとった診療が行われていないと非難される恐れがないかという不安がある。内容としてはいまのままで良いが，何が必須であり，何が参考であるのかを明示したほうが良いかもしれない。

診断・評価ガイドライン作成にあたり心得ておくべき重要な指摘は意見⑪である。心理検査バッテリーをどの広がりで示すかが臨床に与える影響について考慮し，過剰になりすぎないバランスの良いバッテリーとして示すべきであるとの指摘と理解した。いうまでもなく，臨床ガイドラインはその時代の理想的かつ先進的な診療手技やその活用法を実施すべきとして列記したものではなく，臨床家にとって手がとどく範囲にある最善の診療指針を示すものでなくてはならない。すなわち心理検査における欠くことのできない検査はどれで，そうでない検査はどのような目的があるときに利用すべきかが理解しやすい柔軟なテスト・バッテリーの概念を示したガイドラインを目指すべきだろう。本書第4版に掲載されている診断・評価ガイドラインでは流れ図（図2）を示し，そこに主な検査名を記載する形式を採用していた〔第4版 *(12)* ～ *(13)* ページ〕。しかし回答⑪で指摘されたように，これでは流れ図に記載された検査はすべて行うべきと誤解される可能性を否定できないため，第5版ではこの流れ図を用いず，上記のような趣旨をテキストとして明確に記載する形式を採るべきと考える。

質問４

第４版ガイドラインの治療・支援ガイドライン②でADHDの治療・支援について「環境調整に始まる多様な心理社会的治療から開始すべき」とし，「まず薬物療法ありきの治療姿勢を推奨しない」と明確に記載したうえで「ADHD治療・支援の基本的流れ」として図７を提案しております〔第４版 *(21)* ～ *(22)* ページ〕。この点につきましてはADHD治療に臨む治療者としての心構えのうち最も大切な原則であるという思いは現在でももち続けており，第５版ガイドラインでも継承したいと考えていますがいかがお考えでしょう。

この質問への回答は，「a. 賛成」「b. 反対」「c. その他」の3択であり，bあるいはcを選択した回答者には自由記述でその理由の記載を求めている。集計の結果は「a. 賛成」が無記入の1名を除いた回答者43名のうち41名（回答者の95%），「b. 反対」が1名（同2.5%），「c. その他」が1名（同2.5%）であった。回答者43名の大半が「環境調整に始まる多様な心理社会的治療から開始すべき」という指針を含んだ本書第4版の治療・支援ガイドライン②およびそこに掲載されている図7〔第4版 *(21)* ～ *(22)* ページ〕に賛成しており，「まず薬物療法ありきの治療姿勢を推奨しない」とする第4版の治療・支援ガイドラインの基本姿勢は回答者に支持されていた。

「b. 反対」の意見は，「多様な心理社会的治療という表現が少し，曖昧なので，心理社会的治療のなかでもエビデンスの強さによって重みづけしたほうが良いと思う」というもので，エビデンスが強く海外の複数のガイドラインで強く推奨されているという意味で「Behavioral parent training (BPT)」を明記すべきであるというものである。しかしこの反対意見は漠然と心理社会的治療と呼ぶことへの反対であり，心理社会的治療を薬物療法の前に置くべきという基本姿勢への反対意見ではないと理解できる。BPTはわが国ではペアレント・トレーニングと呼ばれ，日本ペアレント・トレーニング研究会を中心に全国への普及の努力が続いており，エビデンスを示すことの難しい心理社会的治療のなかで徐々にエビデンスを蓄積しつつある現状からも，その意義は注目に値する。しかし，第4版の治療・支援ガイドライン②の表現は心理社会的治療の内容に触れているのではなく，心理社会的治療を薬物療法開始前にしっかりと行うべきであるという基本姿勢を推奨したものである。第5版の治療・支援ガイドラインでもこの基本姿勢を継承し，ペアレント・トレーニングだけをまず推奨するという姿勢は採らず，「心理社会的治療」という大きな概念を示す方向でいきたいと考える。ただし，第4版の治療・支援ガイドライン②で「多様な心理社会的治療」と表現した部分はあまりに曖昧なため，多様なという表現を削除し「心理社会的治療」とだけしておくことについて各執筆者と検討したい。このような基本姿勢を明確にしたうえで少なくとも解説部分では，心理社会的治療としてペアレント・トレーニングの実施が最も強く推奨されることに触れることとしたい。

「c. その他」を選択した回答者の意見は「薬物療法に批判的なスタンスを助長しない内容がよい」というものである。医師として日々ADHD診療に携わるなかで感じてきた意見として筆者も十分理解できる。しかし，どのような医学的治療法も完全に批判なしで受け入れられることはなく，とりわけ薬物療法は厳しい批判を受けやすい。薬物療法に関するガイドラインは「批判的なスタンス」との対峙という緊張関係のなかでこそ行き過ぎを抑制され，磨き上げられ，結果として過誤や逸脱を回避できる可能性が高まるのである。その意味で薬物療法に関するガイドラインは，簡易的な診察から導かれた大まかな見立てと診断を根拠にいきなり薬物療法に走るような診療は推奨しないというシンプルで明確な基本姿勢から始まるべきではないだろうか。いうまでもなく為にする薬物療法批判が存在することはよく心得ているが，それを恐れるあまり「まず薬物療法ありきの治療姿勢を推奨しない」という第4版の治療・支援ガイドラインの基本姿勢を曖昧にするわけにはいかないのである。

ここまでの質問と異なり，以下の質問5から質問7まではすべて薬物療法に関連した意見聴取であり，専門性という点から，そして実際にADHD治療薬の処方経験をもつという点からも医師の執筆者の回答だけを集計することにした。

質問５

第４版ガイドラインの治療・支援ガイドラインでは⑬から⑰までが併存症を伴わないADHDと，併存症として不安障害，重篤な抑うつ状態，チック症状，行動障害をもつADHDに対する薬物療法のアルゴリズムを挙げておりました。第５版ガイドラインはADHD治療薬４剤時代を迎えていることに応じたアルゴリズムの修正が必要になります。それと同時に第４版で提案していた併存症をもつADHDの薬物療法に関するアルゴリズムを第５版治療・支援ガイドラインでは提案しないことにしたいと考えています。どうしてもこの分野では意見のばらつきが生じやすいことと，適応外処方が大量に示されることの危険性への懸念が捨てがたいことがその理由です。この点は本書の本文部分に掲載した「第３章 ２ 薬物療法 ❸ ASD併存例でのADHD薬物療法」および「第３章 ２ 薬物療法 ❹ その他の併存症をもつADHDの薬物療法」でだけ適応外処方の薬剤名を含めて触れていただくことにしたいと考えております。なお，併存症としてチック症をもつ場合にはOROS-MPHとLDXは禁忌であることは第５版ガイドライン中で明記する予定でおります。そこでまず，薬物療法のガイドラインを提案する基本姿勢として，併存症をもつ場合の薬物療法に関してこのような改変を行って第５版ガイドラインとするという編集姿勢に賛成していただけるでしょうか。

この質問への回答は，「a. 賛成，b. 反対，c. その他」の3択であり，bあるいはcを選択した回答者には自由記述でその理由の記載を求めている。集計の結果は「a. 賛成」が40名の医師回答者のうち38名（回答者の95%），「b. 反対」は0名，「c. その他」が2名（同5%）であった。第4版の治療・支援ガイドラインで掲載していた主たる併存症4種類のうちのいずれかをもつADHDの薬物治療に対するアルゴリズムは第5版治療・支援ガイドラインでは採用しないという方針に指示を得られたと考える。「c. その他」と答えた回答者の意見が2件あり，その一つは「併存症をもつADHDの薬物療法アルゴリズムはなくとも，併存症をもつ場合に積極的にすべきでない薬物療法の指針は提示しておくほうがよい。例えばチック症が併存する場合に，OROS-MPHやLDXは使用すべきでないということや，13歳以上の不安症併存例にOROS-MPHから開始すべきでないということなどである」という意見であり，二つ目は「併存症すべてをカバーするのは無理があるが，NICEのガイドラインなどでも，ある程度は触れられているので，別に章立てをせずに本文中に記載してもらうのも良いかと思う」というものである。どちらの意見も併存症をもつADHDの薬物療法アルゴリズムを掲載しないことは承認したうえで，併存症の多いADHDだけに併存症をもったケースの薬物療法を組み立てる際に何をしてはならないか，そして何が推奨されるかはテキストとして示す方がよいのではという意見である。その指摘は合理的なものであり，薬物療法に関する治療・支援ガイドラインに何らかの形で反映させるべきであるだろう。

次の質問6は薬物療法におけるADHD治療薬4剤の位置づけに関する問いであり，質問6-1から質問6-7までの7つの質問に分けて回答者の意見を聞いている。なお薬物療法終結については質問7として独立させているが，その理由は質問6で薬物療法の治療効果が得られない場合の薬物療法中止に関して聞いている質問6-6および質問6-7との混乱を避けるための工夫である。

質問6-1

第５版ガイドラインにおける薬物療法アルゴリズムではLDXを除いた３種類のADHD治療薬が薬物療法の第１段階に置かれる可能性（すなわち第１選択薬となる可能性）があります。ADHD治療薬２剤時代の第４版ガイドラインではOROS-MPHとATXのどちらかの単剤処方を横並びの第１段階処方（すなわち第１選択薬）と設定しておりましたが，４剤時代の第５版ではGXRを加え，OROS-MPHとATXとGXRの３剤のいずれかを単剤処方するという選択を横並びの第１選択薬とすることが第４版の考え方を継承することになります。この考え方についてのご意見をうかがいます。

この質問への回答は「a. OROS-MPH，ATX，GXRの3剤を横並びの第1選択薬とし，いずれかの単独処方を第1段階とすることに賛成」，「b. 3剤の横並びに反対であり（＿＿＿＿＿＿＿＿）を第1選択薬とすべきである」，「c. その他」の3択であり，「反対」の場合には第1選択薬とすべき薬剤名を記載することが求められ，「その他」の場合も意見をコメント欄に記載することが求められている。なお回答者には，4剤が承認されているわが国のADHD治療薬の現状で薬物療法アルゴリズムを作成するにあたり，OROS-MPHとLDXの2剤に対して患者登録が必要になるなど厳しい適正流通管理が求められ，特に後者は他のADHD治療薬が有効でない場合のみ処方可能という制約を受けているわが国特有な規制の現状を前提としたうえで回答することが求められている。

質問6-1の回答の集計結果はaのOROS-MPH，ATX，GXRの3剤を横並びの第1選択薬とすることに賛成したのは医師の回答者40名中27名（回答者の67.5%）であり，bの3剤の横並びに反対し特定の薬剤を第1選択薬とすべきとした回答者が10名（同25%），cのその他とした回答者が3名（同7.5%）であった。3剤横並びに賛成した回答者が多かったとはいえ，これまでの質問における回答と異なり，反対およびその他とした回答者が三分の一近くを占めている点は注目すべきであろう。

回答者の意見で最も多いのは「3剤のなかで最も効果があるとのエビデンスがあり，海外のガイドラインでは第1選択薬とされることも多いOROS-MPHを他の2剤との横並びにしてよいものか」という3剤横並びへの反対意見である。「3剤横並びとする根拠が明確に示されないと薬物療法の指針として弱く，臨床現場での混乱も危惧される」といった趣旨の意見も含めると11名からこのような意見が寄せられた。このなかで薬剤名を明確に記載した意見が9名から寄せられており，うち「OROS-MPH単独で第1選択薬とすべき」と記したのが6名，「OROS-MPHとGXRの2剤を横並びの第1選択薬とすべき」と記したのが3名であった。このようなOROS-MPHをより高い水準の推奨とすべきであるという意見の一方で，「中枢神経刺激薬を第1選択薬とせず，ATXとGXRの2剤横並びで第1選択薬とする」という意見も1名から寄せられている。

OROS-MPHをはじめ中枢神経刺激薬については，歴史的にはヒロポン（メタンフェタミン塩酸塩）乱用に対する困難な取り締まり経験を過去にもっており，現在も覚醒剤の乱用と依存，そしてその背景にある違法取引が根絶されていないわが国における中枢神経刺激薬への強い社会的警戒心と，近いところでは短時間作用型メチルフェニデートであるリタリン（メチルフェニデート塩酸塩）の乱用が問題となりナルコレプシーが唯一の適用疾患とされるに至った2007年前後の経緯に強い影響を受け，海外諸国の感覚からはおそらく理解し難いような抑制的圧力が処方医にかかっているという現実がある。臨床医がADHDに対する中枢神経刺激薬の効果をいくら強調しても，医師の処方によってリタリン乱用が蔓延していった過去を規制当局はけっして忘れてはいないのである。そうした事情を無視して海外と横並びの中枢神経刺激薬優先という指針を示すことは，それを根拠に原則を踏み外した中枢神経刺激薬の処方が蔓延する余地を作ってしまわないかという懸念を無視することは，安全かつ有効な診療指針を目指す臨床ガイドラインとしてあってはないと考える。

回答者40名の意見の過半数を占める27名が3剤横並びを選び，1剤（OROS-MPH）あるいは2剤（OROS-MPHともう1剤）を第1選択薬とし，残った1剤（ATXが多かった）は第2選択薬に位置づけるという意見を採らなかったのは，油断すれば生じうる中枢神経刺激薬処方の暴走を防ぐという意味で慎重であろうとした結果であろうと筆者はとらえている。本書第3版が上梓された2008年11月はOROS-MPHが2007年12月から販売開始されており，ATXが2009年6月に販売開始される予定となっているという狭間の時期であった。ATX販売開始があくまで予定であったその時点で世に問うことになった本書第3版の治療・支援ガイドラインはOROS-MPHとATXの2剤横並びを第1段階とすることを敢えて選択した。それから14年の時間が経過し，現在ではOROS-MPHのADHD症状への効果は明らかにATXやGXRより強く，切れの鋭い薬剤であることは多くの臨床医が認めているが，一方で食欲低下や睡眠抑制，あるいは頭痛や過剰な鎮静が生じることなどで使いにくいと感じる臨床医もいるだろうし，そこまで切れよく効果を発揮しなくても十分にADHD症状がコントロールされるADHD児もいるなどの理由で，ATXやGXRをまず処方し，効果不十分ならOROS-MPHに変更していくという処方に手応えを感じている臨床医も少なくない。このような歴史と現状から，第5版においてもこれまでのガイドライン作成上の方針に準拠し3剤横並びで第1段階とするという形にすることが適切であると筆者は考える。

とはいえ，3剤をただ横並びにして好きなものから始めようというのでは臨床医は薬剤の選択に困惑する可能性が高く，なんらかの選択の判断にかかわる指針を示すべきではないかという「c. その他」を選択した回答者が記した意見は十分に酌んだ薬物療法の指針とすべきだろう。それに関しては治療・支援ガイドラインのテキスト部分でOROS-MPHの効果が優れていること，各薬剤の主な副作用，もしOROS-MPHを第1選択薬としないとすればATXとGXRの選択はどのような基準で決定するべきかなどの課題について可能な範囲で記載すべきと考える。

質問6-2

前問で「3剤を横並びの第1選択薬とする」という第1段階が成立すると仮定したうえで，第4版の考えを継承するなら第5版の薬物療法における第2段階は「第1段階では選択しなかった他のADHD治療薬を選択する」ことになります。これを第2段階とすることへのご意見をうかがいます。

この質問への回答は，「a. 賛成」，「b. 反対」，「c. その他」の3択であり，bあるいはcを選択した回答者には自由記述でその理由の記載を求めている。集計の結果は無記入の1名を除いた39名の医師回答者のうち「a. 賛成」が37名（回答者の95%），「b. 反対」は0名，「c. その他」が2名（同5%）であった。意見を記載した回答者はcの2名に加え，aと回答している1名であった。cの回答者2名の意見は「選択しなかった他の薬剤も2剤あるわけで，そのなかでの選択根拠を示すべきではないか」と「第2選択は他の薬物ではなく，『薬物中止』という選択もできることを明記するほうがよい」というものであり，aの回答者1名の意見は「『賛成』ですが『基本姿勢として単剤療法を主体として変更を考慮検討する』を付記することは必要と考えます。安易な併用としないことを意味します」というものである。

回答した医師39名のうちの37名が，第1段階で3剤から一つを選ぶ単剤療法によって十分治療効果を得られなかった場合の第2段階は第1段階で選択した薬物以外の2剤から1剤を選択する単剤療法とすべきであるという本書第4版の治療・支援ガイドラインの基本姿勢を継承することに賛成している。その他の2名もその基本姿勢に反対ではなく，第2段階での2剤から1剤を選択する根拠を示すべきとする意見と「薬物療法の中止」という選択も可能とすべきという付帯条件を提案しているのである。薬物療法に関する治療・支援ガイドラインで残り2剤の選択の根拠を明確に記載するという提案については，2剤の臨床上の手応えの違いをガイドラインで明確に記載することは難しく，曖昧な点も多いので触れることはできないと考える。また，「薬物療法の中止」を第2段階の選択肢に含むべきという提案については，薬物療法の可能性を十分探ったうえで下すのが薬物療法中止の判断であることを考慮すると第2段階では早すぎるという印象をもたざるを得ない。次に，基本姿勢に賛成した回答者の「単剤療法を原則とすべし」という薬物療法全体に対する意見は，併用療法の安易な選択を戒めるという意味で第1段階および第2段階の基本姿勢とすべきである。しかし，併用療法については臨床症状が重度であり一定水準以上の社会的障害を呈しているケースでは単剤だけで効果が得られない場合には選択することがあるという基本姿勢で臨みたいと筆者は考えている。

質問6-3

OROS-MPH，ATX，GXRの3剤間の併用をどう位置づけるかについてa～eの選択肢をお選びください（複数選択可）。a～dのいずれの回答につきましても，その理由と根拠についてご意見をお書きください。

a. OROS-MPHとATXの併用を推奨する
b. OROS-MPHとGXRの併用を推奨する
c. ATXとGXRの併用を推奨する
d. ADHD治療薬間の併用をガイドラインで推奨すべきでない

e. その他
この質問ではaからdまでのいずれの回答につきましても，その理由と根拠について以下にご意見をお書きください。

この質問への回答は複数回答が可能としている。回答a，b，cの3選択肢は3剤のうち2剤併用のすべての組み合わせであり，回答dは併用を推奨すべきでないという併用反対であり，回答eはその他の意見である。

a～cの2剤併用の選択肢では「b. OROS-MPHとGXRの併用」が最も多く40名の医師の回答者のうち延べ17名を占め，次いで「a. OROS-MPHとATXの併用」が延べ11名，「c. ATXとGXRの併用」が延べ3名と続いている。これらのうち「a. OROS-MPHとATXの併用」を単独で推奨するとした回答者は2名，「b. OROS-MPHとGXRの併用」を単独で推奨とした回答者が7名であり，「c. ATXとGXRの併用」を単独で推奨した回答者はいなかった。複数回答では「a. OROS-MPHとATXの併用」と「b. OROS-MPHとGXRの併用」の両者を選択した回答者が7名，「b. OROS-MPHとGXRの併用」と「c. ATXとGXRの併用」の両者を選択した回答者が1名，「a. OROS-MPHとATXの併用」と「c. ATXとGXRの併用」の両者を選択した回答者は0名，そしてa～cの3選択肢のすべてを推奨するとした回答者は2名であった。なおa～cのADHD治療薬による併用療法を推奨する選択肢のいずれかあるいは複数を選択した回答者の実数は19名であり，これは医師の回答者40名の47.5%にあたる。

残った2つの選択肢のうち「d. ADHD治療薬間の併用をガイドラインで推奨すべきでない」を選択した回答者は17名（回答者の42.5%）であり，これを選択した回答者が併用に反対する理由は以下のようにまとめることができる。第1に併用の有効性と安全性についての根拠（エビデンス）が乏しいこと，第2にガイドラインで併用を推奨すると安易な薬物の併用療法が増加する恐れがあること，そして第3にADHDの薬物療法は単剤療法を原則とすべきであることという意見である。そのうえで，もし併用療法を推奨するならそれはあくまで消極的な推奨水準にとどめるべきであると記載した回答者も複数存在する。次に，「e. その他」を選択した回答者は4名（同10%）であるが，いずれもOROS-MPHとGXRの併用あるいはOROS-MPHとATXの併用を中心とするADHD治療薬の併用については，米国のFDAもOROS-MPHとGXRの併用を承認していることもあるので，本書第5版の治療・支援ガイドラインでは「消極的な推奨」とすべきであるという趣旨の意見であった。

以上の結果から，臨床指針としての治療・支援ガイドラインではOROS-MPHとGXRの併用あるいはOROS-MPHとATXの併用を中心に，根拠が確立してはいないことを前提に，単剤療法では限界に達していると判断した場合にその選択肢を検討することは許容されるという消極的推奨にとどめるべきと考える。

質問6-4

前問の選択肢a～eのうちa，b，cのいずれか（複数選択可）を選択された方にお尋ねします。選択された「ADHD治療薬2剤の併用」をアルゴリズムのどの段階に位置づけるべきかについてのご意見をうかがいます。以下の選択肢に○をお付けください。

a. 第2段階に他の選択肢と並列させるべきである
b. 単独で第3段階に置くべきである
c. その他

いずれの選択肢につきましても，選択された理由と根拠について以下にご意見をお書きください。

この質問への回答を求められた医師の執筆者は質問6-3でa，b，cのいずれか一つあるいは複数を選択した19名で，そのうち18名が回答を寄せた。また，質問6-3で「e．その他」を選択したなかの2名も回答を寄せており，結果として20名の回答を集計の対象とした。結果は「a．第2段階に他の選択肢と並列させるべきである」を選択した回答者が5名（回答者の25%），「b．単独で第3段階に置くべきである」が13名（同65%），「c．その他」が2名（同10%）であった。

コメント欄への記載をみると，「a．第2段階に他の選択肢と並列させるべきである」を選択した回答者の意見は「OROS-MPHが有効でない場合に，ATXへ切り替えるとすれば，その場合に併用の期間が生じる。その過程で有効性の観点から切り替えきることが合理的でないという場合に，併用という選択肢が出てくる」といった意見や，「OROS-MPHの不十分な点（主に朝夕の効果などの作用時間の点を補うものとして，GXRあるいはATXの併用が有用である」というもので，臨床現場では日常的に経験するところの指摘である。前者は第1段階の単剤療法が効果不十分で他の2剤のどちらかへの切り替えを考えるとして，そこには必ず前薬を漸減し，交代薬を漸増するという両者の併用状態が過渡的に生じるが，その過程で前薬と交代薬の両者のバランスが患者の状態像改善に良い効果を発揮することを主治医が感じとり，そのバランスでの併用療法を維持しようとするという臨床判断は合理的ではないかというものである。後者はOROS-MPHを第1段階で選択したところ全体としては良い効果を発揮しているが，夕刻から夜間にかけての塾では学習に集中できなくなる場合や，朝には多動や衝動性あるいは不機嫌がひどく生活に支障をきたすようになったという場合，他剤への切り替えではなく，OROS-MPHに作用時間の長い他剤を追加することで一日を通じて安定を得ることができるということは多く，併用を第2段階で認めるべきだろうというものである。

これに対して「b．単独で第3段階に置くべきである」を選択した回答者の多くは，ADHDの薬物療法は単剤療法を原則とするという点を曖昧にしないためにも2段階にわたり単剤療法を行ったうえで，効果不十分あるいは無効と判断される場合に質問6-3で挙げたような併用療法を検討するという過程を重視すべきであるという意見を寄せている。併用療法の効果に関する実証されたエビデンスはないことから，順位を下げることで併用療法に安易に流れないように配慮すべきであるとする意見も複数あった。「c．その他」と回答した2名の意見はbを選択した回答者の意見とほぼ一致しているが，aとbの判断は保留するというものである。

以上をまとめると，併用療法は第2段階に位置づけてもよいと考えるほど効果を実感しているという積極的な推奨を支持する意見と，ADHDの薬物療法では単剤療法を原則とすべきであるという消極的推奨を支持する意見に分かれているものの後者を支持する回答者が半数以上を占めている。以上より，本書第5版での治療・支援ガイドラインでは，併用療法は単剤療法を十分に実施しても効果が得られない場合，薬物療法中止が難しいことを確認したうえで選択可能となる消極的推奨とするのが適切であると位置づけることが適切であり，併用療法についてはそれが必要となる場合を明記するとともに，併用療法の安易な選択はしないという姿勢を原則とすべきであると記載することを検討したい。

質問6-5

第５版で初めて登場する薬剤であるLDXについてお考えをうかがいます。LDXは現時点では第１選択薬とすることを規制されており，他のADHD治療薬が効果に乏しいことを確認したうえで選択すべき薬剤とされています。第５版ではこのLDXを薬物療法アルゴリズムの何段階目に設定すべきでしょう。以下の選択肢に○をお付けください。

a. 第２段階に位置づけた他の選択肢と並列する選択肢として第２段階に置くことに賛成
b. 第２段階の「第１段階では選択しなかった他のADHD治療薬を選択する」等を経た第３段階（もし「ADHD治療薬２剤の併用」が単独で第３段階に置かれたら第４段階になる）とすることに賛成
c. その他

LDXは適応薬として承認された薬剤であるが，承認にあたりOROS-MPHとともに厳格な適正流通管理が課せられており，特にLDXは添付文書に使用上の注意として「本剤の使用実態下における乱用・依存性に関する評価が行われるまでの間は，他のADHD治療薬が効果不十分な場合にのみ使用すること」との記載があることから，当分の間は他のADHD治療薬による薬物療法では効果不十分と評価された場合だけ処方を認められるという厳しい制限にしたがって使用しなければならない。LDXは海外のガイドラインではOROS-MPHとともに第1選択薬か，OROS-MPHの効果が不十分であった場合の第2選択薬と位置づけられたものが多く，少なくとも非中枢神経刺激薬の2剤（ATXとGXR）より上位に位置づけられている。しかしわが国では上記のような規制をかけられており，海外と同じ位置づけにすることはできない。質問6-5はこうした微妙な状況下でのLDXの位置づけを明確にすることを目的とした問いとなっている。

結果は，医師の回答者40名のうち「a. 第2段階に位置づけた他の選択肢と並列する選択肢として第2段階に置くことに賛成」を選択した回答者が18名（回答者の45%）であり，「b. 第2段階を経た第3段階（もしADHD治療薬2剤の併用が単独で第3段階に置かれたら第4段階になる）とすることに賛成」が20名（50%），「c. その他」が2名（5%）であった。第3段階（あるいは第4段階）とすべきという意見と第2段階で他の選択肢と横並びにすべきという意見がほぼ拮抗する結果となっている。コメント欄の記載もこの結果を反映しており，要は添付文書に記載されている「他のADHD治療薬が効果不十分な場合」という条件をどう理解しているかにかかっていると思われる。すなわち第1段階でLDXを除くADHD治療薬3剤（OROS-MPH，ATX，GXR）のいずれかの単剤療法を選択し，その結果が不十分であった場合にLDXの選択が可能となるという理解にしたがえば，第2段階にLDXの単剤療法を並列させてもよいということになる。一方，上記の条件をより厳格にとらえ，第1段階としてLDX以外の3剤のいずれかによる単剤療法を試み，その治療効果が不十分な場合は第2段階として選択しなかった2剤から選んだ薬剤による単剤療法を試みたうえで，その効果が不十分と判断される場合に限って第3段階としてLDXの単剤療法を選択できるという姿勢を支持する回答者も多い。結局，より緩く第2段階に位置づけるか，より厳格に第3段階に位置づけるかは，今回の調査では後者がやや多いものの相半ばするととらえるべき結果であった。すでにLDXの使用経験をもつ回答者が大半であり，その重症例への効果を実感していることがこの質問の回答に影響を与え，慎重な使用を前提としつつも積極的に治療に組み込んでもよいという判断になったと考えることができる。

筆者は本書の基本姿勢としてわが国の中枢神経刺激薬に対する規制を考慮すると，LDXについては現状ではより慎重な姿勢を選択すべきと考えている。したがって本書第5版の治療・支援ガイドラインは，後者のより厳格な理解を支持し，第3段階にLDX以外の3剤間の2剤併用療法と並列させるか，併用療法が効果不十分だった場合に選択可能とする第4段階に位置づけるかという判断のほうを支持したい。ここで問題となるのは質問6-4で問うている併用療法とLDXの位置づけである。質問6-4のまとめで記したように必ずしも根拠が明確ではないLDXを除く3剤のうちの2剤による併用療法を第3段階に置くとしたら，子どものADHD治療薬として承認されており，しかも効果はADHD治療薬のなかでも随一とされるLDXの単剤療法を第3段階より下に置くことは合理的とはいえない。そこで，添付文書の「他のADHD治療薬が効果不十分な場合」という使用条件は単剤療法の2段階を通して効果不十分だったことで満たされるという判断のもと，LDXの単剤療法に道を開くことは合理的な落としどころではないだろうか。一方，LDX以外のADHD治療薬2剤による併用療法は臨床の場ではけっして珍しくなく，さらには単剤療法の他剤への移行過程で臨床的には十分な効果が得られる2剤の組み合わせに至ることも珍しくない。以上よりLDXの単剤療法とLDXを除く3剤間の2剤併用療法のいずれを優先的に選択すべきか決めがたく，両者を並列させて第3段階とすることが現実的ではないかと筆者は考える。

質問6-6

第４版ガイドラインの薬物療法アルゴリズムでは第３段階として，ここまでの薬物療法で効果が得られない場合「薬物療法の中止の可否の検討」を行うこととしています。この考え方に準拠し，第５版ガイドラインでも前問までの薬物療法を実施しても十分な効果が得られない場合，「薬物療法中止の可否の検討」という段階を置くことを考えております。これについてご意見をうかがいます。

この質問への回答は，「a. 賛成，b. 反対，c. その他」の3択であり，bあるいはcを選択した回答者には自由記述でその理由の記載を求めている。医師の回答者40名のうち「a. 賛成」を選択した回答者が39名（回答者の98%），「b. 反対」を選択した回答者はなく，「c. その他」を選択した回答者が1名（同2%）であった。また，コメント欄に記載された意見が医師の回答者40名のうち20名の回答者（「c. その他」を選択した回答者以外も多数回答）から寄せられた。その記載内容は概ね以下の3点にまとめることができる。第1点はここまでがADHDの子どもに対する適応薬の範囲の薬物療法であり，ここまでの治療で治療効果が十分得られなかったとしても，これ以上は抗精神病薬など適応外の薬剤を使用することになることから，この時点で薬物療法継続の可否をきちんと評価すべきであるという意見である。この意見に属するものとして「薬物療法の中止の可否というよりも，薬物療法の位置づけを含めた治療全体の見直しというほうがよいのではないか」との意見もあった。第2点は適応薬の範囲での薬物療法が十分な効果を得られないとすれば，この時点で診断と見立ての妥当性について検討すべきであり，この検討をせずに漫然と薬物療法を継続することには反対するという意見である。第3点はADHD治療の中心に置くべきは心理社会的治療であり，適応薬による薬物療法に反応しないなら薬物療法を中止し，心理社会的治療の強化を検討すべきであるという意見である。これらをまとめると，ADHD治療薬4剤による第3段階までの薬物療法で効果が十分に得られない場合には薬物療法を中止し，診断の再検討や治療システムの総合的な再検討を行うべきであるということになるのではないだろうか。もちろん，薬物療法は第3段階まで必ず実施するようにといっているのではなく，それ以前の段階でも薬物療法継続の可否について主治医は常に意識に止めておく臨床感覚が必要であるだろう。

質問6-7

前問の『薬物療法中止の可否の検討』という段階を設置するとすれば，その検討結果は「薬物療法中止」と「薬物療法継続」の２択となり，第４版では抗精神病薬や感情調整薬を単独もしくはADHD治療薬との併用として挙げています。基本的には抗精神病薬や感情調整薬という名称を挙げない方針ですが，第５版では「薬物療法を中止し治療システム全体の見直しを行う」と「ADHD治療薬の組み立てや他の向精神薬との併用を検討するとともに治療システム全体の見直しを行う」の２択とすることを考えております。このことに対するご意見をうかがいます。

この質問への回答は，「a. 賛成」「b. 反対」「c. その他」の3択であり，bあるいはcを選択した回答者には自由記述でその理由の記載を求めている。医師の回答者40名のうち「a. 賛成」とした回答者は39名（98%），「b. 反対」とした回答者はなく，「c. その他」とした回答者が1名（2%）であった。コメント欄には「細かく記載する必要はない，誤解を招くだけになるかもしれない」，「ADHD治療の基本は心理社会的治療（関係性の構築）と考えるので，安易に薬物の量を増すことに専念するのではなく，無効なときはもう一度原点に戻り診断を見直すべきと考える」，前問でのコメントと同様に「薬物療法の中止の可否というよりも，薬物療法の位置づけを含めた治療全体の見直しという方がよいのではないか」といった3つのコメントが記載されていた。

本書第4版の治療・支援ガイドラインでは，2剤のADHD治療薬による薬物療法を一定の段階を踏んで実施したうえで，効果が不十分である場合には「薬物療法中止の可否の検討」を行うという段階（第4版では第3段階）を設定していた。こうした趣旨の段階を設けることについては第5版における治療・支援ガイドラインでも踏襲することが前問（質問6-6）で回答者のほぼ全員から承認されている。そのうえで第5版の治療・支援ガイドラインではこの検討の結果として「薬物療法を中止し治療システム全体の見直しを行う」という選択肢と「ADHD治療薬の組み立てや他の向精神薬との併用を検討するとともに治療システム全体の見直しを行う」という選択肢からの二択とすることについての意見を求めたのがこの質問6-7である。それに対しても反対はなかったが，あまり細かく書き込むことでかえって誤解が生じやすくなるのではとの懸念が寄せられた。これらの結果を参考として，本書第5版の治療・支援ガイドラインでは，まずこの段階を「薬物療法中止の可否の検討」ではなく「薬物療法継続の可否を含む診断および治療システムの妥当性の検討」と名づけ，その検討の結果として「薬物療法を中止し診断および治療システム全体の再検討を行う」か，あるいは「薬物療法を継続すると同時に診断および治療システムの再検討を行う」とする選択肢を設定したい。この「診断および治療システム全体の再検討を行う」結果としてADHDのみの子どもとして治療されてきた子どもに例えばASDのような併存症が見出された場合にはそのための治療がADHD治療に加わってくるだろうし，ADHD治療は中止し併存症治療を優先させる必要性が明確になる場合もあるだろう。併存症の関与はなく，行動上の問題が著しく家庭や学校での適応を悪化させているためにADHDの薬物療法を続ける選択をせざるをえない場合には必然的に抗精神病薬や感情調整薬など適応外薬を使用することになるが，これをガイドラインのアルゴリズムに記載することは積極的に適応外薬を推奨しているという誤解を招くおそれがあるため選択肢としては記載しない。しかし，まったくその点に触れないのでは臨床ガイドラインとしての有用性が薄れるため，こうした点はテキスト部分に記載するのが適切と思われる。

質問7

第4版ガイドラインの治療・支援ガイドライン⑲ではADHD治療薬による薬物療法の終結について推奨として『安定した状態が1年以上にわたって維持されている』ことを条件に検討すべきとしています。また『終結を検討する時期が中学生年代を中心とする青年期前半段階（10歳過ぎから18歳未満）にあたる場合その可否の判断はより慎重になされるべきである』とも記載してあります。第5版でもこの推奨を継続してよいか，ご意見をうかがいます。

a. 第4版の薬物療法終結に関するガイドラインを継続することに賛成

b. 成人ADHDの治療が積極的に取り組まれる現状から継続に反対

c. その他

質問6-6および質問6-7が薬物療法開始後に薬物療法で十分な効果を得られない場合に薬物療法中止について検討する段階を薬物療法アルゴリズムに設定することへの意見を聞いているのに対して，質問7は薬物療法が成功裏に進行した結果として適応的な状態が維持できている場合に薬物療法終結を考慮すべきか否かを問う質問である。これは本書第4版の治療・支援ガイドラインで「安定した状態が1年以上にわたって維持されている」ことを条件に薬物療法の中止を検討すべきとの推奨が示されており，「終結を検討する時期が中学生年代を中心とする青年期前半段階（10歳過ぎから18歳未満）にあたる場合その可否の判断はより慎重になされるべきである」との注記もつけられていることへの賛否を問うものとなっている。この質問への回答は「a. 第4版の薬物療法終結に関するガイドラインを継続することに賛成」，「b. 成人ADHDの治療が積極的に取り組まれている現状から継続に反対」，「c. その他」の3択であり，反対な場合を中心に意見のコメント欄への記載を求めている。

結果は，第4版の薬物療法中止に関する指針の推奨に「a. 賛成」が医師の回答者40名中の36名（回答者の90%），「b. 反対」が2名（同5%），そして「c. その他」が2名（同5%）となり，大半の回答者がこのままこの推奨を維持することに賛成している。また選択の理由をコメント欄に記載した回答者が3名おり，その意見の一つに「第4版の薬物療法終結に関するガイドラインを継続することに賛成。成人期を意識しても児童期で気づかれたADHDへの対応はこのような方針でいいと思います。無理矢理薬物療法の継続推奨する概念ではないはずです」との記載があり，児童期に診断されたADHDは18歳未満の子ども時代にもし1年以上にわたり安定した状態が維持できているなら，少なくとも薬物療法終結を念頭においてその可能性を追求することには意義があるという本書第4版での治療・支援ガイドラインの姿勢に理解を示した意見といえよう。また，「c. その他」を選択した回答者の記載の一つに「安定した状態が1年以上維持していたらいったん薬物療法を中止するとしても成人後も含めた治療を見据えていく必要はあり，フォローや再受診の受け入れの可能性も考えておくべきと思います」というものがあった。この意見も一定の安定した状態が持続している場合には薬物療法終結はありえるが，薬物療法が終結となった後にも経過を追う必要はあり，適応状態の悪化や併存症の発症などが生じた際にスムーズに再受診に結びつくことができるような情報を心理教育の一環として伝える必要がある点を強調したものである。筆者もそのような姿勢で薬物療法が終結した後にも状況の変化に柔軟に対応できる診療体制を提供する必要性を強く感じている。あえていうなら，薬物療法の終結が即治療の終結を意味するという姿勢でADHD診療にあたること自体に本書の治療・支援ガイドラインは反対しており，ガイドラインが推奨するような心理社会的治療を常に並行させている診療では薬物療法の終結とは無関係に治療関係は維持されており，状態像の悪化を認知した際には薬物療法の再開についても適切に検討できる柔軟な治療関係を推奨しているのである。

「b. 反対」を選択した回答者のコメントに「中止による不利益についても記載しておくべき」という記載があった。これは薬物療法終結を判断する際には，それによって得られるメリットと予想されるデメリットを患者やその家族にきちんと伝えたうえで行われた患者側の同意を前提とするインフォームド・コンセントの精神が必須であることを指摘した意見と理解できる。

最後に，質問7で問うている重要な課題として「安定した状態が1年以上維持されている」という薬物療法終結を検討するタイミングに関する推奨が適切といえるか否かという点に触れておきたい。この点に関する記載をまとめると，安定している期間が1年では短いのではないかという懸念もあるが「1年以上にわたって」とあることで本書第4版の治療・支援ガイドラインの推奨でよいといった賛成意見が大半の回答者の支持を得ていた。しかし，この推奨の後半にあたる10歳過ぎから18歳未満までの青年期前半段階には「より慎重に」薬物療法終結の可否を判断すべきであるという点について，「青年期前半段階か成人かを問わず，ライフイベントなどのタイミングを考えて慎重に判断するとすべきではないか」という「c. その他」を選択した回答者からの意見があった。本書が子どものADHD診療を主な対象としたガイドラインとして構成されており，友人関係や家族関係，あるいは学習をめぐって特に強いストレスがかかるのが子ども時代のなかの青年期前半段階であることから，この年代の薬物療法の終結には慎重であるべきという点を強調するために本書第4版の治療・支援ガイドラインではあのような表現を採用した。本書第5版もその主たる対象は18歳未満の子どものADHD診療であり，ガイドライン作成の姿勢が基本的に第4版のそれに準じることは執筆者の賛同を得ている。しかし，薬物療法の終結を判断するのにより慎重にならねばならない状況を年代だけで規定することには抵抗を感じる回答者もいることを考えると，進級，進学，転校，友人関係の破綻，家族の重大な病気，親の不和やその結果としての離婚などの具体的なライフイベントをあげることで，そのような状況にあるときには薬物療法の終結についてより慎重に検討する必要性を強調した注記とするほうが，青年期前半段階という年代の規定よりも適切と思われる。

質問8

その他，「子どもの注意欠如・多動症（ADHD）の診断治療ガイドライン」（「注意欠如・多動症―ADHD―の診断・治療ガイドライン第５版」の冒頭に掲載するコンパクトにまとめた２色刷りのガイドラインのことです）の第４版からの改訂につきましてご意見がおありでしたら以下にご自由にお書きください。

これは本書第5版の冒頭に掲載される診断・評価ガイドラインと治療・支援ガイドラインから構成された「子どもの注意欠如・多動症（ADHD）の診断治療ガイドライン」に関する希望や要望などの全般的な意見を求めた質問である。これには5名の執筆者が意見を寄せている。そこでは本書第5版における治療・支援ガイドラインでも第4版で明確にしたような心理社会的治療を強調する姿勢を明確にしてほしいという意見や，特に薬物療法を中止ないし終結となっても心理社会的治療は継続するという姿勢を強調してほしいという意見があった。さらにコンパクトにまとめた診断・評価ガイドラインと治療・支援ガイドラインからなる「子どもの注意欠如・多動症（ADHD）の診断治療ガイドライン」のページが他よりはっきりとそれとわかるようなカラーをつけて目立たせてほしいといった意見や，その部分だけ抜き出して読みやすいよう資料集の一部と同じようにダウンロード可能にしてほしいという意見もあった。

3 まとめ

ここまで執筆者アンケートの結果とそれに関する筆者の理解および見解を質問ごとに提示してきた。執筆者アンケートの結果から浮かび上がってきた本書第5版に掲載すべき「子どもの注意欠如・多動症（ADHD）の診断治療ガイドライン」に関する基本姿勢のいくつかを挙げることで本章のまとめとしたい。

① 本書第5版におけるADHDの疾患概念はDSM-5のそれに準拠することが本アンケートに回答を寄せた執筆者全員の支持を得ており，DSMの疾患概念を基本的枠組みとするという第4版までの姿勢を踏襲することになる。なお，DSMの版については初版から第3版までがDSM-ⅣおよびDSM-Ⅳ-TRの時代であり，第4版および第5版はDSM-Ⅳ時代である。

② ADHDの治療・支援体系を個々のケースで組み立てる際に重要な要因となるのがADHDの重症度の評価である。本書第4版まではDSM-Ⅳに掲載されていたGAF尺度に準じた重症度の判定を基準とすることを推奨していたが，DSM-5ではGAFは掲載されず各疾患ごとに重症度の規定が定められている。本書第5版ではGAF尺度とDSM-5のADHDの重症度規定の両者を参考にすることを推奨するとともに，実際にはどちらを選ぶというより両者を視野に入れた折衷的な重症度評価が適切であり，ASEBA，Vineland-II，MSPA，SDQなどADHDの子どもの行動プロファイルあるいは障害の特性プロファイルを得ることのできる評価尺度の一つあるいは複数を組み合わせた評価バッテリーの結果も加味して重症度を総合的に評価すべきであるという表現に修正する。

③ 心理検査のテスト・バッテリーは本書第4版上梓時に挙げた検査の改訂があること，心理検査に加え心理検査以外の評価尺度が多数臨床利用される状況となってきていることなどの理由で，第4版まで掲載していた一見アルゴリズムにも見えてしまう心理検査バッテリーに関する図（本書第4版では *(13)* ページの図2）を本書第5版では採用せず，神経心理学的検査や学習障害関連の検査を含む心理検査バッテリーの組み立てに関する推奨を示すとともに，それとは別に診断・評価ガイドラインの1項目として②にも挙げたADHD-RS，ASEBA，Vineland-II，MSPA，SDQなど自記式あるいは聞き取り式の評価尺度に関する推奨を掲載する。

④ 本書第5版でも第4版の「まず薬物療法ありきの治療姿勢を推奨しない」とする第4版の治療・支援ガイドラインの基本姿勢は維持し，治療・支援は心理社会的治療から開始することを推奨する。本書第4版 *(22)* ページに掲載されている図7が示す「ADHD治療・支援の基本的な流れ」は第5版においても維持する。

⑤ 本書第4版の治療・支援ガイドラインに掲載した主な併存症をもつADHDの薬物療法アルゴリズムは第5版では掲載しない。そのうえで主要な併存症をもつケースでの薬物療法を含めた治療・支援の考え方は併存症に関連する推奨として文章で触れる。

⑥ 本書第5版においてもこれまでのガイドラインが採ってきた中枢神経刺激薬の安易で杜撰な処方を横行させないという方針を踏襲し，薬物療法の第1段階はLDXを除いたADHD治療薬3剤から1剤を選択して行うことをもって第1段階とする。

⑦ ADHD治療薬間の安易な併用療法を戒めるという意味で，第1段階の薬物療法で十分な効果が得られなかった場合（ただしこれは症状が完全になくなった状態のことではない）の第2段階は，第1段階で選択しなかった2剤から1剤を選択した単剤療法とする。少なくともこの第2段

階までは薬物療法を行って，それでも効果が得られなければ，第3段階に進むか薬物療法中止とするかを選択すべきである。

⑧ 薬物療法の第3段階は，第2段階までに十分な効果を得られず，しかも薬物療法が必要と判断されるときに選択すべきで，LDXの単剤療法か，OROS-MPHとGXRあるいはOROS-MPHとATXの併用療法を中心に，第2段階までに選択しなかったLDX以外のADHD治療薬のうち最後の1剤の単剤療法の3択ないし4択とする。第3段階には選択した薬物療法が十分奏功しない場合に第3段階の他の選択肢を行う過程も含むものとする。

⑨ ここまでの薬物療法で十分な効果が得られない場合，薬物療法継続の可否を含め診断および治療システムの妥当性の検討を行う第4段階を置くべきである。そこでは心理社会的治療と薬物療法からなる治療システムの再構築に取り組むと同時に，主診断および併存症診断についての再評価が必須である。第4段階の検討の結果としてアルゴリズムでは「薬物療法を中止し診断および治療システム全体の再検討を行う」と「薬物療法を継続すると同時に診断および治療システムの再検討を行う」の2択とする。

⑩ 心理社会的治療とADHD治療薬による薬物療法の結果，家庭および学校において行動的にも情動制御的にも適応状態を安定して維持できている場合には，その状態に達してからの期間が1年以上経過した適切な時点で薬物療法の終結を検討することを推奨する。なお，薬物療法終結の際にはその後の展開でどのような可能性があるかを説明し，ADHDや併存症の症状が悪化してくるような場合に対する対処法を伝えておく必要がある。原則として薬物療法終結は治療終結を意味すべきではなく，心理社会的治療を一定期間継続すべきである。

本アンケート調査の結果は概ね以上の10点にまとめることができるだろう。これらを本書第5版の診断・評価ガイドラインおよび治療・支援ガイドラインの内容に組み込む形で「子どもの注意欠如・多動症（ADHD）の診断・治療ガイドライン」を完成させたい。なお本書第5版の冒頭を飾る「子どもの注意欠如・多動症（ADHD）の診断・治療ガイドライン」をより手軽に利用できるよう工夫を求める回答者の声についてもどう応えることが可能か検討したい。

（齊藤 万比古）

参考文献

1）牧野和紀，齊藤万比古，青島真由，他：子どものADHDの診断・治療に関するエキスパート・コンセンサス―薬物療法編―．児童青年精神医学とその近接領域，56（5）：822-855，2015

2）牧野和紀，齊藤万比古，青島真由，他：子どものADHDの診断・治療に関するエキスパート・コンセンサス―心理社会的治療・支援編―．精神科治療学，33（9）：1113-1122, 2018

資料

Ⅰ 診断・評価編

1　ADHDの診断基準（DSM-5）
2　ASDの診断基準（DSM-5）
3　ADHDの診断基準（ICD-10）
4　子どものADHD臨床面接フォーム
5　反抗挑戦性評価尺度（ODBI）
6　行動特徴のチェックリスト
7　子どもの日常生活チェックリスト（QCD）

Ⅱ 治療・支援編

1　ADHDとはなんでしょう（親用パンフレット）
2　ADHDのことをもっと知ろう（子ども用パンフレット）
3　ADHDの子どもを支え育むために（親用パンフレット）
4　ADHDの薬物療法について（親用パンフレット）
5　ADHDのある子どもの担任の先生へ（教職員用パンフレット）

資料の一部はダウンロードが可能です

上記の「子どものADHD臨床面接フォーム」や治療・支援編のパンフレットなど一部の資料は，インターネット上の下記の専用ウェブサイトからPDFをダウンロードすることができます（本書ご購入者限定）。

- URL：**https://ser.jiho.co.jp/adhdgl2022/**
- パスワード：**adhdgl5**
（すべて半角・小文字で「エー・ディー・エイチ・ディー・ジー・エル・5」）

※ご利用はご購入者に限ります。
※必ず専用ウェブサイトの注意書きをよく読み，ご理解のうえでご利用ください。

資料
I 診断・評価編 1

ADHDの診断基準（DSM-5）

注意欠如・多動症／注意欠如・多動性障害　Attention-Deficit/Hyperactivity Disorder

診断基準

A. (1) および／または (2) によって特徴づけられる，不注意および／または多動性－衝動性の持続的な様式で，機能または発達の妨げとなっているもの：

(1) 不注意：以下の症状のうち6つ（またはそれ以上）が少なくとも6カ月持続したことがあり，その程度は発達の水準に不相応で，社会的および学業的／職業的活動に直接，悪影響を及ぼすほどである：

注：それらの症状は，単なる反抗的行動，挑戦，敵意の表れではなく，課題や指示を理解できないことでもない。青年期後期および成人（17歳以上）では，少なくとも5つ以上の症状が必要である。

（a）学業，仕事，または他の活動中に，しばしば綿密に注意することができない，または不注意な間違いをする（例：細部を見過ごしたり，見逃してしまう，作業が不正確である）。

（b）課題または遊びの活動中に，しばしば注意を持続することが困難である（例：講義，会話，または長時間の読書に集中し続けることが難しい）。

（c）直接話しかけられたときに，しばしば聞いていないように見える（例：明らかな注意を逸らすものがない状況でさえ，心がどこか他所にあるように見える）。

（d）しばしば指示に従えず，学業，用事，職場での義務をやり遂げることができない（例：課題を始めるがすぐに集中できなくなる，また容易に脱線する）。

（e）課題や活動を順序立てることがしばしば困難である（例：一連の課題を遂行することが難しい，資料や持ち物を整理しておくことが難しい，作業が乱雑でまとまりがない，時間の管理が苦手，締め切りを守れない）。

（f）精神的努力の持続を要する課題（例：学業や宿題，青年期後期および成人では報告書の作成，書類に漏れなく記入すること，長い文書を見直すこと）に従事することをしばしば避ける，嫌う，またはいやいや行う。

（g）課題や活動に必要なもの（例：学校教材，鉛筆，本，道具，財布，鍵，書類，眼鏡，携帯電話）をしばしばなくしてしまう。

（h）しばしば外的な刺激（青年期後期および成人では無関係な考えも含まれる）によってすぐ気が散ってしまう。

（i）しばしば日々の活動（例：用事を足すこと，お使いをすること，青年期後期および成人では，電話を折り返しかけること，お金の支払い，会合の約束を守ること）で忘れっぽい。

(2) 多動性および衝動性：以下の症状のうち6つ（またはそれ以上）が少なくとも6カ月持続したことがあり，その程度は発達の水準に不相応で，社会的および学業的／職業的活動に直接，悪影響を及ぼすほどである。

注：それらの症状は，単なる反抗的態度，挑戦，敵意などの表れではなく，課題や指示を理解できないことでもない。青年期後期および成人（17歳以上）では，少なくとも5つ以上の症状が必要である。

（a）しばしば手足をそわそわ動かしたりトントン叩いたりする，またはいすの上でもじもじする。

（b）席についていることが求められる場面でしばしば席を離れる（例：教室，職場，その他の作業場所で，またはそこにとどまることを要求される他の場面で，自分の場所を離れる)。

（c）不適切な状況でしばしば走り回ったり高い所へ登ったりする（**注**：青年または成人では，落ち着かない感じのみに限られるかもしれない)。

（d）静かに遊んだり余暇活動につくことがしばしばできない。

（e）しばしば“じっとしていない”またはまるで“エンジンで動かされているように”行動する（例：レストランや会議に長時間とどまることができないかまたは不快に感じる；他の人達には，落ち着かないとか，一緒にいることが困難と感じられるかもしれない)。

（f）しばしばしゃべりすぎる。

（g）しばしば質問が終わる前に出し抜いて答え始めてしまう（例：他の人達の言葉の続きを言ってしまう；会話で自分の番を待つことができない)。

（h）しばしば自分の順番を待つことが困難である（例：列に並んでいるとき)。

（i）しばしば他人を妨害し，邪魔する（例：会話，ゲーム，または活動に干渉する；相手に聞かずにまたは許可を得ずに他人の物を使い始めるかもしれない；青年または成人では，他人のしていることに口出ししたり，横取りすることがあるかもしれない)。

B. 不注意または多動性－衝動性の症状のうちいくつかが12歳になる前から存在していた。

C. 不注意または多動性－衝動性の症状のうちいくつかが2つ以上の状況（例：家庭，学校，職場；友人や親戚といるとき；その他の活動中）において存在する。

D. これらの症状が，社会的，学業的，または職業的機能を損なわせているまたはその質を低下させているという明確な証拠がある。

E. その症状は，統合失調症，または他の精神病性障害の経過中にのみ起こるものではなく，他の精神疾患（例：気分障害，不安症，解離症，パーソナリティ障害，物質中毒または離脱）ではうまく説明されない。

▶ いずれかを特定せよ

314.01（F90.2）混合して存在：過去6カ月間，基準A1（不注意）と基準A2（多動性－衝動性）をともに満たしている場合

314.00（F90.0）不注意優勢に存在：過去6カ月間，基準A1（不注意）を満たすが基準A2（多動性－衝動性）を満たさない場合

314.01（F90.1）多動・衝動優勢に存在：過去6カ月間，基準A2（多動性-衝動性）を満たすが基準A1（不注意）を満たさない場合

▶ 該当すれば特定せよ

部分寛解：以前はすべての基準を満たしていたが，過去6カ月間はより少ない基準数を満たしており，かつその症状が，社会的，学業的，または職業的機能に現在も障害を及ぼしている場合

▶ 現在の重症度を特定せよ

軽度：診断を下すのに必要な項目数以上の症状はあったとしても少なく，症状がもたらす社会的または職業的機能への障害はわずかでしかない。

中等度：症状または機能障害は，「軽度」と「重度」の間にある。

重度：診断を下すのに必要な項目数以上に多くの症状がある，またはいくつかの症状が特に重度である，または症状が社会的または職業的機能に著しい障害をもたらしている。

（日本精神神経学会・日本語版用語監修，髙橋三郎，他・監訳：DSM-5 精神疾患の診断・統計マニュアル．医学書院，pp58-59，2014）

資料 I 診断・評価編 2

ASDの診断基準（DSM-5）

自閉スペクトラム症／自閉症スペクトラム障害　Autism Spectrum Disorder

診断基準　299.00（F84.0）

A. 複数の状況で社会的コミュニケーションおよび対人的相互反応における持続的な欠陥があり，現時点または病歴によって，以下により明らかになる（以下の例は一例であり，網羅したものではない；本文参照）。

(1) 相互の対人的－情緒的関係の欠落で，例えば，対人的に異常な近づき方や通常の会話のやりとりのできないことといったものから，興味，情動，または感情を共有することの少なさ，社会的相互反応を開始したり応じたりすることができないことに及ぶ。

(2) 対人的相互反応で非言語的コミュニケーション行動を用いることの欠陥，例えば，まとまりのわるい言語的，非言語的コミュニケーションから，アイコンタクトと身振りの異常，または身振りの理解やその使用の欠陥，顔の表情や非言語的コミュニケーションの完全な欠陥に及ぶ。

(3) 人間関係を発展させ，維持し，それを理解することの欠陥で，例えば，さまざまな社会的状況に合った行動に調整することの困難さから，想像上の遊びを他者と一緒にしたり友人を作ることの困難さ，または仲間に対する興味の欠如に及ぶ。

▶ **現在の重症度を特定せよ**

重症度は社会的コミュニケーションの障害や，限定された反復的な行動様式に基づく。

B. 行動，興味，または活動の限定された反復的な様式で，現在または病歴によって，以下の少なくとも2つにより明らかになる（以下の例は一例であり，網羅したものではない）。

(1) 常同的または反復的な身体の運動，物の使用，または会話（例：おもちゃを一列に並べたり物を叩いたりするなどの単調な常同運動，反響言語，独特な言い回し）。

(2) 同一性への固執，習慣への頑ななこだわり，または言語的，非言語的な儀式的行動様式（例：小さな変化に対する極度の苦痛，移行することの困難さ，柔軟性に欠ける思考様式，儀式のようなあいさつの習慣，毎日同じ道順をたどったり，同じ食物を食べたりすることへの要求）

(3) 強度または対象において異常なほど，きわめて限定され執着する興味（例：一般的ではない対象への強い愛着または没頭，過度に限局したまたは固執した興味）

(4) 感覚刺激に対する過敏さまたは鈍感さ，または環境の感覚的側面に対する並外れた興味（例：痛みや体温に無関心のように見える，特定の音または触感に逆の反応をする，対象を過度に嗅いだり触れたりする，光または動きを見ることに熱中する）

▶ **現在の重症度を特定せよ**

重症度は社会的コミュニケーションの障害や，限定された反復的な行動様式に基づく。

C. 症状は発達早期に存在していなければならない（しかし社会的要求が能力の限界を超えるまでは症状は完全に明らかにならないかもしれないし，その後の生活で学んだ対応の仕方によって隠されている場合もある）。

D. その症状は，社会的，職業的，または他の重要な領域における現在の機能に臨床的に意味のある障害を引き起こしている。

E. これらの障害は，知的能力障害（知的発達症）または全般的発達遅延ではうまく説明されない。知的能力障害と自閉スペクトラム症はしばしば同時に起こり，自閉スペクトラム症と知的能力障害の併存の診断を下すためには，社会的コミュニケーションが全般的な発達の水準から期待されるものより下回っていなければならない。

注：DSM-Ⅳで自閉性障害，アスペルガー障害，または特定不能の広汎性発達障害の診断が十分確定しているものには，自閉スペクトラム症の診断が下される。社会的コミュニケーションの著しい欠陥を認めるが，それ以外は自閉スペクトラム症の診断基準を満たさないものは，社会的（語用論的）コミュニケーション症として評価されるべきである。

▶ 該当すれば特定せよ

知能の障害を伴う，または伴わない

言語の障害を伴う，または伴わない

関連する既知の医学的または遺伝学的疾患，または環境要因（**コードするときの注**：関連する医学的または遺伝学的疾患を特定するための追加のコードを用いること）

関連する他の神経発達症，精神疾患，または行動障害（**コードするときの注**：関連する神経発達症，精神疾患，または行動障害を特定するための追加のコードを用いること）

緊張病を伴う（定義については，他の精神疾患に関連する緊張病の診断基準を参照せよ）〔**コードするときの注**：緊張病の併存を示すため，自閉スペクトラム症に関連する緊張病293.89（F06.1）の追加のコードを用いること〕

（日本精神神経学会・日本語版用語監修，髙橋三郎，他・監訳：DSM-5 精神疾患の診断・統計マニュアル．医学書院，pp49-50，2014）

資料
Ⅰ 診断・評価編

3 ADHDの診断基準（ICD-10）

F90　多動性障害　Hyperkinetic Disorders

F90.0　活動性および注意の障害　Disturbance of activity and attention

満足のいく多動性障害の下位分類は，いまだに不確定である。しかしながら，青年期や成人期における転帰は攻撃性，非行あるいは反社会的行動をともなっているかどうかによって大きく影響されることが追跡調査によって示されている。したがって，主要な下位分類はこのような特徴が合併するかしないかによってなされる。多動性障害（F90.－）のすべての診断基準が満たされるが，F91.－（行為障害）の診断基準が満たされないときにF90.0とコード化されるべきである。

〈含〉多動をともなった注意欠陥障害あるいは注意欠陥症候群
　　注意欠陥多動性障害

〈除〉行為障害をともなった多動性障害（F90.1）

F90.1　多動性行為障害　Hyperkinetic conduct disorder

多動性障害（F90.－）のすべての診断基準，および行為障害（F91.－）のすべての診断基準の両方が満たされるときに，このコード化がなされるべきである。

F90.8　他の多動性障害　Other hyperkinetic disorders

F90.9　多動性障害，特定不能のもの　Hyperkinetic disorder, unspecified

これは推奨できない残遺カテゴリーで，F90.－のすべての診断基準を満たすが，F90.0とF90.1の鑑別ができないときにのみ用いられる。

〈含〉特定不能の小児期あるいは青年期の多動性反応あるいは症候群

（融道男，他・監訳：ICD-10　精神および行動の障害　臨床記述と診断ガイドライン．医学書院，pp268-271，1993．より抜粋）

資料 Ⅰ診断・評価編 4 子どものADHD臨床面接フォーム

情報提供者：＿＿＿＿＿＿＿＿（続柄：＿＿＿）
聴取・記入者：＿＿＿＿＿＿＿＿

■■ 基本情報聴取用フォーム ■■

診療録番号：
氏名：　　　　　　　　　　（ふりがな：　　　　　　　　　）
性別：男・女
生年月日：　　　　　　　　（年齢：　　　）
住所：
電話番号：

● 就学状況（該当する回答を○で囲み，学年等を記入する。幼稚園と保育園は年少組，年中組，年長組を記載する）
1）保育園（　　　組）　2）幼稚園（　　　組）　3）小学校（　　年）
4）中学校（　　年）　5）高校（　　年）　6）障害児通園施設（就学まで）
7）特別支援学級（小・中　　年）　8）特別支援学校（小・中・高　　年）
9）通級指導学級利用（なし　あり）　10）その他（具体的に：＿＿＿＿＿＿＿＿）

Ⅰ．主訴

1．現在，最も心配していること，気にかかっていること，あるいは困っていることは何ですか。
⇒（　　　　　　　　　　　　　　　　　　　　　　　　　　）

・上記主訴のカテゴリー化（A，Bの両方を記入すること。複数に○をつけることは可能。最も困っているものに◎をつけること）
A：1．落ち着きのなさ・多動，2．集中力のなさ・不注意，3．衝動性の高さ
　4．他者への迷惑行為，5．学習困難，6．その他（具体的に　　　　　　　）
B：上記の問題は主に　1．幼稚園・保育園・学校・学童保育などでの問題
　　　　　　　　　　2．家庭内での問題

Ⅱ．現病歴

1．いまおっしゃられた症状や問題はいつ頃から表れましたか。その他の問題はありましたか。それはどのような問題で，いつ頃から表れましたか。これまで相談や受診をしたことはありますか。それはどこですか。そこではどのような診断と治療を受けましたか。現在までどのような経過をたどってきましたか。

2．経過中の不登校などの有無についてうかがいます。（該当する回答を○で囲む）

A．不登校　⇒なし　あり
⇒「あり」の場合その時期：【　　〜　　】

B．身体症状　⇒なし　あり
⇒「あり」の場合その時期：【　　〜　　】

C．家庭内暴力　⇒なし　あり
⇒「あり」の場合その時期：【　　〜　　】

D．非行　⇒なし　あり
⇒「あり」の場合その時期：【　　〜　　】

Ⅲ．成育歴（発達経過）

お子さんの妊娠中から現在までの発達の経過を年代ごとにうかがいます。

1．胎生期（該当するものを○で囲む，あるいは必要事項を記入する）
1）妊娠高血圧症候群（妊娠中毒症）⇒ なし　あり
2）母親の身体疾患・外傷 ⇒ なし　あり ⇒（病名：＿＿＿＿＿＿＿＿＿＿）
3）母親の飲酒（アルコール摂取）⇒ なし　あり
4）母親の喫煙 ⇒ なし　あり
5）母親の薬物服用 ⇒ なし　あり ⇒（薬品名：＿＿＿＿＿＿＿＿）
6）その他特記すべきこと（子どものこと，母親のこと，その他の家族のこと，環境上のことなど）
＿＿＿＿＿＿＿＿＿＿＿＿＿＿＿＿＿＿＿＿＿＿＿＿
＿＿＿＿＿＿＿＿＿＿＿＿＿＿＿＿＿＿＿＿＿＿＿＿

2．新生児期（該当するものを○で囲む，あるいは必要事項を記入する）
1）出生時体重 ⇒ 約（＿＿＿＿＿g）
2）在胎期間 ⇒ 満期産（37週以降42週未満）　37週未満　42週以上
3）分娩 ⇒ 正常分娩　帝王切開　吸引分娩　鉗子分娩
4）児の状態 ⇒ 強い黄疸　臍帯巻絡　新生児仮死
その他の異常（＿＿＿＿＿＿＿＿＿＿）
5）栄養法 ⇒ 母乳　人工栄養　混合栄養（母乳のみの時期があれば，それがいつまでかを記入すること：＿＿＿＿＿＿まで）
卒乳時期（＿＿＿＿＿＿）
6）その他特記すべきこと（子どものこと，母親のこと，その他の家族のこと，環境上のことなど）
＿＿＿＿＿＿＿＿＿＿＿＿＿＿＿＿＿＿＿＿＿＿＿＿
＿＿＿＿＿＿＿＿＿＿＿＿＿＿＿＿＿＿＿＿＿＿＿＿

3．乳幼児期（該当するものを○で囲む，あるいは必要事項を記入する）
1）夜泣き ⇒ なし　あり（毎晩でしたか：はい　いいえ）
2）寝つき ⇒ よかった　寝つきにくかった（抱っこしていなくては寝なかったなど）
3）首がすわる ⇒（　歳　カ月）
4）はいはいする ⇒（　歳　カ月）
5）初めて歩く（始歩）⇒（　歳　カ月）
6）初めて言葉を発する（始語）⇒（　歳　カ月）
7）二語文を使う ⇒（　歳　カ月）
8）言葉を人とのコミュニケーションに使うことに次のような問題がありましたか
a）言葉の遅れ ⇒ なし　あり
b）反響言語 ⇒ なし　あり
c）しり上がりの言葉 ⇒ なし　あり
d）平板な話し方 ⇒ なし　あり
e）構音障害 ⇒ なし　あり

f）吃音　　　　　　　　⇒なし　ありg）その他の言葉の問題　⇒なし　あり（どのような問題ですか：＿＿＿＿＿＿＿）

9）夜のオムツが取れる　　⇒（＿＿歳＿＿カ月）

10）人見知り　　　　　　⇒（＿＿歳＿＿カ月）

a）人見知りの激しかった時期　⇒（＿＿＿カ月頃，あるいは＿＿＿歳頃）

b）どんな人見知りでしたか　⇒（＿＿＿＿＿＿＿＿＿＿＿＿＿＿＿）

11）同世代の子どもとの関係　⇒興味・関わりが薄い　年齢相応に遊べた　非常に積極的

12）多動で落ち着かない傾向　⇒なし　あり（どのようなことか：＿＿＿＿＿＿）

13）他者への攻撃的行動　　⇒なし　あり（どのようなことか：＿＿＿＿＿＿）

14）不器用さ　　　　　　⇒なし　あり（どのようなことか：＿＿＿＿＿＿）

15）感覚の過敏さ

⇒なし　あり（どのようなことか：＿＿＿＿＿＿）

16）3歳児検診で医師や保健師に何か指摘されましたか。

17）幼稚園，保育園（年少組～年長組の3年間）の園での生活について覚えていること，印象に残っていること，園から指摘されたことなどはありますか。

18）その他特記すべきこと（子どものこと，母親のこと，その他の家族のこと，環境上のことなど）

4．小学生年代（必要事項を記入する）

1）好きな遊び・趣味

2）学習能力（成績，得意な科目，苦手な科目など）

3）友人との関係

4）親子関係

5）同胞（兄弟姉妹）との関係

6）睡眠，食事など生活リズムの確立状況

7）自信・自尊心など自己に関するイメージ

8）その他特記すべきこと

5. 中学生・高校生年代（必要事項を記入する。中学と高校で大きく異なるときは，いずれの時期か明記する）
   1）好きな遊び・趣味（部活動も含む）

   2）学習能力（成績，得意な科目，苦手な科目など）

   3）友人との関係

   4）親子関係

   5）同胞（兄弟姉妹）との関係

   6）睡眠，食事など生活リズムの確立状況

   7）自信・自尊心など自己に関するイメージ

   8）その他特記すべきこと

6. 全体を通じて被虐待歴の有無
   ⇒ なし　　あり（虐待種および年代：＿＿＿＿＿＿＿＿＿＿＿＿＿＿＿＿＿）

Ⅳ．既往歴

お子さんには次のような病気やけがの経験はありますか。（該当するものを○で囲む，あるいは必要事項を記入する）

1）けいれん性疾患（てんかん，熱性けいれんなど）
⇒なし　　あり（病名：＿＿＿＿＿＿＿＿＿＿）
2）高熱を伴う　⇒なし　　あり（病名：＿＿＿＿＿＿＿＿＿＿）
3）視力・視覚障害　⇒なし　　あり（病名：＿＿＿＿＿＿＿＿＿＿）
4）聴力・聴覚障害　⇒なし　　あり（病名：＿＿＿＿＿＿＿＿＿＿）
5）アレルギー性疾患　⇒なし　　あり（病名：＿＿＿＿＿＿＿＿＿＿）
6）四肢の骨折　⇒なし　　あり（原因：＿＿＿＿＿＿＿＿＿＿）
7）頭部外傷　⇒なし　　あり（原因：＿＿＿＿＿＿＿＿＿＿）
⇒その際の意識障害の有無（なし　　あり）
8）その他　⇒なし　　あり（病名･外傷名：＿＿＿＿＿＿＿＿＿＿）

Ⅴ．家族歴

1．ご家族についてうかがいます。
1）同居家族（　　　　　　　　　　　　　　　　　　　　）
2）ジェノグラム

2. お子さんの家族や近い親戚（両親，兄弟姉妹，祖父母，おじ・おば，いとこなど）に次のような問題や病気を経験したことのある方，あるいは現にいま，その状態にある方はいらっしゃいますか。

1）子ども時代にひどく落ち着きがなく，集中力がなかった人，あるいは注意欠如・多動症（ADHD）や微細脳機能障害（MBD）の診断を受けたことがある人
⇒ なし　　あり（お子さんとの続柄：＿＿＿＿＿＿＿＿＿＿＿＿）

2）子ども時代にひどく反抗的で攻撃的だった人
⇒ なし　　あり（お子さんとの続柄：＿＿＿＿＿＿＿＿＿＿＿＿）

3）子ども時代に非行に走ったことがある人
⇒ なし　　あり（お子さんとの続柄：＿＿＿＿＿＿＿＿＿＿＿＿）

4）子ども時代に虐待を受けたことがある人
⇒ なし　　あり（お子さんとの続柄：＿＿＿＿＿＿＿＿＿＿＿＿）

5）子ども時代に不登校だった人
⇒ なし　　あり（お子さんとの続柄：＿＿＿＿＿＿＿＿＿＿＿＿）

6）青年期以降に「ひきこもり」だった人
⇒ なし　　あり（お子さんとの続柄：＿＿＿＿＿＿＿＿＿＿＿＿）

7）知的障害（DSM-5の知的能力障害）がある人
⇒ なし　　あり（お子さんとの続柄：＿＿＿＿＿＿＿＿＿＿＿＿）

8）自閉スペクトラム症（ASD）と診断された人
⇒ なし　　あり（お子さんとの続柄：＿＿＿＿＿＿＿＿＿＿＿＿）

9）持続性チック症あるいはトゥレット症と診断された人
⇒ なし　　あり（お子さんとの続柄：＿＿＿＿＿＿＿＿＿＿＿＿）

10）うつ病，不安障害，双極性障害，あるいは統合失調症と診断された人
⇒ なし　　あり（お子さんとの続柄：＿＿＿＿＿＿＿＿＿＿＿＿）

11）自殺をした人，自殺をしようとした人
⇒ なし　　あり（お子さんとの続柄：＿＿＿＿＿＿＿＿＿＿＿＿）

12）薬物依存，アルコール依存，ゲーム依存と診断された人
⇒ なし　　あり（お子さんとの続柄：＿＿＿＿＿＿＿＿＿＿＿＿）

13）成人してから犯罪に関わった人
⇒ なし　　あり（お子さんとの続柄：＿＿＿＿＿＿＿＿＿＿＿＿）

14）大人になってから，よく人に対して暴力を振るう人
⇒ なし　　あり（お子さんとの続柄：＿＿＿＿＿＿＿＿＿＿＿＿）

15）不整脈と診断された人
⇒ なし　　あり（お子さんとの続柄：＿＿＿＿＿＿＿＿＿＿＿＿）

■■ ADHD診断のための半構造化面接用フォーム ■■

これからお子さんの行動や特徴についていくつかの質問をします。それぞれの質問でお聞きする行動や特徴について，お子さんの年齢にふさわしくない程それらが目立っている，あるいは著しいという場合には「はい」とお答えください。それ程ではない，あるいはまったくない場合には「いいえ」とお答えください。可能なかぎり「はい（あるいは「ある」）」か「いいえ（あるいは「ない」）」とお答えいただきたいのですが，どうしても判断できない場合には「わからない」とお答えください。

（回答者が「はい」あるいは「ある」と答えた場合には□にチェックを入れる（☑）。「わからない」と答えた場合は□の前に「？」と記載する）

■ 注意欠如・多動症（ADHD）

A. これからお子さんに次のような不注意症状や多動性－衝動性症状があるかどうかお聞きします。

（1）不注意

以下の項目は少なくとも6カ月持続したことがあり，その程度は発達の水準に不相応で，社会的および学業的／職業的活動に直接，悪影響を及ぼすほどである場合に「はい」あるいは「ある」とお答えください。なお，それらの症状は単なる反抗的行動，挑戦，敵意の表れではありませんし，課題や指示を理解できないことでもありません。この点に注意してお答えください。

□ 学業，仕事，または他の活動中に，しばしば綿密に注意することができない，または不注意な間違いをする（例えば，細部を見過ごしたり見逃してしまう，作業が不正確である）。

□ 課題または遊びの活動中に，しばしば注意を持続することが困難である（例えば，講義，会話，または長時間の読書に集中することが難しい）。

□ 直接話しかけられたときに，しばしば聞いていないように見える（例えば，明らかな注意をひく物がない状況でさえ，心がどこか他所にあるように見える）。

□ しばしば指示に従えず，学業，用事，職場での義務をやり遂げることができない（例えば，課題を始めるがすぐに集中できなくなる，また容易に脱線する）。

□ 課題や活動を順序立てることがしばしば困難である（例えば，一連の課題を遂行することが難しい，資料や持ち物を整理しておくことが難しい，作業が乱雑でまとまりがない，時間の管理が苦手，締め切りを守れない）。

□ 精神的努力の持続を要する課題（例えば，学業や宿題，青年期後期および成人では報告書の作成，書類に漏れなく記入すること，長い文書を見直すこと）に従事することをしばしば避ける，嫌う，またはいやいや行う。

□ 課題や活動に必要なもの（例えば，学校教材，鉛筆，本，道具，財布，鍵，書類，眼鏡，携帯電話）をしばしばなくしてしまう。

□ しばしば外的な刺激（青年期後期および成人では無関係な考えも含まれる）によってすぐ気が散ってしまう。

□ しばしば日々の活動（例えば，用事を足すこと，お使いをすること，青年期後期および成人では電話を折り返しかけること，お金の支払い，会合の約束を守ること）で忘れっぽい。

（以上9項目のうち，17歳未満の子どもなら「はい（あるいは「ある」）」が6つ以上，もし17歳以上の青年期後期および成人なら5つ以上あるか。あれば以下の「不注意症状が基準を満たす」の□にチェックを入れる（☑））

⇒□　不注意症状が基準を満たす（基準A-1）

(2) 多動性－衝動性

以下の項目は少なくとも6カ月持続したことがあり，その程度は発達の水準に不相応で，社会的および学業的／職業的活動に直接，悪影響を及ぼすほどである場合に「はい」あるいは「ある」とお答えください。なお，それらの症状は単なる反抗的行動，挑戦，敵意の表れではありませんし，課題や指示を理解できないことでもありません。この点に注意してお答えください。

- □　しばしば手足をそわそわ動かしたりトントン叩いたりする，または椅子の上でもじもじする。
- □　席についていることが求められる場面でしばしば席を離れる（例えば，教室，職場，その他の作業場所で，またはそこにとどまることを要求される他の場面で，自分の場所を離れる）。
- □　不適切な状況でしばしば走り回ったり高いところに登ったりする（青年または成人では落ち着かない感じのみに限られるかもしれないので，それを確認のこと）。
- □　静かに遊んだり余暇活動につくことがしばしばできない。
- □　しばしば“じっとしていない”，またはまるで“エンジンで動かされているように”行動する（例えば，レストランや会議に長時間とどまることができないまたは不快に感じる；他の人達には落ち着かないとか一緒にいることが困難と感じられるかもしれない）。
- □　しばしばしゃべりすぎる。
- □　しばしば質問が終わる前に出し抜いて答え始めてしまう（例えば，他の人達の言葉の続きを言ってしまう；会話で自分の番を待つことができない）。
- □　しばしば自分の順番を待つことが困難である（例えば，列に並んでいるとき）。
- □　しばしば他人を妨害し，邪魔をする（例えば，会話，ゲーム，または活動に干渉する；相手に聞かずにまたは許可を得ずに他人の物を使い始めるかもしれない；青年または成人では，他人のしていることに口出ししたり，横取りすることがあるかもしれない）。

（以上9項目のうち，17歳未満の子どもなら「はい（あるいは「ある」）」が6つ以上，もし17歳以上の青年期後期および成人なら5つ以上あるか。あれば以下の「多動性－衝動症状が基準を満たす」の前の□にチェックを入れる（☑））

⇒□　多動性－衝動性症状が基準を満たす（基準A-2）

（基準A-1と基準A-2のどちらか，あるいは両方が基準を満たしていれば以下の「基準A-1と基準A-2のどちらか，または両方の基準を満たす」の前の□にチェックを入れる（☑））

⇒□　基準A-1と基準A-2のどちらか，または両方の基準を満たす

B. 不注意または多動性－衝動性の症状のうちいくつかは12歳になる前から存在していましたか。

⇒□ **12歳前に症状のいくつかが存在していた**

C. 不注意または多動性－衝動性の症状のうちのいくつかが次のような場所で存在しましたか。

□ 家庭で
□ 学校の授業中で
□ 学校の休み時間や放課後で
□ 保育園，幼稚園，ベビーホームで
□ 学童保育で
□ 習いごとで（サッカー，野球，水泳，学習，ピアノなど）
□ 職場で（青年期後期や成人の場合）
□ その他の場所で（具体的な場の名称：＿＿＿＿＿＿＿＿）

（上記の2つ以上にチェックがあったら「2つ以上の場で症状が存在する」の前の□にチェックを入れる（☑））

⇒□ **2つ以上の場で症状が存在している**

D. これらの症状が存在することで，社会的，学業的，または職業的な機能を損なわせている，またはその質を低下させている明確な証拠はありますか。

1）家庭ではいかがでしょう　（＿＿＿＿＿＿＿＿）
2）学業についてはいかがでしょう（＿＿＿＿＿＿＿＿）
3）学校生活ではいかがでしょう　（＿＿＿＿＿＿＿＿）
4）友人関係ではいかがでしょう　（＿＿＿＿＿＿＿＿）
5）その他　　（具体的に：＿＿＿＿＿＿＿＿）

（1～5の1つでも臨床的に意味のある機能上の問題が生じていれば「1つ以上で問題や困難が生じている」の前の□にチェックを入れる（☑））

⇒□ **1つ以上で問題や困難が生じている**

E. 鑑別診断（評価者が判断する）；これらの症状は統合失調症や他の精神病性障害の経過中にのみ起こるものではなく，他の精神疾患（例えば，気分障害，不安症，解離症，パーソナリティ障害，物質中毒または離脱）ではうまく説明されない。

注）DSM-5のテキストでは，鑑別診断すべき疾患は上記の疾患にとどまっておらず，**反抗挑発症，間欠爆発症，常同運動症，限局性学習症，知的能力障害（知的発達症），自閉スペクトラム症，反応性アタッチメント障害，不安症群，抑うつ障害群，双極性障害，重篤気分調節症，物質使用障害，パーソナリティ障害群，精神病性障害，医薬品誘発性ADHD症状**（気管支拡張薬，イソニアジド，神経遮断薬，甲状腺補充薬など），**神経認知障害群**といった幅広い疾患が挙げられている。このほか，**脱抑制型対人交流障害**も鑑別対象疾患として重要である。ADHDを示唆する諸症状がこれらの疾患の症状として説明がつくなら，それはADHDと診断すべきではない。

（この基準を満たせば「鑑別すべき疾患では説明できない」の前の□にチェックを入れる（☑））

⇒□　**鑑別すべき疾患では説明できない**

■A～Eまでのすべての条件を満たしているか。
（A～Eのすべての条件が満たされていれば次の「ADHDと診断できる」の□にチェックを入れる（☑））

⇒□　**ADHDと診断できる。**
⇒ ここにチェックが入ったら（F）以下へ
（以下はすべて評価者が判断する）

F. ADHD症状（A-1とA-2）の現在の表れ方を特定せよ。（評価者が判断する）

□　**混合して存在**　⇒ 過去6カ月間，お子さんは基準A-1（不注意）と基準A-2（多動性－衝動性）をともに満たしていましたか。

□　**不注意優勢に存在**　⇒ 過去6カ月間，お子さんは基準A-1（不注意）を満たしていたが，基準A-2（多動性－衝動性）を満たしてはいませんでしたか。

□　**多動・衝動優勢に存在**　⇒ 過去6カ月間，お子さんは基準A-2（多動性－衝動性）を満たしていたが，基準A-1（不注意）を満たしてはいませんでしたか。

G.「部分寛解」に該当するか特定せよ。（評価者が判断する）
（「部分寛解」とは，以前には診断基準A～Eまでのすべての基準を満たしていたが，この6カ月間で見ると，条件を満たしている基準数が減少しており，しかも現在ある症状（診断基準Aで該当する症状）によって社会的，学業的，または職業的機能が障害を受けている状態のことである。この定義を満たせば，「部分寛解」の前の□にチェックを入れる（☑））

⇒□　**部分寛解**

H. 現在の重症度を特定せよ。（評価者が判断する）

□　**軽度**　⇒ 診断を下すのに必要な項目数の症状があったとしても少なく（17歳未満は6個以上，17歳以上は5個以上という基準を大きく超えない），症状がもたらす社会的または職業的技能への障害はわずかでしかない。

□　**中等度**　⇒ 症状または機能障害は，「軽度」と「重度」の間にある。

□　**重度**　⇒ 診断を下すのに必要な項目数（17歳未満は6個，17歳以上は5個）以上に多くの症状がある，またはいくつかの症状が特に重度である場合，あるいは症状が社会的または職業的機能に著しい障害をもたらしている。

■■ 併存症診断・評価用フォーム ■■

以下は，併存症を可能なかぎり漏れのない診断に導くためのチェックリストであり，厳密な意味での半構造化面接フォームではないことを心得て使用することが求められている。併存症となりうる精神疾患名をすべてあげることには無理があり，いたずらに煩雑になるだけであるため，チェックリストの全体を2部構成とし，**第1部**はADHDの併存症として特に厳密な評価と判断が求められる自閉スペクトラム症，反抗挑発症，素行症，間欠爆発症，重篤気分調節症の5疾患を選び，半構造化面接に準じたフォームとした。**第2部**はその他の比較的併存症となりやすい諸疾患をあげ，「あり」「なし」「疑いを否定できず」の3種類の回答欄の当てはまるものを選択し，発症年齢を記載する形式を採る。

(以下の各疾患について診断基準の個々の基準に該当すれば，「…が存在する」「…を満たす」「あり」「なし」などの前に置かれた□にチェックを入れる（☑))

＊＊＊＊＊＊＊＊＊＊　第1部　＊＊＊＊＊＊＊＊＊＊

■ 自閉スペクトラム症（ASD）

A. 以下の症状の有無を評価すること：「複数の状況における社会的コミュニケーションおよび対人的相互反応における持続的な欠陥」

(以下のような症状（①～③）のいずれかが存在するかを評価し，1つ以上があれば「症状Aが存在する」に該当する)

① 他者への異常なほどの近づき方，通常の会話のやり取りができないこと，興味や情動あるいは感情の共有が難しいこと，自ら対人的交流を始めることが難しいことなど相互の対人的 - 情緒的関係が欠落しがちである。

② アイコンタクトや身振りなどの使用が難しく，相手の表情や身振りなど意味を理解できないことなど非言語的コミュニケーションに欠陥が見られる。

③ 状況に合った行動の調整，ごっこ遊びや見立て遊びなど想像上の遊びを他者と行うのが難しいこと，友人に興味が薄いこと，友人を作れないことなどといった人間関係を発展させ，維持し，それを理解することが難しい。

⇒□　症状Aが存在する

⇒「症状Aが存在する」ならその重症度を記載する（レベル：＿＿＿)

(この評価のため，「DSM-5 精神疾患の診断・統計マニュアル」の51ページ，あるいは「DSM-5 精神疾患の分類と手引き」の29ページに掲載されている表2に示す1～3の3段階の水準を特定すること)

B. 以下の症状の有無を評価すること：「行動，興味，または活動の限定された反復的な様式」

(以下のような症状（①～④）のうち2個以上が存在しているかを評価し，2つ以上あれば「症状Bが存在する」に該当する)

① 例えば，ミニカーなどの玩具を一列に並べるような物の反復的使用，手を叩いたり，指をはじいたり，掌をかかげてひらひらさせたり，くるくる回転したりといった常同運動，

反響言語や，語尾を上げたり歌うような独特な話し方，自分を言うのに「あなた」といったり，場面に関係なく敬語で話したりといった独特な言い回しが見いだされる。

② 例えば，授業の予定を変えられたり，いつもと異なるメーカーの菓子を購入するといった変化することや移り変わることへの強い苦痛と抵抗，ルールへの固執や通り道をけっして変更しないといった同一性への固執と習慣へのかたくななこだわり，質問をくりかえしたり，必ず同じ挨拶の言葉を交わさないと次に進めなかったりといった言語的あるいは非言語的な儀式的行動様式が見いだされる。

③ 例えば，電車写真を収集し，電車の種類による微細な形態の違いに関心を持ったり，固執するアイドルの写真が載った記事をすべて集めようとしたり，時刻表を必ず入手しようとするなど関心の強度において強すぎ，関心の対象として偏り過ぎる，極めて限定され執着の強い興味が見いだされる。なお，これにはしばしば電車の形態や時刻表やカレンダーなど興味の対象に関する驚くべき記憶力を伴う。

④ 例えば，嫌いな食品の形を消した調理法でも気づく（そのため著しい偏食を伴うことがある），ピアノなどある種の音を異様に嫌悪する，衣服の首回りの感触を嫌がり襟なしの服しか着ないなど感覚刺激への過敏さや，痛みや寒さ・暑さに無関心のように見えたり，砂やクレヨンなどを咀嚼して呑み込んでも平気であったりといった感覚刺激への鈍感さが見いだされる。この過敏さと鈍感さは同じ感覚に共存することが珍しくない（音への過敏さと敏感さなど）。あるいは，回転する換気扇をいつまでも見つめる，点滅する光をいつまでも見つめる，なんでも臭いをかぐなどの感覚刺激への異様に強い関心が見いだされる。

⇒□　症状Bが存在する

⇒「症状Bが存在する」ならその重症度を記載する（レベル：＿＿＿）

（この評価のため，「DSM-5 精神疾患の診断・統計マニュアル」の51ページ，あるいは「DSM-5 精神疾患の分類と手引き」の29ページに掲載されている表2に示す1～3の3段階の水準を特定すること）

（「症状Aが存在する」と「症状Bが存在する」のどちらの□にもチェックが入っているということを確認したら，以下の「症状Aと症状Bのどちらも存在する」の前の□にチェックを入れる（☑））

⇒□　症状Aと症状Bのどちらも存在している

⇒ もし症状Aにだけチェックが入るなら，「社会的（語用論的）コミュニケーション症」の診断・評価へ

C. 症状は発達早期に存在していなければならない。

⇒□　症状は発達早期に存在していた

D. その症状は，社会的，職業的，または他の重要な領域における現在の機能に臨床的に意味のある障害を引き起こしている。

1）家庭で　　　（具体的に：＿＿＿＿＿＿＿＿＿＿＿＿＿＿＿＿＿＿）

2）学業について（具体的に：＿＿＿＿＿＿＿＿＿＿＿＿＿＿＿＿＿＿）

3）学校生活で　（具体的に：＿＿＿＿＿＿＿＿＿＿＿＿＿＿＿＿＿＿＿＿）
4）友人関係で　（具体的に：＿＿＿＿＿＿＿＿＿＿＿＿＿＿＿＿＿＿＿＿）
5）その他　　　（具体的に：＿＿＿＿＿＿＿＿＿＿＿＿＿＿＿＿＿＿＿＿）

⇒□　**1つ以上の場あるいは状況で問題や困難が生じている**

E. 鑑別診断（評価者が判断する）；知的能力障害または全般性発達遅延ではうまく説明できない。

注1）DSM-5の診断基準では知的能力障害とASDはしばしば併存するが，「併存」と断定するためには子どもの社会的コミュニケーションの問題が全般的な発達の水準では説明できないほど低いことを確認する必要があると注意を呼び掛けている。すなわち，全般的な発達水準が低いこと（知的能力障害であること）による社会的コミュニケーションや対人的相互交流の機能の低さをASD症状と誤解する可能性を指摘していることを心得ておくべきである。

注2）DSM-5のテキストでは，この鑑別すべき疾患として（ASDを伴わない）知的能力障害の他に，**レット症候群，選択性緘黙，言語症群，社会的（語用論的）コミュニケーション症，常同運動症，ADHD，統合失調症**をあげているので，これらの疾患で説明できる症状ならASDとしない点に留意すべきである。なお，これらの疾患はASDの併存症となりうるものでもあることを注意すべきである。この他に反応性アタッチメント障害はASDと誤診されることがあるため，ネグレクトや頻繁な養育者の変更などの逆境的養育環境の有無，および症状の出現経過を慎重に評価する必要がある。

（この評価のためには評価者は上記の（注1，注2）の内容を意識した補足的な質問や臨床的な観察を経て判断する必要がある）

⇒□　**鑑別すべき疾患では説明できない**

◆　A～Eまでのすべての条件を満たしているか。
（A～Eのすべての条件が満たされていれば次の「ASDと診断できる」に該当する）

⇒□　**ASDと診断できる**

■ 反抗挑発症（ODD）

A. 怒りっぽく易怒的な気分，口論好きで挑発的な行動，または執念深さなどの情緒的あるいは行動上の様式が少なくとも6カ月間は持続し，以下の症状リストのうち4つ以上が，同胞以外の一人以上の人物との交流で示されているかを評価する。

□　①　しばしばかんしゃくを起こす。
□　②　しばしば神経過敏またはいらいらさせられやすい。
□　③　しばしば怒り腹を立てる。
□　④　しばしば権威ある人物，子どもや青年では大人と，口論をする。
□　⑤　しばしば権威ある人の要求や規則に従うことに積極的に反抗または拒否する。
□　⑥　しばしば故意に人をいらだたせる。

□　⑦　しばしば自分の失敗または不作法を他人のせいにする。
□　⑧　過去6カ月間に少なくとも2回，意地悪で執念深かったことがある。

注）上記の8個の症状一覧の各症状は正常範囲でも生じうる情緒あるいは行動であるため，これを症状と見なす基準（すなわち「しばしば」と判断する基準）は，5歳未満ではほとんど毎日，少なくとも6カ月間にわたって生じている場合に「あり」とし，5歳以上の子どもでは1週間に1回，少なくとも6カ月間にわたって生じている場合に「あり」とする。これに加え，発達水準，性別，文化の基準に照らして頻度と強度が逸脱した水準にあるか否かという観点からも判断する必要がある。
（以上の注記を踏まえて上記８症状のうち４つ以上が存在すれば「症状が４つ以上存在する」に該当する）

⇒□　**症状が4つ以上存在する**

B. 存在する行動上の障害により，身近な環境（家族，友人や仲間関係，学校や職場の人間関係など）で本人や他者の苦痛を引き起こしているか，あるいは社会的，学業的，職業的，または他の重要な領域での機能を障害させている。

⇒□　**実際に問題を引き起こしている**
⇒ Bに該当するなら具体的にどのような問題が生じているか記載する。
（＿＿＿＿＿＿＿＿＿＿＿＿＿＿＿＿＿＿＿＿＿＿＿＿＿＿＿＿＿＿）

C. 鑑別診断（評価者が判断する）；その行動上の障害は精神病性障害，物質使用障害，抑うつ障害，または双極性障害の経過中にだけ生じるものではなく，また重篤気分障害の基準を満たさない。
注）DSM-5のテキストでは鑑別診断すべき疾患として上記以外に，**素行症，ADHD，重篤気分調節症，間欠爆発症，知的能力障害，言語症，社交不安症**をあげており，見いだされた症状がそれらの疾患で説明できるならそれはODDではない。

⇒　□**鑑別すべき疾患では説明できない**

◆　A～Cまでのすべての条件を満たしているか。
（A～Eのすべての条件が満たされていれば次の「ODDと診断できる」に該当する）

⇒□　ODDと診断できる。
⇒ ここにチェックが入ったら重症度を特定せよ

▶　重症度
□　**軽度**　⇒ 症状は家庭，学校，仕事，友人関係など1つの状況に限局している。
□　**中等度**　⇒ いくつかの症状が少なくとも2つの状況で見られる。
□　**重度**　⇒ いくつかの症状が3つ以上の状況で見られる。

■ 間欠爆発症（IED）

A. 以下のいずれかに現れる攻撃的衝動の制御不能に示される反復性の行動爆発が存在する。

□ ① 言語面での攻撃性（例えば，かんしゃく発作，激しい非難，言葉での口論や喧嘩），または所有物，動物，他者に対する身体的攻撃性が3カ月間で平均して週2回起こる。
（この身体的攻撃性は所有物の損傷または破壊にはつながらず，動物や他者を負傷させることはない）

□ ② 所有物の損壊または破壊，および／または（and/or）動物または他者を負傷させるような身体的攻撃行動の爆発が12カ月間で3回起きている。

（症状①と症状②のどちらか，あるいは両方が起きていたら「反復性の行動爆発が存在する」に該当する）

⇒□ **反復性の行動爆発が存在する**

B. 反復する爆発中に表出される攻撃性の強さは，挑発する原因または契機となった心理社会的ストレスとはひどく釣り合わない。

⇒□ **契機となった心理社会的ストレスとはひどく釣り合わない**

C. その反復する攻撃性の爆発は，前もって計画されたものではなく（それは衝動的または怒りに基づくもの，あるいはその両方であり，計画的・意図的なものではないということ），金銭や相手に対する権力，あるいは威嚇といった何らかの現実目的を手に入れるために行われたものではない。

⇒□ **計画的でも現実目的の獲得を目指したものでもない**

D. その反復する攻撃性の爆発は，その人に明らかな苦痛を生じさせているか，学校生活，職業または対人機能などの障害を生じさせているか，あるいは経済的または司法的な結果と関連している。

⇒□ **それにより苦痛を感じるか，社会的生活や対人関係の障害を招いている**

E. 少なくとも6歳以上，またはそれに相当する発達水準でなければならない。

⇒□ **少なくとも6歳あるいはそれに相当する発達水準である**

F. 鑑別診断（評価者が判断する）；その反復する攻撃性の爆発は，うつ病，双極性障害，重篤気分調節症，精神病性障害，反社会性パーソナリティ障害，境界性パーソナリティ障害など他の精神疾患ではうまく説明できず，あるいは頭部外傷やせん妄やアルツハイマー病などの他の医学的疾患によるものではなく，乱用薬物や医薬品といった物質の生理学的作用（離脱症状を含む）によるものではない。6〜18歳の子どもでは適応障害で説明できる衝動的攻撃性の爆発をIEDと診断すべきではない。

注）DSM-5のテキストで鑑別診断すべき疾患として上記以外に，ADHD，**素行症**，**重篤気分調節症**，**反抗挑発症**，ASDをあげ，これらの疾患は衝動的で攻撃性の爆発を示すことがあ

りうるとした。

⇒□　**鑑別すべき疾患では説明できない**

◆　A～Fまでのすべての条件を満たしているか。
（A～Fのすべての条件が満たされていれば次の「IEDと診断できる」に該当する）

⇒□　**IEDと診断できる**

■ 素行症（CD）

A. 他者の基本的人権または年齢相応の主要な社会的規範または規則を侵害することが反復し，かつ持続する行動様式で，以下の15の基準のうち少なくとも3つが過去12カ月の間に存在し，それらの基準のうち少なくとも1つは過去6カ月の間に存在した。
（以下の15基準のうち過去1年間に存在していたものにチェックを入れ，同時に直近の6カ月間に存在しているものにはチェックの入った□（すなわち☑）の前に○をつける（「○☑」のように））

□　①　しばしば他人をいじめ，脅迫し，または威嚇する。
□　②　しばしば取っ組み合いの喧嘩をする。
□　③　バット，石，割れた瓶，ナイフ，木刀などの他人に重大な身体的危害を与えるような凶器を使用したことがある。
□　④　人に対して身体的に残酷であった。
□　⑤　動物に対して身体的に残酷であった。
□　⑥　例えば路上強盗，ひったくり，ゆすり，凶器を使った強盗のように，被害者の面前での盗みをしたことがある。
□　⑦　性行為を強いたことがある。
□　⑧　重大な損害を加えるために故意に放火したことがある。
□　⑨　放火以外で，故意に他人の所有物を破壊したことがある。
□　⑩　他人の住居，建造物，または車に侵入したことがある。
□　⑪　物を得たり，好意を得たり，あるいは義務を逃れるために，しばしば嘘をつき，他人をだまそうとする（例えば詐欺など）。
□　⑫　被害者の面前ではなく，それなりに価値のある物品を盗んだことがある（例えば破壊や侵入の伴わない万引きや置き引き，文書偽造など）。
□　⑬　親の禁止にもかかわらず，しばしば夜間に外出する行為が13歳より前から始まる。
□　⑭　親または親代わりの人の家に住んでいる間に，一晩中家を空けたことが少なくとも2回，または長期にわたって家に帰らないことが1回あった。
□　⑮　しばしば学校を怠ける行為が13歳より前から始まる。

（上記15基準のうち3つ以上が過去1年間に存在し，同時に1つ以上が直近の6カ月間に存在していれば「基準Aを満たす症状が存在する」に該当する）

⇒□ **基準Aを満たす症状が存在する**

B. その行動の障害は，臨床的に意味のある社会的，学業的，あるいは職業的機能の障害を引き起こしている。

⇒□　**実際に機能の障害を引き起こしている**

⇒ **Bに該当するなら具体的にどのような問題が生じているか記載する。**

（＿＿＿＿＿＿＿＿＿＿＿＿＿＿＿＿＿＿＿＿＿＿＿＿＿＿＿＿＿＿）

C. その人が18歳以上の場合，反社会パーソナリティ障害の基準を満たさない（18歳未満では反社会性パーソナリティ障害と診断することそのものができない）

⇒□　**反社会性パーソナリティ障害の基準を満たさない**

D. 鑑別診断；その行動がODD，ADHD，抑うつ障害群および双極性障害群，IED，適応障害の症状で説明できるならばCDとはしない。

注）DSM-5のテキストでは上記の諸疾患が鑑別診断の対象として記載されているが，ODDとADHDはしばしばCDの併存症であり，上記のその他の精神疾患や限局性学習症なども併存することがあると記載している。

⇒□　**鑑別すべき疾患では説明できない**

◆　A～Dまでのすべての条件を満たしているか。

（A～Dのすべての条件が満たされていれば次の「CDと診断できる」に該当する。ただし，18歳未満の子どもでは診断基準Cは）

⇒□　**CDと診断できる**

⇒ **ここにチェックが入ったら以下を特定せよ**

▶　いずれかを特定せよ。

□　**小児期発症型**（10歳になるまでにCDに特徴的基準が少なくとも1つ始まっている）

□　**青年期発症型**（10歳になるまでにCDに特徴的基準は全く認められない）

▶　該当すれば特定せよ。（以下の４項目のおのおのについて，該当すればチェックを入れる）

□　後悔または罪責感の欠如

□　冷淡（共感の欠如）

□　自分のふるまいを気にしない

□　感情の浅薄さまたは欠如

（以上４項目のうち２つ以上をさまざまな対人関係や状況で示していれば「向社会的情動が限られている」に該当する）

⇒□　**向社会的な情動が限られている**

▶ 重症度

□ **軽度** ⇒ 基準は3つ以上あってもわずかに超える程度で，素行上の問題も深刻ではない。（例えば，嘘をつく，怠学，夜遊びなど）

□ **中等度** ⇒ 基準の数とその他者への影響は軽度と重度の中間である。（例えば，被害者の面前でない盗み，器物破損など）

□ **重度** ⇒ 3つを大きく超える基準が見いだされ，それが他者に及ぼす影響は深刻である。（例えば，強制的な性行為，身体的に残酷な行為，凶器の使用，被害者の面前での盗み，器物破損および家宅侵入など）

■ 重篤気分調節症（DMDD）

A. 言語的（激しい暴言など）あるいは行動的（人物や器物に対する物理的攻撃など）に表出される激しいかんしゃく発作が繰り返し生じており，その強さや持続時間は状況やきっかけに比べ著しく逸脱している。

⇒□　**基準Aを満たす**

B. かんしゃく発作は発達の水準にそぐわない。

⇒□　**基準Bを満たす**

C. かんしゃく発作は，平均して週に3回以上起こる。

⇒□　**基準Cを満たす**

D. かんしゃく発作の間欠期の気分は，ほとんど一日中，そしてほとんど毎日にわたる持続的な易怒性または怒りであり，それは両親や教師，あるいは友人などの他者から観察可能である。

⇒□　**基準Dを満たす**

E. 基準A～Dは12カ月以上持続している。その期間中に基準A～Dで定義された症状が全く存在しない期間が連続3カ月以上続くことはない。

⇒□　**基準Eを満たす**

F. 基準AとDは，家庭，学校，友人関係の3つの場面のうち少なくとも2つ以上で見出すことができ，そのうち少なくとも1つの場面では顕著に表れている。

⇒□　**基準Fを満たす**

G. この診断は6歳以前および18歳より後に初めて診断すべきではない。すなわち，この診断をつける際に患者は7歳以上18歳までの発達年齢でなければならない。

⇒□　**基準Gを満たす**

H. 病歴または観察から，基準A～Eの出現，すなわち発症の年齢は10歳以前である。

⇒□　**基準Hを満たす**

I. 鑑別診断-1（評価者が判断する）
躁病または軽躁病エピソードの基準を，持続期間を除いて，完全に満たすはっきりとした期間が1日以上（すなわち24時間を越えて）続いたことがない。
注）非常に好ましい出来事，またはその期待が高まった際に生じるような，発達面からみてふさわしい気分の高揚を躁病または軽躁病の症状とみなすべきではないとの注記が付加されている。

⇒□　**基準Iを満たす**

J. 鑑別診断-2（評価者が判断する）
これらの行動は，うつ病エピソード中にのみ起こるものではなく，例えばASD，心的外傷後ストレス障害（PTSD），分離不安症，持続的抑うつ障害（気分変調症）のような他の精神疾患ではうまく説明できない。

⇒□　**基準Jを満たす**

K. 鑑別診断-3（評価者が判断する）
ODD，IED，双極性障害のいずれかの診断基準を満たさない。また，躁病または軽躁病エピソードの既往がない。

⇒□　**基準Kを満たす**

L. 鑑別診断-4
症状は，物質の生理学的作用や，他の医学的疾患または神経学的疾患によるものではない。

⇒□　**基準Lを満たす**

■　A～Lまでのすべての条件を満たしているか。
（A～Lのすべての条件が満たされていれば次の「DMDDと診断できる」に該当する）

⇒□　**DMDDと診断できる**

＊＊＊＊＊＊＊＊＊＊　第2部　＊＊＊＊＊＊＊＊＊＊

以下のチェックリストに示す各疾患，あるいは疾患群について，その疾患が「あり」の場合は発症年齢と学年を記載する。幼稚園（保育園），小学校，中学校，高校のいずれかを丸で囲み，学年も記入する。なお，幼稚園は学年の数字ではなく年少，年中，年長のいずれかを記入し，幼稚園以前の発症なら年齢のみの記入でよい。また疾患群の場合，それに含まれる疾患名を記載することが求められる。

■ 知的能力障害群

⇒□ あり　□ なし　□ 疑いを否定できず

⇒ 顕在化年齢：＿＿＿＿歳（幼・小・中・高＿＿＿＿年生）

（「あり」の場合，すでに知能指数がわかっていたら検査法名とともに記入する。なおWISCの場合「全検査IQ」のみ記入する）

⇒（全検査）IQ：＿＿＿＿（検査法名：＿＿＿＿＿＿＿＿＿＿）

■ コミュニケーション症群

⇒□ あり　□ なし　□ 疑いを否定できず

⇒ 顕在化年齢：＿＿＿＿歳（幼・小・中・高＿＿＿＿年生）

（「あり」の場合，言語症，語音症，小児期流暢症，社会的（語用論的）コミュニケーション症のいずれであるかを同定し記入すること）

⇒ 疾患名：＿＿＿＿＿＿＿＿＿＿＿＿＿＿＿＿＿＿＿＿

■ 限局性学習症

⇒□ あり　□ なし　□ 疑いを否定できず

⇒ 顕在化年齢：＿＿＿＿歳（幼・小・中・高＿＿＿＿年生）

（「あり」の場合，読字，書字，算数の各能力のうちどの障害が存在するかを記入すること）

⇒ 存在する学習障害の領域：＿＿＿＿＿＿＿＿＿＿＿＿＿＿＿

■ 運動症群

⇒□ あり　□ なし　□ 疑いを否定できず

⇒ 顕在化年齢：＿＿＿＿歳（幼・小・中・高＿＿＿＿年生）

（「あり」の場合，発達性協調運動症，常同運動症，チック症群（その場合にはトゥレット症，持続性運動または音声チック症，暫定的チック症のいずれかを同定し記入すること）

⇒ 疾患名：＿＿＿＿＿＿＿＿＿＿＿＿＿＿＿＿＿＿＿＿

■ 排泄症群

⇒□　あり　　□　なし　　□　疑いを否定できず

⇒ 発症年齢：＿＿＿＿歳（幼・小・中・高＿＿＿＿年生）

（「あり」の場合，夜尿症，昼間の遺尿症，遺糞症のいずれかを同定し記入すること）

⇒ 疾患名：＿＿＿＿＿＿＿＿＿＿＿＿＿＿＿＿＿＿＿＿

■ 睡眠―覚醒障害群

⇒□　あり　　□　なし　　□　疑いを否定できず

⇒ 発症年齢：＿＿＿＿歳（幼・小・中・高＿＿＿＿年生）

（「あり」の場合，不眠障害（世話する人がいないと入眠できないことを含む），過眠障害，ナルコレプシー，閉塞性睡眠時無呼吸低呼吸，概日リズム睡眠 - 覚醒障害群（睡眠相後退型，非24時間睡眠 - 覚醒型など），ノンレム睡眠からの覚醒障害（睡眠時遊行症型，睡眠時驚愕症型），悪夢障害などのいずれかを同定し記入すること）

⇒ 疾患名：＿＿＿＿＿＿＿＿＿＿＿＿＿＿＿＿＿＿＿＿

■ 反応性アタッチメント障害

⇒□　あり　　□　なし　　□　疑いを否定できず

⇒ 発症年齢：＿＿＿＿歳（幼・小・中・高＿＿＿＿年生）

■ 脱抑制型対人交流障害

⇒□　あり　　□　なし　　□　疑いを否定できず

⇒ 発症年齢：＿＿＿＿歳（幼・小・中・高＿＿＿＿年生）

■ 分離不安症

⇒□　あり　　□　なし　　□　疑いを否定できず

⇒ 発症年齢：＿＿＿＿歳（幼・小・中・高＿＿＿＿年生）

■ 社交不安症

⇒□　あり　　□　なし　　□　疑いを否定できず

⇒ 発症年齢：＿＿＿＿歳（幼・小・中・高＿＿＿＿年生）

■ 全般不安症

⇒□　あり　　□　なし　　□　疑いを否定できず

⇒ 発症年齢：＿＿＿＿歳（幼・小・中・高＿＿＿＿年生）

■ パニック症

⇒□　あり　　□　なし　　□　疑いを否定できず

⇒ 発症年齢：＿＿＿＿歳（幼・小・中・高＿＿＿＿年生）

■ 広場恐怖症

⇒□　あり　　□　なし　　□　疑いを否定できず

⇒ 発症年齢：＿＿＿＿歳（幼・小・中・高＿＿＿＿年生）

■ 強迫症および関連症群

⇒□　あり　　□　なし　　□　疑いを否定できず

⇒ 発症年齢：＿＿＿＿歳（幼・小・中・高＿＿＿＿年生）

（「あり」の場合，強迫症，醜形恐怖症，ためこみ症，抜毛症などのいずれかを同定し記入すること）

⇒ 疾患名：＿＿＿＿＿＿＿＿＿＿＿＿＿＿＿＿＿＿＿＿

■ うつ病

⇒□　あり　　□　なし　　□　疑いを否定できず

⇒ 発症年齢：＿＿＿＿歳（幼・小・中・高＿＿＿＿年生）

■ 持続性抑うつ障害（気分変調症）

⇒□　あり　　□　なし　　□　疑いを否定できず

⇒ 発症年齢：＿＿＿＿歳（幼・小・中・高＿＿＿＿年生）

■ 月経前不快気分障害（PMDD）

⇒□　あり　　□　なし　　□　疑いを否定できず

⇒ 発症年齢：＿＿＿＿歳（幼・小・中・高＿＿＿＿年生）

■ 適応障害

⇒□　あり　　□　なし　　□　疑いを否定できず

⇒ 発症年齢：＿＿＿＿歳（幼・小・中・高＿＿＿＿年生）

（「あり」の場合，ストレス因を同定し記入すること）

⇒ ストレス因：＿＿＿＿＿＿＿＿＿＿＿＿＿＿＿＿＿＿＿＿＿＿＿＿

（「あり」の場合，伴っている優勢な症状を特定し，項目の前に置かれた□にチェックを入れる（☑））

⇒□ 抑うつ気分を伴う　□ 不安を伴う　□ 両者の混合を伴う

□ 素行の障害を伴う　□ 情動と素行の障害の混合を伴う

□ 特定不能

（「あり」の場合，以下を特定し，項目の前に置かれた□にチェックを入れる（☑））

⇒□ 急性（その障害の持続は6カ月未満）

□ 持続性あるいは慢性（その障害が6カ月以上続く）

■ 心的外傷後ストレス障害

⇒□ あり　□ なし　□ 疑いを否定できず

（「あり」の場合，発症年齢と学年を記載する。幼稚園（保育園），小学校，中学校，高校のいずれかを丸で囲み，学年も記入する。なお，幼稚園は年少，年中，年長のいずれかを記入すること）

⇒ 発症年齢：＿＿＿＿歳（幼・小・中・高＿＿＿＿年生）

（「あり」の場合，心的外傷的出来事を同定し記入すること）

⇒ 外傷的出来事：＿＿＿＿＿＿＿＿＿＿＿＿＿＿＿＿＿＿＿＿＿＿＿＿

（その心的外傷的出来事を経験した際の年齢）

⇒ 経験年齢：＿＿＿＿歳（幼・小・中・高＿＿＿＿年生）

■ 双極性障害

⇒□ あり　□ なし　□ 疑いを否定できず

⇒ 発症年齢：＿＿＿＿歳（幼・小・中・高＿＿＿＿年生）

■ その他の精神疾患

1. 疾患名：＿＿＿＿＿＿＿＿＿＿　発症年齢：＿＿＿＿
2. 疾患名：＿＿＿＿＿＿＿＿＿＿　発症年齢：＿＿＿＿
3. 疾患名：＿＿＿＿＿＿＿＿＿＿　発症年齢：＿＿＿＿
4. 疾患名：＿＿＿＿＿＿＿＿＿＿　発症年齢：＿＿＿＿
5. 疾患名：＿＿＿＿＿＿＿＿＿＿　発症年齢：＿＿＿＿

■■ まとめ ■■

1. ADHD診断の結果

- ADHDと診断できたか　⇒☐　診断できた　☐　診断できなかった

(ADHDと診断できたら以下を記入)

➡ 以下を特定せよ

⇒☐　混合して存在　☐　不注意優勢に存在　☐　多動・衝動優勢に存在

➡ 該当すれば特定せよ　⇒☐　部分寛解

➡ 現在の重症度を特定せよ　⇒☐　軽度　☐　中等度　☐　重度

2. 併存症診断の結果

- **自閉スペクトラム症（ASD）**　⇒☐　あり　☐　なし　☐　疑いを否定できず
- **反抗挑発症（ODD）**　⇒☐　あり　☐　なし　☐　疑いを否定できず
- **素行症（CD）**　⇒☐　あり　☐　なし　☐　疑いを否定できず
- **間欠爆発症（IED）**　⇒☐　あり　☐　なし　☐　疑いを否定できず
- **重篤気分調節症（DMDD）**　⇒☐　あり　☐　なし　☐　疑いを否定できず

➡ **診断できた他の併存精神疾患**

①＿＿＿＿＿＿＿＿＿＿＿＿＿＿＿＿

②＿＿＿＿＿＿＿＿＿＿＿＿＿＿＿＿

③＿＿＿＿＿＿＿＿＿＿＿＿＿＿＿＿

④＿＿＿＿＿＿＿＿＿＿＿＿＿＿＿＿

⑤＿＿＿＿＿＿＿＿＿＿＿＿＿＿＿＿

⑥＿＿＿＿＿＿＿＿＿＿＿＿＿＿＿＿

⑦＿＿＿＿＿＿＿＿＿＿＿＿＿＿＿＿

⑧＿＿＿＿＿＿＿＿＿＿＿＿＿＿＿＿

⑨＿＿＿＿＿＿＿＿＿＿＿＿＿＿＿＿

⑩＿＿＿＿＿＿＿＿＿＿＿＿＿＿＿＿

3. 留意すべき現病歴，生育歴，家族歴の特徴など

資料
Ⅰ 診断・評価編 5

反抗挑戦性評価尺度（ODBI）

氏名＿＿＿＿＿＿＿＿＿＿＿＿＿＿　年齢＿＿＿＿歳　性別（男／女）

回答者氏名＿＿＿＿＿＿＿＿＿＿＿＿＿

この6カ月間のお子さまのようすについてお尋ねします。以下の行動はどのくらいの頻度で認められるでしょうか。

当てはまるところに○をつけてください。

	ほとんどない（月1回以下）	あまりない（週1回程度）	しばしばある（週2～3回）	いつもある（週4回以上）
1．思い通りにならないとかんしゃくを起こす				
2．注意されると口答えする				
3．大人のいうことをきかない				
4．他人が嫌がることをわざとする				
5．自分の失敗を他人のせいにする				
6．ひがむ				
7．兄弟や友達に意地悪する				
8．考えや行動を否定されると口答えする				
9．兄弟や友だちをばかにする				
10．劣等感を感じてイライラする				
11．注意されると腹を立てる				
12．意地悪されるとかんしゃくを起こす				
13．自分の要求を通そうとする				
14．ひとの邪魔をする				
15．自分が悪くても謝らない				
16．思い通りにならないとイライラする				
17．気に入らないと腹を立てる				
18．恨みごとを言う				

ODBIの使用にあたって

1）回答者

母親ないし母親代理者

2）測定可能な年齢

6～15歳

3）使用法

18項目に回答し，以下の表のとおりに配点する。

ほとんどない	0点
あまりない	1点
しばしばある	2点
いつもある	3点

合計点を算出し，20点以上の場合にODDが疑われる。

4）注意

本尺度はあくまで補助的スクリーニング検査として作成されたものであり，診断をくだすには，医師による総合的な判断が必要である。
（詳細は81ページ参照）

6 行動特徴のチェックリスト

氏名＿＿＿＿＿＿＿＿　年齢＿＿＿＿歳　性別（男／女）　回答者氏名＿＿＿＿＿＿＿＿

	ない もしくは ほとんどない	ときどき ある	しばしば ある	非常に しばしば ある
多動性				
1．じっとしていることができない	□	□	□	□
2．ちょろちょろ動いている	□	□	□	□
3．走り回っている	□	□	□	□
4．一定のところで遊べない	□	□	□	□
5．どこかにいっていなくなる	□	□	□	□
6．買い物につれていくとじっとできない	□	□	□	□
7．立ち止まることがない	□	□	□	□
旺盛な好奇心				
8．興味のあるものに突進する	□	□	□	□
9．何でも物をさわる	□	□	□	□
10．ひとつの遊びに集中しない	□	□	□	□
11．誰にでも声をかける	□	□	□	□
12．誰にでもついていく	□	□	□	□
13．親がいなくても平気	□	□	□	□
破壊的な関わり				
14．人のいやがることをする	□	□	□	□
15．誰にでもちょっかいをだす	□	□	□	□
16．人をたたく	□	□	□	□
17．人をける	□	□	□	□
不適切な関わり				
18．名前を呼んでも戻ってこない	□	□	□	□
19．返事がない	□	□	□	□
20．視線が合わない	□	□	□	□
強いかんしゃく				
21．頭を床や壁に打ちつける	□	□	□	□
22．ちょっとしたことでかんしゃくをおこす	□	□	□	□
23．反り返る	□	□	□	□
24．爪かみ	□	□	□	□
運動のアンバランス				
25．転んでケガばかりする	□	□	□	□

資料 I 診断・評価編 7 子どもの日常生活チェックリスト（QCD）

1日を通じたADHD症状の評価

早朝／登校前		全く違う	わずかにそう思う	かなりそう思う	全くその通り
1	お子さんは，速やかにベッドから起きられますか？	0	1	2	3
2	お子さんは，速やかに身だしなみ（洗顔，歯磨き，着替えなど）を整えることができますか？	0	1	2	3
3	お子さんは，朝食時には年齢相応の行動ができますか？	0	1	2	3
4	お子さんは，朝の登校前に兄弟や家族と，トラブル・言い争いなく過ごせますか？	0	1	2	3
学校					
5	お子さんは，学校に行くのが好きですか？	0	1	2	3
6	お子さんは，授業中に他の子供達と同じように行動できますか？	0	1	2	3
7	お子さんには，学校で受け入れてくれる友達がいますか？	0	1	2	3
放課後					
8	お子さんは，学校の出来事を保護者に伝えられますか？	0	1	2	3
9	お子さんは，同年代の友達はいますか？	0	1	2	3
10	お子さんは，同年代のお子さんと一緒に，スポーツをするなどの課外活動に自信を持って参加できますか？	0	1	2	3
夕方					
11	お子さんは，家で問題なく宿題ができますか？	0	1	2	3
12	お子さんは，両親の帰宅後，常に言い争いをすることなく家族生活を送ることができますか？	0	1	2	3
13	お子さんは，夕食の時に落ち着いて会話できますか？	0	1	2	3
14	両親はお子さんと，安心して共に行動（外出や買い物など）することができますか？	0	1	2	3
夜					
15 16	※いずれか該当する方の質問にお答えください。 青年期のお子さん（12歳以上）：お子さんは，同年代の友人との遊び，勉強，塾，習い事，スポーツなどの活動を夜に行えますか？ 小児期のお子さん（12歳未満）：お子さんは，夜に親の指示に従うこと（例えば，お子さんに寝る前に本を読み聞かせするようなこと）が可能ですか？	0	1	2	3
17	お子さんは，問題なくベッドに行く（眠る）ことができますか？	0	1	2	3
18	お子さんは，夜中に目覚めることなく寝ていますか？	0	1	2	3
全体の評価					
19	お子さんは，自信があり，社会的に受け入れられ（友人の中に居場所があるなど），情緒が安定していますか？	0	1	2	3
20	お子さんは，混乱，言い争い，反抗的行動なく過ごせる日の方が多いですか？	0	1	2	3

〔後藤太郎，他：小児科臨床，64（1）：99-106，2011，Usami M，et al：PLoS One，8（11）：e79806，2013〕

ADHD
とは
なんでしょう

1. 育て関わるのが大変！

ともかく動く・目が離せません

歩き始めから，ひとときもじっとしていたことがありません。
スーパーに行くと，いつも追いかけていました。
気がつくと，もうそばにいません。迷子の放送も経験しました。

おしゃべりで，恥ずかしいときも

何でも話します。この間は夫婦でけんかしたことも，保育士さんに筒抜けでした。
電車の中でも大声で話をするので，周りの人も困ったり，怒ったりして，一駅前で降りたこともあります。

忘れ物，なくし物も大変

ランドセルを持たずに登校します。
登校時に着ていたジャンパーは，帰り道の公園で探します。
消しゴムや鉛筆は，毎日補充しています。
先生からのプリントはまず持ち帰らないので，先生に直接聞くようにしています。

生傷が絶えません

階段から落ちる，ドアに衝突する，本当にいつもどこかぶつけています。

けんかが絶えず，寂しい思いをしているようです

口より手が早くて，よくお友達を叩いてしまいます。
誰からも相手にされなくなってきました。

この子を育てていく自信がありません…

2. 私の育て方のせい？

何度同じことを言っても，聞いてくれません。

「わかった」と言ってから動くまでにかかる時間が半端ではなく，イライラしてしまいます。
正直，叩いてしまったこともあります。昨日も…。

夫からは，口うるさいからだと言われます。しっかり育てろと言われます。

愛情をもって接すれば大丈夫と言われたときは，「それって私が愛情を注いでいないと思われているんだ」と，とても悲しかったことが忘れられません。

これほど言うことを聞かないわが子に，「もう育てられない」って思ったこともあります。口に出したこともあります。

参観日に行くのが怖くて。みんながうちの子を見て，親がしっかりしていないからと思っているんだろうなと，ほかの親の目が怖くて，正直行きたくないと思ってしまいます。

私が泣いていると，ときどき「僕，しっかりするから，がんばるから」と言ってくれるんです。優しい子なんです。でも，そう言ったそばから，飲んでいたジュースを床にこぼしてしまっているんです。

もう，ため息もでないっていうか…。
これって，やっぱり私の育て方のせいなんでしょうね。

3. それはADHDかも？

ちょっと待ってください！

ひょっとしたら，お子さんは，ADHDという特性をもっているのかもしれません。

ADHDとは「Attention Deficit Hyperactivity Disorder」の4つの頭文字で略したものです。日本語では注意欠如・多動症といいます。最新の診断基準「DSM-5」では，子どもで約5％，大人で約2.5％に認められるとしています。
ADHDは発達障害のひとつと考えられています。

症状としては，うっかりミスや集中困難，忘れ物などの不注意，じっとしていない，落ち着きのない言動といった多動性，待つことができず，思いついたら即実行といった衝動性の3つです。不注意が特に目立つ，多動・衝動性が目立つ，3つすべてが目立つ場合があり，成長とともにこれらの症状が目立たなくなっていく場合もあれば，より目立つようになる場合もあります。

いずれにしても，これらの症状のために，日々の生活に支障を来し続けているときは，一度は疑ってみてもよいかもしれません。

その一方で，わが子の問題を簡単にADHDと決めつけることも問題です。
気になったときは，必ず医療機関に相談してみてください。

4. ADHDとともに生きているわが子の思いを想像してみませんか？

わが子にADHDの診断がついたとき，それまでの子育てに苦労し悩み続けていた親は，自分の子育てのせいではなかった，とほっとするかもしれません。

その一方で，「発達障害」ということに大きなショックを受けるかもしれません。

診断のあとで自分の気持ちを整えるには，これまでのことを振り返り，怒りや悲しみを経て，わが子のADHDに向き合うための時間が必要です。

最初に，これまでのわが子の言動が，親をわざと困らせようとしていたものではないことをわかってあげてください。あなたの育て方のせいではなかったのです。

そのあと，ADHDと一緒に生きていたわが子の思いを想像してみましょう。

生まれつきの特性からの言動で，結果的に叱られ，批判され，自分で頑張ろうと思っても克服できないでいたわが子の思いに心を重ねてみてください。

うちの子は，必死に頑張っていたが，ADHDの特性に邪魔され，否定され続けてきたことを想像すると，「よくがんばってきたね」「実はとても困っていたんだね」という言葉が口から出るかもしれません。

今度は，ADHDとともに生きている
わが子の応援団長になりましょう！

5. 関わり方を工夫する

育て方の問題ではなかったけれど，ADHDとともに生きているわが子を応援するには，工夫と作戦が必要です。

① 関係機関との連携

ADHDが理解できても，日々生活をともにする親や家族は，わが子の言動に困り続けます。診断がついても，症状が急速に消えてなくなるわけではありません。わかっていてもわが子の言動を前に途方に暮れる場合も少なくありません。

医療機関，保育・教育機関からの応援をもらいましょう。ひとりで抱え込まないことです。親は応援団長ですが，たくさんの応援団員を確保しましょう。

② 叱らず助言，たくさん褒める

わが子が自信を失わないように，どんな小さいことでもいいので具体的に褒めましょう。 困らせる言動やつまずきは叱るのではなく，こうしたらうまくいくかもしれないと具体的な助言を与えたり，実際に手を貸しましょう。

追い詰めるのではなく，できた！という達成感を贈り，もっと頑張ってみようという意欲を育てるように心がけてみましょう。

③ つまずかない生活を作る

例えば自宅で学習するときは，テレビを消すなど刺激を排除して気が散らないように工夫する，するべきことができたらカレンダーにシールを貼るなど目に見える達成感を提供する，外出前に「お母さんの手を握っていようね」と伝え，失敗させないよう工夫し，できたら盛大に褒める，あるいは「約束を守ってくれてありがとう」と感謝するなど，つまずかない生活のための工夫をしてみましょう。

④ 医療と相談する

ADHDの症状を軽減するための薬物もあります。薬物のメリット，デメリットについて，主治医からよく聞いてみてください。

6. 親に知っておいてほしいこと

最後に，親に知っておいてほしいことがあります。

そもそもADHDは，日々の生活を追い詰めてしまう特性だけをもっているわけではありません。

実際に成功した生活を送っている方もたくさんいます。

彼らは，とても好奇心旺盛で，目の付けどころがユニークです。想像力豊かで，頭の回転も速く，独創性もあります。感受性が強く，人を思いやる気持ちも強く，何でも引き受けては，皆に貢献しようと思っています。たくさんのエネルギーをもって，新たなことへのチャレンジ魂があります。

関わり方の工夫で大切なことは，彼らの良い面を引き出すことです。

自信を失わせないことが最大の柱になります。だから褒めることが重要なわけです。褒められる結果を導き出すためには，周囲が，しっかりとかじ取りしなければなりません。もっている力を最大限生かすために，成功する舞台を準備する必要があります。

目標達成まで，気を抜かず，一緒に現実的な計画を立て，その進行状況をさりげなくチェックして，やる気を失わせないことです。

うまくいったときは，わが子を盛大に褒め，うまくいかないときは，わが子の力が十分に発揮できなかった舞台準備の責任です。つまり関わり方や，やり方に課題があったわけです。さらなる工夫をしていきましょう。

焦らず，急がず，諦めずに，一緒に豊かな生活を作りつづけること，それが親の役割といってもよいかもしれません。

わが子の力を信じましょう。

文：田中 康雄
イラスト・装丁：青島 真由

ADHD
のことを
もっと知ろう
子ども用パンフレット

はじめに

ひとにはみな，さまざまな個性や体質があり，ひとりとして同じではありません。
ひとにはみな，得意なことと苦手なことがあります。

あなたの得意なことはなんですか？　苦手なことはなんですか？

あなた自身が，あなたのことを知ることはとても大切です。

困っていることはありませんか？

「どうせいつもうまくできない」「どうせできないから，やってもだめだ」「どうせまたしかられる」「どうせ，どうせ…」

自分なりにはがんばっているけど，結果は失敗。
いつも何かするたびにしかられる。
やってもむだだ。

自分が思うようにコントロールできない，期待されていることができないことでつらく感じていませんか？

がんばってもできないのには，理由があります。

注意欠如・多動症（ADHD）という，
目に見えない病気のために
実力を出しきれないことがあるのです。

ADHD（エーディーエイチディー）ってなんだろう

ADHDとは？

発達にでこぼこを抱える神経発達症とよばれる病気のひとつです。

ADHDがあると行動にかかわる脳の働きがよわくなってしまい，自分の注意や行動をコントロールすることがむずかしくなります。

体質の問題で，生まれつきのものです。だいたい20人に1人のおともだちが，ADHDの体質をもつといわれています。

ADHDがあるとどんなことが困るのかな？

ADHDの体質には，「不注意，多動性，衝動性」という3つの特徴があります。

『不注意』　ひとつのことに注意をずっと向けられない。集中できない。

・「うっかり」わすれる。「うっかり」なくす。「うっかり」ミスが多い。

・ぼーっとしてしまう。

・まわりのことに気を取られやすく，気が散りやすい。

・しなければいけないことを最後までやりとげられない。

・計画や予定をたてることがむずかしい。

・片づけができない。

『多動性』　じっとしていられない。

・席をはなれてしまう。

・手足をそわそわ，もじもじさせる。手遊びをする。

・（してはいけない場所で）走りまわったり，高いところにのぼったりする。

・しずかに遊ぶことができない。

・おしゃべりがやめられない。

『衝動性』　考えずに「ぱっと」行動してしまう。

・順番をまてない。

・話や質問が終わるまえに答えてしまう。

・ことわりなしに，ほかのひとの話や遊びに入ってじゃまをしてしまう。

・かっとなりやすい。

これらの特徴がすべてみられるとはかぎりません。

ADHDの体質もひとそれぞれに違います。

ただ心配なことは，これらの体質のために学校でうまく勉強や課題にとりくめなかったり，おともだちとトラブルになってしまったりすることです。

またしかられてばかりで自信がなくなり，なげやりになったり，おちこんでしまったりすることです。

ADHDは大人になるとどうなるの？

体質は大人になっても続きます。でも，成長するにつれて軽くなることがあります。またひとと相談したり工夫したりすることで，心配ごとを減らし体質とうまくつきあえるようになります。

ADHD以外の体質をもつことがある？

ADHD以外にもほかの神経発達症がみられることがあります。
限局性学習症があるばあい，聞く，話す，読む，書く，計算するなどの学習面において，でこぼこがみられます。
自閉スペクトラム症（ASD）があるばあい，ひととのコミュニケーションが苦手で，べつのことに頭をきりかえることが苦手です。

ADHDとうまくつきあうための工夫を考えよう

集中しやすい工夫ってなんだろう

・まわりに気になるものは置かないようにしよう。
・窓や廊下がわの席には刺激がたくさん。
なるべく，先生に近い席にしてもらおう。
・文字だけ見ると退屈。絵や図がたくさんの教材をえらぼう。
・みんなと同じ目標じゃなくていいよ。
小さな目標をひとつずつクリアしていこう。
・こまめに休けい時間をつくろう。
・音楽，タイマーなどを使って，時間にメリハリをつけよう。
・話しかけてもらうときにはしっかり視線をあわせて，
なまえをよんでもらおう。

うごきやすい工夫ってなんだろう

・クラスでは，プリントを配る係になったり，体育係になったり，ひとよりもうごけるチャンスの多い担当になろう。
・休み時間には，おもいっきり体を動かして遊ぼう。

わすれない，なくさないための工夫ってなんだろう

- だいじなところは誰かと一緒に確認しよう。
- チェックリスト，やることリストをつくってみよう。
- 学校には予備を用意しておこう。

かっとなりにくい工夫ってなんだろう

- リラックス方法をみつけておこう。
- 話すまえに，大きく深呼吸してみよう。

そしてたいせつな工夫がもうひとつあります。

それは，まわりにあなたのサポーターをふやすことです。
家でも学校でも，あなたのことをもっとよく知ってもらいましょう。
ひとりで悩まず，いっしょに工夫を考えてもらいましょう。

あなたのできているところを，たくさんほめてもらいましょう。

ADHDはお医者さんにみてもらうの？

お医者さんもあなたのサポーターのひとりです。
ADHDがあるかどうかを調べたり，心配なことをいっしょに考えたりします。
おとうさん，おかあさんや学校の先生とも相談していきます。

工夫をしてみるけど，うまくいかない，毎日つらくてしかたがない。
このようなときには，病院のおくすりでうまくいくことがあります。
おもなおくすりは，アトモキセチン，メチルフェニデート，グアンファシン，リスデキサンフェタミンの4種類です。
集中力が増し，活動しやすくなることが期待できます。
副作用に注意しながら，おくすりの飲みかたや量，飲む期間を相談していきましょう。
ほかにも，コミュニケーション方法などをグループで学ぶ，ソーシャルスキル・トレーニングというプログラムや，おとうさんやおかあさんがよいサポーターになるためのペアレント・トレーニングというプログラムなどもあります。

だいじなことは，ADHDとうまくつきあい
自信をとりもどしていくことです。

自信をもって！　ADHDにはすてきなところがたくさん!!

できないこと，苦手なことばかりにとらわれていませんか？
あなたはとても活発でエネルギッシュです。
好奇心おうせいで，いろんなことにチャレンジできます。
発想力がゆたかで，ひとが思いつかない楽しいことを思いつきます。
なによりあなたはひとなつっこく，やさしくて，とても楽しく魅力的です。

さいごに

みんなと同じになる必要はありません。
得意なことをいかし，苦手なことは相談しながら工夫していけばいいのです。
あなたにはすてきなところがたくさんあります。
あなた自身でもみつけていきましょう。
ありのままのあなたが大切な存在なのです。

文：中西 葉子
イラスト・装丁：青島 真由

ADHDの
子どもを
支え育む
ために

1. 注意欠如・多動症（ADHD）の特徴を理解しましょう

- ADHDは自閉スペクトラム症（ASD）や限局性学習症などとともに発達障害（神経発達症群）に含まれる疾患です。
- 発達障害は遺伝要因と胎児期の環境要因（母親の習慣的喫煙など）との相互作用で形作られる体質的な脳機能障害です。
- 発達障害であるADHDの症状は成長につれ軽症化する傾向がありますが，その神経心理学的特性は生涯にわたって存在し続けます。
- ADHD特性に関連する脳機能障害は考えることや行動することを組み立てる実行機能，快感の追求とその抑制に関わる報酬系機能，時間処理機能などの障害と考えられています。
- ADHDの主症状は不注意，多動性，衝動性とされています。多動性は小学生の間に徐々に目立たなくなりますが，デスクワークなどでじっとしていると非常に居心地の悪い落ち着かない気持ちになるといった形で大人になっても続いています。
- ADHDの子どもは体質的な特徴として，夜尿が小学生になっても続くことが多いようです。
- ADHDの子どもは書字，読字，算数などの限局性学習障害，ASD，チック症など他の発達障害を併せもつことが珍しくありません。
- ADHDの子どもは養育環境や学校環境などとの相互作用の結果として，反抗的な行動，分離不安などの不安の亢進，あるいは気分の落ち込みなどの二次障害的な精神症状や問題行動をもつようになることが多いとされています。

2．ADHDの子どもの支援にあたって，お父さん，お母さんがまずADHDをめぐる誤解から自由になりましょう

- ADHDはきちんとしたしつけを受けなかった野放図な子どものことであるという誤解
- 厳しいあるいは逆境的な養育環境がADHDを作るという誤解
- ADHDは幼稚園や学校などの環境ストレスや養育環境によって生じる心の病気であるという誤解

3．子どもを「ADHDメガネ」をかけて見てみましょう

ADHDの子どものふるまいが理解できないとき，腹が立ってたまらないとき，泣きたいほど困ったとき，いつものあなたのメガネをADHDメガネに替えて子どもを見てみましょう。このメガネはADHDの特性を学び理解することで得られる便利なメガネなのです。

4．ADHDの子どもの行動を変えるために親ができること

大人の「心／気持ち」を基準に叱ったり責めたりすることをやめましょう。

子どもの起こす問題で，大人は子どもの心を疑ったり，道徳心やまじめさが足りないと思ってしまいがちです。心や気持ちは見えません。ですから，大人の推測による叱責は子どもの本当の気持ちや本当の事情を無視した見当はずれのものになりがちです。

子どもの行動に注目しましょう。

どんな行動を示したかに注目し，その背景の気持ちを気にしないことにしましょう。その行動が文句を言いながらでも，ふくれっ面をしていながらでも関係ありません。結果として，好ましい行動をできたかどうかという点に注目しましょう。すると「○○ができたね」と言ってあげる機会が増えてきます。

行動を「望ましい増やしたい行動」「減らしたい困った行動」「認めがたい危険な行動」の3種類に分類しましょう。

これまで，「望ましい増やしたい行動のリストはほんのわずか，認めがたい行動のリストは山のように」という2種類のリストしかなかったのではありませんか。今日からは，今できている良い行動をたくさん含んだ「望ましい良い行動」のリスト，認めがたい行動を二つに分け，困った行動ではあるがいつも目くじらを立てるほどではないたくさんの行動を含んだ「減らしたい困った行動」のリスト，そしてすぐに止めなければならない危険な行動を入れる「認めがたい危険な行動」のリストと3種類のリストを作りましょう。もちろん，3番目のリストには2個あるいは3個といったわずかな行動しか入らないはずです。

望ましい行動には必ず「承認」「称賛」「感謝」のどれかを与えましょう。

承認とは子どもが見せてくれた望ましい行動を言葉にすることです。例えば，「お友達におもちゃを貸してあげられたね」「宿題を覚えていたね」「お隣のおばちゃんに『おはようございます』と言えたね」などです。

称賛とは褒めてあげることです。例えば，「自分で歯をみがいたんだね，偉いね」「妹にゲームを貸してあげたんだね。偉いよ」といった具合です。

感謝はもちろん「ありがとう」という気持ちを表すことです。例えば，「お母さんの片づけを手伝ってくれて，ありがとう」と言ってあげます。

これらの言葉を微笑んで言ってあげてください。これらの言葉に続けて「いつもやれたらいいのにね」とか，「こうやっていれば叱られないのに」といった皮肉や説教を続けたくなりますが，これは逆効果です。せっかくのうれしい言葉が台無しになってしまいますので，決してつけ加えないでください。

困った行動には望ましい行動を指示した後の「無視」を与えましょう。

知っていてほしいのは，叱れば叱るほど，その行動は増えるということです。無視をして注目しないとその行動は減っていきます。ただし，子どもはそんな親の反応の後ろから怒って叱りつけるいつもの反応を引き出そうと最初はむしろその行動を増やして挑発するかもしれません。でも，無視し注目しないことを続けると徐々にその行動は減っていきます。

もう一つ大切なことがあります。親が注目してくれないことの意味を子どもが理解できないことがあるかもしれません。それを避けるために，例えば「テレビを消して寝る支度をする時間だよ」などと選ぶべき行動を指示してから無視を始めるのがよいでしょう。そして大切なことは無視をしているうちに，その困った行動をやめたら，直ちに「○○をやめられたね」「○○を始めたね，偉いね」などと承認，称賛，あるいは感謝の声掛けをしましょう。

認めがたい行動には「警告とペナルティ」を与えましょう。

例えば弟を乱暴にぶち続ける，お店で買ってほしいと駄々をこねるといった行動は認めがたい，あるいは危険な行動ですから，すぐに止めなければなりません。その際，怒鳴りつけるのはその場しのぎにすぎません。より良いペナルティの与え方を知りましょう。いうまでもなく，ペナルティは体罰や人格を否定する罵倒ではありません。モデルは，反則に対し，一定の時間ペナルティボックスに退場させられるアイスホッケーのペナルティです。その行動の場から離れ，気持ちを落ち着けることのできる自室などに例えば10分間いなければならないというものです。家の外での行動，例えば買い物中の行動に対しては，買い物を中止し直ちに帰宅するというのもペナルティにできます。

ペナルティの与え方は，認めがたい行動が始まったら，穏やかな声と態度で「○○をやめなさい」「○○はしないという約束だよね，やめなさい」とはっきりと警告しましょう。この警告で行動を修正できたら，望ましい行動と同じように承認，称賛，あるいは感謝を表しましょう。大切な心得は，もし行動を変えなかったら，必ずペナルティを与えるということ，そして警告は1回だけということです。

5. ADHDの子どもを育てる親のための心得集

- ADHDの子どもは例外なく人懐こく，人に認められること，褒められることが大好きです。子どもが何かに挑戦するとき，きっとその強みが子どもを支えてくれることでしょう。

- ADHDの主症状の一つが不注意ですが，ADHDの子どもはしばしば興味あることに過集中する（集中しすぎる）という特徴をもっており，その特徴が強みにもなれば，問題の原因にもなりうるのです。

- ADHDの子どもはそのときの場や人という環境に影響されやすく，いつも同じ状態でいることが難しい子どもです。今日はまったく落ち着かない問題の多い一日だったとしても，明日は平穏で前向きな一日になるかもしれません。ですから今日の手ごわさに落ち込まないでください。明日は明日の風が吹くのです。

- 学校での子どもの本当の姿を知りましょう。耳に痛い点もあろうかと思いますが，担任の先生やADHD支援をコーディネートする役割をもった先生と率直に情報を伝え合える信頼関係を築きましょう。家庭と学校での支援を一緒に考えていけるような両者の連携はADHDの子どもの力強い支えになります。

- 薬物療法に，親は過小評価も過大な期待もしないという姿勢で臨みましょう。薬物療法が効果的であれば，子どもが以前よりも集中できるようになった，落ち着いて生活に取り組めている，あるいはイライラしないといった変化が得られます。その変化を継続させるために，親は学校と連携しあってADHDの子どもを支える環境をより安定し充実したものにする努力を続けましょう。薬剤に任せきりでは良い結果は望めないことを心得ていましょう。

- 薬物療法中は，子どもの体調の変化をいつも気にかけ観察しましょう。気がかりなことを見出したら必ず主治医と話し合いましょう。

- ADHDの子どもが，山あり谷ありの時間を越えて，自分自身を信じ，同時に他者を信じることのできる大人に育ってくれることが，治療・支援の本当の目標です。その目標に向かって，大人は目先の出来事にこだわりすぎず，子どもとともに汗をかきましょう。

文：齊藤 万比古
イラスト・装丁：青島 真由

ADHDの薬物療法について

1. ADHD治療薬の果たす役割について知りましょう

- 脳は複数の部位から成り立っており，それぞれの部位は異なる役割を果たしています。それらの機能が連携して，私たちが感じたり，考えたり，行動したり，といったことが可能になります。

- ADHDのある子どもでは，前頭前野（順序だてて行動したり，行動を抑制したりする役割を果たす脳の領域），側坐核（待てばより大きな報酬を得るために待つことを司る脳の領域），小脳（タイミングなどの時間の感覚）やデフォルトモードネットワーク（安静にしているときの脳の働き）の働きが低いといわれています。

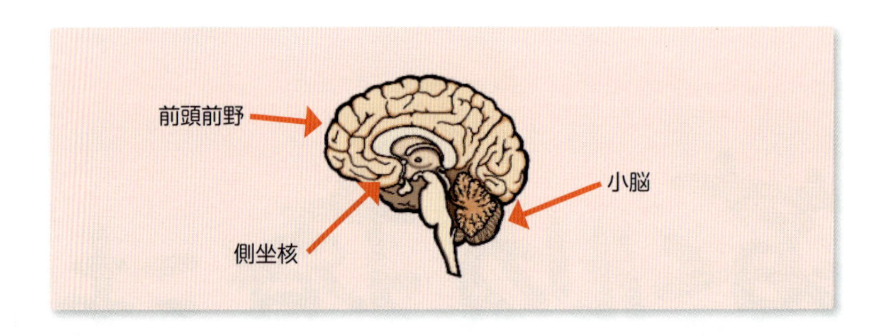

- ADHDの治療薬は，これらの部分の脳の働きを高めることによって，不注意，多動性—衝動性といった症状を緩和することができます。

- ADHD治療薬は，ADHDを治癒させるものでもありませんし，早期に治療を開始することで将来の症状悪化を防ぐものでもありません。

- ADHDとともに生きることは，さまざまな日常生活の困難をもたらします。ADHDの症状を改善すると，それらの困難を軽減できるだけでなく，それらの困難に対処する工夫を身につけやすくなります。また，ADHDとともに生きることで生じがちな自尊心の低下などの二次的な障害を防ぐことが期待されます。そのため，ADHDの薬物療法は，薬物療法以外の取り組みと併せて実施することが大切です。

2．ADHDの薬物療法に期待する一方，抵抗感もある理由は？

① ADHDの診断がどこか腑に落ちない

ADHDの症状は，誰にでもあり得るけれども，あらゆる場面で発達水準と比べて顕著に認められる行動特徴です。それだけに親の思い過ごしではないか，しつけで対処すべきではないかなどと心が揺れがちです。しかし，さまざまな工夫でも対処できず，その子の歩みに多大な影響をもたらしているからこそADHDの診断を受け，薬物療法も検討されていることを再確認しましょう。

②「薬に頼る」のは間違いではないか，他の治療法があるのではないか

「薬に頼る」という表現自体が薬物療法は望ましくなく，自分の精神力や忍耐力で乗り越えるべきだ，親のしつけでなんとかすべきだ，という誤解に基づいており，このような考え方が当事者や家族を苦しめてきました。症状を緩和し，その子がさまざまなスキルを身につけたり，その子の持ち味を生かしたりすることができるとしたら，薬を使うことは否定的にとらえられるべきことではないはずです。

③ 一度，薬を始めたらやめられないのではないか

精神科の薬は一生飲み続ける必要があるという誤解と，薬の依存性に対する不安が入り混じったものかと思います。ADHD治療薬の効果を生活の改善につなげるには一定期間服用する必要があります。しかし，効果と副作用のバランスを考えて，マイナス面が大きければ薬物療法を中止することも含めて見直しますし，年齢が上がるとともにその子の生活状況が変化したり，さまざまな工夫を身につけたりすることで困難が小さくなれば服薬を中止することができます。依存性については，あとで述べます。

3. メチルフェニデート徐放錠（コンサータ）について知りましょう

■ コンサータという薬の成分は，メチルフェニデートです。この薬を服用すると，錠剤の表面に付着している薬が溶け始めます。その後，錠剤の中に水分が吸収されて，中に詰まっている薬がゆっくりと放出されます。

■ メチルフェニデートは，脳の中の前頭前野や側坐核の機能を高め，そのために不注意，多動性ー衝動性が改善します。効果は服用を始めてから1～2週間で現れますが，毎日の効果は服用してから12時間ほどであり効果のある時間と効果の切れる時間のある薬剤です。

■ 18mg，27mg，36mgの錠剤があり，初回の用量は18mg，その後，症状によって適切な用量を見つけます。最大の用量は18歳未満で54mg，18歳以上で72mgです。体重1kgあたり1mg程度が標準的な使用量です。症状の改善に必要な薬の量は，かなり個人差があります。そのため，その子にとって最大効果をもたらす最少量，つまり至適用量を見つけることが大切です。

■ 副作用は，頭痛，腹痛，食欲が低下する，寝つきが悪くなる，発熱などです。成長期の子どもですから，食欲の低下によって期待される体重増加がみられないことは好ましくありません。昼食の食欲が低下していても，朝食をきちんと摂ったり，薬の切れる時間帯に食欲が増すことがありますから，適宜間食などをとりいれたりすることも大切です。寝つきが悪くなるときは，服用時間を若干早めるのも良い方法です。

■ 薬剤には依存性があることが知られています。しかし，ADHDの子どもでは治療をしたほうがむしろ将来の薬物依存を減らすという報告もあります。ADHDの子どもが厳密な医学的管理のもとに使用している限りは，依存リスクは大きなものとはいえませんが，この薬を必要としない人がみだりに使用した場合には，依存リスクが高まると考えられます。必ず医師の指示に従って服用してください。なお，このような薬の特性から流通に規制が設けられており，登録をした医師しか処方できず，登録をした薬局でしか調剤ができないことになっています。

■ 身長の伸びに対して悪影響が危惧されたこともありますが，大規模なデータに基づくと最終身長への影響はごくわずかです。食欲の低下などが顕著な場合には，夏休みや休日などに休薬期間を設けるのも一つの方法です。

■ 運動性チックやトゥレット症候群などのチックのある場合，心臓に異常がある子どもの場合には使用しないほうが良いことがありますので，主治医に相談してください。また，服用後にいらだちが強まる場合もあります。そのときも主治医に相談してください。

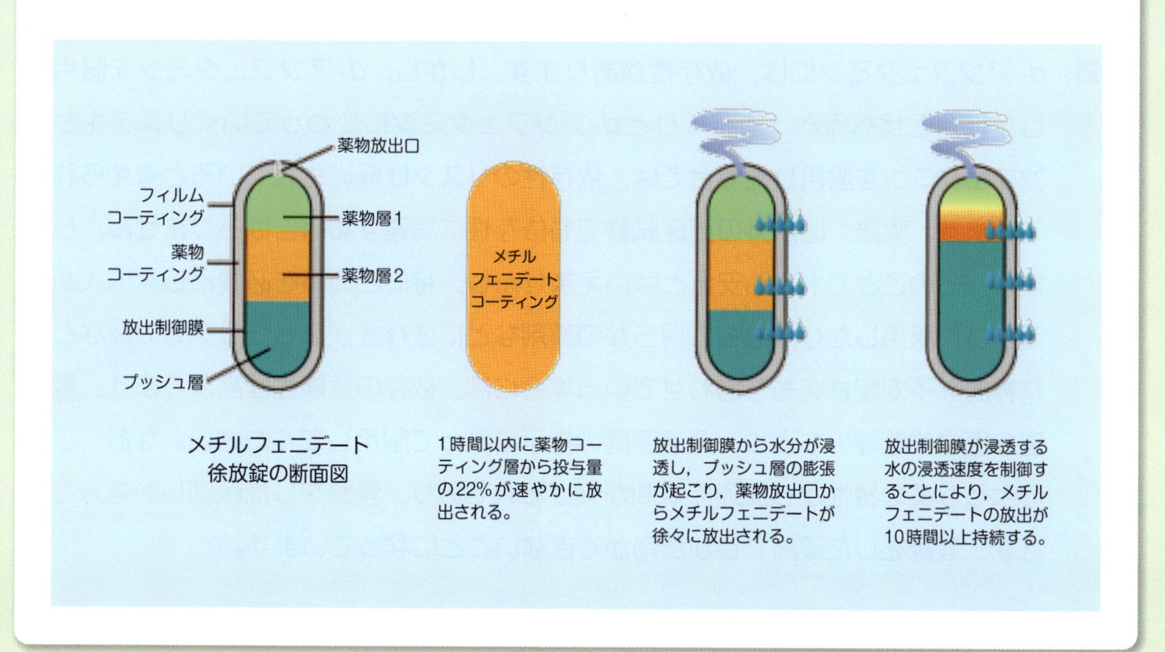

4. リスデキサンフェタミン（ビバンセ）について知りましょう

- ビバンセという薬の成分は，リスデキサンフェタミンです。この薬を服用すると，リスデキサンフェタミンが吸収されますが，この物質は作用をもちません。血液中で加水分解されて，ゆっくりと*d*-アンフェタミンになり，作用を示します。

- *d*-アンフェタミンは，脳の前頭前野や側坐核の機能を高め，不注意や多動性ー衝動性を改善します。血液中の濃度が最も高まるのは薬を飲んでから3〜5時間後で，およそ半日効果が持続します。効果のある時間と効果の切れる時間のある薬剤です。

- 子どもだけが服用できます。20mgと30mgのカプセルがあります。初回の投与量は30mgで，朝に服用します。その後，経過をみて適宜増減しますが，70mgを超えないことになっています。増量は1週間以上あけて，1日量として20mgを超えない範囲で行います。

- 副作用は，食欲の低下，不眠，頭痛，吐き気などです。成長期の子どもですから，食欲の低下によって期待される体重増加がみられないことは好ましくありません。薬を飲む前にしっかりと朝食をとる，夕食を少し遅くする，間食や夜食を取り入れるなどの方法があります。

- *d*-アンフェタミンには，依存性があります。しかし，*d*-アンフェタミンを服用した場合と比べると，ゆっくりと*d*-アンフェタミンに変わっていくリスデキサンフェタミンを服用した場合では，依存性のリスクは軽減されていると考えられています。実際，国内外の臨床試験でも依存性に関連する報告はありません。しかし，そのことで100%安全とはいえませんし，特にこの薬を必要としない人がみだりに服用したり，過去に何らかの薬剤などに依存症があったり気分の波など精神的な不安定さをもちあわせている場合には，依存の危険性は高まります。厳密な医学的管理のもとに，必ず医師の指示に従って服用してください。なお，このような薬の特性から流通に規制が欠けられており，登録をした医師しか処方できず，登録をした薬局でしか調剤ができないことになっています。

■ リスデキサンフェタミンは覚せい剤原料に指定されており，輸出入，製造，流通，所持，使用に関する規制の対象となっています。また，日本ではまだ使用経験が少ないことから，使用実態化における乱用・依存性に関する評価が行われるまでの間は，他のADHD治療薬が効果不十分な場合にのみ使用することと定められています。

5. アトモキセチン（ストラテラ）について知りましょう

■ ストラテラは，アトモキセチンという成分の入った薬です。この薬は，脳の前頭前野の機能を高め，そのために不注意，多動性—衝動性が改善します。効果は服用してから1～2カ月ぐらいして現れてきます。1日のなかでの効果の途切れはなく，終日にわたる効果が期待されます。

■ 5mg，10mg，25mg，40mgの4種類のカプセルがあるほか，液体の薬（内用液）もあります。18歳未満の患者では，1日0.5mg/kg（体重1kgあたりの服用量）から開始し，その後0.8mg/kgとし，さらに1.2mg/kgまで増量したのち1.2～1.8mg/kg（ただし120mgを超えない）で維持します。18歳以上の患者では1日40mgから開始し，80mgまで増量したのちに，80～120mgで維持します。

■ 副作用は，吐き気，食欲低下，便秘，口の渇きなどの消化器症状，頭痛や眠気，血圧の上昇や動悸などです。消化器系の副作用を防ぐためには，食後に服用すること，少ない用量から少しずつ増量すること，服薬回数を2回に分けて服用することが大切です。服用を継続すれば，次第に副作用が軽減することが多いですが，服薬を中断すると，服薬再開時に消化器系副作用が出現しやすいのでその場合にも徐々に増量する必要があります。

■ この薬は肝臓の特定の型の酵素で代謝され，腎臓から排泄されます。抗うつ薬としてしばしば用いられるパロキセチンは，この型の酵素の働きを阻害するので，アトモキセチンの血液中の濃度が上昇します。ですので，他の薬との飲み合わせに注意が必要です。なお，この酵素の働きは，働きが良い人と働きが低い人がいることがわかっており，日本人ではおよそ20%の人が酵素の働きが低く，そのためにアトモキセチンの血液中の濃度が高まりやすいと考えられます。しかし，酵素の働きの良い，悪いによって副作用の出現しやすさには大きな違いはないと考えられています。そもそも副作用の出現しやすさは個人差が大きいですので，投与後の効果や副作用の出現をみながら服薬の継続や増量の可否を検討していくことが大切です。

■ 身長の伸びに対する影響は一時的なもので，最終的な身長への影響はないと考えられています。薬剤の依存性は低く，流通規制は設けられていません。

6. グアンファシン（インチュニブ）について知りましょう

■ インチュニブという薬の成分は，グアンファシンです。この薬を服用すると，錠剤の中に含まれるグアンファシンが少しずつ溶け出していきます。グアンファシンは，脳の前頭前野の機能を高め，不注意や多動性―衝動性を改善します。血液中の濃度が最も高まるのは，薬を飲んでから5～8時間後で，終日にわたり効果が持続します。

■ 1mgと3mgの錠剤があります。18歳未満の患者では，体重50kg未満の場合は1日1mg，体重50kg以上の場合は1日2mgより開始し，1週間以上の間隔をあけて1mgずつ増量し，体重ごとに定められた維持量を服用します。18歳以上の患者では1日2mgより投与を開始し，1週間以上の間隔をあけて1mgずつ，1日4～6mgの維持用量まで増量します。

- 副作用は，眠気，頭痛，血圧の低下，心臓の脈拍数の低下などです。眠気や頭痛は，服用を始めてから最初にみられることが多く，少ない量からゆっくりと量を増やしていくことで避けられることもあります。また，服用のタイミングを変えることで避けることができることもあります。血圧の低下に伴う症状は，傾眠，倦怠感，疲労感，立ちくらみ，朝の起きにくさなどさまざまです。服用をする前と後の血圧や脈拍数を調べておくとよいでしょう。

- 食後，特に脂肪の多い食事を食べた後に服用すると，血液中の濃度が高まることが知られています。また，この薬はゆっくりと溶け出すように工夫された錠剤です。割ったり，砕いたり，すりつぶすと，血液中の濃度が一気に高まるので，そのようなことはしないでください。

7. 薬物療法を続けていくうえで大切なことは何でしょう

① 子ども自身の動機づけが大切です

ADHDの症状で困ったり悩んだりしているのは，本人も家族も同じです。しかし，来院のきっかけは，本人よりも家族や周囲の大人の側にあることが多いですし，診断の過程でも，家庭や学校（大人の場合では職場）での様子が重視されますから，本人が周囲の大人を悩ませている言動に対して薬物療法が提案される，という印象を与えがちです。また，ADHDだから服薬するという説明も本人には説得力をもちません。

本人が困っていることは周囲の大人が感じている困難とは異なるかもしれません。本人の生活全般を聞き，そのなかで本人が困っていること，改善したいと思っていることを確認したうえで，その解決のために薬物療法がどのように役立ち得るのかを相談することが大切です。同時に，そのために役立たなければ薬物療法を中止することや，起こり得る副作用についてもあらかじめ説明しておくことが大切です。また，薬の色や形などについても説明しておきましょう。

② 薬物療法に対する子どもの不安を聞きましょう

薬物療法に不安を感じるのは，子どもも家族も同じでしょう。特に，子どもは思いもよらない不安を抱えていることがあります。「薬を飲むと自分が自分でなくなってしまうのではないか」「自分はとんでもない病気になった」「自分が悪い子だから病院で薬をもらうことになった」といった思い込みです。子どもの不安をオープンに聞いて，きちんと解決してあげることが大切です。

③ 薬物療法による改善は，本人のがんばりに結びつけましょう

ADHDの薬物療法は，ときに極めて有効です。いつもと行動が違うので子どもに聞いてみると，薬を飲み忘れていたとわかることもあります。褒められることも増えるかもしれません。しかし，その一方で「薬を飲むと別人みたいです」「やんちゃばっかりするので聞いてみたら薬飲んでなかったんです」などと言われると，せっかく褒められたことも「薬を褒めてたんだ」「やっぱり僕はダメなんだ」となってしまいます。ADHDの症状が改善したとしても，それなりに症状はありますし，行動や学習の面で進歩が見られるのは，その子がその子なりにがんばったからです。その子のがんばりを褒め，薬はがんばりやすくしてもらえる補助という位置づけが大切です。

④ 薬物療法を行うことで新たに見えてくるその子の良さに着目しましょう

薬物療法によってADHDの症状が改善すると，家族の方が戸惑うことがあります。その子らしさがなくなったのではないか，（薬は鎮静するような作用はないのですが）薬で押さえつけられているのではないか，といったことです。確かにADHDであることも，その子のあり方に強く影響していますから，その子らしさの一部ではあります。しかし，ADHD症状が軽減してみると，別のその子らしさ，例えば，優しさだったり，気配りだったり，こんなことに関心があったんだとか，そういった面が見えてくるものです。戸惑いを少し横に置いて，別のその子らしさに着目してみましょう。

⑤ 学校の先生に，その子の学校での様子を聞いてみましょう

家庭と学校では，活動の内容，対人関係のあり方，刺激の多さ，など多くの面で異なっています。ADHDのお子さんの場合，学校から連絡があるたびにトラブルの報告だったりするので，もう学校との話はたくさんだ，という家族も多いでしょう。しかし，ADHDの薬物療法の効果は，トラブルの有無だけでなく，課題や活動への取り組み方や友人関係の築き方などにも現れるものです。学校の先生と話すことで，細かな支援をお願いすることもできますし，家族も気づかされることが多くあります。学校の先生から症状を聞いて医師に伝えることも，薬物療法を進めるうえで大切です。

⑥ 医師や薬剤師と相談上手になりましょう

薬物療法が継続していくと，外来でのやりとりもワンパターンになってしまいがちです。しかし，日々の生活のなかでは，その子の現在のことだけでなく，将来のことなど，さまざまな悩みを抱えているはずです。成長発達への不安もあるかもしれません。一方では，本人も，学習面や家族，友人との関係，進路，就職など，さまざまな悩みを抱えています。薬物療法は症状の軽減だけが目的ではなく，薬物療法を実施しながらその子の育ちを支えていくことが目的です。医師は，あらゆる相談にオープンでありたいと思っています。そして，その相談は薬物療法の進め方にも関連してきます。薬についての相談は薬剤師にも乗ってもらえます。

文：岡田 俊

イラスト・装丁：青島 真由

ADHD
のある
子どもの
担任の先生
へ

1. ADHDを知ってください

① 注意欠如・多動症
(Attention Deficit Hyperactivity Disorder：ADHD) について

- ADHDは自閉スペクトラム症（ASD）や限局性学習症（SLD）などとともに，発達障害に含まれる疾患です。

- 不注意，多動，衝動性が2カ所以上の場（学校・園と家庭）で目立ち，生活上の困難が顕著かつ継続している場合に，発達歴と現在の症状（必要な検査含む）によって，他の疾患を鑑別したのちに診断がなされます。

- 子どもの3～5%にみられますので，学級に1～2人はいる可能性があります。

- 遺伝要因や胎児期の環境要因の影響でみられる脳機能の障害で，幼児期から児童期早期に診断がつくことが多いのですが，思春期以降に気づかれることもあります。

- ADHD特性に関連する脳機能障害とは，課題を計画立てて遂行する実行機能，心地よい刺激を求める報酬系機能，そして時間処理機能などの障害と考えられています。その結果，「判断してから行動する」「先の大きな目標のために目先の刺激を我慢する」「時間を守る」などが苦手となります。

■ ADHDの治療として，本人との面接，親ガイダンス，薬物療法，そして学校との連携が基本となっています。行動療法や集団プログラム〔ペアレントトレーニング，ソーシャルスキルトレーニング（SST）など〕も必要かつ実施可能なときに行われます。

■ ADHDの子どもは，書字，読字，算数などのSLD，ASDなど他の発達障害をあわせもつことも珍しくありません。

■ 軽度の知的障害をあわせもつこともありますが，遅れはなくても集中困難や学習意欲の低下などから，中学以降で学力の低下がみられやすいことも大きな問題です。

② ADHDのことで誤解していませんか

- 本人のわがままや怠けではありません。
- 親の養育の失敗や愛情不足ではありません。
- 先生の関わり方が悪いわけでもありません。
- 不注意が主症状で，大人になって生活（仕事，家庭）に大きな支障を来す場合も少なくありません。
- 「衝動性＝乱暴」ではありません。一瞬立ち止まって判断すること（前はどうだったか，いまはどのような状況か，自分の行動による結果はどうなるのか）が苦手で，刺激にすぐ反応してしまうのです。

同じ失敗を繰り返してしまいがちですが，「反省していない」「担任との信頼関係がもてない」のではありません。失敗してから気づくので，実は本人もとても傷ついています

2. ADHDのある子どもを理解してください

① ADHDのある子どもも成長していきます

- 多動は小学校の間に徐々に軽減していきますが，小学校高学年以降も座っていても手や足が動いていたり，おしゃべりだったりします。

- 不注意は持続しやすく，小学校高学年以降になって計画性や順序立てが必要な課題が増えてくると他の児童生徒との差が開いてしまいがちです。

- 小学校までは漢字，計算など繰り返し課題，中学校以降は期限がはっきり決まっていない課題や複数の情報を集めて整理するレポートなどが苦手です。

- 十人十色，一人ひとりが異なる困難も輝きももっています。

- ADHDそのものは環境によるものではありませんが，家庭環境や学校環境の影響をうけて，反抗的になったり，不安が高まったり，気分が落ち込んだりすることがよくあります。このような二次的な問題が生じる背景に共通するのは，自尊感情（セルフエスティーム）の低下です。

- ヒトは心理的にも社会的にも成長していきます。幼児期に自発的行動に目覚め，児童期に優越感や劣等感をもち，思春期には仲間を求めるとともに，自らの役割を意識しだします。ADHDのある子どもも同様の成長をしていきますが，学校・園という集団場面での不適応がこれらの成長を妨げてしまいがちです。褒められる，認められる，という成長過程で不可欠な体験が得にくいのです。

② 困っているのは本人です

■「飽きっぽい，無遠慮，お調子者」ですが，「いろんなことに興味をもつ，人懐っこい，褒められるとがんばる」というADHDの特性は，とても子どもらしい姿です。

■学校内でのトラブルのなかにADHDのある子どもがいることは少なくありません。他の子どもへの「迷惑行為」には毅然とした対応が必要ですが，「困った子」だけでなく，「困っている子」でもあるということをわかってくれる先生の温かい目は，本人を安心させます。

■本人に聴いても，「困っていることはない」と答えるかもしれません。でも，漠然とした困り感をうまく言葉で表現できないのです。まだ本人が困り感をもてていないときは，「この先，この子が困ってくることはどんなことだろう」と想像してみてください。

■本人の好きなこと，得意なこと，リラックスできる時間・場所を知っていますか。先生が本人に興味をもつことで，ふたりの距離は縮まり，困り感を軽減するヒントが得られます。

3. ADHDのある子どもを応援してください

① 先生にお願いしたいこと

- 子どもの行動やふるまいが理解できないとき，「ADHDメガネ」をかけてみて，子どもの目線で学級を見てください。子どもの特性に沿ったメガネで見ることで，本人の困り感が見えてくるはずです。

- トラブル発生時には，クールダウンしてから本人の言い分（言い訳ではなく，どうしたかったのか，どんな気持ちだったのかなど）を聴いてあげてください。ADHDメガネがいっそう本人仕様となってきます。

- 子どもの実態把握をしてください。授業中だけでなく，給食時間，掃除の時間，休み時間や部活動などはどう過ごしているのでしょうか。先生の受け持ち以外の授業時間の様子も重要です。もちろん，家庭での様子も保護者から聞いてみてください。

- 担任の先生の力は大きいのですが，決してひとりでは抱え込まないでください。学校内で特別支援教育体制をもつようにしてください。

- 病院での薬物療法などの治療だけでは，本人のセルフエスティームが伸びていきません。心理社会的支援として，日常生活の場における「環境調整，行動療法的な対応，連携」はとても重要です。

② 教室での環境調整例

■環境調整とは，本人の「困り感」に沿って，本人が生活しやすいように周囲の環境を工夫することです。

「ADHD メガネ」で考えてみてください。

■まず教室の物的環境をチェックしてみてください。

□座席は先生からの支援が行いやすい距離ですか

□黒板周囲に気が散る掲示板はありませんか

□次の行動の手がかりとなる掲示の工夫はできていますか

□教室運営のルールが明確に示されていますか

□＿＿＿＿＿＿＿＿＿＿＿＿＿＿＿＿［←この子に必要と思われるもの］

■チェックされていない項目で必要なものがあれば，環境調整を試みてください。

■次に，人的環境調整を考えましょう。

- □否定形（〜しない）ではなく，肯定形（〜する）で指示が出せていますか。
- □複数の指示は分けたり，書いて示したりしていますか。
- □困った問題が起こりにくい事前の工夫ができていますか。
- □本人や周囲の子どもができたことを褒める習慣がついていますか。
- □＿＿＿＿＿＿＿＿＿＿＿＿＿＿［←この子に必要と思われるもの］

■環境調整は褒めることと併用してください。褒められることで，「できた！」と本人がさらにがんばれます。

■これらの環境調整は，本人だけでなく周囲の子どもたちにもわかりやすいこと，すなわちユニバーサルデザインの発想で取り組んでみてください。

■本人の成長にあわせて，学期ごとに環境調整の見直しをしてみましょう。

③ 教室での行動療法的対応例

■行動の流れに注目しましょう（図）

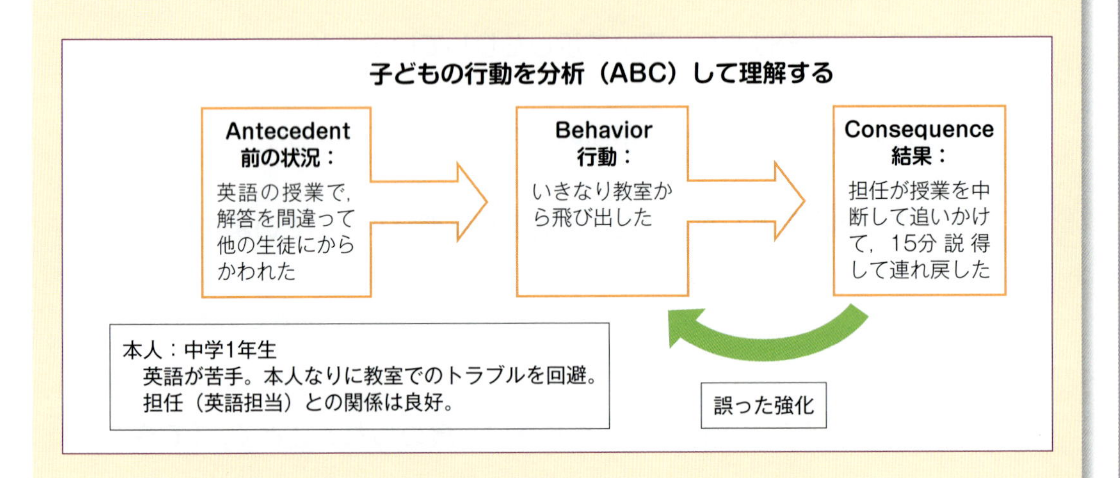

■ 行動の前の状況 ― 行動 ― 行動の後の結果

で，子どもの行動の意味をとらえましょう。

■行動そのものは変わりにくいです。

行動前の状況を工夫（答えやすい発問をする）したり，行動後の対応（15分以内にクールダウンして教室に戻る約束をしておいて，追いかけない）を変えてみましょう。

■適切な行動がみられたら褒めてください。

■行動を3つに分けてみましょう。「好ましい（＝増やしたい）行動⇒褒める」「好ましくない（＝減らしたい）行動⇒待ってから褒める」「許しがたい（＝なくしたい）行動⇒警告・タイムアウト」です。

■好ましい行動は，他の子どもに違和感が出ないように工夫して褒めてください。中学以降は，役割を与えるなどして「助かったよ」「ありがとう」と認める声かけをお願いします。

■好ましい行動は，学年にあわせた基準ではなく，本人が実現可能な目標としてください。例えば，「1時間目のチャイムが鳴る前に授業準備する」ではなく，「1時間目のチャイムが鳴る前に声かけされていて，鳴ったら授業準備できた」で褒めるのです。

■まず行動を3つに分けて，褒めることを徹底する時期を数週間もってください（その間に許しがたい行動が出た場合はいままでどおりの対応をしてください）。

■減らしたい行動は，過敏な反応をせず，好ましい行動を指示してから注目を外します。好ましい行動がでてきたらすぐ褒めてください。決して本人の存在を無視するのではなく，褒めるために待つのです（周囲に他の子どもがいるときに長く待つのは困難です）。

■許しがたい行動には，事前に本人と「できる行動が増えている」「なくしたい行動を止めるためのルールを決めよう」と相談してみてください。そして，ルールに従いきっぱりと対応（警告⇒タイムアウト）してください。

■先生が褒めるための準備をたくさんしていても，できたことは本人の手柄にしてください。「いつもそうならいいのにね」「先生の言ったとおりでしょう」とつけ加えてしまうと褒められたことが消えてしまいます。

④ 連携について

■ ADHDは「生活の障害」です。したがって，医療と家庭，学校・園との連携で生活の場で実際にできることを増やしていくことが必要です。

■ 連携には横の連携と縦の連携があります。(図)

横の連携は，校内での特別支援教育体制，校外連携として子どもの年代別に医療，保健，福祉，そして就労などがあります。縦の連携は学年が変わる，校園種が変わるときに途切れずに引き継いでいくことです。

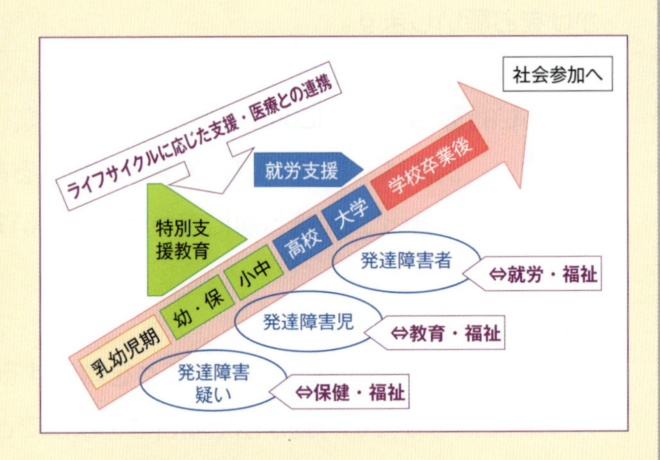

■ 連携のカギとなるのは保護者です。保護者が子どものことを理解して主体的に関われるように，支援していくことが大切です。

■ 連携時にお互いの意見がずれてしまうことは想定内です。子ども本人を中心に据えて，目標を共有しておけば，おのおののアプローチの仕方が異なっても前に進んでいきます。

■ 本人が自分のことをどうとらえているか，さらに診断名を知っているのかについては，連携時に支援者はおさえておく必要があります。機会をみつけて，保護者に確認しておいてください。

⑤ ライフサイクルのなかで特にお願いしたいこと

幼稚園，保育園，子ども園の先生へ：

思いっきり身体を使う遊びをさせてあげてください。1日1回は褒めてあげてください。

小学校の先生へ：

否定形ではなく，肯定形で声かけしてあげてください。できたこと，がんばっていることを褒めてあげてください。

中学校の先生へ：

担任の先生以外の授業中の様子も確認してください。役割を与えて，感謝や賞賛の声かけをしてあげてください。

高校の先生へ：

仕事や大学のイメージをもてるような体験をさせてあげてください。見守ってあげつつ，ときどき教室や廊下などで声をかけてあげてください。

大学・専門学校の先生へ：

期限を決めて，具体的に指示を出してあげてください。本人が生活の工夫をやりだしたら，先生はどのような協力をすればよいのか聞いてみてください。

すべての先生へ：

学校は，子どもが1日のなかで最も長い時間を過ごす場であり，さまざまな成長の機会が得られる場です。それだけに学校での成功体験はとても大きなエネルギーとなります。本人が自分自身を信じ，大人や仲間を信じられるように，本人の応援団のひとりとなっていただければ幸いです。

文：岩坂 英巳
イラスト・装丁：青島 真由

● 索　　引 ●

（　）内のイタリック体の数字は，ガイドライン部分のページ番号を表す。

あ

か

さ

た

な

は

ま

や

ら

欧文

おわりに

本書にて初めてガイドラインの編集を齊藤万比古先生とご一緒にさせていただきましたが,「一緒にさせていただいた」というよりは，ほんの少しお手伝いさせていただいたというのが本当のところです。たたガイドラインの項目の作成や執筆者への依頼などの作業だけでも大変なことであることがわかり，私自身は大変勉強になりました。

また今回の改訂版では，心理社会的治療の進歩はもとより，薬物療法にてグアンファシン塩酸塩とリスデキサンフェタミンメシル酸塩が処方可能となり，4種類の薬剤をどのように使用すべきか簡単に決められることではありませんでした。執筆者へのアンケート調査を行っても意見が分かれる部分もありました。そこで齊藤先生を中心に第4版のアルゴリズムとは異なったフロー図として時間軸に沿った手順を明確にしました。またASDとの併存が注目されるようになり，その場合の薬物療法の考え方について提示しました。しかしASD以外の併存症における薬物療法のあり方についてもまだまだエビデンスとなる研究は乏しいと考えられ，今後の実臨床におけるエビデンスが求められます。

心理社会的治療ではペアレント・トレーニングの効果は国際的にも他の治療に比べて有効性が高いと認められています。しかしその治療には人手も時間もかかり，いまだ保険点数化されていない実情があり，まだまだわが国では気軽にできるものにはなっていません。ぜひとも日本でもペアレント・トレーニングがさらに積極的に行われるようになることを願います。

ADHDに関して最も重要なことは，いまだその本質はわかっていないことです。ADHDの概念の歴史も変遷しており，今後もその可能性があることは否定できません。しかしそうであるからこそ，現在ADHDと診断される児に関して完治を目指すのではなく，その児が生活しやすい環境を整え，自己を肯定できるような心理社会的治療と薬物療法が行われるべきであるとあらためて思います。

今回，この本の編集の一端に携わる機会を与えていただいた齊藤万比古先生，またお忙しいなか執筆していただいた先生方，最後にこの本の編集に多大なご支援をいただいたじほうの興水浩樹氏に深謝し，このガイドラインが少しでもADHDに関わる方々にお役に立てればと願います。

2022年9月

飯田 順三

注意欠如・多動症―ADHD―の
診断・治療ガイドライン 第5版

定価　本体4,800円(税別)

2003年 8 月10日　初　版発行
2006年10月 1 日　改訂版発行
2008年11月20日　第 3 版発行
2016年 9 月30日　第 4 版発行
2022年10月31日　第 5 版発行

編　集　ADHDの診断・治療指針に関する研究会
　　　　齊藤 万比古　飯田 順三

発行人　武田 信

発行所　株式会社　じほう

101-8421　東京都千代田区神田猿楽町1-5-15（猿楽町SSビル）
振替　00190-0-900481
<大阪支局>
541-0044　大阪市中央区伏見町2-1-1（三井住友銀行高麗橋ビル）
お問い合わせ　https://www.jiho.co.jp/contact/

組版　(株)明昌堂　　印刷　シナノ印刷(株)

ISBN 978-4-8407-5467-5